Désirée

Annemarie Selinko

Désirée

Roman

Weltbild

Besuchen Sie uns im Internet:
www.weltbild.de

Genehmigte Lizenzausgabe für Verlagsgruppe Weltbild GmbH,
Steinerne Furt, 86167 Augsburg
Copyright © 1951 by Annemarie Selinko, Kopenhagen
Copyright © 1951, 1955, 1988 by Verlag Kiepenheuer & Witsch, Köln
Umschlaggestaltung: Beatrice Schmucker, Augsburg
Umschlagmotiv: AKG, Berlin
Gesamtherstellung: Clausen & Bosse GmbH, Birkstraße 10, 25917 Leck
Printed in Germany
ISBN 3-8289-7083-4

2005   2004   2003   2002
Die letzte Jahreszahl gibt die aktuelle Lizenzausgabe an.

Dem Andenken meiner Schwester Liselotte,
ihres Frohsinns und ihrer Herzensgüte,
in tiefem Leid gewidmet.

I

EINE SEIDENHÄNDLERSTOCHTER
AUS MARSEILLE

Marseille, Anfang Germinal,
Jahr II. (Ende März 1794, nach
Mamas altmodischer Zeitrechnung)

Ich glaube, eine Frau kann viel leichter bei einem Mann etwas durchsetzen, wenn sie einen runden Busen hat. Deshalb habe ich mir vorgenommen, mir morgen vier Taschentücher in den Ausschnitt zu stopfen, um wirklich erwachsen auszusehen. In Wirklichkeit bin ich natürlich schon ganz erwachsen, aber das weiß nur ich, und man sieht es mir noch nicht richtig an.

Letzten November wurde ich vierzehn Jahre alt, und Papa schenkte mir zum Geburtstag dieses schöne Tagebuch. Es ist natürlich schade, diese feinen weißen Seiten vollzuschreiben. Das Buch hat auch ein kleines Schloß, und ich kann es absperren. Nicht einmal meine Schwester Julie wird wissen, was darin steht. Es ist das letzte Geschenk von meinem guten Papa. Mein Papa war der Seidenhändler François Clary in Marseille, er ist vor zwei Monaten an Lungenentzündung gestorben. „Was soll ich denn in das Buch hineinschreiben?" fragte ich ratlos, als ich es auf dem Geburtstagstisch fand. Papa lächelte und küßte mich auf die Stirn: „Die Geschichte der französischen Bürgerin Eugénie Désirée Clary", sagte er und bekam plötzlich ein gerührtes Gesicht. Ich beginne heute nacht meine zukünftige Geschichte aufzuschreiben, weil ich so aufgeregt bin, daß ich nicht einschlafen kann. Deshalb bin ich leise aus dem Bett gekrochen, hoffentlich wacht Julie, die im selben Zimmer schläft, nicht durch das Flackern der Kerze auf. Julie würde mir nämlich einen schrecklichen Krach machen. Und aufgeregt bin ich, weil ich morgen mit meiner Schwägerin Suzanne zum Volksrepräsentanten Albitte gehen soll, um ihn zu bitten, Etienne zu helfen. Etienne ist mein großer Bruder, und es geht um seinen Kopf. Vor zwei Tagen kam plötzlich die Polizei und verhaftete ihn. Wir wissen nicht, warum. Aber so etwas kann leicht in diesen Zeiten passieren, es ist ja noch nicht einmal fünf Jahre her, seitdem wir die große Revolution hatten, und manche Leute behaupten, sie sei noch gar nicht zu Ende. Jedenfalls werden jeden Tag viele Leute vor dem Rathaus guillotiniert, und es ist lebensgefährlich, mit Aristokraten verwandt zu sein. Aber wir sind Gott sei Dank nicht mit feinen Leuten verwandt. Papa hat sich selbst hinaufgearbeitet und den winzigen Kaufmannsladen seines Vaters in eines der größten Seidenwarengeschäfte von Marseille verwandelt. Und Papa war sehr froh über den Beginn der Revolution, obwohl er knapp vorher Hoflieferant geworden war und der Königin blauen Seidensamt schickte.- Der Stoff ist nie bezahlt worden, sagt Etienne. Papa hatte feuchte Augen, als er uns das Flugblatt, in dem zum erstenmal die Menschenrechte abgedruckt waren, vorgelesen hat.

Seit Papas Tod führt Etienne das Geschäft. Nach Etiennes Verhaftung nahm mich unsere Köchin Marie, die früher meine Amme war, beiseite und sagte: „Eugénie, ich habe gehört, daß Albitte in die Stadt kommt! Deine Schwägerin muß zu ihm gehen und versuchen, Bürger Etienne Clary freizubekommen." Marie weiß immer alles, was in der Stadt vorgeht. Beim Abendessen waren alle sehr traurig. Zwei Plätze waren leer. Papas Stuhl neben Mama und Etiennes neben Suzanne. Mama erlaubt nicht, daß sich jemand auf Papas Platz setzt. Ich dachte fortwährend an Albitte und drehte Brotkügelchen. Worauf Julie — sie ist nur vier Jahre älter als ich, aber sie will mich fortwährend bemuttern, und das macht mich manchmal ganz krank vor Wut —, worauf also Julie sofort sagte: „Eugénie, es ist ungezogen, Brotkügelchen zu drehen." Da hörte ich auf und sagte: „Albitte ist in der Stadt!" — Es machte keinen Eindruck. Wenn ich etwas sage, macht es nie Eindruck. Deshalb wiederholte ich: „Albitte ist in der Stadt!" Endlich fragte Mama: „Wer ist Albitte, Eugénie?" Suzanne hörte gar nicht zu, sondern schluchzte in die Suppe.

„Albitte ist der jakobinische Abgeordnete von Marseille", sagte ich, stolz über mein Wissen. „Er bleibt eine Woche hier und hält sich tagsüber im Maison Commune auf. Und Suzanne muß morgen zu ihm gehen und ihn fragen, warum Etienne verhaftet worden ist. Und dann muß sie ihm erklären, daß es sich nur um ein Mißverständnis handeln kann."

Suzanne sah auf und schluchzte: „Aber er wird mich nicht empfangen!"

„Ich glaube — ich glaube, es ist besser, wenn Suzanne unseren Advokaten bittet, mit Albitte zu sprechen", meinte Mama zögernd. Ich muß mich oft über meine Familie ärgern, Mama würde nicht zulassen, daß auch nur ein Glas Marmelade bei uns gekocht wird, ohne zumindest einmal selbst im Topf herumzurühren. Aber lebenswichtige Dinge überläßt sie unserem altersschwachen Advokaten! Ich glaube, viele Erwachsene sind so.

„Man muß selbst mit Albitte sprechen", sagte ich. „Und Suzanne als Etiennes Frau sollte hingehen. Wenn du Angst hast, Suzanne, werde ich es versuchen und von Albitte verlangen, daß mein großer Bruder freigelassen wird."

„Untersteh dich, ins Maison Commune zu gehen!" sagte Mama sofort. Dann nahm sie wieder den Suppenlöffel.

„Mama, ich finde, daß —"

„Ich möchte nicht weiter über die Angelegenheit sprechen", sagte Mama. Suzanne schluchzte wieder in die Suppe.

Nach dem Essen lief ich in die Mansarde hinauf, um zu sehen, ob Persson zu Hause war. Persson lernt nämlich abends bei mir Französisch. Er hat das liebste Pferdegesicht, das man sich vorstellen kann. Er ist sehr hoch gewachsen, schrecklich mager und der einzige blonde Mann, den ich kenne. Dafür ist er auch ein Schwede. Weiß der Himmel, wo Schweden liegt, irgendwo in der Nähe vom Nordpol glaube ich. Persson hat es mir zwar einmal auf einer Landkarte gezeigt, aber ich habe es vergessen. Perssons Papa hat ein Seidengeschäft in Stockholm, das in Verbindung mit unserer Firma steht. Und so kam der junge Persson auf ein Jahr nach Marseille, um bei Papa zu volontieren. Seidenhandel kann man nämlich nur in Marseille lernen, behaupten alle. Eines Tages erschien Persson bei uns. Zuerst konnten wir ihn gar nicht verstehen, obwohl er behauptete, mit uns französisch zu sprechen. Es klang nämlich nicht wie Französisch. Mama räumte ihm ein Zimmer in der Mansarde ein und sagte, Persson solle in diesen unruhigen Zeiten bei uns wohnen.

Ich fand Persson zu Hause, er ist ja ein solider junger Mann, und wir setzten uns ins Wohnzimmer. Meistens muß er mir aus den Zeitungen vorlesen, und ich verbessere seine Aussprache. Und wie so oft holte ich das alte Flugblatt mit den Menschenrechten, das Papa seinerzeit nach Hause gebracht hatte, und wir hörten uns gegenseitig ab, weil wir den Wortlaut auswendig lernen wollen. Perssons Pferdegesicht wurde ganz ernst dabei, und er sagte, daß er mich beneide, weil ich zu jener Nation gehöre, die der Welt diese großen Gedanken geschenkt hat. „Freiheit — Gleichheit — Volkssouveränität", deklamierte er neben mir. Und dann sagte er: „Es ist viel Blut geflossen, um diese neuen Gesetze durchzuführen. Und soviel unschuldiges Blut. Es darf nicht vergeblich gewesen sein, Mademoiselle."

Persson ist ja Ausländer und sagt immer „Madame Clary" zu

Mama und „Mademoiselle Eugénie" zu mir, obwohl das verboten ist, wir sind einfach die „Bürgerinnen Clary".

Plötzlich erschien Julie im Wohnzimmer. „Bitte komm einen Augenblick, Eugénie!" sagte sie und führte mich in Suzannes Zimmer.

Suzanne kauerte auf dem Sofa und nippte Portwein. Portwein stärkt angeblich, aber ich bekomme nie ein Glas, weil sich junge Mädchen noch nicht stärken müssen, sagt Mama. Mama saß neben Suzanne, und ich konnte ihr ansehen, daß sie versuchte, energisch zu sein. In solchen Augenblicken wirkt sie besonders zart und hilf= los, sie zieht die schmalen Schultern zusammen, und ihr Gesicht ist ganz klein unter dem schwarzen Witwenhäubchen, das sie seit zwei Monaten trägt. Meine arme Mama erinnert viel mehr an ein Waisen= kind als an eine Witwe.

„Wir haben beschlossen, daß Suzanne morgen versuchen soll, zum Volksrepräsentanten Albitte durchzudringen. Und —" Sie räus= perte sich: „Und du wirst sie begleiten, Eugénie!"

„Ich fürchte mich, allein zu gehen. All die vielen Menschen . . " murmelte Suzanne. Ich konstatierte, daß der Portwein sie nicht stärkte, sondern schläfrig machte. Und ich wunderte mich, warum ich mitgehen sollte und nicht Julie.

„Suzanne will Etienne zuliebe diesen Weg auf sich nehmen, und es ist ein Trost für sie, dich, mein liebes Kind, an ihrer Seite zu wissen", sagte Mama.

„Du hast dort natürlich den Mund zu halten und Suzanne reden zu lassen", fügte Julie hastig hinzu. Ich war froh, daß Suzanne zu Albitte gehen wollte. Der beste Weg. Der einzige, meiner Ansicht nach. Aber da man mich immer als Kind behandelt, schwieg ich. „Der morgige Tag wird für uns alle große Aufregungen bringen", sagte Mama und erhob sich. „Wir wollen deshalb zeitig schlafen gehen." Ich lief ins Wohnzimmer zurück und sagte Persson, daß ich schon schlafen gehen müsse. Er packte die Zeitungen zusam= men und verbeugte sich. „Dann will ich angenehme Ruhe wün= schen, Mademoiselle Clary." Ich war schon beinahe aus der Tür, als er plötzlich etwas murmelte.

Ich wandte mich um. „Haben Sie etwas gesagt, Monsieur Pers= son?" „Es ist nur —" Er stockte. Ich ging auf ihn zu und versuchte, in sein Gesicht zu blicken. Es war schon beinahe dunkel, und ich war zu faul, die Kerzen anzuzünden, wir waren ja im Begriff, schlafen zu gehen. Perssons blasses Gesicht verschwamm völlig in der Dämmerung. „Ich wollte nur sagen, Mademoiselle, daß ich — ja, daß ich bald nach Hause reisen werde."

„Oh — das tut mir leid, Monsieur. Warum?"

„Ich habe es Madame Clary noch nicht gesagt, ich wollte sie nicht gerade jetzt mit meinen Angelegenheiten bemühen. Aber sehen Sie, Mademoiselle — ich bin ja schon über ein Jahr hier, und man braucht mich wieder in unserem Laden in Stockholm. Und wenn Monsieur Etienne Clary zurückkehrt, dann ist bei Ihnen wieder alles in Ordnung — ich meine, auch im Geschäft —, und dann reise ich nach Stockholm zurück." Es war die längste Rede, die ich jemals von Persson gehört hatte. Ich konnte auch nicht recht verstehen, warum er gerade mir zuerst von seiner Abreise erzählte. Bisher hatte ich geglaubt, daß Persson mich ebenso wie alle anderen nicht recht ernst nahm. Aber nun wollte ich natürlich die Konversation fortsetzen, kehrte zum Sofa zurück und deutete mit sehr damenhafter Hand= bewegung an, daß Persson sich neben mich setzen sollte. Kaum saß er, so klappte seine lange magere Gestalt wie ein Taschenmesser zusammen, und er stützte die Ellenbogen auf die Knie und wußte sichtlich nicht, was er sagen sollte. „Ist Stockholm eine schöne Stadt?" fragte ich höflich. „Die schönste der Welt — für mich", erklärte Persson. „Grüne Eisschollen treiben im Mälar, und der Himmel ist weiß wie eine frisch gewaschene Bettdecke. Im Winter nämlich, aber der Winter ist bei uns sehr lang." Also — sehr schön schien mir Stockholm nach dieser Beschreibung nicht zu sein. Im Gegenteil. Auch war mir nicht ganz klar, wo die grünen Eisschollen herumschwammen. „Unser Laden liegt in der Västerlanggatan — das ist die modernste Geschäftsstraße von Stockholm, gleich hinter dem Schloß", sagte Persson stolz. Aber ich hörte nicht richtig zu, sondern dachte an morgen, und daß ich mir Taschentücher in den Ausschnitt stopfen und — „Ich wollte Sie um etwas bitten, Mademoiselle Clary", hörte ich jetzt Persson sagen. Ich muß so hübsch wie möglich aussehen, damit man zumindest mir zuliebe Etienne freiläßt, dachte ich und fragte höflich: „Um was denn, Monsieur?"

„Ich möchte so gern das Blatt, auf dem die Menschenrechte ge= druckt stehen und das Monsieur Clary einst nach Hause brachte, behalten", kam es stockend. „Ich weiß, es ist eine unbescheidene Bitte, Mademoiselle." Ja, es war unbescheiden. Papa ließ das Flug= blatt immer auf dem Nachttisch liegen, und nach seinem Tod hatte ich es sofort an mich genommen. „Ich werde es stets in Ehren halten, Mademoiselle", versicherte Persson. Da neckte ich ihn zum letztenmal: „Sie sind also Republikaner geworden, Monsieur?"

Und zum letztenmal antwortete er ausweichend: „Ich bin ja Schwede, Mademoiselle. Und Schweden ist eine Monarchie."

„Sie können das Flugblatt behalten, Monsieur", sagte ich. „Und zeigen Sie es Ihren Freunden in Schweden!" In diesem Augenblick wurde die Tür aufgerissen, und Julies Stimme überschlug sich vor Ärger: „Wann kommst du endlich ins Bett, Eugénie? Oh — ich wußte nicht, daß du mit Monsieur Persson hier sitzt! Monsieur, das Kind hat schlafen zu gehen! Eugénie — komm doch!" Ich hatte schon beinahe alle Papilloten in meine Haare gesetzt und Julie lag bereits im Bett, da zankte sie noch immer mit mir. „Eugénie, du benimmst dich skandalös, Persson ist doch ein junger Mann — und man sitzt nicht mit einem jungen Mann im Dunkeln — und Mama hat sowieso soviel Kummer — und du vergißt, daß du die Tochter des Seidenhändlers Clary bist — Papa war ein so geachteter Bürger — und Persson kann nicht einmal anständig Französisch — du bringst Schande über die Familie — —" Blahblahblah ... dachte ich und pustete die Kerze aus und kroch tief unter die Decke. Julie braucht einen Bräutigam, dann wird mein Leben leichter sein, konstatierte ich.

Ich versuchte einzuschlafen, aber der morgige Besuch im Maison Commune ging mir nicht aus dem Sinn. Und ich mußte auch an die Guillotine denken. Ich sehe sie so oft vor mir, wenn ich einschlafen soll, und dann bohre ich den Kopf in die Kissen, um die Erinnerung zu vertreiben. Die Erinnerung an das Beil und an den abgeschnittenen Kopf. Vor zwei Jahren nahm mich nämlich heimlich unsere Köchin Marie auf den Platz vor dem Rathaus mit. Wir drängten uns durch die Menge, die dicht um das Blutgerüst stand, ich wollte ja alles genau sehen, und ich preßte die Zähne zusammen, weil sie so schrecklich aneinanderschlugen, und das war mir peinlich. Der rotbemalte Karren brachte zwanzig Männer und Frauen zum Schafott. Alle hatten vornehme Kleider an, aber schmutzige Strohhalme klebten an den seidenen Hosen der Männer und den Spitzenärmeln der Damen. Ihre Hände waren mit Stricken auf dem Rücken zusammengeschnürt. Auf der Brettertribüne rund um die Guillotine sind Sägespäne aufgeschüttet, die morgens und am späten Nachmittag, immer gleich nach den Hinrichtungen, erneuert werden. Trotzdem bilden sie einen abscheulichen rotgelben Schlamm. Der ganze Rathausplatz riecht nach gestocktem Blut und Sägespänen. Die Guillotine ist wie der Karren rot angestrichen, aber die Farbe ist bereits recht abgeblättert, sie steht ja seit Jahren hier. An jenem Nachmittag kam zuerst ein junger Mann aus der Umgebung, der angeblich in geheimer Postverbindung mit dem feindlichen Ausland stand, an die Reihe. Als ihn der Scharfrichter auf das Podium zerrte, bewegte er die Lippen, ich glaube, er betete. Dann kniete er nieder, und ich machte die Augen zu und hörte das Beil herabfallen. Als ich die Augen wieder aufmachte, hielt der Scharfrichter einen Kopf in der Hand. Der Kopf hatte ein kalkweißes Gesicht und weitaufgerissene Augen, die mich anstarrten. Mir blieb das Herz stehen. Der Mund in dem kalkigen Gesicht war offen, als wollte er schreien. Der stumme Schrei hörte nicht auf. Die Leute rund um uns redeten wirr durcheinander, jemand schluchzte, und eine hohe Frauenstimme kicherte, dann schien der Lärm nur noch aus weiter Ferne zu mir zu dringen, mir wurde schwarz vor den Augen und — ja, ich mußte mich übergeben. Dann war mir besser, ich begriff, daß man mich anschrie, weil ich jemandem die Schuhe schmutzig gemacht hatte, und ich hielt die Augen geschlossen, um den blutigen Kopf nicht mehr zu sehen. Marie schämte sich sehr wegen mir und zog mich aus der Menge, und ich hörte, daß man uns höhnische Worte nachrief. Und seit damals kann ich oft nicht einschlafen, weil ich an die toten Augen und den stummen Schrei denken muß.

Als wir nach Hause kamen, weinte ich furchtbar. Papa legte den Arm um mich und sagte: „Frankreichs Volk hat jahrhundertelang in furchtbarem Leid gelebt. Und aus dem Leid der Unterdrückten stiegen zwei Flammen empor: die Flamme der Gerechtigkeit und die Flamme des Hasses. Die des Hasses wird sich verzehren und in Strömen von Blut erstickt werden. Aber die andere Flamme — die heilige —, meine kleine Tochter, kann niemals wieder völlig ausgelöscht werden."

„Nicht wahr, die Menschenrechte können nie wieder ungültig werden, Papa?" fragte ich. „Nein, ungültig können sie nicht werden. Aber abgeschafft, offen oder heimlich, und mit Füßen getreten. Jene jedoch, die sie mit Füßen treten, laden die größte Blutschuld der Geschichte auf sich. Wann immer und wo immer in späterer Zeit Menschen ihren Brüdern das Recht der Freiheit und Gleichheit nehmen — niemand wird von ihnen sagen: Herr, vergib ihnen, denn sie wissen nicht, was sie tun. Meine kleine Tochter, seit der Verkündigung der Menschenrechte wissen sie es nämlich genau."

Während Papa das sagte, klang seine Stimme ganz anders als sonst. Es war wie — ja, wie ich mir eben die Stimme vom lieben Gott vorstelle. Je mehr Zeit seit jenem Gespräch vergeht, um so besser verstehe ich, was Papa eigentlich meinte. Und heute nacht fühle ich mich ihm ganz besonders nahe. Ich habe große Angst um Etienne und auch Angst vor dem Besuch im Maison Commune. Nachts hat man immer größere Angst als bei Tag. Wenn ich nur wüßte, ob ich eine lustige oder traurige Geschichte haben werde. Ich möchte schrecklich gern irgend etwas Besonderes erleben. Aber zuerst möchte ich einen Bräutigam für Julie finden. Und vor allem muß Etienne aus dem Gefängnis herausgefischt werden.

Gute Nacht, Papa; ich habe also angefangen, meine Geschichte aufzuschreiben.

24 Stunden später (Es hat sich schrecklich viel ereignet!)

Ich bin der Schandfleck unserer Familie!

Außerdem hat sich so viel zugetragen, daß ich gar nicht weiß, wie ich alles aufschreiben soll. Erstens: Etienne ist wieder frei und sitzt unten im Speisezimmer mit Mama, Suzanne und Julie und ißt so viel, als ob er vier Wochen nur von Wasser und Brot gelebt hätte. Und dabei war er doch nur drei Tage eingesperrt! Zweitens: ich habe einen jungen Mann mit einem sehr interessanten Profil und dem unmöglichen Namen Bunopat, Bonapart oder so ähnlich kennengelernt. Drittens: die ganze Familie ist böse auf mich, nennt mich den Schandfleck der Familie und hat mich schlafen geschickt. Unten feiern sie Etiennes Heimkehr, und ich, die doch zuerst auf die Idee kam, zu Albitte zu gehen, werde nur ausgezankt, und ich habe keinen Menschen, mit dem ich über die kommenden Ereignisse und diesen Bürger Buonapar — unmöglicher Name, ich werde ihn mir nie merken — also, über diesen neuen jungen Mann sprechen kann. Aber mein lieber guter Papa hat wohl vorausgeahnt, wie einsam man sich fühlen muß, wenn man von seiner Umwelt nicht verstanden wird, und hat mir deshalb mein Tagebuch geschenkt.

Der heutige Tag begann mit einem Krach nach dem anderen. Julie sagte mir, daß Mama befohlen habe, das langweilige graue Kleid anzuziehen und natürlich ein Spitzenfichu eng um den Hals zu legen. Ich versuchte, mich gegen das Fichu zu wehren. Julies Stimme wurde ganz still vor Protest: „Glaubst du, du kannst mit einem tiefen Ausschnitt wie eine Dahergelaufene — so eine aus dem Hafenviertel, meine ich — also, du glaubst, wir lassen dich ohne Fichu bei den Behörden erscheinen?" Als Julie das Schlafzimmer verließ, borgte ich mir schnell ihr Rouge=Töpfchen aus. (Ich habe zu meinem vierzehnten Geburtstag eigenes Rouge bekommen, aber es ist ein so kindliches Rosenrot, daß ich es hasse. Ich finde, daß mir Julies „Cerise" viel besser paßt.) Ich tupfte es vorsichtig auf und dachte daran, wie schwer es die großen Damen in Versailles gehabt hatten, die dreizehn verschiedene Schattierungen Rot über= einander auftragen mußten, um den richtigen Effekt zu erzielen. Das habe ich nämlich in einem Zeitungsartikel über die Witwe Capet, unsere hingerichtete Königin, gelesen.

„Mein Rouge! Wie oft soll ich dir sagen, daß du nicht meine Sachen benutzen sollst, ohne vorher zu fragen!" schrie Julie, die wieder ins Schlafzimmer kam. Ich puderte schnell über das ganze Gesicht, und dann machte ich den Zeigefinger naß und strich über meine Augenbrauen und Augenlider — es sieht viel hübscher aus, wenn sie etwas glänzen. Julie saß auf dem Bett und sah mir kritisch zu. Nun begann ich, die Papilloten aus den Haaren zu wickeln. Aber sie verfilzten sich in meinen Locken — ich habe von Natur aus so ekelhaft widerspenstiges Ringelhaar, daß ich große Mühe habe, sie in glatte, bis zur Schulter hängende Korkzieher zu ver= wandeln.

Von draußen kam Mamas feste Stimme: „Ist das Kind endlich fertig, Julie? Wir müssen essen, damit Suzanne und Eugénie um zwei im Maison Commune sein können!" Ich beeilte mich und wurde dadurch noch ungeschickter und brachte überhaupt keine Frisur zustande. „Julie — kannst du mir nicht helfen?" Ehre, wem Ehre gebührt: Julie hat Feenhände. In fünf Minuten hatte sie mich frisiert. „Ich habe in einer Gazette eine Zeichnung von der jungen Marquise de **Fontenay** gesehen", sagte ich. „Sie hat kurze Locken und trägt das Haar in die Stirn gebürstet. Mir würden kurze Haare auch gut passen..."

„Die hat sich nur die Haare abgeschnitten, damit jeder sieht, daß sie in der letzten Sekunde vor der Guillotine gerettet worden ist. Als der Abgeordnete Tallien sie im Gefängnis zum erstenmal sah, hatte sie sicherlich noch ihre große Frisur." Und wie eine alte Tante: „Aber ich würde dir abraten, Zeitungsartikel über die Fon= tenay zu lesen, Eugénie."

„Du brauchst nicht so überlegen und weise zu tun, Julie, ich bin kein Kind mehr und weiß ganz genau, warum und wozu Tallien die schöne Fontenay befreit hat. Und deshalb —"

„Du bist unmöglich, Eugénie! Wer erzählt dir solche Sachen? Marie in der Küche?"

„Julie — wo bleibt denn das Kind?" Mamas Stimme klang ärger= lich. Ich ordnete scheinbar mein Fichu, während ich schnell vier Taschentücher in den Ausschnitt stopfte. Zwei rechts und zwei links. „Zieh die Taschentücher wieder heraus, so darfst du nicht gehen!" kam es von Julie. Aber ich tat, als ob ich nicht hörte und riß aufgeregt ein Schubfach nach dem anderen auf, um meine Re= volutions=Kokarde zu finden. Ich fand sie natürlich erst in dem letzten und befestigte sie auf meinem, wie mir vorkam, ungemein

verführerischen Taschentuchbusen. Dann lief ich mit Julie ins Eß=
zimmer hinunter.

Mama und Suzanne hatten bereits mit der Mahlzeit begonnen.
Auch Suzanne hatte sich die Kokarde angesteckt. Zu Beginn der
Revolution trug man sie immer, aber jetzt schmücken sich nur noch
Jakobiner damit oder Leute, die so wie wir bei einer Behörde oder
einem Abgeordneten vorsprechen. Natürlich — in unruhigen Zeiten,
zum Beispiel während der Girondistenverfolgungen im Vorjahr und
den darauffolgenden Massenverhaftungen, wagte niemand, ohne die
blau=weiß=rote Rosette der Republik auszugehen. Ich habe anfangs
diese Rosette mit den Farben Frankreichs geliebt. Aber jetzt mag
ich sie nicht mehr, ich finde es so unwürdig, wenn man seine Ge=
sinnung am Ausschnitt oder Rockaufschlag zur Schau stellt. Nach
dem Essen holte Mama die Kristallflasche mit dem Portwein. Gestern
abend bekam Suzanne ein Glas, aber heute schenkte Mama zwei
Gläser ein und reichte eines ihr und eines mir. „Trink langsam,
Portwein stärkt", sagte sie zu mir. Ich nahm einen großen Schluck,
es schmeckte klebrig und süß, und mir wurde plötzlich ganz warm.
Gleichzeitig wurde ich gut aufgelegt. Ich lächelte Julie zu, da be=
merkte ich, daß sie Tränen in den Augen hatte. Und jetzt legte sie
sogar den Arm um meine Schulter und drückte ihr Gesicht an meine
Wange.

„Eugénie —" flüsterte sie, „gib acht auf dich!"

Der Portwein machte mich sehr lustig. Ich rieb im Spaß meine
Nase an Julies Wange und flüsterte zurück: „Hast du vielleicht
Angst, daß mich Volksrepräsentant Albitte verführen könnte?"

„Kannst du niemals etwas ernst nehmen?" sagte Julie ärgerlich.
„Es ist doch kein Spaß, ins Maison Commune zu gehen, während
Etienne verhaftet ist. Du weißt doch, daß —" Sie stockte. Ich nahm
einen letzten langen Schluck Portwein. Dann sah ich ihr in die
Augen: „Ich weiß, Julie, was du meinst. Meistens werden auch die
nächsten Angehörigen eines Mannes, der unter Anklage steht, ver=
haftet. Suzanne und ich sind natürlich in Gefahr. Du und Mama
übrigens auch, aber da ihr nicht ins Maison Commune geht, macht
ihr euch nicht bemerkbar. Und deshalb —"

„Ich wollte, ich könnte Suzanne begleiten." Ihre Lippen zitterten.
Dann nahm sie sich zusammen: „Aber, wenn euch etwas passiert,
braucht mich Mama."

„Es wird uns nichts passieren", sagte ich. „Und wenn, so werde
ich wissen, daß du gut auf Mama aufpaßt und versuchst, mich

freizubekommen. Wir beide wollen immer zusammenhalten, nicht wahr, Julie?"

Suzanne sagte kein Wort, während wir auf die innere Stadt zuschritten. Wir gingen sehr schnell, und nicht einmal, als wir an den Modegeschäften in der Rue Cannebière vorbeikamen, blickte sie nach rechts oder links. Auf dem Rathausplatz legte sie plötzlich ihren Arm um den meinen. Ich bemühte mich, an der Guillotine vorbeizusehen. Der Platz roch wie immer nach frischen Sägespänen und getrocknetem Blut. Wir begegneten der Bürgerin Renard, die seit Jahren Mamas Hüte näht. Die Bürgerin sah sich zuerst scheu nach allen Seiten um, dann grüßte sie uns. Sie schien bereits gehört zu haben, daß ein Mitglied der Familie Clary verhaftet worden war. Im Portal des Maison Commune war großes Gedränge. Als wir versuchten, uns durchzuschieben, packte jemand Suzanne hart am Arm. Die Arme zuckte vor Schrecken zusammen und wurde ganz weiß. „Sie wünschen, Bürgerin?"

„Wir wollen mit dem Bürger Volksrepräsentanten Albitte sprechen", sagte ich schnell und sehr laut. Der Mann — ich hielt ihn für den Portier des Maison Commune — ließ Suzanne los. „Zweite Tür rechts." Wir schoben uns durch die halbdunkle Einfahrt, fanden die zweite Tür rechts, machten sie auf — wildes Stimmengewirr und abscheulich dicke Luft schlugen uns entgegen. Zuerst wußten wir wirklich nicht, was wir anfangen sollten. In dem engen Warteraum standen und saßen so viele Leute herum, daß man sich kaum rühren konnte. Am entgegengesetzten Ende des Zimmers war eine kleine Tür, und vor dieser Tür hielt ein junger Mann Wache. Er war wie alle Mitglieder des Jakobinerklubs gekleidet — hoher Kragen, riesiger schwarzer Dreispitz mit Kokarde, seidener Frack mit kostbaren Spitzenmanschetten, Spazierstock unterm Arm. Einer der Sekretäre Albittes, dachte ich, nahm Suzannes Hand und begann, mich mit ihr zu ihm durchzudrängen. Suzannes Hand war eiskalt und zitterte. Ich dagegen spürte kleine Schweißtropfen auf der Stirn und verfluchte die Taschentücher in meinem Ausschnitt, durch die mir nur noch heißer wurde. „Bitte, wir möchten zum Bürger Volksrepräsentanten Albitte", sagte Suzanne leise, als wir vor dem jungen Mann standen.

„Was?" schrie er sie an. „Zum Bürger Volksrepräsentanten Albitte", stammelte Suzanne noch einmal. „Das wollen alle hier im Zimmer. Haben Sie sich bereits angemeldet, Bürgerin?" Suzanne schüttelte den Kopf. „Wie meldet man sich an?" fragte ich.

„Man schreibt seinen Namen und den Zweck seines Besuches auf einen Zettel. Wenn man nicht schreiben kann, beauftragt man mich damit. Das kostet —" Sein Blick glitt schätzend über unsere Kleidung. „Wir können schreiben", sagte Suzanne. „Drüben auf dem Fensterbrett finden die Bürgerinnen Papier und Gänsekiel", sagte der Jakobinerjüngling, der mir wie der Erzengel am Eingang des Paradieses erschien.

Wir schoben uns wieder durch die Menge und gelangten zum Fensterbrett. Suzanne füllte schnell einen Bogen aus. Namen? Bürgerinnen Suzanne und Bernardine Eugénie Désirée Clary. Zweck des Besuches? Wir starrten uns ratlos an. „Schreib die Wahrheit", sagte ich. „Dann empfängt er uns nicht", wisperte Suzanne. „Bevor er uns empfängt, erkundigt er sich sowieso über uns", sagte ich, „es scheint nämlich hier nicht so einfach zu sein..." — „Von einfach ist gar keine Rede", stöhnte Suzanne und schrieb: „Zweck des Besuches — Verhaftung des Bürgers Etienne Clary." Wir drängten uns wieder zu unserem jakobinischen Erzengel durch. Der betrachtete flüchtig den Bogen, schnauzte: „Warten Sie", und verschwand hinter der Tür. Er blieb — zumindest kam es mir so vor — endlos lang verschwunden. Dann kehrte er zurück und sagte: „Sie dürfen warten. Der Bürger Volksrepräsentant wird Sie empfangen. Sie werden aufgerufen werden."

Kurz darauf öffnete sich die Tür, jemand gab dem Erzengel einen Bescheid, der Erzengel brüllte „Bürger Joseph Petit" in den Raum, und ich sah, daß sich ein alter Mann mit einem kleinen Mädchen von der Holzbank längs der Wand erhob. Schnell stieß ich Suzanne in die Richtung der beiden frei gewordenen Plätze. „Setzen wir uns, es wird noch stundenlang dauern, bis wir drankommen." Unsere Lage hatte sich kolossal verbessert. Wir lehnten unseren Rücken an die Wand, machten die Augen zu und bewegten die Zehen in unseren Schuhen. Dann begann ich mich umzusehen und erkannte unseren Schuster, den alten Simon. Gleichzeitig fiel mir sein Sohn, der junge Simon mit den krummen Beinen ein. Wie tapfer diese krummen Beine damals marschiert sind. Damals vor eineinhalb Jahren sah ich jenen Aufzug, den ich bis an mein Lebensende nicht vergessen werde. Unser Land wurde von allen Seiten von feindlichen Armeen bedrängt, das Ausland wollte nicht dulden, daß wir die Republik ausgerufen hatten. Es hieß, daß unser Heer kaum länger dieser Übermacht standhalten könnte. Eines Morgens erwachte ich, weil unter unseren Fenstern gesungen wurde. Ich sprang

aus dem Bett und stürzte auf den Balkon hinaus — und da mar=
schierten sie vorüber: die Freiwilligen von Marseille. Drei Kanonen
von der Festung führten sie mit, sie wollten nicht mit leeren Hän=
den beim Kriegsminister in Paris ankommen. Ich kannte viele von
ihnen. Die beiden Neffen des Apothekers zogen mit und — mein
Gott, sogar der krummbeinige Sohn des Schusters Simon versuchte,
das Tempo der anderen durchzuhalten. Und war das nicht —? Ja,
natürlich, Léon, der Gehilfe aus unserem Geschäft, der gar nicht
gefragt hatte, sondern einfach auf und davon zog! Und hinter ihm
drei würdevolle junge Männer in Dunkelbraun; die Söhne des Ban=
kiers Levi, die seit Einführung der Menschenrechte dieselben Bür=
gerrechte genießen wie alle anderen Franzosen und nun ihre Sonn=
tagsröcke angelegt hatten, um für Frankreich in den Krieg zu zie=
hen. „Auf Wiedersehen, Monsieur Levi", schrie ich, worauf sich
alle drei Levis umwandten und winkten. Nach den Levis marschier=
ten die Söhne unseres Fleischers und hinter ihnen die Arbeiter aus
dem Hafenviertel in geschlossenen Reihen. Ich erkannte sie an den
blauen Leinenhemden und den klappernden Holzpantoffeln. Und
alle sangen „Allons enfants de la patrie . . .", das neue Lied, das
über Nacht berühmt geworden ist, und ich sang mit ihnen. Plötzlich
stand Julie neben mir, und wir rissen die Kletterrosen ab, die sich
am Balkon emporranken, und warfen sie hinunter. „Le jour de
gloire est arrivé . . ." brauste es zu uns herauf, und die Tränen
liefen uns über die Wangen, und unten fing der Schneider Franchon
zwei Rosen auf und lachte uns zu, Julie winkte mit beiden Händen
zurück und schluchzte: „Aux armes, citoyens, aux armes . . ." Noch
sahen sie alle wie ganz gewöhnliche Bürger aus in ihren dunklen
Röcken oder blauen Leinenhemden, den Lackschuhen oder Holz=
pantinen. In Paris bekamen sie dann zum Teil Uniformen, nicht
alle, es waren nicht genügend Uniformen da. Aber mit und ohne
Uniformen schlugen sie den Feind zurück und gewannen die Schlach=
ten von Valmy und Wattignies. Die Simons und Léons und Fran=
chons und Levis. Das Lied, mit dem sie nach Paris zogen, wird
jetzt in ganz Frankreich gespielt und gesungen und heißt die Mar=
seillaise, weil es von den Bürgern unserer Stadt durch das Land
getragen wurde.

Der alte Schuster hatte sich unterdessen zu uns durchgedrängt.
Er schüttelte uns verlegen und eifrig die Hand, als ob er kondo=
lieren wollte. Dann sprach er hastig von Ledersohlen, die nur noch
auf dem schwarzen Markt erhältlich sind, vom Steuernachlaß, um

den er Albitte bitten wollte, und von seinem krummbeinigen Sohn, von dem er keine Nachricht hatte. Dann wurde er aufgerufen und verabschiedete sich.

Wir warteten viele Stunden. Die Minuten dieser Stunden tropf= ten langsam. Manchmal schloß ich die Augen und lehnte mich an Suzanne. Wenn ich die Augen dann wieder aufmachte, fielen die Sonnenstrahlen stets noch etwas schräger und noch etwas röter durch das Fenster. Es waren jetzt nicht mehr so viele Leute im Zimmer. Albitte schien die einzelnen Audienzen abzukürzen, denn der Erzengel rief nun die Namen in schneller Reihenfolge auf. Aber es waren noch immer genug Leute hier, die vor uns gekommen waren. „Ich will einen Mann für Julie finden", bemerkte ich. „In den Romanen, die sie liest, verlieben sich die Heldinnen spätestens mit achtzehn Jahren. Wie hast du eigentlich Etienne kennengelernt, Suzanne?" „Laß mich jetzt", sagte Suzanne. „Ich will mich in Ge= danken auf das konzentrieren, was ich drinnen" — sie blickte nach der Tür — „zu sagen habe."

„Wenn ich jemals Leute empfangen sollte, werde ich sie nicht warten lassen. Ich werde sie nacheinander zu einem bestimmten Zeitpunkt bestellen und dann gleich zu mir lassen. Warten macht einen ja ganz kaputt!" „Was du für Unsinn zusammenredest, Eugé= nie. Als ob du jemals im Leben irgend jemanden — wie nennst du es? — empfangen würdest!" Ich schwieg und wurde noch schläf= riger. Portwein macht zuerst lustig, dann traurig und zuletzt müde, überlegte ich. Aber auf keinen Fall stärkt er. „Hör auf zu gähnen, das gehört sich nicht!" kam es von Suzanne. „Oh — wir leben in einer freien Republik!" murmelte ich schläfrig, zuckte aber zusam= men, weil wieder ein Name aufgerufen wurde. Suzanne legte ihre Hand auf meine. „Wir sind noch nicht an der Reihe." Ihre Hand war noch immer kalt. Zuletzt bin ich aber richtig eingeschlafen. So fest, daß ich glaubte, zu Hause in meinem Bett zu sein. Plötz= lich wurde ich durch Lampenschimmer gestört, aber ich machte die Augen nicht auf, sondern dachte nur — Julie, laß mich doch weiter= schlafen, ich bin noch müde. Irgendeine Stimme sagte: „Wachen Sie doch auf, Bürgerin!" Das war mir aber ganz egal. Dann rüttelte mich jemand an der Schulter. „Aufwachen, Bürgerin! Hier können Sie nicht länger schlafen!" — „Laß mich doch in Ruhe", knurrte ich zuerst. Plötzlich wurde ich jedoch ganz wach. Ich stieß die fremde Hand von meiner Schulter und fuhr auf. Ich hatte keine Ahnung, wo ich mich befand. In einem dunklen Raum, in dem sich ein Mann mit einer Laterne über mich beugte. Um Himmels willen, wo war ich denn? „Sie müssen keine solche Angst haben, Bürgerin", sagte jetzt der fremde Mann. Seine Stimme war angenehm leise, aber seine Aussprache etwas fremdartig, und das trug dazu bei, daß mir die ganze Szene wie ein böser Traum vorkam. Trotzdem sagte ich: „Ich habe keine Angst." Und fügte hinzu: „Aber ich weiß nicht, wo ich bin und wer Sie sind." Der fremde Mann hörte auf, mir ins Gesicht zu leuchten, und da er nun die Laterne näher an sich hielt, konnte ich seine Züge unterscheiden. Es war ein ausgesprochen hübscher junger Mann mit freundlichen dunklen Augen, einem sehr glatten Gesicht und einem sehr charmanten Lächeln. Er trug dunkle Kleidung und hatte einen Mantel umgehängt. „Es tut mir leid, daß ich Sie stören muß", sagte der junge Mann höflich. „Aber ich gehe jetzt nach Hause und schließe das Büro des Volksrepräsentanten Albitte zu."

Büro ...? Wie war ich denn in ein Büro geraten? Mein Kopf schmerzte und meine Glieder waren wie Blei. „Welches Büro? Und wer sind Sie eigentlich?" stotterte ich. „Das Büro des Volksrepräsentanten Albitte. Und ich heiße, da dies die Bürgerin zu interessieren scheint — Buonaparte. Bürger Joseph Buonaparte, Schreiber des Komitees für öffentliche Sicherheit in Paris, dem Volksrepräsentanten Albitte für seine Reise nach Marseille als Sekretär beigestellt. Und die Amtsstunden sind längst vorüber, und ich schließe zu, und es ist gegen die Verordnung, daß jemand in einem Wartezimmer des Maison Commune übernachtet. Ich muß daher die Bürgerin sehr bitten, aufzuwachen und das Maison Commune zu verlassen.". Maison Commune. Albitte. Nun wußte ich, wo ich war. Und warum ich hier war. Wo war jedoch Suzanne?

„Wo ist Suzanne?" fragte ich den freundlichen jungen Mann verzweifelt. Sein Lächeln war unterdessen zu einem ausgesprochenen Lachen geworden. „Ich habe nicht die Ehre, Suzanne zu kennen", sagte er. „Ich kann Ihnen nur sagen, daß die letzten Parteien, die von Bürger Albitte empfangen wurden, sein Büro vor zwei Stunden verlassen haben. Außer mir ist niemand mehr hier. Und ich gehe jetzt nach Hause." „Aber ich muß auf Suzanne warten!" beharrte ich, „Sie müssen entschuldigen, Bürger Bo — ma — —" „Buonaparte", half der junge Mann höflich.

„Ja, Bürger Bonapat, Sie müssen schon entschuldigen, aber hier bin ich und hier bleibe ich, bis Suzanne zurückkommt. Sonst bekomme ich einen schrecklichen Krach, wenn ich allein nach Hause komme und gestehen muß, daß sie mir im Maison Commune ver=

lorengegangen ist. Das können Sie doch verstehen, nicht wahr?"
Er seufzte. „Sie sind entsetzlich eigensinnig", sagte er. Dann stellte
er die Laterne auf den Fußboden und setzte sich neben mich auf die
Holzbank. „Wie heißt eigentlich diese Suzanne, wer ist sie und was
wollte sie von Albitte?"

„Suzanne heißt Suzanne Clary und ist die Frau meines Bruders
Etienne", sagte ich. „Etienne ist verhaftet worden, und Suzanne und
ich wollten um seine Freilassung bitten."

„Einen Augenblick." Er stand auf, nahm die Laterne und verschwand durch die Tür, vor der früher der Erzengel Wache gehalten
hatte. Ich ging ihm nach. Er hatte sich über einen großen Schreibtisch gebeugt und blätterte in verschiedenen Akten.

„Wenn Albitte Ihre Schwägerin empfangen hat, muß noch der
Akt Ihres Bruders hier liegen. Der Volksrepräsentant läßt sich nämlich immer die betreffenden Akten geben, bevor er mit Angehörigen
von Arrestanten spricht", erklärte er mir. Da ich nicht wußte, was
ich sagen sollte, murmelte ich: „Ein sehr gerechter und gütiger Mann,
dieser Volksrepräsentant." Er sah auf und warf mir einen spöttischen
Blick zu. „Vor allem gütig, Bürgerin. Vielleicht sogar zu gütig. Deshalb hat Bürger Robespierre vom Komitee für öffentliche Sicherheit
mich beauftragt, ihm behilflich zu sein."

„Oh, Sie kennen Robespierre!" entfuhr es mir. Mein Gott, ein
Mann, der den Volksrepräsentanten Robespierre, der seine besten
Freunde verhaften läßt, um der Republik zu dienen, persönlich
kennt! „Ah — da haben wir den Akt Etienne Clary", rief in diesem
Augenblick der junge Mann erfreut. „Etienne Clary, Seidenhändler
in Marseille — stimmt das?" Ich nickte eifrig. Dann fügte ich jedoch
schnell hinzu: „Aber auf jeden Fall war es ein Mißverständnis."

Bürger Buonaparte wandte sich mir zu: „Was war ein Mißverständnis?" „Der Grund seiner Verhaftung", sagte ich. Der junge
Mann machte ein ernstes Gesicht. „So. Und warum ist er eigentlich
verhaftet worden?"

„Das — ja, das wissen wir nicht", gestand ich. „Auf jeden Fall, das
versichere ich Ihnen, war es ein Mißverständnis." Mir fiel etwas ein.
„Hören Sie", sagte ich eifrig, „Sie haben eben gesagt, daß Sie den
Bürger Kommissar für öffentliche Sicherheit, Robespierre, kennen.
Vielleicht könnten Sie ihm sagen, daß es sich bei Etienne um einen
Irrtum handelt und —" Mir blieb das Herz stehen. Denn der junge
Mann schüttelte langsam den Kopf. „Ich kann und will in der Sache
gar nichts unternehmen. Da ist nämlich nichts mehr zu machen.

Hier —" er hob feierlich das Aktenstück in die Höhe, „hier steht es, Volksrepräsentant Albitte hat es eigenhändig hinzugefügt." Er hielt mir den Bogen hin. „Lesen Sie selbst!" Ich beugte mich darüber. Obwohl er die Laterne ganz nahe hielt, verschwammen die Buchstaben vor meinen Augen, ich sah ein paar Worte in einer flüchtigen Handschrift, aber die Buchstaben tanzten — „Ich bin so aufgeregt, lesen Sie es mir vor", sagte ich und spürte, daß mir die Tränen kamen. „Nach völliger Aufklärung des Vorfalls auf freien Fuß gesetzt worden!"

„Heißt das —" Ich zitterte am ganzen Körper. „Heißt das, daß Etienne —"

„Natürlich. Ihr Bruder ist frei. Ihr Bruder sitzt wahrscheinlich längst mit dieser Suzanne und der übrigen Familie zu Hause und läßt sich das Abendbrot gut schmecken. Und die ganze Familie feiert ihn und hat Sie völlig vergessen. Aber — aber, was ist denn, Bürgerin?" Ich hatte hilflos zu weinen begonnen, ich konnte mir nicht helfen, die Tränen rannen mir über die Wangen, und ich mußte weinen und weinen, und es war vollkommen unverständlich, denn ich war ja nicht traurig, sondern unsagbar glücklich, und ich habe nicht geahnt, daß man auch vor Freude weinen kann.

„Ich bin so froh —" schluchzte ich, „Monsieur, ich bin ja — so froh." Dem jungen Manne war diese Szene sichtlich peinlich, er legte den Akt zurück und machte sich am Schreibtisch zu schaffen. Und ich kramte in meinem Pompadour und suchte ein Taschentuch, aber es stellte sich heraus, daß ich heute morgen vergessen hatte, eines einzustecken. Dann fielen mir die vielen Taschentücher in meinem Ausschnitt ein, und ich griff in mein Dekolleté. Gerade in diesem Augenblick wandte sich der junge Mann wieder zu mir und konnte beinahe seinen Augen nicht trauen: da kamen aus meinem Ausschnitt zwei, drei, vier Tüchlein hervor, es sah wie der Trick eines Zauberkünstlers aus. „Ich habe Taschentücher in den Ausschnitt gesteckt, damit man sieht, daß ich erwachsen bin", murmelte ich, weil ich das Gefühl hatte, ihm eine Erklärung zu schulden. Ich schämte mich schrecklich. „Zu Hause behandeln sie mich nämlich immer wie ein Kind." „Sie sind kein Kind mehr, Sie sind eine junge Dame", versicherte der Bürger Bunopat sofort. „Und jetzt werde ich Sie nach Hause begleiten. Es ist nämlich für eine junge Dame nicht angenehm, um diese Zeit allein durch die Stadt zu gehen."

„Es ist zu gütig, Monsieur, aber ich kann es nicht annehmen —" stammelte ich verlegen. „Sie haben selbst gesagt, daß Sie nach

Hause wollen." Er lachte: „Einem Freund Robespierres widerspricht man nicht! Jetzt essen wir beide ein Bonbon und dann gehen wir."

Er öffnete ein Schubfach im Schreibtisch und hielt mir eine Tüte entgegen. Kirschen mit Schokoladenüberguß! „Albitte hat immer Bonbons in seinem Schreibtisch", erklärte er. „Nehmen Sie nur noch eine Schokoladenkirsche! Schmeckt gut, nicht wahr? Das können sich heutzutage nur Abgeordnete leisten!" Der letzte Satz klang etwas bitter. „Ich wohne auf der anderen Seite der Stadt, es wird ein großer Umweg für Sie sein", sagte ich schuldbewußt, als wir das Maison Commune verließen. Aber ablehnen wollte ich seine Begleitung nicht, denn in Marseille kann eine junge Dame abends wirklich nicht unbelästigt durch die Straßen gehen. Und außerdem gefiel er mir ja so gut. „Ich schäme mich so, daß ich vorhin geweint habe", sagte ich etwas später. Er drückte meinen Arm ein wenig und versicherte: „Das verstehe ich doch so gut! Ich habe nämlich auch Geschwister, die ich sehr liebe. Und sogar Schwestern, die ungefähr in Ihrem Alter sein dürften." Nun fühlte ich wirklich keine Scheu mehr vor ihm. „Sie sind aber nicht hier zu Hause?" fragte ich.

„Doch, meine ganze Familie, mit Ausnahme eines Bruders, lebt jetzt in Marseille."

„Ich dachte nur, weil — weil Sie eine andere Aussprache als wir hier haben."

„Ich bin Korse", sagte er. „Korsischer Flüchtling. Vor etwas über einem Jahr kam ich mit meiner Mutter und meinen Geschwistern nach Frankreich. Wir mußten alles auf Korsika zurücklassen, um unser nacktes Leben zu retten." Es klang wildromantisch. „Warum denn?" fragte ich atemlos vor Spannung. „Weil wir Patrioten sind", erklärte er. „Gehört eigentlich Korsika zu Italien?" erkundigte ich mich, denn für meine Unwissenheit gibt es leider keine Grenzen.

„Aber was fällt Ihnen ein!" antwortete er empört. „Korsika steht doch seit fünfundzwanzig Jahren unter französischer Herrschaft. Und wir sind als französische Bürger erzogen worden, als patrioti= sche französische Bürger ... Deshalb konnten wir uns mit jener Partei, die unsere Insel an die Engländer ausliefern möchte, nicht vertragen. Vor einem Jahr sind plötzlich englische Kriegsschiffe vor Korsika aufgetaucht — davon haben Sie doch gehört, nicht wahr?" Ich nickte. Wahrscheinlich hatte ich davon gehört, auf jeden Fall hatte ich es längst vergessen.

„Und wir mußten fliehen. Mama und die Geschwister ..." Seine Stimme klang düster. Er war ein richtiger Romanheld. Verfolgt.

Heimatlos. Ein Flüchtling. „Und haben Sie Freunde hier in Mar=
seille?" „Mein Bruder hilft uns. Er hat Mama auch eine kleine Staats=
pension verschafft, weil sie ja vor den Engländern flüchten mußte.
Mein Bruder wurde in Frankreich erzogen. In der Kadettenschule
von Brienne. Jetzt ist er General."

„Oh —" sagte ich bewundernd, weil man doch etwas sagen muß,
wenn einem jemand plötzlich erzählt, daß sein Bruder General sei.
Und da ich weiter nichts zu sagen wußte, begann er das Gesprächs=
thema zu wechseln.

„Sie sind eine Tochter des verstorbenen Seidenhändlers Clary,
nicht wahr?"

Ich war ganz erstaunt: „Woher wissen Sie das?"

Er lachte: „Sie müssen nicht so überrascht sein! Ich könnte Ihnen
jetzt zwar sagen, daß das Auge des Gesetzes alles sieht und ich als
Beamter der Republik eines dieser vielen Augen bin. Aber ich will
ganz ehrlich sein, Mademoiselle, und Ihnen gestehen, daß Sie mir
selbst gesagt haben, daß Sie die Schwester von Etienne Clary sind.
Und daß Etienne Clary der Sohn des verstorbenen Seidenhändlers
François Clary ist, geht aus dem Aktenstück hervor, das ich soeben
studiert habe." Er hatte sehr schnell gesprochen, und wenn er nicht
achtgab, rollte er die „R" wie ein richtiger Ausländer. Aber schließ=
lich war er ja Korse. „Übrigens hatten Sie recht, Mademoiselle — die
Verhaftung Ihres Bruders war wirklich ein Mißverständnis. Der
Haftbefehl wurde eigentlich gegen François Clary, Ihren Vater, er=
lassen", kam es plötzlich. „Aber Papa ist doch nicht mehr am
Leben!" „Eben. Und deshalb kam es zu dem Mißverständnis. Im
Akt über Ihren Bruder ist alles genau verzeichnet. Man hat kürzlich
verschiedene Schriftstücke aus der Zeit vor der Revolution wieder
durchgelesen und darunter ein Gesuch des Seidenhändlers François
Clary um Erhebung in den Adelsstand gefunden."

Ich war sehr erstaunt. „Wirklich? Davon haben wir ja gar nichts
gewußt! Ich verstehe es auch nicht, Papa hatte keinerlei Sympa=
thien für den Adel, warum sollte er —?" Ich schüttelte den Kopf.

„Aus Geschäftsgründen", erklärte Bürger Buonaparte. „Nur aus
Geschäftsgründen, er wollte wahrscheinlich Hoflieferant werden,
nicht wahr?" „Ja — und er sandte auch einmal blauen Seidensamt an
die Königin — ich meine, an die Witwe Capet nach Versailles", sagte
ich stolz. „Papas Stoffe waren berühmt für ihre gute Qualität."
„Dieses Gesuch wurde als Zeichen von — hm, sagen wir — äußerst
unzeitgemäßer Einstellung betrachtet. Deshalb ist ein Haftbefehl

erlassen worden. Als man an Ihre Adresse kam, fand man nur den Seidenhändler Etienne Clary vor und nahm ihn eben mit." „Etienne hat bestimmt nichts von dem Gesuch gewußt", beteuerte ich.

„Ich nehme an, daß Ihre Schwägerin Suzanne den Volksrepräsen= tanten Albitte davon überzeugen konnte. Deshalb wurde Ihr Bruder auch freigelassen, und Ihre Schwägerin ist natürlich sofort zum Ge= fängnis gelaufen, um ihn abzuholen. Aber das gehört ja jetzt alles bereits der Vergangenheit an. Was mich interessiert—" Seine Stimme wurde weich und beinahe zärtlich: „Ich interessiere mich nicht für Ihre Familie, sondern für Sie selbst, kleine Bürgerin. Wie werden Sie gerufen, Mademoiselle?"

„Ich heiße Bernadine Eugénie Désirée. Meine Familie ruft mich leider Eugénie. Ich möchte viel lieber Désirée heißen."

„Sie haben lauter schöne Namen. Und — wie soll ich Sie nennen, Mademoiselle Bernadine Eugénie Désirée?"

Ich spürte, daß ich rot wurde. Aber gottlob war es dunkel, und er konnte es nicht sehen. Ich hatte das Gefühl, daß das Gespräch eine Wendung nahm, von der Mama nicht allzu entzückt sein würde. „Nennen Sie mich Eugénie, so wie alle anderen. Aber Sie müssen uns besuchen kommen, und dann werde ich Ihnen in Gegenwart von Mama vorschlagen, daß Sie mich beim Vornamen nennen sollen. Dann bekomme ich keinen Krach, ich glaube nämlich, daß Mama, wenn sie wüßte —" Ich stockte. „Dürfen Sie denn niemals mit einem jungen Mann einen kleinen Spaziergang machen?" erkundigte er sich.

„Ich weiß nicht, ich habe nämlich bisher keinen jungen Mann ge= kannt!" entfuhr es mir. Persson hatte ich völlig vergessen. Er drückte wieder meinen Arm und lachte: „Aber jetzt kennen Sie einen — Eugénie!" „Wann werden Sie uns besuchen?" „Soll ich bald kommen?" neckte er mich.

Aber ich antwortete nicht gleich. Ein Gedanke, der mir schon vor einiger Zeit gekommen war, ließ mich nicht los. Julie ... Julie, die so gern Romane liest, wird von diesem jungen Mann mit der fremd= artigen Aussprache begeistert sein.

„Nun — Sie sind mir eine Antwort schuldig, Mademoiselle Eu= génie?" „Kommen Sie morgen", sagte ich, „morgen nach Büro= schluß. Wenn es warm genug ist, können wir im Garten sitzen. Wir haben ein Gartenhäuschen, es ist Julies Lieblingsplatz." Ich kam mir ungeheuer diplomatisch vor. „Julie? Ich weiß bis jetzt nur von Su= zanne und Etienne, aber noch nichts von Julie. Wer ist Julie?"

Ich mußte mich beeilen, wir waren bereits bei unserer Straße an=
gelangt. „Julie ist meine Schwester."

„Älter oder jünger?" Die Frage klang sehr interessiert.

„Älter. Sie ist achtzehn."

„Und — hübsch?" Er zwinkerte mir zu.

„Sehr hübsch", versicherte ich eifrig und überlegte, ob Julie
eigentlich hübsch zu nennen ist. Man kann so schwer seine eigene
Schwester beurteilen. „Hand aufs Herz?"

„Sie hat wunderschöne braune Augen", beteuerte ich, und das ist
wahr. „Sind Sie auch sicher, daß ich Ihrer Frau Mama willkommen
sein werde?" Diese Frage kam zögernd. Er schien nicht ganz über=
zeugt davon zu sein, und ich war es, ehrlich gestanden, auch nicht.
„Sehr willkommen", versicherte ich, denn ich wollte Julie doch ihre
Chance geben. Außerdem hatte ich einen Wunsch. „Glauben Sie,
daß Sie Ihren Bruder, den General, mitbringen können?" Jetzt wurde
Monsieur Buonapat ganz eifrig. „Natürlich. Er wird sich sehr freuen,
wir haben ja so wenig Bekannte in Marseille."

„Ich habe nämlich noch nie einen richtigen General in der Nähe
gesehen", gestand ich. „Dann können Sie sich morgen einen an=
schauen. Er hat zwar momentan kein Kommando, sondern arbeitet
nur an irgendwelchen Plänen, aber er ist immerhin ein richtiger
General."

Ich versuchte mir vergeblich ein Bild von einem General zu
machen. Ich hatte nämlich nicht nur niemals einen in der Nähe ge=
sehen, sondern auch keinen in der Ferne. Und die Bilder der Generäle
aus der Zeit des Sonnenkönigs zeigen lauter alte Herren mit Riesen=
perücken. Übrigens hat Mama diese Bilder, die früher im Wohn=
zimmer hingen, nach der Revolution auf den Dachboden gestellt.
„Es muß ein großer Altersunterschied zwischen Ihnen und Ihrem
Bruder herrschen", bemerkte ich, denn Monsieur Bunapat schien mir
noch sehr jung zu sein.

„Nein, nicht besonders. Ungefähr ein Jahr."

„Was, Ihr Bruder ist nur ein Jahr älter als Sie und schon General?"
platzte ich heraus. „Ein Jahr jünger", schob er ein. „Mein Bruder ist
erst vierundzwanzig Jahre alt. Aber ein sehr aufgeweckter Junge,
mit erstaunlichen Ideen. Nun, Sie werden ihn ja morgen selbst
sehen." Jetzt kam unsere Villa in Sicht. Alle Fenster im Erdgeschoß
waren erleuchtet. Kein Zweifel — die ganze Familie saß längst beim
Abendessen. „Hier wohne ich — in der weißen Villa."

Das Benehmen Monsieur Bunapats veränderte sich plötzlich.

Beim Anblick der hübschen weißen Villa wurde er mit einemmal unsicher und verabschiedete sich hastig. „Ich will Sie nicht aufhalten, Mademoiselle Eugénie, Sie werden sicherlich bereits mit Sorge er= wartet — oh, nichts zu danken, es war mir eine große Freude, Sie nach Hause zu begleiten — und, wenn die Einladung ernst gemeint war, dann werde ich mir wirklich gestatten, morgen am späteren Nachmittag mit meinem kleinen Bruder — ich meine, wenn Ihre Frau Mama wirklich nichts dagegen hat und wir in keiner Weise stören —" In diesem Augenblick wurde die Haustür geöffnet, und Julies Stimme kam durch die Dunkelheit: „Natürlich — sie steht vor dem Gartentor!" Und ungeduldig: „Eugénie! Bist du es, Eugénie?"

„Ich komme ja schon, Julie!" rief ich zurück. „Auf Wiedersehen, Mademoiselle", sagte Bunapat noch einmal. Dann lief ich auf das Haus zu. Fünf Minuten später bekam ich zu wissen, daß ich der Schandfleck der Familie sei.

Mama, Suzanne und Etienne saßen um den Eßtisch und waren bereits beim Kaffee angelangt, als mich Julie im Triumph ins Zimmer führte. „Da ist sie!"

„Gottlob!" rief Mama. „Wo warst du denn, mein Kind?"

Ich warf Suzanne einen vorwurfsvollen Blick zu. „Suzanne hat mich völlig vergessen", teilte ich mit. „Ich bin eingeschlafen und —" Suzanne hielt mit der Rechten ihre Kaffeetasse und umklammerte mit der Linken Etiennes Hand. Jetzt stellte sie empört die Tasse nieder. „Nein, so etwas! Erst schläft sie mir im Maison Commune so fest ein, daß ich sie nicht aufwecken kann und allein zu Albitte hineingehen muß! Schließlich kann man ihn nicht warten lassen, bis Mademoiselle Eugénie geruht, aufzuwachen. Und dann kommt sie daher und —"

„Von Albitte aus bist du wahrscheinlich gleich zum Gefängnis ge= laufen und hast mich ganz vergessen", sagte ich. „Aber ich nehme es dir nicht übel, wirklich nicht!"

„Aber wo warst du denn bis jetzt?" erkundigte sich Mama be= sorgt. „Wir haben Marie bereits zum Maison Commune geschickt, aber es war geschlossen und der Pförtner sagte ihr, daß kein Mensch mehr mit Ausnahme von Albittes Sekretär darinnen sei. Marie ist unverrichteter Dinge vor einer halben Stunde zurückgekommen. Mein Gott, Eugénie — und jetzt bist du allein durch die Stadt ge= gangen! Um diese späte Stunde! Wenn ich mir vorstelle, was dir hätte zustoßen können ..." Mama nahm die kleine silberne Glocke, die immer neben ihrem Gedeck liegt, und begann Sturm zu läuten. „Bringen Sie dem Kind die Suppe, Marie!"

„Aber ich bin gar nicht allein durch die Stadt gegangen", sagte ich. „Der Sekretär von Albitte hat mich nach Hause begleitet." Marie stellte die Suppe vor mich hin. Aber ich hatte den Löffel noch nicht an den Mund geführt, als Suzanne aufgeregt auffuhr: „Der Sekretär? Dieser unfreundliche Kerl, der vor der Tür Wache gehalten und die Namen ausgerufen hat?"

„Nein, das war nur ein Amtsdiener. Albittes richtiger Sekretär, ein furchtbar netter junger Mann, der Robespierre persönlich kennt. Zumindest sagt er das. Übrigens habe ich —" Aber sie ließen mich nicht ausreden. Etienne, der sich im Gefängnis zwar nicht rasiert, aber bis auf die Bartstoppeln nicht im geringsten verändert hat, unterbrach mich: „Wie heißt er denn?" „Komplizierter Name. Schwer zu merken. Bunapat oder so ähnlich. Ein Korse. Übrigens habe ich —" Sie ließen mich noch immer nicht ausreden.

„Und mit diesem wildfremden Jakobiner ziehst du abends allein in der Stadt herum?" donnerte Etienne und bildete sich ein, Vater=stelle an mir zu vertreten. Manche Familien können nun einmal nicht logisch denken. Erst haben sie alle gejammert, weil sie dachten, ich sei allein durch die dunkle Stadt gegangen, und jetzt regen sie sich auf, weil ich gar nicht allein war, sondern ausgezeichneten männlichen Schutz gefunden habe. „Er ist doch nicht wildfremd, er hat sich mir vorgestellt. Seine Familie lebt übrigens hier in der Stadt. Es sind Flüchtlinge aus Korsika. Übrigens habe ich —"

„Iß zuerst, die Suppe wird kalt", sagte Mama. „Flüchtlinge aus Korsika!" sagte Etienne verächtlich. „Wahrscheinlich Abenteurer, die sich in ihrer Heimat in politische Intrigen eingelassen haben und jetzt hier unter dem Schutz der Jakobiner ihr Glück versuchen. Abenteurer, wiederhole ich, Abenteurer!" Ich legte den Löffel nieder, um meinen neuen Freund zu verteidigen. „Ich glaube, er hat eine sehr brave Familie. Und sein Bruder ist sogar General. Übrigens habe ich —"

„Wie heißt der Bruder?"

„Das weiß ich nicht, wahrscheinlich auch Bunapat. Übrigens —"

„Nie den Namen gehört", murmelte Etienne. „Aber da man ja die meisten Offiziere des alten Regimes verabschiedet hat, fehlt es an Nachwuchs. Da wird lustig drauflos befördert, die neuen Generäle haben kein Benehmen, keine Kenntnisse, keine Erfah=rungen!"

„Erfahrungen können sie genug sammeln, wir haben doch Krieg", warf ich ein. „Übrigens wollte ich sagen —"

„Iß schon deine Suppe!" ermahnte Mama.

Aber jetzt ließ ich mich nicht mehr unterbrechen: „Übrigens wollte ich sagen, daß ich beide für morgen eingeladen habe." Dann begann ich eilig die Suppe zu löffeln, weil ich spürte, wie entsetzt mich alle anschauten. „Wen hast du eingeladen, mein Kind?" fragte Mama.

„Zwei junge Herren. Den Bürger Joseph Bonpat oder wie er heißt und seinen kleinen Bruder, den General", antwortete ich tapfer. „Das muß rückgängig gemacht werden!" Etienne schlug auf den Tisch. „In diesen unruhigen Zeiten bittet man nicht zwei dahergelaufene korsische Abenteurer, von denen kein Mensch jemals etwas gehört hat, ins Haus!" „Und es schickt sich durchaus nicht, daß du einen Herrn, den du durch Zufall bei einer Behörde kennenlernst, sofort einladest. So benimmt man sich nicht, du bist kein Kind mehr, Eugénie!" kam es von Mama. „Das ist das erste Mal, daß ich in diesem Hause höre, daß ich kein Kind mehr bin", bemerkte ich.

„Eugénie — ich schäme mich für dich", sagte Julie. Ihre Stimme klang tief traurig. „Aber diese korsikanischen Flüchtlinge haben doch so wenig Freunde in der Stadt", warf ich ein. Ich wollte an Mamas weiches Herz appellieren. „Über deren Herkunft Mama und ich nicht das geringste wissen? Ausgeschlossen! Denkst du gar nicht an deinen guten Ruf und den deiner Schwester?" Das kam von Etienne. „Es wird Julie nichts schaden", murmelte ich und warf Julie einen Blick zu. Ich hoffte, sie würde mir zu Hilfe kommen. Aber sie verhielt sich schweigsam. Etienne hatte jedoch durch die Aufregung der letzten Tage seine Beherrschung völlig verloren. „Du bist der Schandfleck der Familie!" schrie er mich an. „Etienne, sie ist doch noch ein Kind und weiß nicht, was sie tut!" sagte Mama. Aber da verlor ich leider die Geduld. Mir wurde ganz heiß vor Ärger. „Ein für allemal, daß ihr es wißt — ich bin weder ein Kind noch ein Schandfleck!" Einen Augenblick lang herrschte Stille. „Geh sofort auf dein Zimmer, Eugénie", befahl Mama. „Aber ich habe doch noch Hunger, ich habe erst angefangen zu essen", protestierte ich. Mamas silberne Glocke läutete Sturm. „Marie, bitte servieren Sie Mademoiselle Eugénie ihr Essen in ihrem Zimmer!" Und zu mir gewandt: „Geh jetzt, mein Kind, ruhe dich aus und denke über dein Benehmen nach. Du bereitest deiner Mutter und deinem guten Bruder Etienne großen Kummer. Gute Nacht!"

Marie brachte das Essen in mein Zimmer, das ich mit Julie teile, und setzte sich dann auf Julies Bett. „Was ist geschehen? Warum sind alle so böse auf dich?" fragte sie sofort. Wenn keine Fremden dabei sind, sagt sie nämlich „du" zu mir, sie kam ja seinerzeit zu mir, weil ich eine Amme brauchte, und ich glaube, sie hat mich eben- so lieb wie ihr eigenes Kind, den unehelichen Pierre, der irgendwo auf dem Lande aufwächst. Ich zuckte die Achseln. „Weil ich für morgen zwei junge Herren eingeladen habe." Marie nickte nach- denklich: „Sehr gescheit von dir, Eugénie! Es ist nämlich schon Zeit, ich meine, für Mademoiselle Julie."

Marie versteht mich immer. „Soll ich dir eine Tasse heiße Schoko- lade machen?" wisperte sie dann. „Von unserem privaten Vorrat, ja?" Marie und ich haben nämlich einen privaten Vorrat an Lecker- bissen, von dem Mama nichts weiß. Marie stiehlt die Sachen für uns aus der Speisekammer. Nach der Schokolade blieb ich allein und begann alles aufzuschreiben. Es ist bereits Mitternacht, und Julie sitzt noch immer unten. Es ist so häßlich, daß man mich ausschließt.

Soeben ist Julie hereingekommen und beginnt sich auszukleiden. Mama habe sich entschlossen, die beiden Herren morgen zu emp- fangen, da man ihnen nicht gut absagen könne, teilte sie mir mit gespielter Gleichgültigkeit mit. „Aber es wird gleichzeitig der erste und letzte Besuch der beiden in unserem Hause sein, soll ich dir bestellen." Jetzt steht Julie vor dem Spiegel und reibt ihr Gesicht mit einer Creme ein, die Lilientau heißt. Sie hat gelesen, daß die Dubarry sogar im Gefängnis Lilientau verwendet hat. Aber Julie hat nicht das Zeug, eine Dubarry zu werden. Gleichzeitig will sie wissen, ob er hübsch sei. Ich stelle mich dumm. „Wer?"

„Dieser Herr, der dich begleitet hat."

„Sehr hübsch bei Mondlicht. Sehr hübsch bei Laternenschimmer. Und bei Tageslicht habe ich ihn noch nicht gesehen!" Und mehr erfährt Julie nicht von mir.

Marseille, Anfang Praial.
(Der Wonnemonat Mai geht zu
Ende, sagt Mama).

Er heißt Napoleone.

Wenn ich morgens aufwache und an ihn denke und mit geschlosse=
nen Augen daliege, damit Julie glaubt, daß ich noch schlafe, liegt
mein Herz wie ein schwerer Klumpen in meiner Brust. Vor lauter
Liebhaben. Ich habe nicht gewußt, daß man Liebe wirklich spüren
kann — ich meine, körperlich. Bei mir ist es wie eine Art von Ziehen
in der Herzgegend. Aber ich will lieber alles der Reihe nach erzählen
und muß deshalb mit jenem Nachmittag beginnen, an dem uns die
Brüder Buonaparte zum erstenmal besuchten. Sie kamen, so wie ich
es mit Joseph Buonaparte verabredet hatte, am Tag nach meinem
mißglückten Besuch bei Albitte. Und zwar am späten Nachmittag.
Etienne, der für gewöhnlich um diese Stunde noch nicht zu Hause
ist, hatte früher im Geschäft Schluß gemacht und saß mit Mama im
Wohnzimmer, damit die beiden jungen Herren sofort sehen sollten,
daß sich männlicher Schutz in unserem Heim befindet. Man hatte
den ganzen Tag über nicht viel mit mir gesprochen, und ich spürte,
daß man sich noch immer über mein unpassendes Benehmen ärgerte.
Julie war nach dem Mittagessen in der Küche verschwunden, weil sie
plötzlich einen Kuchen backen wollte. Mama meinte zwar, dies sei
nicht notwendig. Die Worte „korsische Abenteurer", die Etienne ge=
prägt hatte, gingen ihr nicht aus dem Kopf. Ich trieb mich eine Weile
im Garten herum, es roch bereits stark nach Frühling, und an den
Fliederbüschen fand ich die ersten Knospen. Dann ließ ich mir von
Marie einen Fetzen geben und begann die Möbel im Gartenhäuschen
abzuwischen. Auf alle Fälle, dachte ich. Als ich das Tuch zurückgab,
sah ich Julie in der Küche. Sie zog gerade eine Kuchenform aus dem
Backofen, hatte rote Flecken im Gesicht, kleine Schweißperlen auf
der Stirn und eine Frisur, die völlig in Auflösung begriffen war. „Du
packst das Ganze verkehrt an, Julie", sagte ich unwillkürlich. „Wie=
so? Ich habe den Kuchen genau nach Mamas Rezept gebacken, und
du wirst sehen, daß er unseren Gästen schmecken wird."

„Ich meine nicht den Kuchen", sagte ich, „sondern dein Gesicht
und deine Frisur. Wenn die Herren kommen, wirst du nach Küche

riechen und —" Ich unterbrach mich: „Herrgott, laß doch den Kuchen, Julie! Geh lieber in unser Zimmer und pudere deine Nase, das ist viel wichtiger als deine Kuchenbackerei!"

„Was sagen Sie zu dem Kind, Marie!" rief Julie ärgerlich und sah sich nach Marie um. „Wenn Sie es mir nicht übelnehmen, Mademoiselle Julie, so glaube ich, daß das Kind recht hat", sagte Marie und nahm ihr die Kuchenform aus der Hand. Während sich Julie in unserem Zimmer frisierte und vorsichtig etwas Rouge auflegte, hing ich aus dem Fenster und beobachtete die Straße. „Ziehst du dich nicht um?" fragte Julie erstaunt. Aber das erschien mir nicht wichtig zu sein. Natürlich gefiel mir Monsieur Joseph sehr gut, aber ganz im geheimen hatte ich ihn bereits mit Julie verlobt. Was jedoch seinen Bruder, den General, betraf, so konnte ich mir nicht vorstellen, daß er überhaupt Notiz von mir nehmen würde. Ich wußte auch gar nicht, was man mit einem General redet. Mich interessierte nur die Uniform, außerdem hoffte ich, er würde etwas von den Schlachten bei Valmy und Wattignies erzählen. Hoffentlich ist Etienne höflich und freundlich zu ihnen, dachte ich die ganze Zeit, hoffentlich nimmt die Sache ein gutes Ende. Während ich aus dem Fenster lehnte, bekam ich nämlich Lampenfieber. Und dann sah ich sie kommen! In ein eifriges Gespräch vertieft, kamen sie die Straße entlang. Und ich war grenzenlos enttäuscht! Nein, so etwas: klein war er, kleiner als Monsieur Joseph, und dabei ist der nur mittelgroß. Und gar nichts glitzerte an ihm, weder Ordenssterne noch Ordensschleifen! Erst als sie vor unserem Haus angelangt waren, sah ich, daß er schmale goldene Epauletten trug. Seine Uniform war dunkelgrün, und die hohen Stiefel glänzten nicht und saßen auch gar nicht stramm. Sein Gesicht konnte ich nicht sehen, es war von einem riesigen Hut verdeckt, der nur mit einer Kokarde der Republik geschmückt war. Ich habe nicht geahnt, daß ein General so schäbig aussehen kann. Ich war grenzenlos enttäuscht. „Der schaut sehr armselig aus", murmelte ich. Julie war neben mich getreten, hielt sich jedoch hinter der Gardine verborgen, sie wollte wahrscheinlich nicht, daß die beiden Bürger herausfanden, wie neugierig sie war. „Wieso? Er sieht doch sehr hübsch aus!" bemerkte sie. „Du kannst nicht von einem Sekretär im Maison Commune erwarten, daß er sich weiß Gott wie herausputzt!"

„Ach so, du meinst Monsieur Joseph! Ja, der sieht ganz elegant aus, zumindest scheint ihm jemand regelmäßig die Schuhe zu bürsten. Aber sein kleiner Bruder, der General!" Ich schüttelte seufzend den Kopf. „Eine Riesenenttäuschung! Ich hab' gar nicht gewußt, daß es so kleingewachsene Offiziere in der Armee gibt." „Wie hast du ihn dir eigentlich vorgestellt?" wollte Julie wissen. Ich zuckte die Ach= seln. „Wie einen General eben. Wie einen Mann, bei dem man das Gefühl hat, daß er wirklich kommandieren kann."

Seltsam: das alles ist doch erst zwei Monate her, und doch scheint eine Ewigkeit vergangen zu sein seit jenem Augenblick, in dem ich Joseph und Napoleone zum erstenmal in unserem Wohnzimmer sitzen sah. Bei Julies und meinem Eintritt sprangen beide auf und verbeugten sich überhöflich — nicht nur vor Julie, auch vor mir. Dann saßen wir alle steif und ungemütlich um den ovalen Maha= gonitisch herum. Mama auf dem Sofa, daneben Joseph Buonaparte. Auf der anderen Seite der armselige General auf dem unbequemsten Stuhl unseres Hauses, Etienne neben ihm. Julie und ich zwischen Mama und Etienne.

„Ich habe Bürger Buonaparte eben für die Liebenswürdigkeit gedankt, mit der er dich gestern nach Hause brachte, Eugénie", sagte Mama. In diesem Augenblick erschien Marie mit Likör und Julies Kuchen. Während Mama die Gläser vollschenkte und den Kuchen anschnitt, bemühte sich Etienne, Konversation zu machen. „Ist es indiskret, wenn ich frage, ob Sie gegenwärtig dienstlich in unserer Stadt weilen, Bürger General?" wandte er sich an seinen Nachbar. An Stelle des Generals antwortete Joseph eifrig: „Nicht im gering= sten. Die Armee der französischen Republik ist eine Volksarmee und wird von den Steuern der Bürger erhalten. Jeder Bürger hat daher das Recht, Bescheid über die Maßnahmen unseres Heeres zu wissen. Habe ich nicht recht, Napoleone?" Der Name Napoleone klang sehr fremdartig. Unwillkürlich sahen wir alle den General an. „Sie können fragen, soviel Sie Lust haben, Bürger Clary", sagte der General. „Ich zumindest mache kein Geheimnis aus meinen Plänen. Meiner Ansicht nach verschwendet die Republik nur ihre Kräfte in diesem ewigen Verteidigungskrieg an den Grenzen. Verteidigungs= kriege bereiten nur Kosten und bringen weder Ruhm noch die Mög= lichkeit, unsere Staatskassen zu füllen. Danke vielmals, Madame Clary, besten Dank —" Mama hatte ihm seinen Teller mit Kuchen gereicht. Und sofort wieder zu Etienne gewandt: „Wir müssen selbstverständlich zu einem Angriffskrieg übergehen. Damit wird Frankreichs Finanzen geholfen und Europa bewiesen werden, daß die Volksarmee der Republik nicht geschlagen ist." Ich hatte zwar zugehört, aber den Inhalt seiner Worte gar nicht erfaßt. Der General hatte seinen großen Hut im Vorraum gelassen, und ich konnte daher sein Gesicht genau sehen. Und obwohl es kein schönes Gesicht ist, so erscheint es mir doch wunderbarer als alle Gesichter, die ich je gesehen oder von denen ich je geträumt habe. Auf einmal begriff ich auch, warum mir Joseph Bounaparte gestern so gut gefallen hatte. Die Brüder sehen einander sehr ähnlich. Aber Josephs Züge sind weicher, unausgesprochener als die Napoleones. Sie verraten nur die Möglichkeit seines Gesichtes, von dem mir schien, als ob ich es herbeigesehnt hätte. Napoleones Gesicht ist die Erfüllung dieser Möglichkeit. „Angriffskrieg . . . ?" hörte ich jetzt Etienne verblüfft fragen. Es war ganz still im Zimmer geworden, und ich begriff, daß dieser junge General irgend etwas Erstaunliches gesagt haben mußte. Etienne blickte ihn nämlich völlig entgeistert an. „Ja, aber Bürger General — hat denn unsere Armee, von der es heißt, daß ihre Equipierung überaus bescheiden —" Der General machte eine Handbewegung und lachte: „Bescheiden? Das ist nicht der richtige Ausdruck! Wir haben eine Bettlerarmee. An den Grenzen stehen unsere Soldaten in Lumpen, in die Schlacht marschieren sie in Holzpantinen. Und unsere Artillerie ist so jammervoll ausgerüstet, daß man glauben sollte, Kriegsminister Carnot wird Frankreich nächstens mit Pfeil und Bogen statt mit Kanonen verteidigen." Ich lehnte mich vor und starrte ihn an. Nachher sagte mir Julie, daß ich mich unmöglich benommen habe. Aber ich konnte nicht anders. Besonders, weil ich immerzu wartete, ob er wieder lachen werde. Er hat ein mageres Gesicht mit sehr gespannter, sonnverbrannter Haut, das von rotbraunen Haaren eingerahmt wird. Die Haare hängen unfrisiert bis zur Schulter und sind überhaupt nicht gepudert. Wenn er lacht, wirkt sein gespanntes Gesicht plötzlich sehr knabenhaft und noch viel jünger, als es in Wirklichkeit ist. Ich zuckte zusammen, weil jemand „Ihre Gesundheit, Mademoiselle Clary" zu mir sagte. Alle hatten ihre Gläser erhoben und nippten am Likör. Joseph neigte mir zwinkernd sein Glas entgegen, und mir fiel ein, was wir besprochen hatten. „Nennen Sie mich doch Eugénie wie alle anderen", schlug ich vor. Mama hob irritiert die Augenbrauen, aber Etienne hörte es gar nicht, so vertieft war er in sein Gespräch mit dem General. „Und an welcher Front könnte ein Angriffskrieg erfolgreich durchgeführt werden?" wollte er wissen. „An der italienischen natürlich. Wir jagen die Österreicher aus Italien. Ein sehr billiger Feldzug. Unsere Truppen lassen sich mit Leichtigkeit in Italien verpflegen. Ein so reiches, fruchtbares Land!"

„Und die italienische Bevölkerung? Die hält doch zu den Öster=
reichern!"

„Die italienische Bevölkerung wird durch uns befreit werden. Wir
werden in allen Provinzen, die wir erobern, die Menschenrechte ver=
künden." Obwohl das Gesprächsthema den General sehr zu interes=
sieren schien, langweilten ihn Etiennes Einwände sichtlich. „Sie
haben einen wunderschönen Garten", sagte jetzt Joseph Bounaparte
zu Mama und blickte durch die Glastür. „Es ist noch zu früh in der
Jahreszeit", ließ sich plötzlich Julie vernehmen. „Aber wenn der
Flieder blüht und die Kletterrosen am Gartenhäuschen..." Sie
schwieg verwirrt. Aus dieser Bemerkung konnte ich ersehen, daß
Julie bereits ihr Gleichgewicht verloren hatte. Denn Flieder und
Kletterrosen blühen nicht gleichzeitig. „Haben die Pläne für einen
Angriffskrieg an der italienischen Front bereits konkrete Form
angenommen?" Etienne gab keine Ruhe. Der Gedanke eines An=
griffskrieges schien ihn zu faszinieren. „Ja, ich bin so gut wie fertig
damit. Gegenwärtig inspiziere ich unsere Festungen hier im Süden."

„Man ist also in Regierungskreisen entschlossen, einen italieni=
schen Feldzug —"

„Der Bürger Robespierre persönlich hat mich mit dieser Inspek=
tionsreise betraut. Sie scheint mir notwendig vor Beginn unserer
italienischen Offensive." Etienne machte kleine Geräusche mit der
Zunge am Gaumen, ein Zeichen, daß er tief beeindruckt war. „Ein
großer Plan", nickte er, „ein gewagter Plan." Der General blickte
Etienne lächelnd an, und dieses Lächeln schien meinen Bruder, diesen
nüchternen Geschäftsmann, völlig gefangenzunehmen. Etienne stot=
terte wie ein Schuljunge und sagte eifrig: „Wenn der große Plan
nur gelingt, wenn er nur gelingt!"

„Beruhigen Sie sich, Bürger Clary, er wird gelingen", antwortete
der General und erhob sich. „Und welche der beiden jungen Damen
würde die Güte haben, mir den Garten zu zeigen?" Julie und ich
sprangen gleichzeitig auf. Und Julie lächelte Joseph zu. Ich weiß
nicht genau, wie es kam, aber zwei Minuten später befanden wir
vier uns ohne Mama und ohne Etienne im frühlingsnackten Garten.
Da der Kiesweg, der zum Gartenhäuschen führt, recht schmal ist,
mußten wir paarweise gehen. Julie und Joseph gingen voraus, und
ich wanderte neben Napoleone einher und zermarterte mir den Kopf,
worüber ich mit ihm sprechen könnte. Ich wollte so schrecklich
gern Eindruck auf ihn machen. Er schien jedoch unser Schweigen
nicht zu bemerken und tief in Gedanken versunken zu sein. Gleich=

zeitig ging er so langsam, daß sich Julie und sein Bruder immer wei=
ter von uns entfernten. Plötzlich hatte ich das Gefühl, daß er seine
Schritte absichtlich verlangsamte. „Wann glauben Sie, daß mein
Bruder und Ihre Schwester heiraten werden?" sagte er unvermittelt.
Zuerst glaubte ich, nicht richtig gehört zu haben. Ich sah ihn ver=
legen an und spürte, daß ich rot wurde. „Nun?" fragte er, „wann
wird die Hochzeit sein? Ich hoffe, bald."

„Ja, aber — aber die beiden haben einander doch erst kennen=
gelernt", stotterte ich. „Und wir wissen doch gar nicht —"

„Die beiden sind füreinander bestimmt", erklärte er. „Davon sind
Sie ja auch überzeugt."

„Ich?" Ich machte erstaunte runde Augen und blickte ihn genauso
an, wie ich Etienne anblicke, wenn ich ein schlechtes Gewissen habe
und nicht will, daß er mich auszankt. Etienne murmelte dann mei=
stens etwas von „Kinderaugen" und ist mir nicht länger böse.

„Bitte, sehen Sie mich nicht so an!" kam es jetzt. Ich glaubte, vor
Verlegenheit in die Erde sinken zu müssen. Gleichzeitig wurde ich
sehr wütend. „Sie haben sich doch selbst gestern abend gedacht, daß
es vorteilhaft wäre, wenn Ihre Schwester meinen Bruder heiraten
würde. Sie ist doch in dem Alter, in dem sich junge Mädchen zu ver=
loben pflegen", meinte er. „Ich habe nichts dergleichen gedacht, Bürger
General!" beharrte ich und hatte das Gefühl, Julie in irgendeiner
Weise bloßgestellt zu haben. Ich ärgerte mich nicht mehr über ihn,
sondern nur über mich selbst. Er blieb stehen und wandte sich mir
zu. Er war nur einen halben Kopf höher als ich, und es schien ihm
angenehm zu sein, jemanden gefunden zu haben, auf den er hinab=
sehen konnte. Es dämmerte, und die blaßblaue Frühlingsdämmerung
schob sich wie eine Wand zwischen uns und Julie und Joseph. Das
Gesicht des Generals war so nahe, daß ich seine Augen sehen konnte,
sie glitzerten, und ich stellte erstaunt fest, daß auch Männer lange
Wimpern haben können. „Vor mir dürfen Sie niemals Geheimnisse
haben, Mademoiselle Eugénie. Ich kann nämlich kleinen Mädchen
bis tief ins Herz hineinsehen. Und außerdem hat mir Joseph bereits
gestern abend erzählt, daß Sie ihm versprochen haben, ihn Ihrer
großen Schwester vorzustellen. Und bei dieser Gelegenheit haben
Sie ihm gesagt, daß Ihre Schwester sehr hübsch ist. Sie haben nicht
die Wahrheit gesagt und — Ihre kleine Unwahrheit dürfte einen
ganz bestimmten Grund haben." „Wir müssen weitergehen, die
anderen sind sicher schon beim Gartenhäuschen", stieß ich hervor.
„Wollen wir nicht Ihrer Schwester die Möglichkeit geben, meinen

Bruder etwas näher kennenzulernen, bevor sie sich mit ihm verlobt?" fragte er leise. Seine Stimme klang ganz weich, beinahe wie — ja, beinahe wie eine Liebkosung. Viel seltener als bei seinem Bruder schlich sich fremdartige Aussprache in seine Rede. „Joseph wird nämlich sehr bald um die Hand Ihrer Schwester anhalten", teilte er mir dann seelenruhig mit. Es war so dunkel geworden, daß ich sein Gesicht nur verschwommen sehen konnte, aber ich spürte, daß er lächelte. „Woher wissen Sie das?" fragte ich verlegen. „Wir haben es gestern abend besprochen", antwortete er, als ob dies die natür= lichste Sache der Welt wäre. „Gestern abend kannte doch Ihr Bruder meine Schwester noch gar nicht", antwortete ich empört. Da nahm er ganz leicht meinen Arm, und ich spürte seine Berührung mit mei= nem ganzen Körper. Langsam gingen wir weiter, und er sprach so zärtlich und vertraulich zu mir, als ob wir seit Jahren Freunde wären. „Joseph hat mir von seiner Begegnung mit Ihnen erzählt und auch, daß Ihre Familie sehr wohlhabend ist. Ihr Vater ist zwar nicht mehr am Leben, aber ich nehme an, daß er Ihnen und Ihrer Schwester eine größere Mitgift hinterlassen hat. Unsere Familie dagegen ist sehr arm." „Sie haben auch Schwestern, nicht wahr?" Mir fiel ein, daß Joseph gestern Schwestern in meinem Alter erwähnt hatte. „Noch drei jüngere Brüder und drei jüngere Schwestern", sagte er. „Und Joseph und ich müssen für Mama und alle Geschwister sorgen. Mama erhält zwar eine winzige Staatspension, weil sie als verfolgte Patriotin gilt, seitdem sie von Korsika flüchten mußte. Aber diese Pension reicht nicht einmal für die Miete. Sie wissen gar nicht, Mademoiselle Eugénie, wie teuer das Leben momentan in Frankreich ist." „Ihr Bruder will also meine Schwester nur wegen ihrer Migift heiraten?" Ich versuchte, sachlich und überlegen zu sprechen, aber meine Stimme zitterte vor Empörung und Schmerz. „Aber was fällt Ihnen ein, Mademoiselle Eugénie! Ich finde, daß Ihre Schwester ein sehr liebenswürdiges Mädchen ist, so freundlich und bescheiden, so hübsche Augen . . .Ich bin überzeugt davon, daß sie Joseph sehr gut gefällt. Die beiden werden sehr glücklich miteinander werden." Gleichzeitig beschleunigte er seine Schritte. Das Thema schien für ihn erledigt zu sein. „Ich werde Julie sagen, was Sie mir eben ver= raten haben", drohte ich. „Natürlich. Deshalb habe ich Ihnen doch alles so genau auseinandergesetzt. Sagen Sie es Julie, damit sie weiß, daß Joseph bald um ihre Hand anhalten wird!" Eine Sekunde lang war ich wie vor den Kopf geschlagen. Wie unverschämt, dachte ich nur, wie unverschämt! Und ich hörte in Gedanken Etiennes Stimme:

korsische Abenteurer! „Darf ich fragen, warum Ihnen persönlich so sehr an der Hochzeit Ihres Bruders gelegen ist?"

„Pst, nicht so laut. Sie werden verstehen, Mademoiselle Eugénie, daß ich, bevor ich das italienische Oberkommando übernehme, meine Familie in etwas geordneteren Verhältnissen wissen möchte. Joseph interessiert sich übrigens für Politik und Literatur. Vielleicht kann er auf einem dieser Gebiete etwas erreichen, wenn er sich nicht mehr in kleinen Stellungen herumdrücken muß. Nach meinen ersten italienischen Siegen werde ich natürlich für meine ganze Familie sorgen." Er machte eine Pause. „Und — ich werde gut für sie sorgen, Mademoiselle, das können Sie mir glauben!" Als wir beim Gartenhäuschen anlangten, sagte Julie: „Wo waren Sie nur so lange mit der Kleinen, General? Wir haben schon auf Sie und Eugénie gewartet." Dabei konnte man ihr und Joseph anmerken, daß sie uns völlig vergessen hatten. Sie saßen dicht nebeneinander auf einer kleinen Bank, obwohl doch eine ganze Menge von Sitz= gelegenheiten herumstanden. Außerdem hielten sie einander bei den Händen und dachten, daß man das in der Dämmerung nicht sehen würde. Wir kehrten alle vier zum Haus zurück, und die bei= den Brüder Buonaparte wollten sich verabschieden. Aber da sagte Etienne plötzlich: „Es wäre meiner Mutter und mir ein großes Ver= gnügen, wenn der Bürger General und der Bürger Joseph Buonaparte mit uns zu Abend essen würden. Es ist lange her, seitdem ich Ge= legenheit hatte, so anregende Gespräche zu führen." Dabei blickte er den General geradezu bittend an, Joseph dagegen schien ihm ganz gleichgültig zu sein. Julie und ich liefen in unser Zimmer, um uns das Haar zu richten. „Die beiden haben einen guten Ein= druck auf Mama und Etienne gemacht", sagte sie. „Gottlob!"

„Ich mache dich aufmerksam, daß Joseph Buonaparte bald um deine Hand anhalten wird. Und zwar hauptsächlich wegen —" Ich stockte. Das Herz tat mir weh. „Wegen der Mitgift!" vollendete ich. „Wie kannst du nur so etwas Häßliches sagen!" Julies Gesicht war dunkelrot geworden. „Er hat mir erzählt, wie arm seine Fa= milie ist, und —" sie setzte zwei kleine schwarze Samtschleifen ins Haar — „und er könnte natürlich kein bettelarmes Mädchen hei= raten, da er nur ein kleines Gehalt hat und daran denken muß, seiner Mutter und den jüngeren Geschwistern zu helfen. Ich finde das sehr schön von ihm. Außerdem —" Sie unterbrach sich: „Eugé= nie! Ich will nicht, daß du schon wieder mein Rouge benutzt!"

„Hat er dir schon gesagt, daß er dich heiraten will?"

„Weiß der Himmel, warum man in deinem Alter immer glaubt, daß sich ein junger Mann nicht mit einer Dame unterhalten kann, ohne sofort von Liebe zu sprechen! Ich habe mit dem Bürger Buona= parte ausschließlich über das Leben im allgemeinen und über seine kleinen Geschwister geplaudert."

Auf dem Weg ins Eßzimmer, in dem sich nun die ganze Familie um unsere beiden Gäste gruppierte, legte Julie plötzlich den Arm um meine Schultern und preßte ihre Wange an mein Gesicht. Ihre Wange war sehr heiß. „Ich weiß nicht, warum, aber — ich bin so gut aufgelegt", flüsterte sie und küßte mich. Das hängt wahrschein= lich mit ihrer Verliebtheit zusammen, überlegte ich. Mir selbst war weder heiß noch kalt. Aber ich hatte bereits jenes seltsame Ziehen in der Herzgegend. Napoleone, dachte ich. Ein ausgefallener Name. So ist einem also zumute, wenn man sich verliebt. Napoleone...

Das ist alles zwei Monate her.

Und gestern habe ich meinen ersten Kuß bekommen, und Julie hat sich verlobt. Irgendwie hängen diese beiden Ereignisse zusam= men, denn während Julie und Joseph im Gartenhäuschen saßen, standen Napoleone und ich an der Hecke am rückwärtigen Ende unseres Gartens, um die beiden nicht zu stören. Mama hat mir nämlich aufgetragen, die Abendstunden im Garten stets mit Julie und Joseph zu verbringen, weil Julie doch ein junges Mädchen aus gutem Haus ist. Seit jenem ersten Besuch erscheinen die Brüder Buonaparte beinahe jeden Tag bei uns. Etienne — wer hätte es gedacht, es geschehen noch Zeichen und Wunder — fordert sie dazu auf. Er kann nämlich gar nicht genug von seinen Gesprächen mit dem jungen General bekommen. (Armer Napoleone, ihn langweilen diese Unterhaltungen ganz schrecklich!) Etienne gehört zu jenen Leuten, die ihre Mitmenschen nach dem Ausmaß ihrer Erfolge ein= schätzen. Als ich seinerzeit berichtete, daß die Brüder Buonaparte korsische Flüchtlinge seien, wollte er mit ihnen nichts zu tun haben und nannte sie „Abenteurer". Dann hat ihm aber Joseph den Ausschnitt aus der Dezembernummer des „Moniteur" gezeigt, in der die Ernennung Napoleones zum Brigadegeneral veröffentlicht wurde, und seitdem ist Etienne für Napoleone ganz begeistert. Na= poleone hat nämlich die Engländer aus Toulon vertrieben. Und das kam so:

Die Engländer, die sich immer in unsere Angelegenheiten ein= mischen und so empört sind, weil wir unseren König zum Tode

verurteilt haben (und dabei sagt Napoleone, daß es keine hundert=
fünfzig Jahre her sei, daß sie mit ihrem König genau dasselbe ge=
macht haben), also — die Engländer hatten sich mit den Royalisten
von Toulon verbündet und die Stadt besetzt. Unsere Truppen muß=
ten deshalb Toulon belagern. Napoleone wurde hinkommandiert
und, was seinen Vorgesetzten nicht gelungen war, erreichte er in=
nerhalb ganz kurzer Zeit: Toulon konnte gestürmt werden, und die
Engländer ergriffen die Flucht. Damals wurde der Name Buonaparte
zum erstenmal im Heeresbericht genannt und Napoleone zum Bri=
gadegeneral befördert. Etienne hat ihn natürlich über alle Einzel=
heiten des Toulon Sieges ausgefragt, aber Napoleone sagte, daß
das Ganze keine Kunst gewesen sei. Nur eine Frage von ein paar
Kanonen, und er, Napoleone Buonaparte, wisse genau, wo und wie
Kanonen am besten einzusetzen sind. Nach dem Erfolg bei Toulon
ist Napoleone nach Paris gereist, um irgendeinen Weg zu Robes=
pierre zu finden. Robespierre ist nämlich der mächtigste Mann im
Komitee für öffentliche Sicherheit. Dieses Komitee bildet unsere
Regierung. Der Weg zum großen Robespierre ging über den kleinen
Robespierre, den Bruder des gefürchteten Kommissars. Robespierre
— der richtige nämlich — fand Napoleones Pläne für einen Angriffs=
krieg in Italien ausgezeichnet, sprach mit seinem Kollegen Carnot
darüber und verlangte von ihm, Napoleone mit den Vorarbeiten
dazu zu betrauen. Cornot leitet nämlich das Kriegsministerium. Und
Napoleone sagt, daß dieser Carnot jedesmal wütend wird, wenn sich
Robespierre in die Angelegenheiten des Kriegsministeriums hinein=
mischt, denn die gehen ihn eigentlich gar nichts an. Aber niemand
wagt, Robespierre zu widersprechen, ein von ihm unterschriebener
Arrestbefehl genügt, um einen auf die Guillotine zu bringen. Des=
halb hat auch Carnot Napoleone scheinbar freundlich empfangen
und sich von ihm die italienischen Pläne überreichen lassen, „In=
spizieren Sie zuerst die südlichen Festungen, ich werde Ihre Ideen
genau studieren, Bürger General", hat Carnot gesagt, aber Napo=
leone ist überzeugt davon, daß seine Pläne in einer Schublade im
Kriegsministerium begraben liegen. Robespierre jedoch wird schon
durchsetzen, daß Napoleone den Oberbefehl in Italien erhält, meint
Joseph.

Etienne und alle unsere Bekannten hassen diesen Robespierre.
Aber sie sagen es nicht laut, das wäre lebensgefährlich. Es heißt,
daß Robespierre die Mitglieder des Revolutionstribunals beauf=
tragt hat, ihm heimlich über die Einstellung aller Staatsbeamten

zu berichten. Auch das Privatleben jedes einzelnen Bürgers wird
angeblich überwacht. Robespierre hat erklärt, daß ein einwand=
freier Republikaner ein moralisches Leben zu führen und jeden
Luxus zu verachten hat. Neulich hat er sogar alle Bordelle in Paris
zusperren lassen. Ich habe Etienne gefragt, ob Bordelle ein Luxus
sind, aber mein Bruder wurde böse, weil ich von solchen Sachen
nicht sprechen darf. Auch darf nicht mehr auf der Straße getanzt
werden, obwohl dies bisher an Feiertagen das billigste Vergnügen
war. Etienne hat uns streng verboten, Robespierre jemals in Gegen=
wart der Brüder Buonaparte zu kritisieren. Er selbst spricht mit
Napoleone fast ausschließlich über die italienischen Pläne. „Es ist
unsere heilige Aufgabe, sämtlichen europäischen Völkern die Be=
griffe Freiheit, Gleichheit und Brüderlichkeit beizubringen", sagt
Napoleone. „Und, wenn es sein muß, mit Hilfe von Kanonen!"
Ich höre immer diesen Gesprächen zu, um in Napoleones Nähe zu
sein, obwohl sie mich entsetzlich langweilen. Das ärgste ist, wenn
Napoleone beginnt, meinem Bruder aus dem Handbuch moderner
Artillerie vorzulesen. Das kommt nämlich manchmal vor, und
Etienne, dieser Idiot, bildet sich ein, etwas davon zu verstehen. Ich
glaube, Napoleone ist ein richtiger Seelenfänger. Wenn er jedoch
mit mir allein ist, spricht er niemals von Kanonen. Und wir sind
sehr oft allein ... Nach dem Abendbrot sagt nämlich Julie regel=
mäßig: „Wir sollten mit unseren Gästen ein wenig in den Garten
gehen, nicht wahr, Mama?" Mama sagt dann: „Geht nur, Kinder!"
Und wir vier — Joseph und Napoleone, Julie und ich — verschwinden
in der Richtung des Gartenhäuschens. Aber bevor wir das Häus=
chen erreicht haben, schlägt Napoleone meistens vor: „Eugénie,
was halten Sie von einem Wettlauf? Versuchen wir, wer von uns
beiden zuerst die Hecke erreicht!" Dann raffe ich meinen Rock hoch.
Julie ruft: „Achtung — fertig — los!" Worauf Napoleone und ich
wie zwei Besessene auf die Hecke zustürzen. Während ich mit wild=
fliegenden Haaren und Herzklopfen und Seitenstechen die Hecke er=
reiche, verschwinden Joseph und Julie im Gartenhäuschen. Manch=
mal gewinnt Napoleone den Wettlauf, manchmal auch ich. Aber,
wenn ich zuerst die Hecke erreiche, so weiß ich, daß mich Napoleone
absichtlich gewinnen läßt. Die Hecke geht mir gerade bis zur Brust.
Gewöhnlich lehnen wir dicht nebeneinander an der Blätterwand,
ich stütze die Arme auf und schaue die Sterne an. Und dann führen
Napoleone und ich lange Gespräche. Zum Beispiel über „Die Leiden
des jungen Werther", den Roman eines unbekannten deutschen

Dichters, der Goethe heißt, und den momentan alle Leute auf dem Nachttisch liegen haben. (Den Roman meine ich, nicht den Dichter!) Ich mußte das Buch heimlich lesen, weil Mama nicht leiden kann, daß ich Liebesromane studiere. Aber ich war von dem Buch etwas enttäuscht. Es ist die unglaublich traurige Geschichte eines jungen Mannes, der sich erschießt, weil das Mädchen, das er liebt, seinen besten Freund heiratet. Napoleone dagegen ist von dem Buch ganz begeistert. Ich habe ihn gefragt, ob er sich vorstellen könnte, sich aus unglücklicher Liebe zu erschießen.

„Nein, denn ein Mädchen, das ich liebe, heiratet eben keinen anderen", sagte er und lachte. Aber dann wurde er plötzlich ernst und sah mich an, und ich sprach schnell von etwas anderem.

Oft jedoch lehnen wir auch lange Zeit stumm nebeneinander und beobachten die schlafende Wiese auf der anderen Seite der Hecke. Je stiller wir sind, um so näher sind wir ihr. Dann ist mir, als ob man das Gras und die Blumen atmen hören könnte. Ab und zu schluchzt irgendwo ein Vogel auf. Wie ein gelber Lampion hängt der Mond am Himmel, und während ich die schlafende Wiese an= schaue, denke ich: Lieber Gott, laß diesen Abend nicht vorüber= gehen, lieber Gott, laß mich immer neben ihm lehnen ... Denn ob= wohl ich gelesen habe, daß es keine überirdischen Mächte gibt und die Regierung in Paris der menschlichen Vernunft einen Altar er= richtet hat, so denke ich immer, wenn ich sehr traurig oder sehr glücklich bin: lieber Gott.

„Hast du niemals Angst vor deinem Schicksal, Eugénie?" fragte Napoleone gestern unvermittelt. Wenn wir allein mit der schlafen= den Wiese sind, sagt er manchmal du, obwohl sich nicht einmal Brautleute oder Ehepaare duzen.

„Angst vor meinem Schicksal?" Ich schüttelte den Kopf. „Nein, ich habe keine Angst. Man weiß doch nicht, was einem bevorsteht. Warum soll man sich denn vor etwas Unbekanntem fürchten?"

„Seltsam, daß die meisten Menschen behaupten, ihr Schicksal nicht zu kennen", sagte er. Sein Gesicht war sehr blaß im Mond= licht, er starrte mit weitaufgerissenen Augen ins Weite. „Ich zum Beispiel spüre mein Schicksal. Meine Bestimmung." „Und — haben Sie Angst davor?" fragte ich erstaunt. Er schien nachzudenken. Dann kam es schnell und stoßweise: „Nein. Ich weiß, daß ich sehr Großes vollbringen werde. Ich bin dazu geschaffen, Staaten aufzubauen und zu lenken. Ich gehöre zu jenen Männern, die Weltgeschichte machen." Ich starrte ihn verblüfft an. Ich hätte es nicht für möglich gehalten, daß jemand solche Dinge denkt und ausspricht. Plötzlich begann ich zu lachen. Bei meinem Kichern zuckte er zusammen, und sein Gesicht verzerrte sich. Jäh wandte er sich zu mir:

„Du lachst?" flüsterte er, „Eugénie — du lachst?"

„Verzeihen Sie, bitte — verzeihen Sie", sagte ich, „aber es war nur, weil — ja, ich bekam plötzlich Angst vor Ihrem Gesicht, es war so weiß im Mondlicht und — so fremd. Wenn ich Angst habe, versuche ich immer — zu lachen."

„Ich wollte dich nicht erschrecken, Eugénie", sagte er, und seine Stimme wurde zärtlich. „Ich kann verstehen, daß du Angst bekommen hast. Angst — vor meinem großen Schicksal." Wieder schwiegen wir ein Weilchen. Plötzlich fiel mir etwas ein. „Übrigens werde ich auch Weltgeschichte machen, Napoleone!" Er sah mich erstaunt an. Aber ich versuchte unbeirrt, meine Gedanken auszudrücken. „Die Weltgeschichte besteht doch aus den Schicksalen aller Menschen, nicht wahr? Nicht nur Leute, die Todesurteile unterschreiben oder genau wissen, wo man Kanonen aufstellt und wie man sie abschießt, machen Weltgeschichte. Ich glaube, daß auch die anderen — ich meine, jene Menschen, die geköpft werden oder auf die man die Kanonen richtet und — überhaupt alle Männer und Frauen, die leben und hoffen und lieben und sterben, Weltgeschichte machen."

Er nickte langsam. „Richtig, kleine Eugénie, vollkommen richtig. Aber ich werde in diese Millionen und Millionen Schicksale, von denen du sprichst, eingreifen."

„Wie seltsam . . ."

„Nicht wahr? Seltsam, diese großen Möglichkeiten vor sich zu sehen!"

„Nein, ich meine, wie seltsam, daß Sie sich dies wünschen, Napoleone", sagte ich, und auf einmal erschien er mir ganz fremd. Im gleichen Augenblick jedoch lächelte er, und die plötzliche Verwandlung seines Gesichtes ließ ihn wieder vertraut werden. „Du glaubst an mich, Eugénie, nicht wahr? Was immer auch geschieht?" Sein Gesicht war ganz nahe. So nahe, daß ich plötzlich zitterte und unwillkürlich die Augen schloß. Da spürte ich seinen Mund ganz hart auf meinen Lippen. Meine Lippen wollten nachgeben, aber ich preßte sie schnell zusammen, weil ich plötzlich daran dachte, daß Julie mich immer auszankt, wenn ich ihr einen zu nassen Kuß auf die Wange klatsche. Und ich wollte doch so küssen, daß es ihm angenehm und wohlerzogen erschien. Aber sein Mund war so hart und forderte und — ich weiß nicht, wie es geschah, ich wollte es gewiß nicht — aber plötzlich gaben meine Lippen nach und öffneten sich. Nachts, lange, nachdem Julie das Licht ausgeblasen hatte, konnte ich noch nicht einschlafen. Da kam Julies Stimme aus dem Dunkel: „Kannst du auch nicht schlafen, Kleines?"

„Nein. Es ist so warm im Zimmer", seufzte ich. „Ich muß dir nämlich etwas verraten", flüsterte Julie. „Ein ganz großes Geheim= nis, du darfst es niemandem sagen. Zumindest nicht bis morgen nachmittag. Schwörst du?"

„Bei Mamas Leben und deinem Leben und meinem eigenen", sagte ich aufgeregt. Das ist der größte Schwur, den ich kenne. „Morgen nachmittag wird Monsieur Joseph Buonaparte mit Mama sprechen." Ich war grenzenlos enttäuscht. „Mit Mama sprechen? Worüber denn?" Julie wurde ärgerlich. „Herrgott, bist du dumm! Über uns natürlich — über ihn und mich. Er will — ach, du bist noch so jung und kindisch — er will um meine Hand anhalten!" Mit einem Ruck setzte ich mich auf. „Julie! Dann bist du ja — verlobt?"

„Pst, nicht so laut! Morgen nachmittag werde ich mich verloben. Wenn Mama nichts dagegen hat. Morgen nachmittag —" Ich sprang aus dem Bett und lief zu ihr hinüber. Polternd krachte ich gegen einen Stuhl. „Au, au weh...!" Ich hatte mir die Zehen angeschla= gen. „Pst, Eugénie — du weckst ja das ganze Haus auf!" Aber ich war schon bei ihr. Schnell kroch ich unter ihre warme Decke und rüttelte aufgeregt ihre Schultern und wußte gar nicht, wie ich ihr zeigen sollte, daß ich mich freute. „Du bist eine Braut..." wieder= holte ich immerfort. „Eine richtige Braut. Hat er dich schon geküßt?" „So etwas fragt man nicht", erklärte Julie ärgerlich. Dann schien ihr einzufallen, daß sie ihrer kleinen Schwester ein gutes Beispiel geben mußte, und sie fügte hinzu: „Merk dir, ein junges Mädchen läßt sich erst dann küssen, wenn seine Mama der Verlobung zugestimmt hat. Übrigens bist du noch viel zu jung, um über diese Dinge nach= zudenken!"

Es war so dunkel, daß wir einander nicht in die Augen sehen konnten. Ich bin überzeugt davon, daß Julie nicht die Wahrheit sagte. Natürlich hat er sie geküßt! Die beiden hatten beinahe jeden Abend das Gartenhäuschen für sich. Andere Leute, wie zum Bei= spiel ihre leider um so viel jüngere Schwester und ein gewisser General, mußten sich in der Zwischenzeit obdachlos an der Garten= hecke herumtreiben. Aber wir hatten dies gern auf uns genommen, weil wir dachten, daß unterdessen Julie und Joseph — „Natürlich habt ihr euch geküßt!" erklärte ich am Ende meiner Überlegungen. Julie war bereits im Einschlafen. „Vielleicht . . ." murmelte sie noch. Es ist nur so schwer, die Lippen dabei fest geschlossen zu halten, ging es mir durch den Kopf. Und dann legte ich mein Gesicht an Julies Schulter zurecht und schlief ein.

Ich glaube, ich habe einen Schwips.

Einen kleinen Schwips, einen lieben Schwips, einen angenehmen, angenehmen, angenehmen Schwips. Julie hat sich mit Joseph ver= lobt, und Mama hat Etienne in den Keller geschickt, um Cham= pagner zu holen. Champagner, den Papa vor vielen Jahren gekauft und für Julies Verlobung aufbewahrt hat. Sie sitzen noch alle unten auf der Terrasse und besprechen, wo Julie und Joseph wohnen werden. Napoleone ist soeben fortgegangen, um seiner Mutter alles zu erzählen. Mama hat Madame Letitia Buonaparte und alle Kinder für morgen abend eingeladen. Dann werden wir also Julies neue Familie kennenlernen. Ich hoffe sehr, daß ich Madame Letitia Buona= parte gefalle, ich hoffe nämlich, daß — nein! Nicht aufschreiben, sonst geht es nicht in Erfüllung! Nur beten und ganz fest im ge= heimen daran glauben . . .

Ich wollte, wir bekämen öfters Champagner zu trinken. Cham= pagner prickelt auf der Zunge und schmeckt süß, und schon nach dem ersten Glas mußte ich immerfort lachen und wußte nicht, war= um. Nach dem dritten Glas sagte Mama: „Dem Kind darf niemand mehr einschenken!" Wenn sie wüße, daß ich schon geküßt wurde.

Heute morgen mußte ich ganz zeitig aufstehen und hatte bis jetzt keine Gelegenheit, mit mir allein zu sein. Deshalb bin ich, sobald Napoleone sich verabschiedete, in mein Zimmer gerannt und schreibe jetzt in mein Buch. Aber meine Gedanken laufen wie Amei= sen durcheinander und tragen auch — genauso wie Ameisen — kleine Lasten. Ameisen schleppen sich mit Fichtennadeln, Zweiglein oder einem Klümpchen Sand ab, meine Gedanken balancieren winzige Zukunftsträume. Aber ich lasse meine Gedankenklümpchen immer gleich fallen, weil ich Champagner getrunken habe und mich nicht richtig konzentrieren kann.

Ich weiß gar nicht, wie es kommt, aber ich hatte in den letzten Tagen völlig vergessen, daß unser Schwede, dieser Monsieur Pers= son, heute abreisen sollte. Seit die Buonapartes uns besuchen, habe ich mir nicht mehr viel Zeit für ihn genommen. Ich glaube, er kann Joseph und Napoleone nicht ausstehen. Als ich ihn fragte, was er über unsere neuen Freunde denke, sagte er nur, daß er sie schwer versteht, weil sie so schrecklich viel und schrecklich schnell sprechen und außerdem eine andere Aussprache haben als wir. Das leuchtet mir ein, der korsische Akzent ist zuviel für ihn! Gestern nachmittag sagte er mir, daß er seine Reisetaschen gepackt habe und heute früh die Postkutsche um neun nehmen werde. Ich beschloß natürlich, ihn zu begleiten, denn erstens habe ich das Pferdegesicht wirklich gern, und zweitens macht es mir Spaß, zur Postkutsche zu gehen. Dort sieht man nämlich immer neue Leute und manchmal Damen in Pariser Toiletten. Aber dann vergaß ich natürlich Persson und seine Reisevorbereitungen, weil ich doch über meinen ersten Kuß nachdenken mußte.

Zum Glück fiel mir heute früh gleich beim Aufwachen Perssons Abreise ein. Ich fuhr aus dem Bett, sprang in mein Unterkleid und die beiden Unterröcke, warf irgendein Kleid über, nahm mir kaum Zeit, mich zu frisieren, und lief ins Eßzimmer hinunter. Dort fand ich Persson beim Abschiedsfrühstück. Mama und Etienne flatterten um ihn herum und redeten ihm zu, möglichst viel zu essen. Der arme Mann hat doch eine schrecklich weite Reise vor sich. Zuerst bis an den Rhein und dann durch Deutschland nach Lübeck und von dort mit einem Schiff nach Schweden. Ich weiß gar nicht, wie viele Male er die Postkutsche wechseln muß, um Lübeck zu erreichen. Marie hatte ihm einen Picknickkorb mit zwei Flaschen Wein und einem gebratenen Hühnchen und harten Eiern und Kirschen zurechtgemacht. Schließlich nahmen Etienne und ich Monsieur Persson in die Mitte und marschierten mit ihm zur Postkutsche. Etienne trug eine der Reisetaschen, und Persson kämpfte mit einem großen Paket, der anderen Tasche und dem Picknickkorb. Ich bat ihn, mich etwas tragen zu lassen, und schließlich reichte er mir widerstrebend das Paket und sagte, daß es etwas sehr Kostbares enthalte. „Die schönste Seide, die ich in meinem ganzen Leben gesehen habe", vertraute er mir an. „Seide, die Ihr seliger Herr Papa noch selbst eingekauft und seinerzeit für die Königin in Versailles bestimmt hat. Aber die Ereignisse verhinderten die Königin —" „Ja, wirklich königliche Seide", ließ sich jetzt Etienne vernehmen. „Und in all diesen Jahren habe ich diesen Brokat niemandem angeboten. Papa sagte immer, daß er sich nur für eine Hoftoilette eigne."

„Aber die Damen in Paris gehen doch noch immer elegant gekleidet", warf ich ein. Etienne schnaufte verächtlich. „Die Damen in Paris sind keine Damen mehr! Außerdem bevorzugen sie ganz durchsichtige Musselinstoffe. Wenn du das elegant nennst . . . ! Nein, ein schwerer Brokat ist im heutigen Frankreich nicht mehr am Platz."

„Nun habe ich mir gestattet, die Seide zu kaufen", wandte sich Persson zu mir. „Ich habe mir einen großen Teil meines Gehaltes bei der Firma Clary aufsparen können und bin froh, daß ich ihn dafür verwenden konnte. Eine Erinnerung —" Er schluckte gerührt. „Eine Erinnerung an Ihren verstorbenen Papa und die Firma Clary." Ich bewunderte Etienne. Da er in Frankreich diesen schweren Bro= katstoff, der sicherlich sehr wertvoll, aber momentan völlig un= modern ist, nicht verkaufen kann, hat er ihn Persson angehängt. Für viel Geld natürlich, die Firma Clary hat an dieser Transaktion sicherlich gut verdient. „Es fällt mir ja nicht leicht, mich von die= sem Stoff zu trennen", sagte Etienne treuherzig. „Aber Monsieur Perssons Heimat besitzt einen Königshof, und Ihre Majestät, die Königin von Schweden, wird hoffentlich eine neue Staatsrobe brau= chen und Monsieur Persson zum Hoflieferanten ernennen." „Sie dürfen den Brokat nicht zu lange aufbewahren, Seide bricht", mel= dete ich mich, von Kopf bis Fuß die Seidenhändlerstochter Clary. „Dieses Material nicht", erklärte Etienne. „Es sind zu viele Gold= fäden eingewebt."

Das Paket war recht schwer, und ich hielt es in beiden Armen an die Brust gedrückt. Obwohl es noch früh war, brannte schon die Sonne, und mein Haar klebte feucht an den Schläfen, als ich endlich mit dem Goldbrokat der Firma Clary bei der Postkutsche anlangte. Wir waren ziemlich spät daran und konnten deshalb nicht um= ständlich Abschied nehmen. Die anderen Passagiere hatten bereits in der Kutsche Platz genommen. Etienne stellte aufatmend die Reisetasche, die er getragen hatte, auf die Zehen einer älteren Dame, und Persson ließ beinahe den Picknickkorb fallen, während er Etienne die Hand schüttelte. Dann verwickelte er sich in eine aufgeregte Diskussion mit dem Postillon, der seine Gepäckstücke auf dem Dach der Kutsche anbrachte, und erklärte ihm, daß er das große Paket nicht aus den Augen lassen wolle und die ganze Zeit über auf dem Schoß halten werde. Der Postillon widersprach, schließlich wurde der Kutscher ungeduldig und schrie: „Alles einsteigen", der Postillon sprang neben ihn auf den Bock und stieß in sein Horn, und Persson stolperte endlich mit seinem Paket in die Kutsche. Der Wagenschlag wurde zugeschlagen, von Persson aber sofort wieder aufgerissen. „Ich werde sie immer in Ehren halten, Mademoiselle

Eugénie", schrie er, und Etienne fragte achselzuckend: „Was meint eigentlich dieser verrückte Schwede?" „Die Menschenrechte", antwortete ich und wunderte mich, weil meine Augen feucht wurden. „Das Flugblatt, auf dem die Menschenrechte abgedruckt sind." Gleichzeitig dachte ich, daß sich Perssons Eltern freuen werden, das Pferdegesicht wiederzusehen, und daß nun ein Mensch auf immer aus meinem Leben verschwindet.

Etienne ging ins Geschäft, und ich begleitete ihn. Im Laden der Seidenwarenhandlung Clary fühlte ich mich ganz zu Hause, Papa hat mich oft als kleines Mädchen mitgenommen und mir stets erklärt, woher die verschiedenen Ballen Seide stammen. Ich kann auch die einzelnen Qualitäten gut voneinander unterscheiden, und Papa sagte immer, daß mir das im Blut liegt, weil ich eine richtige Seidenhändlerstochter bin. Aber ich glaube, es kommt einfach daher, weil ich ihm und Etienne so oft zugeschaut habe, wenn sie ein Stück Stoff zwischen die Finger nahmen und es scheinbar zerkrümelten und dann mit zusammengekniffenen Augen feststellten, ob es sich leicht zerknittern läßt, ob es sich um altes oder neues Material handelt und ob die Gefahr besteht, daß der Stoff schnell brüchig wird. Trotz der frühen Morgenstunde waren schon Kunden im Geschäft. Etienne und ich grüßten höflich, aber ich merkte gleich, daß es sich nicht um wichtige Käufer handelte, sondern nur um Bürgerinnen, die Musselin für ein neues Fichu oder billigen Taft für einen Oberrock brauchten. Jene Damen von den Schlössern der Umgebung, die früher stets bei Beginn jeder Saison in Versailles unserer Firma große Aufträge erteilt hatten, lassen sich nicht mehr blicken. Einige sind geköpft worden, viele nach England geflüchtet, die meisten jedoch „untergetaucht", das heißt, sie leben unter falschem Namen in irgendeinem Ort, in dem man sie nicht kennt. Etienne sagt oft, daß es ein großer Nachteil für alle Gewerbetreibenden ist, daß die Republik weder Bälle noch Empfänge veranstaltet. Daran ist hauptsächlich der schrecklich sparsame Robespierre schuld. Ich drehte mich eine Weile im Geschäft herum und half den Kunden, die verschiedenen Stoffe zu befühlen, und überredete sie, hellgrüne Seidenbänder zu kaufen, weil ich das Gefühl hatte, daß Etienne gerade die gern loswerden wollte. Dann ging ich nach Hause, dachte wie immer an Napoleone und überlegte, ob er sich wohl seine Galauniform anziehen werde, wenn wir Julies Verlobung feiern. Zu Hause fand ich Mama in sehr aufgeregtem Zustand vor. Julie hatte ihr gestanden, daß Joseph nachmittags kommen werde, um mit ihr zu sprechen. Und nun fühlte sie sich der Situation nicht gewachsen. Zuletzt ging sie trotz der Hitze in die Stadt, um sich mit Etienne zu beraten. Als sie zurückkehrte, hatte sie Kopfweh, legte sich auf ihr Sofa und erklärte, man möge sie sofort rufen, wenn Bürger Joseph Buonaparte gekommen sei. Julie dagegen benahm sich wie eine Verrückte. Sie lief im Wohnzimmer auf und ab und stöhnte. Sie war auch ganz grün im Gesicht, und ich wußte, daß ihr schlecht war. Julie wird nämlich immer schlecht vom Magen, wenn sie sehr aufgeregt ist. Schließlich nahm ich die ruhelose Seele mit mir in den Garten und setzte mich mit ihr ins Gartenhäuschen. Die Bienen summten um die Rosenranken, und ich fühlte mich schläfrig und sehr zufrieden. Das Leben ist so einfach, dachte ich, wenn man einen Mann wirklich lieb hat. Dann gehört man doch nur zu ihm. Wenn man mir verbieten würde, Napoleone zu heiraten, würde ich eben mit ihm davonlaufen. Um fünf Uhr nachmittags erschien ein riesiger Blumenstrauß, hinter dem sich Joseph verbarg. Der Blumenstrauß und Joseph wurden von Marie ins Wohnzimmer geführt, dann wurde Mama verständigt, und die Tür des Wohnzimmers schloß sich hinter den beiden. Ich preßte mich ans Schlüsselloch, um herauszufinden, was Joseph und Mama eigentlich murmelten. Aber ich konnte kein Wort verstehen.

„Hundertfünfzigtausend Francs in Gold", sagte ich zu Julie, die sich neben mir an der Tür herumdrückte. Sie fuhr zusammen: „Was? Was meinst du?"

„Hundertfünfzigtausend Francs in Gold hat Papa für deine Mitgift hinterlassen und hundertfünfzigtausend für meine. Erinnerst du dich nicht, daß der Advokat das vorgelesen hat, als Papas Testament geöffnet wurde?"

„Das ist doch jetzt ganz egal", wehrte Julie irritiert ab, zog ein Taschentuch hervor und wischte sich über die Stirn. Herrgott, wie komisch ist doch eine werdende Braut!

„Nun, darf man schon gratulieren?" lachte jemand hinter uns. Napoleone! Soeben gekommen, drückte er sich jetzt mit uns an die Tür. „Darf ich mich als zukünftiger Schwager an der unerträglichen Spannung des Wartens beteiligen?" Julies Geduld riß. „Macht, was ihr wollt, aber laßt mich in Ruhe!" schluchzte sie. Worauf Napoleone und ich auf Zehenspitzen zum Sofa schlichen und uns stumm niedersetzten. Ich kämpfte gegen einen Lachkrampf an, die ganze Situation war so irrsinnig komisch. Napoleone stieß mich leicht in die Seite. „Etwas mehr Würde, wenn ich bitten darf, Eugénie!" flüsterte er und machte ein gespielt böses Gesicht. Plötzlich stand Mama in der Tür und sagte mit zitternder Stimme: „Julie — bitte komm herein!" Julie stürzte wie eine Besessene ins Wohnzimmer, die Tür schloß sich hinter ihr und Mama, und ich — ja, ich warf beide Arme um Napoleones Hals und lachte und lachte. „Hör auf, mich zu küssen", stieß ich dann hervor, weil Napoleone die Situation sofort ausnutzte. Aber ich ließ ihn trotzdem nicht los. Bis mir die Galauniform einfiel. Ich rückte etwas von ihm ab und betrachtete ihn vorwurfsvoll. Dieselbe fadenscheinige Uniform mit dem spiegelnden Rücken wie immer. „Sie hätten sich heute schon ihre Galauniform anziehen können, verehrter General", bemerkte ich. Aber sofort bereute ich meine Worte. Sein braungebranntes Gesicht wurde ganz rot. „Ich habe keine, Eugénie", gestand er. „Ich habe bisher niemals genug Geld gehabt, um mir eine zu kaufen, und vom Staat bekommen wir nur einen Waffenrock ausgeliefert — die Felduniform, die ich trage. Die Galauniform müssen wir aus privaten Mitteln bezahlen, und Sie wissen doch —" Ich nickte eifrig. „Natürlich, Sie helfen doch Ihrer Mama und allen Geschwistern! Und eine zweite Uniform wäre auch ganz überflüssig, nicht wahr?"

„Kinder, ich habe eine große, eine ganz große Überraschung für euch!" Mama stand vor uns und lachte und weinte zugleich. „Julie und Joseph —" ihre Stimme schwankte. Dann nahm sie sich zusammen. „Eugénie, rufe sofort Suzanne! Und sieh nach, ob Etienne schon nach Hause gekommen ist. Er hat mir versprochen, pünktlich um halb sechs hier zu sein." Ich stürmte die Treppen hinauf und verständigte die beiden. Und dann tranken wir alle Champagner. Im Garten dämmerte es, aber Joseph und Julie dachten gar nicht mehr an das Gartenhäuschen, sondern sprachen nur von dem Heim, das sie sich in einem der Vororte einrichten wollten. Ein Teil von Julies Mitgift sollte dazu dienen, eine hübsche Villa zu kaufen. Napoleone verabschiedete sich, um seiner Mutter alles zu erzählen. Und ich ging in mein Zimmer, um es aufzuschreiben. Mein angenehmer kleiner Schwips ist jetzt ganz verflogen. Ich bin nur müde. Und ein klein wenig traurig. Denn nun werde ich bald allein in unserem weißen Zimmer wohnen und nie wieder Julies Rouge benutzen und heimlich ihre Romane lesen. Aber ich will nicht traurig sein, sondern lieber an etwas Lustiges denken. Ich muß herausfinden, wann Napoleone Geburtstag hat. Vielleicht reicht mein aufgespartes Taschengeld für eine Galauniform. Aber — wo bekommt man eigentlich eine Galauniform für einen General zu kaufen?

Napoleone ist verhaftet worden.

Seit gestern abend lebe ich wie in einem bösen Traum. Dabei be=
findet sich eine ganze Stadt in einem Freudentaumel, vor dem Rat=
haus wird getanzt, eine Musikkapelle nach der anderen zieht vor=
über, und der Bürgermeister arrangiert seit zwei Jahren den ersten
Ball. Robespierre und sein Bruder wurden am neunten Thermidor
von den anderen Abgeordneten ausgebürgert, verhaftet und am
nächsten Morgen auf die Guillotine geschleppt. Alle Leute, die
irgendwie mit ihm in Verbindung standen, haben Angst, arretiert
zu werden. Joseph hat bereits seine Stellung verloren, die er Na=
poleones Freundschaft mit Robespierres jüngerem Bruder zu ver=
danken hatte. Bis jetzt sind über neunzig Jakobiner in Paris hin=
gerichtet worden. Etienne sagt, daß er mir nie verzeihen wird, daß
ich die Buonapartes in unser Haus gebracht habe. Mama verlangt,
daß Julie und ich den Ball des Bürgermeisters besuchen. Es wäre mein
erster Ball, aber ich will nicht hingehen. Ich kann nicht lachen und
tanzen, wenn ich nicht einmal weiß, wohin sie Napoleone gebracht
haben.

Bis zum neunten Thermidor — nein, eigentlich bis zum zehnten,
waren Julie und ich sehr glücklich. Julie arbeitete eifrig an ihrer Aus=
stattung und stickte hundertmal den Buchstaben B auf Kissenbezüge,
Tischdecken, Leintücher und Taschentücher. In ungefähr sechs
Wochen soll die Hochzeit sein. Joseph kam jeden Abend zu Besuch
und brachte sehr oft seine Mutter und seine Geschwister mit. Wenn
Napoleone nicht irgendwelche Festungen inspizierte, tauchte er zu
allen Tageszeiten bei uns auf, und manchmal kamen auch seine
beiden hübschen Adjutanten Leutnant Junot und Kapitän Marmont.
Aber die endlosen Gespräche über die politische Lage interessierten
mich gar nicht. Und erst jetzt weiß ich, daß Robespierre vor über
zwei Monaten plötzlich ein neues Gesetz zur Abstimmung brachte.
Er verlangte, daß von nun an auch Abgeordnete auf Befehl eines
Mitgliedes des Komitees für öffentliche Sicherheit verhaftet werden
können. Es heißt, daß viele Abgeordnete ein sehr schlechtes Gewissen
haben, weil sie an Bestechungsgeldern reich geworden sind. Die Ab=
geordneten Tallien und Barras sollen Millionäre geworden sein.

Plötzlich ließ Robespierre auch die schöne Marquise de Fontenay verhaften, die der Abgeordnete Tallien seinerzeit aus dem Gefängnis befreit hat und die seitdem seine Geliebte war. Warum er sie verhaften ließ, weiß niemand. Vielleicht nur, um den Tallien zu ärgern. Manche sagen, daß es wegen der Fontenay war, und andere wieder, daß Tallien und Barras Angst hatten, wegen ihrer Bestechlichkeit verhaftet zu werden — jedenfalls organisierten sie gemeinsam mit einem gewissen Fouché die große Verschwörung.

Zuerst konnte man bei uns diese Nachrichten gar nicht glauben. Aber als die ersten Zeitungen aus Paris eintrafen, war die ganze Stadt mit einem Schlage wie verwandelt. Fahnen hingen aus allen Fenstern, die Kaufläden wurden geschlossen, und jeder ging zu irgend jemand auf Besuch. Der Bürgermeister wartete gar nicht erst auf einen Bescheid aus Paris, sondern ließ einfach alle politischen Gefangenen auf freien Fuß setzen. Fanatische Mitglieder des Jakobinerklubs dagegen wurden in aller Stille verhaftet. Die Frau Bürgermeisterin schreibt sich die Namen aller bekannten Bürger der Stadt auf, um sie zu einem Ball im Rathaus einzuladen.

Napoleone und Joseph dagegen erschienen völlig verstört bei Etienne und schlossen sich mit ihm im Wohnzimmer ein. Etienne war nachher sehr ärgerlich und sagte zu Mama, daß diese „korsischen Abenteurer" uns noch alle ins Gefängnis bringen werden. Napoleone saß stundenlang in unserem Gartenhäuschen und sagte mir, daß er sich nach einem anderen Beruf umsehen müsse. „Du glaubst doch nicht, daß man einen Offizier, für den sich Robespierre interessiert hat, weiter in der Armee behalten wird", murmelte er. Zum erstenmal bemerkte ich, daß er Tabak schnupfte. Junot und Marmont kamen täglich, um Napoleone heimlich bei uns zu treffen. Die beiden konnten sich nicht vorstellen, daß man ihn einfach von der Offiziersliste streichen würde. Wenn ich ihn zu trösten versuchte und wiederholte, was Marmont und Junot gesagt hatten, zuckte er jedoch nur verächtlich mit den Achseln. „Junot ist ein Idiot. Treu ergeben, aber ein Idiot", erklärte er. „Aber Sie sagen doch immer, daß er Ihr bester Freund ist!" „Natürlich. Treu ergeben, geht für mich in den Tod. Intelligenz jedoch gleich Null. Ein Idiot."

„Und Marmont?"

„Marmont — das ist etwas ganz anderes! Marmont hält zu mir, weil er glaubt, daß meine italienischen Pläne irgendwann einmal erfolgreich sein müssen. Müssen, verstanden?"

Und dann kam alles ganz anders, als wir dachten. Gestern abend saß Napoleone mit uns beim Abendbrot. Plötzlich hörten wir Marschtritte. Napoleone sprang auf und lief zum Fenster, weil er niemals vier Soldaten vorüberziehen sehen kann, ohne herausfinden zu wollen, zu welchem Regiment sie gehören, woher sie kommen, wohin sie marschieren und wie ihr Sergeant heißt. Die Marschtritte verstummten vor unserem Haus, wir hörten Stimmen, dann knirschte der Kiesweg im Vorgarten, schließlich wurde an die Haustür ge=hämmert. Wir saßen alle wie erstarrt. Napoleone hatte sich vom Fenster abgewandt und blickte wie versteinert auf die Tür. Er hatte die Arme über der Brust gekreuzt, sein Gesicht war sehr weiß ge=worden. Dann flog die Tür auf, Marie und ein Soldat drängten sich gleichzeitig ins Zimmer. „Madame Clary —" begann Marie. Der Soldat unterbrach sie. „Hält sich der General Napoleone Buonaparte bei Ihnen auf?" Er schien den Namen auswendig gelernt zu haben, denn er knallte ihn ohne zu stottern hervor. Napoleone löste sich ruhig aus der Fensternische und trat auf ihn zu. Der Soldat schlug die Hacken zusammen und salutierte. „Haftbefehl gegen Bürger General Buonaparte!"

Gleichzeitig hielt er Napoleone einen Zettel entgegen. Napoleone hielt das Papier nahe vor die Augen, und ich sprang auf und sagte: „Ich hole den Leuchter!"

„Danke, meine Liebe, ich kann den Befehl sehr gut lesen", sagte Napoleone. Dann ließ er das Papier sinken, betrachtete aufmerksam den Soldaten, trat plötzlich dicht auf ihn zu und klopfte ihm auf den Knopf unterhalb des Kragens. „Auch an warmen Sommerabenden hat die Uniform eines Sergeanten der republikanischen Armee vor=schriftsmäßig zugeknöpft zu sein!" Während der Soldat verlegen an seiner Uniform herumnestelte, wandte sich Napoleone an Marie. „Marie, mein Säbel liegt im Vorzimmer, ich bitte Sie, so freundlich zu sein und ihn dem Sergeanten zu übergeben." Und mit einer Ver=beugung in die Richtung von Mama: „Verzeihen Sie die Störung, Bürgerin Clary!"

Napoleones Sporen klirrten. Hinter ihm stampfte der Sergeant aus dem Zimmer. Wir rührten uns nicht. Draußen knirschte wieder der Kies im Vorgarten, dann donnerten die Marschtritte über die Straße und verhallten schließlich. Erst jetzt unterbrach Etienne das Schweigen. „Essen wir weiter, wir können nicht helfen . . ." Sein Löffel klirrte. Beim Braten erklärte mein Bruder bereits: „Was habe ich von Anfang an gesagt? Ein Abenteurer, der mit Hilfe der Re=publik Karriere machen wollte!" Und beim Dessert: „Julie, ich bereue, meine Einwilligung zu deiner Verlobung mit Joseph gegeben zu haben." Nach dem Essen schlich ich durch die Hintertür davon. Obwohl Mama mehrmals die ganze Familie Buonaparte eingeladen hat, so waren wir niemals von Madame Letitia zu sich gebeten worden. Ich konnte mir denken, warum. Die Familie wohnt im billigsten Viertel der Stadt, gleich hinterm Fischmarkt, und Madame Buonaparte schämt sich vielleicht, uns ihr armseliges Flüchtlings= heim zu zeigen. Aber nun befand ich mich auf dem Wege zu ihr. Ich mußte ihr und Joseph doch mitteilen, was geschehen war, und mit ihnen beraten, was wir unternehmen sollten, um Napoleone zu helfen.

Ich werde diesen Weg durch die engen dunklen Gassen hinterm Fischmarkt nie vergessen. Zuerst lief ich wie eine Verrückte, mir war, als dürfe ich keine Minute verlieren, ich lief und lief, und erst als ich mich dem Rathausplatz näherte, verlangsamte ich meine Schritte. Mein Haar war schon ganz feucht, und mein Herz hämmerte schmerzhaft. Vor dem Rathaus wurde getanzt, und ein baumlanger Mann im offenen Hemd faßte mich an der Schulter und lachte grö= lend, weil ich ihn wegstieß. Immer neue Schatten verstellten mir den Weg, ich verspürte klebrige Finger an meinen Armen und hörte plötzlich eine kichernde Mädchenstimme: „Sieh mal an, das ist doch die kleine Clary!" Es war Elisa Buonaparte, Napoleones älteste Schwester. Elisa ist zwar erst 17 Jahre alt, aber an jenem Abend war sie so stark geschminkt und aufgeputzt und trug dingelnde Ohr= gehänge, daß sie viel älter wirkte. Sie drückte sich in den Arm eines jungen Mannes, dessen modisch hoher Kragen sein halbes Gesicht verdeckte. „Eugénie —" schrie sie mir nach, „Eugénie, darf mein Kavalier Sie nicht auf ein Glas Wein einladen?" Aber ich rannte weiter und tauchte in die engen unbeleuchteten Gassen, die zum Fischmarkt führen. Dort schlug kichernde, quietschende, brodelnde Dunkelheit über mir zusammen. Aus allen Haustoren und Fenstern flatterten Kosenamen und Schimpfworte, und in der Gosse wimmer= ten verliebte Katzen. Auf dem Fischmarkt atmete ich etwas auf, hier waren ein paar Laternen, und ich begann meine Angst hinunterzu= würgen. Ich schämte mich plötzlich dieser Angst und schämte mich auch der schönen weißen Villa mit den Fliederbüschen und Rosen= ranken, in der ich zu Hause bin. Ich überquerte den Fischmarkt und fragte nach der Adresse der Buonapartes. Man wies in die dunkle Höhle einer Gasse. Das dritte Haus links, Joseph hatte einmal er= wähnt, sie hätten eine Wohnung im Erdgeschoß. Ich fand eine schmale Treppe, die zu einer Kellerwohnung führte, stolperte sie hinunter, stieß eine Tür auf und stand in der Küche der Madame Buonaparte. Es war ein großer Raum, den ich nicht richtig übersehen konnte, da er nur von einer einzigen ärmlichen Kerze, die in einer zerborstenen Teeschale stand, erleuchtet wurde. Es roch abscheulich. Joseph saß in seinem zerknitterten Hemd ohne Halstuch am Tisch mit der Kerze und las Zeitungen. Ihm gegenüber beugte sich der neunzehnjährige Lucien über die Tischplatte und schrieb. Zwischen den beiden standen Teller mit Speiseresten. Im dunklen Hinter= grund wurde Wäsche gewaschen. Schrum, schrum — machte es, jemand benutzte mit fanatischem Eifer ein Waschbrett, Wasser plätscherte; es war heiß zum Ersticken.

„Joseph!" sagte ich, um mich bemerkbar zu machen. Joseph fuhr auf. „Ist jemand gekommen?" Das war Madame Buonapartes ge= brochenes Französisch. Das Schrumschrum des Waschbrettes ver= stummte. Napoleones Mutter trat in den Schimmer der Kerze und trocknete sich die Hände an einer großen Schürze ab. „Ich bin es — Eugénie Clary."

Worauf Joseph und Lucien gleichzeitig schrien: „Um Gottes willen — was ist passiert?"

„Sie haben Napoleone verhaftet."

Einen Augenblick war es totenstill. Dann seufzte Madame Buona= parte. „Heilige Maria, Muttergottes", Josephs Stimme überschlug sich mit einem „Ich habe es kommen gesehen, ich habe es kommen gesehen ...!" Und Lucien brachte „Das ist fürchterlich" hervor. Sie setzten mich auf einen wackligen Stuhl, und ich mußte alles genau berichten. Aus einem Nebenraum kam nun Bruder Louis hervor — sechzehn Jahre alt und sehr fett — und hörte zu, ohne die Miene zu verziehen. Dann wurde ich durch ein Riesengeheul unterbrochen. Die Tür flog auf, und der kleine Jérôme, Napoleones zehnjähriger Bruder, stürzte herein, und hinter ihm lief die zwölfjährige Caroline und schrie ihm die saftigsten Schimpfworte des Hafenviertels nach und raufte sich mit ihm um irgend etwas, das er in den Mund zu stopfen versuchte. Madame Buonaparte gab Jérôme eine Ohrfeige und schrie Caroline auf italienisch an, nahm Jérôme weg, was er in den Mund stecken wollte, und da es sich herausstellte, daß es eine Marzipanstange war, brach sie sie in zwei Teile und gab Caroline ein Stück und Jérôme eines. Dann schrie sie: „Ruhe! Wir haben Be= such!" Wodurch Caroline auf mich aufmerksam wurde und ausrief: „O làlà — eine von den reichen Clarys!" Dann kam sie an den Tisch und setzte sich auf den Schoß von Lucien.

Eine schreckliche Familie, dachte ich und bereute sofort diesen Gedanken. Sie können ja nichts dafür, daß sie so zahlreich sind. Und so arm. Und kein anderes Wohnzimmer haben als ihre Küche. Unterdessen begann Joseph mich auszufragen. „Wer hat Napoleone verhaftet? Waren es bestimmt Soldaten? Nicht etwa Polizei?"

„Es waren Soldaten", antwortete ich.

„Dann ist er nicht im Gefängnis, sondern in irgendeinem Militär= arrest", folgerte Joseph.

„Was macht das schon für einen Unterschied?" stöhnte Madame Buonaparte. „Einen gewaltigen", erklärte Joseph. „Die Militär= behörden werden einen General nicht einfach hinrichten lassen, sondern ihn vorher vor ein Militärgericht stellen."

„Sie wissen gar nicht, wie furchtbar es für uns ist, Signorina", sagte jetzt Madame Buonaparte zu mir, zog einen Küchenschemel heran, setzte sich dicht neben mich und legte ihre feuchte abge= arbeitete Hand auf meine. „Napoleone ist der einzige von uns, der regelmäßig etwas verdient. Und er war immer so fleißig und spar= sam und hat mir die Hälfte von seinem Gehalt für die anderen Kinder gegeben. Es ist ein Jammer, ein großer Jammer . . ."

„Jetzt kann er mich wenigstens nicht mehr zwingen, in die Armee einzutreten", ließ sich der dicke Louis vernehmen. Er triumphierte geradezu. „Halt den Mund", fuhr Lucien den Dicken an. Denn der Dicke hat trotz seiner sechzehn Jahre noch nie etwas gearbeitet, und deshalb wollte Napoleone ihn zum Militär bringen, um der Mutter einen Esser abzunehmen. Ich kann mir nur nicht vorstellen, wie der Louis mit seinen Plattfüßen marschieren soll. Aber vielleicht wollte ihn Napoleone in die Kavallerie stecken.

„Warum hat man ihn aber verhaftet?" kam es jetzt von Madame Buonaparte.

„Napoleone hat Robespierre gekannt", murmelte Joseph. „Und seine verrückten Pläne hat er dem Kriegsminister ausgerechnet durch ihn übergeben lassen. Dieser Irrsinn!" Josephs Mundwinkel zuckten nervös. „Politik, immer und immer Politik", jammerte Madame Buonaparte. „Signorina, ich sage Ihnen, Politik ist das Unglück meiner Familie! Schon der selige Papa meiner Kinder hat sich immer mit Politik beschäftigt und die Prozesse seiner Klienten verloren und uns nichts als Schulden hinterlassen. Und was höre ich von meinen Söhnen den ganzen Tag? Man muß sich Verbindungen schaffen, man muß Robespierre kennenlernen, man will Barras vor= gestellt werden — so geht es ja immerzu. Und wohin bringt das

einen?" Wütend schlug sie auf den Tisch: „In den Arrest, Signorina!"
Ich senkte den Kopf. „Ihr Sohn Napoleone ist ein Genie, Madame."
„Ja — leider", antwortete sie ärgerlich und starrte in die flackernde
Kerzenflamme. Ich richtete mich auf. „Wir müssen herausfinden,
wohin Napoleone gebracht wurde, und dann versuchen, ihm zu
helfen", sagte ich und sah Joseph an.

„Wir sind doch arme Leute, wir haben keine Verbindungen",
lamentierte Madame Buonaparte. Aber ich ließ den Blick nicht von
Joseph. „Der Militärkommandant von Marseille muß wissen, wohin
Napoleone gebracht wurde", ließ sich jetzt Lucien vernehmen. Lucien
gilt in der Familie als werdender Dichter und ständiger Träumer.
Aber gerade von ihm kam der erste praktische Vorschlag. „Wie
heißt der Militärkommandant von Marseille?" fragte ich. „Oberst
Lefabre", sagte Joseph. „Und er kann Napoleone nicht leiden. Na=
poleone hat erst kürzlich dem Alten seine Meinung gesagt, weil die
hiesigen Festungswerke in schauerlicher Verfassung sind." „Ich
werde morgen zu ihm gehen", hörte ich mich plötzlich sagen. „Ma=
dame Buonaparte, bereiten Sie Unterwäsche und vielleicht irgend
etwas zum Essen vor und machen Sie ein nettes Paket aus den
Sachen und senden Sie es mir morgen früh. Ich werde damit zu
diesem Oberst gehen und ihn bitten, es Napoleone zu geben. Und
dann werde ich fragen —"

„Grazie tanto, Signorina, grazie tanto", stieß Madame Buonaparte
hervor. Im gleichen Augenblick hörten wir einen Schrei, Wasser
spritzte auf, langgezogenes Geheul folgte, und Caroline jubelte:
„Mama, Jérôme ist in den Waschzuber gefallen!" Während Madame
Buonaparte ihren Jüngsten zuerst aus dem Waschzuber rettete und
dann verhaute, stand ich auf. Joseph verschwand, um sich den Rock
zu holen, er wollte mich nach Hause begleiten. Lucien murmelte:
„Sie sind sehr gut, Mademoiselle Eugénie, wir werden es Ihnen nie
vergessen." Und ich dachte, daß ich mich entsetzlich davor fürchtete,
zu diesem Oberst Lefabre zu gehen. Als ich mich von Madame Buona=
parte verabschiedete, versicherte sie mir: „Ich schicke Polette morgen
früh mit dem Paket zu Ihnen." Gleichzeitig fiel ihr ein: „Wo ist
denn Polette? Sie wollte doch mit Elisa zu einer Freundin gegenüber
gehen und in einer halben Stunde zurück sein. Und jetzt bleiben die
beiden Mädchen wieder den ganzen Abend weg!" Mir fiel Elisas
geschminktes Gesicht ein. Elisa unterhielt sich wohl mit ihrem Ka=
valier in einer Taverne. Und Polette? Polette ist genau so alt wie
ich ... Joseph und ich gingen stumm nebeneinander durch die Stadt.

Ich dachte an jenen Abend, an dem er mich zum erstenmal nach Hause begleitet hat. Ist das wirklich erst etwas über vier Monate her? Damals hat alles begonnen. Bis dahin war ich ein Kind gewesen, obwohl ich dachte, erwachsen zu sein. Heute weiß ich, daß man erst erwachsen ist, wenn man einen Mann schrecklich lieb hat. „Sie können ihn unter keinen Umständen guillotinieren", sagte Joseph, als wir bei unserer Villa angelangt waren. Es war das Ergebnis der Überlegungen, die er während unseres langen Schweigens angestellt hatte. „Sie werden ihn höchstens — so ist das beim Militär — er= schießen."

„Joseph!"

Die Umrisse seines Gesichts sahen im Mondlicht sehr scharf aus. Er liebt ihn nicht, durchfuhr es mich, nein — er liebt diesen Bruder nicht. Er haßt ihn sogar. Weil Napoleone jünger ist und ihm trotz= dem eine Stellung verschaffen konnte, weil Napoleone ihm zu= geredet hat, Julie zu heiraten, weil Napoleone —. „Aber wir gehören zusammen", sagte er jetzt, „Napoleone und ich und die anderen Ge= schwister. Wir halten in guten und bösen Zeiten zusammen."

„Gute Nacht, Joseph!"

„Gute Nacht, Eugénie!"

Ich gelangte unbemerkt ins Haus. Julie lag bereits im Bett, aber die Kerze auf ihrem Nachttisch brannte. Sie hatte auf mich gewartet. „Du warst bei den Buonapartes, nicht wahr?" fragte sie.

„Ja", sagte ich und begann mich schnell auszuziehen. „Sie wohnen in einem Kellerloch, und Madame Letitia wäscht spät abends Hemden, und Jérôme, dieses entsetzliche Kind, ist in den Waschtrog gefallen, und ich glaube, daß sich die beiden Mädchen — die Elisa und die Polette — abends mit Männern herumtreiben. Gute Nacht, Julie — schlaf gut!"

Beim Frühstück sagte Etienne, daß Julie ihre Hochzeit verschieben muß, da er nicht den Bruder eines Mannes, der wegen jakobinischer Gesinnung verhaftet wurde, zum Schwager haben will. Es sei eine Schande für die Familie und sehr schlecht für den Ruf der Firma. Julie begann zu schluchzen und sagte: „Nie und nimmer wird mein Hochzeitstag verschoben!" und sperrte sich in unser Zimmer ein. Mit mir sprach niemand über die Angelegenheit, weil außer Julie keiner ahnt, daß ich zu Napoleone gehöre. Mit Ausnahme von Marie; ich glaube, Marie weiß alles. Nach dem Frühstück kam Marie ins Eßzimmer und machte mir ein Zeichen, und ich ging in die Küche und fand dort Polette mit dem Paket. „Schnell, gehen wir, ehe

uns jemand bemerkt", sagte ich zu ihr. Etienne würde einen Tob=
suchtsanfall bekommen, wenn er gewußt hätte, daß ich bei den Be=
hörden mit einem Paket Unterhosen für den arretierten Napoleone
Buonaparte erscheinen wollte. Ich habe mein ganzes Leben in
Marseille verbracht, und Polette ist erst vor einem Jahr hierherge=
kommen, aber sie kennt sich viel besser aus als ich. Und sie wußte
auch ganz genau, wo man den Militärkommandanten findet. Auf
dem Wege zu ihm redete sie ununterbrochen. Sie wiegte sich beim
Gehen in den Hüften, so daß der fadenscheinige knallblaue Rock
hin und her schwenkte, hielt sich sehr aufrecht und streckte den
Busen — viel größer als meiner, und dabei sind wir doch gleich alt —
heraus und fuhr sich jeden Augenblick mit ihrer spitzen roten Zunge
über die Lippen, um ihnen feuchten Glanz zu geben. Polette hat die=
selbe schmale Nase wie Napoleone, ihre dunkelblonden Haare sind
in tausend Löckchen gedreht und mit einem blauen Band hinauf=
gebunden, die Augenbrauen hat sie zu einem dünnen Strich gezupft
und mit Kohle nachgezogen. Ich finde Polette sehr schön, aber sie
sieht so aus, daß es meine Mama nicht gern hat, wenn ich mit ihr
gesehen werde. Polettes Gedanken schwirrten aufgeregt um die ehe=
malige Marquise de Fontenay, die neue Madame Tallien. „Die Pariser
sind ganz verrückt mit ihr und nennen sie Notre Dame de Thermi=
dor, man hat sie doch am neunten Thermidor im Triumph aus dem
Gefängnis geholt, und der Abgeordnete Tallien hat sie gleich ge=
heiratet, und stell dir vor —" Polette riß die Augen weit auf und
atmete tief vor Erregung — „stell dir vor, sie trägt Kleider ohne
Unterrock! Sie zeigt sich in einem ganz durchsichtigen Gewand —
und man sieht alles! Ich sage dir — alles!"

„Woher weißt du das?" fragte ich, aber Polette überhörte meine
Frage. „Sie hat kohlrabenschwarze Haare und kohlrabenschwarze
Augen und wohnt in einem Haus, das man in Paris die ‚Chaumière'
nennt und das innen ganz mit Seide ausgeschlagen ist. Dort emp=
fängt sie jeden Nachmittag alle berühmten Politiker und — ja, wenn
man etwas von der Regierung haben will, dann muß man es nur ihr
sagen, habe ich gehört. Ich habe nämlich mit einem Herrn gesprochen,
der erst gestern von Paris hier angekommen ist, und dieser Herr —"

„Und dieser Herr?" fragte ich gespannt.

„Ich habe ihn kennengelernt. Wie man eben Leute kennenlernt,
nicht wahr? Er stand auf dem Rathausplatz und sah sich das Rat=
haus an, und ich kam eben zufällig vorbei. Und — plötzlich kamen
wir ins Gespräch. Aber du hast den Mund zu halten! Schwörst du?"

Ich nickte. „Gut", sagte Polette. „Du schwörst bei allen Heiligen im Himmel. Napoleone kann nämlich nicht vertragen, wenn ich mich mit fremden Herren unterhalte. In dieser Beziehung hat er Ansichten wie eine alte Jungfer. Sag einmal, glaubst du, daß mir dein Bruder Etienne Stoff für ein neues Kleid schenken würde? Ich habe an etwas Durchsichtiges in Rosa gedacht und —" Sie unterbrach sich. „Dort drüben liegt die Militärkommandantur. Soll ich mit dir hinein= gehen?"

Ich schüttelte den Kopf. „Ich glaube, es ist besser, wenn ich allein vorspreche. Du wartest auf mich, ja? Halte Daumen!" Sie nickte ernst und legte die Finger ihrer Rechten über den Daumen. „Ich werde auch ein Vaterunser beten, das kann nichts schaden", sagte sie. Ich preßte das Paket an mich und ging mit großen Schritten auf die Militärkommandantur zu und hörte dann meine eigene Stimme, die ganz heiser und fremd klang, den Posten bitten, mich bei Oberst Lefabre zu melden. Als ich dann in das kahle Zimmer mit dem großen Schreibtisch und dem viereckigen Oberst geführt wurde, konnte ich zuerst vor Herzklopfen gar nicht sprechen. Der Oberst hatte ein rotes Quadratgesicht mit grauen Stoppeln und trug eine altmodische Zopfperücke. Ich legte das Paket auf den Schreibtisch, schluckte verzweifelt und wußte nicht, was ich sagen sollte. „Was ist in dem Paket, Bürgerin? Und wer sind Sie eigentlich?"

„Unterhosen, Bürger Oberst Lefabre, und ich heiße Clary." Die wasserblauen Augen musterten mich von oben bis unten. „Eine Tochter des verstorbenen François Clary?" Ich nickte. „Habe mit dem Herrn Papa manchmal Karten gespielt. Sehr ehrenwerter Mann gewesen, der Herr Papa." Er ließ mich nicht aus den Augen. „Und was soll ich mit den Unterhosen anfangen, Bürgerin Clary?"

„Das Paket ist für den General Napoleone Buonaparte. Er ist arretiert worden. Wir wissen nicht, wo er ist. Aber Sie, Herr Oberst, werden es wissen. Ein Kuchen ist wahrscheinlich auch in dem Paket. Wäsche und ein Kuchen . . ."

„Und was hat die Tochter des François Clary mit dem Jakobiner Buonaparte zu schaffen?" fragte der Oberst langsam. Mir wurde sehr heiß. „Sein Bruder Joseph ist mit meiner Schwester Julie ver= lobt", sagte ich und fand, es war eine geniale Antwort, „Und warum kommt nicht sein Bruder Joseph? Oder Ihre Schwester Julie?"

Die wasserblauen Augen blickten sehr ernst und ließen mein Ge= sicht nicht los. Ich hatte das Gefühl, daß er alles wußte. „Joseph hat Angst, Angehörige von Verhafteten haben doch immer Angst",

stieß ich hervor. „Und Julie hat jetzt andere Sorgen als dieses Paket. Sie weint, weil Etienne — das ist unser großer Bruder — plötzlich nicht erlaubt, daß sie Joseph Buonaparte heiratet. Und das alles, weil —" Ich war jetzt so wütend, daß ich mich gar nicht beherrschen konnte. „Und das alles, weil Sie den General verhaften ließen, Bürger Oberst!"

„Setzen Sie sich", sagte er mir.

Ich setzte mich auf die Kante eines Sessels, der neben seinem Schreibtisch stand. Der Oberst zog eine Tabakdose hervor und schnupfte. Dann sah er zum Fenster hinaus. Er schien mich vergessen zu haben. Plötzlich wandte er sich wieder mir zu: „Hören Sie auf mich, Bürgerin — Ihr Bruder Etienne hat natürlich recht. Ein Buonaparte ist wirklich keine Partie für eine Clary. Für eine Tochter des François Clary ... Sehr ehrenwerter Mann gewesen, der verstorbene Herr Papa." Ich schwieg. „Diesen Joseph Buonaparte kenne ich nicht. Er ist nicht in der Armee, nicht wahr? Was jedoch den anderen betrifft, diesen Napoleone Buonaparte —"

„General Napoleone Buonaparte!" sagte ich und warf den Kopf in den Nacken. „Was also diesen General betrifft, so habe nicht ich ihn verhaften lassen, sondern nur einen Befehl des Kriegsministeriums in Paris durchgeführt. Buonaparte besitzt jakobinische Sympathien, und sämtliche Offiziere seiner Gesinnung — ich meine, alle extremen Elemente der Armee — sind verhaftet worden."

„Und — was wird mit ihm geschehen?"

„Darüber bin ich nicht informiert."

Und da der Oberst eine Bewegung machte, die andeutete, daß ich mich verabschieden sollte, stand ich auf. „Die Wäsche und der Kuchen", sagte ich und zeigte auf das Paket. „Vielleicht können Sie ihm die Sachen geben?"

„Unsinn, Buonaparte ist doch nicht mehr hier! Er wurde ins Fort Carré bei Antibes gebracht."

Darauf war ich nicht vorbereitet gewesen. Sie hatten ihn fortgeschleppt, ich konnte ihn nicht erreichen ... „Aber er muß doch Wäsche zum Wechseln haben", sagte ich ungeschickt. Das rote Gesicht schwamm vor meinen Augen, ich wischte die Tränen ab, neue kamen. „Können Sie ihn nicht das Paket schicken, Herr Oberst?"

„Sagen Sie einmal, mein Kind, glauben Sie, ich habe nichts anderes zu tun, als mich um die Unterhosen eines grünen Lausbuben, der sich General nennen darf, zu kümmern?" Ich schluchzte auf. Er nahm wieder eine Prise, die Szene schien ihm sehr unangenehm zu sein. „Hören Sie doch auf zu weinen", sagte er. „Nein", schluchzte ich.

Er kam hinter seinem Schreibtisch hervor und stellte sich neben mich. „Hören Sie auf zu weinen, habe ich gesagt!" brüllte er.

„Nein!" schluchzte ich noch einmal. Dann wischte ich die Tränen ab und sah ihn an. Er stand dicht neben mir, die wasserblauen Augen glitzerten ratlos. „Ich kann nämlich Tränen nicht vertragen", sagte er verlegen. Worauf ich sofort wieder zu weinen begann. „Aufhören!" schrie er, „aufhören! Also — weil Sie keine Ruhe geben und weil Sie — gut, ich werde das Paket mit einem meiner Soldaten ins Fort Carré senden und den dortigen Kommandanten ersuchen, es diesem Buonaparte auszuliefern. Sind Sie zufrieden?" Ich versuchte zu lächeln, aber die Tränen störten mich, und ich schnüffelte. Ich hatte schon die Türklinke in der Hand, als mir einfiel, daß ich nicht einmal gedankt hatte. Ich wandte mich um. Der Oberst stand vor seinem Schreibtisch und betrachtete düster das Paket. „Vielen Dank, Herr Oberst", flüsterte ich.

Er sah auf, räusperte sich und sagte: „Hören Sie zu, Bürgerin Clary — zwei Dinge will ich Ihnen im Vertrauen sagen. Erstens: den Kopf wird es diesen Jakobiner=General nicht kosten. Zweitens: ein Buonaparte ist keine Partie für eine Tochter des François Clary. Adieu, Bürgerin!" Polette begleitete mich ein Stück nach Hause. Sie plapperte wie ein Wasserfall. Rosa durchsichtige Seide. Die Tallien trägt angeblich fleischfarbene Seidenstrümpfe. Napoleone wird sich über den Kuchen freuen. Es sind Mandeln darin. Ob ich Mandeln gern habe? Bekommt Julie wirklich eine so große Mitgift, daß sie für sich und Joseph eine Villa kaufen kann? Wann ich mit Etienne über den Stoff sprechen werde, und wann sie ins Geschäft kommen darf, um ihn zu holen . . .

Ich hörte ihr nicht richtig zu. Wie ein Reim ging es mir durch den Kopf: ein Buonaparte ist keine Partie — für eine Tochter des François Clary. Als ich nach Hause kam, erfuhr ich, daß Julie ihren Willen durchgesetzt hat. Ihre Hochzeit wird nicht verschoben. Ich setzte mich zu ihr in den Garten und half ihr, Monogramme in Servietten zu sticken. Ein schön geschwungenes B.

B, B und wieder B.

Ich weiß nicht, wie Julie ihre Hochzeitsnacht verbracht hat. Auf jeden Fall war die Nacht vor ihrer Hochzeit schrecklich aufregend. Wenigstens für mich.

Julies Hochzeit sollte in aller Stille und nur im Kreise unserer Familie und der unzähligen Buonapartes gefeiert werden. Mama und Marie haben natürlich seit Tagen Torte gebacken und Frucht= crèmes gerührt, und am Abend vor der Hochzeit war Mama einem Zusammenbruch nahe, weil sie Angst hatte, daß „es" nicht klappen könnte. Mama hat vor Festessen immer Angst, aber bisher hat immer alles geklappt. Es wurde beschlossen, daß alle früh schlafen gehen sollten, und vor dem Schlafengehen mußte Julie noch ein Bad nehmen. Wir baden viel öfter als andere Leute, weil Papa so moderne Ideen hatte und Mama darauf schaut, daß wir in seinem Sinn weiter= leben. Deshalb baden wir beinahe jeden Monat, und zwar in einer großen hölzernen Wanne, die Papa eigens für diesen Zweck in der Waschküche aufstellen ließ. Und weil es der Abend vor Julies Hoch= zeit war, schüttete Mama Jasminparfüm ins Badewasser, und Julie kam sich wie eine selige Madame Pompadour persönlich vor.

Wir gingen zu Bett, aber weder Julie noch ich konnten einschlafen, und deshalb sprachen wir von Julies neuem Heim. Es liegt außer= halb von Marseille, aber nicht länger als eine halbe Wagenstunde von uns entfernt. Plötzlich stockten wir jedoch und lauschten. „— le jour de gloire est arrivé", pfiff jemand unter unserem Fenster. Ich fuhr auf. Der zweite Satz unseres Marseiller Liedes. Und gleich= zeitig — Napoleons Zeichen. Wenn er uns besuchen kam, kündigte er sich immer bereits von weitem durch diesen Pfiff an. Ich sprang aus dem Bett, schlug die Gardinen auseinander, riß das Fenster auf, beugte mich hinaus. Es war eine sehr dunkle und drückend schwüle Nacht. Ein Gewitter hing in der Luft. Ich spitzte die Lippen und pfiff. Es gibt sehr wenige Mädchen, die anständig pfeifen können, ich gehöre zu ihnen, aber leider würdigt man dieses Können nicht, sondern findet es ungezogen. „Le jour de gloire —", pfiff ich.

„— est arrivé!" kam es von unten. Eine Gestalt, die ganz nahe an der Hausmauer gestanden war, löste sich aus dem Dunkel und trat auf den Kiesweg.

Ich vergaß das Fenster zuzumachen, ich vergaß, in meine Haus=
schuhe zu schlüpfen, ich vergaß, irgend etwas umzunehmen, ich ver=
gaß, daß ich nur ein Nachthemd trug, ich vergaß, was sich gehört
und was sich nicht gehört — ich rannte wie eine Besessene die Stie=
gen hinunter, öffnete die Haustür, spürte Kieselsteine unter meinen
bloßen Füßen, und dann spürte ich seinen Mund auf meiner Nase.
Es war ja so dunkel, und im Dunkeln kann man sich nicht aussuchen,
wohin man küßt. In der Ferne donnerte es, und er preßte mich an
sich und flüsterte: „Ist dir nicht kalt, Carissima?" Und ich sagte:
„Nur an den Füßen, ich habe nämlich keine Hausschuhe an!" Worauf
er mich in die Höhe hob und zu den Treppen vor unserer Haustür
trug. Dort setzten wir uns nieder und er nahm seinen Mantel ab und
packte mich ein. „Seit wann bist du zurück?" wollte ich wissen.

Und er sagte, daß er noch gar nicht richtig zurück sei, sondern
erst auf dem Wege zur Wohnung seiner Mutter. Ich legte meine
Wange an seine Schulter und spürte den rauhen Uniformstoff und
war sehr glücklich. „War es sehr arg?" fragte ich.

„Nein, gar nicht. Übrigens vielen Dank für das Paket. Ich bekam
es mit einem Begleitschreiben des Obersten Lefabre. Er schrieb, daß
er es nur dir zuliebe übermittelte." Dabei streichelte er mit den
Lippen über mein Haar. Dann sagte er unvermittelt: „Ich habe
verlangt, vor ein Kriegsgericht gestellt zu werden. Man hat mir nicht
einmal diesen Wunsch erfüllt." Ich hob den Kopf und sah ihn an,
aber es war so dunkel, daß ich nur die Umrisse seines Gesichtes
sehen konnte. „Kriegsgericht?" sagte ich. „Das wäre doch schreck=
lich gewesen..." „Wieso? Ich hätte dann die Möglichkeit gehabt,
einigen hohen Offizieren zu erklären, worum es sich eigentlich
handelt. Welche Pläne ich durch Robespierre diesem Idioten von
einem Kriegsminister überreichen ließ. Dann wäre man wenigstens
auf mich aufmerksam geworden. Aber so —" Er rückte ein wenig
von mir ab und stützte den Kopf in die Hand. „Aber so verstauben
meine Pläne in irgendeinem Archiv, und Minister Carnot bildet sich
noch etwas darauf ein, wenn es unserer Armee gelingt, mit Mühe
und Not die Grenzen zu verteidigen."

„Und was willst du jetzt machen?"

„Man hat mich freigelassen, weil nichts gegen mich vorliegt. Aber
unliebsam bin ich den Herren vom Kriegsministerium. Unliebsam,
verstehst du? Sie werden mich an den langweiligsten Abschnitt
unserer Front kommandieren und — "

„Es regnet", unterbrach ich ihn. Die ersten schweren Tropfen fielen auf mein Gesicht. „Das macht doch nichts", sagte er erstaunt und begann mir zu erklären, was man einem General, den man kalt=stellen will, alles antun kann. Ich zog die Beine ein und wickelte den Generalsmantel fester um mich. Es donnerte wieder, und ein Pferd wieherte auf. „Mein Pferd. Ich habe es an euren Gartenzaun gebun=den", bemerkte er. Es begann stärker zu regnen. Ein Blitz zuckte, Donner grollte erschreckend nahe, und das Pferd wieherte verzwei=felt. Napoleone schrie dem Pferd etwas zu.

Über uns klirrte ein Fenster. „Ist jemand hier?" rief Etienne her=unter. „Komm ins Haus, wir werden so naß", flüsterte ich Napoleone zu. „Wer ist hier?" schrie Etienne. Gleichzeitig hörten wir Suzannes Stimme: „Mach doch das Fenster zu, Etienne! Komm zu mir — ich habe Angst . . ." Und wieder Etienne: „Es ist jemand im Garten. Ich muß hinuntergehen und nachsehen." Napoleone stand auf und stellte sich unter das Fenster. „Monsieur Clary — ich bin es!" Ein Blitz zuckte auf. Ich konnte für den Bruchteil einer Sekunde die magere kleine Gestalt in der engen Uniform sehen. Dann war es wieder stockfinster, Donner krachte, das Pferd wieherte aufgeregt, der Regen plätscherte.

„Wer da?" schrie Etienne in den Regen.

„General Buonaparte", rief Napoleone zurück.

„Aber Sie sind doch eingesperrt!" brüllte Etienne.

„Ich bin wieder freigelassen", kam es von Napoleone.

„Und was machen Sie nach Mitternacht bei diesem Wetter in unserem Garten, General?" Ich sprang auf, raffte den Uniformmantel, der mir bis an die Knöchel ging, in die Höhe und stellte mich neben Napoleone. „Setz dich wieder nieder und pack deine Füße in den Mantel, du wirst dich krank machen", flüsterte Napoleone mir zu.

„Mit wem sprechen Sie denn?" rief Etienne herunter. Der Regen hatte nachgelassen, und ich konnte jetzt genau hören, daß seine Stimme vor Wut zitterte. „Er spricht mit mir!" rief ich. „Etienne — ich bin es, Eugénie!" Es regnete nicht mehr. Ein vor Schrecken über meine kompromittierende Situation sehr blasser Mond kam schüchtern zwischen den Wolken hervor und zeigte uns Etienne mit der Nachtmütze auf dem Kopf. „General — Sie schulden mir eine Erklärung!" zischte die Nachtmütze. „Ich habe die Ehre, um die Hand Ihrer jüngsten Schwester anzuhalten, Monsieur Clary", rief Napoleone hinauf. Er hatte seinen Arm um meine Schultern gelegt. „Eugénie, komm sofort ins Haus!" verlangte Etienne. Hinter ihm tauchte Suzannes Kopf auf. Sie trug sehr viele Lockenwickel in den Haaren und sah deshalb recht unheimlich aus. „Gute Nacht, Carissima — wir sehen uns morgen beim Hochzeitsessen", sagte Napoleone und küßte mich auf die Wangen. Seine Sporen klirrten den Kiesweg entlang. Ich schlüpfte ins Haus und hatte vergessen, ihm seinen Mantel zurückzugeben. In der offenen Tür seines Schlafzimmers stand Etienne im Nachthemd und hielt eine Kerze in der Hand. Ich glitt an ihm vorüber, barfuß und in Napoleones Mantel gehüllt. „Wenn das Papa erlebt hätte", knurrte Etienne. In unserem Zimmer saß Julie aufrecht im Bett. „Ich habe alles gehört."

„Ich muß mir die Füße waschen, sie sind voll Erde", sagte ich und nahm den Wasserkrug und schüttete das Wasser ins Waschbecken. Dann legte ich mich wieder ins Bett und breitete den Uniformmantel über meine Decke. „Es ist sein Mantel", sagte ich zu Julie. „Ich werde so schön träumen, wenn ich mich mit seinem Mantel zudecke."

„Frau General Buonaparte . . ." murmelte Julie nachdenklich.

„Wenn ich Glück habe, wird er aus der Armee geworfen", sagte ich.

„Um Gottes willen, das wäre doch schrecklich!"

„Glaubst du, ich will einen Mann haben, der sich sein Leben lang an irgendwelchen Frontabschnitten herumtreibt und nur ab und zu nach Hause kommt und mir dann immerfort von Schlachten erzählt? Nein, mir wäre es lieber, sie entlassen ihn, und ich könnte Etienne dazu bringen, ihn in der Firma zu beschäftigen."

„Dazu wirst du Etienne nie bringen!" sagte Julie entschieden und blies die Kerze aus.

„Ich glaube auch nicht. Schade, Napoleone ist nämlich ein Genie", überlegte ich. „Aber ich fürchte, daß ihn der Seidenhandel nicht sehr interessiert. Gute Nacht, Julie."

Julie kam beinahe zu spät zum Standesamt. Wir konnten nämlich ihre neuen Handschuhe nicht finden, und Mama behauptet, daß man ohne Handschuhe nicht heiraten kann. In Mamas Jugend heirateten alle Leute in der Kirche, aber seit der Revolution muß man sich auf dem Standesamt trauen lassen, und nur ganz wenige Paare gehen nachher noch in die Kirche und bemühen sich, einen der wenigen Pfarrer, die auf die Republik vereidigt wurden, aufzutreiben. Das fällt natürlich Julie und Joseph gar nicht ein, und Mama redet seit Tagen von nichts anderem als von ihrem eigenen weißen Braut=schleier, den sie so gern Julie übers Haar gelegt hätte, und der Orgel=musik, die zu „ihrer Zeit" zu einer richtigen Hochzeit gehörte. Julie hat ein rosa Kleid mit echten Brüsseler Spitzen bekommen und rote Rosen angesteckt, und Etienne hat rosa Handschuhe für sie bei einem Pariser Geschäftsfreund aufgetrieben und schicken lassen. Und diese Handschuhe konnten wir nicht finden. Die Hochzeit war für zehn Uhr morgens angesetzt, und erst fünf Minuten vor zehn fand ich sie unter Julies Bett. Worauf Julie davonstürzte, Mama und ihre beiden Trauzeugen im Kielwasser. Julies Trauzeugen sind Etienne und Onkel Somis. Onkel Somis ist ein Bruder von Mama, der bei allen Begräbnissen und Hochzeiten in unserer Familie auftaucht. Auf dem Standesamt warteten Joseph und seine beiden Trauzeugen, nämlich Napoleone und Lucien.

Ich hatte gar nicht richtig Zeit, mich anzuziehen, denn ich war doch auf der Handschuhjagd. Dann stand ich am Fenster unseres Zimmers und schrie Julie „Viel Glück" nach, aber sie hörte mich nicht mehr. Die Kutsche war mit den beinahe verblühten weißen Rosen aus dem Garten geschmückt und sah gar nicht wie ein ge=wöhnlicher Mietswagen aus.

Ich hatte Etienne so lange gebeten, bis er mir himmelblauen Satin für ein neues Kleid aus dem Geschäft mitbrachte. Und dann hatte

ich darauf bestanden, daß Mademoiselle Lisette, unsere Hausschnei=
derin, die alle unsere Kleider näht, den Rock nicht zu weit zu=
schneidet. Aber so eng anliegend wie die Röcke der Pariser Modelle
ist er leider nicht, und ich bin auch in der Taille abgeschnürt und
nicht unterm Busen wie Madame Tallien auf den Bildern, die sie als
„Madame de Thermidor", die Göttin der Revolution, darstellen.
Trotzdem finde ich mein neues Kleid großartig und komme mir wie
die Königin von Saba vor, die sich für König Salomon herausgeputzt
hatte. Aber schließlich bin ich ja auch eine Braut, obwohl Etienne bis
jetzt meine Verlobung nur als nächtliche Ruhestörung aufzufassen
scheint.

Bevor ich noch wirklich fertig war, kamen sie schon. Die Hoch=
zeitsgäste nämlich. Madame Letitia in Dunkelgrün, das Haar, in
dem noch kein Streifen Weiß zu finden ist, schlicht zurückgekämmt
und wie eine Bäuerin im Nacken aufgesteckt. Elisa, vierschrötig und
bemalt wie ein Zinnsoldat und mit allen Bändern geschmückt, die sie
im Laufe der letzten Wochen Etienne abschmeicheln konnte. Polette
dagegen eine zierliche Elfenbeinschnitzerei in rosa Musselin. (Wie
sie Etienne dazu bekommen hat, ihr diesen modernsten aller Stoffe
zu schenken, weiß der Himmel!) Und Louis, ungekämmt und sicht=
lich schlecht gelaunt, Caroline, frisch gewaschen und sogar ordentlich
frisiert, und das entsetzliche Kind, dieser Jérôme, der sofort etwas
zu essen verlangte. Suzanne und ich reichten jenen Mitgliedern der
Familie Buonaparte, die über vierzehn Jahre alt waren, Likör, und
Madame Letitia sagte, sie hätte eine Überraschung für uns alle. „Ein
Hochzeitsgeschenk für Julie?" erkundigte sich Suzanne. Denn Ma=
dame Letitia hatte bisher Julie überhaupt nichts geschenkt. Sie ist
ja leider schrecklich arm, aber sie hätte ihr doch wenigstens eine
Handarbeit machen können, finde ich. Aber Madame Letitia schüt=
telte den Kopf, lächelte geheimnisvoll und sagte: „O nein!"

Wir überlegten hin und her, was sie mitgebracht haben könnte.
Dann stellte es sich heraus, noch ein Mitglied der Familie Buona=
parte! Ihren Stiefbruder. Einen Onkel, der Fesch heißt, erst dreißig
Jahre alt ist und früher Pfarrer war. Ein Märtyrer ist dieser Onkel
Fesch jedoch nicht, und deshalb hat er sich in diesen antikirchlichen
Zeiten von der Religion zurückgezogen und ist Geschäftsmann ge=
worden. „Macht er gute Geschäfte?" wollte ich wissen. Aber Madame
Letitia schüttelte bedauernd den Kopf und deutete an, daß ihr Bru=
der gewillt sei, eine Stellung in der Firma Clary anzunehmen, falls
Etienne sich sehr um ihn bemühen würde. Onkel Fesch selbst er=

schien kurz darauf, hatte ein rundes, lustiges Gesicht, einen sauberen, aber schäbigen Rock und küßte Suzanne und mir die Hand und lobte unseren Likör. Dann kamen sie! Zuerst fuhr der Wagen mit den halbverblühten weißen Rosen vor, und Julie und Joseph und Mama und Napoleone stiegen aus. In der zweiten Kutsche saßen Etienne, Lucien und Onkel Somis. Julie und Joseph liefen auf uns zu, Joseph fiel seiner Mutter um den Hals, und alle übrigen Buonapartes stürzten sich auf Julie, dann umarmte Onkel Fesch unsere Mama, die keine Ahnung hatte, wer er war, und unser Onkel Somis knallte mir einen Kuß auf die Wange und tätschelte dann Elisa ab, und alle Clarys und alle Buonapartes bildeten einen unentwirrbaren Knäuel und gaben Napoleone und mir eine Chance, uns ganz lange und ganz richtig zu küssen. Bis jemand neben uns empört hustete: Etienne natürlich!

Bei Tisch wurde das Brautpaar von Onkel Somis und Napoleone eingerahmt, während ich mich zwischen Onkel Fesch und Lucien Buonaparte eingeklemmt fand. Julie hatte vor Aufregung rote Wangen und leuchtende Augen und war zum erstenmal in ihrem Leben wirklich hübsch. Gleich nach der Suppe schlug Onkel Fesch an sein Glas, weil er als ehemaliger Abbé einen furchtbaren Drang verspürte, eine Rede zu halten. Er sprach sehr lange und sehr ernst und sehr langweilig, und da er es für politisch unklug hielt, den lieben Gott zu erwähnen, pries er ausschließlich die „Vorsehung". Der Vorsehung hatten wir dieses große Glück und dieses gute Mittagessen und dieses harmonische Familienfest zu verdanken, ausschließlich der gütigen, der großen, der alles beherrschenden Vorsehung ... Joseph zwinkerte mir zu, und dann lächelte auch Julie, Napoleone begann schließlich zu lachen, und Mamas Augen, die immer feuchter wurden, je länger Onkel Fesch predigte, richteten sich ganz gerührt auf mich. Etienne dagegen warf mir einen verärgerten Blick zu, denn die Vorsehung, die Joseph und Julie zusammengebracht und die Familien Clary und Buonaparte so innig miteinander verbunden hatte, war unzweifelhaft — ich.

Nach dem Braten hielt Etienne eine Rede, die kurz und schlicht war, und nachher ließen wir Julie und Joseph leben. Wir waren bereits bei Maries wundervoller Marzipantorte mit den verzuckerten Früchten angelangt, als plötzlich Napoleone in die Höhe fuhr und, anstatt höflich an sein Glas zu klopfen, einfach „Ruhe einen Augenblick!" donnerte. Wir zuckten wie verschreckte Rekruten zusammen, und Napoleone erklärte in abgehackten Sätzen, daß er glücklich sei, an diesem Familienfest teilnehmen zu können. Dies habe er jedoch nicht der Vorsehung zu verdanken, sondern dem Kriegsministerium in Paris, das ihn ohne Erklärung plötzlich aus der Haft entlassen hätte. Dann machte er eine Pause, um anzudeuten, daß er erwartet hatte, als heimgekehrter und bereits verloren geglaubter Sohn mehr beachtet zu werden, als dies der Fall war. Denn bisher hatten sich alle hauptsächlich um das Brautpaar gekümmert. Nach dieser eindrucksvollen Pause sah er mich an, und ich wußte, was nun kommen würde, und hatte große Angst vor Etienne. „Und deshalb will ich in diesem Augenblick, in dem sich die Familien Clary und Buonaparte zu einem Freudenfest vereint haben, mitteilen, daß —" seine Stimme wurde sehr leise, aber alle waren so still, daß man deutlich hören konnte, daß sie vor Rührung zitterte, „daß ich heute nacht um die Hand von Mademoiselle Eugénie angehalten habe und daß Eugénie eingewilligt hat, meine Frau zu werden."

Von seiten der Buonapartes brach ein Sturm von Glückwünschen los, und plötzlich fand ich mich in den Armen von Madame Letitia. Aber ich sah zu Mama hinüber. Mama schien wie vor den Kopf geschlagen zu sein und — nein, sie freute sich gar nicht. Sie wandte ihr Gesicht Etienne zu, und Etienne zuckte mit den Achseln. Im gleichen Augenblick trat Napoleone mit einem Glas in der Hand neben ihn und lächelte ihm zu, und es ist seltsam, welche Macht Napoleone über Menschen hat. Denn Etiennes dünne Lippen brachen auseinander, er schmunzelte und stieß mit Napoleone an. Polette umarmte mich und nannte mich Schwester, Monsieur Fesch rief Madame Letitia irgend etwas auf italienisch zu, und Madame Letitia antwortete beglückt „Ecco!" Ich glaube, daß er sie gefragt hat, ob ich eine ebenso große Mitgift erhalten werde wie Julie. In der allgemeinen Rührung und Aufregung hatte niemand Jérôme beachtet, und der jüngste Buonaparte konnte in sich hineinfuttern, was nur Platz hatte, und nachher noch mehr. Plötzlich hörte ich Madame Letitia aufschreien und sah, wie sie einen käsebleichen Jérôme davonschleppte. Ich führte Mutter und Sohn auf die Terrasse, und dort begann sich Jérôme in einen Springbrunnen zu verwandeln und unglaubliche Mengen von sich zu geben. Dann fühlte er sich wieder wohler, aber wir konnten leider nicht, wie geplant, den Kaffee auf der Terrasse einnehmen.

Julie und Joseph verabschiedeten sich bald und stiegen in ihre geschmückte Kutsche, um in ihr neues Heim zu fahren. Wir begleiteten sie alle bis ans Gartentor, und ich legte den Arm um Mamas Schulter

und sagte, es sei kein Grund zu weinen. Dann wurde wieder Likör und Kuchen serviert, und Etienne deutete Onkel Fesch diskret an, daß er keine weiteren Angestellten in der Firma brauche, da er bereits Joseph versprochen habe, ihn und vielleicht auch Lucien ins Geschäft zu nehmen. Schließlich verließen uns alle Buonapartes mit Ausnahme von Napoleone. Wir spazierten im Garten herum, und Onkel Somis, der ja nur bei Hochzeiten und Begräbnissen auftaucht, erkundigte sich, wann ich heiraten würde. Da wurde unsere Mama zum erstenmal wirklich energisch. Sie wandte sich Napoleone zu und legte beide Hände in flehender Gebärde gegen seine Brust.

„General Buonaparte, versprechen Sie mir eines — warten Sie mit der Hochzeit, bis Eugénie sechzehn Jahre alt ist. Ja?"

„Madame Clary —" lächelte Napoleone, „nicht ich habe zu bestim= men, sondern Sie selbst, Monsieur Etienne und Mademoiselle Eugénie." Aber Mama schüttelte den Kopf: „Ich weiß nicht, was es ist, General Buonaparte — Sie sind ja noch so jung und trotzdem, ich habe das Gefühl —" Sie stockte, sah ihn an und lächelte traurig: „Ich habe das Gefühl, daß man sich stets Ihren Wünschen fügt. Zu= mindest in Ihrer Familie und — seitdem wir Sie kennen, auch in unserer. Ich wende mich daher an Sie — Eugénie ist noch so jung, bitte warten Sie, bis sie sechzehn Jahre alt ist!" Worauf Napoleone wortlos Mamas Hand an die Lippen zog. Und ich wußte, daß dies ein Versprechen war.

Bereits am nächsten Tag erhielt Napoleone den Befehl, sich sofort in der Vendée unter das Oberkommando von General Hoche zu stel= len und eine Infanteriebrigade zu kommandieren. Ich hockte in der warmen Septembersonne im Gras und sah zu, wie er blaß vor Wut vor mir auf und ab marschierte und einen Wortstrom über mich ergehen ließ, um mir zu erklären, wie gemein man ihn behandele. In die Vendée! Um dort versteckte Royalisten aufzuspüren! Ein paar ausgehungerte Aristokraten mit ihren fanatisch ergebenen Bauern! „Ich bin Artillerie=Spezialist und nicht Gendarm!" schrie er mich an. Auf und ab rannte er, auf und ab, die Hände auf dem Rücken inein= ander verschlungen. „Sie gönnen mir nicht den Triumph eines Kriegsgerichtes, sie vergraben mich lieber in der Vendée — wie einen für den Ruhestand überreifen Oberst! Halten mich von der Front fern, lassen mich in Vergessenheit geraten —" Wenn er wütend war, schimmerten seine Augen gelblich und waren durchsichtig wie Glas.

„Du kannst ja den Abschied nehmen", sagte ich leise. „Ich kann für das Geld, das Papa für meine Mitgift bestimmt hat, ein kleines Landhaus kaufen. Und vielleicht etwas Grundbesitz dazu. Wenn wir tüchtig wirtschaften und —"

Er blieb mit einem Ruck stehen und starrte mich an. „Aber, wenn dir der Gedanke zuwider ist, so könntest du vielleicht bei Etienne in der Firma —" sprach ich schnell weiter. „Eugénie, bist du verrückt? Oder meinst du im Ernst, daß ich mich in ein Bauernhaus setzen und Hühner züchten werde? Oder im Kramladen deines Herrn Bruders Seidenbänder verkaufe?" „Ich wollte dich nicht beleidigen, ich dachte nur, es wäre ein Ausweg." Er lachte. Lachte grell und schüttelte sich unnatürlich vor Lachen. „Ein Ausweg! Ein Ausweg für Frankreichs besten Artilleriegeneral! Oder weißt du am Ende gar nicht, daß ich Frankreichs bester General bin?" Dann rannte er wieder auf und ab, diesmal schweigend. Plötzlich: „Ich reite morgen."

„In die Vendée?"

„Nein, nach Paris. Ich werde mit den Herren im Kriegsministerium sprechen."

„Aber ist das nicht — ich meine, beim Militär nimmt man es doch sehr genau, wenn jemand einem Befehl nicht nachkommt, nicht wahr?"

„Ja, sehr genau. Wenn sich einer meiner Soldaten einem Befehl widersetzt, lasse ich ihn erschießen. Vielleicht läßt man mich auch erschießen, wenn ich in Paris ankomme. Junot und Marmont nehme ich mit." Junot und Marmont, seine Personaladjutanten seit den Tagen von Toulon, lungerten noch immer in Marseille herum. Sie betrachteten sein Schicksal als das ihre. „Kannst du mir Geld borgen?"

Ich nickte. „Junot und Marmont können ihre Zimmerrechnung nicht bezahlen. Sie haben ebenso wie ich seit dem Tag meiner Verhaftung keine Gage mehr erhalten. Ich muß sie aus ihrem Gasthaus auslösen. Wieviel kannst du mir borgen?"

Ich hatte für eine Galauniform für ihn gespart. Achtundneunzig Francs lagen unter den Nachthemden in meiner Kommode. „Gib mir alles, was du hast", sagte er, und ich lief in mein Zimmer und holte das Geld. Er steckte die Scheine ein, zog sie dann wieder hervor, zählte sie genau und sagte: „Ich schulde dir also achtundneunzig Francs." Dann nahm er mich bei den Schultern und drückte mich an sich. „Du wirst sehen, daß ich ganz Paris davon überzeuge — sie müssen mir den Oberbefehl in Italien geben. Sie müssen!"

„Wann reitest du?"

„Sobald ich meine Adjutanten ausgelöst habe. Und vergiß nicht, schreib mir oft! An das Kriegsministerium in Paris, von dort wird mir die Post schon an die Front nachgeschickt werden, und sei nicht traurig —"

„Ich werde viel zu tun haben, ich muß Monogramme in meine Aussteuer sticken." Er nickte eifrig: „B, B und wieder B — Frau General Buonaparte!" Und dann band er sein Pferd los, das er zu Etiennes Ärger wieder an unseren Gartenzaun festgebunden hatte, und ritt der Stadt zu. Der kleine Reiter auf der stillen Villenstraße wirkte schmächtig und sehr einsam.

Paris, 12 Monate später—Fructidor
Jahr III. (Ich bin von zu Hause
durchgebrannt!)

Es gibt nichts Unangenehmeres, als von zu Hause durchzubrennen. Ich habe seit zwei Nächten kein Bett gesehen. Mein Rücken tut so weh, weil ich vier Tage lang ununterbrochen in der Postkutsche ge= sessen bin. Ich glaube, dort, wo man sitzt, bin ich ganz blau ge= schlagen — Postkutschen sind schrecklich schlecht gefedert. Geld für die Rückreise habe ich auch nicht. Aber das brauche ich nicht. Ich bin ja durchgebrannt. Es gibt kein Zurück. Vor zwei Stunden bin ich in Paris angekommen. Es war schon gegen Abend, und in der Dämme= rung sahen alle Häuser gleich aus. Graue Häuser, eines neben dem anderen, ohne Vorgärten. Häuser und wieder Häuser. Ich habe nicht geahnt, daß Paris so groß ist. Ich war die einzige in unserer Postkutsche, die zum erstenmal nach Paris kam. Der schnaufende Herr Blanc, der vor zwei Tagen in unsere Kutsche eingestiegen ist und in Paris geschäftlich zu tun hat, führte mich zu einem Miet= wagen. Ich zeigte dem Kutscher den Zettel, auf den ich die Adresse von Maries Schwester aufgeschrieben hatte. Der Kutscher bekam mein letztes Geld und war sehr grob, weil ich ihm kein Trinkgeld geben konnte. Die Adresse stimmte, und Maries Verwandte, die Clapain heißen, waren gottlob zu Hause. Sie wohnen in einem Hinterhaus in der Rue du Bac. Ich habe keine Ahnung, in welchem Teil von Paris die Rue du Bac liegt. Nicht weit von den Tuilerien entfernt, glaube ich, wir sind am Palast vorbeigefahren, und ich habe ihn nach den Bildern erkannt. Ich kneife mich fortwährend in den Arm, um zu sehen, ob ich nicht träume. Ich bin wirklich in Paris, ich habe wirklich die Tuilerien gesehen, und ich bin wirklich durch= gebrannt.

Maries Schwester, die Madame Clapain, war sehr freundlich zu mir. Zuerst war sie ganz verlegen und trocknete sich fortwährend die Hände an der Schürze ab, weil ich doch die Tochter von Maries „Herrschaft" bin. Aber dann sagte ich ihr, daß ich heimlich in Paris sei, um eine gewisse Angelegenheit zu ordnen, und weil ich kein Geld habe, hätte Marie gesagt, daß ich vielleicht — kurzum: Maries Schwester hörte auf, verlegen zu sein, und sagte, ich könne bei ihr übernachten. Ob ich hungrig sei? Und wie lange ich bleiben wolle? Ich sagte, ich sei sehr hungrig, und gab ihr meine Brot=Rationierungs= marken, denn seit der Mißernte ist Brot streng rationiert und Essen furchtbar teuer. Wie lange ich bleiben wolle, das wisse ich nicht. Vielleicht eine Nacht, vielleicht zwei ... Ich bekam zu essen, und dann kam Monsieur Clapain nach Hause, er ist Tischler und erzählte mir, daß diese Wohnung im Hinterhaus eines ehemaligen Adels= palais liege. Das Palais ist von der Regierung konfisziert worden, aber wegen der Wohnungsnot hat die Gemeinde im Hinterhaus kleine Wohnungen einrichten lassen und an kinderreiche Familien vermietet.

Die Clapains sind eine kolossal kinderreiche Familie. Auf dem Fußboden krochen drei kleine Kinder herum, und von der Straße kamen dann noch zwei hereingelaufen und wollten etwas zu essen haben. In der Küche, in der wir saßen, hängen so viele Windeln zum Trocknen, daß man sich wie in einem Beduinenzelt fühlt. Gleich nach dem Essen sagte Madame Clapain, daß sie nun mit ihrem Mann spazierengehen wolle, sie habe so selten Gelegenheit dazu, weil sie doch immerzu auf die Kinder aufpassen müsse. Aber jetzt sei ich ja da, und sie werde die Kinder zu Bett bringen und dann ruhig fort= gehen. Die Kinder wurden zwei und zwei in verschiedene Betten gestopft, und das Jüngste wurde in eine Wiege in der Küche gelegt. Madame Clapain setzte ein Hütchen mit einer ramponierten Straußen= feder auf, Monsieur Clapain streute sich ein ganzes Säckchen Puder auf die dünnen Haarsträhnen, und dann zogen sie los.

Plötzlich fühlte ich mich furchtbar allein und fremd in dieser Riesenstadt. Bis ich in meiner Reisetasche kramte, um ein paar ver= traute Gegenstände in die Hand zu bekommen. Im letzten Augen= blick hatte ich das Tagebuch eingesteckt. Zuerst habe ich zurück= geblättert und nachgelesen, wie alles kam. Und jetzt versuche ich, mit einer gespaltenen Feder, die ich neben der verstaubten Tinten= flasche auf dem Küchenschrank fand, aufzuschreiben, warum ich durchgebrannt bin.

Ein ganzes Jahr ist vergangen, seitdem ich zuletzt in mein Buch schrieb. Aber im Leben einer Strohwitwe — das heißt, einer Stroh= braut mit dem Bräutigam in Paris — ereignet sich so gut wie gar nichts. Etienne verschaffte mir Batist für Taschentücher und Nacht= hemden und Damast für die Tischtücher und Leinwand für Bett= wäsche und zog das Geld dafür von meiner Mitgift ab. Ich stickte ein geschwungenes B nach dem anderen und zerstach mir die Fin=

ger und besuchte abwechselnd Madame Letitia in ihrer Kellerwoh=
nung und Julie und Joseph in der reizenden kleinen Villa. Aber
Madame Letitia spricht von nichts anderem als von der Inflation
und der Teuerung und daß Napoleone ihr schon lange kein Geld
mehr geschickt hat. Julie und Joseph dagegen blicken einander
immerfort tief in die Augen und machen Bemerkungen, die kein
Außenstehender verstehen kann, und kichern und wirken unver=
schämt glücklich, aber gleichzeitig etwas idiotisch. Ich ging aber
trotzdem sehr oft zu ihnen, weil Julie stets wissen wollte, was mir
Napoleone schrieb, und ich wiederum Napoleones Briefe an Jo=
seph zu lesen bekam.

Leider haben wir alle miteinander den Eindruck, daß es meinem
Bräutigam in Paris entsetzlich schlecht geht. Vor einem Jahr ist er
mit seinen beiden Adjutanten und Louis — den dicken Jungen hatte
er noch im letzten Moment mitgenommen, um Madame Letitia
wenigstens diese Sorge abzunehmen — in Paris angekommen. Im
Kriegsministerium hatte es wie erwartet einen Riesenkrach ge=
geben, weil er nicht befehlsgemäß in die Vendée abgerückt war.
Natürlich sprach Napoleone wieder von seinen italienischen Plä=
nen, und nur um ihn loszuwerden, schickte ihn der Kriegsminister
an die italienische Front. Auf Inspektion, von Oberkommando keine
Rede. Napoleone reiste ab, wurde von den meisten Generälen an
der Südfront entweder gar nicht empfangen oder erhielt den Be=
scheid, sich nicht in das Kommando anderer Offiziere zu mengen,
bekam dann Malaria und kehrte mit gelbem Gesicht und abgewetz=
ter Uniform nach Paris zurück. Als er wieder im Kriegsministerium
erschien, bekam der Kriegsminister einen Tobsuchtsanfall und wies
ihm die Tür. Anfangs erhielt Napoleone wenigstens noch an jedem
Ersten einen halben Monatslohn ausgezahlt, dann wurde er einfach
aus dem Armeedienst entlassen. Ohne Pension. Eine fürchterliche
Situation ... Wovon er eigentlich lebt, ist uns unklar. Von der
Uhr seines Vaters, die er versetzte, vielleicht drei Tage lang. Louis
hatte er gezwungen, in die Armee einzutreten, da er ihn nicht länger
unterstützen konnte. Zeitweise macht Napoleone Aushilfsarbeit im
Kriegsministerium. Zeichnet dort Militärkarten und verdirbt sich
dabei die Augen. Eine große Sorge waren seine zerrissenen Hosen.
Die Italienreise hat nämlich seiner schäbigen Uniform den Rest
gegeben, und er hat selbst versucht, die Hose zu flicken. Aber die
Nähte platzten immer wieder. Natürlich hat er ein Gesuch geschrie=
ben, um eine neue Uniform zugeteilt zu erhalten. Aber einem Ge=

neral außer Dienst läßt der Staat keine Uniform zukommen. In seiner Verzweiflung ist er dorthin gegangen, wohin sich alle wen= den, die etwas durchsetzen wollen. In die „Chaumière", das Haus der schönen Madame Tallien. Wir haben jetzt eine Regierung, die man „Direktorat" nennt und die von fünf Direktoren geleitet wird. Aber nur einer unserer Direktoren hat wirklich etwas zu sagen, behauptet Joseph, und zwar Direktor Barras. Was immer in unse= rem Land passiert, Barras schwimmt an der Oberfläche. (Wie ein Stückchen Dreck im Hafen, finde ich. Aber so spricht man vielleicht nicht über ein Staatsoberhaupt. Eines von fünf Staatsoberhäup= tern . . .) Dieser Barras ist ein gebürtiger Graf, aber das hat ihm nichts geschadet, weil er rechtzeitig fanatischer Jakobiner wurde. Dann hat er mit Tallien und einem Abgeordneten, der Fouché heißt, Robespierre gestürzt und die Republik vor dem „Tyrannen" ge= rettet. Er übersiedelte in eine Dienstwohnung im Palais Luxem= bourg und wurde einer unserer fünf Direktoren. Ein Staatsober= haupt muß alle wichtigen Leute empfangen, und weil Barras nicht verheiratet ist, hat er Madame Tallien gebeten, ihr Haus jeden Nachmittag seinen Gästen und denen der französischen Republik (das ist dasselbe) zu öffnen. Ein Geschäftsfreund von Etienne hat uns erzählt, daß bei Madame Tallien Ströme von Champagner flie= ßen und die Salons von Kriegsgewinnlern wimmeln und von Häu= serspekulanten, die alle vom Staate konfiszierten Adelspalais billig kaufen und schrecklich teuer an die Neureichen weiterverkaufen. Dort kann man auch sehr amüsante Damen treffen, die mit Madame Tallien befreundet sind. Die schönsten Frauen sind jedoch Madame Tallien selbst und Josephine de Beauharnais. Madame de Beau= harnais ist die Geliebte von Barras und trägt immer ein schmales rotes Band um den Hals, um zu zeigen, daß sie mit einem „Opfer der Guillotine" verwandt ist. Das ist heute keine Schande mehr, sondern gilt als sehr vornehm. Diese Josephine ist nämlich die Witwe jenes Generals de Beauharnais, der enthauptet wurde, und daher eine ehemalige Gräfin. Mama hat Etiennes Freund gefragt, ob es denn gar keine anständigen Frauen mehr in Paris gibt. Worauf Etiennes Freund sagte: „Das schon. Aber die sind sehr teuer!" Und dann hat er gelacht, und Mama hat mich sofort ersucht, ihr aus der Küche ein Glas Wasser zu bringen.

Napoleone erschien nun eines Nachmittags bei den Damen Tallien und de Beauharnais und stellte sich vor. Beide fanden es abscheu= lich vom Kriegsminister, daß man ihm weder ein Oberkommando

noch neue Hosen geben wollte. Und beide versprachen, ihm zu=
mindest die neuen Hosen zu verschaffen. Aber er müsse seinen
Namen verändern. Napoleone setzte sich sofort hin und schrieb
an Joseph: „Übrigens habe ich mich entschlossen, meinen Namen
zu verändern, und rate Dir, das gleiche zu tun. Niemand in Paris
kann Buonaparte aussprechen. Ich nenne mich nunmehr Bonaparte.
Und Napoleon an Stelle von Napoleone. Bitte meine Briefe dem=
gemäß zu adressieren und der ganzen Familie meinen Entschluß
mitzuteilen. Wir sind französische Bürger, und ich will einen fran=
zösischen Namen als den meinen ins Buch der Geschichte schreiben.“
Also: nicht mehr Buonaparte, sondern Bonaparte. Seine Hosen sind
zerrissen, die Uhr des Vaters versetzt, aber er denkt noch immer
daran, Weltgeschichte zu machen. Joseph, dieser Affe, nennt sich
natürlich auch Bonaparte. Ebenso Lucien, der eine Stellung in
St. Maximin als Verwalter eines Militärdepots erhalten hat und be=
ginnt, politische Artikel zu schreiben. Dagegen geht Joseph manch=
mal auf Geschäftsreisen für Etienne. Er bringt ganz gute Abschlüsse
zustande, und Etienne sagt, daß er an den Provisionen gut verdie=
nen muß. Joseph kann aber nicht leiden, daß man ihn einen Ge=
schäftsreisenden der Seidenwarenbranche nennt. Seit ein paar Mo=
naten bekomme ich nur noch selten Briefe von Napoleon. An Joseph
schreibt er jedoch zweimal in der Woche. Dabei habe ich ihm end=
lich das Porträt schicken können, um das er mich kurz nach seiner
Abreise gebeten hat. Es ist ein schauerlich schlechtes Bild. Ich habe
doch keine so nach aufwärts strebende Nase! Aber ich mußte den
Maler im voraus bezahlen, und deshalb nahm ich auch das Bild
und schickte es nach Paris. Napoleon hat nicht einmal gedankt.
Seine Briefe sagen mir gar nichts mehr. Sie beginnen wie immer
mit „Mia Carissima“ und enden damit, daß er mich an sein Herz
drückt. Kein Wort, wann wir heiraten sollen. Kein Wort, daß er
daran denkt, daß ich in zwei Monaten sechzehn Jahre alt werde.
Kein Wort, daß ich, wo immer er auch ist, zu ihm gehöre. Seinem
Bruder Joseph dagegen erzählt er seitenlang von den eleganten
Damen in den Salons der Madame Tallien. „Ich habe einsehen ge=
lernt, welche Rolle wirklich bedeutende Frauen im Leben eines Man=
nes spielen können“, versicherte Napoleon eifrig seinem Bruder,
„Frauen mit Erfahrung, Frauen voll Verständnis, Frauen der großen
Welt . . .“ Ich kann gar nicht sagen, wie sehr ich mich über diese
Briefe an Joseph kränke.

Vor einer Woche hat sich Julie entschlossen, Joseph auf eine längere Geschäftsreise zu begleiten. Und da zum ersten Male eines von ihren Kindern richtig verreisen sollte, mußte Mama furchtbar weinen, und Etienne schickte sie auf einen Monat auf Besuch zu ihrem Bruder, dem Onkel Somis, um sie abzulenken. Mama packte sieben Reisetaschen, und ich brachte sie zur Postkutsche. Onkel Somis wohnt vier Stunden von Marseille entfernt. Gleichzeitig ent= deckte Suzanne, daß sie eine „angegriffene Gesundheit" habe, und gab keine Ruhe, bis Etienne mit ihr in einen Badeort fuhr. So kam es, daß ich plötzlich ganz allein mit Marie zurückblieb. Die Ent= scheidung fiel, als ich nachmittags mit Marie im Gartenhäuschen saß. Die Rosen waren längst verblüht, Zweige und Blätter hoben sich scharf wie Silhouetten vom gläsernen Blau des Himmels ab. Es war einer jener ersten Herbsttage, an denen man so richtig spürt, daß irgend etwas im Sterben begriffen ist. Und vielleicht erscheinen gerade deshalb nicht nur alle Konturen, sondern auch alle Gedan= ken besonders klar und scharf umrissen. Plötzlich ließ ich eine Serviette, an deren B=Monogramm ich stichelte, sinken. „Ich muß nach Paris", sagte ich. „Ich weiß, daß es verrückt ist und daß es die Familie nie erlauben wird. Aber — ich muß nach Paris." Marie, die Erbsen auslöste, sah nicht auf. „Wenn du nach Paris mußt, dann fahr eben nach Paris." Ich beobachtete mechanisch einen Mistkäfer, der sich in grüngoldenem Gefunkel über die Tischplatte bewegte. „Es ist ganz einfach", meinte ich. „Wir beide sind ja allein im Haus. Ich könnte morgen die Postkutsche nach Paris nehmen."

„Du hast ja genug Geld", sagte Marie und sprengte eine dicke Erbsenschote zwischen beiden Daumen auf. Die Schote explodierte mit einem kleinen Knall, der Mistkäfer kroch unverdrossen weiter über den Tisch. „Es reicht wahrscheinlich für die Hinreise. Wenn ich höchstens zweimal nachts ein Hotelzimmer nehme. Die beiden anderen Nächte kann ich ja im Schankraum der Poststation ver= bringen. Vielleicht gibt es sogar eine Bank oder ein Sofa in diesen Warteräumen."

„Ich dachte, du hast mehr Geld zusammengespart", sagte Marie und sah zum erstenmal auf. „Unter den Nachthemden in der Kom= mode." Ich schüttelte den Kopf. „Nein, ich — ich habe jemandem einen größeren Betrag geborgt."

„Und wo wirst du in Paris übernachten?"

Der Mistkäfer hatte das Ende der Tischplatte erreicht. Ich hob ihn auf, drehte ihn vorsichtig um und sah zu, wie er den Rückweg antrat. „In Paris?" überlegte ich. „Ja, darüber habe ich nicht nach=

gedacht. Das kommt doch darauf an, nicht wahr?" „Ihr habt deiner Mama versprochen, mit der Hochzeit bis zu deinem sechzehnten Geburtstag zu warten. Du willst trotzdem bereits jetzt nach Paris?" „Marie, wenn ich nicht jetzt fahre, dann ist es vielleicht zu spät. Dann kommt es vielleicht gar nicht zur Hochzeit!" entfuhr es mir. Zum erstenmal sprach ich aus, was ich bisher kaum zu denken gewagt hatte. Maries Erbsenschoten knallten. „Wie heißt sie denn?" erkundigte sie sich. Ich zuckte die Achseln. „Ich weiß es nicht genau. Vielleicht ist es die Tallien. Vielleicht aber auch die andere, die Geliebte von Barras. Die heißt Josephine, eine ehemalige Gräfin. Ich weiß ja nichts Bestimmtes ... Du — Marie, du darfst nicht schlecht von ihm denken, er hat mich ja so lange nicht gesehen! Wenn er mich wiedersieht, dann —"

„Ja", sagte Marie, „du hast recht. Du mußt nach Paris. Mein Pierre mußte damals zu den Soldaten und ist nie mehr zu mir zurückgekehrt. Obwohl ich den kleinen Pierre bekommen hatte und ihm schrieb, daß das Kind in Pflege ist und ich als Amme ins Haus Clary gehen mußte, weil ich kein Geld hatte. Mein Pierre hat mir nicht einmal geantwortet. Ich hätte eben versuchen müssen, zu ihm zu kommen." Ich kannte Maries Geschichte. Sie hat sie mir so oft erzählt, daß ich geradezu mit ihrer unglücklichen Liebe aufgewachsen bin. Wie ein vertrautes altes Lied erscheint mir die Geschichte vom treulosen Pierre. „Du konntest nicht zu ihm, es war zu weit", sagte ich. Der Mistkäfer hatte wieder eine Tischkante erreicht. Er krabbelte verzweifelt und glaubte, am Ende der Welt angelangt zu sein. „Du fährst nach Paris", sagte Marie. „Du kannst dort die ersten Nächte bei meiner Schwester verbringen. Dann wird man weitersehen."

„Ja, dann wird man weitersehen", sagte ich und stand auf. „Ich gehe jetzt in die Stadt und erkundige mich, wann morgen früh die Postkutsche abfährt." Den Mistkäfer setzte ich auf den Rasen. Abends packte ich eine Reisetasche voll. Da die ganze Familie weggefahren war, fand ich nur eine ganz alte und sehr schäbige. Ich stopfte das blauseidene Kleid hinein, das ich zu Julies Hochzeit bekommen habe. Mein schönstes Kleid. Ich werde es anziehen, wenn ich in das Haus der Madame Tallien gehe, um ihn wiederzusehen, dachte ich. Am nächsten Morgen begleitete mich Marie zur Postkutsche. Wie im Traum ging ich den so vertrauten Weg zur Stadt. Wie in einem sehr, sehr schönen Traum, in dem man weiß, daß man das einzig Richtige tut. Im letzten Augenblick gab mir Marie ein großes Medaillon aus Gold. „Ich habe ja kein Geld, ich schicke meinen Lohn immer dem kleinen Pierre", murmelte sie. „Nimm deshalb das Medaillon. Es ist aus echtem Gold, und ich habe es von deiner Mama an dem Tag, an dem ich aufhörte, dich zu stillen, bekommen. Du kannst es leicht verkaufen, Eugénie!" „Verkaufen?" fragte ich erstaunt. „Warum denn?"

„Damit du Geld für die Rückreise hast", sagte Marie und wandte sich brüsk um. Sie wollte die Postkutsche nicht abfahren sehen.

Einen Tag, zwei, drei, vier Tage wurde ich von morgens bis abends in der Postkutsche herumgeschüttelt, eine endlose staubige Landstraße entlang, manchmal vorbei an Wiesen und Feldern, dann wieder durch Dörfer und Städte. Alle drei Stunden ein Ruck — ich fiel entweder gegen die eckige Schulter der Dame in Trauer an meiner Rechten oder auf den dicken Bauch des Mitreisenden an meiner Linken. Die Pferde wurden gewechselt, dann holperten wir weiter. Und immerfort malte ich mir aus, wie ich ins Haus der Madame Tallien gehen und nach dem General Bonaparte fragen werde. Und dann werde ich plötzlich vor ihm stehen, dachte ich, und sagen: Napoleone — nein, ich muß natürlich Napoleon sagen — also: Napoleon, ich bin zu dir gekommen, weil ich weiß, daß du jetzt kein Geld für eine Reise zu mir hast. Und wir gehören doch zusammen!

Wird er sich freuen? In dieser fremden Küche von Maries Schwester tanzen Schatten herum, die ich nicht kenne, weil ich die Möbel nicht bei Tageslicht gesehen habe. Natürlich wird er sich freuen. Er wird meinen Arm nehmen und mich zuerst seinen neuen vornehmen Freunden vorstellen. Und dann werden wir fortgehen, um allein zu sein. Wir werden spazierengehen, weil wir kein Geld für ein Kaffeehaus haben. Vielleicht kennt er jemanden, bei dem ich wohnen kann, bis wir Mama geschrieben und ihre Einwilligung zu meiner Hochzeit erhalten haben. Und dann werden wir heiraten und — Jetzt kommen sie nach Hause! Monsieur und Madame Clapain. Hoffentlich haben sie ein halbwegs anständiges Sofa, auf dem ich mich ausstrecken kann, und morgen — mein Gott, wie ich mich auf morgen freue!

Nachts, und ich sitze wieder in der Küche der Madame Clapain. Aber vielleicht bin ich gar nicht schon wieder hier, sondern noch immer. Vielleicht war dieser Tag nur ein böser Traum, vielleicht darf ich aufwachen. Aber sind nicht die Fluten der Seine über mir zusammengeschlagen? Das Wasser war so nah, die Lichter von Paris tanzen in den Wellen, tanzen und rufen, und ich habe mich über die kalte steinerne Brüstung der Brücke gebeugt. Vielleicht durfte ich wirklich sterben und mich von der Strömung treiben lassen. Quer durch Paris — treiben, fließen und nichts mehr fühlen. Ich möchte so gern tot sein.

Aber ich sitze an einem wackligen Küchentisch, und meine Gedanken gehen im Kreis. Jedes Wort höre ich, jedes Gesicht ist nahe, und der Regen trommelt an die Fenster. Es hat den ganzen Tag über geregnet. Schon auf dem Weg zum Haus der Madame Tallien bin ich ganz naß geworden. Ich hatte das schöne blauseidene Kleid an. Aber als ich durch den Garten der Tuilerien ging und dann weiter die Rue Honoré entlang, entdeckte ich, daß es für Pariser Begriffe ganz unmodern ist. Denn hier tragen die Damen Kleider, die wie Hemden aussehen und nur unter dem Busen von einem Seidenband zusammengehalten werden. Sie haben auch keine Fichus, obwohl es doch schon Herbst ist, sondern legen nur einen durchsichtigen Schal über die Schultern. Meine engen Ärmel, die bis zu den Ellenbogen reichen und mit Spitzen besetzt sind, schauen ganz unmöglich aus. Man trägt anscheinend gar keine Ärmel mehr, nur Schulterspangen. Ich schämte mich sehr, weil ich wie eine richtige Provinzgans aussehe.

Es war nicht schwer, die Chaumière in der Allée des Veuves zu finden. Madame Clapain hatte mir den Weg genau erklärt, und obwohl ich trotz meiner Ungeduld immer wieder vor den Schaufenstern im Palais Royal und der Rue Honoré stehenblieb, war ich nach einer halben Stunde am Ziel. Von außen sieht das Haus eigentlich recht bescheiden aus, kaum größer als unsere Villa und ganz in ländlichem Stil gehalten und sogar mit einem Strohdach bedeckt. Aber hinter den Fenstern schimmern Brokatvorhänge. Es war erst früh am Nachmittag, aber ich wollte ja meine große Über=

raschung vorbereiten und bereits in einem der Salons warten, wenn Napoleon eintraf. Da er beinahe jeden Nachmittag bei Madame Tallien Besuch abstattete, so kann ich ihn dort am besten treffen. Und er hat seinerzeit an Joseph geschrieben, daß alle Leute hinein können, weil Madame de Thermidor offenes Haus hält. Vor dem Eingang lungerten viele Leute herum, die alle, die sich der Chaumière näherten, kritisch musterten. Aber ich sah weder nach rechts noch nach links, sondern ging geradewegs auf das Tor zu. Ich drückte die Klinke nieder, das Tor öffnete sich, ich trat ein und wurde sofort von einem Lakai eingefangen.

Der trug eine rote Livree mit Silberknöpfen und sah genauso aus wie die Lakaien der adeligen Herrschaften vor der Revolution. Ich habe nicht gewußt, daß sich die Würdenträger der Republik Lakaien in Uniform halten dürfen. Der Abgeordnete Tallien ist übrigens selbst ein ehemaliger Kammerdiener. Der vornehme Lakai musterte mich von oben bis unten und fragte durch die Nase: „Sie wünschen, Bürgerin?"

Diese Frage hatte ich nicht erwartet. Ich stotterte deshalb nur: „Ich möchte — hinein!"

„Das sehe ich", sagte der Lakai. „Haben Sie eine Einladung?" Ich schüttelte den Kopf. „Ich habe gedacht, daß — ja, daß jeder hinein darf . . ."

„Das möchte dem Dämchen so passen", grinste der Mann und musterte mich noch unverschämter. „Ihr müßt euch an die Rue Honoré und die Arkaden des Palais Royal halten, meine Dame!" Ich wurde glühendrot. „Was — was glauben Sie eigentlich, Bürger?" stieß ich hervor und konnte vor Scham kaum sprechen. „Ich muß hinein, weil ich drinnen jemanden sehen möchte." Aber er öffnete einfach das Tor und schob mich hinaus. „Auftrag der Madame Tallien — nur Bürgerinnen in Begleitung von Kavalieren sind einzulassen. Oder —" Er warf mir einen verächtlichen Blick zu: „Oder sind Sie vielleicht eine persönliche Freundin von Madame?"

Er drängte mich grob auf die Straße und schlug mir das Tor vor der Nase zu. Nun stand ich zwischen den anderen Neugierigen auf der Straße. Das Tor öffnete und schloß sich ohne Unterbrechungen, aber einige Mädchen hatten sich vor mich gedrängt, und ich konnte die Gäste der Madame Tallien nicht sehen. „Es ist eine neue Verordnung, noch vor einem Monat kamen wir alle glatt hinein", sagte ein Mädchen mit dick geschminktem Gesicht zu mir und zwinkerte. „Aber irgendeine ausländische Zeitung hat geschrieben,

daß es bei der Frau des Abgeordneten Tallien wie in einem Huren=
haus zugeht ..." Sie meckerte und zeigte Zahnlücken unter den
lila bemalten Lippen. „Ihr ist es ganz egal, aber der Barras hat
gesagt, daß man nach außen hin den Schein wahren muß", bemerkte
eine andere, vor der ich erschrocken zurückwich, weil abscheulich
eitrige Pusteln im kalkweiß gepuderten Gesicht flimmerten. „Du
bist neu, nicht wahr?" fragte sie mich und betrachtete mitleidig mein
altmodisches Kleid. „Der Barras!" meckerten jetzt die lila Lippen.
„Vor zwei Jahren hat er noch der Lucille fünfundzwanzig Francs
pro Nacht bezahlt. Heute kann er sich die Beauharnais leisten!" In
ihren Mundwinkeln standen widerliche Schaumbläschen. „Diese alte
Ziege! Die Rosalie, die vorgestern mit ihrem neuen Freund, dem
reichen Ouvrard, drinnen war" — Bewegung mit dem spitzen Kinn
nach dem Haus —, „hat mir erzählt, daß sich die Beauharnais jetzt
mit einem blutjungen Burschen herumtreibt. Einem Offizier, der
Händchen drücken und tief in die Augen sehen will..."

„Daß sich der Barras das gefallen läßt!" wunderte sich das Pustel=
gesicht. „Der Barras? Der verlangt sogar, daß sie mit den Offizieren
schläft. Der will sich doch mit den Uniformen gutstellen, wer weiß,
wann er sie brauchen wird. Außerdem wächst sie ihm wahrscheinlich
schon zum Hals heraus — Josephine in Weiß, immer in Weiß. Die
alte Ziege mit den großen Kindern..." „Zwölf und vierzehn sind
die Kinder, das ist doch kein Alter!" mischte sich ein junger Mann
ein. „Übrigens — die Tallien hat heute wieder im Konvent geredet."
„Was Sie nicht sagen, Bürger!" Die beiden Mädchen wandten sofort
ihre ganze Aufmerksamkeit dem jungen Mann zu. Aber der junge
Mann beugte sich zu mir hinab: „Sie sind aus der Provinz, Bür=
gerin? Aber Sie haben wahrscheinlich in den Gazetten gelesen, daß
die schöne Theresa die erste Frau ist, die in der Nationalversamm=
lung gesprochen hat. Heute sprach sie über notwendige Reformen
in der Erziehung junger Mädchen. Interessieren Sie sich auch für
diese Fragen, Bürgerin?" Er roch abscheulich nach Wein und Käse,
ich rückte von ihm ab. „Es regnet, wir sollten in ein Kaffeehaus
gehen", sagte das Mädchen mit den lila Lippen und warf dem
jungen Mann mit dem scheußlichen Mundgeruch einen auffordern=
den Blick zu. „Es regnet, Bürgerin", sagte der junge Mann zu mir.
Ja, es regnete. Mein blaues Kleid wurde naß. Außerdem war mir
kalt. Der junge Mann streifte wie zufällig meine Hand. In diesem
Augenblick wußte ich: das halte ich nicht länger aus! Gerade rollte
wieder ein Mietwagen vor. Mit beiden Ellenbogen puffte ich mich

durch die Gruppe und lief wie eine Verrückte auf den Wagen zu und prallte mit einem Offiziersmantel zusammen. Der Mann, der den Mantel trug, hatte soeben den Wagen verlassen. Er war so schrecklich hoch gewachsen, daß ich mein Gesicht heben mußte, um seine Züge zu unterscheiden. Aber er hatte den Dreispitz tief in die Stirn gedrückt, und ich sah nur eine mächtig vorspringende Nase.

„Verzeihen Sie, Bürger", sagte ich, weil der Riese erschrocken zurückwich, als ich auf ihn losfuhr. „Verzeihen Sie, aber ich möchte gern zu Ihnen gehören!"

„Was möchten Sie?" fragte der Riese verblüfft.

„Ja — ich möchte für einen Augenblick zu Ihnen gehören! Damen dürfen nämlich nur in Begleitung von Kavalieren in das Haus der Madame Tallien. Und ich muß hinein, ich muß — und ich habe keinen Kavalier!" Der Offizier musterte mich von oben bis unten und schien nicht sehr erfreut zu sein. Dann bot er mir mit plötz= lichem Entschluß den Arm und sagte: „Kommen Sie, Bürgerin!" Der Lakai im Vorraum erkannte mich sofort. Er warf mir einen empörten Blick zu und nahm dann mit tiefer Verbeugung dem Riesen seinen Mantel ab. Ich stellte mich vor einen der hohen Spiegel, strich meine patschnassen Haarsträhnen aus dem Gesicht und konstatierte, daß meine Nase glänzte. Aber gerade, als ich meine Puderquaste hervorziehen wollte, sagte der Riese ungedul= dig: „Nun, sind Sie fertig, Bürgerin?" Ich wandte mich schnell zu ihm um. Er trug eine wunderbar geschneiderte Uniform mit dicken goldenen Epauletten. Als ich mein Gesicht wieder hochreckte, um ihn anzusehen, bemerkte ich, daß der schmale Mund unter der auf= fallenden Nase mißbilligend zusammengekniffen war. Er ärgerte sich sichtlich, weil er nachgegeben und mich mitgenommen hatte. Und mir fiel plötzlich ein, daß er mich wahrscheinlich für eines der Straßenmädchen, die draußen herumlungerten, hielt. „Bitte ent= schuldigen Sie, ich wußte keinen anderen Rat", flüsterte ich. „Be= nehmen Sie sich drinnen anständig, bitte blamieren Sie mich nicht", sagte er streng. Dann machte er eine steife kleine Verbeugung und bot mir wieder den Arm. Der Lakai öffnete eine weißgemalte Flügeltür. Dann standen wir in einem großen Raum, in dem schreck= lich viel Menschen versammelt waren. Ein anderer Lakai schoß vor uns aus dem Fußboden und sah uns fragend an. Mein Begleiter wandte sich mir brüsk zu: „Ihr Name?" Niemand darf wissen, daß ich hier bin, ging es mir durch den Kopf. „Désirée", flüsterte ich.

„Désirée — was weiter?" fragte mein Kavalier verärgert. Ich schüt=
telte verzweifelt den Kopf: „Bitte schön — nichts weiter." Worauf
dem Lakai kurz mitgeteilt wurde: „Bürgerin Désirée und Bürger
General Jean=Baptiste Bernadotte."

„Die Bürgerin Désirée und der Bürger General Jean=Baptiste Ber=
nadotte!" rief der Lakai aus. Die zunächst Stehenden wandten sich
um. Eine schwarzhaarige junge Frau in gelbem Schleiergewand
löste sich sofort aus einer Gruppe und glitt auf uns zu. „Diese
Freude, Bürger General! Diese reizende Überraschung . . ." zwit=
scherte sie und streckte dem Riesen beide Hände entgegen. Dann
glitt ein prüfender Blick aus sehr großen dunklen Augen abschät=
zend über meine Gestalt und blieb den Bruchteil einer Sekunde an
meinen kotigen Schuhen hängen. „Sie sind zu liebenswürdig, Ma=
dame Tallien", sagte der Riese und beugte sich über ihre Hände
und küßte — nein, nicht die Hände, sondern das weiße Handgelenk.
„Und mein erster Weg — wie immer, wenn einem armen Front=
soldaten ein Aufenthalt in Paris vergönnt ist — in den Bannkreis
von Theresa!"

„Der arme Frontsoldat schmeichelt — wie immer! — und hat be=
reits Gesellschaft in Paris gefunden . . ." Wieder glitten die dunk=
len Augen prüfend über mich hinweg. Ich versuchte, eine Art von
Verbeugung zustande zu bringen. Worauf Madame Tallien jedoch
den letzten Rest von Interesse an meiner armseligen Persönlichkeit
verlor und sich seelenruhig zwischen mich und den General drängte.
„Kommen Sie, Jean=Baptiste, Sie müssen Barras begrüßen! Der
Direktor sitzt drüben im Gartenzimmer mit der schrecklichen Ger=
maine de Staël — Sie wissen, die Tochter vom alten Necker, die
ununterbrochen Romane dichtet — und wir müssen ihn erlösen, er
wird entzückt sein, daß Sie —" Und dann sah ich nur noch den
gelben Schleierstoff über ihren völlig nackten Schultern und die
Rückseite meines Riesen. Andere Gäste schoben sich dazwischen,
und ich stand ganz allein im glitzernden Salon der Madame Tallien.
Ich drückte mich in eine Fensternische und suchte mit den Augen
den großen Raum ab. Aber ich konnte Napoleon nirgends entdecken.
Ich sah zwar eine ganze Menge Uniformen, aber keine sah so
schäbig aus wie die meines Bräutigams. Je länger ich hier war,
um so tiefer kroch ich in meine Fensternische. Nicht nur mein Kleid
war unmöglich, auch meine Schuhe kamen mir lächerlich vor. Die
Damen hier trugen nämlich gar keine richtigen Schuhe, sondern
nur dünne Sohlen ohne Absätze. Und diese Sohlen waren mit

schmalen Gold= oder Silberriemen an den Füßen befestigt und ließen die Zehen sehen, und die Zehennägel waren rosa oder silbrig lackiert. Aus einem der Nebenräume kam Violinmusik, und die rotgekleideten Lakaien balancierten riesige Anrichtetabletts mit Gläsern und Leckerbissen zwischen den Gästen herum. Ich stopfte ein Brötchen mit Lachs in mich hinein, aber es schmeckte mir gar nicht, weil ich so aufgeregt war. Dann stellten sich zwei Herren neben mich in die Fensternische und plauderten, ohne mich zu beachten. Sie sprachen davon, daß das Volk von Paris sich nicht länger die Teuerung gefallen lassen will und daß es zu Unruhen kommen werde. „Wenn ich Barras wäre, würde ich den Pöbel zu= sammenschießen lassen, lieber Fouché", sagte der eine und nahm gelangweilt eine Prise. Der andere bemerkte: „Dazu muß er erst jemanden finden, der zum Schießen bereit ist!" Worauf der erste zwischen zwei Tabaksniesern hervorstieß, daß er den General Ber= nadotte heute unter den Gästen gesehen habe. Aber der andere, der Fouché hieß, schüttelte den Kopf. „Der? Nie im Leben!" und weiter: „Aber was ist mit dem kleinen Hungerleider, der immer hinter Josephine herläuft?" In diesem Augenblick klatschte jemand in die Hände, und ich hörte Madame Tallien das Stimmengemurmel überzwitschern: „Alle in den grünen Salon — wir haben eine Über= raschung für unsere Freunde!"

Ich schob mich mit den anderen in einen Nebenraum, und dort standen wir dicht gedrängt, und ich konnte nicht sehen, was eigent= lich los war. Ich sah nur, daß weißgrün gestreifte Seidentapeten die Wände bedeckten. Champagnerkelche wurden herumgereicht, und ich bekam auch einen, und dann drängten wir uns noch mehr zusammen, um die Frau des Hauses durchzulassen. Theresa ging dicht an mir vorüber, ich sah, daß sie unter den gelben Schleiern gar nichts trug, die tief dunkelroten Spitzen ihres Busens hoben sich deutlich ab — es war sehr unanständig. Sie hatte sich in einen Herrn eingehängt, dessen violetter Frack über und über mit Gold bestickt war und der ein Lorgnon vor die Augen preßte und ungemein arro= gant aussah. Jemand wisperte: „Der gute Barras wird fett", und ich erfuhr dadurch, daß einer der fünf Machthaber Frankreichs an mir vorbeiging. „Einen Kreis um das Sofa bilden!" rief jetzt Theresa, und wir stellten uns gehorsam zurecht. Und dann sah ich ihn.

Auf dem kleinen Sofa nämlich. Mit einer Dame in Weiß. Er trug die alten ausgetretenen Stiefel, aber neue tadellos gebügelte Hosen und einen neuen Waffenrock. Ohne Rangabzeichen, ohne Orden.

Sein mageres Gesicht war nicht mehr braungebrannt, sondern bei=
nahe krankhaft blaß. Er saß ganz steif da und starrte Theresa Tallien
an, als ob er von ihr das Heil seiner Seele erwarte. Die Dame dicht
neben ihm hatte sich zurückgelehnt und die Arme über die Rücken=
lehne des Sofas ausgebreitet. Der kleine Kopf mit den winzigen,
nach aufwärts gebürsteten Löckchen war in den Nacken zurückge=
worfen. Die Augen hielt sie halb geschlossen, auf den Augenlidern
lag Silberschminke, ein schmales dunkelrotes Samtband ließ den
langen Hals aufreizend weiß erscheinen . . . Und jetzt wußte ich
auch, wer sie war: die Witwe de Beauharnais. Josephine . . . Die ge=
schlossenen Lippen formten ein spöttisches Lächeln, und wir alle
folgten dem Blick ihrer halbgeschlossenen Augen. Sie lächelte Barras
an. „Habt ihr alle Champagner?" Das war die Stimme der Tallien.
Die schmale Gestalt in Weiß streckte eine Hand aus, jemand reichte
ihr zwei Gläser, eines hielt sie Napoleon entgegen. „General — Ihr
Glas!" Jetzt galt ihr Lächeln ihm. Ein sehr vertrauliches, etwas mit=
leidiges Lächeln.

„Bürger und Bürgerinnen, meine Damen und Herren — ich habe
die große Ehre, unserem Freundeskreis eine Mitteilung zu machen,
die unsere geliebte Josephine betrifft . . ." Wenn Theresa laut sprach,
klang ihre Stimme schrill. Wie sie diese Szene genoß! Sie stand ganz
dicht vor dem Sofa und hielt ihr Glas hoch erhoben. Napoleon war
aufgestanden und blickte sie tödlich verlegen an, Josephine dagegen
hatte den kindlichen Lockenkopf mit den silbernen Augenlidern
wieder in den Nacken geworfen. „Unsere geliebte Josephine hat sich
nämlich entschlossen, wieder in den heiligen Stand der Ehe —"
Unterdrücktes Kichern flatterte auf, Josephine spielte zerstreut mit
dem roten Samtband um den Hals — „Ja, in den heiligen Stand der
Ehe zu treten und —" Theresa machte eine Kunstpause, sah Barras
an, Barras nickte — „— und hat sich mit Bürger General Napoleon
Bonaparte verlobt."

„Nein . . .!"

Ich hörte den Schrei ebenso wie alle anderen. Gell zerschnitt er
den Raum, hing abgerissen in der Luft, gefolgt von eisiger Stille.
Erst in der nächsten Sekunde erfaßte ich, daß ich es war, die ge=
schrien hatte. Aber da stand ich schon vor dem Sofa. Sah Theresa
Tallien erschrocken zur Seite weichen, spürte ihr süßliches Parfüm,
spürte auch, wie die andere — die Frau in Weiß auf dem Sofa — mich
anstarrte. Ich selbst aber sah nur Napoleon. Seine Augen waren wie
aus Glas, durchscheinend und ausdruckslos. An der rechten Schläfe

pochte eine Ader. Eine Ewigkeit standen wir einander gegenüber — er und ich. Aber vielleicht war es nur der Bruchteil einer Sekunde. Erst dann sah ich die Frau an.

Silbern glitzernde Augenlider, winzige Fältchen um die Augen= winkel, tiefrot gemalte Lippen. Wie ich sie haßte! Mit einem Schwung warf ich ihr mein Champagnerglas vor die Füße. Der Champagner spritzte auf ihr Kleid, sie quietschte hysterisch ... Ich lief eine regennasse Straße entlang. Lief und lief. Wußte nicht, wie ich aus dem grünen Salon und dem weißen Salon und dem Vorraum gekommen war, vorbei an Gästen, die entsetzt vor mir zurückwichen, und an Lakaien, die mich am Arm zu packen versuchten. Weiß nur, daß mir plötzlich nasse Dunkelheit entgegenschlug und ich eine Häuserreihe entlanglief und dann in eine andere Straße einbog, daß mein Herz im Halse schlug und ich instinktiv wie ein Tier die Rich= tung fand, die ich suchte. Und dann war ich auf einem Quai, lief und stolperte durch die Nässe, glitt aus, lief weiter und erreichte die Brücke. Die Seine, dachte ich, jetzt ist alles gut ... Und dann ging ich langsam über die Brücke und lehnte mich an die Brüstung und sah im Wasser viele Lichter tanzen — auf und ab sprangen sie, es sah so fröhlich aus. Ich beugte mich weiter vor, die Lichter tanzten mir entgegen, der Regen rauschte, ich war so allein wie noch nie in meinem Leben. Ich dachte an Mama und Julie und, daß sie mir ver= zeihen werden, wenn sie alles erfahren. Napoleon wird wahrschein= lich noch heute abend an Joseph oder seine Mutter schreiben, um von seiner Verlobung zu berichten. Das war der erste geordnete Gedanke in mir. Er tat so weh, daß ich es nicht aushalten konnte. Deshalb legte ich die Hände auf die Brüstung und versuchte, mich hochzu= stemmen — und ...

Ja, in diesem Augenblick packte mich jemand mit eisernem Griff an der Schulter und riß mich zurück. Ich versuchte, die fremde Hand abzuschütteln und schrie: „So lasssen Sie mich doch! Lassen Sie mich!" Aber ich wurde nun an beiden Armen gepackt und von der Brüstung gezerrt. Da schlug ich mit den Füßen aus, um mich zu wehren. Obwohl ich alle Kräfte zusammennahm, um mich loszu= reißen, wurde ich doch fortgeschleppt. Es war so finster, daß ich nicht einmal sehen konnte, wer mich schleppte. Ich hörte mich vor Ver= zweiflung schluchzen und keuchen, und ich haßte die Männerstimme, die das Regenrauschen übertönte: „Nur ruhig, machen Sie keine Dummheiten, hier steht mein Wagen!" Auf dem Quai hielt ein Wagen. Ich wehrte mich verzweifelt, aber der Fremde war viel stärker als ich und schob mich hinein. Dann setzte er sich neben mich und rief dem Kutscher zu: „Fahren Sie — gleichgültig wohin, aber fahren Sie!"

Ich rückte so weit wie möglich von dem Unbekannten ab. Plötzlich bemerkte ich, daß meine Zähne vor Nässe und Aufregung aneinanderschlugen und kleine Bäche aus meinen Haaren über mein Gesicht liefen. Und jetzt kam eine Hand auf mich zu und suchte meine Finger, eine große und warme Hand. Ich schluchzte: „Lassen Sie mich aussteigen! Lassen Sie mich doch . . .!" Gleichzeitig klammerte ich mich an diese fremde Hand, weil mir so elend war.

„Sie haben mich doch selbst um meine Begleitung gebeten", kam es dann aus dem Dunkel des Wagens. „Erinnern Sie sich nicht, Mademoiselle Désirée?" Da stieß ich seine Hand weg und sagte: „Ich — ich will — jetzt allein sein . . ."

„O nein, Sie haben mich gebeten, Sie zu Madame Tallien zu begleiten. Und jetzt bleiben wir beide zusammen, bis ich Sie nach Hause bringe." Seine Stimme war sehr ruhig und eigentlich sehr angenehm. „Sind Sie dieser General — dieser General Bernadotte?" fragte ich. Und dann fiel mir alles ganz deutlich ein, und ich schrie: „Lassen Sie mich doch in Ruhe! Ich kann Generäle nicht leiden! Generäle haben kein Herz . . ." „Nun, es gibt Generäle und — Generäle", sagte er und lachte. Dann hörte ich ihn im Dunkeln rascheln, und ein Mantel wurde um meine Schultern gelegt. „Ich werde Ihren Mantel ganz naß machen", sagte ich. „Erstens bin ich vom Regen ganz durchweicht, und zweitens muß ich schrecklich weinen." — „Das macht nichts", meinte er. „Darauf bin ich vorbereitet. Wickeln Sie sich nur fest in den Mantel!" Brennend zuckte eine Erinnerung auf. An einen anderen Generalsmantel, an eine andere Regennacht. Napoleon hielt damals um meine Hand an . . . Der Wagen rollte und rollte dahin, einmal hielt der Kutscher und fragte etwas, aber der fremde General rief: „Nur weiter, gleichgültig wohin!" Und so rollten wir weiter, und ich schluchzte in den fremden Mantel. „So ein Zufall, daß Sie gerade an der Brücke vorbeikamen", bemerkte ich einmal.

„Gar kein Zufall. Ich habe mich doch für Sie verantwortlich gefühlt, weil ich Sie in diese Gesellschaft gebracht habe. Und als Sie den Salon so plötzlich verließen, bin ich Ihnen nachgelaufen. Aber Sie rannten so schnell, daß ich es vorzog, einen Mietwagen zu nehmen und Ihnen nachzufahren. Ich wollte Sie übrigens so lange wie möglich allein lassen."

„Und warum waren Sie so gemein und haben mich nicht allein gelassen?"

„Es war nicht länger möglich", sagte er ruhig und legte seinen Arm um meine Schulter. Ich war todmüde, und alles war so gleich= gültig, ich fühlte mich so zerschlagen, nur immer weiterfahren, dachte ich, niemals aussteigen müssen, niemals wieder sehen und hören und sprechen, nur weiterfahren ... Ich legte den Kopf an seine Schulter, und er zog mich etwas fester an sich. Dabei versuchte ich, mich zu erinnern, wie er eigentlich aussah. Aber sein Gesicht verschwamm mit den vielen Gesichtern, die ich gesehen hatte. „Ver= zeihen Sie, daß ich Ihnen solche Schande gemacht habe", murmelte ich. „Das ist mir ganz egal", sagte er, „es tut mir nur so leid — Ihret= wegen." — „Ich habe den Champagner absichtlich über ihr weißes Kleid ausgeschüttet, Champagner macht nämlich Flecken ..." ge= stand ich. Plötzlich begann ich zu weinen. „Sie ist viel schöner als ich ... und eine große Dame ..." Er hielt mich dicht an sich gedrückt und preßte mit der freien Hand mein Gesicht an seine Schulter. „Weinen Sie sich nur gut aus, weinen Sie nur!"

Ich weinte, wie ich noch nie geweint habe. Ich konnte gar nicht aufhören. Manchmal schrie ich vor Weinen, und dann keuchte ich wieder, und immerfort bohrte sich mein Gesicht in den rauhen Stoff seiner Uniform. „Ich weine Ihnen die Schulterwattierung naß", schluchzte ich. „Ja, die haben Sie schon durchgeweint. Aber genieren Sie sich nicht, weinen Sie nur weiter." Ich glaube, wir sind viele Stunden durch die Straßen gefahren. Bis ich kein Träne mehr hatte. Ich war leergeweint. „Ich werde Sie jetzt nach Hause bringen, wo wohnen Sie?" fragte er. „Setzen Sie mich nur hier ab, ich kann nach Hause gehen", sagte ich und dachte sofort wieder an die Seine. „Dann fahren wir eben weiter", meinte er. Ich richtete mich auf, seine Schulter war zu naß geweint, ich fühlte mich nicht mehr wohl auf ihr. Mir fiel etwas ein. „Kennen Sie den General Bonaparte per= sönlich?"

„Nein. Ich habe ihn nur einmal flüchtig im Wartezimmer des Kriegsministers gesehen. Er ist mir unsympathisch."

„Warum?"

„Kann ich nicht erklären. Sympathie und Antipathie kann man nicht erklären. Sie zum Beispiel sind mir sympathisch." Wir schwiegen wieder. Der Wagen rollte durch den Regen. Wenn wir an einer Laterne vorbeikamen, schimmerte das Straßenpflaster in vielen Farben. Meine Augen brannten. Deshalb schloß ich sie und lehnte den Kopf zurück. „Ich habe an ihn geglaubt, wie ich noch nie an einen Menschen geglaubt habe", hörte ich mich sagen. „Mehr als an Mama. Mehr als an — nein, ganz anders als an Papa. Ich kann deshalb nicht verstehen —"

„Sie können vieles nicht verstehen, mein kleines Mädchen!" „Wir sollten in einigen Wochen Hochzeit halten. Und mit keinem Wort hat er erwähnt, daß —"

„Er hätte Sie nie geheiratet, kleines Mädchen! Er ist längst verlobt. Mit einer reichen Seidenhändlerstochter in Marseille." Ich zuckte zusammen. Seine Hand legte sich sofort wieder warm und schützend um meine Finger. „Das haben Sie auch nicht gewußt, nicht wahr? Die Tallien hat es mir heute nachmittag erzählt. Unser kleiner General läßt eine große Mitgift im Stich, um die abgedankte Freundin von Barras zu heiraten, sagte die Tallien wörtlich. Bonapartes Bruder ist mit der Schwester dieser Marseiller Braut verheiratet. Jetzt ist dem Bonaparte eine abgetakelte Gräfin mit guten Beziehungen in Paris wichtiger als eine Mitgift in Marseille. Du siehst, mein Kleines — dich hätte er auf gar keinen Fall geheiratet."

Gleichmäßig und beinahe beruhigend kam seine Stimme aus dem Dunkel. Zuerst verstand ich nicht richtig, was er meinte. „Wovon sprechen Sie eigentlich?" fragte ich und rieb mir mit der Linken über die Stirn, um klarer zu denken. Meine Rechte klammerte sich immerfort an seine große Hand. Sie war das einzige Stückchen Wärme in meinem Leben. „Mein armes Kleines — verzeih, daß ich dir so weh tue, aber es ist besser, daß du alles ganz deutlich siehst. Ich weiß genau, wie schlimm es ist, aber — es kann ja nicht schlimmer werden. Deshalb habe ich dir erzählt, was die Tallien gesagt hat. Zuerst war es ein reiches Bürgermädchen und jetzt eine Frau Gräfin, die gute Verbindungen hat, weil sie mit einem Direktor und vorher mit zwei Herren vom Armeeoberkommando geschlafen hat. Du dagegen hast keine Verbindungen und auch keine Mitgift, mein Kleines."

„Woher wissen Sie das?"

„Das sieht man dir an", sagte er. „Du bist nur ein kleines und sehr gutes Mädchen. Du weißt nicht, wie sich die großen Damen benehmen, und wie es in ihren Salons zugeht. Und du hast auch kein Geld, sonst hättest du dem Lakai der Tallien eine Banknote zugeschoben, und er hätte dich hineingelassen. Ja, du bist ein anständiges kleines Ding und —" Er machte eine Pause. Plötzlich stieß er hervor: „Und ich möchte dich heiraten." „Lassen Sie mich aussteigen! Sie haben keinen Grund, sich über mich lustig zu machen", sagte ich, beugte mich vor und klopfte an die Scheibe. „Kutscher, sofort halten!" Der Wagen hielt. Aber der General schrie: „Sofort weiterfahren!" Der Wagen rollte wieder durch die Nacht. „Ich habe mich vielleicht nicht richtig ausgedrückt", kam es zögernd aus dem Dunkel. „Sie müssen verzeihen, aber ich habe nie Gelegenheit, junge Mädchen wie Sie kennenzulernen. Und — Mademoiselle Désirée, ich möchte Sie wirklich gern heiraten!"

„Im Salon der Tallien wimmelt es von Damen, die eine Vorliebe für Generäle zu haben scheinen", sagte ich. „Und ich habe keine." „Sie glauben doch nicht, daß ich so eine Kokotte — pardon — Mademoiselle, ich meine — so eine Dame heiraten würde?" Ich war zu müde, um zu antworten. Viel zu müde, um zu denken. Ich begriff nicht, was dieser Bernadotte, dieser Turm von einem Mann, eigentlich von mir wollte. Mein Leben war auf jeden Fall zu Ende. Trotz seines weiten Mantels war mir kalt, und meine Seidenschuhe klebten durchweicht und bleischwer an meinen Füßen.

„Ohne Revolution wäre ich gar nicht General. Nicht einmal Offizier, Mademoiselle. Sie sind noch so jung, aber Sie haben vielleicht gehört, daß vor der Revolution kein Bürgerlicher mehr als Kapitän werden durfte. Mein Vater war Schreiber bei einem Advokaten und stammt aus einer Handwerkerfamilie, wir sind ganz einfache Leute, Mademoiselle. Ich habe mich hinaufgedient — mit fünfzehn bin ich in die Armee gekommen, und dann war ich sehr lange Unteroffizier, und erst nach und nach — ich bin jetzt Divisionsgeneral, Mademoiselle. Aber vielleicht bin ich Ihnen zu alt?" . . .

Du glaubst an mich, was immer auch geschieht, hat Napoleon einmal zu mir gesagt. Eine große Dame mit großen Beziehungen und silbernen Augenlidern. Natürlich — ich verstehe dich, Napoleon. Aber ich zerbreche daran . . .

„Ich habe etwas sehr Wichtiges gefragt, Mademoiselle."

„Verzeihen Sie, ich habe es nicht gehört. Was haben Sie gefragt, General Bernadotte?"

„Ob ich Ihnen vielleicht zu alt bin."

„Ich weiß doch nicht, wie alt Sie sind. Und es ist auch gleichgültig, nicht wahr?"

„Aber nein, es ist sogar sehr wichtig! Vielleicht bin ich Ihnen nämlich zu alt. Ich bin einunddreißig."

„Ich werde sechzehn", sagte ich. „Und ich bin sehr müde. Ich möchte jetzt gern nach Hause."

„Natürlich, verzeihen Sie, ich bin so rücksichtslos! Sie wohnen —?"

Ich nannte die Adresse, er gab dem Kutscher Bescheid.

„Werden Sie sich meinen Vorschlag überlegen? Ich muß in zehn Tagen wieder im Rheinland sein. Vielleicht können Sie mir bis dahin eine Antwort geben", kam es zögernd. Und dann schnell: „Ich heiße Jean=Baptiste. Jean=Baptiste Bernadotte. Ich habe seit Jahren einen Teil meines Gehaltes aufgespart, ich kann ein kleines Haus für Sie und das Kind kaufen." „Für welches Kind?" fragte ich unwill= kürlich. Er wurde mir immer unbegreiflicher. „Für unser Kind natürlich", sagte er eifrig und suchte meine Hand, aber ich zog sie schnell weg. „Ich wünsche mir nämlich eine Frau und ein Kind. Seit Jahren schon, Mademoiselle!"

Meine Geduld riß. „Hören Sie schon auf, Sie kennen mich doch gar nicht!"

„Doch — ich kenne Sie ganz gut!" meinte er, und es klang wirk= lich aufrichtig. „Ich glaube, ich kenne Sie viel besser, als Ihre Fa= milie Sie kennt. Ich habe ja so wenig Zeit, um an mein eigenes Leben zu denken, ich bin fast immer an der Front, und deshalb kann ich auch nicht wochenlang zu Ihrer Familie auf Besuch kommen — und ja, und dann mit Ihnen spazierengehen und was man eben sonst unternimmt, bevor man einen Heiratsantrag macht. Ich muß mich schnell entschließen und — ich habe mich entschlossen." Mein Gott — er meinte es ernst. Er wollte seinen Fronturlaub benutzen, um zu heiraten, ein Haus zu kaufen und ein Kind — „General Bernadotte", sagte ich, „es gibt im Leben jeder Frau nur eine einzige große Liebe."

„Woher wissen Sie das?"

„Ja, das ist doch — —" Woher wußte ich es wirklich? „Es steht in jedem Roman, und es ist bestimmt wahr", sagte ich. In diesem Augenblick knirschten die Bremsen. Wir waren vor dem Haus der Clapains in der Rue du Bac angelangt. Er öffnete den Schlag und half mir beim Aussteigen. Über dem Haustor hing eine Laterne. Ich stellte mich wieder, wie vor dem Haus der Madame Tallien, auf die Zehenspitzen, um sein Gesicht zu sehen. Er hatte schöne weiße Zähne. Und wirklich eine auffallend große Nase. Ich reichte ihm den Schlüssel, den mir Madame Clapain geborgt hatte, und er sperrte auf. „Sie wohnen in einem vornehmen Haus", bemerkte er. „Oh — wir leben im Hinterhaus", murmelte ich. „Und jetzt gute Nacht und vielen Dank, wirklich vielen Dank für — alles." Aber er rührte sich nicht von der Stelle. „Gehen Sie doch zum Wagen zurück, Sie werden ganz naß", sagte ich. „Sie können beruhigt sein, ich bleibe schon zu Hause!"

„Brav", lobte er. „Und wann darf ich mir die Antwort holen?" Ich schüttelte den Kopf. „Im Leben jeder Frau —" begann ich wieder. Aber er hob warnend die Hand. Da unterbrach ich mich und sagte: „Es geht nicht, Herr General! Wirklich nicht. Nicht etwa, weil ich zu jung für Sie bin. Aber, sehen Sie doch selbst — ich bin viel zu klein für Sie!" Dann schlug ich schnell das Tor hinter mir zu. Als ich in die Küche der Clapains trat, war ich nicht mehr müde. Nur noch zerschlagen. Ich kann jetzt nicht schlafen, ich kann nie wieder schlafen … Deshalb sitze ich am Küchentisch und schreibe und schreibe. Übermorgen wird dieser Bernadotte hierherkommen und nach mir fragen. Aber ich werde bestimmt nicht mehr hier sein. Wo ich jedoch übermorgen sein werde, weiß ich noch nicht …

Marseille, drei Wochen später:

Ich bin sehr krank gewesen. Schnupfen, Halsschmerzen, sehr hohes Fieber und das, was die Dichter ein gebrochenes Herz nennen. Ich habe in Paris Maries Goldmedaillon verkauft und bekam gerade genug Assignaten dafür, um nach Hause zu fahren. Marie steckte mich gleich ins Bett und rief den Arzt, weil ich so hohes Fieber hatte. Der konnte gar nicht verstehen, wieso ich derart verkühlt war — in Marseille hatte es doch seit Tagen nicht geregnet! Marie schickte auch einen Boten zu Mama, und Mama kehrte sofort zurück, um mich zu pflegen. Bis zum heutigen Tag hat niemand erfahren, daß ich in Paris war. Jetzt liege ich auf einem Sofa auf der Terrasse. Sie haben mich in viele Decken verpackt und behaupten, daß ich sehr blaß bin und furchtbar mager. Joseph und Julie sind gestern von ihrer Reise zurückgekommen und werden uns heute abend besuchen. Ich hoffe, daß ich aufbleiben darf. Marie kommt soeben auf die Terrasse gelaufen. Sie schwenkt ein Flugblatt in der Hand und scheint schrecklich aufgeregt zu sein.

General Napoleon Bonaparte zum Militärgouverneur von Paris ernannt. Hungerrevolte in der Hauptstadt von der Nationalgarde unterdrückt. Zuerst tanzten die Buchstaben vor meinen Augen. Aber jetzt habe ich mich an sie gewöhnt. Napoleon ist Militärgouverneur von Paris. Das Flugblatt berichtet von Pöbelmassen, die die Tuilerien stürmen und die Abgeordneten in Stücke reißen wollten. Direktor Barras hat in seiner Not den aus der Armee entlassenen General Napoleon Bonaparte mit dem Befehl über die Nationalgarde betraut. Worauf dieser General vom Konvent unumschränkte Vollmacht verlangte und wirklich erhielt. Dann ließ er durch einen jungen Kavallerieoffizier, der Murat heißt, Kanonen herbeischaffen und stellte sie an der Nord=, West= und Südseite der Tuilerien auf. Die Kanonen deckten die Rue Saint=Roche und Pont Royal. Aber die Volksmassen rückten trotzdem vor. Bis eine Stimme durch die Luft schnitt: „Feuer!" Ein einziger Kanonenschuß genügte, um die Menge zurückzutreiben. Ruhe und Ordnung sind wiederhergestellt. Die Direktoren Barras, Lareveillière, Letourneur, Rewbell und Carnot danken dem Mann, der die Republik vor neuem Chaos gerettet hat, und ernennen ihn zum Militärgouverneur von Paris. Ich versuche, alles durchzudenken. Ein Gespräch in der Fensternische der Madame

Tallien fällt mir ein. „Wenn ich Barras wäre, würde ich den Pöbel zusammenschießen lassen, lieber Fouché." — „Dazu muß er erst jemanden finden, der zum Schießen bereit ist." — Ein einziger Kanonenschuß hat genügt, Napoleon hat ihn abfeuern lassen. Napoleon schießt mit Kanonen auf — ja, auf den Pöbel, schreibt das Flugblatt. Pöbel — das sind wahrscheinlich die Leute, die in den Kellerlöchern wohnen und die teuren Brotpreise nicht bezahlen können. Napoleons Mutter wohnt auch in einem Keller ... „Ihr Sohn ist ein Genie, Madame." — „Ja, leider."

Ich bin wieder unterbrochen worden und schreibe jetzt in meinem Zimmer weiter. Während ich noch über das Flugblatt nachdachte, hörte ich Joseph und Julie ins Wohnzimmer treten. Die Tür zur Terrasse ist ja nur angelehnt. Sie hatten also gar nicht bis zum Abend mit ihrem Besuch gewartet. Joseph sagte: „Napoleon hat einen Kurier geschickt. Mit einem ausführlichen Brief an mich und sehr viel Geld für unsere Mama. Ich habe unsere Mama durch einen Boten ersuchen lassen, sofort hierherzukommen — es macht doch nichts, Madame Clary?" Mama sagte, es mache gar nichts, im Gegenteil, sie freue sich sehr, und fragte, ob Joseph und Julie mir nicht guten Tag sagen wollten, ich sei auf der Terrasse und noch sehr schwach. Aber Joseph zögerte, und Julie begann zu weinen und erzählte Mama, daß Napoleon Joseph geschrieben habe, er hätte sich mit der Witwe des Generals de Beauharnais verlobt. Und mir solle man sagen, er wolle stets mein bester Freund sein. Mama rief: „O Gott, o Gott — das arme Kind!" Dann hörte ich Madame Letitia, Elisa und Polette kommen, und alle sprachen durcheinander. Bis Joseph begann, irgend etwas vorzulesen. Den Brief wahrscheinlich, den Brief des neuen Militärgouverneurs von Paris.

Viel später kamen er und Julie auf die Terrasse heraus und setzten sich zu mir, und Julie streichelte meine Hand. Joseph konstatierte verlegen, daß es im Garten schon sehr herbstlich aussieht. „Ich möchte Ihnen zur Ernennung Ihres Bruders gratulieren, Joseph", sagte ich und wies auf den Brief, den er nervös zwischen den Fingern zerknitterte. „Vielen Dank. Leider muß ich Ihnen etwas mitteilen, Eugénie, das — ja, das Julie und mir sehr leid tut —" Ich wehrte ab: „Lassen Sie das, Joseph — ich weiß es." Und als ich sein verdutztes Gesicht sah, fügte ich hinzu: „Die Tür zum Wohnzimmer war offen, ich habe alles gehört." Im gleichen Augenblick trat Madame Letitia auf uns zu. Ihre Augen funkelten. „Eine Witwe mit zwei Kindern! Sechs Jahre älter als mein Junge! Und so jemanden wagt Napoleone mir als Schwiegertochter zuzumuten ...?"

Im Geist sah ich Josephine vor mir — silberner Blick, kindliche Locken, überlegenes Lächeln. Und vor mir stand Madame Letitia mit roten abgearbeiteten Händen und dem faltigen Hals einer Frau, die ihr Leben lang Wäsche gewaschen und Kinder ausgezankt hat. Die harten Finger umklammerten ein Bündel Banknoten. Der Militärgouverneur von Paris hat seiner Mutter sofort einen Teil seiner neuen Gage geschickt. Später wurde ich auf die Ruhebank im Wohnzimmer gebettet und hörte zu, wie sie über die großen Ereignisse sprachen. Etienne holte seinen besten Likör hervor und sagte, er sei stolz, mit dem General Bonaparte verwandt zu sein. Mama und Suzanne beugten sich über Handarbeiten. „Ich fühle mich wieder ganz wohl", sagte ich. „Könnt ihr mir nicht eine meiner angefangenen Servietten bringen? Ich möchte an den Monogrammen für meine Ausstattung weitersticken." Niemand widersprach. Aber als ich an einem B zu sticken begann — B, B und wieder B —, trat verlegene Stille ein. Plötzlich hatte ich das Gefühl, daß ein Abschnitt meines Lebens vorüber sei. „Von heute an möchte ich nicht mehr Eugénie gerufen werden", sagte ich unvermittelt. „Ich heiße doch Eugénie Bernadine Désirée, und mir gefällt der Name Désirée am besten. Könnt ihr mich nicht Désirée nennen?" Da warfen sie einander ganz besorgte Blicke zu. Ich glaube, sie zweifeln an meinem Verstand.

*Rom, drei Tage nach Weihnachten
im Jahr V.
(Hier in Italien hält man sich
noch an die vorrepublikanische
Zeitrechnung: 27. Dezember 1797.)*

Sie haben mich mit dem Sterbenden allein gelassen.

Der Sterbende heißt Jean Pierre Duphot, ein General in Napoleons Stab. Er kam heute nach Rom, um mir einen Heiratsantrag zu machen. Vor zwei Stunden hat ihn eine Kugel in den Magen getroffen. Wir haben ihn auf das Sofa in Josephs Arbeitszimmer gelegt. Der Arzt sagt, er könne ihm nicht helfen. Duphot ist bewußtlos. Seine Atemzüge klingen wie kleine Schluchzer, ein feiner Faden Blut sickert aus seinem Mundwinkel. Ich habe deshalb Servietten um sein Kinn gelegt. Seine Augen sind halb offen, aber sie sehen nichts. Aus dem Nebenzimmer dringen die murmelnden Stimmen von Joseph, Julie, dem Arzt und zwei Botschaftssekretären herein. Julie und Joseph sind nämlich hinausgegangen, weil sie sich fürchten, einen Menschen sterben zu sehen. Und der Arzt ist ihnen gefolgt. Es ist diesem italienischen Doktor viel wichtiger, die Bekanntschaft seiner Exzellenz, des Botschafters der französischen Republik in Rom und Bruders des Siegers von Italien, zu machen, als einem gleichgültigen Generalstäbler beim Sterben zuzuschauen. Ich weiß nicht, warum, aber ich habe das Gefühl, daß Duphot noch einmal zu Bewußtsein kommen wird, obwohl ich auch spüre, daß er schon sehr weit von uns entfernt ist. Ich habe jetzt mein Buch geholt und begonnen, nach all den Jahren wieder hineinzuschreiben. Dann fühle ich mich nicht so allein. Meine Feder kratzt, und das rasselnde Schluchzen ist wenigstens nicht mehr der einzige Laut in diesem schrecklich hohen Raum.

Ich habe Napoleone — mein Gott, nur seine Mutter nennt ihn noch so, die ganze Welt spricht von Napoleon Bonaparte und spricht beinahe von nichts anderem — also, ich habe ihn seit jenem Augenblick in Paris nicht wiedergesehen. Bis heute weiß meine Familie nichts von jener Begegnung. Im Frühling des nächsten Jahres hat er dann Josephine geheiratet. Tallien und Direktor Barras waren

ihre Trauzeugen, und Napoleon hat sofort die Schulden der Witwe
Beauharnais bei den Schneiderinnen bezahlt. Zwei Tage nach der
Hochzeit ist er nach Italien abgereist; er wurde von der Regierung
mit dem italienischen Oberkommando betraut! Innerhalb von vier=
zehn Tagen gewann er sechs Schlachten. Die Atemzüge des
Sterbenden haben sich verändert. Sie sind ruhiger geworden. Und
seine Augen sind weit offen. Ich habe seinen Namen gerufen. Aber
er hört mich nicht.

Ja, innerhalb von vierzehn Tagen gewann Napoleon sechs
Schlachten. Die Österreicher räumten Norditalien. Ich denke oft an
unsere Abendgespräche an der Hecke. Napoleon hat wirklich Staaten
gegründet. Lombardei nannte er seinen ersten Staat und Cisalpinische
Republik den letzten. Mailand ernannte er zur Hauptstadt der
Lombardei und wählte fünfzig Italiener, die diesen Staat im Namen
von Frankreich regieren sollen. Auf allen öffentlichen Gebäuden
wurden über Nacht die Worte „Freiheit, Gleichheit, Brüderlichkeit"
angebracht. Die Mailänder mußten eine große Summe Geldes, drei=
hundert Wagenpferde und ihre schönsten Kunstwerke abliefern.
Napoleon sandte alles nach Paris. Vorher zog er natürlich den Sold
für seine Truppen, den das Direktorium früher stets der Südarmee
schuldig geblieben war, ab. Die Herren Barras und Konsorten in Paris
wußten gar nicht, wie ihnen geschah: Gold in der Staatskasse,
Italiens schönste Pferde vor ihren Kutschen und kostbare Gemälde
in ihren Empfangsräumen! Ein Bild empfahl Napoleon ganz be=
sonders der Aufmerksamkeit der Pariser. Es heißt „La Gioconda"
und stammt von einem gewissen Leonardo da Vinci. Eine Dame, die
angeblich Mona Lisa hieß, lächelt mit geschlossenen Lippen. Ihr
Lächeln erinnert an Josephines. Vielleicht hatte sie auch schlechte
Zähne wie die Witwe Beauharnais . . . Und zuletzt geschah etwas,
was niemand jemals für möglich gehalten hätte. Die französische
Republik hat sich ja von der Kirche in Rom losgesagt, und von allen
Kanzeln außerhalb unserer Grenzen haben katholische Priester
jahrelang unseren Staat verflucht. Nun wandte sich der Papst an
Napoleon und wollte mit Frankreich Frieden schließen. Tagelang
drängten sich die Leute in Etiennes Laden herum, weil mein Bruder
ihnen erzählen konnte, daß Napoleon ihm schon vor Jahren seine
großen Pläne anvertraut habe. Ihm, der nicht nur der Schwager des
Generals Bonaparte ist, sondern auch sein allerbester Freund.

Ich bin wieder eine Weile bei Duphot gesessen und habe seinen Kopf etwas in die Höhe gehalten. Aber es nützt nichts: seine Atem= züge werden dadurch nicht leichter, er ringt nach Luft. Ich wischte ihm etwas blutigen Schaum vom Mund. Sein Gesicht ist wachsgelb. Ich habe den Arzt hereingerufen. „Innere Blutung", hat er mir in gebrochenem Französisch erklärt und ist zu Joseph und Julie zurück= gegangen. Sie sprechen bestimmt über den morgigen Ball.

Schon vor dem Vertrag mit dem Vatikan war die Regierung in Paris unruhig geworden. Napoleon entwarf und unterschrieb näm= lich selbständig alle Verträge mit den von ihm „befreiten" Italienern und fragte nicht einmal vorher in Paris an, ob man mit seinen Be= dingungen einverstanden sei. Das übersteigt die Vollmachten eines Oberbefehlshabers, murrten die Direktoren in Paris, das hat nichts mehr mit Kriegführung zu tun, das ist Außenpolitik von größter Bedeutung; man müsse ihm unbedingt Diplomaten als Ratgeber senden. Da schrieb Napoleon einige Namen auf: diese Herren sollte man mit dem Titel und den Vollmachten eines Botschafters der Re= publik versehen und ihm schicken. An der Spitze der Liste stand der Name seines Bruders Joseph.

So kamen Joseph und Julie nach Italien. Zuerst nach Parma, dann als Botschafterehepaar nach Genua und schließlich nach Rom. Übrigens kamen sie nicht direkt aus Marseille, sondern aus Paris. Kaum war nämlich Napoleon Generalgouverneur von Paris ge= worden, so schrieb er an Joseph, daß es für ihn weitaus bessere Möglichkeiten in der Hauptstadt gäbe. Was immer auch geschieht, Napoleon verschafft seinem Bruder Joseph eine Stellung. Zuerst war es der bescheidene Posten eines Sekretärs im Marseiller Maison Commune. In Paris brachte er ihn nicht nur mit Barras und den anderen Politikern zusammen, sondern auch mit Armeelieferanten und jenen Neureichen, die an Häuserschiebungen reich geworden sind. Joseph begann gleichfalls Geschäfte zu machen. Er beteiligte sich am Kauf der konfiszierten Adelspaläste, die billig versteigert werden, und verkaufte sie um ein Vielfaches ihres Wertes weiter. Wir haben Wohnungsnot, da lassen sich diese Geschäfte leicht machen, erklärt Etienne. Innerhalb kurzer Zeit konnte Joseph für sich und Julie ein kleines Haus in der Rue du Rocher erwerben.

Als die Siegesnachrichten aus Italien eintrafen — Millesimo und Castiglione und Arcola und Rivoli —, wurde Joseph in Paris sofort ein sehr angesehener Mann. Schließlich war er der ältere Bruder jenes Bonaparte, den die ausländischen Zeitungen „Frankreichs starken Mann" und unsere eigenen Gazetten „den Befreier des italienischen Volkes" nennen und dessen mageres Gesicht auf Kaffee=tassen, Blumengläsern und Schnupftabakdosen in allen Schau=fenstern zu sehen ist. Auf der einen Seite glänzt Napoleons Gesicht, auf der anderen die französische Fahne ... Niemand wunderte sich, daß die Regierung sofort dem Wunsch ihres erfolgreichsten Generals nachkam und Joseph zum Botschafter ernannte. Joseph und Julie übersiedelten in ihren ersten italienischen Marmorpalast, und Julie war sehr unglücklich und schrieb verzweifelt, ob ich nicht zu ihr kommen könnte. Worauf mich Mama zu ihr reisen ließ. Und seitdem ziehe ich mit ihr und Joseph von einem Palast in den anderen und wohne in schauerlich hohen Räumen, deren Fußböden mit schwarz=weiß gefärbten Fliesen belegt sind, und sitze in Säulenhöfen herum, in denen die verschiedensten Springbrunnen mit den seltsamsten Bronzefiguren , die aus allen möglichen und oft auch unmöglichen Öffnungen Wasserstrahlen hervorspritzen, aufgestellt sind. Unser gegenwärtiger Palast heißt Palazzo Corsini. Wir sind ständig von Sporenklirren und Säbelgerassel umgeben, denn Josephs Botschafts=personal besteht natürlich aus lauter Offizieren. Morgen gibt Joseph den größten Ball, den die Botschaft bisher veranstaltet hat: er will sich und Julie die dreihundertfünfzig vornehmsten Bürger von Rom vorstellen lassen. Seit einer Woche kann Julie nicht mehr ruhig schla=fen, sie ist schon ganz blaß und hat Schatten unter den Augen. Julie gehört nämlich zu jenen Frauen, die schon aufgeregt sind, wenn sie vier Gäste zum Mittagessen erwarten. Jetzt sind wir täglich min=destens fünfzehn Personen bei Tisch, und jeden Augenblick arran=giert Joseph einen Empfang für ein paar hundert Leute. Obwohl eine kleine Armee von Lakaien und Stubenmädchen um uns herum=schwirrt, so fühlt sich Julie doch für den ganzen Zirkus verantwort=lich und hängt mit Vorliebe schluchzend an meinem Hals und stöhnt, daß bestimmt wieder nichts „klappen" wird. Sie ist in dieser Bezie=hung erblich belastet und spricht wie Mama.

Duphot hat sich wieder bewegt. Ich habe schon gehofft, daß er das Bewußtsein wiedererlangen wird. Einen Augenblick lang sah er mich nämlich ganz klar an, aber dann brach der Blick in den halboffenen Augen, er kämpfte um Atem, spuckte Blut aus und sank tiefer in die Kissen. Jean Pierre Duphot, ich gäbe viel darum, wenn ich Ihnen helfen könnte! Aber ich kann ja nicht ...

Trotz Schlachten und Siegen und Friedensverträgen und Staats=
gründungen findet Napoleon Zeit, sich unausgesetzt um seine Familie
zu kümmern. Kuriere aus Italien brachten von Anfang an Gold und
Briefe an Madame Letitia in Marseille. Sie mußte in eine bessere
Wohnung übersiedeln und Jérôme, diesen Gassenjungen, in eine
ordentliche Schule schicken. Caroline dagegen wurde nach Paris
gebracht, und zwar in ein vornehmes Mädchenpensionat, in dem
auch Hortense de Beauharnais, Napoleons Stieftochter, erzogen
wird. Mein Gott, sind die Bonapartes fein geworden! Wie wütend
war Napoleon, weil seine Mutter gestattete, daß Elisa einen gewissen
Felix Bacciochi heiratete. Warum so plötzlich? schrieb er ihr, und
warum ausgerechnet diesen verbummelten Musikstudenten Bac=
ciochi?

Elisa ist nämlich schon lange mit Bacciochi herumgezogen und hat
stets gehofft, er werde sie heiraten. Nach den ersten Siegesmeldungen
aus Italien hielt Bacciochi endlich um ihre Hand an und erhielt ein
promptes Ja. Nach dieser Hochzeit bekam Napoleon Angst, daß auch
Polette jemanden in die Familie bringen könnte, der ihm nicht paßte.
Deshalb hat er verlangt, daß Madame Letitia mit ihr zu ihm ins
Hauptquartier nach Montebello auf Besuch kommen soll. Dort hat
er sie blitzschnell mit einem General Leclerc, den keiner von uns
kennt, verheiratet.

Unangenehm und ganz unverständlich ist die Tatsache, daß Na=
poleon mich über all die Weltgeschichte, die er da macht, nicht ver=
gessen hat. Er scheint es sich in den Kopf gesetzt zu haben, irgend
etwas an mir gutzumachen. Deshalb schickt er mir im Einverständ=
nis mit Julie und Joseph einen Heiratskandidaten nach dem anderen.
Der erste war Junot, sein ehemaliger Personaladjutant aus den
Marseiller Tagen. Junot — groß und blond und liebenswürdig — kam
in Genua angestiegen, drängte mich in den Garten und schlug dort
die Hacken zusammen. Er habe die Ehre, um meine Hand anzu=
halten. Ich lehnte dankend ab. Es sei doch Befehl von Bonaparte,
versicherte Junot treuherzig. Ich dachte an Napoleons Meinung über
Junot: treu ergeben, aber ein Idiot! Ich schüttelte den Kopf, und
Junot ritt ins Hauptquartier zurück. Der nächste Kandidat war Mar=
mont, den ich gleichfalls bereits in Marseille kennengelernt habe.
Marmont fragte mich nicht offen, sondern in zarten Andeutungen.
Ich erinnerte mich, was mir Napoleon einst über diesen Freund ge=
sagt hat: intelligent, will mit mir zusammen Karriere machen! So —
und jetzt will er eben die Schwägerin von Joseph Bonaparte heiraten,

ging es mir durch den Kopf. Man wird dadurch mit Napoleon ver=
wandt, erweist ihm sogar einen Dienst und heiratet außerdem noch
eine ganz nette Mitgift. Ich beantwortete Marmonts zarte Andeu=
tungen mit einem ebenso zarten Nein. Dann ging ich zu Joseph und
beschwerte mich. Ob er nicht Napoleon schreiben könnte, er solle
mich mit Heiratsanträgen seiner Stabsoffiziere verschonen! „Kön=
nen Sie nicht verstehen, daß es Napoleon als Auszeichnung betrach=
tet, einem seiner Generäle die Hand seiner Schwägerin vorzu=
schlagen?"

„Ich bin kein Orden, den man einem verdienten Offizier verleihen
kann", sagte ich. „Und wenn ich keine Ruhe habe, reise ich zu Mama
zurück."

Heute morgen saß ich trotz des kühlen Wetters mit Julie in unse=
rem Säulenhof. In der Mitte des hiesigen Springbrunnens sitzt eine
dicke Bronzedame und hält einen Delphin in den Armen, der un=
unterbrochen Wasser ausspuckt. Wir studieren zum soundsovielten
Male die Namen der italienischen Fürstenfamilien, die morgen
abend die Botschaft besuchen sollen. Dann trat Joseph mit einem
Brief in der Hand zu uns. Seine Exzellenz sprach zuerst von diesem
und jenem, wie immer, wenn ihm etwas unangenehm ist, und sagte
dann plötzlich: „Napoleon hat dafür gesorgt, daß wir einen neuen
Militärattaché zugeteilt erhalten. General Jean Pierre Duphot, ein
sehr liebenswürdiger junger Mann —" Ich sah auf: „Duphot? Hat
sich nicht einmal ein General Duphot in Genua bei Ihnen gemeldet?"

„Natürlich!" rief Joseph erfreut. „Und er hat Eindruck auf Sie
gemacht, nicht wahr? Napoleon schreibt nämlich, daß er hofft, daß
sich Eugénie — Sie müssen entschuldigen, er schreibt noch immer
Eugénie anstatt Désirée — also, daß Sie sich seiner etwas annehmen
werden. Es sei ein sehr einsamer junger Mann, schreibt Napoleon.
Und deshalb —" Ich stand auf. „Ein neuer Heiratskandidat? Nein,
danke. Ich habe geglaubt, daß damit Schluß ist." An der Tür wandte
ich mich um: „Schreibt Napoleon sofort, daß man diesen Duphot
oder wie er heißt, nicht herschicken soll."

„Aber er ist doch schon da! Er kam vor einer Viertelstunde und
überbrachte mir Napoleons Brief." Da knallte ich wütend die Tür zu.
Es machte mir besondere Freude, denn Türenknallen klingt in Mar=
morpalästen wie eine Explosion. Zum Mittagessen erschien ich nicht,
um Duphot zu entgehen. Aber beim Abendbrot ließ ich mich wieder
blicken, da es mir zu langweilig ist, allein in meinem Zimmer zu
esen. Natürlich hatte man Duphot neben mich gesetzt. Joseph hält

sich sklavisch an Napoleons Wünsche . . . Ich betrachtete den jungen Mann nur flüchtig. Mittelgroß, sehr dunkel und schrecklich viel weiße Zähne im breiten Mund, war mein Eindruck. Besonders die blitzenden Zähne irritierten mich, weil er mich immerfort anlachte. Unser Tischgespräch wurde oft unterbrochen. Wir sind zwar gewohnt, daß die Leute in Haufen vor der Botschaft herumstehen und „Evviva la Francia! Evviva la Libertà!" rufen. Übrigens mischt sich auch manchmal ein „A basso la Francia!" hinein. Für die Ideen der Republik sind die meisten Italiener begeistert, aber die schweren Zahlungen, die sie leisten müssen, um die Kosten unserer Okkupation zu begleichen, und die Tatsache, daß Napoleon alle ihre Beamten auswählt, scheint viele zu verbittern. Heute abend klang der Lärm vor dem Portal anders als sonst und — irgendwie drohend.

Joseph erwähnte die Ursache. Letzte Nacht wurden einige römische Bürger als Geiseln verhaftet, weil ein französischer Leutnant bei einer Wirtshausstecherei ums Leben gekommen war. Draußen stand jetzt eine Deputation des römischen Stadtrates und wollte mit Joseph sprechen. Eine große Menschenmenge hatte sich angesammelt, um die Vorgänge zu beobachten.

„Warum empfängst du denn die Herren nicht, wir hätten mit dem Essen warten können", sagte Julie. Aber Joseph erklärte — und die Herren der Botschaft nickten —, daß dies gar nicht in Frage käme. Er werde niemanden empfangen, da ihn die ganze Angelegenheit nichts angehe, sie sei von Anfang an Sache des Militärgouverneurs von Rom gewesen.

Unterdessen schwoll der Lärm draußen an, zuletzt wurde ans Tor gepocht. „Meine Geduld ist zu Ende, ich lasse den Platz räumen!" schrie Joseph im gleichen Augenblick und gab einem seiner Sekretäre ein Zeichen. „Gehen Sie sofort in die Militärkommandantur hinüber und verlangen Sie, daß der Platz vor der Botschaft geräumt wird. Der Lärm ist ja nicht zum Aushalten!" Der junge Mann wandte sich zur Tür. „Nehmen Sie vorsichtshalber den rückwärtigen Ausgang!" rief ihm General Duphot noch nach.

Wir aßen schweigend weiter. Noch bevor wir zum Kaffee kamen, hörten wir Pferdegetrappel. Man hatte also ein Bataillon Husaren geschickt, um den Platz zu räumen. Joseph stand sofort auf, und wir traten mit ihm auf den Balkon im ersten Stock. Der Platz unten glich einem Hexenkessel. Ein Meer von Köpfen wogte, Stimmengewirr brodelte, einzelne Schreie gellten. Die Abordnung des Stadtrates konnten wir gar nicht sehen, sie wurde von der aufgeregten

Menge dicht gegen unser Portal gedrückt. Die beiden Wachtposten vor der Botschaft standen bewegungslos vor ihren Schilderhäuschen, und es sah aus, als würden sie jeden Augenblick zertrampelt werden. Joseph zog uns schnell vom Balkon zurück, und wir preßten dann die Gesichter an die Scheiben der hohen Fenster. Mein Schwager war leichenblaß und kaute fortwährend an seiner Unterlippe, die Hand, mit der er sich aufgeregt durch die Haare fuhr, zitterte vor Wut. Die Husaren hatten den Platz umzingelt. Wie Statuen saßen sie auf ihren Pferden, Gewehr im Anschlag. Sie warteten auf einen Befehl. Aber ihr Kommandant konnte sich anscheinend nicht entschließen, diesen Befehl zu geben. „Ich gehe hinunter und werde versuchen, die Leute zur Vernunft zu bringen", erklärte Duphot.

„General, Sie werden sich doch nicht dieser Gefahr aussetzen! Es ist ganz sinnlos, unsere Husaren werden schon —" sagte Joseph beschwörend. Duphot zeigte wieder die weißen Zähne. „Ich bin Offizier, Exzellenz", antwortete er, „und daher an Gefahren gewöhnt. Übrigens möchte ich überflüssiges Blutvergießen verhüten."

Sporen klirrten, er ging zur Tür, drehte sich aber nochmals um und — suchte meinen Blick. Ich wandte mich schnell wieder dem Fenster zu. Also mir zuliebe nahm er das Bravourstückchen auf sich; um mir zu imponieren, stürzte er sich allein und unbewaffnet in die rasende Volksmenge. Es ist so sinnlos, dachte ich, Junot, Marmont, Duphot — was wollt ihr denn von mir? Im gleichen Augenblick öffnete sich unten das Portal. Wir machten das Fenster einen Spalt weit auf, um besser zu hören. Das Gebrüll unten nahm ab, wurde zu leise drohendem Gemurmel. Eine grelle Stimme schrie: „Abbasso . . .!" und noch einmal „Abbasso . . ." Zuerst konnten wir Duphot nicht sehen, aber dann wich die Menge vom Portal zurück und machte ihm Platz. Er hob beschwörend die Hände, um sich Gehör zu verschaffen. Da fiel der Schuß. Und sofort nachher krachte die erste Salve der Husaren. Ich wandte mich um und stürzte die Treppe hinunter. Riß das Portal auf, die beiden Wachtposten hatten General Duphot aufgehoben und hielten ihn unter den Armen hoch. Aber seine Beine baumelten leblos, das Gesicht hing zur Seite, der Mund war verzerrt. Sein ewiges Lächeln war zu erstarrtem Grinsen geworden. Er war bewußtlos. Die beiden Posten zerrten ihn in die Vorhalle, die leblosen Beine schleppten über die Marmorfliesen, die Sporen klingelten. Dann sahen mich die beiden Soldaten ratlos an. „Hinauf —" hörte ich mich sagen. „Wir müssen ihn oben irgendwo niederlegen!" Plötzlich waren wir von weißen, verstörten Gesichtern umringt. Joseph. Julie. Der dicke Botschaftsrat. Minette, Julies Kammerzofe. Die weißen Gesichter wichen zur Seite, und die beiden Soldaten trugen Duphot die Treppen hinauf. Unten auf dem Platz vor der Botschaft war es totenstill geworden. Zwei Salven hatten genügt. Ich öffnete die Tür zu Josephs Arbeitszimmer. Es lag der Treppe am nächsten. Die Soldaten legten Duphot auf ein Sofa, und ich schob einige Kissen unter seinen Kopf. Joseph stand neben mir und sagte: „Ich habe um einen Arzt geschickt. Vielleicht ist es nicht so schlimm." Die dunkelblaue Uniform zeigte in der Magengegend einen feuchten Fleck. „Öffnen Sie ihm die Knöpfe, Joseph!" sagte ich, und Josephs Finger machten sich fahrig und aufgeregt an den Goldknöpfen zu schaffen. Der Blutfleck auf dem weißen Hemd war hellrot. „Ein Magenschuß", meinte Joseph. Ich sah dem General ins Gesicht. Er war sehr gelb geworden. Aus den weitgeöffneten Lippen kam stoßweises Schluchzen. Zuerst dachte ich, daß er weinte. Dann wurde mir klar, daß er um Atem rang.

Der magere, kleine italienische Arzt, den man geholt hatte, war noch aufgeregter als Joseph. Es war eine große Chance für ihn, in die französische Botschaft gerufen zu werden. Er sei ein großer Be= wunderer der französischen Republik und des Generals Napoleon Bonaparte, und er beklage die Vorfälle in der Stadt, sagte er und stammelte etwas von verantwortungslosen Elementen, während er Duphots Hemd öffnete. Ich unterbrach ihn und fragte, ob er etwas brauche. Er sah mich ganz verdutzt an. Dann fiel ihm ein: „Etwas lauwarmes Wasser. Und vielleicht ein reines Tuch." Er begann die Wunde auszuwaschen. Joseph war zum Fenster getreten, und Julie lehnte sich an die Wand und kämpfte gegen Übelkeit an.

Ich führte sie hinaus und sagte Joseph, er solle sich um Julie kümmern. Joseph war sichtlich erleichtert, das Zimmer verlassen zu können. „Eine Decke", sagte der Arzt zu mir. „Haben Sie viel= leicht eine Decke? Seine Glieder sind schon ganz kalt, er verblutet nämlich — innerlich, Mademoiselle, innerlich." Wir breiteten eine Decke über Duphot. „Da ist leider nichts mehr zu machen, Made= moiselle. Wie furchtbar — ein so hoher Herr!" Seine Augen hefteten sich auf Duphots Goldschnüre. Dann steuerte er schnell auf die Tür zu, hinter der Joseph verschwunden war. Ich trat mit ihm ins Nebenzimmer. Joseph, Julie, der Botschaftsrat und einige Sekre= täre saßen flüsternd um einen großen Tisch, und ein Lakai reichte Portwein zur Stärkung herum. Joseph sprang auf, bot dem Arzt ein Glas an, und ich konnte sehen, wie der Bonaparte=Charme den kleinen Italiener sofort in seligen Nebel einhüllte. Er stammelte: „O Exzellenz, der Bruder unseres großen Befreiers ..."

Ich ging zu Duphot zurück. Zuerst konnte ich mich beschäftigen — ich holte Servietten und wischte den schmalen Blutfaden auf seinem Kinn ab. Aber ich gab es bald auf, da der Faden kaum abriß. Schließlich breitete ich die Servietten unter seinem Kinn aus. Dann suchte ich vergeblich, den gebrochenen Blick zu fangen. Zuletzt holte ich mein Buch und begann zu schreiben.

Ich glaube, viele Stunden sind vergangen, die Kerzen sind schon beinahe niedergebrannt. Aber aus dem Nebenzimmer dringt noch immer das sanfte Stimmengemurmel. Niemand geht schlafen, bevor —

Soeben ist er noch einmal zu sich gekommen. Ich hörte, daß er sich bewegte, und kniete neben ihm nieder und stützte seinen Kopf auf meinen Arm. Sein Blick glitt über mein Gesicht. Immer wieder. Er wußte sichtlich nicht, wo er war. „Sie sind in Rom, General Duphot", sagte ich, „in Rom. Beim Botschafter Bonaparte."

Er bewegte die Lippen und spuckte blutigen Schaum aus. Mit der freien Hand wischte ich seinen Mund ab. „Marie ..." formte er. „Ich will zu Marie ..."

„Wo ist Marie? Schnell — sagen Sie mir, wo ist Marie?"

Jetzt trafen seine Augen klar und bewußt mein Gesicht. Sie stellten eine Frage. Ich wiederholte deshalb: „Sie sind in Rom. Es waren Straßenunruhen. Sie sind verwundet worden. Ein Schuß in den Magen." Er nickte unmerklich. Er verstand mich. Meine Gedanken jagten. Ihm konnte ich nicht helfen. Aber vielleicht ihr — vielleicht Marie. „Marie! Wie heißt Marie mit dem Zunamen? Und wo wohnt sie?" flüsterte ich eindringlich. Sein Blick wurde ängstlich. „Nicht sagen —" formte er, „nicht — dem — Bonaparte — sagen —"

„Aber wenn Sie lange krank bleiben, müssen wir doch Marie verständigen. Napoleon muß es ja nicht erfahren." Ich lächelte vertraulich.

„Die — die Schwägerin, die — Eugénie heiraten", brachte er hervor. „Bonaparte hat vorgeschlagen und —" Mehr konnte ich nicht verstehen. Dann wurde er wieder deutlicher: „Vernünftig sein, kleine Marie — werde immer sorgen — für dich und kleinen George — liebe, liebe Marie ..." Sein Kopf glitt zur Seite, er spitzte die Lippen und versuchte, meinen Arm zu küssen. Er hielt mich für Marie. Er hatte Marie genau erklärt, warum er sie im Stich lassen wollte. Sie und den kleinen Sohn. Um mich zu heiraten, die Schwägerin eines Bonaparte, es würde eben Avancement bedeuten und ungeahnte Möglichkeiten ...

Sein Kopf lag jetzt bleischwer auf meinem Arm. Ich hob ihn etwas höher. „Maries Adresse, ich werde ihr schreiben", sagte ich und versuchte, seinen Blick wieder einzufangen. Für den Bruchteil einer Sekunde wurde er wieder klar, „Marie Meunier — Rue de Lyon — sechsunddreißig — in Paris —" Seine Gesichtszüge waren scharf geworden, die Augen lagen in tiefen Höhlen, und sein Atem klang wie unterdrückter Schluckauf. Schweiß perlte aus seinen Haaren.

„Für Marie und den kleinen George wird immer gut gesorgt wer= den", sagte ich. Er hörte nichts mehr. „Ich verspreche es", wieder= holte ich. Seine Augen wurden plötzlich weit, die Lippen verzogen sich krampfartig. Ich sprang auf und lief zur Tür. In dieser Sekunde seufzte er. Der lange Seufzer zitterte durch den Raum und verklang. „Kommen Sie sofort, Doktor!" hörte ich mich rufen.

„Es ist alles vorüber", antwortete der kleine Italiener, nachdem er sich flüchtig über das Sofa gebeugt hatte. Ich trat ans Fenster und zog die Vorhänge zurück. Grau und bleiern kroch der Morgen ins Zimmer. Dann verlöschte ich die niedergebrannten Kerzen.

Im Nebenzimmer saßen sie noch immer um den Tisch. Die La= kaien hatten hier die Kerzen erneuert, der ganze Raum wirkte in seiner Festbeleuchtung wie eine andere Welt.

„Sie müssen den Ball absagen, Joseph", sagte ich. Joseph fuhr auf. Er schien geschlummert zu haben, das Kinn auf der Brust.

„Was — was denn? Ach so, Sie sind es, Désirée!"

„Sie müssen den Ball absagen, Joseph", wiederholte ich.

„Das ist unmöglich, ich habe ausdrücklich angeordnet, daß —"

„Aber Sie haben einen Toten im Haus", erklärte ich ihm. Er starrte mich mit gerunzelter Stirn an. Dann erhob er sich hastig. „Ich werde über die Angelegenheit nachdenken", murmelte er und ging zur Tür. Julie und die anderen folgten ihm. Vor dem Schlaf= zimmer, das Julie mit Joseph teilt, machte sie plötzlich halt. „Dé= sirée, darf ich mich in deinem Zimmer niederlegen, ich habe Angst, allein zu sein!" Ich wandte nicht ein, daß sie ja Joseph habe und nicht allein sein würde. Ich sagte nur: „Natürlich. Du kannst dich in mein Bett legen, ich will sowieso noch in mein Buch schreiben." — „Mein Gott, denkst du noch immer an dein Tagebuch? Wie ko= misch ..." lächelte sie müde. — „Warum komisch?" — „Weil doch jetzt alles so anders ist. So ganz anders." Sie seufzte und legte sich angezogen auf mein Bett. Julie schlief bis Mittag, und ich weckte sie nicht auf. Im Laufe des Vormittags hörte ich Hämmern, ging hinunter und sah, daß man im großen Saal ein Podium errichtete. Joseph stand in einer Ecke und gab den Arbeitern Anweisungen auf italienisch. Endlich konnte er wieder einmal seine Muttersprache sprechen ... Als er mich kommen sah, trat er schnell auf mich zu. „Das Podium für den Ball. Von hier aus werden Julie und ich dem Tanz zuschauen." „Für den Ball?" sagte ich erstaunt. „Sie können doch den Ball nicht abhalten!" — „Nein, nicht mit einem Toten im Haus, Sie haben recht. Deshalb haben wir auch die — mhm — die Leiche des seligen Duphot fortschaffen lassen." Er wurde eifrig: „Ich habe angeordnet, Duphot in einer Totenkapelle feierlich aufzubahren. So feierlich wie nur möglich, weil es sich doch um einen General der französischen Armee handelt. Und der Ball muß selbstverständlich abgehalten werden, er ist jetzt wichtiger als vorher, wir müssen beweisen, daß Ruhe und Ordnung in Rom herrschen. Wollte ich ihn verschieben, so hieße es sofort, wir seien nicht Herren der Lage. Und das Ganze war wirklich nur ein unbedeutender, wenn auch bedauerlicher Zwischenfall, verstehen Sie?" Ich nickte. Der General Duphot hat seine Geliebte und seinen Sohn verlassen, um mich zu heiraten. Der General hat sich waghalsig einer rasenden Volksmenge ausgesetzt, um Eindruck auf mich zu machen. Der General ist erschossen worden. Ein unbedeutender, wenn auch bedauerlicher Zwischenfall. „Ich muß dringend mit Ihrem Bruder sprechen, Joseph."

„Mit welchem? Mit Lucien?"

„Nein, mit Ihrem berühmten Bruder. Dem General. Mit Napoleon ..."

Joseph versuchte, sein Erstaunen zu verbergen. Die Familie weiß, daß ich bisher jeder Begegnung mit Napoleon aus dem Wege gegangen bin. „Es handelt sich um die Hinterbliebenen des Generals Duphot", sagte ich kurz und verließ den Saal. Die Arbeiter hämmerten wie toll. Als ich in mein Zimmer zurückkehrte, fand ich eine tränenüberströmte Julie in meinem Bett vor. Ich setzte mich zu ihr, und sie schlang die Arme um meinen Hals und schluchzte wie ein Kind. „Ich will nach Hause —" weinte sie. „Ich — ich will nicht in diesen fremden Palästen wohnen — ich will ein Heim haben, wie alle anständigen Leute — was machen wir denn in diesem fremden Land, in dem man uns totschießen will? Und in diesen gräßlichen Schlössern, in denen es immer zieht — und in diesen scheußlich hohen Zimmern, wie in einer Kirche — wir gehören doch nicht hierher! Ich will nach Hause —" Ich drückte sie an mich. Der Tod des Generals Duphot hat bewirkt, daß Julie sich klar darüber wurde, wie unglücklich sie hier ist. Etwas später kam ein Brief von Mama aus Marseille. Wir kauerten nebeneinander auf meinem Bett und lasen, was uns Mama in ihrer ordentlichen schrägen Handschrift mitteilte. Etienne hat sich entschlossen, mit Suzanne nach Genua zu übersiedeln, um dort eine Filiale der Firma Clary zu eröffnen. Als französischer Geschäftsmann hat man heute in Genua ganz besondere Chancen, und Seidenhandel läßt sich nun einmal am besten von Italien aus betreiben, schreibt sie. Und da Mama nicht allein in Marseille zurückbleiben will, wird sie mit Etienne und Suzanne nach Genua ziehen. Sie nimmt an, daß ich vorderhand weiter bei Julie bleiben will. Und sie hofft zu Gott, ich werde bald einen lieben guten Mann finden, aber ich soll mich um Himmels willen nicht drängen lassen. Ja — und Etienne will unser Haus in Marseille verkaufen . . .

Julie hatte aufgehört zu weinen. Erschrocken starrten wir einander an. „Dann haben wir kein Zuhause mehr", flüsterte sie. Ich schluckte. „Du wärest doch sowieso niemals in unsere Villa in Marseille zurückgekehrt", sagte ich. Julie starrte zum Fenster hinaus. „Ich weiß nicht — nein, natürlich nicht, aber es war so schön, an das Haus zu denken und den Garten und das Gartenhäuschen. Weißt du, in all diesen Monaten, in denen wir hier von Palast zu Palast gezogen sind und ich so schrecklich unglücklich war, habe ich immer daran gedacht. Niemals an Josephs kleines Haus in Paris, sondern immer an Papas Villa in Marseille . . ."

In diesem Augenblick klopfte es. Joseph trat ein, und Julie brach sofort wieder in Tränen aus. „Ich will nach Hause —" weinte sie ihm entgegen. Er setzte sich zu uns aufs Bett und nahm sie in die Arme. „Das sollst du auch", sagte er zärtlich. „Heute abend halten wir noch den großen Ball ab, und morgen reisen wir. Zurück nach Paris, ich habe genug von Rom!" Er preßte die Lippen zusammen und drückte das Kinn an den Hals, wodurch er ein Doppelkinn bekam, und dachte, ungemein bedeutungsvoll auszusehen. „Ich werde die Regierung ersuchen, mir eine neue und vielleicht bedeutungsvollere Aufgabe anzuvertrauen. Freust du dich auf unser Heim in der Rue du Rocher, Julie?"

„Wenn Désirée mitkommt . . ." schluchzte Julie.

„Ich komme mit", sagte ich. „Wohin soll ich denn sonst gehen?"

Julie hob mir ein tränennasses Gesicht entgegen: „Wir werden es sehr nett in Paris haben, wir drei — du und Joseph und ich! Und du kannst dir gar nicht vorstellen, Désirée, wie wunderbar Paris ist! Eine so große Stadt. Und diese Auslagen ... Die vielen Lichter, die sich nachts in der Seine spiegeln — nein, du warst ja noch nie dort und kannst es dir nicht vorstellen!" Dann verschwanden Julie und Joseph, um Anweisungen für die bevorstehende Reise zu geben, und ich fiel auf mein Bett. Meine Augen brannten vor Schlaflosig= keit. Ich malte mir in Gedanken mein Gespräch mit Napoleon aus und versuchte, mich an sein Gesicht zu erinnern. Aber vor meinen geschlossenen Lidern tauchten nur die unwirklichen, gläsernen Züge auf, die einem jetzt von Kaffeetassen, Blumenvasen und Tabaks= dosen entgegenlächeln. Und dann wurde auch dieses Porzellan= gesicht verdrängt. Von den Lichtern, die nachts in den Wellen der Seine tanzen und die ich nicht vergessen kann.

Paris, Ende Germinal, Jahr VI.
(Alle Leute ausserhalb unserer
Republik schreiben: April 1798).

Ich habe ihn wiedergesehen. Wir waren bei ihm zu einem Abschieds=
fest eingeladen: er schifft sich in allernächster Zeit mit einer Armee
nach Ägypten ein und hat seiner Mutter gesagt, daß er von den
Pyramiden aus Ost und West vereinen und unsere Republik in ein
Weltreich verwandeln wird. Madame Letitia hat ihm ruhig zuge=
hört und nachher Joseph gefragt, ob man ihr vielleicht verheimlicht,
daß Napoleon ab und zu an Malariaanfällen leidet. Denn ganz rich=
tig im Kopf scheine ihr armer Junge nicht zu sein ... Aber Joseph
hat ihr und Julie und auch mir genau erklärt, daß Napoleon auf
diese Weise die Engländer vernichten wird. Er wird ihre Kolonial=
macht ganz einfach in Trümmer schlagen.

Napoleon und Josephine leben in einem kleinen Haus in der Rue
de la Victoire. Das Haus gehörte einst dem Schauspieler Talma,
und Josephine hat es seinerzeit seiner Witwe abgekauft. Seinerzeit,
in den Tagen, in denen sie am Arm von Barras durch die Salons
der Theresa Tallien glitt. Nur, daß die Straße damals Rue Chatereine
hieß. Aber nach Napoleons Siegen in Italien beschloß der Stadtrat
von Paris, die Straße ihm zu Ehren umzutaufen, und seitdem heißt
sie Rue de la Victoire.

Es ist ganz unglaublich, wie viele Menschen sich gestern in dieses
kleine und recht unansehnliche Haus, in dem es außer dem Speise=
zimmer nur zwei winzige Salons gibt, hineinpreßten. Wenn ich
an all die Gesichter und all die Stimmen zurückdenke, wird mir
noch jetzt ganz wirr zumute. Den ganzen Morgen machte Julie
mich geradezu krank, weil sie mich fortwährend zärtlich besorgt
fragte: „Bist du aufgeregt? Fühlst du noch etwas für ihn?" Ich war
aufgeregt, aber ich wußte nicht, ob ich noch etwas für ihn fühlte.
Wenn er lächelt, kann er mit mir machen, was er will, dachte ich.
Und ich klammerte mich an den Gedanken, daß er und Josephine
noch immer wütend auf mich sein würden, weil ich damals die
Szene bei der Tallien gemacht habe. Er kann mich nicht mehr aus=
stehen und wird mich daher auch nicht anlächeln, überlegte ich im=
mer wieder und hoffte beinahe, daß er mich haßte. Ich hatte ein

neues Kleid und zog es natürlich an. Es war ein gelbes Kleid mit einem rosa Untergewand, und als Gürtel benutzte ich eine Bronze=kette, die ich in einem Antiquitätenladen in Rom gefunden habe. Vorgestern habe ich mir übrigens die Haare abschneiden lassen. Josephine war seinerzeit die erste Pariserin mit kurzen Haaren, aber jetzt ahmen alle Modedamen ihre nach oben gebürsteten Kinder=löckchen nach. Mein Haar ist zu schwer und zu dicht dazu, ich habe leider keine eleganten Lockenringel, aber ich bürste die kurzen Haare hinauf und halte sie mit einem Seidenband hoch. Ich kann mich noch so bemühen, neben Josephine werde ich wie ein Provinz=trampel aussehen, dachte ich. Das neue Kleid ist sehr tief aus=geschnitten, aber ich muß mir längst keine Taschentücher mehr in den Ausschnitt stopfen, im Gegenteil, ich habe mir vorgenom=men, weniger Süßigkeiten zu essen, ich werde sonst zu dick. Aber meine Nase strebt noch immer nach aufwärts, und das bleibt schon so bis an mein Lebensende. Das ist jetzt besonders traurig, weil man seit der Eroberung Italiens für „klassische Profile" schwärmt.

Wir fuhren um eins in die Rue de la Victoire und traten in den ersten kleinen Salon, in dem es von Bonapartes bereits wimmelte. Obwohl Madame Letitia und ihre Töchter jetzt auch in Paris leben und alle Familienmitglieder oft zusammen sind, so begrüßen sich die Bonapartes bei jedem Wiedersehen stets mit schmatzenden Küs=sen. Ich wurde zuerst an Madame Letitias Busen gedrückt und dann von Madame Leclerc stürmisch umarmt. Madame Leclerc, die kleine Polette, die vor ihrer Hochzeit erklärt hat: „Leclerc ist der einzige Offizier in unserem Umgangskreis, in den ich absolut nicht verliebt bin." Aber Napoleon fand, daß sie durch ihre vielen Liebeleien den Ruf der Familie Bonaparte schädigen könnte und bestand auf der Hochzeit. Leclerc ist kurzbeinig, korpulent und sehr energisch, er lacht niemals und sieht viel älter als Polette aus. Auch Elisa — be=malt wie ein Zinnsoldat — mit ihrem Bacciochi=Gatten war da und prahlte mit der großen Stellung, die Napoleon ihrem musikalischen Mann in einem der Ministerien verschafft hat. Caroline und Jo=sephines Tochter, die blonde eckige Hortense, hatten die Erlaubnis bekommen, ihr vornehmes Mädchenpensionat auf einen Tag zu verlassen, um dem siegreichen Bruder respektive Stiefvater viel Glück für seine Reise zu den Pyramiden zu wünschen. Nun kauer=ten sie gemeinsam auf einem winzigen zerbrechlichen Stuhl und kicherten über Madame Letitias neues Brokatkleid, das an die Vor=hänge im Speisezimmer erinnerte. Zwischen all den lauten und ständig aufgeregten Bonapartes fiel mir ein schmaler blonder und noch ganz junger Mann in Uniform mit Adjutantenschärpe auf, der blauäugig und etwas hilflos die schöne Polette anstarrte. Ich fragte Caroline, wer das sei, und sie erstickte beinahe vor Kichern, bevor sie hervorbrachte: „Napoleons Sohn!" Der junge Mann schien meine Frage erraten zu haben, denn er drängte sich zu mir durch und stellte sich verlegen vor: „Eugène de Beauharnais, Personaladjutant des Generals Bonaparte." Die einzigen, die bisher noch nicht zum Vorschein gekommen waren, waren unsere Gastgeber: Napoleon und Josephine. Endlich wurde eine Tür aufgerissen, und Josephine steckte den Kopf herein und rief: „Verzeiht, meine Lieben, bitte verzeiht — wir sind eben erst nach Hause gekommen! Joseph, bitte kommen Sie einen Augenblick, Napoleon möchte mit Ihnen sprechen . . . Macht es euch inzwischen bequem, meine Lieben, ich komme sofort!" Weg war sie. Joseph folgte ihr, und Madame Letitia zuckte verärgert die Achseln. Wir begannen wieder durcheinanderzusprechen, hielten aber dann plötzlich inne: im Nebenzimmer schien jemand einen Tobsuchtsanfall bekommen zu haben. Eine Faust schlug auf irgendeinen Tisch oder Kaminsims, und etwas Gläsernes zerschellte klirrend. Gleichzeitig schlüpfte Josephine herein.

„Wie schön, daß die ganze Familie versammelt ist", lächelte sie und ging auf Madame Letitia zu. Ihr weißes Kleid umspannte ganz eng die zarte Gestalt, weich und lose lag ein blutroter Samtschal mit Hermelinverbrämung um die nackten Schultern, rutschte hin und her und ließ den kindlichen Nacken sehr weiß erscheinen. Aus dem Nebenzimmer hörten wir jetzt Josephs begütigende Stimme.

„Lucien — haben Sie nicht einen Sohn, der Lucien heißt, Madame?" wandte sich jetzt Josephine an Madame Letitia.

„Mein drittältester Sohn, was ist mit ihm?" Madame Letitia blickte Josephine haßerfüllt an. Eine Schwiegertochter, die sich nicht einmal die Mühe nimmt, die Namen ihrer Schwäger und Schwägerinnen auswendig zu lernen. „Er hat Napoleon geschrieben, daß er geheiratet hat", sagte Josephine. „Das weiß ich", antwortete Madame Letitia, und ihre Augen wurden schmal: „Ist mein zweitältester Sohn vielleicht mit der Wahl seines Bruders nicht einverstanden?" Josephine zuckte mit den zarten Schultern und lächelte. „Es sieht so aus, nicht wahr? Hören Sie nur, wie er schreit!" Der Tobsuchtsanfall nebenan schien sie ungemein zu belustigen. Da flog die Tür auf, Napoleon stand in ihrem Rahmen. Das magere Gesicht war zornrot. „Mutter! Hast du gewußt, daß Lucien sich mit der

Tochter eines Wirtshausbesitzers verheiratet hat?" Madame Letitia
maß Napoleon von oben bis unten. Ihr Blick glitt vom wirren rot=
braunen Haar, das unordentlich bis zu den Schultern hing, über
die betont schlichte Uniform, die vom besten Militärschneider ge=
näht worden sein mußte, bis zu den Spitzen der blankgeputzten
und sehr schmalen eleganten Stiefel. „Was ist dir an deiner Schwä=
gerin Christine Boyer aus St. Maximin nicht recht, Napoleone?"

„Ja, versteht ihr mich denn nicht? Die Tochter eines Gastwirtes —
ein Dorftrampel, der jeden Abend in einer Schenke die Bauern der
Umgebung bedient? Mutter, ich begreife dich nicht!"

„Christine Boyer ist, soviel ich weiß, ein sehr braves Mädchen
und besitzt den besten Ruf", sagte Madame Letitia, und ihre Augen
streiften flüchtig Josephines schmale weiße Gestalt.

„Schließlich können wir nicht alle ehemalige — mhm — Gräfinnen
heiraten!"

Das war Josephs Stimme. Josephines Nasenflügel begannen un=
merkbar zu zittern, aber ihr Lächeln versteifte sich nur. Ihr Sohn
Eugène wurde brennend rot. Napoleon fuhr herum und starrte
Joseph an. An seiner rechten Schläfe pochte die kleine Ader. Dann
fuhr er sich mit der Hand über die Stirn, wandte sich abrupt von
Joseph ab und sagte schneidend: „Ich habe das Recht, von meinen
Brüdern standesgemäße Ehen zu erwarten. Mutter, ich wünsche,
daß du Lucien umgehend schreibst, daß er sich scheiden oder seine
Ehe als ungültig erklären lassen muß. Schreibe ihm, daß ich es ver=
lange. Josephine, können wir nicht endlich essen?"

Im gleichen Augenblick fiel sein Blick auf mich. Den Bruchteil
einer Sekunde hielten unsere Augen einander fest. Da war es — das
gefürchtete, verhaßte und heißersehnte Wiedersehen. Schnell löste
er sich aus dem Türrahmen, schob die eckige Hortense, die ihm im
Weg stand, zur Seite und griff nach meinen Händen. „Eugénie! Ich
freue mich so, daß Sie unsere Einladung angenommen haben . . ."
Seine Augen ließen mein Gesicht nicht los, jetzt lächelte er, die
mageren Züge wirkten so jung und unbeschwert. Wie damals, als er
Mama versprach, bis zu meinem sechzehnten Geburtstag mit der
Hochzeit zu warten. „Sie sind sehr schön geworden, Eugénie." Dann:
„Und erwachsen, ganz erwachsen!" Ich löste meine Hände aus den
seinen. „Schließlich bin ich schon achtzehn." Es klang ungeschickt
und unsicher. „Und wir haben einander lange nicht gesehen,
General." Das war schon besser. „Ja — es ist lang her. Zu lang,
Eugénie, nicht wahr? Das letzte Mal — wo haben wir einander nur

zuletzt gesehen?" Er suchte meinen Blick und lachte. Kleine Funken tanzten in seinen Augen, während er an unsere letzte Begegnung dachte und sie sehr komisch fand. Ungeheuer komisch.

„Josephine! Josephine, du mußt Eugénie kennenlernen, die Schwe= ster von Julie! Ich habe dir doch so viel von Eugénie erzählt ..."

„Aber Julie sagte mir, daß Mademoiselle Eugénie es vorzieht, Dé= sirée genannt zu werden." Mit diesen Worten trat die schmale weiße Gestalt neben Napoleon. Nichts in ihrem Mona=Lisa=Lächeln verriet, daß sie mich erkannte. „Es ist sehr liebenswürdig, daß Sie gekommen sind, Mademoiselle."

„Ich habe mit Ihnen zu sprechen, General", sagte ich schnell. Sein Lächeln fror ein. Eine Szene, dachte er wahrscheinlich, mein Gott — eine sentimentale kindische Szene. „Es handelt sich um etwas sehr Ernstes", fügte ich hinzu. Schnell schob Josephine ihren Arm in den seinen. „Wir können zu Tisch gehen", sagte sie hastig und wieder= holte: „Bitte — zu Tisch!" Beim Essen saß ich eingeklemmt zwischen dem langweiligen Leclerc und dem schüchternen Eugène de Beau= harnais. Napoleon redete ununterbrochen und wandte sich dabei hauptsächlich an Joseph und Leclerc. Wir waren bereits mit der Suppe fertig, da hatte er noch nicht einmal begonnen, den Löffel zum Mund zu führen. Seinerzeit in Marseille kam nur ab und zu diese Lust des Redens über ihn, und seine Sätze kamen dann stoß= weise, unterstützt von dramatischen Gesten. Jetzt sprach er sehr flüssig, sehr sicher und schien auf Einwände und Antworten über= haupt nicht neugierig zu sein. Als er begann, von „unseren Erz= feinden, den Engländern" zu reden, stieß Polette ein stöhnendes „O Gott, fängt er schon wieder damit an ...!" aus. Wir erfuhren in allen Einzelheiten, warum er die Invasion der britischen Insel nicht durchführen wollte. Er hatte sich die Küste rund um Dünkirchen genau angesehen. Auch daran gedacht, flache Invasionsbarken bauen zu lassen, die in kleinen Fischerhäfen in England landen konnten, da die großen Häfen, in denen Kriegsschiffe einlaufen können, zu stark befestigt sind.

„Wir sind schon alle mit der Suppe fertig, fangen Sie doch endlich an, Bonaparte!" Josephines sanfte Stimme wurde überhört. Sie sagt also „Sie" und „Bonaparte" dachte ich, wahrscheinlich ist das in ehe= maligen Adelskreisen so üblich, den Vicomte de Beauharnais hat sie bestimmt auch mit „Sie" angesprochen.

„Aber von der Luft aus!" rief jetzt Napoleon, neigte sich vor und starrte den gegenübersitzenden Leclerc an. „Stellen Sie sich vor,

General Leclerc — ein Bataillon nach dem anderen auf dem Luftweg über den Kanal befördern und die Truppen an strategischen Punkten in England landen lassen! Truppen, die mit ganz leichter Artillerie versehen sind." Leclercs Mund klappte zur Widerrede auf, und schloß sich sofort wieder. „Trink nicht so viel, und trink nicht so rasch, mein Junge!" grollte die tiefe Stimme von Madame Letitia durch den Raum. Napoleon setzte das erhobene Weinglas sofort nieder und begann hastig zu essen. Ein paar Sekunden herrschte Schweigen, nur durch das unmotivierte Kichern des Backfisches Caroline unterbrochen. „Es ist schade, daß Ihren Grenadieren keine Flügel wachsen können", ließ sich Bacciochi vernehmen, dem das Schweigen ungemütlich erschien. Napoleon sah sofort auf und wandte sich an Joseph: „Vielleicht werde ich später einmal einen Angriff auf dem Luftwege durchführen können. Einige Erfinder waren bei mir und haben mir ihre Pläne gezeigt. Riesige Ballons, die drei bis vier Menschen tragen können. Halten sich stundenlang in der Luft, diese Ballons. Sehr interessant, phantastische Möglichkeit . . ." Er war endlich mit der Suppe fertig. Josephine läutete.

Während wir Huhn mit Spargelsauce aßen, erklärte Napoleon den Mädchen Caroline und Hortense, was Pyramiden sind. Dann bekamen wir anderen zu hören, daß er von Ägyten aus nicht nur Englands Kolonialmacht zerstören, sondern gleichzeitig auch die Ägypter selbst befreien werde. „Mein erster Tagesbefehl an meine Truppen —" Bums, sein Stuhl fiel um, er war aufgesprungen und hinausgelaufen, um sofort wieder mit einem dichtbeschriebenen Bogen zurückzukommen. „Da — das müßt ihr hören: Soldaten — vierzig Jahrhunderte blicken auf euch herab!" Er unterbrach sich: „So alt sind nämlich die Pyramiden, ich werde diesen Tagesbefehl im Schatten der Pyramiden erlassen . . . Hört weiter! Also: das Volk, in dessen Mitte wir uns befinden, ist mohammedanisch. Sein Glaubensbekenntnis lautet: Gott ist Gott, und Mahomet ist sein Prophet —"

„Die Mohammedaner nennen den lieben Gott Allah", warf Elisa ein, die in Paris begonnen hatte, eine Menge Bücher zu lesen und ständig mit ihrer Bildung prahlte. Napoleon runzelte die Stirn und machte eine Handbewegung, als ob er eine Fliege verscheuche. „Ich werde das noch irgendwie ausarbeiten. Jetzt das Wichtigste: Widersprecht nicht ihrem Bekenntnis. Behandelt es — das ägyptische Volk nämlich —, wie ihr Juden und Italiener behandelt habt. Erweist seinen Muftis und Imams denselben Respekt, den ihr Priestern und

Rabbinern erwiesen habt." Er machte eine Pause und sah uns an: „Nun?"

„Es ist ein großes Glück für die Ägypter, daß dir die Gesetze der Republik vorschreiben, sie im Namen der Menschenrechte zu befreien", ließ sich Joseph vernehmen.

„Was willst du damit sagen?"

„Daß die Menschenrechte diesem Tagesbefehl zugrunde liegen. Und die hast du nicht erfunden", meinte Joseph. Sein Gesicht war ausdruckslos. Zum ersten Male seit Jahren fiel mir wieder ein, was ich einst in Marseille gespürt hatte: er haßt ja seinen Bruder. „Du hast das sehr schön geschrieben, mein Junge", kam es sofort begütigend von Madame Letitia. „Bitte essen Sie endlich auf, Bonaparte, wir erwarten nach Tisch eine Menge Gäste", sagte Josephine. Napoleon begann gehorsam, das gute Essen in sich hineinzuschaufeln. Mein Blick fiel zufällig auf Hortense. Das Kind — nein, mit vierzehn ist man ja kein Kind mehr, das weiß ich doch aus eigener Erfahrung — also, dieser eckige Backfisch Hortense, der so gar nicht seiner bezaubernden Mutter ähnelt, starrte mit den etwas vorstehenden wasserblauen Augen ununterbrochen Napoleon an. Kleine rote Flecken brannten auf Hortenses Wangen. Mein Gott, Hortense ist in ihren Stiefvater verliebt, dachte ich und fand das nicht komisch, sondern traurig und beklemmend. „Mama möchte Ihnen zutrinken", unterbrach Eugène de Beauharnais meine Gedanken. Ich griff schnell nach meinem Glas. Josephines Lächeln grüßte mich. Ganz langsam führte sie das Glas an den Mund, und als sie es wieder niedersetzte, zwinkerte sie mir vertraulich zu. Denn Josephine erinnerte sich genau an — damals. Mit einem „Wir trinken im Salon Kaffee" hob Josephine die Tafel auf. Im Nebenzimmer warteten schon eine ganze Menge Leute auf uns, die den Nachmittag dazu benutzen wollten, um Napoleon gute Reise zu wünschen. Es sah so aus, als ob alle, die einst Madame Tallien besucht hatten, sich jetzt in Josephines kleines Haus in der Rue de la Victoire zu drücken versuchten. Ich betrachtete die Uniformen und flüchtete vor meinen ehemaligen Freiern Junot und Marmont, die den Damen lachend versicherten, daß sie sich in Ägypten die Haare abschneiden lassen wollten. „Wir werden wie römische Helden aussehen und keine Läuse bekommen", beteuerten sie. „Übrigens eine Idee Ihres Herrn Sohnes, Madame", behauptete ein sehr flotter Offizier mit schwarzen Kraushaaren, blitzenden Augen und flacher Nase. „Ich zweifle nicht daran, General Murat, mein Sohn hat immer verrückte Ideen", lächelte Madame Letitia. Der junge Offizier schien ihr zu gefallen. Er war über und über mit Goldschnüren behängt und trug zum blauen Waffenrock goldbestickte weiße Hosen. Madame Letitia hat eine Schwäche für südländische Farbenpracht.

Ein Ehrengast schien eingetreten zu sein, denn Josephine scheuchte drei junge Leute von einem kleinen Sofa auf. Und wen führte sie auf das Sofa zu? Barras, Direktor der französischen Republik, lila und goldbestickt, Lorgnon vor den Augen. Rechts und links von ihm nahmen sofort Joseph und Napoleon Platz, und hinter ihm lehnte ein magerer Mann, dessen Spitznase ich schon irgendwo gesehen hatte. Natürlich: einer der beiden Herren aus der Fensternische bei Madame Tallien, ein gewisser Fouché, glaube ich. Eugène — kleine Schweißtropfen auf der Stirn — fühlte sich verpflichtet, den vielen Gästen irgendwie zu Sitzplätzen zu verhelfen. Plötzlich drückte er die dicke Elisa und mich auf zwei Stühle nieder, die er direkt vor dem Sofa, auf dem Barras thronte, aufgestellt hatte. Dann wälzte er einen vergoldeten Armstuhl heran und nötigte den „Polizei= direktor" Fouché, sich niederzusetzen. Aber als ein eleganter junger Mann, der leicht hinkte und sein Haar altmodisch überpudert trug, zu uns trat, sprang Fouché gleich wieder auf. „Lieber Talleyrand — nehmen Sie doch bei uns Platz!" Das Gespräch der Herren drehte sich um den Botschafter unserer Republik in Wien, der sich auf der Heimreise befand. Irgend etwas Aufregendes schien in Wien vorge= fallen zu sein. Ich entnahm aus dem Gespräch, daß unser Botschafter an einem österreichischen Staatsfeiertag die Fahne der Republik in Wien gehißt hatte und daß die Wiener daraufhin die Botschaft stürmten, um unsere Fahne herunterzureißen. Ich komme nie dazu, Zeitungen zu lesen, weil Joseph alle Gazetten, die ins Haus kommen, sofort an sich nimmt und in sein Arbeitszimmer trägt. Wenn Julie und ich später die Zeitungen lesen wollten, hat er bereits die wich= tigsten Artikel herausgeschnitten. Die nimmt er dann zu Napoleon mit, um mit ihm darüber zu sprechen. Daher war für mich dieser Vorfall in Wien, von dem alle zu wissen schienen, ganz neu. Kaum hatten wir mit den Österreichern Frieden geschlossen und in Wien eine Botschaft errichtet, als es zu diesem Zwischenfall kam. „Sie hätten eben keinen General mit dem Posten eines Botschafters in Wien betrauen sollen, Minister Talleyrand, sondern einen Berufs= diplomaten", ließ sich Joseph vernehmen. Talleyrand hob die dünnen Augenbrauen und lächelte: „Unsere Republik verfügt noch nicht über genügend Berufsdiplomaten, Monsieur Bonaparte. Wir müssen uns eben behelfen. Sie haben uns auch in Italien geholfen, nicht wahr?"

Das saß. Joseph war nur ein „Aushilfsdiplomat" in den Augen dieses Ministers Talleyrand, der anscheinend unsere auswärtigen Angelegenheiten leitet. „Und übrigens —" Das war die nasale Stimme von Barras. „Und übrigens ist dieser Bernadotte einer der fähigsten Köpfe, über die wir verfügen, finden Sie nicht auch, General Bonaparte? Ich erinnere mich, daß Sie seinerzeit sehr dringend Verstärkungen in Italien benötigt haben. Damals beauftragte der Kriegsminister diesen Bernadotte, Ihnen die beste Division der Rheinarmee nach Italien zu bringen. Und der Gascogner überquerte im tiefsten Winter mit einer ganzen Division innerhalb von zehn Stunden die Alpen. Aufstieg sechs, Abstieg vier Stunden. Wenn ich mich an Ihr damaliges Schreiben richtig erinnere, General, so waren Sie tief beeindruckt."

„Der Mann ist zweifellos ein ausgezeichneter General, aber —" Joseph zuckte die Achseln: „Diplomat? Politiker?" „Ich glaube, es war richtig, die Fahne der Republik in Wien zu hissen. Warum sollte die französische Botschaft nicht flaggen, wenn alle anderen Gebäude Fahnen aushingen?" sagte Talleyrand nachdenklich. „General Bernadotte hat nach der Verletzung der Exterritorialität, die unserer Botschaft zugefügt wurde, Wien sofort verlassen. Aber ich glaube, daß die Entschuldigung der österreichischen Regierung noch vor ihm in Paris eintreffen wird." Talleyrand betrachtete die polierten Fingernägel seiner auffallend schmalen Hand. „Auf jeden Fall konnten wir keinen besseren Mann nach Wien senden", schloß er. Ein beinahe unmerkliches Lächeln glitt über Barras' blaurasierte, etwas verschwommene Züge: „Ein Mann mit überraschendem Weitblick. Und — mit politischer Voraussicht." Der Direktor ließ das Lorgnon sinken und heftete die nackten Augen auf Napoleon. Napoleons Lippen waren schmal, die Ader an der Schläfe pochte. „Ein überzeugter Republikaner", sprach Barras weiter, „gewillt, jeden äußeren und jeden — inneren Feind der Republik zu vernichten."

„Und seine nächste Ernennung?" Das war Joseph, unbeherrscht hastig in seiner Eifersucht auf den Botschafter in Wien. Das Lorgnon funkelte wieder: „Die Republik braucht verläßliche Charaktere. Ich könnte mir denken, daß ein Mann, der als gewöhnlicher Rekrut seine militärische Karriere begonnen hat, das Vertrauen der Armee genießt. Und da dieser Mann auch das Vertrauen der Regierung rechtfertigt, so wäre es nur natürlich —"

„Der kommende Kriegsminister!" Das war die Spitznase, dieser Polizeidirektor Fouché. Barras preßte sein Lorgnon noch dichter vor die Augen und betrachete interessiert Theresa Talliens venezia= nisches Spitzenhemd — weiß der Himmel, es war nicht mehr als ein Hemd —, das vor uns auftauchte. „Unsere schöne Theresa!" lächelte er und erhob sich schwerfällig. Aber Theresa machte eine abwehrende Geste: „Bleiben Sie nur, Direktor! Und da haben wir ja auch unseren italienischen Helden, ein reizender Nachmittag, General Bonaparte, Josephine sieht bezaubernd aus — und, was höre ich? Sie nehmen den kleinen Eugène als Adjutanten zu den Pyramiden mit? Darf ich Ihnen Ouvrard vorstellen, den Mann, der Ihrer Italienarmee zehn= tausend Paar Stiefel geliefert hat — Ouvrard, hier haben Sie ihn per= sönlich — Frankreichs starken Mann!" Das runde kleine Männchen in ihrem Schlepptau verbeugte sich beinahe bis zur Erde. Elisa neben mir stieß mich in die Seite: „Ihr neuester Freund! Armeelieferant Ouvrard . . . Bis vor kurzem hat sie noch mit Barras gelebt, den hat sie nämlich seinerzeit der Josephine ausgespannt, weißt du das? Aber jetzt hält sich der alte Narr an die Fünfzehnjährigen — sehr un= kultiviert, finde ich, seine Haare sind natürlich gefärbt, so schwarze Haare hat doch kein Mensch . . ."

Plötzlich hatte ich das Gefühl, es keinen Augenblick länger auf diesem Stuhl neben der schwitzenden, süßlich parfümierten Elisa aushalten zu können. Ich sprang auf, drängte mich zur Tür durch und wollte in der kleinen Vorhalle einen Spiegel finden, um mir die Nase zu pudern. In der Vorhalle umfing mich Halbdunkel. Ehe ich noch zu den Kerzen, die vor dem hohen Spiegel flackerten, gelangt war, prallte ich erschrocken zurück. Zwei Gestalten, die dicht anein= andergeschmiegt in einer Ecke gelehnt hatten, glitten auseinander. Ein weißes Kleid schimmerte. „Oh — bitte um Entschuldigung", sagte ich unwillkürlich.

Schnell trat die weiße Gestalt in den Kerzenschimmer. „Aber warum denn?" Josephine ordnete mit flüchtiger Bewegung die kind= lichen Locken. „Ich möchte Ihnen Monsieur Charles vorstellen — Hippolyte, das ist die reizende Schwägerin meines Schwagers Joseph — Schwägerin meines Schwagers, so sind wir beide doch miteinander verwandt, nicht wahr, Mademoiselle Désirée?" Ein ganz junger Mann — keine fünfundzwanzig Jahre alt — verbeugte sich gewandt vor mir. „Das ist Monsieur Hippolyte Charles", sagte Josephine, „einer unserer jüngsten und erfolgreichsten — was sind Sie eigent= lich, Hippolyte? Ja, richtig — Armeelieferant! Einer unserer jüngsten

Armeelieferanten . . ." Josephine lachte leise und schien das Ganze sehr lustig zu finden. „Mademoiselle Désirée ist eine ehemalige Ri= valin von mir, Hippolyte", fügte sie hinzu. „Besiegte oder siegreiche Rivalin?" erkundigte sich Monsieur Charles sofort. Zu einer Ant= wort kam es nicht, Sporen klirrten und Napoleon rief: „Josephine — Josephine, wo halten Sie sich versteckt? Alle Gäste fragen nach Ihnen!" „Ich wollte Mademoiselle Désirée und Monsieur Charles nur den venezianischen Spiegel zeigen, den Sie mir in Montebello geschenkt haben, Bonaparte", sagte Josephine ruhig, faßte Napoleon am Arm und zog ihn neben Monsieur Charles. „Ich möchte Ihnen einen jungen Armeelieferanten vorstellen. Monsieur Charles, jetzt geht Ihr Herzenswunsch in Erfüllung, Sie dürfen dem Befreier Italiens die Hand reichen!" Ihr Lachen klang bezaubernd und ver= trieb sofort den gereizten Ausdruck um Napoleons Mund. „Sie wollten mit mir sprechen, Eugé — Désirée?" wandte sich Napoleon an mich. Sehr schnell legte Josephine ihre Hand auf den Arm dieses Hippolyte Charles. „Kommen Sie, ich muß mich wieder unseren Gästen widmen."

Dann standen wir einander allein im flackernden Kerzenlicht gegenüber. Ich begann, in meinem Pompadour zu kramen. Napoleon war vor den Spiegel getreten und starrte sein eigenes Gesicht an. Die flackernden Kerzen warfen tiefe Schatten um seine Augen und ließen die mageren Wangen hohl erscheinen. „Du hast gehört, was Barras vorhin gesagt hat", kam es abrupt. Er war so tief in Ge= danken versunken, daß er bestimmt nicht merkte, daß er mich wie in unseren vertrautesten Augenblicken duzte. „Gehört schon, aber nicht verstanden", sagte ich. „Ich kenne mich ja in politischen Dingen nicht aus."

Er starrte weiter in den Spiegel. „Innere Feinde der Republik. Hübscher Ausdruck. Mich hat er damit gemeint. Er weiß nämlich genau, ich könnte heute die Republik —" Er brach ab, betrachtete aufmerksam die zuckenden Schatten auf seinen Zügen und nagte an der Oberlippe. „Wir Generäle haben die Republik gerettet. Und wir Generäle halten sie. Wir könnten schließlich Lust bekommen, unsere eigene Regierung zu bilden. Dem König haben sie den Kopf abgeschlagen. Die Königskrone liegt seitdem in der Gosse. Man müßte sich nur bücken und sie aufheben." Er sprach wie im Traum. Und genauso wie einst an der Hecke in unserem Garten bekam ich zuerst Angst und dann ein kindische Lust, diese Angst wegzulachen. Da wandte er sich plötzlich um, seine Stimme klang scharf: „Aber ich fahre nach Ägypten. Die Direktoren sollen sich nur weiter mit den politischen Parteien herumstreiten und sich von Armeeliefe= ranten kaufen und Frankreich in wertlosen Assignaten ersticken lassen. Ich fahre nach Ägypten und pflanze die Fahne der Repu= blik —" „Verzeihen Sie, daß ich unterbreche, General", sagte ich. „Ich habe Ihnen hier den Namen einer Dame aufgeschrieben und bitte Sie, zu veranlassen, daß für diese Dame gesorgt wird."

Er nahm mir den Zettel aus der Hand und trat dicht an den Leuch= ter. „Marie Meunier — wer ist das?"

„Die Frau, die mit General Duphot zusammengelebt hat, die Mutter seines Sohnes. Ich habe Duphot versprochen, daß für beide gesorgt wird."

Napoleon ließ den Zettel sinken, seine Stimme streichelte mich bedauernd: „Es hat mir leid getan, sehr leid. Sie waren mit Duphot verlobt, Désirée?"

Ich muß ihm ins Gesicht schreien, daß ich genug von dieser jämmerlichen Komödie habe, spürte ich. „Sie wissen sehr genau, daß ich Duphot kaum gekannt habe", sagte ich ihm ganz heiser. „Ich begreife nicht, warum Sie mich mit diesen Dingen quälen, General."

„Mit welchen Dingen, kleine Désirée?"

„Mit diesen Heiratsanträgen! Ich habe genug davon, ich will Ruhe haben!"

„Glauben Sie mir, nur in der Ehe kann eine Frau den Sinn ihres Lebens finden", sagte Napoleon salbungsvoll.

„Ich — ich würde Ihnen am liebsten den Leuchter an den Kopf werfen", stieß ich hervor und bohrte meine Fingernägel in die Handfläche, um es nicht zu tun. Er trat auf mich zu und lächelte. Das hinreißende Lächeln, das für mich einst Himmel und Erde und Hölle bedeutet hat. „Wir sind doch Freunde, Bernadine Eugénie Désirée?" fragte er. „Versprechen Sie mir, daß dieser Marie Meunier eine Witwenpension ausbezahlt wird? Und dem Kind eine Waisen= unterstützung?"

„Da bist du ja, Désirée — komm, mach dich fertig, wir müssen gehen!" Das war Julie, die mit Joseph in die Halle trat. Erstaunt machten beide halt und betrachteten Napoleon und mich. „Ver= sprechen Sie, General?" wiederholte ich.

„Ich verspreche es, Mademoiselle Désirée." Flüchtig zog er meine Hand an die Lippen. Dann trat Joseph zwischen uns und nahm von seinem Bruder Abschied.

Paris, vier Wochen später.

Der glücklichste Tag in meinem Leben begann für mich genau so wie alle anderen Tage in Paris. Nach dem Frühstück nahm ich die kleine grüne Gießkanne und begann die beiden staubigen Pal= men, die Julie in zwei Töpfen aus Italien mitgebracht und in ihrem Speisezimmer aufgestellt hat, zu gießen. Joseph und Julie saßen einander am Frühstückstisch gegenüber. Joseph studierte einen Brief, und ich hörte mit halbem Ohr zu, was er sagte. „Da siehst du, Julie — er hat meine Einladung angenommen!" „Um Gottes willen, wir haben nichts vorbereitet ... Und wen willst du dazu einladen? Soll ich versuchen, junge Hähne zu bekommen? Und als Vorspeise Forellen in Mayonnaise? Forellen sind zwar momentan schrecklich teuer ... Du hättest es mir rechtzeitig sagen müssen, Joseph!"

„Ich war nicht sicher, ob er meine Einladung annehmen wird. Schließlich ist er erst seit ein paar Tagen in Paris und wird mit Einladungen überschüttet. Jeder will aus seinem eigenen Mund hören, was sich eigentlich in Wien abgespielt hat." Ich ging hinaus und füllte die Gießkanne nach. Die staubigen Palmen verschlucken eine Menge Wasser. Als ich zurückkam, sagte Joseph gerade:

„— ihm geschrieben, daß mir mein verehrter Freund Direktor Barras und mein Bruder Napoleon so viel Angenehmes von ihm erzählt haben und ich glücklich wäre, ihn bei einem bescheidenen Imbiß in meinem Heim begrüßen zu können."

„Erdbeeren mit Madeirasauce als Dessert", überlegte Julie laut.

„Und er hat angenommen! Weißt du, was das bedeutet? Der per= sönliche Kontakt mit Frankreichs zukünftigem Kriegsminister ist hergestellt. Napoleons ausdrücklicher Wunsch geht in Erfüllung. Barras macht gar kein Geheimnis daraus, daß er ihm das Kriegs= ministerium anvertrauen wird. Mit dem alten Schérer macht Na= poleon, was er will, aber was dieser Gascogner plant, wissen wir nicht, Julie, das Essen muß ausgesucht gut sein und —"

„Wen laden wir noch dazu ein?"

Ich nahm die Schale mit den ersten Rosen, die in der Mitte des Eßtisches stand, und trug sie in die Küche, um das Wasser zu er= neuern. Als ich wieder zurückkam, erklärte Joseph gerade: „Ein intimes kleines Familiendiner — das ist das Richtige! Dann können Lucien und ich wenigstens ungestört mit ihm sprechen. Also: Jo= sephine, Lucien und Christine, du und ich!" Sein Blick fiel auf mich.

„Ja, natürlich die Kleine. Machen Sie sich hübsch, heute abend werden Sie Frankreichs zukünftigem Kriegsminister vorgestellt werden!" Wie sie mich langweilen, diese „intimen Familiendiners", die Joseph unausgesetzt zu Ehren irgendeines Abgeordneten, Generals oder Botschafters zu geben pflegt. Familiendiners, die nur gegeben werden, um politische Kulissengeheimnisse auszuforschen und brühwarm in endlosen Episteln Napoleon, der sich auf dem Weg nach Ägypten befindet, mit einem Kurier über die Meere nach= zusenden. Joseph hat bisher keinen neuen Botschafterposten ange= nommen oder bekommen, ihm scheint daran zu liegen, in Paris, im „Brennpunkt politischer Interessen" zu leben, und seit den letzten Wahlen ist er sogar Abgeordneter. Abgeordneter für Korsika, die Insel ist seit Napoleons Siegen natürlich schrecklich stolz auf die Bonapartes. Unabhängig von Joseph hat auch Lucien für Korsika kandidiert und ist gleichfalls als Abgeordneter in den Rat der Fünf= hundert gewählt worden. Vor ein paar Tagen — ganz kurz nach Napoleons Abreise — ist er mit seiner Christine nach Paris über= siedelt. Madame Letitia hat für die beiden eine kleine Wohnung gefunden, und da schlagen sie sich schlecht und recht mit Luciens Gehalt als Abgeordneter durch. Lucien gehört der äußersten Linken an. Als man ihm bestellte, daß Napoleon erwarte, er werde sich von der Gastwirtstochter scheiden lassen, bekam er einen Lachkrampf: „Mein militärischer Bruder scheint verrückt geworden zu sein! Was ist ihm denn an meiner Christine nicht recht?" — „Das Wirtshaus ihres Vaters", versuchte ihm Joseph zu erklären. „Der Vater unserer Mama hatte einen Bauernhof auf Korsika", lachte Lucien, „und noch dazu einen sehr kleinen." Dann runzelte er plötzlich die Stirn, starrte Joseph an und sagte: „Napoleon hat eigentlich sehr merkwürdige Ideen für einen Republikaner." Beinahe täglich drucken die Zei= tungen Luciens Reden ab. Der magere dunkelblonde Bursche mit den blauen Augen, die vor Begeisterung richtig flammen können, scheint ein großes Rednertalent zu sein. Ich weiß nicht genau, ob ihm diese „intimen Familiendiners" bei Joseph, bei denen man sich um so= genannte gute Beziehungen bemüht, wirklich Spaß machen, oder ob er nur kommt, um ihn und Julie nicht zu beleidigen.

Während ich mir das Gelbseidene anzog, schlüpfte Julie in mein Zimmer. Mit der üblichen Einleitung „Wenn nur alles klappt" ließ sie sich auf meinem Bett nieder. „Nimm doch das Brokatband ins Haar, es steht dir gut", schlug sie vor. „Wozu? Es kommt doch nie= mand, der mich interessieren könnte", sagte ich und kramte in einer

Kassette mit Bändern und Kämmen. „Joseph hat gehört, daß dieser zukünftige Kriegsminister gesagt hat, daß Napoleons ägyptischer Feldzug der helle Wahnsinn sei, die Regierung hätte ihn nicht zulassen sollen", sagte Julie. Ich beschloß aus lauter schlechter Laune, mir überhaupt nichts ins Haar zu binden, sondern bürstete einfach die Locken hoch und versuchte, sie mit zwei Kämmen in Ordnung zu halten. „Diese politischen Nachtmähler langweilen mich grenzen= los", knurrte ich dabei. „Josephine wollte zuerst nicht kommen, Joseph mußte ihr erst lang und breit erklären, wie wichtig es für Napoleon ist, daß sie sich mit dieser kommenden Größe gut stellt. Sie hat doch jetzt dieses Landhaus gekauft, Malmaison, weißt du, und da wollte sie mit einigen Freunden hinausfahren und ein Pick= nick arrangieren." — „Recht hat sie — bei dem schönen Wetter!" sagte ich und sah in den blaßblauen Abend hinaus. Durch das offene Fenster kam der Duft von Lindenblüten. Ich begann diesen unbe= kannten Ehrengast geradezu zu hassen. Unten fuhr ein Wagen vor, und Julie stürzte mit einem letzten „Wenn nur alles klappt" hinaus.

Ich hatte gar keine Lust hinunterzugehen und die Gäste zu be= grüßen. Erst, als sehr lautes Stimmengewirr zu mir heraufdrang und ich das Gefühl hatte, daß alle versammelt waren und Julie wahrscheinlich nur noch auf mich wartete, um zu Tisch zu bitten, gab ich mir einen Ruck. Ich könnte mich ins Bett legen und sagen, daß ich Kopfweh habe, fiel mir ein. Aber da hatte ich unten schon die Türklinke in der Hand. Im nächsten Augenblick hätte ich alles darum gegeben, wenn ich mich nur wirklich mit Kopfweh ins Bett gelegt hätte.

Er stand mit dem Rücken zur Tür. Und trotzdem erkannte ich ihn sofort. Ein Turm von einem Mann in dunkelblauer Uniform mit mächtigen Goldepauletten und einer breiten Schärpe in den Farben der Republik. Die anderen — Joseph und Julie und Josephine und Lucien und seine Christine — standen im Halbkreis um ihn herum und drehten kleine Gläser in den Händen. Ich kann ja nichts dafür, daß ich wie gelähmt in der Tür stehenblieb und den Rücken mit den breiten Schultern entsetzt anstarrte. Aber der Halbkreis fand mein Benehmen sonderbar, Joseph betrachtete mich über die Schulter seines Gastes, die anderen folgten seinem Blick, schließlich bemerkte der Turm von einem Mann, daß hinter seinem Rücken irgend etwas Seltsames vorging, unterbrach sich, folgte den Augen der anderen und wandte sich um. Sein Blick wurde ganz weit vor Erstaunen. Ich konnte vor Herzklopfen kaum atmen. „Désirée —

komm doch, wir warten auf dich", sagte Julie. Gleichzeitig trat Joseph auf mich zu, nahm meinen Arm und sagte: „Und das ist die kleine Schwester meiner Frau, General Bernadotte! Meine Schwägerin Mademoiselle Désirée Clary." Nein, ich sah ihn nicht an. Ich hielt die Augen krampfhaft auf einen seiner Goldknöpfe geheftet, spürte wie im Traum, daß er meine Hand höflich an die Lippen zog, und hörte dann wie aus weiter Ferne Josephs Stimme: „Wir sind unterbrochen worden, lieber General. Sie wollten eben sagen, daß —"

„Ich — ich fürchte, ich habe vergessen, was ich eben sagen wollte." Unter tausend Stimmen hätte ich seine Stimme erkannt. Die Stimme von der regenschwarzen Brücke, die Stimme aus der dunklen Wagenecke, die Stimme vor dem Tor des Hauses in der Rue du Bac. „Bitte zu Tisch", sagte Julie. Aber General Bernadotte rührte sich nicht. „Bitte zu Tisch", wiederholte Julie und trat auf ihn zu. Nun bot er ihr den Arm, Joseph und Josephine, Lucien, seine rundliche Christine und ich folgten.

Das intime Familiendiner aus politischen Gründen verlief anders — mein Gott, so ganz anders, als Joseph gedacht hatte. Plangemäß saß General Bernadotte zwischen der Dame des Hauses und der Gattin des Generals Napoleon Bonaparte. Joseph hatte Lucien den Platz an der Seite Josephines überlassen, um sich General Bernadotte genau gegenüber niederzusetzen und das Gespräch mit ihm zu dirigieren.

Aber General Bernadotte schien zerstreut zu sein. Mechanisch begann er sich mit der schrecklich teuren Forellenvorspeise zu beschäftigen. Joseph mußte ihm zweimal zutrinken, bevor er nach dem Glas griff. Ich konnte ihm ansehen, daß er konzentriert nachdachte. Er versuchte nämlich, sich genau daran zu erinnern, was man ihm damals im Salon der Tallien erzählt hatte. Napoleon hatte eine Braut in Marseille. Ein junges Mädchen mit einer großen Mitgift. Sein Bruder ist mit der Schwester dieses jungen Mädchens verheiratet. Napoleon läßt Braut und Mitgift im Stich ... Joseph mußte ihn dreimal anrufen, um ihn zu erinnern, daß wir alle mit dem Ehrengast anstoßen wollten. Hastig hob er sein Glas. Dann schien er sich auf seine Pflichten als Tischherr zu besinnen. Abrupt wandte er sich an Julie. „Lebt Ihre Schwester schon lange in Paris?" Die Frage kam so plötzlich, daß Julie zusammenzuckte und sie nicht ganz verstand. „Sie sind doch beide aus Marseille, nicht wahr? Ich meine, lebt Ihre Schwester schon lange in Paris?" beharrte er. Julie hatte sich gesammelt. „Nein, erst seit ein paar Monaten. Es ist ihr erster Pariser Aufenthalt. Und es gefällt ihr hier sehr gut, nicht wahr, Désirée?"

„Paris ist eine wunderschöne Stadt", brachte ich steif wie ein Schulkind hervor. „Ja, wenn es nicht regnet", sagte er, und seine Augen wurden schmal. „Oh — auch, wenn es regnet!" warf Christine, die Gastwirtstochter aus St. Maximin, eifrig ein. „Paris ist eine Märchenstadt, finde ich."

„Sie haben recht, Madame. Es gibt auch Märchen, wenn es regnet", sagte Bernadotte ganz ernst. Joseph begann unruhig zu werden. Er hatte den künftigen Kriegsminister nicht mit Aufbietung aller schriftlichen Überredungskünste in sein Heim gelockt, damit man über das Wetter und dessen Einfluß auf Märchen diskutiere. „Ich hatte gestern einen Brief meines Bruders Napoleon", sagte er bedeutungsvoll. Aber das schien Bernadotte überhaupt nicht zu interessieren. „Mein Bruder schreibt, daß die Reise plangemäß verläuft und die englische Flotte unter Nelsons Kommando sich bisher überhaupt nicht blicken ließ."

„Dann hat Ihr Bruder mehr Glück als Verstand", meinte Bernadotte gut gelaunt und hob Joseph sein Glas entgegen: „Auf das Wohl des Generals Bonaparte, ich bin ihm sehr zu Dank verpflichtet!" Joseph wußte sicherlich nicht, ob er beleidigt oder erfreut sein sollte. Übrigens bestand kein Zweifel, daß sich Bernadotte dem Rang nach Napoleon durchaus gleichgestellt fühlte. Napoleon hatte zwar in Italien einen selbständigen Oberbefehl geführt, aber Bernadotte war inzwischen Botschafter gewesen und wußte ebensogut wie wir anderen, daß der Kriegsministerposten auf ihn wartete.

Bei den jungen Hähnen geschah es. Josephine — ja, ausgerechnet Josephine, die Frau Napoleons — gab den Anstoß. Schon die ganze Zeit über hatte ich gespürt, wie ihre Augen zwischen mir und dem General Bernadotte hin und her blitzten. Ich glaube, es gibt niemanden, der in solchem Maß die süßen Spannungen und unsichtbaren Kräfte, die zwischen einem Mann und einer Frau schwingen können, so stark empfindet wie Josephine. Bisher hatte sie sich sehr schweigsam verhalten. Bei Julies „Es ist ihr erster Besuch in Paris" zog sie die dünn gezupften Brauen in die Höhe und blickte interessiert Bernadotte an. Es war möglich — wirklich durchaus möglich, daß sie sich erinnerte, daß auch Bernadotte an jenem Nachmittag bei der Tallien gewesen war ... Und jetzt fand sie endlich eine Möglichkeit, Josephs militärisch-politische Gesprächswahl durch ein für sie weitaus anziehenderes Thema zu ersetzen. Sie legte den kindlichen Lockenkopf ein wenig schief, blinzelte Bernadotte an und fragte: „Es muß für Sie als Botschafter in Wien gesellschaftlich nicht ganz einfach gewesen sein. Ich meine, weil Sie doch unverheiratet sind, General Bernadotte. Haben Sie nicht oft die Anwesenheit einer Dame in der Botschaft sehr vermißt?"

Bernadotte legte energisch Messer und Gabel nieder. „Und wie! Ich kann Ihnen gar nicht sagen, liebe Josephine — ich darf doch Josephine sagen, wie in den alten Tagen bei Ihrer Freundin Tallien? Also, ich kann Ihnen gar nicht sagen, wie leid es mir getan hat, nicht verheiratet zu sein! Aber —" Und nun wandte er sich an die ganze Tischgesellschaft: „Aber — ich frage Sie, meine Damen und Herren — was soll ich machen?" Niemand wußte, ob er es im Ernst oder im Spaß meinte. Alle schwiegen verlegen, bis endlich Julie höflich gequält bemerkte: „Sie haben eben noch nicht die Richtige gefunden, General!" „Aber ja, Madame, ich habe sie gefunden! Sie ist nur einfach wieder verschwunden, und jetzt —" Er zuckte in komischer Verlegenheit die Achseln und sah mich an. Dabei lachte er über das ganze Gesicht. „Und jetzt müssen Sie sie eben suchen und um ihre Hand anhalten!" rief Christine, die das Gespräch gar nicht ungewöhnlich fand, sondern überaus gemütlich. Daheim in der Wirtsstube in St. Maximin hatten ihr die Burschen bei einem Glas Wein gern ihre Herzensnöte geschildert. „Sie haben recht, Madame", sagte Bernadotte ernst. „Ich werde um ihre Hand anhalten!" Damit sprang er auf, schob seinen Stuhl zurück und sah Joseph an: „Monsieur Joseph Bonaparte, ich habe die Ehre, um die Hand Ihrer Schwägerin Mademoiselle Désirée Clary anzuhalten." Dann setzte er sich ruhig wieder nieder und wandte keinen Blick von Joseph. Totenstille. Eine Uhr tickte, und ich glaubte, daß man auch mein Herz schlagen hörte. Verzweifelt starrte ich auf das weiße Tischtuch. „Ich verstehe nicht ganz, General Bernadotte — meinen Sie das im Ernst?" hörte ich jetzt Joseph sagen. „Im Ernst."

Wieder Totenstille. „Ich — ich glaube, Sie müssen Désirée Zeit geben, sich Ihren ehrenvollen Antrag zu überlegen", sagte Joseph. „Ich habe ihr Zeit gegeben, Monsieur Bonaparte."

„Aber Sie haben sie doch eben erst kennengelernt!" Das war Julies Stimme, zitternd vor Aufregung. Ich hob den Kopf. „Ich möchte Sie gern heiraten, General Bernadotte!"

War das meine Stimme? Krachend fiel ein Stuhl zurück, diese

neugierigen, erstaunten Gesichter — nicht zum Aushalten, nicht zum Aushalten! Wie ich aus dem Speisezimmer gekommen bin, weiß ich nicht. Aber plötzlich saß ich oben in meinem Zimmer auf dem Bett und weinte.

Dann ging die Tür auf, und Julie kam herein und drückte mich an sich und versuchte mich zu beruhigen. „Du mußt ihn doch nicht heiraten, Liebes — wein doch nicht, wein doch nicht —" „Ich muß aber weinen", schluchzte ich, „ich kann nichts dafür, aber ich bin so schrecklich glücklich, daß ich weinen muß." Obwohl ich mein Gesicht mit kaltem Wasser wusch und nachher überpuderte, sagte Bernadotte sofort, als ich unten im Wohnzimmer auftauchte: „Sie haben schon wieder geweint, Mademoiselle Désirée!" Er saß neben Josephine auf einem kleinen Sopha, aber Josephine stand schnell auf, setzte sich auf einen Stuhl und meinte: „Jetzt muß sich Désirée neben Jean=Baptiste setzen!" Ich setzte mich also neben ihn, und dann begannen alle eifrig durcheinanderzusprechen, um keine Verlegenheit aufkommen zu lassen. Es stellte sich heraus, daß Joseph die Champagnerflasche, die wir bei Tisch nicht ausgetrunken hatten, ins Wohnzimmer mitgebracht hatte. Sofort begann Julie, kleine Teiler zu verteilen. „Wir haben nämlich das Dessert vergessen", sagte sie. Und nun kamen die Erdbeeren mit Madeirasauce an die Reihe und halfen mir über diese schrecklichen Augenblicke hinweg. Nachher wandte sich Bernadotte, der nicht im geringsten verlegen, sondern strahlend gut aufgelegt war, höflich an Julie und fragte: „Madame, haben Sie etwas dagegen, wenn ich Ihre Schwester zu einer kleinen Wagenfahrt einlade?" Julie nickte verständnisvoll: „Natürlich nicht, lieber General. Wann denn? Morgen nachmittag?" — „Nein, ich habe gedacht — jetzt gleich."

„Aber es ist doch schon dunkel!" wandte Julie entsetzt ein. Es schickte sich wirklich nicht für ein junges Mädchen, spätabends mit einem Herrn spazierenzufahren. Energisch stand ich auf. „Nur eine kleine Wagenfahrt, Julie", sagte ich. „Wir sind bald wieder zurück!" Und lief so schnell aus dem Zimmer, daß sich Bernadotte gar nicht richtig von allen Anwesenden verabschieden konnte. Sein Wagen hielt vor dem Haus. Es war ein offener Wagen, und wir fuhren zuerst durch Lindenblütenduft und dunkelblauen Frühlingsabend. Aber als wir uns der inneren Stadt näherten, flimmerten die Lichter von Paris so strahlend, daß wir die Sterne nicht mehr sahen. Wir hatten noch kein Wort miteinander gesprochen. Als wir an der Seine entlangrollten, rief Bernadotte dem Kutscher etwas zu. Der

Wagen hielt an einer Brücke. „Das ist die Brücke von damals", sagte Bernadotte, und wir stiegen aus und gingen dicht nebeneinander bis zur Mitte der Brücke, lehnten uns dann an die Brüstung und sahen zu, wie die Lichter von Paris in den Wellen tanzten. „Ich war mehrere Male in der Rue du Bac und habe im Hinterhaus nach dir gefragt. Aber die Leute dort wollten keine Auskunft geben." Ich nickte. „Sie haben gewußt, daß ich damals heimlich in Paris war." Als wir zum Wagen zurückgingen, legte er den Arm um meine Schulter. Mein Kopf erreichte gerade seine Epauletten. „Du hast damals gesagt, daß du für mich zu klein bist", sagte er. „Ja, und ich bin inzwischen noch kleiner geworden. Damals trug ich noch hohe Absätze. Aber die sind jetzt ganz unmodern geworden. Vielleicht macht das nichts."

„Was macht vielleicht nichts."

„Daß ich so klein bin."

„Nein, gar nichts. Im Gegenteil."

„Wieso im Gegenteil?"

„Es gefällt mir."

Auf der Rückfahrt drückte ich meine Wange an seine Schulter, aber die Epauletten kratzten mich. „Diese abscheulichen Goldschnüre stören mich sehr", murmelte ich beleidigt. Er lachte leise. „Ich weiß, du kannst Generäle nicht leiden." Da fiel mir ein, daß er der fünfte General ist, der um meine Hand angehalten hat. Napoleon, Junot, Marmont, Duphot — ich schob die Gedanken beiseite und zerkratzte meine Wange an den Epauletten eines Generals mit dem Namen Bernadotte. Als wir ins Wohnzimmer zurückkamen, waren alle Gäste bereits nach Hause gegangen. Julie und Joseph traten uns entgegen. „Ich hoffe, wir werden Sie jetzt oft bei uns sehen, General", sagte Joseph. Ich begann: „Täglich, nicht wahr —" und stockte. Dann sagte ich zum erstenmal: „Nicht wahr, Jean=Baptiste?" — „Wir haben beschlossen, sehr bald zu heiraten, es ist Ihnen doch recht?" bemerkte Bernadotte zu Joseph, obwohl wir beide noch gar nicht über die Hochzeit gesprochen hatten. Aber ich würde ihn am liebsten sofort heiraten!

„Morgen werde ich mit meiner Jagd nach einem hübschen kleinen Haus beginnen, und sobald ich eines, das Désirée und mir gefällt, gefunden habe, halten wir Hochzeit." Wie eine geliebte ferne Melodie kam die Erinnerung: ... ich habe seit Jahren einen Teil meines Gehaltes aufgespart, ich kann ein kleines Haus für Sie und das Kind kaufen ...

„Ich werde noch jetzt gleich an Mama schreiben. Gute Nacht, General Bernadotte!" hörte ich Julie sagen. Und Joseph: „Gute Nacht, lieber Schwager, gute Nacht! Mein Bruder Napoleon wird sich über die Nachricht ungemein freuen." Kaum war Joseph mit Julie und mir allein, so entfuhr es ihm: „Ich begreife das Ganze nicht recht, Bernadotte ist doch kein Mann von übereilten Entschlüssen!"

„Ist er nicht etwas zu alt für Désirée? Er ist mindestens —" „Mitte dreißig, schätze ich", sagte Joseph zu Julie. Und zu mir: „Sagen Sie mir, Désirée, sind Sie sich überhaupt klar darüber, daß Sie einen der bedeutendsten Männer der Republik heiraten sollen?"

„Die Aussteuer!" rief plötzlich Julie. „Wenn Désirée wirklich bald heiraten soll, müssen wir uns doch um die Aussteuer kümmern!" „Dieser Bernadotte soll nicht sagen, daß die Schwägerin eines Bona= parte keine tadellose Aussteuer hatte", sagte Joseph und blickte uns eindringlich an. „Wie lange braucht ihr, um alles zu besorgen?"

„Die Einkäufe gehen schnell", meinte Julie, „aber die Mono= gramme müssen gestickt werden!" Zum erstenmal mischte ich mich in die aufgeregte Unterhaltung. „Die Aussteuer liegt doch fertig in Marseille. Wir müssen nur Bescheid geben, daß die Kisten geschickt werden. Und die Monogramme habe ich längst fertiggestickt."

„Ja — ja natürlich!" rief Julie, und ihre Augen wurden rund vor Staunen, „Désirée hat recht, die Monogramme sind gestickt. B —" „B, B und wieder B", lächelte ich und ging zur Tür.

„Das Ganze kommt mir sehr eigenartig vor", murmelte Joseph mißtrauisch.

„Wenn sie nur glücklich wird", flüsterte Julie. Ich bin glücklich. Lieber Gott im Himmel, lieber Lindenbaum unten auf der Straße, liebe Rosen in der blauen Vase — ich bin so glücklich.

II

DIE MARSCHALLIN BERNADOTTE

Sceaux bei Paris.
Herbst des Jahres VI (1798).

Am dreißigsten Thermidor im sechsten Jahre der Republik um sieben Uhr abends habe ich auf dem Standesamt in Sceaux, einem Vorort von Paris, den General Jean=Baptiste Bernadotte geheiratet. Die Trauzeugen meines Mannes waren sein Freund, der Kavallerie= kapitän Antoine Morien, und der Notar von Sceaux, Monsieur François Desgranges. Ich dagegen mußte Onkel Somis, der prin= zipiell keine Familienhochzeit ausläßt, zum Trauzeugen wählen und natürlich auch Joseph. Im letzten Augenblick erschien noch Lucien Bonaparte auf dem Standesamt, so daß ich mit drei Trauzeugen auf= marschierte. Nach der Hochzeit fuhren wir alle in die Rue du Rocher, wo Julie ein großartiges Essen vorbereitet hatte. (Alles klappte, aber es hat Julie drei schlaflose Nächte gekostet.) Um niemanden zu be= leidigen, hatte Joseph sämtliche Bonapartes, die sich in Paris und Umgebung aufhielten, zusammengetrommelt. Madame Letitia drückte wiederholt ihr Bedauern aus, daß ihr Stiefbruder Fesch, der sich wieder dem geistlichen Beruf widmet, verhindert gewesen sei. Ursprünglich wollte Mama aus Genua zur Hochzeit kommen, aber sie kränkelt oft, und deshalb war die Reise in der Sommerhitze zu anstrengend für sie. Jean=Baptiste dagegen haßt Familienfeste, und da er keine Verwandten in Paris hat, brachte er nur seinen alten

Kameraden Morien zum Festessen mit. Meine Hochzeit stand daher ganz im Zeichen der Bonapartes, für die Onkel Somis mit seiner provinziellen Gemütlichkeit kein Gegengewicht bietet. Zu meinem Erstaunen hatte Joseph im letzten Augenblick noch General Junot und seine Laura — Junot hat nämlich auf Wunsch Napoleons neulich Laura Permon, die Tochter einer korsikanischen Freundin von Madame Letitia, geheiratet — eingeladen. Junot, der zu Napoleons Stab in Ägypten gehört, befand sich nur auf kurze Zeit in Paris, um der Regierung den Einzug Napoleons in Alexandrien und Kairo und den siegreichen Verlauf der Schlacht bei den Pyramiden zu schildern.

Ich langweilte mich ganz entsetzlich bei meiner Hochzeit. Unser Souper begann sehr spät, es gilt jetzt als vornehm, erst in den Abendstunden zu heiraten, und Joseph bestimmte deshalb, daß wir erst um sieben Uhr das Standesamt besuchen sollten. Julie wollte, daß ich den ganzen Tag über im Bett verbringe, um möglichst ausgeruht und hübsch auszusehen. Aber ich hatte keine Zeit dazu, ich mußte Marie helfen, unser Eßgeschirr, das wir erst am Tage vorher gekauft hatten, in die Küchenschränke einzuräumen. Außerdem gibt es schrecklich viel zu tun, wenn man ein Haus einrichtet. Bereits zwei Tage, nachdem ich mich mit Jean=Baptiste verlobt hatte — Julie hatte sich noch gar nicht von dem Schrecken erholt —, erschien der General mit der Mitteilung: „Ich habe ein passendes Haus gefunden. Désirée, komm sofort und sieh es dir an!"

Unser kleines Haus liegt in der Rue de la Lune in Sceaux. Nummer drei. Im Erdgeschoß haben wir die Küche, ein Eßzimmer und einen kleinen Raum, in den Jean=Baptiste einen Schreibtisch gestellt und Bücher aufgestapelt hat. Jeden Tag bringt er neue Bücher angeschleppt, und das Kabinett heißt bei uns „das Arbeitszimmer". Im oberen Stockwerk gibt es nur ein schönes Schlafzimmer und eine winzige Kammer. Den Dachboden ließ Jean=Baptiste in zwei kleine Räume verwandeln, in denen Marie und Fernand schlafen sollen. Ich habe nämlich Marie in die Ehe mitgebracht und Jean=Baptiste seinen Fernand. Marie und Fernand streiten von früh bis abends. Mama wollte natürlich seinerzeit Marie nach Genua mitnehmen, aber Marie weigerte sich. Sie verriet aber nichts über ihre Zukunfts=pläne, sondern mietete sich einfach in Marseille ein Zimmer und verdiente ihren Unterhalt als Aushilfsköchin bei Leuten, die stolz darauf waren, bei ihren Familienfesten die „ehemalige Köchin der Madame Clary" in der Küche regieren zu lassen. Obwohl Marie mir niemals darüber geschrieben hat, so wußte ich, daß sie einfach in Marseille saß und wartete. Am Morgen nach meiner Verlobung schrieb ich ihr einen kurzen Brief: „Ich habe mich mit dem General B. von der Brücke, von dem ich Dir einmal erzählt habe, verlobt. Wir heiraten, sobald er ein passendes Haus gefunden hat. Wie ich ihn kenne, treibt er dieses Haus in vierundzwanzig Stunden auf. Wann kannst Du zu mir kommen?" Auf diesen Brief bekam ich keine Antwort. Eine Woche später war Marie in Paris.

„Hoffentlich verträgt sich nur deine Marie mit meinem Fernand", sagte Jean=Baptiste. „Wer ist dein Fernand?" fragte ich erschrocken. Es stellte sich heraus, daß Fernand aus Jean=Baptistes Heimatstadt Pau in der Gascogne stammt, mit ihm in die Schule gegangen ist und daß sich beide gemeinsam zum Militär meldeten. Während jedoch Jean=Baptiste ununterbrochen befördert wurde, hatte Fernand die größte Mühe, nicht aus der Armee geworfen zu werden. Fernand ist nämlich klein und sehr dick, und wenn er marschieren soll, tun ihm die Füße weh. Jedesmal, wenn zum Angriff getrommelt wird, bekommt Fernand schreckliches Magenweh. Dafür kann er natürlich nichts, und es ist sehr unangenehm für ihn. Trotzdem wollte er durchaus Soldat bleiben, um immer in Jean=Baptistes Nähe zu sein. Er putzt leidenschaftlich gern Stiefel und kann die schlimmsten Fett= flecken im Handumdrehen aus einer Uniformjacke fortzaubern. Vor zwei Jahren ist Fernand in Ehren aus der Armee entlassen worden, um sich völlig den Stiefeln, Fettflecken und leiblichen Bedürfnissen von Jean=Baptiste zu widmen. „Ich bin der Kammerdiener meines Generals und Schulkollegen Bernadotte", sagte er, als er mir vor= geführt wurde. Fernand und Marie begannen sofort zu streiten. Marie behauptet, daß Fernand aus der Speisekammer stiehlt, während Fernand meine Marie beschuldigt, sich an seinen Schuhbürsten — er hat vierundzwanzig — und der Leibwäsche seines Generals, die sie, ohne ihn zu fragen, waschen wollte, vergriffen zu haben.

Als ich zum erstenmal unser Häuschen sah, sagte ich zu Jean= Baptiste: „Ich muß Etienne schreiben, daß dir meine Mitgift sofort ausgezahlt werden soll."

Jean=Baptiste blähte voll Verachtung die Nasenflügel auf: „Sag einmal, wofür hältst du mich eigentlich? Glaubst du, daß ich mir mit dem Geld meiner Braut ein Heim einrichten will?" „Aber Joseph hat doch auch für Julies Mitgift —" begann ich. „Ich bitte, mich nicht mit den Bonapartes zu vergleichen", kam es scharf. Dann legte er den Arm um meine Schultern und schüttelte mich lachend: „Kleines

Mädchen, kleines Mädchen — heute kann dir der Bernadotte nur ein Puppenhaus in Sceaux kaufen! Aber wenn du dich nach einem Schloß sehnen solltest, so —" Ich schrie geradezu auf: „Um Himmels willen, nur das nicht! Versprich mir, daß wir nie in einem Schloß wohnen werden, ja?" Voll Schrecken dachte ich an die langen Monate in den italienischen Palästen zurück, und mir fiel plötzlich ein, daß sie Bernadotte einen der „kommenden Männer" nennen. Seine goldenen Epauletten funkelten gefährlich. „Versprich mir — niemals ein Schloß!" flehte ich. Er sah mich an, langsam verblaßte das Lächeln auf seinem Gesicht. „Wir gehören zusammen, Désirée", sagte er. „In Wien habe ich in einem Barockpalais gewohnt. Morgen dagegen kann ich an eine Front kommandiert werden und mein Feldbett irgendwo unter freiem Himmel aufstellen. Übermorgen wiederum könnte mein Hauptquartier in einem Schloß liegen, und ich würde dich bitten, zu mir zu kommen. Würdest du dich weigern?"

Wir standen unter dem breiten Kastanienbaum unseres zu= künftigen Gartens, bald werden wir Hochzeit halten, ich will ver= suchen, eine gute Hausfrau zu sein und die Stuben schön zu schmücken und in Ordnung zu halten. Hierher will ich gehören — in dieses winzige Haus, in den Garten mit dem alten Kastanienbaum und den verwilderten Blumenbeeten. Aber nun tauchte wieder das Bild von gespenstisch hohen Sälen vor mir auf. Sporenklirren auf Marmorfliesen, Lakaien verstellen einem den Weg, wenn man von einem Raum in den anderen will.

„Würdest du dich weigern?" wiederholte Jean=Baptiste.

„Wir werden hier sehr glücklich sein", flüsterte ich.

„Würdest du dich weigern?" beharrte er. Ich schmiegte mich an ihn, ich habe mich schon daran gewöhnt, daß die Goldepauletten mein Gesicht zerkratzen. „Ich werde mich nicht weigern", sagte ich. „Aber ich würde nicht glücklich sein."

Während ich am Vormittag meines Hochzeitstages mit Marie vor den Küchenschränken kniete und das weiße Porzellan mit den win= zigen bunten Blumen, das Jean=Baptiste und ich zusammen aus= gesucht haben, einräumte, fragte Marie: „Bist du aufgeregt, Eugénie?" Ein paar Stunden später, als Julies Zofe in der Rue du Rocher mit einem Brenneisen versuchte, meine ungebärdigen Haare in Jo= sephine=Löckchen zu ringeln, bemerkte Julie: „Komisch, ich glaube, du bist gar nicht aufgeregt, Liebling!" Ich schüttelte den Kopf. Auf= geregt? Seit jenem unseligen Augenblick im dunklen Wagen, in dem Jean=Baptistes Hand das einzige Stückchen Wärme in meinem Leben darstellte, habe ich gespürt: ich gehöre zu ihm. In ein paar Stunden werde ich meine Unterschrift auf ein Stück Papier im Standesamt von Sceaux setzen und nur bekräftigen, was ich schon lange weiß. Nein, ich war gar nicht aufgeregt. Nach der Trauung kam das Fest=essen bei Julie, bei dem ich mich so langweilte. Zwischen einer Rede auf das Brautpaar, die Onkel Somis schwitzend vom Stapel ließ, und einem flammenden Aufruf des Redners Lucien Bonaparte, der zwei Kindern der Revolution — Jean=Baptiste und ich waren damit ge=meint — alles Gute wünschte, wurde hauptsächlich über Napoleons ägyptischen Feldzug gesprochen. Joseph hatte es sich in den Kopf gesetzt, meinen armen Jean=Baptiste, dem das Thema schon zum Hals herauswächst, davon zu überzeugen, daß die Eroberung Ägyp=tens ein neuer Beweis für Napoleons Genie ist. Und Lucien, der im Geiste seinen Bruder Napoleon die Menschenrechte über den ganzen Erdball verbreiten sieht, unterstützte ihn.

„Ich halte es für ausgeschlossen, daß wir uns auf die Dauer in Ägypten aufhalten können. Und die Engländer wissen das auch und lassen sich deshalb gar nicht erst auf einen Kolonialkrieg mit uns ein", erklärte Jean=Baptiste. „Aber Napoleon hat doch bereits Alexandrien und Kairo eingenommen und die Schlacht bei den Py=ramiden gewonnen", schob Joseph ein. „Stört die Engländer nicht wesentlich, nach außen hin steht Ägypten unter türkischer Herr=schaft. Die Engländer betrachten unsere Truppen am Nil als vor=übergehendes Übel und —"

„Der Feind zählte in der Schlacht bei den Pyramiden 20 000 Tote, wir keine fünfzig", warf Junot ein. „Grandios . . ." murmelte Jo=seph. Jean=Baptiste zuckte die Achseln: „Grandios? Die glorreiche französische Armee unter Führung ihres genialen Generals Bona=parte hat mit moderner schwerer Artillerie zwanzigtausend halb=nackte Afrikaner, die nicht einmal Schuhe an den Füßen hatten, über den Haufen geschossen. Ich muß wirklich sagen — ein grandioser Sieg der Kanone über Speer, Pfeil und Bogen!"

Lucien öffnete den Mund zur Widerrede und besann sich. Die blauen, kindlich strahlenden Augen verdunkelten sich. „Im Namen der Menschenrechte über den Haufen geschossen . . ." sagte er traurig. „Der Zweck heiligt die Mittel. Napoleon wird weiter vor=dringen und die Engländer aus der Mittelmeerzone vertreiben", erklärte Joseph. „Die Engländer denken gar nicht daran, sich uns zu Land zu stellen. Wozu auch? Sie haben ihre Flotte, und nicht einmal Sie werden bestreiten, daß diese unserer Marine weit über=

legen ist. In dem Augenblick, in dem sie die Schiffe, die Bonapartes Armee nach Ägypten gebracht haben, vernichten —" Jean=Baptiste sah sich im Kreis um. „Ja, sehen Sie denn nicht, was auf dem Spiele steht? Eine französische Armee kann jede Stunde vom Mutterland abgeschnitten werden! Dann sitzt euer Bruder mit seinen siegreichen Regimentern in der Wüste wie in einer Mausefalle. Der ägyptische Feldzug ist ein verrücktes Hasardspiel und der Einsatz für unsere Republik zu hoch."

Ich wußte, daß Joseph und Junot noch in derselben Nacht an Napoleon schreiben würden, daß mein Mann ihn einen Hasardeur nannte. Was ich jedoch nicht wußte und auch sonst niemand in Paris ahnte, war die Tatsache, daß vor genau sechzehn Tagen die Engländer unter dem Kommando eines gewissen Admirals Nelson die ganze französische Flotte in der Bucht von Aboukir angegriffen und so gut wie vernichtet hatten. Und daß General Bonaparte ver= zweifelt eine Möglichkeit suchte, irgendeine Verbindung mit Frank= reich herzustellen, und vor einem Wüstenzelt auf= und abmarschierte und sich und seine Soldaten bereits im glühenden Sand verkommen sah. Nein, niemand ahnte an meinem Hochzeitsabend, daß Jean= Baptiste Bernadotte genau voraussagte, was bereits eingetreten war.

Als ich zum zweitenmal verstohlen gähnte, was sich für eine Braut nicht schickt, aber ich heiratete ja zum allererstenmal in meinem Leben und wußte nicht genau, wie man sich dabei benimmt, stand Jean=Baptiste auf und sagte ruhig: „Es ist spät geworden, Désirée, ich glaube, wir sollten nach Hause gehen." Da war es — zum ersten= mal dieses vertraute: Wir sollten nach Hause gehen ... Am unteren Ende des Tisches stießen sich die Backfische Caroline und Hortense verstohlen an und kicherten. Mein gemütlicher Onkel Somis blinzelte mir vertraulich zu und tätschelte meine Wange, als ich mich von ihm verabschiedete: „Hab keine Angst, Kleine, der Bernadotte wird dir schon nicht den Kopf abbeißen ..."

Wir fuhren im offenen Wagen durch die drückend heiße Spät= sommernacht nach Sceaux hinüber. Die Sterne und ein runder, sehr gelber Mond waren zum Greifen nahe, und es schien kein Zufall zu sein, daß unser Heim in der Rue de la Lune liegt. Als wir eintraten, sahen wir, daß das Eßzimmer hell erleuchtet war. Hohe Kerzen brannten in dem schweren silbernen Leuchter, den uns Josephine in ihrem und Napoleons Namen zur Hochzeit geschenkt hatte. Ein weißes Damasttuch schimmerte, und auf dem Eßtisch fanden wir Champagnergläser und eine Schüssel mit Weintrauben, Pfirsichen

und Marzipangebäck. Aus dem Weinkühler ragte eine Champagner=
flasche. Dabei war kein Mensch zu sehen, tiefe Stille im ganzen
Haus. „Das hat Marie vorbereitet", lächelte ich. Aber Jean=Baptiste
sagte sofort: „Nein, es war Fernand!" — „Ich kenne doch Maries
Marzipankuchen", beharrte ich und ließ einen auf der Zunge zer=
gehen. Jean=Baptiste betrachtete nachdenklich die Champagner=
flasche. „Wenn wir heute nacht noch mehr trinken, haben wir
morgen entsetzliche Kopfschmerzen", meinte er. Ich nickte und
öffnete die Glastür, die zum Garten hinausführt. Es duftete nach
halbverblühten Rosen, die Riesenzacken der Kastanienblätter hatten
versilberte Umrisse. Hinter mir blies Jean=Baptiste die hohen Kerzen
aus. Unser Schlafzimmer war stockfinster, aber ich tastete mich
schnell zum Fenster durch und zog die Vorhänge auseinander und
ließ die silbernen Strahlen ein. Ich hörte, daß Jean=Baptiste in die
Kammer nebenan getreten war und sich dort zu schaffen machte.
Wahrscheinlich will er mir Zeit geben, mich auszukleiden und zu
Bett zu gehen, dachte ich und war ihm für seine Rücksicht sehr
dankbar. Schnell streifte ich mein Kleid ab, trat an das breite Doppel=
bett, fand mein Nachthemd, das ausgebreitet auf der Seidendecke
lag, warf es über, schlüpfte schnell unter die Decke — schrie gellend
auf.

„Um Gottes willen, Désirée — was ist denn?" Jean=Baptiste stand
neben dem Bett. „Ich weiß nicht, irgend etwas hat mich entsetzlich
gestochen —" Ich bewegte mich. „Au, au — da sticht es schon wieder!"
Jean=Baptiste zündete eine Kerze an, ich richtete mich auf und schlug
die Decke zurück: Rosen, Rosen und wieder Rosen mit spitzen
Dornen. „Welcher Idiot —?" entfuhr es Jean=Baptiste, während wir
fassungslos das Rosenlager betrachteten. Ich begann die Rosen auf=
zusammeln. Jean=Baptiste hielt unterdessen die breite Steppdecke
hoch. Immer mehr Rosen fischte ich aus dem Bett. „Es war wahr=
scheinlich Fernand", murmelte ich, „er wollte uns überraschen!"

„Da tust du dem Burschen unrecht, es war natürlich deine Marie",
entgegnete Jean=Baptiste sofort. „Rosen — ich bitte dich, Rosen im
Bett eines Frontsoldaten!" Die Rosen, die ich aus dem Bett des
Frontsoldaten gefischt hatte, lagen jetzt auf dem Nachttisch und
dufteten atemberaubend süß. Plötzlich wurde mir bewußt, daß Jean=
Baptiste mich anschaute und daß ich nur ein Nachthemd trug. Schnell
setzte ich mich aufs Bett und sagte: „Mir ist kalt, gib doch die Decke
her!" Worauf er sofort die Decke über mich fallen ließ. Unter der
Decke war es zum Ersticken heiß, aber ich deckte mich bis an die

Nasenspitze zu und hielt die Augen zugepreßt und merkte deshalb nicht, daß er die Kerze ausgeblasen hatte.

Am nächsten Morgen stellte sich heraus, daß Marie und Fernand sich zum erstenmal über etwas geeinigt hatten. Gemeinsam hatten sie den Beschluß gefaßt, unser Brautbett mit Rosen zu schmücken. Die Dornen dagegen hatten sie ebenso einträchtig vergessen.

Jean=Baptiste hatte zwar zwei Monate Urlaub genommen, um die ersten Wochen unserer Ehe ungestört mit mir zu verbringen. Aber von dem Augenblick an, an dem die Nachricht von der Vernichtung unserer Flotte bei Aboukir Paris erreichte, mußte er beinahe jeden Morgen im Palais Luxembourg erscheinen, um an den Beratungen der Direktoren mit dem Kriegsminister teilzunehmen. Er hatte in der Nähe unseres Häuschens einen Stall gemietet und zwei Reitpferde eingestellt, und wenn ich an meine Flitterwochen zurückdenke, sehe ich mich immer am späten Nachmittag am Gartentor stehen und Ausschau nach Jean=Baptiste halten. Wenn ich in der Ferne klopp=klopp=klopp hörte, bekam ich Herzklopfen und sagte mir zum tausendstenmal, daß im nächsten Augenblick Jean=Baptiste auf dem gutmütigen Braunen oder dem weniger gutmütigen Rotfuchs sicht=bar werden wird, daß ich mit ihm verheiratet bin, wirklich und wahrhaftig und für immer und — daß ich nicht ein bißchen träume ... Zehn Minuten später saßen wir unter dem Kastanien=baum und tranken Kaffee, und Jean=Baptiste erzählte mir alles, was erst am nächsten Tag im „Moniteur" zu stehen pflegte, und auch jene Dinge, die um Himmels willen nicht bekannt werden durften. Und ich blinzelte zufrieden in die untergehende Sonne und spielte mit den dicken schimmernden Kastanien, die im Gras herumlagen. Die Niederlage bei Aboukir hat auf die Feinde unserer Republik wie ein Signal gewirkt. Rußland rüstet, und die Österreicher, die sich erst vor kurzem bei unserer Regierung für den Schimpf, den sie unserer Fahne in Wien angetan hatten, entschuldigt haben — ja, die Österreicher marschieren wieder. Näherten sich von der Schweiz und von Norditalien aus unseren Grenzen. Die italienischen Staaten unter französischer Herrschaft, die Napoleon so stolz gegründet hatte, empfingen die Österreicher mit offenen Armen, und unsere Generäle befinden sich auf panikartigem Rückzug.

An einem jener Nachmittage kehrte Jean=Baptiste besonders spät zurück. „Sie haben mir das Oberkommando in Italien angetragen, ich soll unsere fliehenden Truppen zum Stillstand bringen und wenigstens die Lombardei halten", murmelte er, während er vom

Pferd sprang. Als wir mit dem Kaffee fertig waren, dämmerte es bereits. Er holte eine Kerze und viele Bogen in den Garten und begann zu schreiben. „Nimmst du das Oberkommando an?" fragte ich einmal dazwischen. Eine fürchterliche Angst griff wie eine kalte Hand um mein Herz und preßte es zusammen. Jean=Baptiste sah flüchtig auf. „Wie bitte? Ach so, ob ich das Oberkommando in Italien annehme? Ja, wenn meine Bedingungen erfüllt werden, ich schreibe sie soeben nieder." Die Feder fuhr wie gejagt über die weißen Bogen. Nachher gingen wir ins Haus, und Jean=Baptiste schrieb in seinem Arbeitszimmer weiter. Ich stellte ihm sein Abend=brot auf den Schreibtisch, aber er bemerkte es nicht. Er schrieb und schrieb. Einige Tage später hörte ich zufällig von Joseph, daß Jean=Baptiste ein ausgezeichnetes Memorandum in bezug auf die italie=nische Front Barras übergeben habe. Welche Truppenanzahl nötig sei, um diese Front zu halten, um richtige Garnisonen anzulegen und von diesen aus in die Schlacht zu marschieren. Aber die Direktoren konnten nicht auf Jean=Baptistes Bedingungen eingehen. Man berief zwar neue Jahrgänge ein, hatte aber weder Waffen noch Uniformen, um die Rekruten auszurüsten. Jean=Baptiste erklärte, daß er unter diesen Umständen die Verantwortung für die italienische Front ab=lehnen müsse. Worauf Kriegsminister Schérer selbst den Oberbefehl übernahm.

Zwei Wochen später war Jean=Baptiste bereits um die Mittags=stunde wieder zu Hause. Ich half gerade Marie beim Einkochen von Pflaumen und lief ihm nun durch den Garten entgegen. „Ich rieche schrecklich nach Küche, nicht küssen!" warnte ich. „Wir kochen Pflaumen ein — so viele, daß du den ganzen Winter jeden Morgen Pflaumenmarmelade zum Frühstück bekommst", teilte ich ihm mit. „Aber ich werde gar nicht hier sein, um deine Marmelade zu essen", sagte er ruhig und trat ins Haus. „Fernand! Fernand — die Feld=uniform vorbereiten, die Satteltaschen wie üblich packen! Aufbruch morgen früh um sieben. Du stellst dich um neun mit meiner Bagage —" Mehr hörte ich nicht. Jean=Baptiste war im oberen Stock=werk verschwunden. Ich stand noch immer wie gelähmt an der Haustür.

Den ganzen Nachmittag verbrachten wir allein im Garten. Die Sonne wärmte nicht mehr richtig, gestorbene Blätter verdeckten den Rasen. Über Nacht war es richtig Herbst geworden. Ich hielt die Hände im Schoß und hörte Jean=Baptiste auf mich einsprechen.

Manchmal ging mir der Sinn seiner Worte verloren, dann lauschte ich nur dem Klang seiner Stimme. Zuerst sprach er zu mir wie zu einem erwachsenen Menschen und dann leise und zärtlich wie zu einem Kind. „Du hast doch immer gewußt, daß ich wieder in den Krieg ziehen werde, nicht wahr? Du bist doch mit einem Offizier verheiratet, du bist eine vernünftige kleine Frau, du mußt dich zusammennehmen und tapfer sein ..."

„Ich will nicht tapfer sein", sagte ich.

„Hör zu — Jourdan hat den Oberbefehl über drei Armeen übernommen. Die Donau=Armee, die sogenannte Schweizer=Armee und die Observations=Armee. Masséna wird mit der Schweizer=Armee versuchen, den Feind an der Schweizer Grenze zurückzuhalten, ich kommandiere die Observations=Armee und marschiere mit meinen Truppen an den Rhein. Den Rhein will ich an drei Punkten überschreiten — beim Fort Louis du Rhin und bei Speyer und Mainz. Ich habe für die Eroberung und Besetzung des Rheinlandes und der daran angrenzenden deutschen Gebiete dreißigtausend Mann verlangt. Man hat sie mir versprochen. Aber die Regierung wird ihr Versprechen nicht halten können. Désirée, ich gehe mit einer Scheinarmee über den Rhein, ich werde den Feind mit einer Scheinarmee zurückwerfen müssen — hörst du mir zu, kleines Mädchen?"

„Es gibt nichts, was du nicht kannst, Jean=Baptiste", sagte ich und liebte ihn so sehr, daß mir Tränen in die Augen traten. Er seufzte nur. „Die Regierung scheint leider mit dir einer Meinung zu sein und wird mich mit einem Haufen jammervoll ausgerüsteter Rekruten den Rhein überschreiten lassen."

„Wir Generäle haben die Republik gerettet, wir Generäle halten sie", murmelte ich. „Das hat Napoleon einmal zu mir gesagt."

„Natürlich. Dafür bezahlt die Republik ihre Generäle, es ist nichts Besonderes."

„Der Mann, bei dem ich heute früh die Pflaumen gekauft habe, hat furchtbar auf die Regierung und unsere Armee geschimpft. Er hat gesagt: ‚Solange der General Bonaparte in Italien war, haben wir immerzu gesiegt, und die Österreicher haben um Frieden gebettelt. Kaum wendet er den Rücken, um den Ruhm unserer Nation bis an die Pyramiden zu tragen, geht es drunter und drüber.' Es ist komisch, welchen Eindruck Napoleons Feldzug auf die einfachen Leute gemacht hat."

„Ja, und daß Napoleons Niederlage bei Aboukir das Signal für einen Überfall unserer Feinde gebildet hat, scheint deinem Pflaumenhändler nicht aufgegangen zu sein. Und daß Napoleon in Italien zwar Schlachten gewann, aber die eroberten Gebiete nie dauerhaft befestigt hat, auch nicht. Jetzt müssen wir mit lächerlich kleinen Truppenkontingenten die Grenzen halten, und Kamerad Bonaparte sonnt sich mit seinem ausgezeichnet ausgerüsteten Korps am Nil und ist der starke Mann!"

„Eine Königskrone liegt in der Gosse, man muß sich nur bücken, um sie aufzuheben", sagte ich. „Wer hat das gesagt?" Jean=Baptiste schrie beinahe die Frage.

„Napoleon."

„Zu dir?"

„Nein, zu sich selbst. Er hat dabei in den Spiegel geschaut. Ich stand zufällig daneben." Dann schwiegen wir lange. Es wurde so dunkel, daß ich Jean=Baptistes Züge nicht mehr unterscheiden konnte. Maries Wutgeschrei unterbrach schließlich die Stille. „Auf meinem Küchentisch werden keine Pistolen geputzt! Hinaus damit — und zwar sofort!" Dann Fernands begütigende Stimme: „Lassen Sie mich wenigstens hier putzen, ich lade sie erst draußen!" Und Marie: „Hinaus mit den Schießgewehren, sage ich!"

„Benutzt du deine Pistolen in einer Schlacht?" fragte ich Jean= Baptiste. „Seitdem ich General bin, sehr selten", kam es aus dem Dunkel. Es war eine lange, lange Nacht. Ich lag viele Stunden allein in unserem breiten Bett und zählte die Glockenschläge der kleinen Kirche von Sceaux und wußte, daß sich Jean=Baptiste unten in seinem Arbeitskabinett über Landkarten beugte und dünne Linien ein= zeichnete und kleine Kreuze und winzige Kreise. Dann muß ich wohl eingeschlafen sein, denn plötzlich schreckte ich auf und hatte das Gefühl, daß etwas Furchtbares geschehen war. Jean=Baptiste lag neben mir und schlief. Meine jähe Bewegung weckte ihn auf. „Ist dir etwas —" murmelte er. „Ich habe etwas Schreckliches geträumt", flüsterte ich. „Daß du fortreitest — in einen Krieg." „Ich reite mor= gen wirklich in einen Krieg", antwortete er. Es muß eine Ange= wohnheit seiner langen Frontjahre sein: Jean=Baptiste kann noch so fest schlafen, wenn er aufgeweckt wird, ist er sofort hellwach. „Ich möchte übrigens etwas mit dir besprechen", sagte er jetzt. „Ich habe schon einige Male darüber nachgedacht. Womit beschäftigst du dich eigentlich den ganzen Tag, Désirée?"

„Beschäftigen? Ja — wie meinst du das eigentlich? Gestern habe ich Marie mit den Pflaumen geholfen. Vorgestern vormittag war ich mit Julie bei der Schneiderin, der Berthier, die seinerzeit mit den

Aristokraten nach England geflüchtet und jetzt zurückgekommen ist. Und letzte Woche habe ich —"

„Aber womit beschäftigst du dich eigentlich, Désirée?"

„Wirklich — mit gar nichts Richtigem", beteuerte ich verwirrt. Er schob seinen Arm unter meinen Kopf und drückte mich an sich. Ich fand es wunderbar, meine Wange an seine Schulter zu legen, ohne von Epauletten gekratzt zu werden. „Désirée, ich möchte, daß dir die Tage während meiner Abwesenheit nicht zu lang werden, und deshalb habe ich mir gedacht, daß du Unterricht nehmen sollst."

„Unterricht? Aber Jean=Baptiste, ich habe seit meinem zehnten Lebensjahr nichts mehr gelernt!" — „Eben deshalb", antwortete er.

„Ich bin mit sechs Jahren zur Schule gekommen, gleichzeitig mit Julie. Die Nonnen haben uns unterrichtet. Aber als ich zehn Jahre alt war, wurden alle Nonnenklöster aufgelöst. Mama wollte Julie und mich selbst weiter unterrichten. Aber es ist nie etwas Richtiges daraus geworden. Wie lange bist du zur Schule gegangen, Jean=Baptiste?"

„Von meinem elften bis zu meinem dreizehnten Lebensjahr. Dann wurde ich aus der Schule geworfen."

„Warum?"

„Einer unserer Lehrer hat Fernand ungerecht behandelt."

„Und da hast du dem Lehrer deine Meinung gesagt?"

„Nein, ich habe ihm eine Ohrfeige gegeben."

„Es war bestimmt das einzig Richtige", sagte ich und drückte mich ganz dicht an ihn. „Ich habe geglaubt, du bist ewig lange zur Schule gegangen, weil du so gescheit bist. Und die vielen Bücher, die du liest . . ."

„Zuerst habe ich nur versucht, Versäumtes nachzuholen. Dann habe ich mir angeeignet, was sie an den Offiziersschulen unter= richten. Aber jetzt will ich mich auch mit einer Menge anderer Fächer vertraut machen. Wenn man zum Beispiel ein besetztes Gebiet verwaltet, muß man doch einen Begriff von Handelspolitik haben, von Jurisprudenz und von — aber mit diesen Dingen brauchst du dich nicht zu beschäftigen, kleines Mädchen! Ich habe mir ge= dacht, daß du Musik= und Anstandsunterricht nehmen sollst."

„Anstandsunterricht? Meinst du Tanzen? Ich kann doch tanzen, ich habe an jedem Bastilletag zu Hause auf dem Rathausplatz getanzt!"

„Ich meine nicht gerade Tanzunterricht", sagte er. „Früher haben junge Mädchen eine Menge anderer Dinge in vornehmen Pen=

sionaten gelernt. Sich verneigen, zum Beispiel. Die Handbewe=
gungen, mit denen eine Dame ihre Gäste einladet, von einem
Raum in den anderen zu gehen —"

„Jean=Baptiste!" sagte ich. „Wir haben doch nur das Eßzimmer!
Sollte jemals ein Gast vom Eßzimmer in dein Arbeitskabinett gehen
wollen, so muß ich deshalb wirklich keine großartigen Hand=
bewegungen machen!"

„Wenn ich irgendwo Militärgouverneur werde, dann bist du die
erste Dame jenes Distriktes und mußt unzählige Würdenträger in
deinen Salons empfangen."

„Salons!" Ich war empört. „Jean=Baptiste — sprichst du schon
wieder von einem Schloß?" Gleichzeitig biß ich ihn lachend in die
Schulter. „Au — aufhören!" schrie Jean=Baptiste. Ich ließ los. „Du
kannst dir nicht vorstellen, wie damals in Wien die österreichischen
Aristokraten und ausländischen Diplomaten nur auf den Moment
gewartet haben, in dem sich der Botschafter unserer Republik bla=
miert. Geradezu gebetet haben sie, ich möchte Fisch mit dem Messer
essen. Tadelloses Auftreten, Désirée, das sind wir unserer Republik
schuldig!" Und nach einer Weile: „Es wäre so schön, wenn du
Klavier spielen könntest, Désirée."

„Ich glaube nicht, daß es schön wäre."

„Aber du bist doch musikalisch", sagte er beschwörend.

„Das weiß ich nicht. Ich habe Musik schrecklich gern. Julie spielt
Klavier, aber es klingt abscheulich. Es ist ein Verbrechen, abscheulich
Klavier zu spielen."

„Ich möchte, daß du Klavierunterricht nimmst und auch etwas
Gesang studierst", sagte er, und es klang, als ob er keine Wider=
rede wünsche. „Ich habe dir doch von meinem Freund, dem Violin=
virtuosen Rodolphe Kreutzer, erzählt. Kreutzer hat mich nach Wien
begleitet, als ich dort Botschafter war. Und er hat einen Wiener
Komponisten zu mir in die Botschaft gebracht — wart einmal, wie
hat er nur geheißen? Ja, Beethoven. Monsieur Beethoven und Kreut=
zer haben viele Abende bei mir musiziert, und ich habe sehr bereut,
daß ich als Kind kein Instrument spielen gelernt habe, aber —" Er
lachte plötzlich aus vollem Hals: „Aber meine Mama war froh,
wenn sie genug Geld hatte, um mir neue Sonntagshosen zu kau=
fen!" Leider wurde er sehr schnell wieder ernst. „Ich möchte unbe=
dingt, daß du Musikunterricht nimmst. Ich habe Kreutzer gestern
gebeten, mir die Adresse eines Musiklehrers aufzuschreiben, du
wirst das Stück Papier im Schubfach meines Schreibtisches finden.

Beginne mit dem Unterricht und schreibe mir regelmäßig über deine Fortschritte."

Wieder krampfte die kalte Hand um mein Herz. Schreibe mir regelmäßig, hatte er gesagt. Schreibe mir ... Briefe, nur Briefe bleiben übrig. Bleigrauer Morgen schimmerte durch die Vorhänge. Ich starre mit weitoffenen Augen die Vorhänge an, deutlich konnte ich jetzt schon ihre blaue Farbe erkennen; langsam begannen sich die Umrisse der eingewebten Blumensträußchen abzuheben. Jean=Baptiste dagegen war wieder eingeschlafen. Eine Faust donnerte gegen unsere Tür. „Melde gehorsamst — halb sechs, mein General!" Das war Fernand. Eine halbe Stunde später saßen wir unten am Frühstückstisch, und ich sah Jean=Baptiste zum erstenmal in seiner Felduniform. Weder Ordensbänder noch Medaillen oder Schärpen unterbrachen das strenge Dunkelblau. Und ich hatte meine Tasse noch gar nicht zum Munde geführt, als der schreckliche Abschied begann: Pferde wieherten, man pochte an die Haustür, ich hörte eine Unzahl fremder Männerstimmen, Sporen klingelten. Fernand riß die Tür auf: „Melde gehorsamst — die Herren sind hier!" — „Eintreten!" sagte Jean=Baptiste, und unser Zimmer füllte sich mit zehn, zwölf mir unbekannten Offizieren, die ihre Hacken zusammenschlugen und mit Säbeln rasselten. Jean=Baptiste machte eine flüchtige Handbewegung: „Die Herren meines Stabes." Ich lächelte mechanisch. „Meine Frau freut sich unendlich, Ihre Bekanntschaft zu machen", erklärte Jean=Baptiste liebenswürdig und sprang auf. „Ich bin fertig. Wir können gehen, meine Herren!" Und zu mir: „Adieu, mein kleines Mädchen. Schreibe regelmäßig. Das Kriegs=ministerium wird mir deine Briefe mit Spezialkurier senden. Leben Sie wohl, Marie, passen Sie mir gut auf Madame auf!"

Schon war er aus der Tür, und mit ihm verschwanden die säbelrasselnden Stabsoffiziere. Ich wollte ihn noch einmal küssen, ging es mir durch den Kopf. Plötzlich begann sich der morgengraue Raum rund um mich zu drehen, die gelben Flammen der Kerzen auf dem Eßtisch zuckten seltsam, zuckten — zuckten — bis es auf einmal ganz schwarz vor meinen Augen wurde. Als ich wieder zu mir kam, lag ich auf dem Bett. Es roch ekelhaft nach Essig. Dicht über mir schwebte Maries Gesicht. „Du bist ohnmächtig geworden, Eugénie", sagte Marie.

Ich schob das Tuch mit dem ekelhaften Essiggeruch von meiner Stirn. „Ich wollte ihn noch einmal küssen, Marie — zum Abschied, weißt du."

*Sceaux bei Paris, in der Neujahrs=
nacht zwischen den Jahren VI
und VII. (Das letzte Jahr des 18.
Jahrhunderts beginnt).*

Die Neujahrsglocken haben mich aus meinem Schreckenstraum ge=
rissen. Die nahe Glocke der Dorfkirche von Sceaux und die fernen
Schläge von Notre=Dame und der anderen Kirchen in Paris. In mei=
nem Traum saß ich im Gartenhäuschen in Marseille und sprach mit
einem Mann, der genauso aussah wie Jean=Baptiste, aber ich wußte,
daß es nicht Jean=Baptiste war, sondern unser Sohn. „Du hast deinen
Anstandsunterricht versäumt, Mama, und die Tanzstunden bei
Monsieur Montel", sagte mein Sohn mit der Stimme von Jean=
Baptiste. Ich wollte ihm erklären, daß ich zu müde dazu gewesen
sei. Aber in diesem Augenblick geschah das Schreckliche: mein Sohn
schrumpfte zusammen, dicht vor meinen Augen wurde er immer
kleiner und war schließlich nur ein Zwerglein, das mir bis zum
Knie reichte. Das Zwerglein, von dem ich wußte, daß es mein Sohn
war, klammerte sich an mein Knie und wisperte: „Kanonenfutter,
Mama — ich bin nur Kanonenfutter und werde an den Rhein kom=
mandiert. Ich selbst schieße nur sehr selten mit Pistolen, aber die
anderen schießen — piff=paff piff=paff!" Dabei schüttelte sich mein
Sohn vor Lachen. Eine wahnsinnige Angst erfaßte mich, ich wollte
nach dem Zwerglein greifen, um es zu beschützen. Aber immer
wieder entglitt es mir und schlüpfte unter den weißen Gartentisch,
ich bückte mich, aber ich war so müde, so schrecklich müde und
traurig. Plötzlich stand Joseph neben mir und hielt mir ein Glas ent=
gegen: „Es lebe die Dynastie Bernadotte!" sagte er und lachte böse.
Ich sah ihm in die Augen und begegnete Napoleons schillerndem
Blick. Da läuteten die Glocken, und ich erwachte.

Jetzt sitze ich in Jean=Baptistes Arbeitszimmer und habe die schwe=
ren Bücher und Landkarten beiseite geschoben, um auf dem Schreib=
tisch ein Plätzchen für mein Buch zu finden. Von der Straße drin=
gen lustige Stimmen und Lachen und beschwipster Gesang herein.
Warum sind alle Leute gut aufgelegt, wenn ein neues Jahr beginnt?
Ich bin so unsagbar traurig. Erstens habe ich mich brieflich mit

Jean=Baptiste zerstritten. Und zweitens habe ich solche Angst vor diesem neuen Jahr. Am Tag nach Jean=Baptistes Abreise fuhr ich gehorsam zu dem Musiklehrer, den uns dieser Rodolphe Kreutzer empfohlen hat. Es war ein spindeldürres Männchen, das in einem unordentlichen Zimmer im Quartier Latin wohnt und seine Wände mit verstaubten Lorbeerkränzen geschmückt hat. Das Männchen, das abscheulich aus dem Mund riecht, sagte mir sofort, daß es nur wegen seiner Gichtfinger gezwungen sei, zu unterrichten. Sonst würde es — das Männchen nämlich — ausschließlich seinen Kon= zerten leben. Ob ich für zwölf Stunden vorausbezahlen könne? Ich bezahlte, und dann mußte ich mich vor ein Klavier setzen und lernte, wie die verschiedenen Noten heißen und welche Taste zu welcher Note gehört. Als ich von der ersten Lektion nach Hause fuhr, wurde mir im Wagen sehr schwindlig, und ich hatte Angst, wieder ohnmächtig zu werden. Seitdem fahre ich zweimal in der Woche ins Quartier Latin und habe auch ein Klavier gemietet, um zu Hause zu üben. (Jean=Baptiste will, daß ich das Klavier kaufe, aber ich finde, es ist schade ums Geld.)

Im „Moniteur" lese ich jeden Augenblick, daß sich Jean=Baptiste auf einem Siegeszug durch Germanien befindet. Aber, obwohl er mir beinahe jeden Tag schreibt, erwähnt er den Krieg niemals in seinen Briefen. Dagegen fragt er immerzu, wie es mit meinen Unter= richtsstunden steht. Ich bin eine sehr schlechte Briefschreiberin, und deshalb sind meine Briefe an ihn immer zu kurz, und es steht nicht darinnen, was ich ihm so gern sagen möchte: daß ich ohne ihn sehr unglücklich bin und mich furchtbar nach ihm sehne. Er dagegen schreibt mir wie ein alter Onkel. Wie wichtig es ist, daß ich meine „Studien" weiterführe und, nachdem er herausgefunden hatte, daß ich noch gar nicht mit dem Tanz= und Anstandsunterricht beginnen wollte, schrieb er wörtlich: „Obwohl ich mich sehne, Dich wieder= zusehen, liegt mir sehr viel daran, daß Du Deine Erziehung vollen= dest. Kenntnisse wie Musik und Tanz sind notwendig. Ich empfehle einige Lektionen bei Monsieur Montel. Ich bemerke, daß ich Dir zu viele gute Ratschläge gebe und schließe deshalb, indem ich Deine Lippen küsse. Dein J.=Bernadotte, der Dich liebt." Ist das der Brief eines Liebsten? Ich ärgerte mich so sehr darüber, daß ich in meinen nächsten Briefen gar nicht auf seine Ratschläge einging und ihm auch nicht erzählte, daß ich jetzt wirklich bei diesem Monsieur Montel Lektionen nehme. Gott weiß, wer ihm diesen parfümierten Ballettänzer, diese Kreuzung von einem Erzbischof und einer Bal=

lerina empfohlen hat, die mich „graziös" vor unsichtbaren Würden=
trägern knicksen läßt und gleichzeitig um mich herumhüpft, um
nachzusehen, ob ich auch von rückwärts charmant wirke, wenn ich
— ebenfalls unsichtbaren — alten Damen entgegengehe, um sie zu
einem — gottlob sichtbaren — Sofa zu geleiten. Man könnte glauben,
Monsieur Montel bereite mich für einen Empfang bei einem Königs=
hof vor. Mich, eine überzeugte Republikanerin, die bestenfalls ab
und zu mit Staatsoberhaupt Paul Barras, von dem es heißt, daß er
junge Mädchen zu kneifen versucht, bei Joseph diniert. Weil ich
nicht über den Anstandsunterricht schrieb, brachte ein Kurier mir
folgenden Brief meines Jean=Baptiste: „Du erwähnst nichts über
Deine Fortschritte in Tanz, Musik und anderen Fächern. Da ich so
weit entfernt bin, freut es mich, daß meine kleine Freundin ihre
Lektionen ausnutzt. Dein J.=Bernadotte." Diesen Brief erhielt ich an
einem Vormittag, an dem mir besonders miserabel zumute war und
ich gar keine Lust hatte aufzustehen. Ich lag einsam im breiten
Doppelbett und wollte weder für Julie, die mich besuchen kam, noch
für mich selbst und meine Gedanken zu Hause sein. Dann kam der
Brief. Auf den Bogen, die Jean=Baptiste auch für seine Privatbriefe
benutzt, steht gedruckt: „République Française" und darunter
„Liberté — Egalité". Ich knirschte mit den Zähnen. Warum soll ich,
die Tochter eines braven Seidenhändlers aus Marseille, durchaus zur
„feinen Dame" erzogen werden? Jean=Baptiste ist wahrscheinlich
ein großer General und einer der „kommenden Männer", aber er ist
doch aus ganz einfacher Familie und überhaupt — in der Republik
sind alle Bürger gleich, und ich will gar nicht in Kreise kommen, in
denen man mit affektierten Handbewegungen seine Gäste herum=
dirigiert. Ich stand deshalb auf und schrieb ihm einen langen
wütenden Brief. Während ich schrieb, weinte ich und machte Tinten=
flecken. Ich habe keinen alten Moralprediger geheiratet, schrieb ich,
sondern einen Mann, von dem ich glaubte, daß er mich versteht, und
das Männchen mit dem häßlichen Atem, das mich Fingerübungen
machen läßt und dieser parfümierte Monsieur Montel können zum
Teufel gehen, ich habe genug von ihnen, genug, genug ... Und
dann versiegelte ich ganz schnell den Brief, ohne ihn durchzulesen,
und bat Marie, sofort einen Wagen zu nehmen und ihn ins Kriegs=
ministerium zu bringen, damit er gleich ins Hauptquartier des Gene=
rals Bernadotte weiterbefördert wird. Am nächsten Tag hatte ich
natürlich bereits Angst, daß Jean=Baptiste richtig böse werden
könnte. Ich fuhr zu meiner Lektion bei Montel und saß nachher zwei

Stunden am Klavier und übte Skalen und versuchte das kleine Mozart=Menuett, mit dem ich Jean Baptiste bei seiner Rückkehr überraschen will. In mir sah es genauso trüb und grau aus wie in unserem Garten mit dem nackten Kastanienbaum. Eine ganze Woche schlich vorüber, und endlich kam Jean=Baptistes Antwortbrief. „Ich habe noch nicht zu wissen bekommen, liebe Désirée, was Du in mei= nem Brief als verletzend empfunden hast . . . Ich will Dich durchaus nicht wie ein Kind behandeln, sondern wie eine liebende und ver= ständnisvolle Gattin. Alles, was ich sage, müßte Dich davon über= zeugen . . ." Und dann begann er schon wieder über die Vollendung meiner Erziehung zu sprechen und teilte mir salbungsvoll mit, daß man seine Kenntnisse durch „harte und ausdauernde Arbeit" erwirbt. Zuletzt verlangte er: „Schreibe mir und sage mir, daß Du mich liebst." Auf diesen Brief habe ich ihm bis heute noch nicht geant= wortet. Denn jetzt ist etwas passiert, was mir weiteres Briefschreiben unmöglich macht. Gestern vormittag saß ich wie so oft allein in Jean=Baptistes Arbeitskabinett und drehte an der Erdkugel herum, die er auf einem Tischchen aufgestellt hat, und wunderte mich, wie viele Länder und Erdteile es gibt, von denen ich gar nichts weiß. Da kam Marie herein und brachte mir eine Tasse Bouillon. „Trink das, du mußt darauf sehen, daß du stärkende Sachen zu dir nimmst", sagte sie. „Warum? Es geht mir doch sehr gut. Ich werde sogar immer dicker. Das Gelbseidene spannt mich bereits in der Taille", meinte ich und schob die Tasse weg. „Außerdem ekelt mir vor fetten Suppen!" Marie wandte sich zur Tür. „Du mußt dich zum Essen zwingen. Du weißt sehr gut, warum." Ich fuhr auf: „Warum?" Marie lächelte. Dann trat sie plötzlich auf mich zu und wollte mich an sich drücken. „Du weißt es selbst, nicht wahr?" Aber ich stieß sie weg und schrie: „Nein, ich weiß es nicht! Und es ist auch nicht wahr, es ist bestimmt nicht wahr!" Dann lief ich hinauf ins Schlafzimmer und sperrte die Tür hinter mir ab und warf mich aufs Bett.

Natürlich hatte ich schon selbst daran gedacht. Aber ich habe den Gedanken immer gleich weggeschoben. Es kann nicht wahr sein, es ist ganz unmöglich, es — ja, es wäre so schrecklich! Es kann doch geschehen, daß aus irgendeinem Grund einmal die bösen Monats= tage ausbleiben, sie können auch zweimal hintereinander ausbleiben, vielleicht auch dreimal. Ich hatte Julie nichts davon gesagt, denn Julie würde mich zu einem Arzt schleppen. Und ich wollte nicht untersucht werden und nicht erfahren, daß —. Marie weiß es, dachte ich. Ich starrte die Zimmerdecke an und versuchte es mir vorzu=

stellen. Es ist etwas ganz Natürliches, sagte ich mir, alle Frauen bekommen Kinder. Mama und Suzanne und – ja, Julie war schon bei zwei Ärzten, weil sie sich so sehr ein Kind wünscht und noch keines hat. Aber Kinder sind eine furchtbare Verantwortung, man muß wahrscheinlich sehr klug sein, um sie zu erziehen und ihnen zu erklären, was man darf und was man nicht darf! Und ich weiß so wenig ... Ein kleiner Junge mit schwarzen Locken wie Jean=Baptiste. Jetzt werden schon die Sechzehnjährigen einberufen, um unsere Grenzen zu verteidigen. Ein kleiner Junge wie Jean=Baptiste, den man mir im Rheinland oder in Italien ermordet. Oder einer, der selbst mit einer Pistole dasteht und die Söhne von anderen Leuten abknallt ... Ich preßte die Hände auf meinen Leib. Ein kleiner neuer Mensch – in mir? Das war doch ausgeschlossen. Mein kleiner Mensch, dachte ich gleichzeitig, du Teilchen meines Ich. Für den Bruchteil einer Sekunde war ich ganz glücklich. Aber dann schalt ich mich aus. Mein kleiner Mensch? Das gibt es nicht, kein Mensch gehört einem anderen. Und warum soll mich mein kleiner Sohn immer verstehen können? Ich finde doch auch Mamas Anschau=ungen veraltet, wie oft gebrauche ich Mama gegenüber kleine Not=lügen. Und ganz genau so wird sich mein Sohn verhalten – er wird mich anlügen und mich altmodisch finden und sich sogar über mich ärgern. Ich habe dich nicht gerufen, du – du kleiner Feind in mir, dachte ich böse. Marie klopfte an die Tür, aber ich machte nicht auf. Dann hörte ich, daß sie wieder hinunter in die Küche ging. Nach einer Weile kehrte sie zurück und klopfte nochmals. Schließlich ließ ich sie ein. „Ich habe die Suppe aufgewärmt", sagte sie. „Du, Marie – damals, als du deinen kleinen Pierre erwartet hast, warst du da sehr glücklich?" Marie setzte sich aufs Bett, und ich legte mich wieder nieder. „Nein, natürlich nicht, ich war doch nicht verheiratet", sagte Marie. „Ich habe gehört, daß man – ich meine, wenn man kein Kind haben will, so kann man – es gibt vielleicht Frauen, die einem helfen können –" brachte ich zögernd hervor. Marie sah mich forschend an. „Ja", sagte sie langsam, „das habe ich auch gehört, meine Schwester war bei so einer Frau, du weißt, sie hat doch sowieso schon so viele Kinder und wollte deshalb keines mehr haben. Nachher war sie sehr lange krank. Jetzt kann sie nie mehr Kinder bekommen und – richtig gesund wird sie auch nicht mehr. Aber die großen Damen – so eine, wie die Tallien zum Beispiel oder die Madame Josephine, die kennen sicher einen richtigen Arzt, der helfen würde. Es ist natürlich verboten." Sie machte eine Pause.

Ich lag mit geschlossenen Augen da und zog meinen Bauch ein und preßte meine Hände darauf. Flach war er, ganz flach. Da hörte ich Marie fragen: „Du willst dir also das Kind nehmen lassen?" „Nein . . . !" Ohne nachzudenken, hatte ich Nein geschrien. Marie stand auf und schien sehr zufrieden. „Komm, iß die Suppe", sagte sie zärtlich: „Und dann setz dich hin und schreib es dem General. Der Bernadotte wird sich freuen." Ich schüttelte den Kopf. „Nein, so etwas kann ich nicht schreiben. Ich wollte, ich könnte es ihm sagen." Dann trank ich die Suppe, kleidete mich an, fuhr zu Monsieur Mon= tel und lernte eine neue Kontra=Tanzfigur.

Heute morgen hatte ich eine große Überraschung. Josephine be= suchte mich! Bisher war sie nur zweimal bei mir gewesen und jedes= mal zusammen mit Julie und Joseph. Aber man konnte ihr nicht anmerken, daß ihr plötzlicher Besuch sehr ungewöhnlich war. Sie war ganz wunderbar gekleidet — ein weißes Kleid aus dünnem Wollstoff, ein winziges, eng anliegendes Hermelinjäckchen und ein hoher schwarzer Postillonhut mit einer weißen Straußfeder. Aber der graue Wintermorgen stand ihr nicht gut, wenn sie lachte, sah man die vielen Fältchen um die Augen, und ihre Lippen schienen sehr trocken zu sein, denn die rosa Schminke klebte so ungleich= mäßig daran. „Ich wollte sehen, wie es Ihnen als Strohwitwe geht, Madame", sagte sie und fügte hinzu: „Wir Strohwitwen müssen doch zusammenhalten, nicht wahr?" Marie brachte uns Stroh= witwen heiße Schokolade, und ich fragte höflich: „Haben Sie regel= mäßig Nachricht von General Bonaparte, Madame?" — „Unregel= mäßig", sagte sie. „Der Bonaparte hat doch seine Flotte verloren, und die Engländer blockieren seine Verbindungsmöglichkeiten. Ab und zu gelingt es einem kleinen Schiff, durchzukommen." Darauf ließ sich nichts antworten. Josephines Blick streifte das Klavier. „Julie hat mir erzählt, daß Sie jetzt Musikunterricht nehmen, Madame", bemerkte sie. Ich nickte. „Spielen Sie auch?" — „Ja, natürlich, seit meinem sechsten Lebensjahr", sagte die ehemalige Vicomtesse. „Ich nehme auch Tanzstunden bei Montel", berichtete ich, „ich möchte meinem Bernadotte keine Schande machen!"

„Es ist nicht so einfach, mit einem General verheiratet zu sein — ich meine, mit einem General, der sich an der Front befindet", sagte Josephine und knabberte an einem Marzipankuchen. „Da kommt es so leicht zu Mißverständnissen." Weiß Gott, dachte ich, dazu kommt es. Mein blödsinniger Briefwechsel mit Jean=Baptiste. „Man kann nicht alles aufschreiben, was man gern möchte", gestand ich. „Nicht wahr?" rief Josephine sofort. „Dafür mischen sich andere Leute in Dinge, die sie gar nichts angehen, und schreiben böswillige Briefe!" Sie trank schnell die Schokolade aus. „Joseph zum Beispiel. Unser gemeinsamer Schwager Joseph . . ." Sie zog ein Spitzentüchlein hervor und betupfte ihre Lippen. „Joseph will nämlich dem Bonaparte schreiben, daß er mich gestern in Malmaison besuchte und dort Hippolyte Charles — Sie erinnern sich doch an Hippolyte, diesen reizenden jungen Armeelieferanten? — also, daß er dort Hippolyte im Schlafrock antraf. So eine Bagatelle will er Bonaparte, der momentan ganz andere Sorgen hat, mitteilen!" — „Warum geht denn Monsieur Charles in einem Schlafrock in Malmaison herum?" fragte ich und konnte wirklich nicht verstehen, warum er kein anderes Kleidungsstück für seine Besuche wählte. „Es war erst neun Uhr morgens", gestand Josephine, „und er war eben noch nicht mit seiner Toilette fertig. Joseph kam nämlich sehr überraschend!" Darauf wußte ich wirklich nichts zu erwidern. „Ich brauche Gesell-schaft, ich kann nicht soviel allein sein, ich war in meinem ganzen Leben nicht allein", sagte Josephine, und ihre Augen wurden feucht. „Und da wir Strohwitwen nun einmal gegen den gemeinsamen Schwager zusammenhalten müssen, so habe ich mir gedacht, daß Sie mit Ihrer Schwester sprechen könnten. Julie soll Joseph davon ab-bringen, an meinen Bonaparte zu schreiben." Also das war es. Das wollte Madame Josephine von mir. „Julie hat gar keinen Einfluß auf die Handlungen Josephs", sagte ich wahrheitsgetreu. Josephines Augen waren die eines erschreckten Kindes. „Sie wollen mir also nicht helfen?"

„Ich gehe heute abend zu einem kleinen Neujahrsdiner zu Joseph, ich werde mit Julie sprechen", sagte ich. „Aber Sie dürfen sich nicht zuviel davon erwarten, Madame."

Josephine sprang sofort erleichtert auf. „Ich habe gewußt, Sie werden mich nicht im Stich lassen! Und warum sehe ich Sie nie bei Theresa Tallien? Sie hat vor zwei Wochen einem kleinen Ouvrard das Leben geschenkt. Sie müssen sich das Kind ansehen!" Und schon an der Eingangstür: „Sie langweilen sich doch nicht in Paris, Madame? Wir müssen bald einmal zusammen ins Theater gehen. Und bitte — sagen Sie Ihrer Schwester, daß Joseph an meinen Bona-parte natürlich schreiben kann, was er Lust hat, nur das mit dem Schlafrock soll er lieber weglassen!" Ich fuhr eine halbe Stunde früher, als besprochen, in die Rue du Rocher. Julie, in einem neuen roten Kleid, das ihr gar nicht stand, weil es ihr von Natur aus recht farbloses Gesicht noch blasser erscheinen ließ, flatterte aufgeregt im Eßzimmer hin und her und ordnete die kleinen versilberten Hufeisen, mit denen sie den Tisch geschmückt hatte, und die uns allen ein glückliches neues Jahr bringen sollten. „Ich habe dir Louis Bonaparte zum Tischherrn gegeben, der dicke Junge ist so langweilig, ich weiß wirklich nicht, wem ich ihn sonst zumuten könnte", bemerkte sie. „Ich wollte dich etwas fragen", sagte ich. „Kannst du nicht Joseph bitten, er soll nichts über den Schlafrock an Napoleon schreiben, ich meine den Schlafrock dieses Monsieur Charles in Malmaison —"

„Der Brief ist an Napoleon bereits abgegangen, jede weitere Diskussion ist überflüssig", sagte Joseph in dieser Sekunde. Ich hatte nicht gehört, daß er ins Eßzimmer getreten war. Nun stand er vor dem Anrichtetisch und schenkte sich ein Glas Kognak ein. „Ich möchte wetten, daß Josephine heute bei Ihnen war, um Sie um Ihre Fürsprache zu bitten. Stimmt das, Désirée?" Ich zuckte die Achseln. „Aber wie Sie dazu kommen, zu ihr zu halten anstatt zu uns, ist mir ein Rätsel", fuhr Joseph empört fort. „Wen verstehen Sie unter ‚zu uns'?" erkundigte ich mich.

„Mich zum Beispiel. Und Napoleon natürlich."

„Sie geht das Ganze gar nichts an. Und Napoleon in Ägypten kann Geschehenes nicht ungeschehen machen. Es wird ihn nur sehr kränken. Wozu ihm also Kummer bereiten?" Joseph betrachtete mich interessiert. „Also immer noch in ihn verliebt, wie rührend . . ." spottete er. „Ich habe geglaubt, Sie hätten ihn längst vergessen."

„Vergessen?" sagte ich erstaunt. „Man kann doch seine erste Liebe nicht vergessen! Napoleon selbst — mein Gott, an ihn denke ich fast nie. Aber mein Herzklopfen von damals und jenes Glücklichsein und alles darauffolgende Herzeleid werde ich nie vergessen." „Und deshalb möchten Sie ihm jetzt eine große Enttäuschung ersparen?" Joseph schien dieses Gespräch Spaß zu machen. Er schenkte sich noch ein Glas ein. „Natürlich, ich weiß doch, wie einem bei einer großen Enttäuschung zumute ist." Joseph grinste vor Vergnügen. „Aber mein Brief an ihn ist bereits unterwegs." „Dann hat es keinen Sinn mehr, darüber zu sprechen", sagte ich. Joseph hatte inzwischen noch zwei Gläser vollgeschenkt. „Kommt, Mädchen — jetzt wünschen wir drei einander ein frohes Neujahr, ihr müßt in Stimmung kommen, jeden Moment können die ersten Gäste erscheinen!" Gehorsam nahmen Julie und ich ihm die Gläser aus der Hand. Aber ich hatte den Kognak noch gar nicht berührt, als mir plötzlich sehr elend wurde. Der Geruch ekelte mich an, und ich stellte das Glas schnell auf den Anrichtetisch zurück. „Ist dir nicht wohl? Du bist ganz grün im Gesicht, Désirée!" rief Julie. Ich spürte Schweißtropfen auf meiner Stirn, ließ mich auf einen Stuhl fallen und schüttelte den Kopf: „Nein, nein — es ist nichts, ich habe das jetzt so oft..." Dabei schloß ich die Augen. „Vielleicht bekommt sie ein Kind", hörte ich Joseph sagen. „Ausgeschlossen, das müßte ich doch wissen", widersprach Julie. „Wenn sie krank ist, muß ich sofort dem Bernadotte schreiben", sagte Joseph eifrig. Schnell riß ich die Augen auf: „Unterstehen Sie sich, Joseph! Sie werden ihm kein Wort davon schreiben. Ich will ihn überraschen!"

„Womit?" fragten Julie und Joseph zugleich. „Mit einem Sohn", erklärte ich und war auf einmal sehr stolz. Julie fiel neben mich auf die Knie und umarmte mich. Joseph sagte: „Vielleicht wird es aber eine Tochter."

„Nein, es wird ein Sohn, der Bernadotte eignet sich nicht für Töchter", meinte ich und stand auf. „Und jetzt gehe ich nach Hause, seid mir nicht böse, aber ich möchte mich lieber nieder= legen und ins neue Jahr hinüberschlafen." Joseph hatte wieder Kognak eingeschenkt, und er und Julie tranken mir zu. Julie hatte feuchte Augen. „Es lebe die Dynastie Bernadotte!" sagte Joseph und lachte. Der Scherz gefiel mir. „Ja, hoffen wir das Beste für die Dynastie Bernadotte", sagte ich. Dann fuhr ich nach Hause. Aber die Glocken haben mich nicht ins neue Jahr hinüberschlafen lassen. Jetzt sind sie längst verstummt, und wir befinden uns schon eine ganze Weile im Jahr VII. Irgendwo in Germanien trinkt Jean= Baptiste mit seinen Stabsoffizieren. Vielleicht trinken sie sogar auf das Wohl von Madame Bernadotte. Aber ich stehe ganz allein diesem neuen Jahr gegenüber. Nein, nicht ganz allein. Jetzt wan= dern wir beide zusammen in die Zukunft — du kleiner ungeborener Sohn. Und hoffen dabei das Beste, nicht wahr? Für die Dynastie Bernadotte!

*Sceaux bei Paris, 17. Messidor.
Jahr VII. (Mama schreibt
wahrscheinlich 4. Juli 1799)*

Ich habe seit acht Stunden einen Sohn.

Er hat dunklen Seidenflaum auf dem Kopf, aber Marie sagt, diese ersten Haare fallen wahrscheinlich aus. Er hat dunkelblaue Augen, aber Marie sagt, daß alle nagelneuen Kinder blaue Augen haben.

Ich bin so schwach, daß alles vor meinen Augen flimmert, und sie wären sehr böse, wenn sie wüßten, daß Marie nachgegeben und mir heimlich mein Buch gebracht hat. Die Hebamme glaubt sogar, daß ich sterben muß. Aber der Arzt meint, daß er mich durch=bringt. Ich habe sehr viel Blut verloren, und jetzt haben sie die unteren Bettpfosten irgendwie erhöht, um die Blutungen zum Still=stand zu bringen.

Vom Wohnzimmer dringt Jean=Baptistes Stimme herauf.

Lieber, lieber Jean=Baptiste.

Sceaux bei Paris, eine Woche später.

Jetzt glaubt nicht einmal mehr die Riesin, meine pessimistische Hebamme nämlich, daß ich sterben werde. Ich liege auf viele Kis=sen gestützt, und Marie bringt mir alle meine Lieblingsspeisen, und morgens und abends sitzt der Kriegsminister von Frankreich an meinem Bett und hält mir lange Vorträge über Kindererziehung. Jean=Baptiste kam vor ungefähr zwei Monaten ganz überraschend zurück. Nach Neujahr hatte ich mich zusammengenommen und ihm wieder geschrieben, aber nur ganz kurze Briefe und gar nicht liebe=voll, weil ich mich so schrecklich nach ihm sehnte und mich gleich=zeitig über ihn ärgerte. Im „Moniteur" las ich, daß er Philippsburg mit dreihundert Mann eroberte — die Stadt wurde von tausend=fünfhundert Soldaten verteidigt — und dann in einem Ort, der Germersheim heißt, sein Hauptquartier aufschlug. Von dort aus zog er nach Mannheim, eroberte die Stadt und wurde Gouverneur von Hessen. Er regierte die Deutschen dieses Gebietes nach den Ge=setzen unserer Republik und verbot die Prügelstrafe und hob die Ghettos auf. Von den Universitäten Heidelberg und Gießen erhielt er begeisterte Dankesbriefe. Ich glaube, es gibt sehr seltsame Völ=ker. Solange man ihre Städte nicht erobert, bilden sie sich aus un=erforschlichen Gründen ein, weitaus tüchtiger und tapferer zu sein als alle anderen Menschen der Welt. Sobald man sie jedoch regel=recht geschlagen hat, beginnt bei ihnen ein Heulen und Zähneklap=pern, wie man es sich kaum vorstellen kann, und viele behaupten, schon seit jeher im geheimen auf seiten ihrer Feinde gestanden zu haben.

Dann bekam Jean=Baptiste Bescheid von Barras, nach Paris zu=rückzukehren, und überließ den Befehl über seine Armee dem Gene=ral Masséna. Eines Nachmittags saß ich wie so oft am Klavier und übte das Mozartmenuett. Es ging jetzt schon ganz gut, nur an einer einzigen Stelle patzte ich regelmäßig. Da öffnete sich hinter mir die Tür. „Marie, das ist das Menuett, mit dem ich unseren General überraschen will. Klingt es nicht schon ganz ordentlich?"

„Es klingt wundervoll, Désirée, und es ist eine ganz große Über=raschung für euren General!" sagte Jean=Baptiste und nahm mich in die Arme, und nach zwei Küssen war es so, als ob wir nie ge=trennt gewesen wären.

Während ich den Tisch deckte, zerbrach ich mir den Kopf dar=
über, wie ich ihm unseren künftigen Sohn ankündigen sollte. Aber
dem Adlerblick meines Helden entgeht nichts, und Jean=Baptiste
fragte unvermittelt: „Sag einmal, kleines Mädchen, warum hast
du mir nicht geschrieben, daß wir einen Sohn erwarten?" (Auch
er dachte keine Sekunde an die Möglichkeit einer Tochter.) Ich
stützte die Arme in die Seiten, runzelte die Stirn und versuchte,
sehr verärgert auszusehen: „Weil ich meinem Moralprediger kei=
nen Kummer bereiten wollte! Du wärest ja ganz verzweifelt bei
dem Gedanken gewesen, daß ich gezwungen sein könnte, die Ver=
vollkommnung meiner Erziehung zu unterbrechen!" Dann trat
ich auf ihn zu. „Aber sei beruhigt, du großer General, dein Sohn
hat bereits unter dem Herzen seiner Mutter mit richtigem Anstands=
unterricht bei Monsieur Montel begonnen!" Jean=Baptiste verbot
mir, weitere Lektionen zu nehmen. Am liebsten hätte er mich über=
haupt nicht mehr aus dem Haus gelassen, so besorgt war er um
meine Gesundheit.

Obwohl ganz Paris von nichts anderem als von einer innerpoliti=
schen Krise sprach und Unruhen — sowohl von seiten der Roya=
listen, die sich wieder stark bemerkbar machen und offen mit den
geflüchteten Aristokraten korrespondieren, als auch von der äußer=
sten Linken, den strengen Jakobinern — befürchtete, merkte ich
wenig davon. Die weißen Kerzen unseres Kastanienbaumes blüh=
ten, und ich saß unter den breiten Zweigen und säumte Windeln ein.
Neben mir beugte sich Julie über ein Steckkissen, das sie für meinen
Sohn nähte. Sie besuchte mich jeden Tag und hoffte, daß ich sie
„anstecken" würde — so innig wünscht sie sich ein Kind! Und ihr
ist es ganz egal, ob es ein Junge oder ein Mädchen wird, sie nimmt,
was kommt, sagt sie. Aber bis jetzt kommt leider nichts ... Nach=
mittags kamen auch oft Joseph und Lucien Bonaparte, und beide
sprachen dann eifrig auf meinen Jean=Baptiste ein. Es scheint, daß
ihm Barras einen Antrag machte, den Jean=Baptiste empört ab=
gelehnt hat. Wir hatten zwar fünf Direktoren, aber nur Barras war
von entscheidender Bedeutung. Außerdem waren sämtliche Parteien
der Republik mit unseren fünf mehr oder minder bestechlichen
Staatsoberhäuptern unzufrieden. Barras wollte nun diese Unzu=
friedenheit ausnutzen und drei seiner Mitdirektoren loswerden.
Gemeinsam mit dem alten Jakobiner Sieyès wollte er das Direk=
torium weiterführen. Da er fürchtete, daß es bei diesem von ihm
geplanten Putsch zu Unruhen kommen könnte, forderte er Jean=

Baptiste auf, ihm als militärischer Ratgeber zur Seite zu stehen. Jean=Baptiste lehnte dies ab. Barras solle sich an die Verfassung halten und, wenn er eine Verfassungsänderung vorschlagen wolle, die Abgeordneten befragen. Joseph fand meinen Mann verrückt. „Sie könnten morgen der Diktator Frankreichs sein, gestützt auf die Bajonette Ihrer Truppen", schrie er. „Eben", sagte Jean=Baptiste ruhig, „und das muß vermieden werden. Sie scheinen zu vergessen, Monsieur Bonaparte, daß ich überzeugter Republikaner bin."

„Aber vielleicht wäre es im Interesse der Republik, wenn sich in Kriegszeiten ein General an die Spitze der Regierung oder, sagen wir, hinter die Regierung stellt", meinte Lucien nachdenklich. Jean= Baptiste schüttelte den Kopf. „Eine Verfassungsänderung ist Sache der Vertreter des Volkes. Wir haben zwei Kammern — den Rat der Fünfhundert, dem Sie selbst angehören, Lucien, und den Rat der Alten, dem Sie wahrscheinlich angehören werden, wenn Sie die Altersgrenze erreicht haben. Die Abgeordneten haben zu entschei= den, aber bestimmt nicht die Armee oder einer ihrer Generäle. Ich fürchte jedoch, wir langweilen die Damen. Was ist das eigentlich für ein komisches Ding, an dem du stichelst, Désirée?" „Ein Jäck= chen für deinen Sohn, Jean=Baptiste."

Vor beinahe sechs Wochen, am 30. Prairial, gelang es Barras, seine drei Mitdirektoren zum Rücktritt zu bewegen. Nun repräsen= tiert er allein mit Sieyès unsere Politik. Die Linksparteien, die im Vordergrund standen, verlangten die Ernennung neuer Minister. An Stelle von Talleyrand wurde unser Gesandter in Genf, ein Mon= sieur Reinhart, Außenminister, und zum Justizminister wurde unser berühmtester Jurist und Feinschmecker, Monsieur Cambacérès, er= nannt. Da wir jedoch an allen Grenzen Krieg führen und die Re= publik auf die Dauer nur verteidigen können, wenn die Zustände in der Armee verbessert werden, so hängt alles von der Wahl eines neuen Kriegsministers ab.

Frühmorgens am 15. Messidor erschien ein Bote aus dem Palais Luxembourg: Jean=Baptiste solle sofort zu den beiden Direktoren kommen, es sei sehr wichtig. Jean=Baptiste ritt zur Stadt, und ich saß den ganzen Vormittag unter dem Kastanienbaum und ärgerte mich über mich selbst. Ich hatte nämlich am Abend vorher ein ganzes Pfund Kirschen auf einen Sitz aufgegessen, und diese Kir= schen rumorten nun in meinem Magen herum, und mir wurde im= mer unbehaglicher zumute. Plötzlich jagte ein Messer durch meinen Leib. Der Schmerz währte nur den Bruchteil einer Sekunde, aber nachher saß ich wie gelähmt. Du lieber Himmel, das hat weh getan! „Marie —" rief ich. „Marie!"

Marie erschien, warf einen Blick auf mich und sagte: „Hinauf ins Schlafzimmer, ich schicke Fernand um die Hebamme!"

„Aber es sind doch nur die Kirschen von gestern abend."

„Hinauf ins Schlafzimmer", wiederholte Marie, nahm mich beim Arm und zog mich in die Höhe. Das Messer meldete sich nicht mehr, und erleichtert lief ich die Treppen hinauf. Dann hörte ich, daß Marie Fernand davonschickte. Fernand war mit Jean=Baptiste aus Germanien zurückgekommen. „Endlich ist der Kerl zu etwas zu gebrauchen", sagte Marie, die ins Schlafzimmer kam und drei Laken über das Bett breitete. „Es sind bestimmt nur die Kirschen", beharrte ich eigensinnig. Im gleichen Augenblick setzte das Messer wieder an und jagte vom Rücken aus durch mich hindurch. Ich schrie, und als es vorüber war, begann ich zu weinen. „Schämst du dich nicht? Hör sofort auf zu weinen!" fuhr mich Marie an. Aber ich konnte ihr ansehen, daß ich ihr furchtbar leid tat. „Julie soll kommen, Julie —" jammerte ich. Julie würde mich bedauern, ganz schrecklich bedauern, und ich sehnte mich sehr danach, bedauert zu werden. Fernand kehrte mit der Hebamme zurück und wurde zu Julie geschickt.

Die Hebamme. Nein, so etwas von einer Hebamme! Sie hatte mich in den letzten Monaten einige Male untersucht und war mir immer unheimlich gewesen, aber jetzt kam sie mir wie eine Riesin aus irgendeinem Gruselmärchen vor. Die Riesin hatte mächtige rote Arme und ein breites Gesicht mit einem richtigen Schnurrbart. Das Unheimlichste jedoch war, daß dieser weibliche Grenadier die Lippen unter dem Schnurrbart stark geschminkt hatte und auf dem wirren grauen Haar ein kokettes weißes Spitzenhäubchen trug. Die Riesin betrachtete mich aufmerksam und, wie mir schien, voll Ver= achtung. „Soll ich mich auskleiden und ins Bett legen?" fragte ich. „Das hat Zeit, bei Ihnen wird es endlos lang dauern", war die Antwort. Im gleichen Augenblick meldete Marie: „Ich habe unten in der Küche kochendes Wasser vorbereitet!" Die Riesin wandte sich sofort zu ihr: „Das eilt nicht, setzen Sie lieber einen Topf Kaffee übers Feuer!"

„Starken Kaffee, nicht wahr? Um Madame aufzumuntern?" er= kundigte sich Marie.

„Nein, um mich aufzumuntern", sagte die Riesin.

Ein endloser Nachmittag ging in einen endlosen Abend über, der

Abend in eine ewig lange Nacht, ein dämmriger Morgen schleppte sich dahin, ein glühendheißer Vormittag wollte nicht vergehen, und dann kamen wieder ein Nachmittag, ein Abend und eine Nacht. Aber nun konnte ich die Tageszeiten nicht mehr voneinander unter= scheiden. Ohne Pause jagte das Messer durch meinen Körper, und wie aus weiter Ferne hörte ich jemanden schreien, schreien, schreien. Zwischendurch wurde es schwarz vor meinen Augen. Dann gossen sie mir Kognak in die Kehle, und ich erbrach und konnte nicht mehr atmen und versank ins Nichts und wurde aufgerissen durch neuen Schmerz. Manchmal fühlte ich Julies Nähe, jemand wischte mir im= mer wieder Stirn und Wangen ab, in Strömen brach der Schweiß aus, mein Hemd klebte an mir, ich hörte Maries ruhige Stimme: „Du mußt mithelfen, Eugénie, mithelfen . . . !" Wie ein Ungetüm neigte sich die Riesin über mich, an der Wand tanzte ihr unförmiger Schatten, viele Kerzen flackerten, es war schon wieder Nacht oder noch immer? „Laßt mich doch, laßt mich allein . . .", jammerte ich und schlug um mich. Da wichen sie zurück, und plötzlich saß Jean= Baptiste an meinem Bett und hielt mich fest in seinen Armen, und ich legte mein Gesicht an seine Wange. Wieder wühlte das Messer in mir, aber Jean=Baptiste ließ mich nicht los.

„Wieso bist du nicht in Paris — im Luxembourg — sie haben dich doch hingerufen?" Die Pein war verebbt, aber meine Stimme klang fremd und keuchend. „Es ist doch Nacht", sagte er. „Und sie haben nicht gesagt, daß du wieder in einen Krieg mußt?" flüsterte ich in meiner Not. „Nein, nein. Ich bleibe hier, ich bin jetzt —" Mehr er= faßte ich nicht, das Messer jagte durch mich, und wie eine Riesen= welle schlug die Qual über mir zusammen. Es kam ein Augenblick, in dem es mir sehr gut ging. Die Schmerzen hatten aufgehört, und ich war so schwach, daß ich nichts mehr denken konnte. Wie auf Wellen lag ich gebettet, ganz leise schaukelte ich dahin, fühlte nichts, sah nichts, hörte — ja, ich hörte. „Ist der Arzt noch immer nicht da? Wenn er nicht bald kommt, ist es zu spät!" Eine vor Auf= regung ganz hohe Stimme, die ich nicht erkenne. Wozu einen Arzt? Es geht mir jetzt so gut, ich schaukele auf den Wellen, die Seine mit den vielen Lichtern . . . Brennend heißer bitterer Kaffee wird mir in den Mund geschüttet. Ich blinzele. „Wenn der Arzt nicht sofort kommt —" Das ist die Riesin. Wie komisch, ich hätte ihr diese aufgeregt hohe Stimme nicht zugetraut, warum hat sie denn den Kopf verloren? Jetzt ist doch bald alles vorüber . . . Aber es war nicht vorüber. Es begann erst richtig. Männerstimmen an der

Tür. „Warten Sie im Wohnzimmer, Herr Kriegsminister, beruhigen Sie sich, Herr Kriegsminister, ich versichere Ihnen, Herr Kriegs= minister —" Wieso Kriegsminister? Wie kommt ein Kriegsminister in mein Zimmer? „Ich beschwöre Sie, Herr Doktor —" Das ist Jean= Baptistes Stimme, geh nicht fort, Jean=Baptiste . . .

Der Arzt gab mir Kampfertropfen und verlangte von der Riesin, daß sie meine Schultern hochhielt. Ich war wieder bei Bewußtsein. Marie und Julie standen zu beiden Seiten des Bettes und hielten Leuchter. Der Arzt war ein kleiner magerer Mann in schwarzem Anzug. Sein Gesicht war im Schatten. Jetzt blitzte etwas, funkelte zwischen seinen Händen. „Ein Messer", schrie ich, „er hat ein Mes= ser!" — „Nein, nur eine Zange", sagte Marie ruhig, „schrei nicht so, Eugénie!" Aber vielleicht hatte er doch ein Messer, denn jetzt jagten wieder die Schmerzen durch meinen Leib, genauso wie vor= her, nur immer schneller, immer schneller, zuletzt ohne Unterbre= chung, in Stücke riß es mich, riß mich — riß mich — bis ich in einen tiefen Schacht fiel und nichts mehr wußte. Die Stimme der Riesin, wieder rauh und gleichgültig: „Es geht zu Ende, Herr Doktor Moulin."

„Vielleicht hält sie doch durch, Bürgerin, wenn nur die Blutungen aufhören." Irgend etwas wimmerte im Zimmer. Hoch und quiekend. Ich möchte gern die Augen aufmachen, aber die Lider sind wie Blei. „Jean=Baptiste — ein Sohn! Ein wunderschöner kleiner Sohn", schluchzt Julie. Auf einmal kann ich die Augen öffnen. Weit, so weit es nur geht. Jean=Baptiste hat einen Sohn. Julie hält ein kleines Bündel weißer Tücher in den Armen, und Jean=Baptiste steht neben ihr. „So klein ist also ein kleines Kind!" sagt er erstaunt und wen= det sich ab und tritt ans Bett. Und kniet nieder und nimmt meine Hand und legt sie an seine Wange. Ganz unrasiert ist die Wange. Und — ja, und naß. Können auch Generäle weinen? „Wir haben einen wunderbaren Sohn, er ist noch klein", berichtete er. „Das ist immer so — am Anfang", forme ich. Meine Lippen sind zerbissen, daß ich kaum sprechen kann. Jetzt zeigt mir Julie das Bündel. Zwi= schen den Tüchern guckt ein krebsrotes Gesichtlein hervor. Das Gesichtlein hat die Augen zugepreßt und sieht beleidigt aus. Viel= leicht ist es nicht gern zur Welt gekommen.

„Ich bitte alle, das Zimmer zu verlassen, die Gattin unseres Kriegsministers braucht Ruhe", rief der Arzt. „Die Gattin unseres Kriegsministers — meint er damit mich, Jean=Baptiste?"

„Ich bin seit vorgestern Kriegsminister von Frankreich", sagte

Jean=Baptiste. „Und ich habe dir nicht einmal gratuliert", murmelte ich. „Du warst ja sehr beschäftigt", lächelte er. Dann legte Julie das kleine Bündel in die Wiege, und nur der Arzt und die Riesin blieben im Zimmer, und ich schlief ein.

Oscar.

Ein ganz neuer Name, den ich noch nie gehört habe. Os=car ... klingt eigentlich hübsch. Angeblich ein nordischer Name. Mein Sohn wird also einen nordischen Namen führen und Oscar heißen. Es ist eine Idee Napoleons, und Napoleon will nämlich durchaus Taufpate werden. Auf den Namen „Oscar" ist er verfallen, weil er momentan in seinem Wüstenzelt die keltischen Heldengesänge des Ossian liest. Als ihn einer der geschwätzigen Briefe Josephs mit der Nachricht, daß ich ein Kind erwarte, erreicht hat, schrieb er: „Wenn es ein Sohn wird, muß Eugénie ihn Oscar nennen. Und ich will Pate stehen!" Von Jean=Baptiste, der schließlich auch in dieser Angelegenheit etwas zu sagen hat, kein Wort. Als wir Jean=Baptiste diesen Brief zeigten, lächelte er. „Wir wollen deinen alten Anbeter nicht beleidigen, kleines Mädchen. Meinethalben kann er Taufpate unseres Jungen werden, und Julie soll ihn bei der Taufe vertreten. Der Name Oscar —"

„Es ist ein scheußlicher Name", sagte Marie, die sich gerade im Zimmer befand. „Ein nordischer Heldenname", warf Julie, die uns Napoleons Brief gebracht hatte, ein.

„Aber unser Sohn ist weder nordisch noch heldenhaft", sagte ich und betrachtete das winzige Gesichtlein meines Bündels, das ich im Arm hielt. Das Gesichtlein ist jetzt nicht mehr rot, sondern gelb. Mein Sohn hat nämlich Gelbsucht, aber Marie behauptet, daß die meisten Neugeborenen ein paar Tage nach der Geburt Gelb= sucht bekommen. „Oscar Bernadotte klingt ausgezeichnet", sagte Jean=Baptiste, und damit war für ihn die Angelegenheit erledigt. „In vierzehn Tagen übersiedeln wir, wenn es dir recht ist, Désirée."

In vierzehn Tagen übersiedeln wir in ein neues Haus. Ein Kriegs= minister muß in Paris wohnen, und deshalb hat Jean=Baptiste eine kleine Villa zwischen der Rue Courcelles und der Rue du Rocher in der Rue Cisalpine gekauft, um die Ecke von Julie. Viel größer als unser Häuschen in Sceaux ist sie auch nicht, aber jetzt werden wir wenigstens neben dem Schlafzimmer ein richtiges Kinderzimmer haben und außer dem Eßzimmer noch einen Salon, damit Jean= Baptiste irgendwo die Beamten und Politiker empfangen kann, die ihn abends oft aufsuchen. Momentan spielt sich alles bei uns im Eßzimmer ab.

Mir selbst geht es herrlich. Marie kocht mir lauter Lieblings=speisen, und ich bin gar nicht mehr so schwach — ich kann mich schon allein aufsetzen. Leider habe ich den ganzen Tag über Be=such, das macht mich sehr müde. Josephine war hier und sogar Theresa Tallien und auch die Schriftstellerin mit dem Mopsgesicht, diese Madame de Staël, die ich nur ganz flüchtig kenne. Außerdem hat mir Joseph feierlich seinen Roman überreicht, er hat nämlich ein Buch verbrochen und fühlt sich jetzt als gottbegnadeter Dichter. Es heißt „Moïna" oder „Das Bauernmädchen von Saint=Denise" und ist eine so langweilige und sentimentale Geschichte, daß ich jedesmal einschlafe, wenn ich darin lese. Und dann kommt Julie und fragt: „Ist es nicht wundervoll?" Übrigens weiß ich genau, daß die vielen Besuche weder mir noch meinem gelben Sohn Oscar gelten, sondern nur der Gattin des Kriegsministers Bernadotte. Diese Dame mit dem Mopsgesicht, die übrigens mit dem schwedischen Ge=sandten verheiratet ist, aber nicht mit ihm zusammen wohnt, weil sie immerfort dichtet und zum Dichten Anregung braucht und diese Anregung nur bei wildlockigen, wildblickenden Dichterjünglingen, in die sie verliebt ist, findet — also, diese Madame de Staël hat mir gesagt, daß Frankreich endlich jene Persönlichkeit gefunden hat, die Ordnung schaffen kann, und daß alle Leute meinen Jean=Baptiste als eigentlichen Regierungschef betrachten. Ich habe auch den Auf=ruf gelesen, den Jean=Baptiste am Tag seiner Ernennung zum Mi=nister an alle Soldaten erlassen hat. Der ist so schön, daß ich Tränen in die Augen bekam. Jean=Baptiste hat ihn an „die Soldaten des Vaterlandes" gerichtet und schreibt darin: „Ich habe Eure schreck=liche Not gesehen. Ich brauche Euch nicht zu fragen, ob Ihr wißt, daß ich dieselbe geteilt habe. Ich schwöre, daß ich mir keinen Augen=blick Ruhe gönnen werde, bis ich Euch Brot, Kleidung, Waffen ver=schafft habe. Und Ihr, Kameraden, Ihr müßt schwören, daß Ihr nochmals diese fürchterliche Koalition brechen werdet. Wir halten die Eide, die wir leisten."

Wenn Jean=Baptiste um acht Uhr abends aus dem Kriegsmini=sterium nach Hause kommt, läßt er sich eine kleine Mahlzeit an meinem Bett servieren, und dann geht er in sein Arbeitskabinett hinunter und diktiert dort einem Sekretär die halbe Nacht lang. Um sechs Uhr früh reitet er bereits in die Rue de Varenne, wo momen=tan das Kriegsministerium untergebracht ist. Und Fernand sagt, daß das Feldbett, das Jean=Baptiste unten im Arbeitskabinett aufgestellt hat, oft ganz unbenützt bleibt. Es ist schrecklich, daß gerade mein Mann ganz allein unsere Republik retten soll. Und dabei hat die Regierung nicht genug Geld, um Waffen und Uniformen für die 90 000 Rekruten, die Jean=Baptiste ausbilden läßt, zu kaufen, und es kommt zu wilden Auftritten zwischen ihm und dem Direktor Sieyès.

Wenn Jean=Baptiste wenigstens abends, wenn er zu Hause arbeiten will, Ruhe hätte! Aber ich höre immerfort Leute kommen und gehen, und Jean=Baptiste erzählte mir erst gestern, daß sich die Vertreter der verschiedenen Parteien große Mühe geben, um ihn auf ihre Seite zu ziehen. Gerade, als er ganz abgespannt und gehetzt sein Abendbrot in sich hineinschaufelte, meldete Fernand, daß Schwager Joseph mit Jean=Baptiste sprechen wolle. „Der hat mir heute noch gefehlt!" stöhnte Jean=Baptiste. „Laß ihn heraufkommen, Fernand." Joseph erschien. Zuerst beugte er sich über die Wiege und sagte, daß Oscar das schönste Kind sei, das er je gesehen habe. Dann wollte er, daß Jean=Baptiste mit ihm hinunter ins Arbeitskabinett gehe. „Ich möchte Sie etwas fragen, und unser Gespräch wird Désirée langweilen", meinte er. Jean=Baptiste schüttelte den Kopf: „Ich habe so wenig Gelegenheit, Désirée zu sehen, ich möchte bei ihr bleiben. Setzen Sie sich und machen Sie es kurz, Bonaparte, ich habe noch einen langen Arbeitsabend vor mir!"

So nahmen beide an meinem Bett Platz. Jean=Baptiste suchte meine Hand. Ruhe und Kraft gingen von seiner leichten Berührung aus, geborgen wie unter einem kleinen Dach lagen meine Finger unter den seinen. Ich schloß die Augen. „Es handelt sich um Napoleon", hörte ich Joseph sagen. „Was würden Sie dazu sagen, wenn Napoleon den Wunsch äußern sollte, nach Frankreich zurückzukehren?"

„Ich würde sagen, daß Napoleon nicht zurückkehren kann, solange ihn der Kriegsminister nicht vom ägyptischen Kriegsschauplatz abberuft."

„Schwager Bernadotte, wir beide müssen einander doch nichts vormachen — auf dem ägyptischen Kriegsschauplatz ist heute ein Oberbefehlshaber von der Bedeutung Napoleons völlig überflüssig. Seitdem die Flotte vernichtet wurde, sind unsere Operationen dort mehr oder minder zum Stillstand gekommen. Und der ägyptische Feldzug kann daher —"

„Als Fiasko bezeichnet werden, ich habe es vorausgesagt."

„Ich wollte mich nicht so kraß ausdrücken. Da jedoch keine ent=
scheidenden Entwicklungen in Afrika bevorstehen, könnte man doch
die Fähigkeiten meines Bruders an anderen Fronten viel besser
ausnützen. Und Napoleon ist schließlich nicht nur Stratege. Sie ken=
nen selbst seine organisatorischen Interessen, er könnte Ihnen hier
in Paris bei der Reorganisation der Armee außerordentliche Dienste
leisten. Überdies —" Joseph zögerte und wartete auf einen Einwurf.
Jean=Baptiste schwieg, ruhig und schützend lag seine Hand auf der
meinen. „Sie wissen, daß sich eine Menge Konspirationen gegen die
Regierung vorbereiten?" kam es jetzt von Joseph. „Das kann mir
als Kriegsminister nicht unbekannt sein. Was hat dies jedoch mit
dem Oberbefehlshaber unseres ägyptischen Expeditionskorps zu
tun?"

„Die Republik braucht einen — ja, sie braucht mehrere starke
Männer. In Kriegszeiten kann sich Frankreich diese Partei=Intrigen
und innerpolitischen Differenzen nicht leisten."

„Sie schlagen also vor, daß ich Ihren Bruder zurückberufen soll,
um die verschiedenen Konspirationen niederzuschlagen. Verstehe ich
Sie recht?"

„Ja, ich dachte, daß —"

„Konspirationen aufzudecken ist Aufgabe der Polizei. Nicht mehr,
nicht weniger."

„Natürlich, wenn es sich um staatsfeindliche Konspirationen han=
delt. Ich kann Ihnen aber verraten, daß einflußreiche Kreise daran
denken, eine Konzentration aller positiven politischen Kräfte her=
beizuführen."

„Was verstehen Sie unter einer Konzentration aller positiven
politischen Kräfte?"

„Zum Beispiel, wenn Sie selbst und Napoleon, die beiden fähig=
sten Köpfe der Republik —"

Weiter kam er nicht. „Hören Sie auf zu faseln! Sagen Sie klipp
und klar: um die Republik von Parteipolitik zu befreien, denken
gewisse Personen an die Einführung einer Diktatur. Mein Bruder
Napoleon wünscht aus Ägypten zurückberufen zu werden, um sich
um die Stellung eines Diktators zu bewerben. Seien Sie doch auf=
richtig, Bonaparte!" Joseph räusperte sich unangenehm berührt.
Dann: „Ich habe heute mit Talleyrand gesprochen. Der Exminister
meint, daß Direktor Sieyès nicht abgeneigt wäre, eine Verfassungs=
änderung zu unterstützen."

„Ich weiß, was sich Talleyrand vorstellt, ich weiß auch, was ein=

zelne Jakobiner wünschen, und ich kann Ihnen sogar verraten, daß vor allem die Royalisten ihre ganze Hoffnung auf eine Diktatur setzen. Was mich betrifft, so habe ich den Eid auf die Republik ab= gelegt und respektiere unter allen Umständen unsere Verfassung. Ist Ihnen diese Antwort deutlich genug?"

„Sie werden verstehen, daß einen Mann von Napoleons Ehrgeiz dieser Müßiggang in Ägypten zur Verzweiflung treiben kann. Außerdem hat mein Bruder in Paris wichtige Privatangelegenheiten zu ordnen. Er beabsichtigt nämlich, sich scheiden zu lassen. Jo= sephines Untreue hat ihn tief getroffen. Wenn mein Bruder nun in seiner Verzweiflung eigenmächtig den Beschluß fassen würde, zu= rückzukehren — was dann?" Jean=Baptistes Finger krampften sich eisern um meine Hand. Aber nur einen flüchtigen Augenblick lang. Dann erschlafften sie wieder, und ich hörte Jean=Baptiste ruhig sagen: „Dann wäre ich als Kriegsminister genötigt, Ihren Bruder vor ein Militärgericht zu stellen, und nehme an, daß er als Deserteur verurteilt und erschossen werden wird."

„Aber Napoleon als glühender Patriot kann nicht länger in Afrika —"

„Ein Oberbefehlshaber gehört zu seinen Truppen. Er hat diese Truppen in die Wüste geführt und er muß bei ihnen verweilen, bis irgendeine Möglichkeit gefunden wird, sie zurückzubringen. Das muß selbst ein Zivilist wie Sie einsehen, Monsieur Bonaparte."

Dann entstand ein Schweigen, das immer drückender wurde. „Ihr Roman ist so spannend geschrieben, Joseph", sagte ich schließlich. „Ja, man gratuliert mir auch von allen Seiten", bemerkte Joseph in seiner gewohnten Bescheidenheit und erhob sich endlich. Jean= Baptiste begleitete ihn hinunter.

Ich versuchte einzuschlafen. Im Halbschlaf erinnerte ich mich an ein kleines Mädchen, das mit einem unscheinbaren, mageren Offizier um die Wette lief und an einer mondhellen Hecke haltmachte. Un= heimlich weiß wirkte das verkrampfte Gesicht des Offiziers im Mondschein. „Ich zum Beispiel — ich spüre mein Schicksal. Meine Bestimmung", sagte der Offizier. Das junge Mädchen kicherte. „Du glaubst an mich, Eugénie, nicht wahr? Was immer auch geschieht?" Er wird plötzlich aus Ägypten zurückkommen, dachte ich. Ich kenne ihn, er wird zurückkommen und die Republik zerstören, wenn er eine Möglichkeit dazu sieht. Nichts liegt ihm an der Republik, nichts an den Rechten ihrer Bürger, nicht begreifen wird er einen Mann wie Jean=Baptiste, nie begriffen hat er solche Männer. „Meine kleine

Tochter, wann immer und wo immer Menschen in Zukunft ihren Brüdern das Recht der Freiheit und Gleichheit nehmen, niemand wird von ihnen sagen: Herr vergib ihnen, denn sie wissen nicht, was sie tun." Jean=Baptiste und Papa hätten einander verstanden.

Als es elf Uhr schlug, trat Marie herein, hob Oscar aus der Wiege und legte ihn mir an die Brust. Auch Jean=Baptiste kam herauf, er weiß, daß ich um diese Stunde Oscar seine Nachtmahlzeit gebe.

„Er wird zurückkommen, Jean=Baptiste", sagte ich.

„Wer?"

„Der Taufpate unseres Sohnes. Wie wirst du dich verhalten?"

„Wenn ich die nötigen Vollmachten erhalte, werde ich ihn er= schießen lassen."

„Und — wenn nicht?"

„Dann wird er sich wahrscheinlich die nötigen Vollmachten neh= men und mich erschießen lassen. Gute Nacht, kleines Mädchen!"

„Gute Nacht, Jean=Baptiste."

„Aber zerbrich dir nicht mehr den Kopf darüber, ich habe natür= lich nur Spaß gemacht."

„Ich verstehe, Jean=Baptiste, gute Nacht!"

Paris, 18. Brumaire des Jahres VII.
(Im Ausland: 9 November 1799.
unsere Republik erhält eine
neue Verfassung!)

Er ist zurückgekommen.

Und hat heute einen coup d'état durchgeführt und ist seit ein paar Stunden Frankreichs Staatsoberhaupt. Mehrere Abgeordnete und Generäle sind bereits verhaftet worden. Jean=Baptiste sagt, daß wir jeden Augenblick eine Hausdurchsuchung der Staatspolizei er= warten können. Es wäre unausdenkbar schrecklich für mich, wenn mein Tagebuch zuerst dem Polizeidirektor Fouché und dann Napo= leon selbst in die Hände fallen würde. Die beiden würden sich über mich halbtot lachen . . . Deshalb beeile ich mich, noch in dieser Nacht alles, was sich zugetragen hat, aufzuschreiben. Dann werde ich das Schloß des Buches versperren und meine Aufzeichnungen Julie zur Aufbewahrung geben. Schließlich ist Julie die Schwägerin unseres neuen Machthabers, und Napoleon wird hoffentlich niemals seine Polizei in ihrer Kommode herumkramen lassen.

Ich sitze im Salon unseres neuen Hauses in der Rue Cisalpine. Im Speisezimmer nebenan höre ich Jean=Baptiste auf und ab gehen. Auf und ab, auf und ab. „Wenn du gefährliche Aufzeichnungen hast, dann gib sie mir! Ich bringe sie morgen früh mit meinem Tagebuch zu Julie!" habe ich ihm soeben zugerufen. Aber Jean= Baptiste hat nur den Kopf geschüttelt: „Ich habe keine — wie drückst du dich aus? — ja, gefährliche Aufzeichnungen. Und meine Ansicht über seinen Hochverrat kennt Bonaparte genau." Fernand machte sich im Zimmer zu schaffen, und ich fragte ihn, ob noch immer so viele Leute in schweigenden Gruppen vor unserem Hause herum= stehen. Er bejahte. „Was wollen nur diese Leute?" zerbrach ich mir den Kopf. Fernand steckte eine neue Kerze in den Leuchter vor mir und sagte: „Sie warten, was mit unserem General geschieht. Es heißt, daß unser General von den Jakobinern aufgefordert worden ist, das Kommando über die Nationalgarde zu übernehmen —" Fernand kratzte sich geräuschvoll und nachdenklich den Schädel und überlegte, ob er mir die Wahrheit sagen sollte. „Ja, und die Leute glauben, daß unser General verhaftet werden wird. Den General Moreau haben sie nämlich schon geholt."

Ich bereite mich auf eine lange Nacht vor. Jean=Baptiste rennt nebenan auf und ab, ich schreibe, die Stunden tropfen, wir warten. Ja, er kam ganz plötzlich zurück. Genauso, wie ich es vorausgeahnt hatte. Vier Wochen und zwei Tage ist es her, da sprang um sechs Uhr morgens ein erschöpfter Kurier vor Josephs Haus vom Pferd und meldete: „General Bonaparte ist ganz allein mit seinem Sekretär Bourrienne im Hafen Fréjus gelandet. In einem winzigen Handels= schiff, das allen Fallen der Engländer entging. Er hat eine Extrapost gemietet und wird jeden Augenblick in Paris eintreffen." Joseph kleidete sich hastig an, holte Lucien ab, und beide Brüder nahmen dann in der Rue de la Victoire Aufstellung. Ihre Stimmen weckten Josephine auf. Als sie erfuhr, was geschehen war, riß sie ihr neue= stes Kleid aus dem Schrank, packte mit fliegenden Händen ihre Schmuckkassette zusammen und stürzte sich wie eine Verrückte in ihren Wagen. Dann fuhr sie Napoleon durch die südlichen Vorstädte entgegen. Erst im Wagen legte sie Rouge auf. Die Scheidung mußte verhindert werden, Napoleon sollte zuerst mit ihr allein sprechen, bevor ihn Joseph beeinflussen konnte. Kaum war Josephines Wagen außer Sehweite, so fuhr Napoleons Extrapost in der Rue de la Victoire vor. Die beiden Wagen waren dicht aneinander vorübergefahren. Napoleon sprang heraus, die beiden Brüder liefen ihm entgegen, gegenseitiges Schulterklopfen folgte. Dann schlossen sich die drei in einem der kleinen Salons ein.

Um die Mittagsstunde kehrte eine erschöpfte Josephine zurück und öffnete die Tür des Salons. Napoleon musterte sie von oben bis unten. „Madame, wir haben einander nichts mehr zu sagen, ich leite morgen die Scheidung ein und wäre Ihnen dankbar, wenn Sie inzwischen Wohnsitz in Malmaison nehmen würden. Ich werde mich inzwischen um ein neues Haus für mich umsehen." Josephine schluchzte auf. Napoleon wandte ihr den Rücken zu, und Lucien geleitete sie in ihr Schlafzimmer hinauf. Die drei Brüder Bonaparte setzten ihre stundenlange Beratung fort, später nahm auch Ex= minister Talleyrand daran teil. Inzwischen hatte sich in Paris wie ein Lauffeuer die Nachricht verbreitet, General Bonaparte sei siegreich aus Ägypten heimgekehrt. Neugierige scharten sich um sein Haus, eifrige Rekruten tauchten auf und schrien „Vive Bonaparte!" und Napoleon zeigte sich am Fenster und winkte hinunter. Josephine saß unterdessen auf ihrem Bett und schüttelte sich in Weinkrämpfen, während ihre Tochter Hortense versuchte, ihr beruhigenden Kamillentee einzuflößen. Erst um die Abendstunden blieben Bourrienne und Napoleon allein. Napoleon begann Briefe an zahllose Abgeordnete und Generäle zu diktieren, um ihnen seine glückliche Heimkehr persönlich mitzuteilen. Dann erschien Hortense bei ihm — noch immer eckig und mager, noch immer farblos und schüchtern, aber bereits wie eine junge Dame gekleidet. Die lange, etwas hängende Nase gab ihrem Gesicht etwas Altkluges. „Könnten Sie nicht mit Mama sprechen, Papa Bonaparte?" flüsterte sie. Aber Napoleon verscheuchte sie nur wie eine lästige Fliege. Erst um Mitternacht entließ er Bourrienne. Während er noch nachdachte, auf welchem der gebrechlichen Goldsofas er sein Nachtlager aufschlagen sollte, da sich Josephine noch immer im Schlafzimmer aufhielt, unterbrach lautes Schluchzen vor der Tür seine Überlegungen. Er ging rasch zur Tür und versperrte sie. Josephine stand volle zwei Stunden vor dieser Tür und weinte. Dann öffnete er. Am nächsten Morgen erwachte er in Josephines Schlafzimmer. Diese Ereignisse hat Julie, die sie von Joseph und Bourrienne hörte, brühwarm berichtet. „Und weißt du, was Napoleon zu mir gesagt hat?" setzte sie noch hinzu. „Er hat gesagt: Julie, wenn ich mich von Josephine scheiden lasse, weiß ganz Paris, daß sie mich betrogen hat, und lacht mich aus. Bleibe ich jedoch bei ihr, dann wird man einsehen, daß ich meiner Frau nicht das geringste vorzuwerfen habe und daß es sich nur um böswilliges Gerede gehandelt hat. Ich darf mich jetzt unter keinen Umständen lächerlich machen. — Eine merkwürdige Einstellung, findest du nicht, Désirée?" Dann plapperte sie weiter. „Junot ist auch aus Ägypten zurückgekommen. Und Eugène de Beauharnais. Überhaupt, beinahe täglich landen jetzt heimlich Offiziere der ägyptischen Armee in Frankreich. Junot hat uns erzählt, daß Napoleon in Ägypten eine blonde Geliebte zurückgelassen hat. Eine gewisse Madame Pauline Fourès, die er ‚Bellilote' genannt hat. Sie ist die Frau eines jungen Offiziers und hat ihren Mann heimlich nach Ägypten begleitet. In eine Uniform verkleidet, stell dir das vor! Als Napoleon seinerzeit Josephs Brief über Josephine erhielt, ist er zuerst zwei Stunden wie ein Wahnsinniger vor seinem Zelt auf und ab gelaufen, dann hat er sich diese Bellilote kommen lassen und mit ihr soupiert." — „Was ist jetzt aus ihr geworden?" fragte ich. Julie begann zu lachen. „Sie sagen — Junot und Murat und die anderen —, daß Napoleon sie gleichzeitig mit dem Oberkommando über die Armee in Ägypten seinem Nächstkommandierenden übergeben hat." — „Und wie sieht er aus?" — „Der Nächstkommandierende?" — „Sei nicht dumm, Napoleon natürlich!" Julie wurde nachdenklich. „Du — er hat sich verändert. Vielleicht hängt es mit seiner Frisur zusammen, er hat sich ja in Ägypten die Haare abschneiden lassen, und sein Gesicht wirkt dadurch voller und weniger unregelmäßig. Aber es ist nicht nur das, nein — bestimmt nicht. Übrigens wirst du ihn ja Sonntag selbst sehen, ihr kommt doch zum Mittagessen nach Mortefontaine?"

Vornehme Pariser besitzen ein Landhaus, und Dichter irgendeinen Garten, in dessen Schatten sie sich zurückziehen können. Da sich Joseph sowohl als vornehmer Pariser als auch als Dichter fühlt, hat er die reizende Villa Mortefontaine mit dem dazugehörenden großen Park gekauft. Eine Wagenstunde von Paris entfernt. Und nächsten Sonntag sollten wir dort gemeinsam mit Napoleon und Josephine speisen.

Es wäre bestimmt niemals zu den Ereignissen des heutigen Tages gekommen, wenn Jean=Baptiste bei der Rückkehr Napoleons noch Kriegsminister gewesen wäre. Aber kurz vorher hatte er wieder eine seiner heftigen Auseinandersetzungen mit Direktor Sieyès, und in seinem Ärger suchte er um seinen Rücktritt nach. Wenn ich jetzt alles überlege und daran denke, daß Sieyès Napoleon bei seinem Putsch unterstützt hat, so kommt es mir sehr wahrscheinlich vor, daß dieser Direktor Napoleons Rückkehr vorausahnte und jene Szene absichtlich herbeiführte, um Jean=Baptiste zur Demission zu zwingen. Jean=Baptistes Nachfolger wagte nicht, Napoleon vor ein Kriegs= gericht zu stellen, weil sich einzelne Generäle und der Kreis der Ab= geordneten, der sich um Joseph und Lucien scharte, zu sehr über seine Heimkehr freuten. In jenen Herbsttagen erhielt Jean=Baptiste viele Besuche. General Moreau kam beinahe täglich und erklärte, man müsse von seiten der Armee einschreiten, wenn Bonaparte „es" wagen sollte. Ein Trupp jakobinischer Gemeinderäte von Paris marschierte auf und fragte an, ob General Bernadotte das Kom= mando über die Nationalgarde übernehmen würde, wenn es zu Un= ruhen käme. Jean=Baptiste antwortete ihnen, daß er dieses Kommando sehr gern übernehmen wollte, aber er müsse zuerst damit betraut werden. Dies könne jedoch nur die Regierung, das heißt der Kriegs= minister veranlassen. Worauf die Gemeinderäte enttäuscht ab= zogen.

Am Vormittag jenes Sonntags, an dem wir nach Mortefontaine sollten, hörte ich plötzlich eine sehr wohlbekannte Stimme in unserem Salon. „Eugénie — ich will mein Patenkind sehen!" Ich lief hinunter, und da stand er, braungebrannt, mit kurzgeschorenen Haaren. „Wir wollen Sie und Bernadotte überraschen. Sie beide sind doch auch in Mortefontaine eingeladen, und da haben Josephine und ich gedacht, wir könnten Sie abholen. Ich muß doch Ihren Sohn kennenlernen und das neue Haus bewundern, und Kamerad Ber= nadotte habe ich seit meiner Rückkehr noch nicht gesehen!" — „Sie sehen ausgezeichnet aus, meine Liebe", kam es jetzt von Josephine, die schmal und graziös an der Verandatür lehnte. Jean=Baptiste er= schien, und ich lief in die Küche und bat Marie, Kaffee zu kochen und Likör zu servieren. Als ich zurückkam, hatte Jean=Baptiste bereits Oscar geholt, und Napoleon beugte sich über unser Bündel= chen, machte „tititi" und versuchte es am Kinn zu kitzeln. Oscar ließ sich das nicht gefallen und begann schrill zu weinen. „Für Nach= wuchs in der Armee wird gesorgt, Kamerad Bernadotte!" lachte Napoleon und klapste Jean=Baptiste freundschaftlich auf den Arm. Ich rettete unseren Sohn aus den Armen seines Vaters, der ihn steif von sich abhielt und behauptete, er sei ausgesprochen feucht.

Während wir Maries bittersüßen Kaffee tranken, verwickelte mich Josephine in ein Gespräch über Rosen. Rosen sind ihre Leidenschaft, und ich hatte bereits gehört, daß sie in Malmaison einen kostbaren Rosengarten anlegen lassen will. Nun entdeckte sie, daß vor unserer Veranda einige recht kümmerliche Rosenbäumchen angepflanzt sind, und wollte wissen, ob und wie ich sie pflege. Deshalb hörte ich dem Gespräch zwischen Jean=Baptiste und Napoleon nicht zu. Aber Jo= sephine und ich verstummten plötzlich, weil Napoleon sagte:

„Ich höre, daß Sie mich, wenn Sie noch Kriegsminister wären, vor ein Kriegsgericht stellen und erschießen lassen würden, Kame= rad Bernadotte. Was werfen Sie mir eigentlich vor?"

„Ich glaube, Sie kennen unser Dienstreglement ebensogut wie ich, Kamerad Bonaparte", sagte Jean=Baptiste und fügte lächelnd hinzu: „Besser noch, nehme ich an. Sie hatten den Vorzug, die Kriegs= akademie zu besuchen und Ihren aktiven Dienst als Offizier zu beginnen, während ich sehr lange als Gemeiner diente, wie Sie vielleicht gehört haben."

Napoleon beugte sich vor und suchte Jean=Baptistes Blick. In diesem Augenblick wurde mir die Veränderung, die mit ihm vor= gegangen war, richtig klar. Die kurzen Haare ließen seinen Kopf rund und seine hageren Wangen voller erscheinen. Mir war übrigens nie aufgefallen, wie scharf markiert sein Kinn war. Beinahe eckig sprang es vor. Aber all dies unterstrich nur die Veränderung und bewirkte sie nicht. Entscheidend war nämlich sein Lächeln. Dieses einst so geliebte und später von mir gefürchtete Lächeln, das früher nur selten und sehr flüchtig das angespannte Gesicht erhellt hatte. Plötzlich verließ es seinen Mund nicht mehr, war werbend geworden, bettelte und forderte zugleich. Aber was forderte eigentlich dieses unausgesetzte Lächeln und — wem galt es? Jean=Baptiste natürlich. Jean=Baptiste sollte gewonnen, sollte zum Freund, zum Vertrauten, zum begeisterten Anhänger werden. „Ich kehre aus Ägypten zurück, um mich dem Vaterland neuerlich zur Verfügung zu stellen, da ich meine afrikanische Mission als beendet betrachte. Gleichzeitig sagen Sie, daß Frankreichs Grenzen gesichert sind, daß Sie als Kriegs= minister versucht haben, hunderttausend Mann Infanterie und vier= zigtausend Mann Kavallerie aufzustellen. Die paar tausend Mann, die ich in Afrika zurückließ, können daher für die französische Armee, die Sie um hundertvierzigtausend Mann vergrößert haben, nichts bedeuten. Während ein Mann wie ich für die Republik in ihrer gegenwärtig so verzweifelten Lage —" „Die Lage ist gar nicht so verzweifelt", sagte Jean=Baptiste. „Nicht?" lächelte Napoleon. „Seit dem Augenblick meiner Rückkehr erzählt man mir von allen Seiten, die Regierung sei nicht mehr Herrin der Lage. Die Royalisten machen sich wieder in der Vendée bemerkbar, und gewisse Kreise in Paris korrespondieren offen mit den Bourbonen in England. Der Manège=Klub dagegen bereitet eine jakobinische Revolution vor. Sie wissen wahrscheinlich, daß der Manège=Klub das Direktorium zu stürzen beabsichtigt, Kamerad Bernadotte?" „Was den Manège= Klub betrifft, so sind Sie bestimmt besser über dessen Ziele und Ab= sichten unterrichtet als ich", sagte Jean=Baptiste langsam. „Ihre Brüder Joseph und Lucien haben ihn nämlich gegründet und leiten seine Sitzungen."

„Meiner Ansicht nach ist es Pflicht der Armee und ihrer Führer, alle positiven Kräfte zu sammeln, für Ruhe und Ordnung zu bürgen und eine Regierungsform zu finden, die den Idealen der Revolution würdig ist", kam es beschwörend von Napoleon.

Da mich das Gespräch langweilte, wandte ich mich wieder Jose= phine zu. Aber zu meinem Erstaunen hingen ihre Blicke voll ge= spannter Aufmerksamkeit an Jean=Baptiste, als ob seine Antwort entscheidend sei. „Jedes Eingreifen der Armee oder ihrer Führer, um eine Verfassungsänderung gewaltsam herbeizuführen, be= trachte ich als Hochverrat", lautete Jean=Baptistes Antwort.

Das werbende Lächeln verließ noch immer nicht Napoleons Ge=

sicht. Bei dem Wort Hochverrat hob Josephine die schmalgezupften Brauen. Ich schenkte frischen Kaffee ein.

„Wenn man nun von allen Seiten — ich betone, von allen Seiten — an mich herantreten und mir vorschlagen würde, eine Konzen=tration aller positiven Kräfte herbeizuführen und mit Hilfe auf=rechter Männer eine neue Verfassung auszuarbeiten, die den wah=ren Wünschen des Volkes entspricht — Kamerad Bernadotte, würden Sie mir beistehen? Darf der Kreis der Männer, der die Ideen der Revolution verwirklichen will, auf Sie zählen? Jean=Baptiste Ber=nadotte — darf Frankreich mit Ihnen rechnen?" Napoleons graue Augen saugten sich an Jean=Baptiste fest und schimmerten feucht. Klirrend setzte Jean=Baptiste seine Tasse nieder: „Hören Sie einmal, Bonaparte, wenn Sie gekommen sind, um mich bei einer Tasse Kaffee zum Hochverrat aufzufordern, dann muß ich Sie bitten, mein Haus zu verlassen." Weggewischt war der feuchte Glanz in Na=poleons Augen, unheimlich wirkte jetzt sein mechanisches Lächeln. „Sie würden also mit der Waffe in der Hand gegen jenen Kreis Ihrer Kameraden, der von der Nation betraut wurde, die Republik zu retten, vorgehen?" Tiefes Lachen zerschnitt plötzlich die Spannung, herzlich und unbeherrscht schüttelte sich Jean=Baptiste vor Heiter=keit: „Kamerad Bonaparte, Kamerad Bonaparte! Während Sie in Ägypten in der Sonne gelegen sind, hat man mir nicht ein=, sondern mindestens drei= oder viermal angedeutet, daß ich den starken Mann spielen und, gedeckt von den Bajonetten unserer Truppen, so etwas wie eine — wie nennen Sie es und Ihr Bruder Jo=seph? — ja, eine Konzentration aller positiven Kräfte herbeiführen soll. Aber ich habe abgelehnt. Wir haben zwei Kammern, in denen es von Abgeordneten wimmelt, und wenn die Herren Volksvertreter und ihre Wähler unzufrieden sind, so können sie ja eine Ver=fassungsänderung beantragen. Was mich persönlich betrifft, so glaube ich, daß wir auch auf Grund der bestehenden Verfassung Ruhe und Ordnung aufrechterhalten und unsere Grenzen verteidigen können. Sollten sich jedoch die Volksvertreter ohne äußeren Zwang zu einer anderen Regierungsform entschließen, so geht dies weder die Armee noch mich etwas an."

„Sollten sich jedoch die Abgeordneten unter äußerem Zwang zu einer Verfassungsänderung entschließen, Kamerad Bernadotte, wie würden Sie sich dann verhalten?"

Jean=Baptiste stand auf, trat an die Verandatür, und es sah aus, als suche er draußen im herbstlichen Grau seine Worte. Napoleons

Blick bohrte sich in den dunklen Uniformrücken, der uns zugekehrt war. Die kleine, wohlbekannte Ader an seiner rechten Schläfe pochte. Plötzlich wandte sich Jean=Baptiste um, trat auf den sitzenden Na= poleon zu und ließ ihm schwer die Hand auf die Schulter fallen.

„Kamerad Bonaparte — ich habe unter Ihrem Oberkommando in Italien gekämpft, ich habe gesehen, wie Sie Feldzüge vorbereiten, und ich sage Ihnen, Frankreich besitzt keinen besseren Befehls= haber als Sie. Das können Sie einem alten Sergeanten glauben. Aber was Ihnen da die Politiker vorschlagen, ist eines Generals der re= publikanischen Armee unwürdig. Tun Sie es nicht, Bonaparte!"

Napoleon betrachtete aufmerksam die Gänseblümchen, die ich in die Tischdecke gestickt hatte, und verzog keine Miene. Jean=Baptiste ließ die Hand von seiner Schulter gleiten und ging ruhig auf seinen Platz zurück. „Wenn Sie es jedoch trotzdem versuchen, dann werde ich Sie und Ihre Anhänger mit der Waffe in der Hand bekämpfen, vorausgesetzt —" Napoleon sah auf: „Vorausgesetzt?"

„Vorausgesetzt, daß ich von seiten der gesetzmäßigen Regierung dazu beauftragt werde."

„Wie eigensinnig Sie sind", murmelte Napoleon. Dann schlug Josephine vor, wir sollten nach Mortefontaine aufbrechen. Julies Landhaus war voll von Gästen. Wir trafen dort Talleyrand und Fouché und natürlich Napoleons persönliche Freunde, die Generäle Junot, Leclerc und Marmont. Alle waren angenehm überrascht, weil Jean=Baptiste gemeinsam mit Napoleon erschien. Nach dem Essen bemerkte Fouché zu Jean=Baptiste: „Ich wußte gar nicht, daß Sie mit General Bonaparte befreundet sind." — „Befreundet? Wir sind auf jeden Fall verschwägert", antwortete Jean=Baptiste. Fouché lächelte: „Manche Leute sind in der Wahl ihrer Verwandtschaft überaus klug." Worauf Jean=Baptiste gut gelaunt bemerkte: „Was mich betrifft, so habe ich mir weiß Gott diese Verwandtschaft nicht ausgesucht!"

In den darauffolgenden Tagen sprach ganz Paris von nichts ande= rem als davon, ob Napoleon „es" wagen würde oder nicht. Einmal fuhr ich zufällig durch die Rue de la Victoire und sah, daß viele junge Leute vor Napoleons Haus standen und taktfest im Chor „Vive Bonaparte" zu den geschlossenen Fenstern hinaufschrien. Fernand behauptet, daß diese Burschen für ihre Begeisterungsaus= brüche bezahlt werden, aber Jean=Baptiste sagt, daß viele die Geld= summen, die Napoleon seinerzeit aus den eroberten italienischen Staaten herausgepreßt und nach Paris geschickt hat, nicht vergessen können. Als ich gestern früh in unser Eßzimmer trat, wußte ich sofort: Heute! Heute geschieht „es". Joseph hielt Jean=Baptiste an einem Uniformknopf gefaßt und redete fieberhaft auf ihn ein. Er wollte ihn überreden, mit ihm sofort zu Napoleon zu gehen. „Aber Sie müssen ihn wenigstens anhören, dann werden Sie selbst ein= sehen, daß er die Republik retten will", sagte Joseph. Und Jean= Baptiste: „Ich kenne seine Pläne, und sie haben nichts mit der Re= publik zu tun." Darauf Joseph: „Zum letztenmal — weigern Sie sich, meinem Bruder beizustehen?" Und Jean=Baptiste: „Zum letzten= mal — ich weigere mich, an jeder Form von Hochverrat teilzu= nehmen." Joseph, plötzlich zu mir gewandt: „Bringen Sie ihn doch zur Vernunft, Désirée!" Und ich: „Darf ich Ihnen eine Tasse Kaffee bringen, Joseph? Sie sind so aufgeregt." Joseph lehnte ab und ver= schwand, und Jean=Baptiste trat an die Verandatür und starrte in den herbstlich nackten Garten hinaus.

Eine Stunde später brachen General Moreau, Monsieur Sazzarin, der ehemalige Sekretär Jean=Baptistes und andere Herren des Kriegs= ministeriums wie eine Lawine über uns herein. Sie verlangten, daß sich Jean=Baptiste an die Spitze der Nationalgarde stellen und Napo= leon den Zutritt zum Rate der Fünfhundert verweigern sollte. „Der Befehl dazu muß von der Regierung ausgehen", beharrte Jean= Baptiste. In die Diskussion platzten mehrere Gemeinderäte — die= selben, die schon früher bei uns gewesen sind — und stellten dasselbe Ansinnen! Jean=Baptiste erklärte ihnen seine Einstellung: „Ich kann doch nicht auf Befehl des Gemeinderates von Paris handeln. Und auch nicht auf den meiner Kameraden, lieber Moreau. Eine Voll= macht der Regierung oder, wenn die Direktoren nicht amtieren, eine des Rates der Fünfhundert." Am späten Nachmittag sah ich Jean= Baptiste zum erstenmal in Zivil. Er trug einen dunkelroten Rock, der ihm zu eng und zu kurz zu sein schien, und einen komischen hohen Hut und ein kunstvoll geknüpftes gelbes Halstuch. Mein General sah wie verkleidet aus. „Wohin gehst du?" wollte ich natür= lich wissen.

„Spazieren", sagte Jean=Baptiste, „nur spazieren."

Jean Baptiste muß viele Stunden spazierengegangen sein, am Abend tauchten Moreau und seine Freunde wieder auf und warteten auf ihn. Stockdunkel war es, als er endlich zurückkehrte. „Nun?" wollten wir alle wissen. „Ich war beim Luxembourg und bei den Tuilerien", berichtete Jean=Baptiste. „Größere Truppenansammlungen beherrschen das Straßenbild, aber überall herrscht Ruhe. Es dürften hauptsächlich Soldaten der ehemaligen Italienarmee sein, ich habe einige Gesichter erkannt." — „Napoleon wird ihnen wahrscheinlich Versprechungen machen", sagte Moreau. Jean Baptiste lächelte bit= ter: „Diese Versprechungen hat er ihnen längst durch ihre Offiziere gemacht. Sie sind ja plötzlich alle wieder in Paris — Junot, Masséna, Murat, Marmont, Leclerc, der ganze Kreis um Bonaparte." — „Glau= ben Sie, daß diese Truppen bereit sind, gegen die Nationalgarde zu marschieren?" überlegte Moreau. „Sie denken nicht daran", sagte Jean=Baptiste. „Ich war ein neugieriger Zivilist und habe mich lange mit einem alten Sergeanten und einigen seiner Leute unterhalten. Die Soldaten glauben, daß Bonaparte mit dem Kommando über die Nationalgarde betraut wurde. Das haben ihnen ihre Offiziere ein= geredet." Moreau fuhr auf: „Das ist die gemeinste Lüge, die mir untergekommen ist!" — „Ich glaube, daß Bonaparte morgen von den Abgeordneten das Kommando über die Nationalgarde verlangen wird", meinte Jean=Baptiste ruhig. „Und wir bestehen darauf, daß Sie dieses Kommando mit ihm teilen!" schrie Moreau. „Sind Sie bereit dazu?" Jean Baptiste nickte: „Legt dem Kriegsminister fol= genden Beschluß vor: erhält Bonaparte den Befehl über die National= garde, so hat Bernadotte als Vertrauensmann des Kriegsministeriums diesen mit ihm zu teilen."

Schlaflos lag ich die ganze Nacht. Von unten drang Stimmen= gewirr herauf. Das helle zornige Organ Moreaus, die Baßorgel Sazzarins. Das war gestern. Mein Gott, erst gestern ... Im Laufe des heutigen Tages trafen unentwegt Boten bei uns ein. Offiziere aller Rangklassen, dann ein Rekrut. Der Rekrut sprang schweiß= überströmt vom Pferde und schrie: „Bonaparte ist Erster Konsul — Erster Konsul!"

„Setzen Sie sich, Mann", sagte Jean=Baptiste ruhig. „Désirée, gib ihm ein Glas Wein!" Noch bevor sich der Mann soweit beruhigt hatte, um geordnet sprechen zu können, stürzte bereits ein junger Kapitän in den Raum: „General Bernadotte, die konsuläre Regierung wurde soeben ausgerufen. Bonaparte ist Erster Konsul!" In den Vor= mittagsstunden war Napoleon zuerst im Rat der Alten erschienen und hatte um Gehör gebeten. Der Rat der Alten, der hauptsächlich aus würdigen und chronisch verschlafenen Juristen besteht, hatte gelangweilt seiner aufgeregten Rede gelauscht. Napoleon faselte von einem Komplott gegen die Regierung und verlangte, daß ihm in dieser Stunde der Not unumschränkte Vollmachten erteilt würden. Der Vorsitzende des Rates setzte ihm in gewundener Rede ausein=

ander, daß er sich mit der Regierung ins Einvernehmen setzen müsse. Von Joseph begleitet, begab sich Napoleon in den Rat der Fünf=hundert. Dort war die Stimmung ganz anders. Obwohl jeder ein=zelne Abgeordnete wußte, was das Auftauchen Napoleons bedeutete, hielt man sich zuerst krampfhaft an die Tagesordnung. Plötzlich jedoch zerrte der Vorsitzende des Rates der Fünfhundert — der junge Jakobiner Lucien Bonaparte — seinen Bruder auf die Tribüne. „General Bonaparte hat eine für die Republik entscheidende Mit=teilung zu machen!" — „Hört, hört ..." von seiten der Freunde der Bonapartes. Pfeifkonzert in den Reihen ihrer Gegner. Napoleon begann zu sprechen. Übereinstimmend behaupten alle Zeugen, er hätte gestottert, hätte etwas von einem Anschlag auf die Republik und einer Verschwörung gegen sein eigenes Leben gemurmelt, sei dann überschrien worden und schließlich verstummt. Ein allgemeiner Tumult entstand. Die Bonaparte=Anhänger drängten sich zur Tri=büne durch, ihre Gegner — und diese Gegner gehörten allen Parteien an — sprangen auf, wandten sich den Ausgängen zu und fanden diese von Truppen verstellt. Wer diese Truppen eigentlich in den Saal kommandiert hatte, um die Abgeordneten „zu schützen", ist noch nicht aufgeklärt worden. Jedenfalls sah man General Leclerc, den Mann Polettes, an ihrer Spitze. Die Nationalgarde, die ja die Aufgabe hat, die Abgeordneten zu beschirmen, schloß sich diesen Truppen an. Bald wirkte der ganze Saal wie ein Hexenkessel. Lucien und Napoleon standen dicht nebeneinander auf der Rednertribüne, eine Stimme stieß „Vive Bonaparte!" hervor, zehn Stimmen fielen ein, dreißig, achtzig. Die Galerie, wo zwischen den Journalisten plötzlich Murat, Masséna und Marmont auftauchten, brüllte. Und die Abgeordneten, denen Grenadierstiefel auf die Füße traten und die plötzlich nichts als Gewehrläufe sahen, jubelten verzweifelt: „Vive Bonaparte, vive — vive ...!"

Während sich die Soldaten in die Saalecken und auf die Galerie zurückzogen, erschien Polizeidirektor Fouché mit einigen zivil=gekleideten Herren und ersuchte diskret jene Volksvertreter, von denen man befürchtete, sie würden die neue „Ruhe und Ordnung" stören, ihm zu folgen. Die Versammlung, die sich nun zu stunden=langer Beratung über eine neue Verfassung niederließ, wies Lücken auf. Der Vorsitzende verlas die Vorschläge zur Bildung einer neuen Regierung, an deren Spitze drei Konsuln stehen sollten. Einstimmig wurde General Napoleon Bonaparte zum Ersten Konsul gewählt, und als Dienstwohnung stellte man ihm auf seinen Wunsch die Tuilerien zur Verfügung. In den Abendstunden brachte Fernand die feuchten Extra=Ausgaben der verschiedenen Gazetten von der Straße. In Riesenlettern sprang der Name Bonaparte in die Augen. Ich stand bei Marie in der Küche und sagte: „Erinnerst du dich noch an das Flugblatt von damals? Bonaparte zum Militärgouverneur von Paris ernannt! Du hast mir das Flugblatt selbst auf die Terrasse gebracht, zu Hause in Marseille..." Marie füllte sorgsam die verdünnte Milch, die Oscar jetzt zu trinken bekommt, weil seine Mama eine schlechte Mama ist und ihn nicht richtig satt bekommt, in eine Flasche. „Und heute nacht übersiedelt er in die Tuilerien, vielleicht schläft er sogar in demselben Zimmer, in dem früher der König geschlafen hat", fügte ich hinzu. „Das würde ihm ähnlich sehen", knurrte Marie und reichte mir die Flasche. Während ich im Schlaf= zimmer war und mein Kind im Arm hielt und zusah, wie gierig Oscar schluckte und schmatzte, kam Jean=Baptiste herauf und setzte sich zu mir. Fernand stampfte herein und reichte ihm einen Zettel. „Melde gehorsamst, das ist soeben von einer unbekannten Frauens= person abgegeben worden." Bernadotte warf einen Blick auf das Blatt, dann hielt er es mir vor die Augen. Da stand in aufgeregt zittrigen Schriftzügen: „General Moreau soeben verhaftet worden."

„Eine Botschaft von Madame Moreau, die sie durch ihr Küchen= mädchen überbringen ließ", meinte Jean=Baptiste. Oscar schlief ein, und wir gingen hinunter, und seitdem warten wir auf die Staats= polizei. Ich begann in mein Buch zu schreiben.

Es gibt Nächte, die kein Ende nehmen.

Plötzlich hielt ein Wagen vor unserm Haus. Jetzt holen sie ihn, durchfuhr es mich. Ich sprang auf und ging in den Salon. Jean= Baptiste stand regungslos in der Mitte des Raumes und lauschte angespannt. Ich trat neben ihn, und er legte den Arm um meine Schultern. Noch nie in meinem Leben bin ich ihm so nahe gewesen. Einmal, zweimal, dreimal schlug der Türklopfer. „Ich werde öffnen", sagte Jean=Baptiste und ließ mich los. Im gleichen Augenblick hörten wir Stimmen. Zuerst eine Männerstimme und dann das Lachen einer Frau. Meine Knie gaben nach, und ich fiel in den nächsten Stuhl und mußte mir plötzlich Tränen aus den Augen wischen. Es war Julie. Mein Gott, es war nur Julie...

Da standen sie alle im Salon. Joseph und Lucien und Julie. Mit zitternden Händen setzte ich neue Kerzen in die Leuchter, es war plötzlich sehr hell im Zimmer. Julie trug ihr rotes Abendkleid und schien zuviel Champagner getrunken zu haben. Kleine rote Flecken brannten auf ihren Wangen, und sie kicherte so sehr, daß sie kaum sprechen konnte. Es stellte sich heraus, daß alle drei aus den Tui= lerien kamen. Die ganze Nacht lang hatte man dort beraten, hatte Einzelheiten der neuen Verfassung festgelegt und eine vorläufige Ministerliste entworfen. Zuletzt hatte Josephine, die in den ehe= maligen Königsgemächern ihre Koffer auspackte, erklärt, nun müsse richtig gefeiert werden. Und Julie und Madame Letitia und Napo= leons Schwestern waren von Staatskaleschen abgeholt worden, und Josephine hatte einen Saal in den Tuilerien festlich beleuchten lassen und — „Wir haben schrecklich viel getrunken, aber es ist doch auch ein großer Tag, Napoleon wird Frankreich regieren, und Lucien ist Innenminister geworden, und Joseph soll Außenminister werden, er steht zumindest auf der Liste —" plapperte Julie. „Und du mußt verzeihen, daß wir euch aufgeweckt haben, aber als wir an eurem Haus vorbeifuhren, sagte ich, wir könnten eigentlich Désirée und Jean=Baptiste guten Morgen wünschen."

„Du hast uns nicht aufgeweckt, wir haben nicht geschlafen", sagte ich. „— und den drei Konsuln wird ein Staatsrat zur Seite stehen, dem in erster Linie Sachverständige angehören werden. Sie dürften in den Staatsrat berufen werden, Schwager Bernadotte", hörte ich Joseph sagen. „Josephine will die Tuilerien neu möblieren", sagte Julie. „Ich kann es verstehen, alles wirkt so verstaubt und altmodisch, ihr Schlafzimmer soll weiß tapeziert werden —" Julie redete un= unterbrochen. „Und stell dir vor, er verlangt, daß sie sich mit einem richtigen Hofstaat umgibt, sie soll eine Vorleserin engagieren und drei Gesellschaftsdamen, die in Wirklichkeit den Dienst von Hof= damen versehen werden. Das Ausland soll nämlich sehen, daß die Frau unseres neuen Staatsoberhauptes zu repräsentieren versteht."

„Ich bestehe auf der Freilassung des Generals Moreau", erklärte Jean=Baptiste. „— und versichere Ihnen, Schutzhaft und nichts wei= ter. Um Moreau vor Übergriffen des Pöbels zu schützen. Man weiß ja nicht, was das Volk von Paris in seiner glühenden Begeisterung für Napóleon und die neue Verfassung —" Das war Lucien.

Eine Uhr schlug sechs. „Um Himmels willen, wir müssen gehen! Sie wartet draußen im Wagen auf uns, wir wollten doch nur ganz schnell guten Morgen sagen", rief Julie.

„Wer wartet draußen im Wagen?" wollte ich wissen.

„Schwiegermama. Madame Letitia war zu müde, um auszusteigen und euch zu begrüßen. Wir haben versprochen, sie nach Hause zu bringen." Plötzlich hatte ich das Bedürfnis, Madame Letitia nach dieser Nacht zu sehen. Ich lief aus dem Haus. Es roch nach Nebel, und als ich auf die Straße trat, glitten mehrere Gestalten in die Dämmerung zurück. Standen denn noch immer Leute vor unserem Haus und warteten?

Ich öffnete den Schlag der Kutsche. „Madame Letitia", rief ich in das Dunkel hinein. „Ich bin es — Désirée. Ich möchte Ihnen gratulieren." Die Gestalt in der Wagenecke bewegte sich, aber es war so finster im Wagen, daß ich ihr Gesicht nicht sehen konnte. „Gratulieren? Wozu, mein Kind?"

„Napoleon ist doch erster Konsul geworden und Lucien Innenminister, und Joseph sagt, daß er —"

„Die Kinder sollten sich nicht so viel mit Politik beschäftigen", kam es aus dem Dunkel. Diese Madame Bonaparte wird nie anständig Französisch lernen, nicht um eine Silbe besser spricht sie als an jenem Tag, an dem ich sie in Marseille kennenlernte. Die scheußlich riechende Kellerwohnung fiel mir ein. Und jetzt lassen sie die Tuilerien neu möblieren ... „Ich habe geglaubt, daß Sie sich sehr freuen werden, Madame", sagte ich ungeschickt. „Nein. Napoleone gehört nicht in die Tuilerien, das schickt sich nicht!" kam es entschieden aus dem finsteren Wagen. „Wir leben doch in einer Republik", warf ich ein. „Rufen Sie Julie und die beiden Jungen, ich bin müde. Sie werden sehen, er wird in den Tuilerien auf schlechte Gedanken kommen, auf sehr schlechte Gedanken!"

Da erscheinen sie endlich, Julie, Joseph, Lucien. Julie umarmte mich und preßte ihre heiße Wange an mein Gesicht. „Es ist so wunderbar für Joseph", flüsterte sie. „Komm zum Mittagessen zu mir, ich muß mich mit dir aussprechen!" Im gleichen Augenblick trat Jean=Baptiste auf die Straße, um unsere Gäste an den Wagen zu begleiten. Da schoben sie sich plötzlich aus dem Nebel: diese Unbekannten, die mit uns diese endlose Nacht verwartet haben. „Vive Bernadotte!" schrie jemand. Es verzitterte. „Vive Bernadotte, Vive Bernadotte!" Es waren nur drei, vier Stimmen. Und es war lächerlich, daß Joseph so erschrocken zusammenzuckte.

Ein grauer Regentag ist angebrochen. Soeben hat ein Offizier der Nationalgarde folgende Meldung abgegeben: „Befehl des ersten Konsuls — General Bernadotte hat sich um elf Uhr bei ihm in den Tuilerien einzufinden."

Ich schließe mein Buch und versperre es. Dann werde ich es zu Julie bringen.

Paris, 21. März 1804.
(Nur die Behörden halten sich noch an den republikanischen Kalender und schreiben heute: 1. Germinal des Jahres XII.)

Es ist verrückt von mir, nachts allein in die Tuilerien zu fahren, um mit ihm zu sprechen. Darüber war ich mir von Anfang an klar. Trotzdem stieg ich in Madame Letitias Wagen und versuchte, mir zu überlegen, was ich ihm sagen wollte. Irgendeine Uhr schlug elf. Ich werde durch die langen leeren Korridore der Tuilerien gehen und in sein Arbeitszimmer eindringen und vor seinen Schreibtisch treten und ihm erklären, daß —. Der Wagen rollte an der Seine entlang. Im Laufe der Jahre habe ich die meisten Brücken genau kennengelernt. Aber jedesmal, wenn ich an einer bestimmten Brücke vorbeikomme, setzt mein Herz einen Schlag lang aus. Ich ließ plötzlich halten und stieg aus und ging auf sie zu. Auf meine Brücke nämlich. Es war eine der allerersten Frühlingsnächte des Jahres. Von richtigem Frühling war noch gar nicht die Rede, aber die Luft war weich und roch süß. Den ganzen Tag über hatte es geregnet, aber jetzt zerbrachen die Wolkenmassen und man sah Sterne. Er kann ihn nicht erschießen lassen, dachte ich. In den Fluten der Seine tanzten die Sterne mit den Lichtern von Paris. Er kann ihn nicht erschießen lassen.

Kann nicht? Er kann alles. Langsam begann ich auf der Brücke auf und ab zu gehen. Ohne Pause habe ich all diese Jahre durchlebt. Habe auf Hochzeiten getanzt und vor Napoleon in den Tuilerien den großen Hofknicks gemacht, habe den Sieg von Marengo bei Julie gefeiert und dabei so viel Champagner getrunken, daß mir Marie am nächsten Morgen den Kopf über die Waschschüssel halten mußte. Ich habe ein gelbseidenes Abendkleid gekauft und ein silberfarbenes mit rosa Perlenstickerei und drei weiße mit grünen Samtschleifen. Das waren die kleinen Ereignisse. Die großen — Oscars erster Zahn und Oscars erstes „Mama" und Oscar, der zum erstenmal an meiner Hand auf dicken, unsicheren Beinchen vom Klavier bis zur Kommode stapfte. Und nun begann ich plötzlich an diese vergangenen Jahre zu

denken. Erinnerte mich an sie und versuchte verzweifelt, den Augen=
blick hinauszuschieben, in dem ich beim ersten Konsul eindringen
sollte. Julie hat mir erst vor ein paar Tagen mein Buch zurückgegeben.
„Ich habe meine Kommode ausgeräumt, das Mahagoni=Ungetüm,
das ich noch aus Marseille habe", sagte sie. „Die Kommode stelle
ich jetzt ins Kinderzimmer, die Kinder haben schon so viele Sachen,
sie brauchen sie. Und da habe ich dein Buch gefunden. Jetzt muß
ich es doch nicht mehr aufheben, nicht wahr?"

„Nein, nicht mehr", sagte ich. Und fügte hinzu: „Oder vielmehr —
noch nicht."

„Du wirst sehr viel nachzutragen haben", meinte Julie und
lächelte. „Ich glaube, du hast nicht einmal aufgeschrieben, daß ich
zwei Töchter habe!"

„Nein, ich habe dir ja das Buch in der Nacht nach dem
Umsturz gegeben. Aber jetzt werde ich aufschreiben, daß du regel=
mäßig zur Kur nach Plombières gefahren bist und deinen Joseph
mitgenommen hast und daß vor mehr als zweieinhalb Jahren
Zenaïde Charlotte Julie zur Welt kam und dreizehn Monate später
Charlotte Napoleone. Und daß du noch immer so viele Romane liest
und von einer Harems=Geschichte so begeistert warst, daß Fräulein
Tochter Nummer Eins ‚Zenaïde' getauft wurde."

„Hoffentlich verzeiht sie mir das", sagte Julie reumütig. Ich
nahm ihr das Buch aus der Hand. Ich muß vor allem aufschreiben,
daß Mama gestorben ist, dachte ich. Letzten Sommer war es, ich
saß mit Julie in unserem Garten, und plötzlich trat Joseph mit
Etiennes Brief auf uns zu. Mama war nach einem Herzanfall in
Genua gestorben. „Jetzt sind wir ganz allein", sagte Julie. „Du hast
doch mich", drängte Joseph. Er verstand uns nicht. Julie gehört zu
ihm und ich zu Jean=Baptiste, aber seit Papas Tod hatten wir nur
noch Mama, die sich daran erinnerte, wie alles war, als wir noch
klein waren. Am Abend dieses Tages sagte Jean=Baptiste zu mir:
„Du weißt, daß wir alle Naturgesetzen unterworfen sind. Diese
Naturgesetze bedingen, daß wir unsere Eltern überleben. Der um=
gekehrte Fall ist unnatürlich. Wir müssen uns den Naturgesetzen
fügen." Es war sein Versuch, mich zu trösten. Jeder Frau, die von
Schmerzen zerrissen wird, während sie ihr Kind gebärt, sagt man,
daß sie das Schicksal aller Mütter zu teilen hat. Aber das ist kein
Trost, finde ich. Von meiner Brücke aus wirkte der Wagen der
Madame Letitia wie ein schwarzes Ungeheuer, das drohend auf mich
lauerte. Auf Napoleons Schreibtisch liegt ein Todesurteil, und ich

werde ihm sagen — Ja, was werde ich ihm sagen? Man darf ja nicht mehr mit ihm sprechen wie mit anderen Leuten, man darf sich nicht niedersetzen, wenn er einen nicht dazu auffordert. An jenem Vormittag nach der endlosen Nacht, in der wir die Verhaftung von Jean=Baptiste erwartet hatten, kam es zu einer Aussprache zwischen ihm und Napoleon. „Sie sind in den Staatsrat gewählt worden, Berna=dotte. Sie werden in meinem Staatsrat das Kriegsministerium repräsentieren", sagte der erste Konsul zu ihm. „Glauben Sie denn, daß ich in einer einzigen Nacht meine Einstellung verändert habe?" antwortete Jean=Baptiste. „Nein, aber ich bin in dieser einzigen Nacht für die Republik verantwortlich geworden und kann mir nicht gestatten, auf einen ihrer fähigsten Männer zu verzichten. Nehmen Sie die Berufung an, Bernadotte?" Jean=Baptiste hat mir erzählt, daß nun eine lange Pause entstand. Eine Pause, in der er zuerst den hohen Raum in den Tuilerien mit dem riesigen Schreibtisch, der auf vergoldeten Löwenköpfen ruhte, betrachtete. Eine Pause, in der er dann zum Fenster hinausblickte und unten die Soldaten der National=garde mit ihren blauweißroten Kokarden beobachtete. Eine Pause, in der er sich sagte, daß die Direktoren vor ihrem Rücktritt die konsuläre Regierung anerkannt hatten. Daß sich die Republik diesem Mann da ausgeliefert hatte, um einen Bürgerkrieg zu vermeiden. „Sie haben recht, die Republik braucht jeden ihrer Bürger, Konsul Bonaparte. Ich nehme daher die Berufung an." Bereits am nächsten Tag wurden Moreau und alle verhafteten Abgeordneten wieder auf freien Fuß gesetzt. Moreau erhielt sogar ein Kommando. Napoleon bereitete einen neuen italienischen Feldzug vor und ernannte Jean=Baptiste zum Oberbefehlshaber unserer Westarmee. Jean=Baptiste befestigte die Kanalküste gegen englische Angriffe und befehligte alle Garnisonen von der Bretagne bis zur Gironde. Einen großen Teil seiner Zeit verbrachte er in seinem Hauptquartier in Rennes und war nicht zu Hause, als Oscar Keuchhusten hatte. Napoleon gewann die Schlacht bei Marengo, und Paris feierte sich halbtot. Heute sind unsere Truppen über ganz Europa verstreut, weil Napoleon in seinen Friedensbedingungen die Abtretung zahlloser Gebiete an Frank=reich verlangt hat und die Republik diese Länder besetzt hält.

Wie viele Lichter jetzt in der Seine tanzen, viel mehr als damals. Damals dachte ich, daß es nichts Großartigeres und Aufregenderes als Paris geben kann. Aber Jean=Baptiste sagt, daß unser heutiges Paris hundertmal märchenhafter ist als das ehemalige und daß ich eben den Unterschied nicht beurteilen kann. Napoleon hat den geflüchteten Aristokraten erlaubt, zurückzukommen. In dem Palais des Faubourg St. Germain werden wieder Intrigen gesponnen, konfiszierte Gärten werden zurückgegeben, Fackelträger laufen neben den Kaleschen Noailles, der Radziwills, der Montesquieus, der Montmorencys, mit gemessen anmutigen Schritten bewegen sich diese ehemaligen Größen des Versailler Hofes durch die Säle der Tuilerien und verneigen sich vor dem Staatsoberhaupt der Republik und beugen sich über die Hand der früheren Witwe de Beauharnais, die niemals ins Ausland geflüchtet ist und auch nie gehungert hat, sondern sich von Monsieur Barras ihre Rechnungen bezahlen ließ und mit dem Exlakai Tallien auf dem Ball der „Angehörigen der Guillotine-Opfer" tanzte. Die ausländischen Königshöfe senden wieder ihre vornehmsten Diplomaten nach Paris. Mir wird oft ganz wirr zumute, wenn ich mir die Titel von all diesen Fürsten, Grafen und Baronen, die mir vorgestellt werden, merken soll. „Ich habe Angst vor ihm, er hat doch kein Herz..." ganz deutlich hörte ich ihre Stimme in dieser Vorfrühlingsnacht auf der Brücke. Christine. Christine, das Bauernmädchen aus St. Maximin, die Frau des Lucien Bonaparte. Hundert Zeugen, tausend Zeugen haben gesehen, wie Lucien damals den Bruder auf die Rednertribüne zerrte und mit leuchtenden Augen das erste „Vive Bonaparte" erzwang... Ein paar Wochen später haben bereits die Wände in den Tuilerien gezittert, weil sie so leidenschaftlich miteinander stritten: Innenminister Lucien Bonaparte und erster Konsul Napoleon Bonaparte. Zuerst ging es um die Pressezensur, die Napoleon einführte. Dann um die Ausweisung von Schriftstellern. Zwischendurch auch um Christine, die Tochter des Gastwirtes, der der Zutritt zu den Tuilerien verweigert wurde. Lucien blieb nicht lange Innenminister. Und Christine nur noch kurz der Anlaß ewigen Familienstreites. Das rundliche Bauernmädchen mit den Apfelwangen und den Lachgrübchen begann nach einem feuchten Winter Blut zu husten. An einem Nachmittag saß ich bei ihr, und wir sprachen vom kommenden Frühling und betrachteten Modejournale. Christine wünschte sich ein Kleid mit Goldstickerei. „In diesem Kleid werden Sie in die Tuilerien fahren und dem ersten Konsul vorgestellt werden, und Sie werden so schön sein, daß er Lucien beneiden wird", sagte ich. Christines Grübchen verschwanden. „Ich habe Angst vor ihm, er hat doch kein Herz." Schließlich setzte Madame Letitia durch, daß Christine in den Tuilerien empfangen werden sollte. Napoleon teilte seinem Bruder eine Woche später beiläufig mit: „Und vergiß nicht, morgen abend deine Frau in die Oper zu bringen und mir vorzustellen." Aber Lucien antwortete nur: „Ich fürchte, meine Frau ist genötigt, diese ehrenvolle Einladung abzulehnen." Napoleons Lippen wurden sofort schmal: „Es ist keine Einladung, Lucien, sondern eine Aufforderung des Ersten Konsuls." Lucien schüttelte den Kopf: „Meine Frau kann auch einer Aufforderung des Ersten Konsuls nicht nachkommen, meine Frau liegt im Sterben."

Der kostbare Kranz bei Christines Begräbnis trug die Inschrift „Meiner lieben Schwägerin Christine — N. Bonaparte". Die Witwe Jouberthon hat rote Haare, einen vollen Busen und ein Grübchen= lächeln, das ein wenig an Christine erinnert. Sie war mit einem unbekannten kleinen Bankbeamten verheiratet gewesen. Napoleon verlangte von Lucien, daß er ein Mädchen der zurückgekehrten Hocharistokratie heiraten sollte. Aber Lucien erschien mit der Witwe Jouberthon auf dem Standesamt. Worauf Napoleon einen Aus= weisungsbefehl gegen den französischen Bürger Lucien Bonaparte, ehemaliges Mitglied des Rates der Fünfhundert, ehemaliger Innen= minister der französischen Republik, unterschrieb. Lucien machte uns vor seiner Abreise nach Italien einen Abschiedsbesuch. „Damals im Brumaire wollte ich das Beste für die Republik, das wissen Sie, Bernadotte", sagte er. „Ich weiß es", antwortete Jean=Baptiste, „aber Sie haben sich in einem großen Irrtum befunden. Damals — im Brumaire."

Vor über zwei Jahren hat Hortense so laut geweint, daß die Posten im Hof der Tuilerien erschrocken zu ihren Fenstern hinaufsahen. Napoleon hatte seine Stieftochter mit seinem Bruder Louis verlobt. Louis, der dicke plattfüßige Junge, hatte nichts für die farblose Hortense übrig, ihm waren die Schauspielerinnen der Comédie Fran= çaise lieber. Aber Napoleon fürchtete eine neue „Mésalliance" in der Familie. Nun hatte sich Hortense eingesperrt und schrie vor Weinen. Sie weigerte sich, ihre Mutter einzulassen. Man schickte schließlich um Julie. Julie hämmerte mit den Fäusten an Hortenses Tür, bis das Mädchen öffnete. „Kann ich Ihnen helfen?" fragte Julie. Hortense schüttelte den Kopf. „Sie lieben einen anderen, nicht wahr?" sagte Julie. Hortenses Schluchzen verstummte, und die magere Gestalt wurde steif vor Abwehr. „Sie lieben einen anderen", wiederholte Julie. Hortense nickte unmerklich. „Ich werde mit Ihrem Stiefvater sprechen", sagte Julie. Hortense starrte hoffnungslos vor sich hin. „Gehört der andere dem Kreis des Ersten Konsuls an? Würde ihn Ihr Stiefvater als geeigneten Bewerber betrachten?" Hortense rührte sich nicht. Aus den weitoffenen Augen flossen Tränen. „Oder — ist dieser andere bereits verheiratet?" Hortenses Lippen teilten sich, sie ver= suchte zu lächeln und begann plötzlich zu lachen. Lachte, lachte — schrill und haltlos, schüttelte sich vor Lachen wie eine Verrückte. Julie packte sie an den Schultern. „Hören Sie doch auf! Nehmen Sie sich zusammen! Wenn Sie nicht aufhören, muß ich den Arzt rufen!" Aber Hortense konnte nicht aufhören zu lachen. Da wurde meine geduldige Julie wütend. Ohne zu überlegen, knallte sie Hor= tense eine Ohrfeige ins Gesicht. Hortense verstummte. Der weit= aufgerissene Mund schloß sich, und sie atmete ein paarmal tief. Dann wurde sie ruhig. „Ich liebe doch — ihn", sagte sie leise. An diese Möglichkeit hatte Julie nicht gedacht. „Weiß er das?" fragte sie. Hortense nickte. „Es gibt wenige Dinge, die er nicht weiß. Und diesen Rest erfährt er durch Polizeiminister Fouché." Es klang bitter. „Heiraten Sie Louis, es ist das beste. Louis ist immerhin sein Lieb= lingsbruder . . ."

Ein paar Wochen später wurde die Hochzeit gefeiert. Polette wurde Hortense als Beispiel vorgehalten. Wie hatte sie sich gegen ihre Heirat gesträubt. Napoleon hatte sie in die Ehe mit General Leclerc geradezu zwingen müssen. Und wie hatte sie geweint, weil Napoleon verlangte, daß sie Leclerc auf seiner Reise nach San Domingo begleiten sollte. Tränenüberströmt hatte sie sich mit ihm schließlich eingeschifft. Leclerc starb in San Domingo am gelben Fieber. Und Polette war so untröstlich gewesen, daß sie ihr honig= farbenes Haar abschnitt und es ihm in den Sarg legte. Dies pflegte der Erste Konsul als sichersten Beweis von Polettes großer Liebe zu dem Verstorbenen anzuführen. Ich habe ihm einmal erwidert: „Im Gegenteil, es beweist, daß sie ihn nie geliebt hat. Und daß sie ihm deshalb ganz zuletzt irgend etwas zuliebe tun wollte." Polettes Haare wuchsen zu schulterlangen Ringellocken nach, und Napoleon verlangte, daß sie die Locken mit den kostbarsten Perlenkämmen der Welt hochsteckte. Diese Kämme gehören zum Familienschmuck der Fürstin Borghese. Die Borghese sind ältester italienischer Adel, verwandt mit allen Königshäusern Europas. Napoleon schob dem ältlichen Fürsten Camillo Borghese mit dem knieweichen Gang und den zittrigen Händen seine Lieblingsschwester Polette als Gemahlin zu. Ihre Durchlaucht, die Fürstin Pauline Borghese. Mein Gott, Polette mit dem geflickten Seidenkleidchen, verwickelt in Straßen= bekanntschaften. Ja, sie haben sich alle verändert . . . Und zum letztenmal sah ich den tanzenden Lichtern in den Fluten zu. Warum

gerade ich, dachte ich, warum heißt es, daß ich die einzige bin, die
es vielleicht durchsetzen kann? Ich ging zum Wagen zurück. „Zu den
Tuilerien!" Nun überdachte ich verzweifelt meine Aufgabe. Dieser
Bourbone, der Herzog von Enghien, der angeblich im Dienst der
Engländer steht und immer wieder droht, die Republik für die
Bourbonen zurückzuerobern, ist gefangen worden. Aber diese Ge=
fangennahme ist nicht auf französischem Boden vor sich gegangen,
der Herzog hat sich gar nicht in Frankreich befunden. Sondern in
einer kleinen Stadt, die Ettenheim heißt, und in Germanien liegt.
Vor vier Tagen hat Napoleon plötzlich einen militärischen Angriff
auf dieses Städtchen angeordnet. Dreihundert Dragoner überschritten
den Rhein, entführten den Herzog aus Ettenheim und schleppten ihn
nach Frankreich. Nun wartet der Gefangene in der Festung Vin=
cennes auf die Entscheidung über sein Schicksal. Ein Militärgericht
hat ihn heute wegen Hochverrats und Versuchs eines Anschlages auf
das Leben des Ersten Konsuls zum Tode verurteilt. Das Todesurteil
ist dem Ersten Konsul überbracht worden. Napoleon wird es be=
stätigen oder den Verurteilten begnadigen. Die alten Adelsfamilien,
die jetzt bei Josephine aus und ein gehen, haben sie natürlich an=
gefleht, Napoleon um Gnade zu bitten. Alle waren sie in den Tui=
lerien erschienen, während die ausländischen Diplomaten Talley=
rand belagerten. Napoleon hat niemanden empfangen. Josephine
suchte bei Tisch eine Möglichkeit, auf ihn einzuwirken. Mit einem
„Ich bitte Sie, sich nicht zu bemühen", wurde sie von Napoleon
zum Schweigen gebracht. Gegen Abend hatte sich Joseph bei ihm
melden lassen. Napoleon ließ fragen, worum es sich handele. Joseph
erklärte dem Sekretär: „Um eine Angelegenheit im Sinne der
Gerechtigkeit." Der Sekretär erhielt den Bescheid, Joseph mitzu=
teilen, daß der Erste Konsul nicht gestört werden wollte.

Beim Nachtmahl war Jean=Baptiste ungewöhnlich schweigsam.
Plötzlich schlug er mit der Faust auf den Tisch. „Begreifst du, was
Bonaparte wagt? Er holt sich mit Hilfe von dreihundert Dragonern
einen politischen Gegner aus dem Ausland! Entführt ihn nach
Frankreich und stellt ihn hier vor ein Kriegsgericht! Für jeden
Menschen, der nur einen Funken von Rechtsempfinden besitzt, wirkt
das wie ein Schlag ins Gesicht."

„Und was wird mit dem Gefangenen geschehen? Du — er kann
ihn doch nicht erschießen lassen!" sagte ich entsetzt. Jean=Baptiste
zuckte die Achseln. „Und auf die Republik hat er sich vereidigen lassen,
geschworen hat er, die Menschenrechte zu verteidigen!" murmelte er.

Wir sprachen nicht mehr vom Herzog. Aber ich mußte immerzu an das Todesurteil denken, das angeblich auf Napoleons Schreib= tisch lag und auf einen Federstrich von ihm wartete. „Julie hat mir erzählt, daß Jérôme Bonaparte eingewilligt hat, sich von dieser Amerikanerin scheiden zu lassen", sagte ich schließlich, um das drückende Schweigen zu unterbrechen. Jérôme, das gräßliche Kind von einst, war Marineoffizier geworden und auf einer Seereise bei= nahe den Engländern in die Hände gefallen. Um ihnen zu ent= gehen, war er in einem amerikanischen Hafen gelandet. Dort hei= ratete er eine Miß Elisabeth Patterson, ein junges Mädchen aus Baltimore. Napoleon hatte natürlich getobt. Nun war Jérôme auf der Heimreise und bereit, seinem großen Bruder den Gefallen zu tun und sich von der ehemaligen Miß Patterson scheiden zu lassen. „Sie hat aber viel Geld", war die einzige Form von schriftlichem Widerspruch, die er Napoleon gegenüber gewagt hatte. „Die Fa= milienverhältnisse des Ersten Konsuls interessieren mich wirklich nicht", bemerkte Jean=Baptiste. Im gleichen Augenblick hörten wir einen Wagen vorfahren. „Zehn Uhr vorbei", sagte ich, „eigentlich zu spät für Besuche." Fernand stapfte herein und meldete: „Ma= dame Letitia Bonaparte." Ich war sehr überrascht. Napoleons Mut= ter pflegte niemals unangesagt Besuche zu machen. Nun schob sie sich dicht hinter Fernand zur Tür hinein. „Guten Abend, General Bernadotte, guten Abend, Madame." Madame Letitia ist in diesen Jahren nicht älter, sondern jünger geworden. Das früher so harte und versorgte Gesicht erscheint jetzt voller, die Falten um die Mundwinkel wirken ausgebügelt. Das dunkle Haar weist jedoch ein paar silberne Strähnen auf und ist noch immer nach Art der Bäuerinnen zurückgekämmt und im Nacken zu einem Knoten zu= sammengehalten. In die Stirn fallen ein paar Pariser Ringellöckchen und passen gar nicht zu ihr. Wir führten sie in den Salon, und sie setzte sich nieder und zog langsam die zartgrauen Handschuhe aus. Ich starrte unwillkürlich auf ihre Hände mit dem großen Kameen= ring, den ihr Napoleon aus Italien mitgebracht hat. Mir fielen die roten, aufgesprungenen Finger von einst, die ununterbrochen Wäsche gewaschen hatten, ein. „General Bernadotte, halten Sie es für mög= lich, daß mein Sohn diesen Herzog von Enghien erschießen läßt?" fragte sie unvermittelt. „Nicht der Erste Konsul, sondern ein Kriegs= gericht hat den Herzog zum Tode verurteilt", antwortete Jean= Baptiste vorsichtig. „Das Kriegsgericht richtet sich nach den Wün= schen meines Sohnes. Halten Sie es für möglich, daß mein Sohn das Urteil vollziehen läßt?" „Nicht nur für möglich, sondern für sehr wahrscheinlich. Ich wüßte nicht, wozu er sonst den Befehl erteilt haben sollte, den Herzog, der sich nicht auf französischem Boden befand, gefangenzunehmen und vor ein Kriegsgericht zu stellen."

„Ich danke Ihnen, General Bernadotte." Madame Letitia betrach= tete aufmerksam ihren Kameenring. „Kennen Sie die Gründe, die meinen Sohn zu diesem Schritt bewogen haben?"

„Nein, Madame."

„Haben Sie Vermutungen?"

„Ich möchte sie nicht aussprechen, Madame."

Wieder schwieg sie. Vorgebeugt, mit leicht auseinandergespreiz= ten Beinen saß sie auf dem Sofa. Wie eine Bäuerin, die sehr müde ist und die sich nur einen Augenblick Ruhe gönnen darf. „Gene= ral Bernadotte, wissen Sie, was die Vollstreckung dieses Todes= urteils bedeutet?" Jean=Baptiste gab keine Antwort. Er strich sich durch die Haare, und ich konnte ihm ansehen, wie peinlich ihm das Gespräch war. Da hob sie das Gesicht, ihre Augen waren weit geöffnet: „Mord! Einen ganz gemeinen Mord bedeutet es."

„Sie sollten sich nicht aufregen, Madame —" begann Jean=Baptiste gequält. Aber sie hob beide Hände und schnitt ihm das Wort ab. „Nicht aufregen, sagen Sie? General Bernadotte, mein Sohn ist im Begriff einen gemeinen Mord zu begehen, und ich — ich, seine Mutter, soll mich nicht aufregen?" Ich stand auf und setzte mich zu ihr aufs Sofa und nahm ihre Hand. Ihre Finger zitterten. „Na= poleon wird politische Gründe haben", flüsterte ich. Aber sie fuhr mich an: „Halt den Mund, Eugénie!" Dann spähte sie wieder in Jean=Baptistes Gesicht: „Für einen Mord gibt es keine Entschuldi= gung, General! Politische Gründe sind —"

„Madame", sagte Jean=Baptiste ruhig, „Sie haben vor vielen Jah= ren Ihren Sohn auf die Militärakademie geschickt und ihn zum Offizier heranbilden lassen. Es könnte sein, Madame, daß Ihr Sohn den Wert eines einzelnen Menschenlebens anders einschätzt als Sie." Sie schüttelte verzweifelt den Kopf. „Hier handelt es sich nicht um ein Menschenleben in einer Schlacht, General! Hier handelt es sich um einen Mann, den man mit Gewalt nach Frankreich ge= schleppt hat, um ihn niederzuschießen. Mit diesem Schuß wird Frank= reich sein Ansehen verlieren. Ich will nicht, daß mein Napoleone zum Mörder wird, ich will es nicht, verstehen Sie mich?" „Sie sollten mit ihm sprechen, Madame", schlug Jean=Baptiste vor. „No, no

Signor —" ihre Stimme schwankte, und der Mund arbeitete aufgeregt. „Es würde nichts nützen, Napoleone würde sagen — Mama, das ver= stehst du nicht, geh schlafen, Mama, soll ich deine Monatsrente er= höhen? Sie muß gehen, Signor — sie, die Eugénie!" Mir blieb das Herz stehen. Verzweifelt begann ich den Kopf zu schütteln. „Signor General — Sie wissen es nicht, aber damals, als mein Napoleone ver= haftet wurde und wir Angst hatten, sie werden ihn erschießen, da ist sie — die Kleine, die Eugénie — da ist sie zu den Behörden gelaufen und hat ihm geholfen. Jetzt muß sie zu ihm — und sie muß ihn daran erinnern und ihn bitten —" „Ich glaube nicht, daß dies auf den Ersten Konsul Eindruck machen würde", sagte Jean=Baptiste. „Eu= génie — pardon, Signora Bernadotte, Madame — Sie wollen doch nicht, daß Ihr Land vor der ganzen Welt als Mörderrepublik dasteht? Nicht wahr, Sie wollen es nicht? Man hat mir auch erzählt — oh, so viele Leute waren heute bei mir, um mit mir wegen dieses Herzogs zu sprechen — man hat mir erzählt, daß er eine alte Mutter hat und eine Braut und — Madame, haben Sie Mitleid mit mir, helfen Sie mir, ich will nicht, daß mein Napoleone —" Jean=Baptiste war auf= gestanden und wanderte ziellos durch das Zimmer. Madame Letitia gab nicht nach. „General, wenn Ihr Sohn, wenn Ihr kleiner Oscar im Begriffe wäre, dieses Urteil zu unterschreiben —"

„Désirée, mach dich fertig und fahr in die Tuilerien!" Sehr leise und sehr entschieden sprach Jean=Baptiste. Ich stand auf. „Du be= gleitest mich, Jean=Baptiste, nicht wahr, du begleitest mich?"

„Du weißt genau, kleines Mädchen, daß dies dem Herzog die letzte Chance nehmen würde." Jean=Baptiste lächelte bitter. Dann nahm er mich an den Schultern und zog mich an sich: „Du mußt allein mit ihm sprechen. Ich fürchte, du wirst keinen Erfolg haben, aber du mußt es versuchen, Liebling." Seine Stimme war voll Mitleid. Ich wehrte mich noch immer. „Es sieht nicht gut aus, wenn ich nachts allein in die Tuilerien gehe", sagte ich. „Es kommen zu viele Damen spätabends allein —" Es war mir ganz egal, ob Madame Letitia es hörte oder nicht: „— ja, allein zum Ersten Konsul." „Setz einen Hut auf, nimm einen Umhang und mach dich auf den Weg", sagte Jean= Baptiste nur. „Nehmen Sie meinen Wagen, Madame! Und wenn Sie nichts dagegen haben, möchte ich hier auf Ihre Rückkehr warten", sagte Madame Letitia. Ich nickte mechanisch. „Ich werde Sie nicht stören, General, ich werde mich hier ans Fenster setzen und warten", hörte ich sie noch hinzufügen. Dann lief ich in mein Zimmer und band mit fliegenden Fingern den neuen Hut mit der blaßrosa Rose fest. Seitdem am Weihnachtsabend vor vier Jahren eine Höllenmaschine dicht hinter Napoleons Wagen explodiert ist und beinahe kein Monat vergeht, in dem nicht Polizeiminister Fouché irgendein geplantes Attentat auf den Ersten Konsul verhindert, kann man die Tuilerien nicht betreten, ohne bei jedem zehnten Schritt angehalten und gefragt zu werden, was oder wen man hier eigentlich suchte. Trotzdem verlief alles viel einfacher, als ich gedacht hatte. Jedesmal, wenn ich angehalten wurde, antwortete ich nur: „Ich möchte den Ersten Konsul sprechen" und wurde sofort durchgelassen. Man fragte nicht nach meinem Namen. Man fragte auch nicht nach dem Zweck meines Besuches. Die Nationalgardisten verkniffen nur ein Lächeln, starrten mir neugierig ins Gesicht und zogen mich in Gedanken aus. Das Ganze war mir furchtbar peinlich. Schließlich erreichte ich jene Tür, von der aus man angeblich in den Vorraum des Arbeitszimmers des Ersten Konsuls gelangt. Ich war noch nie hier gewesen, denn die wenigen Familienfeste, die ich in den Tuilerien besucht hatte, waren in Josephines Räumen abgehalten worden. Die beiden Soldaten der Nationalgarde, die vor dieser Tür Posten standen, fragten mich überhaupt nicht. Ich öffnete daher die Tür und trat ein. An einem Schreibtisch saß ein junger Mann in Zivil und schrieb. Ich mußte mich zweimal räuspern, bevor er mich hörte. Dafür schoß er dann wie von der Tarantel gestochen in die Höhe. „Sie wünschen, Mademoiselle?" „Ich möchte den Ersten Konsul sprechen."

„Sie haben sich geirrt, Mademoiselle, Sie befinden sich in den Amtsräumen des Ersten Konsuls."

Ich begriff nicht, was der junge Mann von mir wollte. „Ist denn der Erste Konsul schon schlafen gegangen?" fragte ich.

„Der Erste Konsul befindet sich noch in den Amtsräumen."

„Dann führen Sie mich doch zu ihm!"

„Mademoiselle —", es war komisch, der junge Mann, der bisher tödlich verlegen die Spitzen meiner Schuhe betrachtet hatte, errötete und sah mir zum erstenmal ins Gesicht. „Mademoiselle, Kammerdiener Constant hat Ihnen bestimmt gesagt, daß er Sie beim rückwärtigen Eingang erwartet. Hier — hier sind doch die Amtsräume!"

„Aber ich will mit dem Ersten Konsul sprechen und nicht mit seinem Kammerdiener! Gehen Sie zum Ersten Konsul hinein und fragen Sie, ob man ihn einen Augenblick stören darf. Es ist — ja, es ist sehr wichtig."

„Mademoiselle —", sagte der junge Mann flehend.

„Und nennen Sie mich nicht Mademoiselle, sondern Madame. Ich bin Madame Jean=Baptiste Bernadotte."

„Mademoi — oh Madame — oh pardon —" Der junge Mann be= trachtete mich, als ob ich der Geist seiner verstorbenen Urgroß= mutter wäre. „Es war ein Irrtum", flüsterte er.

„Das kann passieren. Aber jetzt melden Sie mich schon endlich an!" Der junge Mann verschwand und kehrte sofort wieder zurück. „Darf ich Madame bitten, mir zu folgen. Es sind noch Herren beim Ersten Konsul, der Erste Konsul läßt Madame bitten, sich eine Minute zu gedulden. Nur eine Minute, hat der Erste Konsul gesagt." Er führte mich in einen kleinen Salon mit dunkelroten Brokatstühlen, die ernsthaft um einen Marmortisch gruppiert waren. Ein Salon, der ausschließlich zum Warten bestimmt war. Aber ich wartete nicht lange. Eine Tür öffnete sich, und drei, vier gekrümmte Rücken wurden sichtbar, die sich vor jemandem, den ich nicht sehen konnte, verbeugten und „angenehme Ruhe, angenehme Ruhe" wünschten. Hinter ihnen schloß sich die Tür. Die Herren — jeder hielt einen Stoß Akten unterm Arm — steuerten auf den Vorraum zu, während der Sekretär an ihnen vorbeistürzte und im Zimmer des Ersten Konsuls verschwand. Er hatte aber die Tür noch gar nicht hinter sich geschlossen, als er auch schon wieder herausgeschossen kam und feierlich ankündigte: „Madame Jean=Baptiste Bernadotte — der Erste Konsul läßt bitten." „Das ist die reizendste Überraschung, die mir seit Jahren zuteil wurde", sagte Napoleon, als ich eintrat. Er hatte dicht an der Tür auf mich gewartet und nahm meine Hände und zog sie an die Lippen. Und — küßte sie richtig. Kühl und feucht spürte ich seine Lippen zuerst auf der rechten Hand und dann auf der linken. Ich entzog ihm schnell meine Hände und wußte nicht, was ich sagen sollte. „Setzen Sie sich, Liebste, setzen Sie sich! Und er= zählen Sie mir, wie es Ihnen geht. Sie werden jünger, von Jahr zu Jahr jünger." „Das stimmt nicht", sagte ich, „die Zeit vergeht so schnell. Nächstes Jahr müssen wir bereits einen Lehrer für Oscar finden." Er drückte mich in den Armsessel neben seinem Schreib= tisch nieder. Aber er selbst setzte sich nicht mir gegenüber an den Schreibtisch, sondern lief unruhig im ganzen Raum hin und her, und ich mußte mir den Hals verrenken, um ihn nicht aus den Augen zu verlieren. Es war ein sehr großer Raum, in dem eine Menge kleiner Tische herumstand, die alle mit Büchern und Schriftstücken beladen waren. Auf dem großen Schreibtisch jedoch waren die Aktenstücke

in zwei ordentliche Stöße geordnet. Die beiden Stöße lagen auf Holz=
fächern, die wie lange schmale Schubfächer aussahen. Zwischen den
beiden Stößen — dicht vor dem Lehnstuhl hinter dem Schreibtisch —
schimmerte ein einziger Bogen mit blutrotem Siegel. Im Kamin
prasselte starkes Feuer, es war zum Ersticken heiß.

„Das müssen Sie sehen! Die ersten Exemplare, die aus der Ma=
schine kamen — hier!" Er hielt mir einige Blätter, dicht und winzig
klein bedruckt, unter die Nase. Ich sah Paragraphenzeichen. „Das
Bürgerliche Gesetzbuch ist fertig! Der Code Civil der Französischen
Republik. Die Gesetze, um die man in der Revolution gekämpft
hat —, ausgearbeitet, aufgeschrieben, gedruckt. Und gültig, für ewig
gültig. Ich habe Frankreich den neuen Code Civil gegeben!" Jahr
um Jahr hatte er sich mit unseren besten Rechtsgelehrten einge=
schlossen und Frankreichs Bürgerliches Gesetzbuch ausgearbeitet.
Nun war es gedruckt worden und trat in Kraft. „Die humansten
Gesetze der Welt! Lesen Sie nur — hier, das betrifft die Kinder! Der
erstgeborene Sohn verfügt nicht über mehr Rechte als seine Ge=
schwister. Und hier: jedes Elternpaar ist verpflichtet, seine Kinder
zu erhalten. Sehen Sie doch —" Er holte von einem der Tischchen
andere Blätter und begann sie zu überfliegen: „Die neuen Ehe=
gesetze! Sie ermöglichen nicht nur Scheidung, sondern auch Separa=
tion. Und hier: —" Er zog ein anderes Blatt hervor. „Das betrifft
den Adel. Der erbbare Adel ist abgeschafft." „Im Volksmund nennt
man heute schon Ihren Code Civil den Code Napoleon", sagte ich.
Ich wollte ihn bei guter Laune halten. Übrigens stimmte es. Er warf
mit einem Schwung die Bogen auf den Kaminsims. „Verzeihen Sie,
ich langweile Sie, Madame", sagte er und trat dicht hinter mich.
„Nehmen Sie doch den Hut ab, Madame!" Ich schüttelte den Kopf.
„Nein, nein — ich bleibe doch nur einen Augenblick, ich wollte
nur —" „Aber er kleidet Sie nicht, Madame, er kleidet Sie wirklich
nicht! Darf ich Ihren Hut abnehmen?"

„Nein. Und außerdem ist es ein neuer Hut, und Jean=Baptiste
sagt, er steht mir ausgezeichnet."

Er trat sofort zurück. „Natürlich, wenn General Bernadotte es
sagt . . ." Er begann wieder hinter meinem Rücken auf und ab zu
gehen. Jetzt habe ich ihn geärgert, dachte ich verzweifelt und löste
schnell die Hutschleifen. „Darf ich fragen, was mir die Ehre Ihres
nächtlichen Besuches verschafft, Madame?" Es klang scharf. „Jetzt
habe ich den Hut abgenommen", sagte ich. Ich hörte, daß er stehen=
blieb. Dann trat er wieder dicht hinter mich. Ganz leicht fuhr seine

Hand über mein Haar. „Eugénie —" sagte er, „kleine Eugénie —" Ich beugte schnell den Kopf, um seiner Hand zu entgehen. Es war die Stimme aus jener Regennacht, in der wir uns verlobten. „Ich wollte Sie um etwas bitten", sagte ich und hörte selbst, daß meine Stimme zitterte. Er ging quer durch den Raum und lehnte sich mir gegen= über an den Kamin. Die Flammen warfen rote Lichter auf seine glänzenden Stiefel. „Natürlich", bemerkte er nur. „Wieso natürlich?" entfuhr es mir unwillkürlich. „Ich habe nicht erwartet, daß Sie mich besuchen, ohne um etwas zu bitten", sagte er spitz. Und während er sich niederbeugte und ein mächtiges Holzscheit in die Flammen warf: „Übrigens haben die meisten Leute, die sich bei mir melden lassen, ein Anliegen. Daran gewöhnt man sich in meiner Stellung. Nun, was kann ich für Sie tun, Madame Jean=Baptiste Bernadotte?" Seine höhnische Überlegenheit war mehr, als ich ertragen konnte. Ab= gesehen davon, daß er jetzt kurze Haare trug und eine tadellos ge= schnittene Uniform, sah er kaum anders aus als damals in unserem Garten in Marseille. „Haben Sie sich vielleicht eingebildet, daß ich Sie mitten in der Nacht aufsuchen würde, wenn ich keinen sehr dringenden Anlaß dazu hätte?" fauchte ich. Meine Wut schien ihm Spaß zu machen. Vergnügt wippte er von den Fußspitzen auf die Fersen, von den Fersen auf die Fußspitzen. „Das habe ich zwar nicht angenommen, Madame Jean=Baptiste Bernadotte, aber — vielleicht gehofft. Man darf doch hoffen, Madame, nicht wahr?" So geht es nicht, dachte ich verzweifelt, ich bringe ihn ja nicht einmal dazu, mich ernst zu nehmen. Meine Finger begannen die Seidenrose auf meinem neuen Hut zu zerpflücken. „Sie ruinieren Ihren neuen Hut, Madame", hörte ich ihn sagen. Ich sah nicht auf. Ich schluckte und schluckte und spürte trotzdem, daß zwischen meinen Wimpern eine Träne durchrutschte und brennend über meine Wange lief. Ich ver= suchte, sie mit der Zunge aufzufangen. „Womit kann ich dir helfen, Eugénie?" Das war wieder er — Napoleon von damals. Zärtlich, aufrichtig. „Sie sagen, daß viele Leute zu Ihnen kommen, um Sie um etwas zu bitten. Pflegen Sie diesen Leuten ihre Wünsche zu er= füllen?"

„Wenn ich es verantworten kann, natürlich."

„Vor wem verantworten? Sie — Sie sind doch der mächtigste Mann, den es gibt, nicht wahr?"

„Vor mir selbst verantworten. Eugénie. Nun — sag mir deinen Wunsch."

„Ich bitte Sie, ihn zu begnadigen." Stille. Das Feuer prasselte.

„Du meinst den Herzog von Enghien?" Ich nickte. Mit allen Fasern meines Ich wartete ich auf seine Antwort. Er ließ mich warten. Ich riß der Seidenrose auf meinem Hut ein Blatt nach dem anderen aus. „Wer hat dich mit dieser Bitte zu mir geschickt, Eugénie?"

„Das ist doch gleichgültig. Viele Menschen richten diese Bitte an Sie. Ich gehöre auch zu ihnen."

„Ich will wissen, wer dich geschickt hat", sagte er scharf. Ich zupfte an meiner Rose. „Ich frage, wer dich geschickt hat. Bernadotte?" Ich schüttelte nur den Kopf. „Madame, ich bin gewohnt, daß man meine Fragen beantwortet!" Ich sah auf. Er hielt den Kopf vorgestreckt, sein Mund war verzerrt, kleine Speichelbläschen standen in den Mundwinkeln. „Sie müssen mich nicht anschreien, ich fürchte mich nicht", sagte ich. Und ich fürchtete mich wirklich nicht mehr vor ihm. „Ich erinnere mich, Sie spielen gern die mutige junge Dame. Ich erinnere mich an jene Szene im Salon der Tallien —" sagte er zwischen den Zähnen.

„Ich bin gar nicht mutig", sagte ich, „in Wirklichkeit bin ich sogar ein Feigling. Aber, wenn sehr viel auf dem Spiel steht, dann nehme ich mich eben zusammen."

„Und damals im Salon der Tallien stand sehr viel für Sie auf dem Spiel, nicht wahr?"

„Alles", sagte ich einfach und wartete auf die nächste höhnische Bemerkung. Sie blieb aus. Da hob ich den Kopf und suchte seine Augen. „Aber ich war schon vorher einmal sehr mutig. Das war damals, als mein Bräutigam — Sie wissen, ich war schon einmal verlobt, lange bevor ich General Bernadotte kennenlernte — damals, als mein Bräutigam nach dem Sturz Robespierres verhaftet wurde. Wir fürchteten, daß er erschossen werden sollte. Seine Brüder hielten es für sehr gefährlich, aber ich ging mit einem Paket Unterhosen und einem Kuchen zum Militärkommandanten von Marseille und —"

„Ja. Und gerade deshalb muß ich wissen, wer dich heute nacht zu mir geschickt hat."

„Was hat das damit zu tun?"

„Das will ich dir erklären, Eugénie. Die Person oder die Personen, die dich zu mir geschickt haben, kennen mich sehr genau. Sie haben wirklich eine Möglichkeit gefunden, um das Leben dieses Enghien zu retten. Ich sage nur — eine Möglichkeit. Es interessiert mich, wer so genau Bescheid über mich weiß, so klug diese Chance ausnützt und mir gleichzeitig politisch entgegenzuarbeiten versucht. Nun?" Ich lächelte nur. Wie kompliziert er alles sah, wie politisch verwickelt ... „Versuchen Sie doch, Madame, die Situation mit meinen Augen zu sehen. Die Jakobiner werfen mir vor, daß ich die Emigranten zurückkehren lasse und gesellschaftlich bevorzuge. Gleichzeitig verbreiten sie das Gerücht, daß ich die Republik den Bourbonen ausliefern werde. Unser Frankreich — dieses Frankreich, das ich geschaffen habe, das Frankreich des Code Napoleon! Klingt das nicht wahnsinnig?" Bei den letzten Worten war er an den Schreibtisch getreten und hatte den Bogen mit dem roten Siegel in die Hand genommen. Nun starrte er auf die wenigen Worte, die darauf standen. Dann warf er das Schriftstück auf den Schreibtisch zurück und wandte sich wieder zu mir: „Wenn jedoch dieser Enghien hingerichtet wird, beweise ich Frankreich und der ganzen Welt, daß ich die Bourbonen als hochverräterisches Pack betrachte. Verstehen Sie mich, Madame? Dann werde ich jedoch —" Mit ein paar Schritten stand er vor mir und wippte triumphierend hin und her, Fußspitzen — Fersen, Fußspitzen — Fersen: „— Abrechnung mit den anderen halten. Mit den Aufrührern, den ewig Unzufriedenen, diesen Pamphlete=Schreibern, den Wirrköpfen, die mich Tyrann schimpfen. Ausmerzen werde ich sie aus der Gemeinschaft des französischen Volkes. Und Frankreich vor seinen inneren Feinden schützen." Innere Feinde ... Wo habe ich das schon gehört? Barras hat vor langer Zeit von ihnen gesprochen und Napoleon dabei angesehen. Die vergoldete Uhr auf dem Kamin — ein Zifferblatt, das auf zwei ganz abscheulichen Löwen ruhte, zeigte ein Uhr. Ich stand auf. „Es ist sehr spät geworden", sagte ich. Aber sofort drückte er mich an den Schultern in den Armstuhl zurück. „Gehen Sie noch nicht, Eugénie — ich freue mich doch so, daß Sie mich besuchen. Und es ist eine lange Nacht —"

„Sie werden selbst müde sein", warf ich ein. „Ich schlafe schlecht. Und sehr wenig. Ich —" Eine Tapetentür, die ich bisher gar nicht bemerkt hatte, öffnete sich einen Spalt weit. Napoleon bemerkte es nicht. „Die Tapetentür öffnet sich", sagte ich. Napoleon wandte sich um. „Was gibt es, Constant?" Im Tapetenspalt tauchte ein Männchen in Lakaienuniform auf. Das Männchen gestikulierte. Napoleon trat einen Schritt näher. Das Männchen flüsterte aufgeregt: „— will nicht länger warten, läßt sich nicht beruhigen!" „Soll sich wieder anziehen und nach Hause gehen", hörte ich Napoleon sagen. Die Tapetentür schloß sich geräuschlos. Es wird Mademoiselle George vom Théâtre Français sein, fiel mir ein. Ganz Paris weiß, daß Napoleon Josephine früher mit der Sängerin Grassini betrog und jetzt mit seiner „Georgina", der sechzehnjährigen Schauspielerin George, befreundet ist. „Ich will nicht länger stören", sagte ich und stand schnell auf. „Ich habe sie doch weggeschickt, jetzt dürfen Sie mich nicht allein lassen", kam es sofort, und ich wurde wieder niedergedrückt. Seine Stimme wurde zärtlich. „Du hast mich um etwas gebeten, Eugénie. Zum erstenmal im Leben hast du mich um etwas gebeten." Ich schloß erschöpft die Augen. Sein ständiger Stimmungswechsel zermürbte mich. Die Hitze des Raumes war kaum zum Aushalten. Gleichzeitig ging eine fiebernde Unruhe von ihm aus, die mich ganz krank machte. Seltsam, daß ich nach all den Jahren noch jede Stimmung, jedes Gefühl dieses Mannes empfinden konnte. Er überlegt, wußte ich, er versucht zu entscheiden, er kämpft mit sich selbst. Ich darf jetzt nicht weggehen, vielleicht gibt er nach, lieber Gott, vielleicht gibt er nach ... „Aber du weißt gar nicht, was du verlangst, Eugénie! Es geht doch nicht um diesen gleichgültigen Enghien. Ich muß endlich diesen Bourbonen, ich muß der ganzen Welt beweisen, wie Frankreich fühlt. Das französische Volk wird selbst seinen Herrscher wählen —" Ich hob den Kopf. „Freie Bürger einer freien Republik werden zur Wahlurne schreiten." Deklamiert er ein Gedicht, übt er eine Rede ein? Da stand er schon wieder vor dem Schreibtisch und hielt das Schriftstück in der Hand. Wie ein riesiger Blutstropfen klebte das Siegel daran. „Sie haben mich gefragt, wer mich heute nacht zu Ihnen geschickt hat", sagte ich sehr laut. „Bevor Sie eine Entscheidung treffen, will ich Ihnen diese Frage beantworten."

Er sah nicht auf: „Ja? Ich höre."

„Ihre Mutter."

Langsam ließ er den Bogen sinken. Ging auf den Kamin zu, bückte sich und legte ein Holzscheit nach. „Ich wußte nicht, daß sich meine Mutter mit Politik beschäftigt", murmelte er. „Man hat sie wahrscheinlich geplagt und gedrängt —"

„Ihre Mutter betrachtet das Todesurteil nicht als politische Frage."

„Sondern?"

„Als Mord."

„Eugénie! Jetzt bist du zu weit gegangen!"

„Ihre Mutter hat mich so innig gebeten, mit Ihnen zu sprechen. Weiß Gott, das ist kein Vergnügen!" Der Schatten eines Lächelns huschte über sein Gesicht. Dann begann er, in den Mappen und Schriftstücken, die sich auf dem kleinen Tischchen auftürmten, zu kramen. Endlich hatte er gefunden, was er suchte. Er rollte einen großen Zeichenbogen auf und hielt ihn mir unter die Nase. „Wie findest du das? Ich habe es noch niemandem gezeigt!" In der oberen Ecke war eine große Biene aufgezeichnet. Und in der Mitte ein Quadrat skizziert, das mit kleinen Bienen in regelmäßigen Abständen ausgefüllt worden war. „Bienen?" sagte ich erstaunt. „Ja, Bienen", nickte er befriedigt. „Weißt du, was sie bedeuten?" Ich schüttelte den Kopf. „Es ist ein Emblem", sagte Napoleon. „Ein Emblem? Was wollen Sie denn damit schmücken?" Weite Armbewegung: „Alles. Die Wände, die Teppiche, die Vorhänge, die Livreen, die Hofkaleschen, den Krönungsmantel des Kaisers —" Ich zog scharf den Atem ein. Er stockte. Sah mich an. Ganz tief tauchten seine Augen in meine. „Verstehst du mich — Eugénie, kleine Braut?" Ich spürte mein Herz in harten Stößen schlagen. Und schon entrollte er ein anderes Zeichenblatt. Löwen in allen möglichen Stellungen. Ruhende Löwen, springende Löwen, geduckte Löwen. Quer über dem Blatt stand in Napoleons Schrift: „Ein ausgebreiteter Adler!" „Ich habe den Maler David beauftragt, das Wappen zu entwerfen." Die Löwen wurden achtlos auf den Fußboden geworfen, jetzt hielt er mir die Zeichnung eines Adlers mit ausgebreiteten Schwingen entgegen. „Dafür habe ich mich entschieden. Gefällt es dir?" Es war jetzt so heiß im Zimmer, daß ich kaum atmen konnte. Der Adler verschwamm vor meinen Augen, schien riesengroß und drohend. „Mein Wappen. Das Wappen des Kaisers der Franzosen."

Hatte ich diese Worte geträumt? Ich gab mir einen Ruck und fand das Zeichenblatt in meinen zitternden Händen. Ich hatte gar nicht bemerkt, daß er es mir gereicht hatte. Napoleon stand schon wieder am Schreibtisch und starrte auf den Bogen mit dem roten Siegel. Ganz unbeweglich stand er da, die Lippen zusammengepreßt, so daß das Kinn eckig vorsprang. Ich spürte kleine Schweißperlen auf meiner Stirn. Keinen Blick ließ ich von ihm, keinen Blick. Jetzt beugte er sich vor. Griff nach der Feder. Schrieb ein einziges Wort auf den Bogen und schüttete Streusand darüber. Dann schüttelte er heftig die Bronzeglocke. Auf der Glocke saß ein Adler mit ausgebreiteten Schwingen. Der Sekretär stürzte herein. Napoleon faltete sorgsam den Bogen zusammen. „Siegellack!" Der Sekretär machte sich mit einem Leuchter und Siegellack zu schaffen. Napoleon sah ihm interessiert zu. „Fahren Sie sofort nach Vincennes und übergeben Sie dies dem Festungskommandanten. Sie sind verantwortlich dafür, daß es der Festungskommandant persönlich übernimmt." Mit dem Rücken zur Tür und drei Verbeugungen gelangte der Sekretär irgendwie aus dem Zimmer. „Ich möchte gern wissen, wozu Sie sich entschlossen haben", sagte ich heiser. Napoleon bückte sich vor mir nieder und begann, die seidenen Rosenblätter vom Fußboden aufzusammeln. „Sie haben Ihren Hut kaputt gemacht, Madame", bemerkte er und reichte mir eine Handvoll Fetzchen. Ich stand auf, legte die Zeichnung des Adlers auf ein Tischchen und warf dann die Fetzchen ins Feuer. „Kränken Sie sich nicht, es war ein Hut, der Sie gar nicht kleidete", meinte er. Napoleon begleitete mich durch die leeren Korridore. Ich sah die Wände an. Bienen, ging es mir durch den Kopf, Bienen werden die Tuilerien schmücken. Ich zuckte zusammen, weil jeden Augenblick Wachtposten ins Gewehr traten. Er folgte mir bis zur Kutsche. „Der Wagen Ihrer Mutter, sie wartet auf meine Rückkehr. Was soll ich ihr sagen?" Er beugte sich über meine Hand. Aber diesmal küßte er sie nicht. „Wünschen Sie meiner Mutter recht angenehme Ruhe. Und Ihnen danke ich herzlich für Ihren Besuch, Madame."

In unserem Salon fand ich Madame Letitia genauso vor, wie ich sie verlassen hatte. Sie saß im Lehnstuhl am Fenster. Der Himmel war bereits hell geworden, im Garten zwitscherten vergnügte Spatzen. Jean=Baptiste beugte sich über Aktenstücke und schrieb. „Verzeiht, daß ich so lange ausgeblieben bin, aber er hat mich nicht fortgelassen, er plauderte von diesem und jenem", sagte ich. Ein Bleiring preßte meine Schläfen zusammen. „Hat er Bescheid nach Vincennes geschickt?" fragte Madame Letitia. Ich nickte. „Das schon. Aber er wollte mir nicht sagen, wozu er sich entschlossen hat. Ich soll Ihnen angenehme Nachtruhe wünschen, Madame."

„Danke, mein Kind", sagte Madame Letitia und stand auf. An der Tür wandte sie sich noch einmal um. „Auf jeden Fall — danke." Jean=Baptiste nahm mich in die Arme und trug mich ins Schlaf= zimmer hinauf. Er streifte mein Kleid ab und meine Wäsche. Dann versuchte er, mir mein Nachthemd anzuziehen, aber ich war zu müde, um die Arme zu heben. Da hüllte er mich einfach in die Decke ein. „Weißt du, daß sich Napoleon zum Kaiser krönen lassen will?" murmelte ich. „Ich habe das Gerücht gehört, meiner Ansicht nach wird es von seinen Feinden verbreitet. Wer hat es dir gesagt?"

„Napoleon selbst."

Da beugte sich Jean=Baptiste über mich und starrte mir ins Ge= sicht. Dann ließ er mich brüsk los. Und ging ins Ankleidezimmer. Dort hörte ich ihn lange Zeit auf und ab gehen. Ich schlief erst ein, als ich ihn neben mir spürte und mein Gesicht in seine Schultern bohren konnte. Dafür schlief ich bis in den späten Vormittag hinein und war im Schlaf todunglücklich und träumte von einem weißen Bogen Papier, über den blutrote Bienen krabbelten. Marie brachte mir mein Frühstück und eine späte Ausgabe des „Moniteur" ans Bett. Auf der ersten Seite stand, daß der Herzog von Enghien heute um fünf Uhr morgens in der Festung Vincennes erschossen worden ist. Wenige Stunden später reiste Madame Letitia zu ihrem verbannten Sohn Lucien nach Italien.

Ihre Kaiserliche Hoheit, die Prinzessin Joseph!" meldete Fernand. Und hereingerauscht kam meine Schwester Julie. „Madame la Maréchale, wie haben Sie die Nacht verbracht?" sagte Julie, und ihre Mundwinkel zuckten. Lachte oder weinte sie? „Innigen Dank, ganz ausgezeichnet, Kaiserliche Hoheit", antwortete ich und verneigte mich bis zum Boden. Genauso, wie ich es seinerzeit bei Monsieur Montel gelernt habe. „Ich bin absichtlich etwas früher gekommen, wir können uns noch ein wenig in den Garten setzen", sagte meine Schwester, Ihre Kaiserliche Hoheit, Prinzessin der Franzosen. Unser Garten ist klein, und trotz Josephines Ratschlägen haben sich die Rosenstöcke unter meiner Pflege nicht gut entwickelt, und wir haben keinen Baum, der mir die Sehnsucht nach der alten Kastanie in Sceaux nehmen könnte. Aber wenn der Flieder blüht und die beiden Apfelbäumchen, die Jean=Baptiste an Oscars erstem Geburtstag gepflanzt hat, gibt es für mich kein süßeres Stückchen Frühling als den kleinen Garten in der Rue Cisalpine. Sorgsam fegte Julie mit einem Taschentuch die Gartenbank ab, bevor sie sich in ihrer wasser= blauen Satintracht niedersetzte. Ernsthaft schwankten dabei die blauen Straußfedern in ihrem Haar. Marie brachte uns Limonade und betrachtete kritisch Julie. „Die Kaiserliche Hoheit sollte etwas Rouge auflegen", bemerkte sie, „die Marschallin sieht viel besser aus!" Julie warf ärgerlich den Kopf zurück: „Die Marschallin hat es auch leichter! Aber ich habe solche Sorgen wegen der großen Übersied= lung. Wir übersiedeln ins Palais Luxembourg, Marie!"

„Die schöne Villa in der Rue du Rocher scheint der Prinzessin Julie nicht mehr gut genug zu sein", bemerkte Marie bissig.

„Aber nein, Marie!" flehte Julie. „Du bist ungerecht, ich hasse Schlösser! Es ist nur, weil das Thronfolgerehepaar von Frankreich immer im Palais Luxembourg wohnen muß." Julie, der weibliche Teil des französischen Thronfolgerehepaares, sah todunglücklich aus. Aber Marie hatte kein Einsehen. „Dem seligen Monsieur Clary wäre es nicht recht, gar nicht recht", knurrte sie. Dann stemmte sie die Arme in die Seiten: „Der Herr Papa war nämlich Republikaner!" Julie preßte die Hände an die Schläfen. „Ich kann doch nichts dafür!"

„Laß uns ein wenig allein, Marie", bat ich. Und sobald Marie außer Hörweite war: „Hör doch nicht auf den alten Drachen, Julie!"

„Aber ich kann doch wirklich nichts dafür", klagte Julie. „Über= siedeln ist weiß Gott kein Vergnügen, und all diese Zeremonien machen mich ganz krank. Gestern bei der Ernennung der Mar= schälle sind wir geschlagene drei Stunden ununterbrochen gestanden und heute im Dôme des Invalides —"

„Da werden wir sitzen", beruhigte ich sie schnell. „Trink deine Limonade!" Die Limonade schmeckte genauso wie die letzten Tage: süßsauer. Süß waren die Tage nur, weil wir mit Gratulationen über= schüttet worden sind. Mein Jean=Baptiste ist zum Marschall von Frankreich ernannt worden. Der Marschallsrang ist der Traum jedes Soldaten, gleichgültig, ob er als Rekrut oder als General dient. Und nun ist für meinen Mann dieser Traum in Erfüllung gegangen. Nur anders, so ganz anders, als wir es uns vorgestellt hatten. Kurz nach meinem nächtlichen Besuch in den Tuilerien wurde der Royalisten= führer George Cadoudal gefangengenommen. Nach der Vollstrek= kung des Todesurteils am Herzog von Enghien zweifelte niemand am Ausfall dieses Prozesses. Ich wurde jedoch krank vor Angst um Jean=Baptiste, als plötzlich General Moreau, General Pichegru und andere Offiziere mit der Verschwörung dieses Cadoudal in Zu= sammenhang gebracht und verhaftet wurden. Stündlich erwarteten wir die Staatspolizei. Statt dessen wurde Jean=Baptiste genauso wie einst zum Ersten Konsul in die Tuilerien berufen. „Die französische Nation hat sich für mich entschieden, Sie werden doch der Republik nicht entgegenarbeiten?" — „Ich habe der Republik niemals ent= gegengearbeitet und könnte mir nicht vorstellen, dies jemals zu tun", antwortete Jean=Baptiste ruhig. „Wir werden Sie zum Mar= schall ernennen", erklärte Napoleon. Jean=Baptiste verstand ihn nicht. „Wir?" fragte er verständnislos. „Ja — Wir, Napoleon I., Kaiser der Franzosen." Jean=Baptiste war sprachlos. Napoleon mußte derart über seine Verblüffung lachen, daß er sich aufs Knie schlug und vor Heiterkeit im Zimmer herumtanzte. General Moreau wurde des Hochverrats für schuldig befunden, aber nicht zum Tode ver= urteilt, sondern ausgewiesen. Er reiste nach Amerika und trat die Fahrt in seiner französischen Generalsuniform an. Der Säbel, in den er nach Gewohnheit aller Offiziere die Daten der siegreichen Schlach= ten, an denen er teilgenommen hatte, einritzen ließ, begleitete ihn. Die letzten, sorgsam eingekratzten Buchstaben waren: MARENGO. Dann ging alles Schlag auf Schlag. Vorgestern begab sich der Erste

Konsul nach St. Cloud zur Jagd. Dort ließ er sich von dem Beschluß des Senats, ihn zum Kaiser der Franzosen zu wählen, überraschen. Gestern überreichte er im Rahmen einer pompösen Militärparade den Marschallstab an die achtzehn berühmtesten Generäle der franzözischen Armee. Bereits vor einer Woche hatte Jean=Baptiste die streng vertrauliche Mitteilung erhalten, sich eine Marschallsuniform beim Schneider zu bestellen. Eine genaue Zeichnung dieser Uniform war ihm aus den Tuilerien zugesandt worden. Nach Überreichung des Marschallstabes hielt jeder der neuen Marschälle eine kurze Ansprache. Alle achtzehn sprachen Napoleon mit „Eure Majestät" an. Bei Murats und Massénas Reden hielt Napoleon die Augen halb geschlossen, man konnte ihm ansehen, wie müde ihn diese letzten Tage gemacht hatten. Als jedoch Jean=Baptiste das Wort ergriff, um für die Auszeichnung zu danken, glitt ein gespannter Ausdruck über sein Gesicht, der sich zuletzt in sein Lächeln — dieses werbende, zwingende Lächeln — verwandelte. Er trat auf Jean=Baptiste zu, drückte ihm die Hand und forderte ihn auf, ihn „nicht nur als Kaiser, sondern auch als Freund zu betrachten". Jean=Baptiste stand stramm und verzog keine Miene. Dieser Feier sah ich von einer Tribüne aus zu, die für die Frauen der achtzehn Marschälle errichtet worden war. Ich hielt Oscar an der Hand, obwohl man mir angedeutet hatte, daß dies nicht erwünscht sei. „Madame le Maréchale, stellen Sie sich vor, wenn das Kind durch Geschrei die Rede seiner Majestät stört", hatte irgendein Zeremonienmeister gestöhnt. Aber ich wollte, daß Oscar dabeisein sollte, wenn sein Papa Marschall von Frankreich wurde. Als die vielen tausend Zuschauer „Vive l'Empereur" jubelten, weil Napoleon Jean=Baptistes Hand drückte, schwenkte er aufgeregt die kleine Fahne, die ich ihm gekauft hatte. Julie stand auf einer anderen Tribüne. Auf der Tribüne der kaiserlichen Familie nämlich. Da ein Kaiser über eine vornehme Familie verfügen muß, hat Napoleon seine Brüder, mit Ausnahme von Lucien natürlich, zu Kaiserlichen Prinzen ernannt und ihre Gattinnen zu Kaiserlichen Prinzessinnen. Joseph gilt als Thronfolger, solange Napoleon keinen Sohn besitzt. Etwas Kopfzerbrechen hat Madame Letitias Titel bereitet. „Kaiserinwitwe" konnte Napoleon sie doch nicht nennen, da sie schließlich niemals Kaiserin, sondern nur die Gattin des kleinen korsischen Advokaten Carlo Buonaparte gewesen ist. Da er und seine Geschwister meistens von ihr als von der „Frau Mutter" sprechen, kam er auf die Idee, sie einfach der Nation als „Madame Mère" vorzustellen. Übrigens befindet sich

Madame Mère noch immer in Italien bei Lucien. Hortense, die Frau
Seiner Kaiserlichen Hoheit, des plattfüßigen Prinzen Louis, ist durch
ihre Ehe zur Prinzessin geworden, und Eugène de Beauharnais, der
Sohn Ihrer Majestät, der Kaiserin Josephine, wurde gleichfalls zur
Hoheit ernannt. Obwohl Napoleons Schwestern sich innerhalb von
vierundzwanzig Stunden Gewänder, die über und über mit Bienen
bestickt sind, angeschafft haben, so stand trotzdem nichts im „Moni=
teur" über ihre Erhebung zu Kaiserlichen Prinzessinnen zu lesen.
Caroline, die kurz nach dem Umsturz im Brumaire General Murat
geheiratet hat, stand übrigens während der Feierlichkeiten neben
mir und wurde ebenso wie ich eine Madame la Maréchale. Im
„Moniteur" hatten wir gelesen, daß die Marschälle mit dem Titel
„Monseigneur" anzusprechen sind. Caroline fragte mich nun in
vollem Ernst, ob ich die Absicht habe, meinen Mann in der Öffent=
lichkeit „Monseigneur" zu nennen. Ich konnte mich nicht zurück=
halten und gab ihr auf ihre dumme Frage eine ebenso dumme Ant=
wort: „Nein, Monseigneur sage ich zu ihm nur im Schlafzimmer, vor
Leuten nenne ich ihn Jean=Baptiste." Nach der Zeremonie speisten
wir achtzehn Marschalls=Ehepaare mit der kaiserlichen Familie in
den Tuilerien. Die Wände, die Teppiche, die Vorhänge waren mit
Goldbienen bestickt. Viele hundert Stickerinnen müssen Tag und
Nacht gearbeitet haben, um diese Ausschmückung fertigzubringen.
Zuerst wurde ich mir nicht klar, woran dieses Bienenmuster erin=
nerte. Aber als man mir immerzu Champagner nachschenkte und
die Bienen zuletzt kopfzustehen schienen, wußte ich es: die Lilie.
Napoleons Biene ist die umgekehrte Lilie der Bourbonen. Das kann
kein Zufall sein, dachte ich. Ich hätte Napoleon gern gefragt, ob ich
recht habe. Aber ich saß sehr weit von ihm entfernt. Ich hörte ihn
nur ab und zu schallend auflachen und in eine eingetretene Stille
seine jüngste Schwester Caroline quer über die Tafel als „Madame
la Maréchale" ansprechen.

„Wie das alles enden wird . . ." sagte ich auf unserer Gartenbank
unwillkürlich zu Julie. „Es hat doch eben erst begonnen", flüsterte
Julie und preßte ein Riechfläschchen an die Nase. „Ist dir nicht gut?"
fragte ich erschrocken. „Ich kann überhaupt nicht mehr schlafen,
seitdem das alles passiert ist", gestand sie. „Stell dir vor, wenn der
Kaiser wirklich keinen Sohn hinterläßt und Joseph und ich die
Nachfolge —" Sie begann plötzlich am ganzen Körper zu zittern
und warf die Arme um meinen Hals, „Désirée, du bist der einzige
Mensch, der mich verstehen kann . . . Du, ich bin doch nur die

Tochter des Seidenhändlers Clary aus Marseille, ich kann doch nicht —" Ich löste ihre Arme von meinem Hals. „Du mußt dich zusammennehmen, Julie! Zeig doch, wer du in Wirklichkeit bist, zeig es ganz Paris, zeig es ganz Frankreich!"

„Wer bin ich denn?" stieß Julie mit zitternden Lippen hervor. „Die Tochter des Seidenhändlers François Clary", sagte ich eindringlich. „Vergiß das nicht! Julie Clary — Kopf hoch, schämst du dich nicht?" Julie stand auf, und ich führte sie in mein Schlafzimmer. Die Straußfedern in ihrem Haar saßen schief, und ihre Nase war rotgeweint. Willenlos ließ sie sich von mir die Frisur richten, Rouge auflegen und mit der Puderquaste über das Gesicht fahren. Plötzlich mußte ich furchtbar lachen. „Du, Julie —" prustete ich, „es ist ja nicht zu verwundern, daß du dich müde und angegriffen fühlst, die Damen der alten Adelsgeschlechter sind immer furchtbar zart, und Prinzessin Julie aus dem hochgeborenen Haus der Bonaparte ist natürlich weniger robust als die Bürgerin Bernadotte!"

„Du machst einen großen Fehler, Désirée, wenn du Napoleon nicht ernst nimmst", sagte Julie. „Du vergißt, daß ich der allererste Mensch unter der Sonne war, der ihn überhaupt ernst genommen hat", sagte ich. „Aber jetzt müssen wir uns beeilen, ich möchte auf dem Wege in den Dom noch die Prozession der Senatsmitglieder sehen."

Die Polizisten gaben Julies Wagen die Zufahrt zum Palais Luxembourg frei, und hier hörten wir die feierliche Ausrufung Napoleons zum Kaiser der Franzosen. An der Spitze der Prozession ritt ein Dragonerbataillon. Dann folgten schwitzend und zu Fuß zwölf Stadträte. Es war kein Vergnügen für die spitzbäuchigen Herren, quer durch Paris im Parademarsch zu ziehen. Hinter ihnen tauchten die beiden Präfekten in Galauniform auf. Und dann — angekündigt durch schallendes Gelächter der Zuschauer — der alte Fontanes, Präsident des Senates, zu Pferd! Sie hatten Fontanes auf einen lammfrommen Braunen festgeschnallt, der von einem Reitknecht geführt wurde. Trotzdem sah es aus, als ob der Senatspräsident jeden Augenblick vom Pferd fallen würde. In der Linken hielt er eine Pergamentrolle, mit der Rechten klammerte er sich verzweifelt vorn am Sattel an. Hinter ihm marschierten in Reih und Glied sämtliche Mitglieder des Senats. Dann folgte eine Musikkapelle, die einen feurigen Reitermarsch schmetterte, was Fontanes auf seinem Pferd noch unruhiger machte. Die höchsten Offiziere der Pariser Garnison und vier Kavallerie-Eskadronen beschlossen den Zug.

Vor dem Luxembourg machte die Prozession halt. Ein Trompeter trat vor, blies nach allen Seiten ein Signal, der alte Fontanes richtete sich feierlich auf, entrollte sein Pergament, von dem ich später in der Zeitung las, daß es den „Akt des Senatus Consultum" enthielt, und verkündete, daß der Senat beschlossen habe, den Ersten Konsul General Napoleon Bonaparte zum Kaiser der Franzosen zu wählen. Die Menge hörte der zittrigen Stimme des alten Herrn schweigend zu, und als er geendet hatte, stießen einzelne Stimmen ein „Vive l'Empereur" hervor. Die Musikkapelle spielte die Marseillaise, und dann bewegte sich die Prozession weiter. Fontanes las seine Verkündigung noch auf der Place du Corps Législatif, der Place Vendôme, der Place du Carrousel und vor dem Rathaus.

Julie und ich ersuchten dann den Kutscher, uns möglichst schnell zum Dôme des Invalides zu bringen, es hätte nämlich einen schrecklichen Skandal gegeben, wenn wir dort nicht pünktlich erschienen wären. Wir wurden auf die Galerie geführt, die der Kaiserin mit den Damen der kaiserlichen Familie und den Gattinnen der Marschälle vorbehalten war. Und wir kamen wirklich im letzten Augenblick. Julie schob sich schnell auf ihren Sitzplatz zur Linken Josephines, ich wurde in die zweite Reihe gewiesen und renkte mir den Hals aus, um zwischen Julies Straußenfedern=Kopfputz und Josephines hoch= gekämmten und mit Perlenschnüren durchflochtenen Kinderlöckchen durchsehen zu können. Unten wogte ein Heer von Uniformen. In den ersten Bänken saßen siebenhundert pensionierte Offiziere in abgetragenen Uniformen, mit Orden und verblichenen Schleifen behängt. Dicht hinter ihnen, schmal und wie festgefroren, die zwei= hundert Schüler der Polytechnischen Schule. Vor den Kirchenbänken hatte man achtzehn vergoldete Stühle aufgestellt. Hier schimmerte es dunkelblau=golden: die Marschälle. Während die ehemaligen Offiziere und zukünftigen Techniker kaum zu atmen wagten, schienen sich die Marschälle gut zu unterhalten. Ich sah, daß Jean=Baptiste eifrig mit Masséna sprach, und der blonde Junot wandte sogar das Gesicht zu uns herauf und war nahe daran, seiner Frau zuzuwinken. Da klappte Josephine schnell ihren Fächer auf und hielt ihn vor ihr Gesicht, um ihm anzudeuten, daß er sich unmöglich aufführte. Dann verstummten auch die Marschälle. Der Kardinal war vor den Altar getreten, kniete nieder und betete stumm. Gleichzeitig hörten wir von draußen Trompetenstöße und das Rauschen unzähliger Stim= men. „Vive l'Empereur", „Vive l'Empereur". Der Kardinal erhob sich und schritt langsam, gefolgt von zehn hohen Geistlichen, dem

Portal zu. Hier empfing er den Kaiser der Franzosen. Napoleon wurde von Joseph und Louis und seinen Ministern begleitet. Die beiden Prinzen trugen eigentümliche Kostüme. In ihren weinroten Samtwesten, den weiten Kniehosen und den weißen Seidenstrümpfen sahen sie wie — ja, wie die Darsteller von Lakaien in einer Aufführung des Théâtre Français aus. Die Prozession der geistlichen und weltlichen Würdenträger, die sich jetzt auf den Altar zu bewegte, schimmerte in allen Regenbogenfarben. An ihrer Spitze gingen Napoleon und der Kardinal. Napoleon — eine unscheinbar dunkelgrüne Silhouette in all dem Gefunkel. „Er ist verrückt, er hat sich eine Oberstenuniform ohne Orden angezogen", flüsterte Caroline aufgeregt. Sie saß neben Prinzessin Hortense. Hortense bohrte einen spitzen Ellenbogen in ihre Seite und zischte „Ssst".

Langsam stieg Napoleon die drei Stufen empor, die auf den vergoldeten Thronsessel links vom Altar hinaufführten. Ich nehme an, es war ein Thronsessel, schließlich habe ich noch nie einen gesehen. Dort saß er dann — eine kleine einsame Gestalt in der Felduniform eines Obersten. Ich strengte meine Augen sehr an, um das Emblem auf dem hohen Rücken des vergoldeten Stuhles zu unterscheiden. Es war ein N. Ein großes N, umgeben von einem Lorbeerkranz.

Erst als das Geraschel der Satinroben rund um mich ankündigte, daß wir auf die Knie fallen sollten, wurde mir klar, daß der Kardinal längst begonnen hatte, die Messe zu lesen. Napoleon war aufgestanden und zwei Stufen herabgestiegen. „Er hat sich geweigert, die Beichte abzulegen, dabei hat ihm Onkel Fesch so zugeredet", flüsterte Caroline Polette ins Ohr. Hortense zischte „Ssst". Josephine hatte die gefalteten Hände vors Gesicht geschlagen, es sah aus, als ob sie verzweifelt betete. Onkel Fesch . . . Der rundliche Abbé, der es während der Revolution vorgezogen hatte, zum Handelsreisenden zu werden und Etienne um eine Stellung in der Firma Clary zu bitten, war längst wieder dem geistlichen Beruf zurückgegeben worden. Von dem Tag an, an dem französische Truppen in Rom einzogen und General Bonaparte dem Vatikan seine Friedensbedingungen diktiert hatte, war ihm der Kardinalshut sicher gewesen. Und nun hielt Onkel Fesch im Kardinalspurpur die goldene Monstranz in die Höhe. Auf ihren Knien lagen die Marschälle, auf ihren Knien lagen die pensionierten Offiziere, die in der Stunde der Not an der Spitze von Bauern, Arbeitern, Fischern, Bankbeamten und Rekruten die Grenzen der Republik verteidigt hatten. Auf ihren Knien lagen die jungen Schüler der Polytechnischen Schule. Auf ihren Knien lag Josephine, die erste Kaiserin der Franzosen, und neben ihr die ganze Familie Bonaparte. Auf ihren Knien lagen die hohen Geistlichen. Napoleon jedoch stand auf der ersten Stufe des Thrones und beugte höflich wartend das Haupt. Der letzte Orgelton verhallte. Wie ein leiser Windstoß ging ein tiefgespannter Atemzug durch den Dom. Dann hielten tausend Menschen den Atem an. Napoleon hatte ein Papier aus der Brusttasche gezogen und begann zu sprechen. Aber er entfaltete nicht einmal den Bogen. Frei sprach er, mühelos und metallklar schwebte seine Stimme durch den Raum. „Er hat Sprechunterricht bei einem Schauspieler genommen", zischelte Caroline. „Nein, bei einer Schauspielerin", kicherte Polette, „bei Mademoiselle George." — „Ssst", zischte Hortense. Während der letzten Sätze war Napoleon von der untersten Stufe seines Thrones herabgestiegen. Nun trat er dicht vor den Altar und hob die Rechte zum Schwur: „Und zuletzt schwört ihr mit all der Macht, die euch zu Gebote steht, Freiheit und Gleichheit, diese Grundsätze, auf die sich alle unsere Einrichtungen aufbauen, zu bewahren. Ihr schwört!"

In die Höhe fliegen alle Hände. In die Höhe flog meine Hand. Ein einziger Schwurschrei schwoll auf, schwebte unter der Kuppel, verklang hallend. Das Tedeum setzte ein. Langsam kehrte Napoleon auf seinen Thronsessel zurück, setzte sich und wandte kein Auge von der Versammlung. Die Orgel brauste.

In Begleitung seiner achtzehn goldstrotzenden Marschälle verließ Napoleon den Dom. Ein dunkelgrüner Strich inmitten des Gefunkels. Vor dem Dom schwang er sich auf einen Schimmel und ritt an der Spitze aller Gardeoffiziere zu den Tuilerien zurück. Die Volksmenge jubelte. Eine Frau mit wirrem Blick hielt ihm einen Säugling entgegen und schrie: „Segne ihn, segne ihn!"

Jean=Baptiste erwartete mich am Schlag unseres Wagens. Während der Nachhausefahrt sagte ich: „Du bist in der ersten Reihe gesessen und hast alles deutlich gesehen. Was hat er eigentlich für ein Gesicht gemacht, während er so unbeweglich auf dem Thron saß?"

„Er hat gelächelt. Aber nur mit dem Mund, nicht mit den Augen." Und weil er nichts hinzufügte, sondern nur schweigend vor sich hin starrte, fragte ich: „Woran denkst du, Jean=Baptiste?" „An den Kragen meiner Marschallsuniform. Die vorschriftsmäßige Höhe ist kaum zum Aushalten. Außerdem ist der Kragen zu eng, er stört mich entsetzlich." Ich studierte die Pracht. Die weiße Satinweste und der dunkelblaue Rock sind über und über mit Eichenlaub in echtgoldenen Fäden bestickt. Der blaue Samtmantel ist mit weißem Satin gefüttert und mit Goldborten besetzt. Riesige goldene Eichen=blätter säumen ihn ein. „Dein ehemaliger Bräutigam macht es sich bequem. Während er uns in goldene Eichenblätter einschnürt, zieht er sich die Felduniform eines Obersten an", sagte Jean=Baptiste. Es klang bitter. Als wir vor unserem Haus aus dem Wagen stiegen, drängten sich plötzlich einige junge Burschen in abgetragenen Rök=ken dicht an uns heran. „Vive Bernadotte!" schrien sie, „Vive Berna=dotte!" Jean=Baptiste betrachtete sie den Bruchteil einer Sekunde lang. „Vive l'Empereur!" antwortete er dann. „Vive l'Empereur!"

Als wir einander allein beim Abendessen gegenübersaßen, be=merkte er wie nebenbei: „Es wird dich interessieren, daß der Kaiser dem Polizeiminister den vertraulichen Auftrag gegeben hat, nicht nur das Privatleben, sondern auch die Privatkorrespondenz seiner Marschälle genau zu überwachen." „Julie hat mir erzählt, daß er sich im Winter richtig krönen lassen will", sagte ich, nachdem ich seine Mitteilung überdacht hatte. Jean=Baptiste lachte hell auf: „Von wem? Läßt er sich vielleicht von seinem Onkel Fesch bei Orgel=begleitung in Notre=Dame die Krone aufs Haupt setzen?"

„Nein. Der Papst soll ihn krönen." Jean=Baptiste setzte das er=hobene Weinglas so hart zurück, daß er Wein verspritzte. „Aber das ist doch —" Er schüttelte den Kopf: „Désirée, das halte ich für ausgeschlossen. Er wird doch nicht nach Rom pilgern, um sich dort krönen zu lassen!" „Aber nein, er verlangt, daß der Papst zu diesem Zweck nach Paris kommt." Zuerst konnte ich nicht begreifen, warum Jean=Baptiste diese Mitteilung so unglaublich fand. Aber er erklärte mir, daß der Papst niemals den Vatikan verläßt, um Krönungen im Ausland vorzunehmen. „Ich bin in der Geschichte nicht allzugut bewandert, aber ich glaube, es ist noch nie vorgekommen", fügte er hinzu. Ich streute eifrig Salz auf die Rotweinflecken und hoffte, daß sie sich dadurch leichter aus dem Tischtuch waschen lassen würden. „Joseph behauptet, daß Napoleon den Papst zwingen wird, herzukommen", sagte ich. „Weiß Gott, ich bin kein frommer Sohn der Heiligen Römischen Kirche, das wäre auch von einem ehemaligen Revolutionssergeanten zuviel verlangt, aber ich finde es nun einmal nicht richtig, daß er den alten Herrn über die schlechten Straßen von Rom nach Paris jagt", meinte Jean=Baptiste. „Es soll auch ir=gendeine alte Krone gefunden worden sein und ein Szepter und ein Reichsapfel, und wir sollen alle bei der Zeremonie mitwirken. Joseph

und Louis wollen sich Hoftrachten im spanischen Stil machen las=
sen", berichtete ich. „Besonders der plattfüßige Louis wird flott
ausschauen!" Jean=Baptiste blickte vor sich hin. Dann sagte er plötz=
lich: „Ich werde ihn um einen selbständigen Verwaltungsposten
bitten, möglichst weit von Paris entfernt. Ich möchte für irgendein
Gebiet wirklich verantwortlich sein. Nicht nur militärisch, verstehst
du? Ich habe mir eine neue Form des Lizenzsystems und der Zoll=
gesetze zurechtgelegt, und ich glaube, ich könnte wirklich den Wohl=
stand eines Landes heben."

„Aber dann mußt du wieder fortfahren!" widersprach ich ver=
zweifelt. „Das muß ich auf jeden Fall. Bonaparte wird der fran=
zösischen Republik neue Friedensverhandlungen, aber bestimmt kei=
nen dauernden Frieden bringen. Und wir Marschälle werden mit
unseren Armeen durch ganz Europa reiten, bis —" Er machte eine
Pause. „Bis wir uns zu Tode gesiegt haben. Bonaparte ist nämlich
ein verdammt guter Soldat." Während der letzten Worte hatte
Jean=Baptiste begonnen, den Kragen zu lockern. Ich sah ihn an.
„Dir ist die Marschallsuniform zu eng!" — „Stimmt, mein kleines
Mädchen. Mir ist die Marschallsuniform zu eng. Und deshalb wird
Sergeant Bernadotte sehr bald Paris verlassen. Komm, trink aus,
wir wollen schlafen gehen."

Paris, 9 Frimaire des Jahres XII.
(Nach dem Kirchlichen Kalender
30. November 1804.)

Der Papst ist wirklich nach Paris gekommen, um Napoleon und Josephine zu krönen. Und Jean=Baptiste hat mir eine schreckliche Szene gemacht, weil er plötzlich auf ihn eifersüchtig ist. (Nicht auf den Papst, sondern auf Napoleon!) Heute nachmittag wurde in den Tuilerien der Krönungszug der Kaiserin geprobt. Mir summt noch der Kopf davon, und außerdem bin ich ganz verzweifelt, weil Jean= Baptiste eifersüchtig ist. Deshalb kann ich nicht einschlafen und sitze an Jean=Baptistes großem Schreibtisch mit den vielen Büchern und Landkarten und schreibe in mein Buch. Jean=Baptiste ist fort= gegangen, und ich weiß nicht, wohin . . .

In zwei Tagen wird die Krönung vorgenommen werden, und seit Monaten spricht man in Paris von nichts anderem. Es soll das glanzvollste Ereignis aller Zeiten werden, sagt Napoleon. Und der Papst wurde gezwungen, nach Paris zu kommen, damit die ganze Welt und vor allem die Anhänger der Bourbonen sehen, daß Na= poleon in Notre=Dame richtig gekrönt und gesalbt wird. Die ehe= maligen Großen des Versailler Hofes, die alle sehr fromme Katho= liken sind, hatten heimlich untereinander Wetten abgeschlossen, ob der Papst kommen wird oder nicht. Die meisten hielten es für undenkbar. Und wer zog vor ein paar Tagen mit einem Gefolge von sechs Kardinälen, vier Erzbischöfen, sechs Prälaten und einem ganzen Heer von Leibärzten, Sekretären, Soldaten der Schweizer Garde und Lakaien in Paris ein? Pius VII.! Josephine hat ihm zu Ehren in den Tuilerien ein großes Festessen gegeben. Aber der Papst hat sich frühzeitig und sehr beleidigt davon zurückgezogen, weil sie ihn nach dem Souper durch eine Ballettaufführung erfreuen wollte. Dabei hat sie es nur gut gemeint. „Wenn der alte Herr schon ein= mal in Paris ist . . .", hat Josephine dem Onkel Fesch erklärt. Aber Onkel Fesch, jetzt von Kopf bis Fuß ein Kardinal, hat nur verärgert den Kopf geschüttelt. Die Mitglieder der kaiserlichen Familie halten seit Wochen abwechselnd in Fontainebleau und in den Tuilerien Proben für die Krönungsfeierlichkeiten ab. Heute nachmittag wur= den auch wir, die Frauen der achtzehn Marschälle, in die Tuilerien kommandiert. Die Krönungsprozession der Kaiserin sollte einstudiert werden. Als ich mit Laura Junot und Madame Berthier in den Tuilerien erschien, wurden wir in Josephines weißen Salon geführt. Dort hatten sich bereits die meisten Mitglieder der Familie Bonaparte versammelt und stritten. Verantwortlich für die Leitung der Krönungsfeierlichkeiten ist Joseph, aber die Einzelheiten hat Zeremonienmeister Despreaux, der dafür eine Gage von zweitausendvierhundert Francs bekommt, zu bestimmen. Despreaux ist also Regisseur, und ihm zur Seite steht dieser fürchterliche Monsieur Montel, bei dem ich seinerzeit vornehmes Benehmen gelernt habe. Wir Marschallinnen drängten uns in einer Ecke zusammen und suchten herauszufinden, worüber eigentlich gestritten wurde. „Es ist aber ausdrücklicher Wunsch Seiner Majestät", schrie Despreaux verzweifelt. „Und wenn er mich aus Frankreich hinauswirft wie den armen Lucien, ich tue es doch nicht!" keifte Elisa Bacciochi. „Die Schleppe tragen, daß ich nicht lache! Die Schleppe tragen!" kam es empört von Polette. „Aber Julie und Hortense haben auch die Schleppe zu tragen und weigern sich nicht, obwohl beide Kaiserliche Hoheiten sind", versuchte Joseph zu begütigen. Seine bereits dünn gewordenen und stets glatt zurückgebügelten Haarsträhnen waren ganz durcheinandergeraten.

„Die Kaiserlichen Hoheiten!" zischte Caroline. „Und warum werden wir, die Schwestern des Kaisers, nicht zu Hoheiten ernannt, wenn ich fragen darf? Sind wir vielleicht weniger gut als Julie, diese Seidenhändlerstochter und —" ich spürte, wie ich rot vor Zorn wurde „— und Hortense, die Tochter dieser — dieser — —" Caroline suchte ein Schimpfwort für Ihre Majestät Kaiserin Josephine.

„Meine Damen, ich beschwöre Sie!" stöhnte Despreaux.

„Es handelt sich um den Krönungsmantel mit der Riesenschleppe", flüsterte mir Laura Junot zu. „Der Kaiser will, daß sie von seinen Schwestern und den Prinzessinnen Julie und Hortense getragen wird." „Nun — können wir mit der Probe beginnen?" Aus einer Seitentür war Josephine eingetreten und sah sehr seltsam aus. An ihren Schultern waren zwei aneinandergenähte Laken befestigt, die den Krönungsmantel, der scheinbar noch nicht fertig war, darstellen sollten. Wir versanken in einem Hofknicks. „Bitte, sich für den Krönungszug Ihrer Majestät aufzustellen!" rief Joseph. „Und wenn sie sich auf den Kopf stellt, ich trage ihr nicht die Schleppe", keuchte Elisa Bacciochi schnell.

Despreaux steuerte auf uns zu. „Die achtzehn Marschallinnen sind leider siebzehn!" konstatierte er nachdenklich. Es klang nicht gerade geistvoll. „Denn die Frau Marschallin Murat wird ja als Schwester des Kaisers die Schleppe tragen." „Nicht im Traum denkt sie daran!" rief Caroline quer durch den Raum. „Jetzt weiß ich nicht recht, wie diese siebzehn Damen zwei und zwei — " grübelte Despreaux. „Montel! Haben Sie eine Idee, wie siebzehn Damen neun Paare bilden können, um vor Ihrer Majestät einherzuschreiten?" Montel trippelte auf uns zu und runzelte sorgenvoll die Stirn. „Siebzehn Damen — paarweise — keine darf einzeln gehen —" „Darf ich Ihnen bei der Lösung dieser strategischen Aufgabe behilflich sein?" fragte dicht neben uns jemand. Wir fuhren herum. Versanken wieder in einem tiefen Hofknicks. „Ich schlage vor, daß nur sechzehn Marschallsgattinnen den Zug Ihrer Majestät eröffnen. Dann folgen wie besprochen Securier mit dem Ring der Kaiserin, Murat mit ihrer Krone und schließlich eine der Marschallinnen mit — ja, mit einem Kissen, auf dem ein Spitzentaschentuch Ihrer Majestät liegt. Es wird sehr poetisch wirken." „Genial, Majestät", flüsterte Despreaux ergriffen und knickte in tiefer Verbeugung zusammen. Neben ihm verneigte sich Montel bis zur Erde. „Und diese Dame mit dem Spitzentaschentuch —" Napoleon machte eine kleine Pause und blickte scheinbar nachdenklich von Madame Berthier zu Laura Junot, von Laura Junot zur häßlichen Madame Lefèbre. Aber ich kannte bereits seine Entscheidung. Ich wollte eine der sechzehn sein. Die Marschallin Bernadotte. Nicht mehr und nicht weniger, ich wollte keine Ausnahmestellung haben, ich wollte nicht — „Wir bitten Madame Jean-Baptiste Bernadotte, diese Aufgabe zu übernehmen. Madame Bernadotte wird reizend aussehen. In Himmelblau, nicht wahr." „Himmelblau kleidet mich nicht", stieß ich hervor und dachte an das himmelblaue Seidenkleid, das ich im Salon der Tallien getragen hatte. „In Himmelblau", wiederholte der Kaiser, erinnerte sich zweifellos an mein Unglückskleid und wandte sich ab. Als er auf die Gruppe seiner Schwestern zutrat, öffnete Polette den Mund und sagte: „Sire, wir wollen nicht —" „Madame, Sie vergessen sich!" kam es scharf wie ein Peitschenknall von Napoleon. Niemand darf nämlich den Kaiser ansprechen, ohne zuerst von ihm angeredet worden zu sein. Polette klappte den Mund zu. Napoleon wandte sich an Joseph: „Wieder Unstimmigkeiten?" „Die Mädchen wollen nicht die Schleppe der Kaiserin tragen", klagte Joseph und strich die verschwitzten Haarsträhnen zurück. „Warum nicht?" „Sire, die Damen Bacciochi und Murat und die Fürstin Borghese

meinen —" „Dann werden Ihre Kaiserlichen Hoheiten, die Prin=
zessinnen Joseph und Louis Bonaparte die Schleppe allein tragen",
entschied Napoleon. „Die Schleppe ist für zwei allein viel zu schwer",
sagte Josephine, raffte ihre Bettücher zusammen und trat neben
Napoleon. „Wenn wir nicht dieselben Rechte erhalten wie Julie und
Hortense, dann verzichten wir auch auf dieselben Pflichten", stieß
Elisa hervor. „Halt den Mund", fuhr Napoleon sie an. Und zu Po=
lette, die er gut leiden kann, gewandt: „Also — was wollt ihr eigent=
lich?" „Wir haben denselben Anspruch auf den Rang einer Kaiser=
lichen Prinzessin wie diese zwei!" Polette wies mit dem Kinn auf
Julie und Hortense. Napoleon zog die Augenbrauen in die Höhe:
„Man sollte meinen, ich hätte soeben die Krone unseres gemein=
samen Herrn Vaters geerbt und sei im Begriffe, bei der Verteilung
des Erbes meine Geschwister zu verkürzen. Meine Geschwister ver=
gessen, daß jede Auszeichnung nur einen Gnadenbeweis von meiner
Seite darstellt. Bis jetzt sogar einen sehr unverdienten Gnaden=
beweis, nicht wahr?" In die darauffolgende Stille plätscherte Jo=
sephines Stimme wie eine zärtliche kleine Melodie. „Sire, ich bitte,
daß Sie in Ihrer Güte Ihre Mesdames Schwestern zu Kaiserlichen
Hoheiten erheben." Sie sucht Bundesgenossinnen, ging es mir durch
den Kopf, sie fürchtet sich. Vielleicht ist es wahr, was alle munkeln,
vielleicht denkt er wirklich an Scheidung ... Napoleon begann zu
lachen. Die Szene schien ihm Riesenspaß zu machen, und wir be=
griffen auf einmal, daß sie ihm bereits die ganze Zeit über Riesen=
spaß gemacht hatte. „Gut, wenn ihr versprecht, euch ordentlich auf=
zuführen, dann ernenne ich euch —"

„Sire!" schrie Elisa und Caroline in freudigem Schreck. „Napo=
leone — grazie tanto!" stieß Polette hervor.

„Ich möchte die Probe des Krönungszuges Ihrer Majestät sehen,
beginnen Sie endlich!" wandte sich Napoleon an Despreaux. Auf
irgendeinem Klavier wurde ein feierlicher Choral geklimpert, der
Orgelspiel andeuten sollte. Dann teilte Despreaux sechzehn Mar=
schallsgattinnen in acht Paare ein, und Montel zeigte ihnen, wie
sie leichtfüßig graziös und gleichzeitig feierlich schreiten sollten.
Dies schien plötzlich den sechzehn Damen unmöglich zu sein, weil
ihnen der Kaiser mit steinerner Miene unausgesetzt auf die Füße
starrte. Sie stolperten in tödlicher Verlegenheit durch den Raum,
und Polette biß sich in die Hand, um einen Lachkrampf zu unter=
drücken. Schließlich wurden Securier und Murat herbeigerufen. Beide
schlossen sich dem Aufmarsch der Marschallinnen an und trugen

feierlich ein Sofakissen auf den ausgebreiteten Handflächen, auf dem bei der Krönung die Insignien der Kaiserin ruhen werden. Nach ihnen mußte ich allein einherschreiten, gleichfalls mit einem Sofa= kissen bewaffnet. Schließlich trat Josephine an, und ihre schleppen= den Laken wurden ihr widerspruchslos von den soeben ernannten Kaiserlichen Prinzessinnen Julie und Hortense nachgetragen. In die= sem Aufzug schritten wir viermal im Salon auf und ab. Das Ganze kam erst zum Stillstand, als sich Napoleon zum Gehen wandte. Wir versanken natürlich wieder im Hofknicks. Aber Joseph stürzte dem Bruder wie ein Besessener nach. „Sire! Ich flehe Sie an — Sire!" — „Ich habe wirklich keine Zeit mehr", sagte Napoleon ungeduldig. „Sire, es handelt sich um die unberührten Jungfrauen", erklärte Jo= seph und winkte Despreaux heran. Despreaux stellte sich neben Joseph auf und wiederholte: „Die unberührten Jungfrauen sind ein schwieriges Problem. Wir können nämlich keine finden!" Napoleon biß sich auf die Lippen, um ein Lächeln zu verbergen. „Wozu brau= chen Sie unberührte Jungfrauen, meine Herren?" erkundigte er sich.

„Majestät haben vielleicht vergessen — in der Chronik über das mittelalterliche Krönungszeremoniell in Reims, an die wir uns hal= ten sollen, steht nämlich, daß zwölf unberührte Jungfrauen mit zwei Kerzen in der Hand nach der Salbung Seiner Majestät an den Altar zu treten haben. Wir haben bereits an eine Kusine des Mar= schalls Berthier und eine meiner Tanten mütterlicherseits gedacht —" stotterte Despreaux, „aber beide Damen sind bereits — sie sind nicht —"

„Sie sind zwar unberührt, aber bereits über vierzig", dröhnte aus dem Hintergrund Murats Stimme. Murat, der Kavallerieoffizier, hatte seine höfische Würde vergessen. „Ich habe wiederholt den Wunsch geäußert, auch Frankreichs alten Adel an den Krönungs= feierlichkeiten, die eine Angelegenheit des ganzen französischen Volkes darstellen, teilnehmen zu lassen. Ich bin überzeugt davon, daß Sie in den Kreisen des Faubourg St. Germain einige geeignete junge Mädchen finden werden, meine Herren." Worauf wir uns wieder verneigten, da Napoleon endgültig den Salon verließ. Dann wurden Erfrischungen herumgereicht, und Josephine ließ mich durch eine ihrer Hofdamen zu sich aufs Sofa bitten. Sie wollte mir be= weisen, daß sie sich über meine Auszeichnung freute. Da saß sie nun zwischen Julie und mir und leerte in hastigen Schlucken ein Glas Champagner. Das zarte Gesicht schien in den letzten Monaten noch kleiner geworden zu sein, die Augen unter der Silberschminke wirkten unnatürlich groß, und die wunderbare Emailleschicht ihrer Schminke hatte während des langen Nachmittags winzige Sprünge bekommen. Zwei haarfeine Linien zogen sich von den Nasenflügeln zu den Mundwinkeln und vertieften sich in Josephines angestrengtem Lächeln. Aber die nach aufwärts gebürsteten Kinderlöckchen wirkten wie immer rührend jung. „Le Roy wird nicht imstande sein, mir innerhalb von zwei Tagen eine himmelblaue Toilette zu liefern", bemerkte ich. Josephine dagegen vergaß in ihrer Erschöpfung — sie hat heute vormittag bereits stundenlang ihre Krönungsroben probiert —, daß sie sich schon lange nicht mehr an ihre Vergangenheit erinnern darf, und meinte: „Paul Barras hat mir einmal Saphirohrgehänge geschenkt, wenn ich sie finden kann, will ich sie Ihnen gern zu Ihrer blauen Toilette borgen." — „Madame sind zu gütig, aber ich glaube —" weiter kam ich nicht, wir wurden unterbrochen. Joseph stand mit aufgeregt zuckenden Mundwinkeln vor uns. Josephine sah auf. „Was ist denn schon wieder passiert?" „Seine Majestät läßt Ihre Majestät bitten, sofort ins Arbeitskabinett zu kommen", meldete er. Josephine zog die dünnen Augenbrauen in die Höhe. „Neue Schwierigkeiten im Zusammenhang mit der Krönung, lieber Schwager?"

Joseph konnte seine Schadenfreude nicht länger verbergen und beugte sich vor: „Der Papst hat soeben mitgeteilt, daß er sich weigert, Ihre Majestät zu krönen." Der kleine geschminkte Mund formte ein spöttisches Lächeln. „Und womit begründet der Heilige Vater seine Weigerung?" Joseph sah sich mit gespielter Diskretion nach allen Seiten um. „Sprechen Sie nur, außer Prinzessin Julie und Madame Bernadotte hört uns niemand, und die beiden Damen gehören ja zur Familie, nicht wahr?" Joseph preßte sein Kinn zurück, um ein eindrucksvolles Doppelkinn zu erzielen. „Der Papst hat erfahren, daß Seine Majestät und Ihre Majestät seinerzeit nicht kirchlich getraut wurden, und hat erklärt, nicht die — pardon, Madame, es ist das Wort des Heiligen Vaters — nicht die Konkubine des Kaisers der Franzosen krönen zu können."

„Und woher hat der Heilige Vater plötzlich erfahren, daß Bonaparte und ich nur bürgerlich getraut wurden?" erkundigte sich Josephine ruhig. „Das müssen wir erst herausfinden", gestand Joseph.

Josephine betrachtete nachdenklich das leere Glas in ihrer Hand. „Und was gedenkt Seine Majestät dem Heiligen Vater zu antworten?"

„Seine Majestät wird selbstverständlich mit dem Papst verhandeln." „Es gibt einen sehr einfachen Ausweg", lächelte Josephine und erhob sich. Den leeren Champagnerkelch drückte sie Joseph in die Hand. „Ich werde sofort mit Bona — mit dem Kaiser darüber sprechen." Und bereits im Gehen: „Wir werden uns eben kirchlich trauen lassen, dann ist alles in Ordnung." Während Joseph dem nächsten Lakaien das leere Glas in die Hand drückte und Josephine nachstürzte, um nach Möglichkeit bei der Unterredung dabeizusein, sagte Julie nachdenklich: „Ich glaube, sie selbst hat den Papst darauf aufmerksam gemacht." „Ja, sonst wäre sie ehrlich überrascht gewesen", gab ich zu. Julie betrachtete ihre Hände. „Eigentlich tut sie mir leid. Sie hat solche Angst vor einer Scheidung. Und es wäre gemein, wenn er sie plötzlich stehenließe. Nur, weil sie keine Kinder mehr bekommen kann. Findest du nicht auch?" Ich zuckte die Achseln. „Da läßt er diese ganze Krönungskomödie im Stil von Karl dem Großen, gemischt mit dem Zeremoniell von Reims und was weiß ich noch alles, durchführen, um der ganzen Welt einzuprägen, daß er eine erbliche Dynastie gegründet hat. Und nur, damit Joseph Kaiser wird, wenn er ihn überleben sollte, oder der kleine Sohn von Louis und Hortense." „Aber er kann sie doch nicht einfach hinauswerfen!" Julies Augen wurden ganz feucht. „Sie hat sich mit ihm verlobt, als er sich nicht einmal neue Hosen kaufen konnte. Schritt für Schritt ist sie mit ihm gegangen, immer hat sie sich bemüht, ihm in seiner Karriere zu helfen, und jetzt ist ihre Krone geliefert worden, und die ganze Welt betrachtet sie als Kaiserin und —" „Nein, er kann nicht Karl den Großen spielen und sich vom Papst krönen lassen und gleichzeitig wie ein kleiner Bürger in einen Scheidungsprozeß verwickelt werden", sagte ich. „Aber, wenn sogar ich das durchschaue, so weiß es Josephine, die hundertmal gescheiter ist als ich, schon lange. Napoleon muß auf ihrer Krönung bestehen und wird sich deshalb in aller Eile mit ihr kirchlich trauen lassen."

„Und nach einer kirchlichen Trauung kann er sich nicht so leicht von ihr scheiden lassen, nicht wahr? Damit rechnet Josephine?"

„Ja, damit rechnet sie."

„Außerdem liebt er sie. Auf seine Art natürlich. Aber er liebt sie und kann sie nicht einfach im Stich lassen." „Nein?" sagte ich nur, „das kann er nicht? Glaub mir, Napoleon kann."

Durch den Raum ging ein Kleiderrauschen. Man verneigte sich wieder tief, die Kaiserin war zurückgekehrt. Im Vorbeigehen nahm Josephine ein Glas Champagner von der Serviertasse eines Lakaien, rief Despreaux „Wir können noch einmal meinen Krönungszug proben" zu und steuerte dann zu uns herüber. „Onkel Fesch wird uns heute nacht in aller Stille in der Schloßkapelle trauen", sagte sie und trank hastig ein paar Schlucke. „Ist das nicht komisch? Nach beinahe neunjähriger Ehe! Nun, Madame la Maréchale, haben Sie es sich überlegt, soll ich Ihnen meine Saphire borgen?" Auf der Nach= hausefahrt beschloß ich, mich nicht von Napoleon zu einem him= melblauen Kleid zwingen zu lassen. Morgen wird meine blaßrosa Toilette — alle Marschallinnen sollen in Blaßrosa erscheinen — von Le Roy geliefert werden, und ich werde eben in Blaßrosa Jose= phines Taschentuch durch Notre=Dame tragen. Jean=Baptiste erwar= tete mich bereits im Eßzimmer und wirkte wie ein hungriger Löwe oder zumindest so schlecht gelaunt, wie ich mir eben einen hungri= gen Löwen vorstelle. „Was hast du so lange in den Tuilerien ge= trieben?"

„Zugehört, wie sich die Bonapartes miteinander streiten, und dann an der Probe teilgenommen. Übrigens hat man mir eine be= sondere Rolle zugeteilt. Ich werde nicht mit den anderen Marschal= linnen angetanzt kommen, sondern ganz allein hinter Murat gehen und auf einem Kissen ein Taschentuch für Josephine tragen. Was sagst du zu dieser Auszeichnung?" Jean=Baptiste fuhr auf: „Ich will aber nicht, daß du eine Ausnahmestellung einnimmst. Joseph und dieser Affe, der Despreaux, haben sich das nur ausgedacht, weil du Julies Schwester bist. Und ich verbiete es. Verstehst du?" Ich seufzte. „Das nützt nichts. Joseph und Despreaux haben nichts damit zu tun. Der Kaiser wünscht es." Ich hätte nie geglaubt, daß irgend etwas Jean=Baptiste derart aus der Fassung bringen könnte. Seine Stimme wurde plötzlich ganz heiser: „Was sagst du da?"

„Der Kaiser wünscht es. Ich kann doch nichts dafür."

„Und ich dulde es nicht! Meine Frau darf sich nicht vor der gan= zen Welt bloßstellen." Jean=Baptiste brüllte jetzt derart, daß die Gläser auf dem gedeckten Tisch klirrten. Ich konnte seine Wut gar nicht begreifen. „Was ärgert dich denn so?"

„Mit den Fingern werden alle auf dich zeigen. Die Braut, werden sie sagen, Madame Jean=Baptiste Bernadotte, die große Jugendliebe des Kaisers, die er nicht vergessen kann! Seine kleine Eugénie, die er an seinem Krönungstag auszeichnen will. Nach wie vor — seine kleine Eugénie! Und ich werde zum Gelächter von ganz Paris, ver= stehst du?" Fassungslos starrte ich Jean=Baptiste an. Niemand weiß so genau wie ich, wie ihn sein gespanntes Verhältnis zu Napoleon quält. Wie er ständig von dem Gefühl, die Ideen seiner Jugend ver=

raten zu haben, gemartert wird. Wie brennend er darauf wartet, daß sein Ansuchen, möglichst weit von Paris ein selbständiges Kommando zu erhalten, bewilligt wird. Und Napoleon läßt ihn warten, warten und warten. Aber, daß diese Qual des Wartens zu einer Eifersuchtsszene führen könnte, kam völlig unvorhergesehen. Ich trat auf ihn zu und legte meine Hände gegen seine Brust. „Jean=Baptiste", sagte ich, „es steht doch nicht dafür, sich wegen einer Laune Napoleons so zu ärgern." Aber er stieß meine Hände weg. „Du weißt genau, was geschehen ist", keuchte er, „du weißt es ganz genau. Die Leute sollen glauben, daß er die kleine Braut von einst auszeichnet. Aber ich sage dir, daß er dieses ‚einst' längst vergessen hat! Als Mann sage ich es dir. Nur die Gegenwart interessiert ihn. Verliebt ist er in dich, eine Freude will er dir machen, damit du —"

„Jean=Baptiste!"

Er fuhr sich mit der Hand über die Stirn. „Verzeih, du kannst ja wirklich nichts dafür", murmelte er. Im gleichen Augenblick erschien Fernand und setzte die Suppenterrine auf den Tisch. Schweigend nahmen wir einander gegenüber Platz. Jean=Baptistes Hand, die den Löffel zum Munde führte, zitterte. „Ich werde an den Krönungs=feierlichkeiten überhaupt nicht teilnehmen, sondern mich ins Bett legen und krank sein", sagte ich. Jean=Baptiste gab keine Antwort. Nach dem Essen verließ er das Haus.

Während ich jetzt an meinem Schreibtisch sitze und schreibe, versuche ich herauszufinden, ob Napoleon wirklich wieder in mich verliebt ist. In jener endlosen Nacht in seinem Arbeitszimmer, bevor der Herzog von Enghien erschossen wurde, hat er mit der Stimme von einst zu mir gesprochen. „Nehmen Sie doch den Hut ab, Madame . . ." und etwas später: „Eugénie. Kleine Eugénie . . ." Mademoiselle George wurde fortgeschickt. Ich glaube, daß er sich in jener Nacht an die Hecke in unserem Garten in Marseille erinnert hat. An die schlafende Wiese und an die Sterne, die so nahe waren. Wie seltsam, daß der kleine Bonaparte von der Hecke in zwei Tagen zum Kaiser der Franzosen gekrönt wird, und ganz unvorstellbar, daß es eine Zeit in meinem Leben gegeben hat, in der ich nicht zu meinem Bernadotte gehörte . . . Die Uhr im Eßzimmer schlägt Mitternacht. Vielleicht ist Jean=Baptiste bei Madame Récamier zu Besuch, er spricht so oft von ihr. Juliette Récamier ist mit einem alten reichen Bankdirektor verheiratet und liest alle Bücher, die gedruckt werden, und auch solche, die nicht gedruckt werden, und liegt den ganzen Tag lang auf einem Sofa. Sie fühlt sich als

Muse aller berühmten Männer, dabei läßt sie sich von keinem küssen. Und schon gar nicht von ihrem eigenen Mann, behauptet Polette. Jean=Baptiste spricht oft mit dieser Seelenfreundin über Bücher und Musik, und manchmal schickt sie mir langweilige Ro= mane und bittet mich, diese Meisterwerke zu lesen. Ich hasse und bewundere die Récamier sehr. Halb eins. Jetzt knien Napoleon und Josephine wahrscheinlich in der Schloßkapelle der Tuilerien, und Onkel Fesch vollzieht die kirchliche Trauung. Wie leicht könnte ich Jean=Baptiste erklären, warum Napoleon mich nicht vergißt, aber es würde ihn nur ärgern. Ich bin eben ein Teil von Napoleons Jugend. Und kein Mensch vergißt seine Jugend, auch wenn man nur selten zurückdenkt. Wenn ich in Himmelblau im Krönungsaufzug auf= tauche, dann bin ich für Napoleon nicht mehr als eine Erinnerung. Aber es ist natürlich möglich, daß Jean=Baptiste recht hat und daß Napoleon diese Erinnerung gern auffrischen möchte. Eine Liebes= erklärung von Napoleon wäre Balsam auf eine längst verheilte Wunde. Morgen bleibe ich im Bett und leide an einer schweren Er= kältung, und auch übermorgen. Die himmelblaue Erinnerung Seiner Majestät hat Schnupfen und läßt sich entschuldigen ... Gestern nacht — nein, eigentlich war es schon heute — bin ich über meinem Buch eingeschlafen. Ich wachte erst auf, als mich jemand sanft in die Höhe zog und auf die Arme nahm und hinauf ins Schlafzimmer trug. Die Metallschnüre von Epauletten zerkratzten wie so oft meine Wange. „Du warst bei deiner Seelenfreundin, ich kränke mich sehr ..." murmelte ich verschlafen. „Ich war in der Oper, kleines Mädchen, und zwar ganz allein. Ich wollte anständige Musik hören. Dann habe ich den Wagen fortgeschickt und bin zu Fuß nach Hause gegangen." „Ich liebe dich sehr, Jean=Baptiste. Und ich bin schwer krank und habe Schnupfen und Halsweh und kann an den Krö= nungsfeierlichkeiten nicht teilnehmen." „Ich werde Madame Berna= dotte beim Kaiser entschuldigen." Und nach einer Weile: „Du darfst nie vergessen, daß ich dich sehr liebe, kleines Mädchen. Hörst du mich oder schläfst du schon?"

„Ich träume, Jean=Baptiste. Was macht man, wenn einem jemand plötzlich Balsam auf eine längst verheilte Wunde legt?" „Man lacht den Betreffenden aus, Désirée." „Ja, man lacht ihn aus, den großen Kaiser der Franzosen ..."

Paris, am Abend nach Napoleons Krönung. (2. Dezember 1804)

Feierlich war es und ein paarmal komisch zugleich: die Krönung meines ehemaligen Bräutigams zum Kaiser der Franzosen. Als Napoleon mit der schweren Goldkrone auf dem Haupt auf dem Thronsessel saß, trafen sich plötzlich unsere Augen. Ich stand beinahe die ganze Zeit hinter der Kaiserin vor dem Altar und hielt ein Samtkissen mit einem Spitzentaschentuch. Es kam nämlich ganz anders, als ich geplant hatte. Jean=Baptiste erklärte zwar vorgestern dem Zeremonienmeister, daß ich zu meiner grenzenlosen Verzweif= lung wegen hohen Fiebers und einer schweren Erkältung gezwungen sei, der Krönung fernzubleiben. Was Despreaux gar nicht begreifen konnte, da die anderen Marschallinnen sogar vom Totenbett auf= stehen würden, um in Notre=Dame zu erscheinen. Ob ich nicht doch kommen könne? „Madame la Maréchale würde durch ihr Niesen die Orgelmusik übertönen", gestand ihm Jean=Baptiste.

Ich blieb auch wirklich den ganzen Tag im Bett. Um die Mittags= zeit kam Julie, die von meiner plötzlichen Erkrankung gehört hatte, sehr aufgeregt zu mir und gab mir heiße Milch mit Honig zu trinken. Es schmeckte sehr gut, und ich traute mich nicht einmal, ihr zu gestehen, daß ich gar nicht krank war. Gestern vormittag wurde es mir aber im Bett zu langweilig, ich zog mich an und ging ins Kinderzimmer, und Oscar und ich machten einen Nationalgardisten kaputt, das heißt, eine Puppe, die einen Nationalgardisten vorstellen sollte. Wir wollten sehen, womit der Kopf ausgestopft war. Es stellte sich heraus, daß es Sägespäne waren. Als plötzlich der Fußboden mit ihnen bestreut war, mußten wir schnell im ganzen Zimmer herumrutschen, um wieder sauber zu machen. Wir beide, Oscar und ich, haben nämlich große Angst vor Marie, die von Jahr zu Jahr strenger mit uns wird.

Plötzlich ging die Tür auf, und Fernand meldete Napoleons Leib= arzt an. Ehe ich sagen konnte, daß ich Doktor Corvisart in fünf Minuten in meinem Schlafzimmer empfangen werde, hatte Fernand, dieses Trampeltier, den Doktor schon ins Kinderzimmer gewiesen. Doktor Corvisart stellte seine schwarze Handtasche auf den Sattel des Schaukelpferdes und verneigte sich höflich vor mir. „Seine Majestät

hat mich beauftragt, mich nach dem Befinden von Madame la Maré=
chale zu erkundigen. Ich freue mich, Seiner Majestät mitteilen zu
können, daß Madame bereits wieder gesund ist."

„Herr Doktor, ich fühle mich noch sehr schwach", sagte ich ver=
zweifelt. Doktor Corvisart zog seine merkwürdig dreieckigen Augen=
brauen, die wie angeklebt in seinem blassen Gesicht sitzen, in die
Höhe: „Ich glaube, ich kann es mit meinem Gewissen als Arzt ver=
einen, wenn ich feststelle, daß Madame stark genug ist, um das
Taschentuch Ihrer Majestät im Krönungszug zu tragen." Und mit
einer neuerlichen Verbeugung und ohne den Schatten eines Lächelns:
„Seine Majestät hat mich nämlich genau unterrichtet." Ich schluckte.
Dachte flüchtig daran, daß Napoleon Jean=Baptiste mit einem Feder=
strich degradieren kann. Wie ausgeliefert man ihm ist, ging es mir
durch den Kopf. „Wenn Sie mir wirklich raten, Herr Doktor —"
murmelte ich. Doktor Corvisart beugte sich über meine Hand. „Ich
rate Ihnen dringendst, bei der Krönung zu erscheinen, Madame",
sagte er ernst. Nahm dann seine schwarze Tasche und verließ das
Kinderzimmer. Am Nachmittag lieferte Le Roy meine blaßrosa
Toilette und die weißen Straußfedern, die ich im Haar tragen sollte.
Um sechs Uhr zuckte ich zusammen, weil Kanonenschüsse die Scheiben
erzittern ließen. Ich rannte in die Küche und fragte Fernand, was los
sei. „Von jetzt bis Mitternacht wird jede Stunde eine Salve abge=
schossen, gleichzeitig flammen auf allen Plätzen bengalische Lichter
auf, man sollte Oscar in die Stadt führen, damit er die Lichter an=
schauen kann", sagte Fernand und putzte mit fanatischem Eifer
Jean=Baptistes vergoldeten Säbel. „Es schneit zu stark", antwortete
ich, „und das Kind hat heute morgen etwas gehustet." Ich ging ins
Kinderzimmer hinauf, setzte mich ans Fenster und nahm Oscar auf
den Schoß. Im Zimmer war es bereits ganz dunkel, aber ich machte
kein Licht. Oscar und ich beobachteten die Schneeflocken, die im
Schein der großen Laterne vor unserem Hause tanzten. „Es gibt eine
Stadt, in der jeden Winter viele Monate lang der Schnee liegt. Nicht
nur während ein paar Tagen wie bei uns. Und der ganze Himmel
sieht dort wie ein frischgewaschenes Laken aus", sagte ich. „Und
weiter?" fragte Oscar. „Weiter nichts", sagte ich. „Ich habe geglaubt,
du erzählst eine neue Geschichte", meinte Oscar enttäuscht. „Es ist
keine Geschichte, es ist wahr", sagte ich. „Wie heißt die Stadt?"
wollte Oscar wissen. „Stockholm." „Wo ist Stockholm?" „Weit,
weit fort. Beim Nordpol, glaube ich."

„Gehört Stockholm dem Kaiser?"

„Nein, Oscar, Stockholm hat einen eigenen König." „Wie heißt der König?"

„Das weiß ich nicht, Liebling." Wieder donnerten die Kanonen. Oscar schreckte zusammen und preßte unwillkürlich sein Gesicht an meinen Hals. „Du mußt keine Angst haben, es sind nur Kanonenschüsse zu Ehren des Kaisers." Oscar hob wieder den Kopf. „Ich habe doch keine Angst vor Kanonen, Mama. Und später einmal werde ich Marschall von Frankreich, so wie Papa." Ich sah den Schneeflocken zu. Ich weiß nicht, warum, aber ich dachte noch immer an Persson, die Schneeflocken hatten mir sein Pferdegesicht in Erinnerung gebracht. „Vielleicht wirst du ein tüchtiger Seidenhändler wie dein Großpapa", sagte ich. „Aber ich will Marschall werden. Oder Sergeant. Papa hat mir gesagt, daß er Sergeant war. Und Fernand war auch Sergeant." Er wurde eifrig. Etwas Wichtiges war ihm eingefallen: „Fernand hat mir gesagt, daß ich morgen mit ihm zur Krönung gehen darf."

„O nein, Oscar, Kinder dürfen nicht in die Kirche mitgenommen werden. Mama und Papa haben keine Eintrittskarte für dich bekommen."

„Aber Fernand will sich mit mir vor der Kirche aufstellen. Da können wir den ganzen Krönungszug sehen, hat Fernand gesagt. Die Kaiserin und Tante Julie und —" er atmete tief — „und den Kaiser mit der Krone, Mama! Fernand hat es mir versprochen!" „Es ist viel zu kalt, Oscar, du kannst nicht viele Stunden vor Notre-Dame stehen. Und in dem furchtbaren Gedränge würde so ein kleiner Mann wie du ganz zertreten werden."

„Bitte, Mama — bitte, bitte !"

„Ich werde dir genau beschreiben, wie alles war, Oscar." Zwei kleine Arme umschlangen mich, und ich bekam einen süßen und sehr nassen Kuß. „Bitte, Mama! Wenn ich verspreche, jeden Abend meine Milch auszutrinken?"

„Es geht nicht, Oscar, wirklich nicht. Es ist so kalt, und du hast wieder Husten. Sei doch vernünftig, Liebling!"

„Wenn ich noch heute die ganze Flasche mit der häßlichen Hustenmedizin austrinke, Mama? Darf ich dann?"

„In dieser Stadt Stockholm gleich beim Nordpol gibt es — ja, einen breiten See mit grünen Eisschollen —" begann ich, um ihn abzulenken. Aber Stockholm interessierte ihn überhaupt nicht mehr.

„Ich will die Krönung sehen, Mama, ich will so gern, so furchtbar gern!" Er schluchzte. „Wenn du groß bist", hörte ich mich sagen,

„wenn du groß bist, darfst du die Krönung sehen." „Wird sich denn der Kaiser später wieder krönen lassen?" fragte Oscar skeptisch. „Nein, das nicht. Wir werden eben zu einer anderen Krönung gehen, Oscar, wir beide. Mama verspricht es dir. Und es wird eine viel schönere Krönung sein als die morgige, glaub' mir, viel schöner . . ."

„Die Marschallin soll dem Kind keinen Unsinn einreden", kam hinter uns Maries Stimme aus dem Dunkel. „Komm, Oscar, du mußt jetzt deine Milch trinken und den guten Hustensaft einnehmen, den der Onkel Doktor verschrieben hat."

Marie machte im Kinderzimmer Licht, und ich verließ den Platz am Fenster. Jetzt konnte ich die tanzenden Schneeflocken nicht mehr sehen. Später kam Jean=Baptiste herauf, um Oscar gute Nacht zu sagen. Oscar klagte ihm sofort sein Leid. „Mama erlaubt nicht, daß ich mit Fernand vor der Kirche stehe, um den Kaiser mit der Krone zu sehen." — „Ich erlaube es auch nicht", erklärte Jean=Baptiste. „Mama sagt, daß sie mit mir zu einer anderen Krönung gehen wird, später, wenn ich groß bin. Kommst du auch mit, Papa?"

„Wer wird sich denn dann krönen lassen?" wollte Jean=Baptiste wissen.

„Mama, wer wird dann gekrönt werden?" krähte Oscar. Und da ich wirklich nicht wußte, was ich antworten sollte, machte ich ein geheimnisvolles Gesicht. „Das sage ich nicht! Es wird eine Über= raschung sein. Gute Nacht, Liebling, und träum etwas sehr Schönes!" Jean=Baptiste stopfte sorgsam die Bettdecke rund um unseren kleinen Sohn und löschte das Licht aus. Nach langer Zeit bereitete ich wieder selbst unser Abendbrot zu. Marie, Fernand und das Küchenmädchen waren ausgegangen. In allen Theatern wurden Gratisvorstellungen gegeben. Yvette, meine neue Kammerzofe, war bereits mittags verschwunden. Julie hat mir nämlich erklärt, daß sich die Gattin eines Marschalls weder allein frisieren, noch abge= rissene Knöpfe an ihre Kleider nähen kann. Schließlich habe ich nachgegeben und diese Yvette ins Haus genommen, die vor der Re= volution irgendeiner Herzogin die Haare gepudert hat und sich natürlich viel vornehmer vorkommt als ich. Nach dem Essen gingen wir in die Küche, ich spülte Teller und Gläser ab, und mein Marschall band sich Maries Schürze um und trocknete das Geschirr ab. „Meiner Mutter habe ich immer geholfen", bemerkte er. Und, mit einem plötzlichen Lächeln: „Unsere Kristallgläser würden ihr gefallen haben!" Sein Lächeln verschwand. „Joseph hat mir erzählt, daß der Leibarzt des Kaisers bei dir war", sagte er. „In dieser Stadt wissen

alle immer alles über alle", seufzte ich. „Nein, nicht alle. Aber der
Kaiser weiß sehr viel über sehr viele. Das ist sein System." Im Ein=
schlafen hörte ich noch einmal die Kanonen donnern. Wahrscheinlich
wäre ich auch in einem Landhaus in der Nähe von Marseille sehr
glücklich geworden, dachte ich. In einem Landhaus mit einem
sauberen Hühnerhof. Aber weder Napoleon, Kaiser der Franzosen,
noch Bernadotte, Marschall von Frankreich, haben für Hühnerzucht
etwas übrig. Ich erwachte, weil mich Jean=Baptiste an den Schultern
rüttelte. Es war noch ganz dunkel. „Müssen wir denn schon auf=
stehen?" fragte ich erschrocken. „Nein, aber du hast im Schlaf so
bitterlich geschluchzt, daß ich dich aufwecken mußte. Hast du etwas
Häßliches geträumt?" Ich versuchte mich zu erinnern. „Ich bin mit
Oscar zu einer Krönung gegangen", sammelte ich Fetzchen meines
Traumes, die mir noch bewußt waren, mühsam zusammen. „Wir
mußten unbedingt in die Kirche hinein, aber es standen so viele
Menschen vor dem Portal, daß wir gar nicht durchkommen konnten,
wir wurden herumgeschoben und herumgestoßen, die Menschen=
massen wurden immer dichter, ich hielt Oscar an der Hand und –
ja, und plötzlich waren wir gar nicht mehr von Menschen umgeben,
sondern von lauter Hühnern, die uns zwischen den Beinen herum=
liefen und so schrecklich gackerten . . ." Ich drückte mich an Jean=
Baptiste. „Und das war so schlimm?" fragte er nur, es klang be=
ruhigend und sehr zärtlich. „Ja, das war sehr schlimm. Die Hühner
gackerten wie — weißt du, wie aufgeregte und neugierige Menschen.
Aber das war nicht das ärgste. Das ärgste waren die Kronen." –
„Die Kronen?" — „Ja, Oscar und ich trugen nämlich Kronen, und
diese Kronen waren furchtbar schwer. Ich konnte meinen Kopf kaum
aufrecht halten, aber ich wußte die ganze Zeit, daß meine Krone
herunterfallen würde, wenn ich nur einen Augenblick lang den Kopf
beugte. Und Oscar — du, Oscar hatte auch eine Krone auf dem Kopf,
die viel zu schwer für ihn war. Ich sah, wie sein kleiner magerer
Hals ganz steif wurde, um nicht nachzugeben, und ich hatte solche
Angst, das Kind könnte unter der Krone zusammenbrechen. Und —
ja, dann hast du mich gottlob aufgeweckt. Es war ein schrecklicher
Traum . . ." Jean=Baptiste schob den Arm unter meinen Kopf und
hielt mich dicht an sich gedrückt. „Es ist ganz natürlich, daß du von
einer Krönung geträumt hast, in zwei Stunden müssen wir auf=
stehen und uns für die Zeremonie in Notre=Dame ankleiden. Aber
wie bist du nur auf die Hühner gekommen?" Doch darauf gab ich
keine Antwort. Ich versuchte, die Erinnerung an den häßlichen

Traum zu verscheuchen und weiterzuschlafen. Es hatte aufgehört zu schneien. Aber es war noch kälter als gestern abend. Trotzdem hörten wir, daß sich das Volk von Paris schon um fünf Uhr morgens vor Notre=Dame und längs des Weges, den die vergoldeten Kutschen des Kaisers, der Kaiserin und ihrer Familien nehmen sollten, auf= gestellt hatte. Jean=Baptiste und ich mußten uns im Palais des Erz= bischofs einfinden, dort sollte der Krönungszug zusammengestellt werden. Während Fernand Jean=Baptiste beim Anlegen der Mar= schallsuniform behilflich war und noch schnell auf jeden einzelnen Goldknopf hauchte und ein letztes Mal mit einem Putzlappen dar= überfuhr, befestigte Yvette die weißen Straußfedern in meinem Haar. Ich saß vor meinem Toilettentisch und starrte entsetzt in den Spiegel und fand, daß ich mit meinem Kopfschmuck wie ein Zirkus= pferd aussah. Jeden Augenblick rief Jean=Baptiste vom anderen Ende des Zimmers: „Bist du endlich fertig, Désirée?" Aber die Strauß= federn wollten noch immer nicht richtig sitzen. Plötzlich riß Marie die Tür auf. „Das ist soeben für die Marschallin abgegeben worden! Von einem Lakaien in der Livree des kaiserlichen Haushaltes!" Yvette nahm ihr das Päckchen ab und stellte es vor mich auf den Toilettentisch. Marie rührte sich natürlich nicht aus dem Zimmer, sondern starrte neugierig auf das Kästchen aus rotem Leder, das ich aus der Papierhülle schälte. Jean=Baptiste schob Fernand beiseite und trat hinter mich. Ich hob den Blick und begegnete im Toilettenspiegel seinen Augen. Sicher hat sich Napoleon wieder etwas Schreckliches ausgedacht, und Jean=Baptiste wird wütend sein, dachte ich. Und meine Hände zitterten so, daß ich das Lederkästchen nicht öffnen konnte. „Laß mich", sagte Jean=Baptiste schließlich, drückte auf einen Verschluß, und das Kästchen sprang auf. „Oh —" hauchte Yvette. „Mhm", brummte Marie bewundernd, Fernand dagegen zog hörbar den Atem ein. Eine Kassette aus funkelndem Gold war zum Vorschein gekommen. Den Deckel schmückte ein Adler mit ausge= breiteten Schwingen. Verständnislos starrte ich das Gefunkel an.

„Mach die Kassette auf", sagte Jean=Baptiste. Ich fingerte un= geschickt daran herum, packte schließlich energisch den Goldadler zwischen den ausgebreiteten Flügeln an und hob ihn in die Höhe. Der Deckel löste sich. Die Kassette war mit rotem Samt ausge= schlagen und auf dem Samt funkelten — Goldstücke. Ich wandte mich um und sah Jean=Baptiste an: „Kannst du das verstehen?" Aber ich bekam keine Antwort. Jean=Baptiste starrte nur empört auf die Münzen, sein Gesicht war ganz blaß geworden. „Es sind Gold=

franken", murmelte ich und begann geistesabwesend die oberen Münzen aus der Kassette zu nehmen und zwischen meine Puderdose, den Haarbürsten und Schmuckstücken auf den Toilettentisch aus= zubreiten. Da raschelte etwas. Ich zog zwischen den Münzen ein zusammengefaltetes Stück Papier hervor. Napoleons Handschrift. Die großen krausen Buchstaben. Zuerst tanzten sie vor meinen Augen, dann formten sie sich zu Worten.

„Madame la Maréchale. Sie hatten die Güte, mir in Marseille Ihre heimlichen Ersparnisse zu borgen, um mir die Reise nach Paris zu ermöglichen. Diese Reise hat mir Glück gebracht. Es ist mir ein Bedürfnis, am heutigen Tage diese Schuld zu begleichen und Ihnen zu danken. N."

Und als Nachschrift: „PS. Es handelte sich damals um Fr. 98.—"

„Es sind achtundneunzig Goldfrancs, Jean=Baptiste, aber ich habe ihm damals das Geld nur in Assignaten geliehen."

Mit grenzenloser Erleichterung stellte ich fest, daß Jean=Baptiste lächelte. „Ich hatte mein Taschengeld zusammengespart, um dem Kaiser eine anständige Uniform dafür zu kaufen, seine Felduniform war schon so schäbig, aber dann brauchte er das Geld, um Schulden zu bezahlen und die Marschälle Junot und Marmont aus ihren Gast= höfen auszulösen", fügte ich hinzu.

Kurz vor neun Uhr kamen wir im Palais des Erzbischofs an. Wir wurden in einen Raum im oberen Stockwerk geführt, begrüßten dort die anderen Marschälle und ihre Frauen und bekamen heißen Kaffee zu trinken. Dann stellten wir uns ans Fenster. Vor dem Portal von Notre=Dame spielten sich aufregende Szenen ab. Sechs Grenadier= Bataillone, unterstützt von Gardehusaren, versuchten Ordnung zu halten. Obwohl die Tore des Domes bereits seit sechs Uhr morgens für die Eingeladenen geöffnet waren, wurde noch im Innern von Notre=Dame fieberhaft an der Ausschmückung gearbeitet. Ein doppeltes Spalier von Nationalgardisten drängte die neugierigen Menschenmassen zurück. „Achtzigtausend Mann bewachen den Krö= nungszug des Kaisers", hatte Murat, der als Gouverneur von Paris für dieses Aufgebot verantwortlich ist, Jean=Baptiste anvertraut.

Plötzlich ließ der Polizeipräfekt alle Zufahrtstraßen für Wagen= verkehr absperren. So kam es, daß die eingeladenen Damen und Herren zu Fuß auf das Portal zusteuerten. Nur wir, die am Krö= nungszug teilnehmen sollten, durften im Palais des Erzbischofs unsere Überkleider ablegen. Die anderen Gäste mußten ohne Mantel in Notre=Dame erscheinen, und mir wurde ganz kalt beim Anblick der Damen, die ihre Wagen verlassen hatten und nun in dünnster Seidentoilette durch den Frost trippelten. Da ereignete sich etwas Komisches. Eine Gruppe dieser Damen stieß zufällig mit der Prozession der obersten Richter zusammen. Die Richter waren in Überwürfe aus rotem Tuch gehüllt. Nun öffneten sie galant ihre weiten Mäntel, und die frierenden Damen ließen sich gern Schutz gewähren. Trotz der geschlossenen Fenster hörten wir grölendes Gelächter aus den Reihen der Zuschauer. Schließlich fuhren doch ein paar Wagen vor. Die ausländischen Fürsten, die als Ehrengäste betrachtet werden. „Dritte Besetzung", murmelte Jean=Baptiste. Napoleon bezahlt diesen Hoheiten die ganzen Kosten ihrer Reise und ihres Aufenthaltes in Paris. „Da hast du den Markgrafen von Baden", erklärte mir Jean= Baptiste. „Und hier haben wir auch den Prinzen von Hessen= Darm= stadt und gleich hinter ihm den Prinzen von Hessen=Homburg!" Jean=Baptiste spricht diese unmöglichen germanischen Namen ohne Mühe aus, wie macht er das nur? Ich verließ das Fenster und stellte mich an den Kamin und bekam endlich eine zweite Tasse Kaffee zu trinken. Unterdessen war es an der Tür zu einer erregten Ausein= andersetzung gekommen. Aber ich wurde erst richtig auf sie auf= merksam, als Madame Lannes auf mich zutrat und sagte: „Ich glaube, das Durcheinander an der Tür betrifft Sie, liebste Madame Bernadotte!"

Weiß Gott, das Durcheinander betraf mich! Ein Herr in tabak= braunem Rock und verrutschtem Spitzenhalstuch kämpfte vergebens gegen die Posten an, die ihm den Eintritt verweigerten. „Lassen Sie mich zu meiner kleinen Schwester — zur Madame Bernadotte — Eu= génie —!" Der Herr in Braun war Etienne. Als er mich erblickte, schrie er wie ein Ertrinkender: „Eugénie, Eugénie — hilf mir doch!" „Hören Sie einmal, warum lassen Sie denn meinen Bruder nicht herein?" fragte ich die Posten und zog Etienne in den Raum. Die Posten murmelten etwas von „Befehl, nur Damen und Herren des Krönungszuges einzulassen." Ich rief Jean=Baptiste, und wir setzten den vor Aufregung schwitzenden Etienne in einen Lehnstuhl. Tag und Nacht war er aus Genua nach Paris gereist, um bei der Krönung dabeizusein. „Du weißt doch, Eugénie, wie nahe mir der Kaiser steht. Mein Jugendfreund, der Mann, auf den ich seit jeher alle Hoff= nungen setzte —" keuchte er und sah wie ein Häuflein Unglück aus. „Warum bist du denn so verzweifelt? Dein Jugendfreund wird jeden Augenblick zum Kaiser gekrönt werden, was willst du mehr?" erkundigte ich mich. „Dabeisein!" flehte Etienne, „bei der Zere=

monie dabeisein!" „Sie hätten früher in Paris eintreffen müssen, Schwager, jetzt sind alle Eintrittskarten vergeben", meinte Jean=Baptiste nüchtern. Etienne, der mit den Jahren sehr rundlich geworden ist, wischte sich den Schweiß von der Stirn. „Durch das schlechte Wetter wurde meine Extrapost immer wieder aufgehalten", entschuldigte er sich. „Vielleicht kann ihm Joseph helfen", flüsterte ich Jean=Baptiste zu, „wir können doch jetzt nichts mehr machen."

„Joseph ist bei Seiner Majestät in den Tuilerien und kann niemanden empfangen, ich war bereits dort", klagte uns Etienne sein Leid. „Schau, Etienne — du hast doch Napoleon nie leiden können, es kann dir doch nicht so viel daran liegen, seine Krönung zu sehen", versuchte ich ihn zu beruhigen. Aber da fuhr Etienne auf: „Wie kannst du nur so etwas sagen! Weißt du nicht, daß ich in Marseille der engste Vertraute des Kaisers war, sein bester Freund, sein —"

„Ich weiß nur, daß du entsetzt warst, weil ich mich mit ihm verloben wollte", sagte ich. Da schlug Jean=Baptiste meinem Bruder auf die Schulter: „Wirklich? Wollten Sie Désirée diese Verlobung verbieten? Schwager Etienne, Sie sind mir ausgesprochen sympathisch, und wenn ich Sie in der überfüllten Kirche auf den Schoß nehmen müßte, ich bringe Sie hinein!" Lachend wandte er sich um und rief: „Junot, Berthier! Wir müssen Monsieur Etienne Clary in den Dom schmuggeln! Kommt, wir haben schon ganz andere Schlachten geschlagen!" Dann beobachtete ich vom Fenster aus, wie Bruder Etienne, von drei Marschallsuniformen gedeckt, in Notre=Dame verschwand. Die Marschallsuniformen kamen nach einer Weile wieder zum Vorschein, und mir wurde berichtet, daß Etienne inmitten des diplomatischen Korps untergebracht worden sei. „Er sitzt neben dem türkischen Gesandten", teilte mir Jean=Baptiste mit. „Der Türke trägt einen grünen Turban und —" Er verstummte, denn jetzt wurde die Prozession des Papstes sichtbar. Ein Bataillon Dragoner ritt voran, dann folgte Schweizer Garde. Schließlich sahen wir einen Mönch, der auf einem Esel einherritt und ein Kreuz in den hocherhobenen Händen hielt. „Der Esel mußte gemietet werden, und Despreaux sagt, daß er siebenundsechzig Francs pro Tag kostet", murmelte Marschall Berthier. Jean=Baptiste lachte. Dann kam die Kutsche des Papstes. Sie wurde von acht grauen Pferden gezogen, und wir erkannten natürlich sofort, daß es die Gala=Kalesche der Kaiserin war, die man dem Papst zur Verfügung gestellt hatte. Der Papst trat ins Palais des Erzbischofs, gab uns aber keine Gelegenheit, von ihm begrüßt zu werden. In einem der unteren Räume legte er schnell seine Insignien an, verließ dann an der Spitze der höchsten Geistlichkeit das Palais und schritt langsam auf das Portal von Notre=Dame zu. Jemand öffnete ein Fenster. Die Volksmenge ver= hielt sich schweigend. Nur Frauen knieten bei seinem Anblick nieder, während die meisten Männer nicht einmal ihre Mützen abnahmen. Plötzlich hielt der Papst an, sagte etwas und machte über einen jungen Mann, der in der ersten Reihe mit hocherhobenem Haupte dastand, das Kreuz. Später haben wir erfahren, daß Pius VII. den Blick über diesen jungen Mann und alle anderen Stehenden gleiten ließ und lächelnd bemerkte: „Ich glaube, der Segen eines alten Mannes kann nie schaden." Noch zweimal zeichnete der Papst das Kreuz in die frostklare Luft, dann verschwand die weiße Gestalt im Portal des Domes, und wie eine rote Welle schlugen hinter ihr die Gewänder der Kardinäle zusammen. „Was geschieht jetzt in Notre=Dame?" wollte ich wissen. Jemand erklärte mir, daß beim Eintritt des Papstes der Chor der Kaiserlichen Kapelle „Tu es Petrus" angestimmt habe und daß sich der Papst auf einen Thron setzen werde, der links vom Altar aufgestellt sei. „Und nun sollte der Kaiser bereits erscheinen", wurde hinzugefügt. Aber der Kaiser ließ das Volk von Paris, die ausgerückten Regimenter, die berühm= ten Gäste und das Oberhaupt der Heiligen Römischen Kirche noch ein volle Stunde auf sich warten.

Endlich verkündeten Kanonensalven, daß der Kaiser die Tuilerien verlassen hatte. Ich weiß nicht, warum, aber plötzlich verstummten wir. Schweigend traten wir vor die großen Spiegel im Erdgeschoß, wortlos rückten die Marschälle ihre Ordenssterne zurecht, stramm= ten die blaugoldenen Röcke und ließen sich von Kammerdienern die blauen Mäntel über die Schultern werfen. Als ich mir mit der Puder= quaste übers Gesicht fuhr, bemerkte ich erstaunt, daß meine Hände zitterten. Wie Sturmrauschen klang es — fern zuerst, dann lauter und lauter, schließlich brausend nah: „Vive l'Empereur — Vive l'Empereur..." Murat zu Pferd wurde sichtbar in der goldstrotzen= den Uniform des Gouverneurs von Paris. Hinter ihm donnerten Dragoner heran. Dann Herolde zu Pferd: lila Samtgewänder, mit goldenen Adlern bestickt. Die Herolde trugen Stäbe, die mit Gold= bienen verziert waren. Ich starrte ganz verblüfft auf die lila Pracht. Und da wollte ich ihm einmal für mein Taschengeld eine Uniform kaufen, weil seine schon so abgewetzt war... Eine vergoldete Kutsche nach der anderen fuhr vor, jede mit sechs Pferden bespannt.

Despreaux stieg aus der ersten, die Personaladjutanten des Kaisers aus der zweiten, dann kamen die Minister. Und schließlich in einem Gefährt, das von oben bis unten mit Goldbienen geschmückt war, die Kaiserlichen Prinzessinnen. Die Prinzessinnen waren alle in Weiß und trugen winzige Kronen im Haar. Julie trat schnell auf mich zu und drückte meine Hand. Ihre Finger waren eiskalt. „Wenn nur alles klappt", sagte sie im Tonfall von Mama. „Ja, aber paß auf deine Krone auf, die sitzt ganz schief", flüsterte ich zurück. Wie eine Sonne tauchte im Grau dieses Wintertages die Kaiserkutsche auf. Sie war über und über vergoldet und mit einem Fries von Bronzemedaillons geschmückt. Diese Reliefs stellten die einzelnen Departements dar und waren durch goldene Palmenblätter miteinander verbunden. Auf dem Dach des Fahrzeuges schimmerten vier riesige Bronzeadler, die Klauen in Lorbeerzweige geschlagen. Zwischen ihnen ruhte eine mächtige vergoldete Krone. Die Kutsche war mit grünem Samt, der Farbe Korsikas, ausgeschlagen. Acht Pferde mit weißen Federbüschen hielten schnaubend vor dem Palais. Wir waren aus dem Tor getreten und bildeten Spalier.

In der rechten Ecke der Kutsche lehnte der Kaiser. Napoleon war in purpurroten Samt gekleidet, und als er ausstieg, sahen wir, daß er weite Pluderhosen trug und weiße, mit Edelsteinen bestickte Seidenstrümpfe. In diesem Aufzug wirkte er völlig fremd und verkleidet, ein Opernbild mit etwas zu kurz geratenen Beinen; warum spanische Pluderhosen, Napoleon, warum Pluderhosen? Die Kaiserin dagegen, die an seiner Linken gesessen hatte, wirkte so schön wie nie zuvor. In den Kinderlöckchen flimmerten die größten Brillanten, die ich jemals gesehen habe. Obwohl Josephine sehr stark geschminkt war, so spürte ich sofort, daß ihr Lächeln — strahlend und jung, mein Gott, wie jung! — von Herzen kam. Der Kaiser hatte sie kirchlich geheiratet und ließ sie krönen, sie hatte keine Angst mehr ... Als jedoch Joseph und Louis, die die Vordersitze der kaiserlichen Kutsche eingenommen hatten, an mir vorbeigingen, konnte ich meinen Augen nicht trauen: die beiden hatten sich furchtbar ausstaffiert! Von oben bis unten in Weiß, sogar weiße Seidenschuhe mit goldenen Rosetten, und ich entdeckte plötzlich, daß sich Joseph ein Spitzbäuchlein zugelegt hat. Während er jedoch wie das frisch lackierte Schaukelpferd meines Oscar grinste, stapfte Louis mit düsterem Blick plattfüßig ins Palais. Im Palais legten Napoleon und Josephine schnell die Krönungsmäntel an. Sekundenlang preßte Josephine vor Anstrengung die Lippen zusammen, um sich nicht vom Gewicht ihres Purpurmantels niederbeugen zu lassen. Aber dann griffen Julie und Hortense, Elisa, Polette und Caroline nach der Schleppe, und sie atmete erleichtert auf. Während Napoleon mühsam ein Paar Handschuhe, deren Finger vor lauter Goldstickerei ganz steif waren, anzuziehen versuchte, glitt sein Blick zum erstenmal über uns. „Können wir antreten?" Despreaux hatte bereits die verschiedenen Insignien unter uns verteilt. Nun warteten wir nur auf sein Zeichen, um uns wie bei den Proben aufzustellen. Aber das Zeichen blieb aus. Despreaux flüsterte mit Joseph, und Joseph zuckte ratlos die Achseln. Napoleon hatte sich unterdessen abgewandt und blickte ernsthaft in einen Spiegel. Kein Muskel bewegte sich in seinem Gesicht, nur die Augen wurden plötzlich schmal, als ob er versuchte, sich selbst wie ein Außenstehender zu betrachten. Er sah einen kaum mittelgroß gewachsenen Mann, dem der Hermelinkragen seines Krönungsmantels beinahe bis zu den Ohren reichte. Frankreichs Königskrone liegt in der Gosse, man müßte sich nur bücken, um sie aufzuheben ... Nun, Napoleon hat sich gebückt und die Krone aus der Gosse gefischt. Dabei war sie zur Kaiserkrone geworden. Unser verlegenes Geflüster und hilfloses Herumstehen erinnerten mich an ein Begräbnis. Meine Augen suchten Jean=Baptiste. Er stand bei den anderen Marschällen und hielt das Samtkissen mit der Kette der Ehrenlegion des Kaisers, das er in der Prozession zu tragen hatte. Nachdenklich nagte er an der Unterlippe. Jetzt tragen wir die Republik zu Grabe, dachte ich. Papa, dein Sohn hat eine Eintrittskarte erhalten, und deine Tochter Julie ist sogar eine Prinzessin und trägt eine kleine Goldkrone ... „Worauf warten wir noch, Despreaux?" Napoleons Stimme klang ungeduldig. „Sire, es war doch besprochen, daß Madame Mère den Krönungszug eröffnen soll, und Madame Mère ist —" „Mutter ist nicht zurückgekehrt!" kam es von Louis. Schadenfreude schwang in seiner Stimme. Napoleon hatte einen Kurier nach dem anderen nach Italien gesandt, um die Mutter zu bitten, rechtzeitig zur Krönung in Paris zu erscheinen. Schließlich wagte Madame Letitia nicht länger seinem Drängen zu widerstehen. Sie hatte von ihrem verbannten Sohn Lucien Abschied genommen und sich auf die Reise gemacht.

„Wir bedauern es sehr", sagte Napoleon ausdruckslos. „Despreaux, wir begeben uns in den Dom." Fanfaren schmetterten. Langsam und feierlich schritten die lilagoldenen Herolde auf Notre=Dame zu. Pagen in Grün schlossen sich ihnen an. Dann kam die Reihe an Despreaux, den Zeremonienmeister. Hinter ihm trippelten paarweise und steif wie Marionetten die sechzehn Marschallsgattinen. Nun machten sich Securier und dicht hinter ihm Murat auf den Weg, Securier mit einem Kissen, auf dem der Ring der Kaiserin ruhte, Murat mit Josephines Krone. Eiskalt schlug mir die Luft entgegen, als ich ins Freie trat. Das Kissen mit dem Spitzentaschentuch hielt ich wie eine heilige Opfergabe vor mich hin. Als ich an den Volks=massen vorüberschritt, die von einem undurchdringlichen Soldaten=kordon zurückgedrängt wurden, flatterten vereinzelte Rufe auf. „Vive Bernadotte — Bernadotte —!" Ich hielt den Blick starr auf Murats goldbestickten Rücken gerichtet. Als ich das Taschentuch Josephines durch Notre=Dame trug, löschten Orgelbrausen und Weihrauchduft alle Gedanken aus. Erst als wir am Ende des Kirchen=schiffes angelangt waren, machte Murat halt und trat zur Seite: ich sah den Altar und die beiden goldenen Throne. Auf dem Thron=sessel zur Linken saß — unbeweglich wie eine Statue — ein kleiner Herr in Weiß. Pius VII. wartete seit beinahe zwei Stunden auf Napoleon ... Ich trat neben Murat und wandte den Kopf. Sah Josephine auf den Altar zuschreiten, weitaufgerissen die Augen, die im Kerzenschimmer feucht zu glänzen schienen, ein verzücktes Lächeln auf den Lippen. An der untersten Stufe des Doppelthrones rechts vom Altar hielt sie an. Dicht vor mir standen nun die Kaiser=lichen Prinzessinnen, die Josephines Schleppe hielten. Ich verrenkte mir beinahe den Hals, um Napoleons Einzug zu sehen. Zuerst tauchte Kellermann mit der großen Kaiserkrone auf. Nach ihm Perignon mit dem Zepter und Lefèbre mit dem Schwert Karls des Großen. Dann Jean=Baptiste mit der Kette der Ehrenlegion, hinter ihm Eugène de Beauharnais mit dem Ring des Kaisers, schließlich der gute Berthier mit dem Reichsapfel und zuletzte der hinkende Außenminister Talleyrand mit einem goldenen Drahtgestell, in das der Kaiser im Laufe der Zeremonie den Mantel fallen lassen sollte. Deutlich braußten die Klänge der Marseillaise im jubelnden Orgel=spiel auf. Napoleon schritt langsam auf den Altar zu. Joseph und Louis trugen die Schleppe seines Purpurmantels. Schließlich stand Napoleon neben Josephine, hinter ihm drängten sich seine Brüder und Marschälle zusammen. Der Papst erhob sich und las die Messe.

Nun gab Despreaux dem Marschall Kellermann ein unmerkliches Zeichen. Kellermann trat vor und hielt dem Papst die Krone ent=gegen. Sie schien sehr schwer zu sein, denn die zarten Hände des Papstes hatten Mühe, sie hochzuhalten. Gleichzeitig ließ Napoleon den Purpurmantel von den Schultern gleiten. Die Brüder fingen ihn auf und übergaben ihn Talleyrand. Das Orgelspiel setzte aus. Klar und feierlich sprach der Papst die Worte des Segens. Hob dann die schwere Krone hoch, um sie auf Napoleons gebeugtes Haupt zu setzen. Aber Napoleons Haupt beugte sich nicht. In die Höhe fuhren die Hände in den goldbestickten Handschuhen und rissen mit raschem Griff die Krone an sich. Den Bruchteil eines Augenblickes hielt Napoleon die Krone in seinen erhobenen Händen. Dann setzte er sie sich langsam auf.

Nicht nur ich war zusammengezuckt, auch alle anderen. Napoleon hatte das besprochene Krönungszeremoniell gebrochen und sich selbst gekrönt. Die Orgel jubelte, Lefèbre überreichte dem Kaiser das Schwert Karls des Großen, Jean=Baptiste legte ihm die Kette der Ehrenlegion um den Hals, Berthier drückte ihm den Reichsapfel in die Hand und Perignon das goldene Zepter. Zuletzt bedeckte Talleyrand seine Schultern mit dem Purpurmantel. Langsam stieg der Kaiser die Stufen zu seinem Thron hinan. Joseph und Louis trugen wieder die Schleppe und stellten sich zu beiden Seiten des Thrones auf. „Vivat Imperator in aeternum", verkündete der Papst.

Dann schlug Pius VII. das Zeichen des Kreuzes über Josephines Gesicht und küßte sie auf die Wange. Nun sollte Murat ihm Josephines Krone reichen. Aber Napoleon war die wenigen Stufen seines Thrones bereits wieder hinuntergestiegen und streckte die Hand aus. Worauf Murat nicht dem Papst, sondern Napoleon Josephines Krone übergab. Zum erstenmal an diesem Tag lächelte der Kaiser. Vorsichtig, ganz vorsichtig, um ihre Frisur nicht zu zer= stören, setzte er die Krone auf Josephines Kinderlöckchen. Dann legte er die Hand unter ihren Ellenbogen, um sie die Stufen zum Thron hinaufzubegleiten. Josephine machte einen Schritt, schwankte und — fiel beinahe nach rückwärts. Absichtlich hatten sie die Schleppe losgelassen — Elisa, Polette und Caroline. Zum Fallen wollten sie Josephine bringen, lächerlich wollten sie sie im Augenblick ihres größten Triumphes machen. Aber mit Aufbietung aller Kräfte hiel= ten Julie und Hortense die schwere Schleppe fest. Napoleon packte Josephine fest am Arm und stützte sie. Nein, sie fiel nicht. Nur gestolpert war sie auf der ersten Stufe des Thrones. Während junge Mädchen aus den französischen Adelsfamilien — die unberührten Jungfrauen, die Despreaux so viel Kopfzerbrechen verursacht hat= ten — mit Wachskerzen zum Altar schritten, zog sich der Papst mit der Geistlichkeit in die Schatzkammer zurück. Napoleon saß mit unbeweglicher Miene neben Josephine auf dem Thron. Mit halb=

geschlossenen Augen starrte er vor sich hin. Seit der Thronbestei=
gung stand ich zwischen Murat und Talleyrand in der ersten Reihe
des Gefolges. Was denkt er in diesem Augenblick, überlegte ich.
Was denkt ein Mann, der sich soeben zum Kaiser der Franzosen
gekrönt hat? Ich konnte den Blick von seinem starren Gesicht nicht
abwenden. Jetzt — jetzt bewegte sich ein Muskel um seinen Mund,
er preßte die Lippen zusammen und — unterdrückte ein Gähnen.
Gleichzeitig fiel sein Blick zufällig auf mich. Die halbgeschlossenen
Augen öffneten sich, und er lächelte zum zweitenmal an diesem Tag.
Nicht zärtlich wie vorhin, als er Josephine gekrönt hatte, sondern
unbeschwert, gut aufgelegt und — ja, so wie damals. So wie damals,
als wir um die Wette gelaufen waren und er mich zum Spaß gewin=
nen ließ. Habe ich es dir nicht vorausgesagt? fragten seine Augen.
Damals an der Hecke? Du hast mir nur nicht geglaubt! So heiß hast
du dir gewünscht, daß ich aus der Armee geworfen werde, weil du
aus mir einen Seidenhändler machen wolltest ... Unsere Augen hiel=
ten einander noch immer fest. Da saß er — mit dem Hermelinkragen,
der ihm bis zu den Ohren reichte, und der schweren Krone auf dem
geschorenen Haar — und war trotzdem einen Augenblick lang der=
selbe wie einst. Der Herzog von Enghien, erinnerte ich mich. Und
Lucien, der als erster in die Verbannung ging, und Moreau und die
anderen, bekannte und unbekannte französische Bürger, die ihm
folgten.

Ich zwang mich, meine Augen abzuwenden, und blickte erst wie=
der auf den Thron, als ich die Stimme des Senatspräsidenten hörte.

Der Senatspräsident stand vor Napoleon und entrollte einen
Pergamentbogen. Mit einer Hand auf der Bibel, die andere hoch
erhoben, sprach ihm der Kaiser die Eidesformel nach. Seine Stimme
klang klar und kalt, als ob es sich um einen Befehl handele. Napo=
leon I. gelobte, dem französischen Volk Religionsfreiheit und poli=
tische und bürgerliche Freiheit zu bewahren.

Nun kehrte die Geistlichkeit zurück, um das Kaiserpaar aus dem
Dom zu geleiten. Einen Augenblick lang kam Kardinal Fesch neben
Napoleon zu stehen. Lachend stieß Napoleon den Onkel mit dem
Zepter in die Seite. Aber das runde Gesicht des Kardinals drückte
solches Entsetzen über die unbedachte Geste des Neffen aus, daß sich
Napoleon achselzuckend abwandte. Bereits in der nächsten Minute
rief er Joseph, der ihm noch immer die Purpurschleppe nachtrug,
laut zu: „Was hätte wohl unser Herr Vater dazu gesagt, wenn er
uns hier gesehen hätte?"

Während ich hinter Murat dem Ausgang zuschritt, versuchte ich, den grünen Turban des türkischen Gesandten zu entdecken, um Etienne dadurch ausfindig zu machen. Es glückte. Etienne hatte den Mund geöffnet und schien vor Verzückung erstarrt zu sein. Er schaute noch immer seinem Kaiser nach, obwohl der bereits durch viele Rücken seinen anbetenden Blicken entzogen war.

„Trägt der Kaiser auch nachts im Bett seine Krone?" fragte Oscar, als ich ihn abends schlafen legte. „Nein, das glaube ich nicht", meinte ich. „Vielleicht drückt sie ihn", überlegte Oscar, dem Julie kürzlich eine Bärenfellmütze, die für ihn viel zu schwer ist, geschenkt hat. Ich mußte hell auflachen. „Drücken? Nein, Liebling, die Krone drückt Napoleon nicht im geringsten. Ganz im Gegenteil."

„Marie sagt, daß viele Leute, die auf der Straße ‚Vive l'Empereur' schreien, dafür von der Polizei bezahlt werden", berichtete Oscar. „Ist das wahr, Mama?" „Das weiß ich nicht. Aber du darfst so etwas nicht sagen."

„Warum nicht?" „Weil es —" Ich biß mir auf die Lippen. Ich wollte sagen: „Weil es gefährlich ist." Aber Oscar soll doch alles sagen, was ihm durch den Sinn geht. Andererseits verbietet der Polizeiminister den Leuten, die alles sagen, was sie denken, in Paris oder im nahen Umkreis der Hauptstadt zu wohnen. Erst kürzlich ist die Schriftstellerin Madame de Staël, die beste Freundin der Juliette Récamier, verbannt worden. „Dein Großpapa Clary war überzeugter Republikaner", flüsterte ich plötzlich und küßte die saubere kleine Stirn meines Sohnes. „Ich habe geglaubt, er war Seidenhändler", meinte Oscar. Zwei Stunden später tanzte ich zum erstenmal im Leben Walzer. Schwager Joseph, Seine Kaiserliche Hoheit, gab nämlich ein großes Fest und hatte alle ausländischen Fürsten und Diplomaten eingeladen. Außerdem alle Marschälle und Etienne, weil er nun einmal Julies Bruder ist. Marie Antoinette hatte seinerzeit versucht, in Versailles den Wiener Walzer einzuführen. Aber nur die ganz feinen Leute, die von ihr empfangen wurden, lernten ihn. Während der Revolution wurde natürlich alles verboten, was an die Österreicherin erinnerte. Aber jetzt haben sich diese süßen Dreivierteltakte aus dem Feindesland in Paris wieder einge= schlichen. Ich habe zwar seinerzeit bei Monsieur Montel auch Walzer= schritte geübt, aber ich wußte nicht, wie man sie tanzt. Doch Jean= Baptiste, der ja vor unserer Ehe Botschafter in Wien war, zeigte sie mir. Er hielt mich dicht an sich gepreßt und zählte mit Sergeanten=

ton: „Eins, zwei, drei — eins, zwei, drei." Zuerst kam ich mir wie ein Rekrut vor, dann wurde seine Stimme ganz leise, und wir drehten und drehten uns, der Ballsaal im Luxembourg wurde zu einem wogenden Lichtermeer, und ich spürte seinen Mund in meinem Haar. „Der Kaiser hat während der Krönung mit dir kokettiert — eins, zwei, drei — ich habe es genau gesehen", flüsterte Jean=Baptiste. „Ich habe das Gefühl gehabt, er war mit dem Herzen nicht richtig bei der Sache", sagte ich. „Bei welcher Sache? Beim Kokettieren?" wollte Jean=Baptiste wissen. „Sei nicht ekelhaft, ich meine natürlich bei der Krönung", sagte ich. „Du mußt auf den Takt aufpassen, kleines Mädchen." — „Eine Krönung müßte doch eine Herzens= angelegenheit sein", beharrte ich. „Für Napoleon war sie nur eine Formalität. Man läßt sich zum Kaiser krönen und legt gleichzeitig den Eid auf die Republik ab — eins, zwei, drei —" Jemand schrie: „Auf das Wohl des Kaisers!" Gläser klirrten. „Das war dein Bruder Etienne", sagte Jean=Baptiste. „Weitertanzen", flüsterte ich, „immer weitertanzen . . ." Jean=Baptistes Mund lag wieder in meinem Haar. Die geschliffenen Glaslüster funkelten in tausend Farben und schie= nen zu schwanken, der ganze Saal drehte sich mit uns, wie aus weiter Ferne hörte ich die Stimmen der vielen Gäste, sie klangen wie Hühnergackern, eins, zwei, drei — nicht nachdenken, nur Jean= Baptistes Mund spüren und Walzer tanzen . . .

Auf dem Nachhauseweg fuhren wir an den Tuilerien vorbei. Sie erstrahlten in Festbeleuchtung. Pagen mit rotlodernden Fackeln hiel= ten Wache. Jemand erzählte uns, daß der Kaiser ganz allein mit Josephine soupiert habe. Josephine mußte auf seinen Wunsch die Krone aufbehalten, weil sie ihm so gut damit gefiel. Nach dem Souper zog sich Napoleon in sein Arbeitskabinett zurück und ent= rollte Generalstabskarten. „Er bereitet den nächsten Feldzug vor", erklärte mir Jean=Baptiste. Es hatte zu schneien begonnen, und viele Fackeln verlöschten.

Paris, zwei Wochen nach der Kaiserkrönung.

Vor ein paar Tagen hat der Kaiser die Adler an die einzelnen Regi=
menter verteilt. Wir mußten uns alle auf dem Marsfeld versammeln,
und Napoleon hatte wieder seinen Krönungsmantel angezogen und
die große Krone aufgesetzt. Jedes Regiment erhielt eine Standarte,
auf der ein vergoldeter Adler schwebte. Unter dem Adler flatterte
die Trikolore. „Die Adler dürfen niemals in Feindeshand fallen",
sagte der Kaiser und versprach unseren Truppen neue Siege. Wir
standen viele Stunden auf einer Tribüne und ließen die Regimenter
an uns vorbeiziehen. Etienne neben mir brüllte sich selbst ganz heiser
und mich beinahe taub vor lauter Begeisterung. Es schneite schon
wieder, die Truppenparade nahm kein Ende, und wir bekamen alle
nasse Füße. Ich hatte Zeit, alle Vorbereitungen für das Fest der
Marschälle in der Oper durchzudenken. Der Zeremonienmeister hat
nämlich den Marschällen angedeutet, daß sie dem Kaiser zu Ehren
ein Fest veranstalten müssen. Es sollte der glänzendste Ball werden,
den man sich vorstellen kann, und man hatte die Oper gemietet.
Wir Marschallinnen hielten viele Sitzungen ab und kontrollierten
die Liste der Gäste, niemand durfte vergessen und beleidigt werden.
Monsieur Montel gab uns eine Lektion, in der wir lernten, wie wir
dem Kaiserpaar entgegenzugehen und Napoleon und Josephine in
den Saal zu geleiten hatten. Despreaux ließ uns wissen, daß der
Kaiser einer Marschallin den Arm bieten werde, während einer der
Marschälle die Kaiserin zu ihrem Thron führen müsse. Worauf lange
hin und her überlegt wurde, welche Marschallin und welcher Mar=
schall dieser Ehre teilhaftig werden sollte. Zuletzt wurde Murat als
Gatte einer Kaiserlichen Prinzessin für den Empfang der Kaiserin
ausersehen. Was jedoch den Arm des Kaisers betraf, so schwankte
man zwischen Madame Berthier, der ältesten Marschallsgattin, und
mir, der Schwester der Kaiserlichen Prinzessin Julie. Aber es gelang
mir, die anderen davon zu überzeugen, daß die dicke Berthier die
einzig geeignete Persönlichkeit sei, um den Kaiser zu begrüßen. Ich
war nämlich sehr wütend auf Napoleon, weil er Jean=Baptiste noch
immer auf das so ersehnte selbständige Kommando möglichst weit
von Paris entfernt warten ließ. Am Vormittag des Festes kam plötz=
lich Polette zu mir. Sie wurde von einem italienischen Violin=

virtuosen und einem franzöischen Dragonerkapitän begleitet und
setzte beide auf ein Sofa in meinem Salon und zog sich dann mit
mir ins Schlafzimmer zurück. „Welchen von beiden hältst du für
meinen Liebhaber?" fragte sie und lachte. In den dunkelblonden
Haaren unter dem schwarzen Samthütchen glitzerte Goldpuder, in
den winzigen Ohren schimmerten Smaragde aus dem Familien=
schmuck der Fürsten Borghese, der grellgrüne Samtrock umspannte
eng die sehr reizend geschwungenen Hüften, und das schwarze
Samtjäckchen zeichnete erstaunlich deutlich die Spitzen ihres Busens
ab. Die Augenbrauen war genauso dunkel nachgezogen wie damals,
als Polette fünfzehn Jahre alt war. Aber nicht mehr mit einem Stück=
chen Kohle aus der Küche der Mutter, sondern mit einem feinen
Pinsel. Um die schillernden Augen, die mich immer an die Augen
Napoleons erinnern, lagen tiefe Schatten. „Nun, welcher von beiden
ist mein Liebhaber?" wiederholte sie. Ich konnte es nicht erraten.
„Beide!" schrie Polette triumphierend und setzte sich an meinen
Toilettentisch. Da stand noch immer die Goldkassette. „Wer ist
denn so geschmacklos, dir eine Schmuckkassette zu schenken, die mit
diesem scheußlichen kaiserlichen Adler verziert ist?" erkundigte sie
sich. „Jetzt darfst du raten", antwortete ich. Polette legte die Stirn
in Falten. Diese Art Rätselraten machte ihr Spaß. Sie grübelte an=
gestrengt. Plötzlich zog sie hörbar den Atem ein: „War es — sag
doch, war es —?" Ich verzog keine Miene. „Ich habe die Kassette der
unermeßlichen Güte unseres Landesvaters zu verdanken", sagte ich.
Polette stieß einen Gassenbubenpfiff aus. Dann aufgeregt: „Ich
begreife es nicht, er betrügt doch momentan Josephine mit Madame
Duchâtel, du weißt, mit dieser Hofdame mit den Veilchenaugen und
der langen Nase!" Ich wurde rot. „Napoleon hat an seinem Krö=
nungstage eine alte Schuld aus den Marseiller Tagen an mich zurück=
gezahlt. Weiter nichts", sagte ich empört. Polette streckte die kleinen
Hände mit den Diamanten des Fürstenhauses Borghese abwehrend
von sich: „Gott behüte, Kleines — natürlich, weiter nichts!" Sie
machte eine Pause, schien nachzudenken. „Ich will über Mutter mit
dir sprechen", begann sie unvermittelt. „Mutter ist nämlich gestern
angekommen. In aller Stille. Ich glaube, nicht einmal Fouché weiß,
daß sie in Paris ist. Sie wohnt bei mir. Und du mußt ihnen hel=
fen." — „Wem helfen?" fragte ich verständnislos. „Den beiden —
Madame Mère und auch ihm, Napoleon, dem gekrönten Knaben."
Sie lachte, aber es klang nicht echt. „Ich mache mir Sorgen. Napoleon
behauptet nämlich, daß sich Mutter an das Zeremoniell zu halten

und ihm nach ihrer Ankunft ihre Aufwartung in den Tuilerien zu machen hat. Stell dir das vor — mit Hofknicks und der dazugehö= renden großen Oper . . ." Sie stockte. Ich versuchte vergeblich, mir Madame Letitia im Hofknicks vor Napoleon vorzustellen. „Er ist nämlich wütend, weil sie absichtlich ganz langsam gereist ist, um nicht bei der Krönung dabeizusein." Polette saugte nachdenklich an der Unterlippe. „Und er kränkt sich, weil Mutter seinen Triumph nicht mitansehen wollte. Er sehnt sich nach ihr und — Eugénie, Désirée, Madame la Maréchale — bring die beiden zusammen! Scheinbar zufällig, verstehst du? Und laß sie im Augenblick des Wiedersehens allein, dann ist es ja gleichgültig, ob das Zeremoniell eingehalten wird oder nicht! Geht das?"

„Ihr seid wirklich eine schreckliche Familie", seufzte ich. Aber Polette nahm es mir nicht weiter übel. „Das hast du doch immer gewußt. Weißt du übrigens, daß ich die einzige von den Geschwi= stern bin, die Napoleone wirklich gern hat?" — „Ja, das weiß ich", sagte ich und dachte an einen Vormittag, an dem Polette mit mir zum Kommandanten von Marseille gegangen war. „Die anderen wollen ihn nur beerben", bemerkte Polette und begann sich die Nägel zu polieren. „Joseph scheint übrigens als Thronfolger nicht mehr in Frage zu kommen, seitdem Napoleon die beiden kleinen Söhne von Louis und Hortense adoptiert hat. Josephine plagt ihn ja Tag und Nacht, ihre Enkel als Kronprinzen einzusetzen. Und weißt du, was das Gemeinste ist?" Polette riß vor Empörung die Augen weit auf: „Sie redet ihm ein, daß er schuld an seiner kinder= losen Ehe ist! Ich bitte dich — er!"

„Ich werde Madame Letitia mit dem Kaiser zusammenführen", sagte ich schnell. „Auf dem Fest der Marschälle. Ich werde Marie mit einem Bescheid zu dir senden. Du mußt nur dafür sorgen, daß deine Mutter in der von mir bezeichneten Loge erscheint." — „Du bist ein Schatz, Eugénie! Gott, bin ich erleichtert!" Sie fuhr mit dem Zeigefinger in ein Töpfchen Lippenschminke und tupfte ernsthaft über ihre Oberlippe. Dann preßte sie die Lippen zusammen, um auch die Unterlippe zu färben. „Neulich hat eine englische Zeitung einen Skandalartikel über mich veröffentlicht. Mein kleiner Violin= virtuose hat ihn mir übersetzt. Die Engländer nennen mich einen Napoleon der Liebe. So ein Unsinn!" Sie wandte sich zu mir. „Dabei haben wir doch eine ganz verschiedene Taktik, Napoleon und ich. Er gewinnt Angriffskriege und ich — ich verliere meine Verteidigungs= schlachten!" Ein verlorenes Lächeln huschte über ihr Gesicht:

„Warum verheiratet er mich auch immer mit Männern, die mich nicht interessieren? Zuerst mit Leclerc. Und dann mit Borghese. Weißt du, meine beiden Schwestern haben es leicht, die sind wenigstens ehrgeizig. Für Menschen haben sie nichts übrig, nur für einflußreiche Beziehungen. Elisa, weil sie die Kellerwohnung nicht vergessen kann und von der Angst besessen ist, sie könnte wieder arm werden. Deshalb rafft sie jetzt zusammen, was sich nur zusammenraffen läßt. Caroline dagegen war noch so jung, als wir im Keller wohnten, daß sie sich gar nicht mehr daran erinnert. Und um sich eine richtige Kaiser= oder Königskrone aufzusetzen, ist Caroline bereit, jede erdenkliche Gemeinheit zu begehen. Ich dagegen —" „Ich glaube, deine beiden Kavaliere werden ungeduldig werden", sagte ich. Polette sprang daraufhin sofort auf. „Du hast natürlich recht, ich muß gehen. Ich erwarte also deinen Bescheid und sende dann unsere Madre in die Oper. Abgemacht?"

Ich nickte. „Abgemacht!" Wenn ich mir vorstelle, daß mein eigener Lausejunge, mein Oscar, jemals von mir einen Hofknicks verlangen sollte ...

> „Allons enfants de la patrie,
> Le jour de gloire est arrivé ..."

Die Geigenstimmen des großen Tanzorchesters ertranken im Jubel der Blasinstrumente. Langsam stieg ich am Arm Jean=Baptistes die Treppen hinab, um an der untersten Stufe den Kaiser der Franzosen als Gast seiner Marschälle zu begrüßen.

> „Aux armes, citoyens!
> Formez vos bataillons!"

Die Hymne. Das Lied von Marseille, der Gesang meiner frühen Mädchenzeit. Einst stand ich im Nachthemd auf dem Balkon unserer weißen Villa und warf unseren Freiwilligen Rosen zu. Dem Schneider Franchon und dem krummbeinigen Sohn unseres Schusters und den Brüdern Levi, die sich die Sonntagsröcke angezogen hatten, weil sie als gleichberechtigte Bürger die junge Republik gegen die ganze Welt verteidigen wollten. Diese Republik, die damals nicht einmal Geld genug hatte, um ihre Soldaten mit Stiefeln zu versorgen.

> „Formez vos bataillons!
> Marchons, marchons ..."

Seidenschleppen rauschten, Paradesäbel klirrten, wir verneigten uns bis zur Erde. Napoleon erschien. Als ich Napoleon zum erstenmal gesehen hatte, konnte ich gar nicht verstehen, daß man überhaupt so kleingewachsene Offiziere im Heer aufnahm. Nun unterstrich er noch seinen kleinen Wuchs, umgab sich mit den höchstgewachsenen Adjutanten, die er auftreiben konnte, und erschien in einfacher Generalsuniform. Josephines Arm glitt aus dem seinen, der kleine Kopf mit dem Diamantendiadem neigte sich zum Gruß, Murat beugte sich über ihre hoheitsvoll ausgestreckte Hand. „Wie geht es Ihnen, Madame?" sprach der Kaiser die dicke Berthier an und wandte sich, ohne ihr Zeit zur Antwort zu lassen, sofort der nächsten Marschallsgattin zu. „Ich freue mich, Sie zu sehen, Madame. Sie sollten immer in Nilgrün erscheinen, die Farbe kleidet Sie. Übrigens ist der Nil in Wirklichkeit gar nicht grün, sondern gelb. Ockergelb fließt er in meiner Erinnerung." Auf den Wangen der angesprochenen Damen entbrannten hektisch rote Flecken. „Majestät sind zu gütig", säuselten sie. Ich überlegte, ob alle gekrönten Häupter so auftreten wie Napoleon. Oder ob er sich diese kurz abgehackten Phrasen nur zurechtgelegt hat, weil er annimmt, daß sich Monarchen auf diese Weise mit ihren Untertanen unterhalten. Unterdessen schenkte Josephine den Marschallsgattinnen ihr kunstvoll gemaltes Lächeln. „Wie geht es Ihnen? Ihre kleine Tochter hatte Keuchhusten, ich war so betrübt, als ich es hörte . . ." Jede einzelne bekam das Gefühl, daß die Kaiserin mit jeder Faser ihres Wesens seit Tagen darauf gewartet hat, gerade sie wiederzusehen. In Josephines Kielwasser bewegten sich die Kaiserlichen Prinzessinnen. Elisa und Caroline mit arrogant zusammengekniffenen Augen, Polette sichtlich beschwipst nach einem animierten Souper, Hortense steif und ängstlich bemüht, freundlich zu sein. Und meine Julie, blaß und verzweifelt gegen ihre Schüchternheit kämpfend.

Dann schritten Murat und Josephine langsam durch den Ballsaal. Napoleon folgte, die vor Aufregung leicht schnaufende Madame Berthier am Arm. Wir anderen schlossen uns an. Tausend Seidenröcke raschelten im Hofknicks. Immer wieder machte Josephine halt, um jemandem ein paar freundliche Worte zu sagen. Napoleon zog hauptsächlich Herren ins Gespräch. Zahllose Offiziere aus der Provinz waren als Vertreter ihrer Regimenter eingeladen worden. Napoleon fragte sie nach ihren Garnisonen aus. Er schien die Anzahl der Läuse in jeder einzelnen Militärbaracke Frankreichs zu kennen. Wie locke ich ihn nur in die Loge Nr. 17, überlegte ich verzweifelt. Zuerst muß er ein paar Gläser Champagner trinken, beschloß ich. Dann wage ich es . . . Champagner wurde herumgereicht. Napoleon lehnte ab. Er stand auf der Bühne neben seinem Thronsessel und ließ Talleyrand und Joseph auf sich einsprechen. Josephine rief mich zu sich und sagte: „Ich habe neulich die Saphirohrgehänge nicht finden können. Es hat mir so leid getan!" — „Majestät sind sehr freundlich, aber ich konnte sowieso nicht in blauer Toilette erscheinen." — „Sind Sie mit Le Roys Toiletten zufrieden, Madame?" — Ich gab der Kaiserin keine Antwort. Im Gewimmel des Saales hatte ich nämlich ein rotes Quadratgesicht entdeckt. Ich kenne doch dieses Gesicht, durchfuhr es mich. Der kurze Hals steckte im Kragen einer Oberstenuniform. „Mit den Toiletten des Hauses Le Roy?" wieder=holte die Kaiserin eindringlich. — „Ja, natürlich, sehr zufrieden", sagte ich schnell. Neben dem roten Quadratgesicht bewegte sich der Kopf einer Dame mit zitronengelb gefärbtem Haar und einer un=möglichen Frisur. Provinz, dachte ich, ein Oberst aus irgendeiner Provinzgarnison, die Frau kenne ich nicht, aber ihn . . . Etwas später gelang es mir, allein durch den Saal zu gehen, die ungelöste Frage ärgerte mich, und ich versuchte deshalb, unbeobachtet in die Nähe dieses Paares zu gelangen. Alle Gäste wichen vor mir zurück und flüsterten: „Madame la Maréchale Bernadotte." Offiziere verbeugten sich tief, Damen setzten ein krampfhaftes Lächeln auf. Ich lächelte zurück, lächelte und lächelte, so daß mir schließlich die Mundwinkel weh taten. Dann stand ich dicht neben meinem Oberst. Da hörte ich, wie ihm die Dame mit der unmöglichen Frisur zuzischelte: „Das ist also die kleine Clary!" Mit einem Schlag wußte ich, wer der Oberst war. Die Zopfperücke hatte er abgelegt, im übrigen waren jedoch die Jahre spurlos an ihm vorübergegangen. Er war wahr=scheinlich noch immer Festungskommandant in Marseille. Der kleine Jakobinergeneral, den er vor zehn Jahren verhaften ließ, ist in=inzwischen Kaiser der Franzosen geworden. „Erinnern Sie sich noch an mich, Oberst Lefabre?" hörte ich mich sagen. Die Frau mit der unmöglichen Frisur verneigte sich ungeschickt. „Madame la Maré=chale!" flüsterte sie. „Die Tochter des François Clary", sagte das Quadratgesicht gleichzeitig. Dann warteten beide verlegen auf mei=nen nächsten Satz. „Ich war schon sehr lange nicht in Marseille", setzte ich fort. „Madame würden sich dort nur langweilen, ein ödes Provinznest", sagte die Dame mit der unmöglichen Frisur und hob ihre mageren Schultern. „Wenn Sie den Wunsch haben, versetzt zu werden, Oberst Lefabre —" begann ich und blickte in seine wasser=

blauen Augen. „Könnten Sie mit dem Kaiser über uns sprechen?" rief Madame Lefabre aufgeregt. „Nein, aber mit dem Marschall Bernadotte", antwortete ich. — „Habe den Herrn Papa sehr gut gekannt . . ." begann der Oberst. Im gleichen Augenblick zuckte ich zusammen: die Festpolonaise!

Ich vergaß die Lefabres und raffte würdelos meine Schleppe zu= sammen und lief zurück. Kopfschüttelnd machte man mir Platz, ich benahm mich wieder einmal unmöglich. Murat sollte die Polo= naise mit Julie eröffnen. Der Kaiser hatte Madame Berthier durch den Saal zu führen, und ich sollte mich mit Prinz Joseph einreihen. Der Tanz hatte bereits begonnen. Joseph stand allein neben den Thronsesseln und wartete auf mich. „Ich konnte Sie nicht finden, Désirée!" zischte er empört. „Entschuldigen Sie", murmelte ich, dann schlossen wir uns schnell den Tanzpaaren an. Von Zeit zu Zeit warf mir mein Schwager einen wütenden Blick zu. „Ich bin nicht gewohnt, zu warten", knurrte er. „Lächeln Sie doch", flüsterte ich zurück. „Lächeln Sie?" Es waren viele Blicke auf den ältesten Bruder des Kaisers und die Gattin des Marschalls Bernadotte ge= richtet. Noch zwei Kontratänze, dann stürzten sich die Gäste auf das Büfett. Napoleon hatte sich ganz in den Hintergrund der Bühne zurückgezogen und sprach mit Duroc. Ich winkte einem Diener, der Champagner herumreichte, und näherte mich Seiner Majestät. Napoleon unterbrach sofort sein Gespräch. „Ich habe Ihnen eine Mitteilung zu machen, Madame." — „Eine kleine Erfrischung?" fragte ich und wies mit der aristokratischen Handbewegung, die ich bei Monsieur Montel gelernt hatte, auf den Champagner. Napoleon und Duroc nahmen ein Glas. „Auf Ihr Wohl, Madame!" bemerkte der Kaiser höflich, trank nur einen winzigen Schluck und stellte das Glas zurück. „Ja, was ich sagen wollte, Madame —" Napoleon stockte und maß mich plötzlich von oben bis unten. „Habe ich Ihnen jemals gesagt, daß Sie sehr hübsch sind, Madame la Maréchale?" — Duroc lächelte breit, schlug die Hacken zusammen und sagte: „Wenn Majestät gestatten, möchte ich —" „Geh nur, Duroc, widme dich den Damen!" rief ihm der Kaiser zu. Dann begann er mich wieder schweigend zu betrachten. Langsam begann ein Lächeln seinen Mund zu umspielen. „Majestät wollten mir eine Mitteilung machen", sagte ich und stieß dann schnell hervor: „Wenn ich einen Wunsch äußern dürfte, so wäre ich Majestät sehr dankbar, wenn wir uns in Loge Nr. 17 begeben könnten." Napoleon glaubte zuerst, nicht richtig gehört zu haben. Er neigte sich etwas vor, zog die

Augenbrauen in die Höhe und wiederholte: „Loge Nr. 17?" Ich nickte eifrig. Napoleon ließ den Blick über die Bühne gleiten. Josephine plauderte mit zahllosen Damen, Joseph schien Talleyrand und dem schlechtgelaunten Louis einen Vortrag zu halten, die Marschallsuniformen blitzten zwischen den Tanzpaaren auf. Napoleons Augen wurden schmal und begannen zu schillern. „Schickt sich das, kleine Eugénie?"

„Sire, ich bitte, mich nicht mißzuverstehen."

„Loge Nr. 17 — das ist doch ganz eindeutig. Nicht wahr?"

Und dann schneller: „Murat wird uns begleiten, es sieht besser aus." Murat hatte uns ebenso wie die anderen in der Umgebung des Kaisers die ganze Zeit über aus den Augenwinkeln beobachtet. Ein Wink, und er kam herbeigeschossen. „Madame Bernadotte und ich begeben uns in eine Loge, zeig uns den Weg!" Zu dritt verließen wir die Bühne, zu dritt wanderten wir die breite Gasse entlang, die von ehrfurchtsvoll Zurückweichenden sofort gebildet wird, wenn sich der Kaiser blicken läßt. Auf der schmalen Stiege, die zu den Logen hinaufführt, fuhren einige Paare ganz verstört auseinander. Junge Offiziere sprangen geradezu aus einer Umarmung, um schnell hab=acht zu stehen. Ich fand es sehr komisch, aber Napoleon bemerkte: „Die jungen Leute haben zu freie Manieren, ich werde mit Despreaux darüber sprechen, ich wünsche einwandfreie Sitten in meiner Umgebung." Im nächsten Augenblick befanden wir uns vor den geschlossenen Türen der Logen. „Danke, Murat." Murats Sporen klirrten, dann verschwand er. Napoleons Blicke suchten die Nummernschilder der Türen ab. „Majestät wollten mir eine Mitteilung machen", sagte ich. „Ist es eine gute Nachricht?" — „Ja. Wir haben das Gesuch des Marschalls Bernadotte, ein selbständiges Kommando mit ausgedehnter Zivilverwaltung zu erhalten, berücksichtigt. Ihr Gatte wird morgen zum Gouverneur von Hannover ernannt werden. Ich gratuliere Ihnen, Madame, es ist eine große und sehr verantwortliche Stellung." „Hannover...", flüsterte ich und hatte keine Ahnung, wo Hannover liegt. „Wenn Sie Ihren Gatten in Hannover besuchen, werden Sie ausschließlich in Königs= schlössern wohnen und die erste Dame des Landes sein. Und dort rechts haben wir Loge Nr. 17!" Es waren nur wenige Schritte bis zur Logentür. „Treten Sie zuerst ein und versichern Sie sich, daß die Vorhänge dicht vorgezogen sind", bemerkte Napoleon. Ich öff= nete die Logentür und schloß sie sehr schnell hinter mir. Ich wußte genau, daß die Vorhänge zugezogen waren. „Nun, mein Kind?"

sagte Madame Letitia, als ich eintrat. „Er wartet draußen. Und er weiß nicht, daß Sie hier sind, Madame Mère", sagte ich schnell. „Sei nicht so aufgeregt, es kann dir den Kopf nicht kosten", meinte Madame Letitia energisch. Nein, aber Jean=Baptiste die Gouverneur=Stellung, dachte ich. „Ich rufe ihn jetzt, Madame", flüsterte ich. „Die Vorhänge sind dicht zugezogen", meldete ich draußen. Dann wollte ich dem Kaiser den Vortritt in die Loge lassen und schnell hinter ihm verschwinden. Aber Napoleon schob mich einfach in den kleinen Raum. Dort preßte ich mich sofort an die Logenwand und gab ihm den Weg frei. Madame Letitia war aufgestanden. Napoleon blieb wie angewurzelt an der Tür stehen. Durch die dichten Vorhänge sickerten die Klänge eines süßen Wiener Wal=zers. „Mein Junge, willst du deiner Mutter nicht guten Abend wünschen?" sagte Madame Letitia ruhig. Gleichzeitig trat sie ihm einen Schritt entgegen. Wenn sie sich nur ein ganz klein wenig verneigt, ist alles gut, dachte ich. Der Kaiser rührte sich nicht. Madame Letitia machte noch einen Schritt. „Madame Mère, welch schöne Überraschung!" sagte Napoleon unbeweglich.

Ein letzter Schritt, und dann stand Madame Letitia dicht vor ihm. Neigte ein wenig den Kopf und — gab ihm einen Kuß auf die Wange. Ohne an das Zeremoniell zu denken, drückte ich mich nun doch am Kaiser vorbei. Dadurch bekam er einen kleinen Stoß und landete regelrecht in den Armen seiner Mutter. Als ich wieder unten im Saal erschien, trat Murat sofort auf mich zu. Die platte Nase schnüffelte wie die Schnauze eines Spürhundes. „Schon zurück, Ma=dame?" — Ich sah ihn erstaunt an. „Ich habe der Kaiserin gesagt, daß Bernadotte sich freuen würde, wenn sie ihn ins Gespräch ziehen wollte. Und Bernadotte habe ich einen Wink gegeben, sich der Kaiserin zu nähern. Auf diese Weise haben beide nicht darauf geachtet, was in den Logen vorgeht", grinste er.

„Was in den Logen vorgeht?" fragte ich. „Was meinen Sie eigentlich, Marschall Murat?" Murat war so intensiv in sein Ge=spräch mit mir vertieft, daß er gar nicht das überraschte Aufsum=men vieler Stimmen, das den Saal erfüllte, bemerkte. „Ich meine eine ganz bestimmte Loge. Die Loge, in die Sie Seine Majestät führten", sagte er vertraulich. „Ach so, Loge Nummer siebzehn! Warum dürfen Jean=Baptiste und die Kaiserin nicht wissen, was in dieser Loge vor sich geht? Der ganze Saal weiß es doch bereits!" lachte ich.

Murats verdutztes Gesicht war unbezahlbar. Er hob den Kopf,

folgte dann den Blicken aller anderen Gäste und sah — ja, und sah, daß der Kaiser in Loge Nummer siebzehn die Vorhänge beiseite zog. Dicht neben ihm wurde Madame Letitia sichtbar. Despreaux gab dem Orchester ein Zeichen, ein Tusch dröhnte durch den Saal, dem wilder Applaus folgte. „Caroline hat gar nicht gewußt, daß ihre Mutter wieder in Paris ist", sagte Murat und betrachtete mich eifersüchtig. „Ich glaube, Madame Mère will stets bei jenem Sohn leben, der sie am meisten braucht", sagte ich nachdenklich. „Zuerst beim verbannten Lucien und jetzt beim gekrönten Napoleon."

Bis zum Morgengrauen wurde getanzt. Als mich Jean=Baptiste im Walzer drehte, fragte ich: „Wo liegt Hannover?" — „In Ger= manien", antwortete er. „Es ist das Land, aus dem das englische Königshaus stammt. Die Bevölkerung hat während der Kriegsjahre furchtbar gelitten." — „Weißt du, wer von nun an in Hannover regieren wird? Als französischer Gouverneur?" — „Keine Ahnung", sagte Jean=Baptiste. „Und es ist mir —" Er stockte. Mitten im Satz, mitten in einem Dreivierteltakt. Beugte sich dicht über mein Ge= sicht und schaute mir in die Augen. „Ist das wahr?" fragte er nur. Ich nickte. „Jetzt werde ich es ihnen zeigen", murmelte er und be= gann wieder zu tanzen. „Wem willst du es zeigen? Und was willst du zeigen?" — „Wie man ein Land verwaltet! Dem Kaiser will ich es zeigen und den einzelnen Generälen. Besonders den Generälen. Ich werde Hannover zufriedenstellen." — Jean=Baptiste sprach sehr schnell, und ich spürte, daß er glücklich war. Glücklich, zum ersten= mal nach langen, langen Jahren. Seltsam, daß er in diesem Augen= blick gar nicht an Frankreich dachte, sondern nur an — Hannover. Hannover, irgendwo in Germanien. „Du wirst im Königsschloß residieren", sagte ich. „Natürlich, es dürfte das beste Quartier sein", meinte er gleichgültig. Es machte keinen Eindruck auf ihn. Plötz= lich wurde mir klar, daß Jean=Baptiste davon überzeugt war, daß das beste Quartier gerade gut genug für ihn ist. Das Schloß des englischen Königs in Hannover ist dem ehemaligen Sergeanten Bernadotte gerade gut genug. Warum kommt mir das alles so un= geheuerlich vor? „Mir ist schwindlig, Jean=Baptiste, mir ist schwind= lig . . ." Aber Jean=Baptiste hörte erst zu tanzen auf, als die Geiger ihre Instrumente zusammenpackten und das Fest der Marschälle zu Ende war.

Bevor Jean=Baptiste nach Hannover reiste, erfüllte er mir noch einen Wunsch und ließ Oberst Lefabre nach Paris versetzen. Die Geschichte mit Napoleons Unterhosen brachte ihn auf die Idee,

ihn in der Depotverwaltung unterzubringen, wo er sich ausschließ=
lich mit den Uniformen, den Stiefeln und dem Unterzeug unserer
Truppen beschäftigt. Der Oberst und seine Frau kamen zu mir, um
sich zu bedanken. „Habe den Herrn Papa sehr gut gekannt, sehr
anständiger Mensch gewesen, der Herr Papa . . ." Meine Augen
wurden feucht, ich lächelte: „Sie hatten damals recht, Herr Oberst.
Ein Bonaparte ist keine Partie — für eine Tochter des François
Clary . . ." Seine Frau zog hörbar den Atem vor Entsetzen ein. Das
war Majestätsbeleidigung. Der Oberst wurde zwar blaulila vor
Verlegenheit, aber er hielt meinem Blick stand. „Haben recht, Mar=
schallin", brummte er. „Der Bernadotte wäre dem seligen Herrn
Papa bestimmt auch lieber." Napoleon läßt sich über alle Versetzun=
gen höherer Offiziere berichten, und als er den Namen des Oberst
Lefabre auf einer Liste sah, dachte er eine Sekunde nach. Dann
lachte er schallend auf: „Mein Unterhosen=Oberst! Bernadotte läßt
ihn jetzt sämtliche Unterhosen der Armee verwalten. Um der Mar=
schallin einen Gefallen zu erweisen!" Murat hat den Ausspruch ver=
traulich herumerzählt, und bis zum heutigen Tag nennen alle den
armen Lefabre den Unterhosen=Oberst der französischen Armee.

*In einer Reisekutsche zwischen
Hannover in Germanien und
Paris.*

*September 1805 (Der Kaiser
hat unseren republikanischen
Kalender verboten. Meine verstorbene Mama hätte sich
so darüber gefreut, sie konnte
sich nie daran gewöhnen.*

Wir waren sehr glücklich in Hannover — Jean=Baptiste, Oscar und
ich. Nur wegen der kostbaren Parkettfußböden des königlichen
Schlosses gab es manchmal Streit. „Daß Oscar sich einbildet, der
spiegelnde Boden des großen Saales sei dazu da, damit der Sohn
des Militärgouverneurs auf ihm entlangrutscht, wundert mich nicht,
er ist ein sechsjähriger Lausejunge. Aber, daß du —!" Er schüttelte
den Kopf, und sein Ärger kämpfte mit Lachen. Dann versprach ich
jedesmal hoch und heilig, nie wieder mit Oscar gemeinsam zuerst
einen Anlauf zu nehmen und — rutsch — und rutsch über spiegelndes
Parkett zu gleiten. Im großen Ballsaal des Schlosses der ehemaligen
Könige von Hannover nämlich. In der Residenz von Monseigneur
Jean=Baptiste Bernadotte, Marschall von Frankreich, Gouverneur des
Reiches Hannover. Immer wieder gab ich mein Versprechen und
konnte doch am nächsten Tag der Versuchung nicht widerstehen und
ließ mich von Oscar wieder zum Rutschen verleiten. Es war wirklich
eine Schande, ich bin nämlich die erste Dame des Reiches Hannover
und habe einen kleinen Hofstaat, der aus einer Vorleserin, einer
Gesellschaftsdame und den Gattinnen der Offiziere meines Mannes
besteht. Leider vergesse ich das manchmal . . .

Ja, wir waren glücklich in Hannover. Und Hannover war glück=
lich mit uns. Das klingt seltsam, denn Hannover ist erobertes Ge=
biet und Jean=Baptiste der Befehlshaber einer Okkupationsarmee.
Von sechs Uhr morgens bis sechs Uhr abends und nach dem Sou=
per bis tief in die Nacht hinein beugte er sich über die vielen Akten=

stücke auf seinem Schreibtisch. Jean=Baptiste begann seine „Regie=
rung" in diesem germanischen Land mit der Einführung der Menschenrechte. In Frankreich ist sehr viel Blut geflossen, um alle Bür=
ger gleichzustellen. Im Feindesland Hannover genügte ein Feder=
strich dazu. Die Unterschrift „Bernadotte". So wurde die Prügel=
strafe abgeschafft. Die Ghettos wurden aufgehoben, und den Juden
ist jetzt gestattet, alle Berufe zu ergreifen, zu denen sie Lust haben.
Die Levis von Marseille sind damals nicht vergeblich in ihren Sonn=
tagsanzügen in die Schlacht gezogen. Ein ehemaliger Sergeant weiß
auch genau, was zur Erhaltung einer Truppe notwendig ist, und die
Kontributionen, die den Bürgern von Hannover auferlegt wurden,
um unsere Soldaten zu erhalten, drücken sie nicht. Jean=Baptiste hat
die Höhe aller Abgaben genau festgelegt, und kein Offizier darf
auf eigene Faust Steuern eintreiben. Übrigens verdienen die Bürger
mehr als früher. Jean=Baptiste hat nämlich die Zollschranken auf=
gehoben, und Hannover liegt in diesem von Kriegen zerwühlten
Germanien wie eine Insel, die nach allen Seiten Handel treibt. Als
die Bürger von Hannover geradezu reich wurden, hat Jean=Baptiste
die Steuern etwas erhöht und mit dem überflüssigen Geld Korn
gekauft und nach Nord=Germanien geschickt, wo eine Hungersnot
herrscht. Die Leute in Hannover schüttelten den Kopf, unsere Offi=
ziere tippten sich an die Stirn, aber niemand kann einem anderen
laute Vorwürfe darüber machen, weil er ein anständiger Mensch
ist. Schließlich gab Jean=Baptiste den Gewerbetreibenden den Rat,
sich ein wenig mit den Hansestädten anzufreunden und durch diese
Freundschaft viel Geld zu verdienen. Die Deputationen, die diesen
Rat erhielten, waren sprachlos. Denn es ist offenes Geheimnis, daß
sich die Hansestädte nicht streng an die Kontinentalsperre des Kai=
sers halten und noch immer Schiffe mit Waren nach England sen=
den und empfangen. Aber wenn ein Marschall von Frankreich sei=
nen armen, geknechteten Feinden diesen Rat gibt ... Als der Han=
del richtig in Schwung kam, füllten sich auch die Staatskassen von
Hannover. Jean=Baptiste konnte große Summen an die Universität
von Göttingen senden. Dort unterrichten jetzt einige der größten
Gelehrten von Europa. Jean=Baptiste ist natürlich sehr stolz auf
„seine" Universität. Und er ist zufrieden, wenn er sich über seine
Akten beugt. Manchmal finde ich ihn aber auch über dicken Bü=
chern. „Was so ein ungebildeter Sergeant alles lernen muß", mur=
melt er dann ohne aufzusehen, und streckt die Hand aus. Und ich
trete dicht neben ihn, und er legt meine Hand an seine Wange. „Du

regierst schrecklich viel", sage ich dann ungeschickt. Aber er schüt=
telt nur den Kopf. „Ich lerne, kleines Mädchen. Und ich versuche
mein Bestes. Es ist nicht schwer, wenn er nur Ruhe gibt ..." Wir
wissen beide, wen Jean=Baptiste meint. In Hannover habe ich zu=
genommen. Wir durchtanzten nicht die Nächte und standen auch
nicht stundenlang bei Paraden. Zumindest nie länger als zwei Stun=
den. Jean=Baptiste schränkte mir zuliebe die Truppenparaden ein.
Nach dem Souper saßen meistens unsere Offiziere mit ihren Damen
in meinem Salon. Dann besprachen wir die Nachrichten, die aus
Paris zu uns kamen. Der Kaiser schien noch immer seinen Angriff
auf England vorzubereiten, er hielt sich an der Kanalküste auf.
Und Josephine machte weiter Schulden, aber darüber wurde nur
geflüstert. Jean=Baptiste lud auch manchmal Professoren aus Göt=
tingen ein, die uns in entsetzlichem Französisch ihre Lehren zu er=
klären versuchten. Einer las uns einmal ein Theaterstück auf deutsch
vor, das der Dichter des Nachttisch=Romanes „Werthers Leiden",
den wir einst verschlungen haben, geschrieben hat. Der Dichter heißt
Goethe, und ich machte Jean=Baptiste Zeichen, diese Marter für uns
alle abzubrechen; wir verstehen zu schlecht Deutsch. Ein anderer
erzählte von einem großen Arzt, der jetzt in Göttingen wirkt und
vielen Leuten ihr Gehör wiedergegeben habe. Das interessierte Jean=
Baptiste sehr, weil viele unserer Soldaten durch das Dröhnen der
Kanonen, die sie selbst abschossen, schwerhörig geworden sind. Und
plötzlich rief er: „Ich habe einen Freund, der diesen Professor auf=
suchen muß. Er lebt in Wien, ich werde ihm schreiben, daß er nach
Göttingen reisen soll. Dann kann er uns hier besuchen. Désirée,
du mußt ihn kennenlernen, es ist ein Musiker, den ich in Wien
getroffen habe, als ich dort Botschafter war. Ein Freund von Kreut=
zer, weißt du!" Mich packte natürlich ein Schreck. Unter dem Vor=
wand, zu viele repräsentative Pflichten zu haben, schwindelte ich
nämlich Jean=Baptiste vor, daß ich gar keine Zeit für meine Klavier=
stunden und den Anstandsunterricht mehr hätte. Und er selbst hatte
so viel zu tun, daß er mich nicht kontrollierte. Das Klavierspiel geht
mir nicht ab, und was den Anstandsunterricht betrifft, so fegte ich
eben mit den paar graziösen Bewegungen, die ich bei Monsieur
Montel gelernt habe, meine Gäste vom Speisesaal in die Salons,
und für eine Seidenhändlerstochter, die plötzlich im Schloß der
Könige von Hannover residiert, machte ich es ganz gut. Jetzt hatte
ich natürlich eine Heidenangst, diesem Musiker aus Wien vorspielen
zu müssen. Aber dazu kam es nicht. Den Abend, an dem der Mu=

siker aus Wien bei uns zu Besuch war, werde ich nie vergessen. Der Abend begann so schön ... Oscar, der strahlende Augen be= kommt, wenn er Musik hören darf, plagte mich so lange, bis ich ihm erlaubte, länger aufzubleiben. Und Oscar wußte auch viel mehr über das bevorstehende Konzert als ich. Der Wiener Musiker heißt — mein Gott, ich habe mir doch den Namen aufgeschrieben, ein sehr ausländischer Name, wahrscheinlich germanisch — ja, Beethoven heißt der Mann! Jean=Baptiste hatte Befehl gegeben, daß sich alle Mitglieder der ehemaligen königlichen Hofkapelle von Hannover diesem Beethoven aus Wien zur Verfügung stellen und drei Vor= mittage lang im großen Saal mit ihm Proben abhalten sollten. Wäh= rend dieser Tage durften Oscar und ich nicht in den Ballsaal und rutschten daher nicht auf dem Parkett herum, und ich benahm mich meiner Stellung durchaus würdig. Oscar dagegen war sehr auf= geregt. „Wie lange darf ich aufbleiben, Mama? Bis nach Mitter= nacht? Wie kann ein Mann, der taub ist, Musik schreiben? Glaubst du, daß er nicht einmal seine eigene Musik hören kann? Hat dieser Monsieur Beethoven wirklich ein Hörrohr? Bläst er manchmal auf seinem Hörrohr?" Nachmittags fuhr ich mit Oscar meistens spa= zieren, und unter den gelbgrünen Schatten der langen Lindenallee, die vom Schloß aus ins Dorf Herrenhausen führt, versuchte ich, seine tausend Fragen zu beantworten. Da ich Monsieur Beethoven, oder wie der Mann heißt, noch nicht gesehen hatte, wußte ich nichts über das Hörrohr und nahm an, daß er es, obwohl Musiker, aus= schließlich zum Hören und nicht zum Blasen verwendete. „Papa sagt, daß er einer der größten Menschen ist, die er kennt. Wie groß kann er sein? Größer als ein Grenadier der Leibwache des Kaisers?"

„Papa meint nicht die körperliche Größe, sondern geistige. Er ist — ja, wahrscheinlich ist er genial. Das versteht Papa nämlich unter einem großen Menschen." Oscar grübelte. Schließlich: „Größer als Papa?"

Ich nahm Oscars klebrige Kinderfaust, in der ein halbgelutschtes Bonbon verborgen lag, in meine Hand. „Das weiß ich nicht, Lieb= ling!"

„Größer als der Kaiser, Mama?"

In diesem Augenblick wandte sich der Kammerdiener, der neben unserem Kutscher auf dem Bock saß, um und sah mich neugierig an. Ich verzog keine Miene. „Kein Mensch ist größer als der Kaiser, Oscar", antwortete ich ruhig. „Vielleicht kann er seine eigene Musik gar nicht hören..." grübelte Oscar weiter. „Vielleicht", antwortete ich zerstreut und war plötzlich traurig. Ich wollte meinen Sohn anders erziehen, ging es mir durch den Kopf. Zu einem freien Menschen. Ganz im Sinne von Papa. Der neue Lehrer, den der Kaiser uns persönlich für Oscar empfohlen hatte und der vor einem Monat hier ankam, hat dem Kind den Zusatz zum Katechismus, der jetzt in allen Schulen Frankreichs gelehrt werden muß, beizubringen versucht. „Wir schulden unserem Kaiser Napoleon I., dem Ebenbild Gottes auf Erden, Respekt, Gehorsam, Loyalität, Militärdienst . . ."

Neulich trat ich zufällig in Oscars Schulzimmer und glaubte zuerst, falsch gehört zu haben. Aber der schmalbrüstige junge Lehrer, ehemaliger Vorzugsschüler der Kadettenschule in Brienne, der immer wie ein Taschenmesser zusammenklappt, wenn er Jean=Baptiste oder mich sieht, und seine Sporen in das Fell des Hundes gräbt, den Fernand gefunden und aufgezogen hat, wenn er glaubt, daß niemand zuschaut – also, dieser Lehrer nach Napoleons Wahl wiederholte die Worte. Kein Zweifel: „Kaiser Napoleon I., Ebenbild Gottes auf Erden . . ."

„Ich möchte nicht, daß das Kind das lernt. Lassen Sie den Zusatz zum Katechismus weg", sagte ich. „Das wird in allen Schulen des Kaiserreichs unterrichtet, es ist Gesetz", sagte der junge Mann und fügte ausdruckslos hinzu: „Seine Majestät ist sehr an der Ausbildung seines Patenkindes interessiert, ich habe Auftrag, Seiner Majestät regelmäßig darüber zu berichten. Es handelt sich doch um den Sohn eines Marschalls von Frankreich." Ich sah Oscar an. Der schmale Kindernacken beugte sich über ein Schreibheft. Gelangweilt zeichnete er Männchen. Zuerst haben mich die Nonnen unterrichtet, dachte ich, dann hat man die Nonnen eingesperrt oder davongejagt und uns Kindern erklärt, es gäbe keinen Gott, sondern nur die reine Vernunft. Diese reine Vernunft sollten wir anbeten, und Robespierre ließ ihr sogar Altäre errichten. Dann kam eine Zeit, in der sich niemand um unseren Glauben kümmerte und jeder denken durfte, was er wollte. Als Napoleon Erster Konsul wurde, gab es wieder Priester, die nicht auf die Republik, sondern auf die Heilige Römische Kirche vereidigt wurden. Schließlich zwang Napoleon den Papst, aus Rom nach Paris zu kommen, um ihn zu krönen, und führte die katholische Religion als Staatsreligion ein. Und jetzt läßt er einen Zusatz zum Katechismus unterrichten . . . Den Bauern werden ihre Söhne von den Feldern geholt, damit sie in Napoleons Armeen marschieren, es kostet achttausend Francs, um sich vom

Militärdienst loszukaufen, und achttausend Francs sind viel Geld für einen Bauern. Deshalb halten sie einfach ihre Söhne versteckt, und die Gendarmen sperren die Frauen, Schwestern und Bräute als Geiseln ein. Dabei spielen die versteckten französischen Deserteure gar keine Rolle mehr. Frankreich hat genug Truppen, die besiegten Fürsten müssen ja Regimenter stellen, um zu beweisen, daß sie dem Kaiser dienen. Tausende, Zehntausende werden aus ihren Betten gerissen und marschieren für Napoleon. Jean=Baptiste klagt so oft darüber, daß seine Soldaten unsere Sprache gar nicht verstehen kön= nen und seine Offiziere durch Dolmetscher kommandieren müssen. Warum läßt Napoleon sie denn marschieren, diese jungen Burschen, immer neue Kriege, immer neue Siege, Frankreichs Grenzen müssen doch längst nicht mehr verteidigt werden? Frankreich kennt gar keine Grenzen mehr. Oder handelt es sich gar nicht mehr um Frankreich? Nur noch um ihn, Napoleon, den Kaiser — ? Ich weiß nicht, wie lange wir einander gegenüberstanden, dieser junge Lehrer und ich. Ich hatte plötzlich das Gefühl, wie eine Schlafwandlerin in diesen letzten Jahren gelebt zu haben. Schließlich drehte ich mich um und ging zur Tür. Wiederholte nur noch: „Lassen Sie den Zu= satz zum Katechismus weg, Oscar ist noch zu klein. Er weiß nicht, was er bedeutet." Dann ließ ich die Tür hinter mir ins Schloß fallen. Der Korridor war leer. Kraftlos lehnte ich an der Wand und begann fassungslos zu weinen. Zu klein, schluchzte ich nur, er weiß nicht, was es bedeutet ... Und deshalb läßt du es die Kinder lernen, Na= poleone, gerade deshalb, du Seelenfänger. Für die Menschenrechte hat ein ganzes Volk geblutet, und als es erschöpft war und die Menschenrechte ausgerufen waren, hast du dich einfach an die Spitze dieses Volkes gestellt ... Ich weiß nicht, wie ich in mein Schlaf= zimmer kam. Ich weiß nur, daß ich plötzlich auf meinem Bett lag und in die Kissen schluchzte. Diese Proklamationen! Wir kennen sie alle, sie füllen ja stets die erste Seite des „Moniteur". Immer noch dieselben Worte wie einst unter den Pyramiden, die er uns bei einem Sonntagsessen zum erstenmal vorgelesen hat. „Die Men= schenrechte liegen diesem Tagesbefehl zugrunde..." hat damals jemand zu ihm gesagt. Joseph war es, der ältere Bruder, der ihn haßt. „Und die Menschenrechte hast du nicht geschrieben!" trium= phierte Joseph. Nein, du mißbrauchst nur ihren Namen, Napoleone. Um sagen zu können, daß du die Nationen befreist, während du sie in Wirklichkeit unterwirfst. Um im Namen der Menschenrechte Blut zu vergießen ...

Jemand nahm mich in die Arme. „Désirée — ?" „Kennst du den neuen Zusatz zum Katechismus, den Oscar lernen soll?" schluchzte ich. Jean=Baptiste preßte mich an sich. „Ich habe es verboten", flüsterte ich. „Es ist dir doch recht, Jean=Baptiste?" „Danke. Ich hätte es sonst selbst verbieten müssen", sagte er nur. Der Druck seiner Arme ließ nicht nach. „Jean=Baptiste, diesen Mann hätte ich beinahe geheiratet. Stell dir das nur vor!" Sein Lachen befreite mich aus der Gefangenschaft meiner Gedanken. „Es gibt Dinge, die ich mir nicht vorstellen will, kleines Mädchen!" Wenige Tage später freute ich mich mit Oscar und Jean=Baptiste auf unser Konzert, das der Wiener Musiker leiten sollte. Monsieur Beethoven ist ein mittel= großer untersetzter Mann mit der unordentlichsten Frisur, die je bei uns zu Tisch erschienen ist. Sein Gesicht ist rund und von der Sonne braun gebrannt, er hat Pockennarben und eine flache Nase und schläfrige Augen. Nur wenn man ihn anspricht, nehmen diese Augen einen spähenden Ausdruck an und lassen die Lippen des Sprechers nicht los. Da ich wußte, daß der Arme schwerhörig ist, schrie ich ihm geradezu entgegen, wie sehr ich mich freue, daß er uns besucht. Jean=Baptiste schlug ihm auf die Schulter und fragte, was es in Wien Neues gäbe. Er fragte natürlich nur aus Höflichkeit. Aber der Musiker antwortete ernsthaft: „Man bereitet den Krieg vor, man erwartet, daß die Armeen des Kaisers sich gegen Österreich wenden werden." Jean=Baptiste runzelte die Brauen und schüttelte den Kopf. So genau wollte er seine Höflichkeitsfrage nicht beant= wortet wissen. „Wie spielen die Mitglieder meiner Kapelle hier?" erkundigte er sich deshalb schnell. Der vierschrötige Mann schüt= telte nur den Kopf. Jean=Baptiste wiederholte die Frage so laut wie nur möglich. Der Musiker hob die schweren Augenbrauen, die schläfrigen Augen blinkten schelmisch: „Ich habe Sie sehr gut ver= standen, Herr Botschafter — pardon, Herr Marschall — so nennt man Sie ja jetzt, nicht wahr? Die Mitglieder Ihrer Kapelle spielen sehr schlecht, Herr Marschall."

„Aber Sie werden trotzdem Ihre neue Symphonie dirigieren, nicht wahr?" schrie ihm Jean=Baptiste zu. Monsieur Beethoven schmun= zelte: „Ja, weil ich neugierig bin, was Sie dazu sagen, Herr Bot= schafter."

„Monseigneur!" schrie ihm der Adjutant meines Mannes ins Ohr. „Sagen Sie ruhig Herr van Beethoven zu mir; ich bin kein Sei= gneur", sagte unser Gast. „Man spricht doch den Herrn Marschall mit ‚Monseigneur' an!" schrie der Adjutant verzweifelt. Ich hielt mir das Taschentuch vor den Mund, weil ich so lachen mußte. Unser Gast richtete die tiefliegenden Augen ernsthaft auf Jean=Baptiste. „Es ist schwer, sich mit all den Titeln zurechtzufinden, wenn man selbst keinen hat und schwerhörig ist", sagte er. „Ich danke Ihnen, Monseigneur, daß Sie mich zu diesem Professor nach Göttingen schicken wollen." „Können Sie Ihre Musik hören?" krähte jemand dicht neben dem Fremden. Monsieur van Beethoven sah sich suchend um, er hatte die helle Kinderstimme gehört. Jemand zupfte ihn am Rock: Oscar. Ich wollte schnell irgend etwas sagen, um ihn die herzlose Kinderfrage vergessen zu lassen, aber schon neigte sich das große ungekämmte Haupt nieder: „Hast du etwas gefragt, kleiner Bub?"

„Ob Sie Ihre eigene Musik hören können?" krähte Oscar, so laut er konnte. Monsieur van Beethoven nickte ernsthaft: „Doch, sehr genau sogar. Hier drinnen nämlich." Er pochte an seine Brust. „Und hier." Er klopfte sich an die weite, ausladende Stirn. Und mit brei= tem Lächeln: „Aber die Musiker, die meine Musik spielen, kann ich nicht immer deutlich hören. Und das ist manchmal ein Glück. Zum Beispiel, wenn es sich um so schlechte Musiker handelt wie die dei= nes Herrn Papa!" Nach dem Souper setzten wir uns alle in den großen Ballsaal. Die Mitglieder des Orchesters stimmten unruhig ihre Instrumente und warfen scheue Blicke auf uns. „Die sind nicht gewöhnt, eine Beethoven=Symphonie zu spielen", meinte Jean=Bap= tiste, „Ballett=Musik ist leichter." Drei rote Seidenfauteuils, mit den vergoldeten Kronen des Hauses Hannover geschmückt, waren vor die Reihen der übrigen Zuhörersitze geschoben worden. Hier nah= men Jean=Baptiste und ich Platz. Das Kind saß zwischen uns und verschwand beinahe in dem tiefen Fauteuil. Monsieur van Beet= hoven stand zwischen den Mitgliedern der Kapelle und gab ihnen auf deutsch die letzten Anweisungen. Mit ruhigen großen Hand= bewegungen unterstrich er seine Worte. „Was dirigiert er eigent= lich?" fragte ich Jean=Baptiste. „Eine Symphonie, die er voriges Jahr geschrieben hat." Im gleichen Augenblick wandte sich Monsieur van Beethoven vom Orchester ab und trat auf uns zu. „Ich hatte ur= sprünglich die Absicht, diese Symphonie dem General Bernadotte zu widmen", sagte er nachdenklich. „Dann habe ich es mir überlegt und glaubte, es wäre richtiger, sie dem Kaiser der Franzosen zuzueignen. Aber —" Er machte eine Pause, starrte nachdenklich vor sich hin, schien uns und sein Publikum zu vergessen, erinnerte sich dann, wo er war, und strich sich eine dicke Haarsträhne aus der Stirn. „Wir

werden ja sehen", murmelte er und fügte hinzu: „Dürfen wir be=
ginnen, General?" „Monseigneur!" zischte sofort Jean=Baptistes
Adjutant, der dicht hinter uns saß. Jean=Baptiste lächelte. „Bitte —
beginnen Sie, mein lieber Beethoven!" Die schwerfällige Gestalt
stieg ungeschickt auf das Podium des Dirigenten. Wir sahen nur den
schweren Rücken. Die breite Hand mit den seltsam schmalen Fingern
hielt einen Taktstock. Er klopfte an sein Pult. Es wurde totenstill.
Er breitete die Arme aus, schwang sie hoch und — dann begann es.
Ich kann nicht beurteilen, ob unsere Musiker gut oder schlecht ge=
spielt haben. Ich weiß nur, daß dieser vierschrötige Mann mit den
ausladenden Armbewegungen sie anpeitschte und musizieren ließ,
wie ich noch nie musizieren gehört habe. Es brauste auf wie Orgel=
musik und war doch Geigengesang, es jubelte und klagte, es lockte
und versprach. Ich preßte die Hand vor den Mund, weil meine
Lippen zitterten. Diese Musik hatte nichts mit dem Lied von Mar=
seille zu tun. Aber so muß es geklungen haben, dachte ich, als sie in
die Schlacht für die Menschenrechte zogen und Frankreichs Grenzen
hielten. Wie ein Gebet und ein Jubelruf zugleich . . . Ich beugte mich
etwas vor, um Jean=Baptiste anzusehen. Jean=Baptistes Gesicht war
wie versteinert. Er hatte die Lippen zusammengepreßt, kühn und
schmal sprang die Nase vor, die Augen glühten. Seine Rechte lag auf
der Armstütze des Fauteuils und umkrampfte sie so hart, daß die
Adern schwollen. Keiner von uns hatte bemerkt, daß ein Kurier an
der Saaltür erschienen war. Keiner, daß der Adjutant Oberst Villatte
leise aufstand und ein Schreiben des Kuriers entgegennahm. Und
keiner, daß der Adjutant nur einen Blick auf das versiegelte Schreiben
warf und sofort neben Jean=Baptiste trat. Als Villatte ganz leicht
den Arm Jean=Baptistes berührte, zuckte mein Mann zusammen.
Den Bruchteil einer Sekunde sah er sich verwirrt um, dann be=
gegnete er den Augen seines Adjutanten. Er nahm ihm das Schrei=
ben ab und gab ihm ein Zeichen. Villatte nahm dicht neben ihm
Aufstellung. Weiter brauste die Musik, die Wände des Saales um
mich versanken, ich fühlte mich schweben, fühlte mich hoffen und
glauben, wie ich einst vor Jahren als kleines Mädchen an der Hand
meines Vaters gehofft und geglaubt hatte. In der kurzen Stille, die
zwischen zwei Sätzen der Symphonie eintrat, hörten wir Papier
rascheln. Jean=Baptiste erbrach erst jetzt das Siegel des Schreibens
und entfaltete den Brief. Monsieur van Beethoven hatte sich umge=
wandt und blickte ihn forschend an. Jean=Baptiste nickte auffordernd.
Weiterspielen! Monsieur van Beethoven hob den Taktstock, breitete

wieder die Arme aus, die Geigen jubelten. Jean=Baptiste las. Einmal blickte er einen kurzen Augenblick auf. Es war, als ob er sehnsuchts= voll dieser Himmelsmusik lausche. Dann nahm er die Feder ent= gegen, die ihm der Adjutant reichte und schrieb ein paar Worte auf den Befehlsblock, den er immer bei sich trägt. Der Adjutant ver= schwand mit dem Befehl. Lautlos trat ein anderer Offizier an seine Stelle dicht neben Jean=Baptiste. Auch er verschwand mit einem beschriebenen Stück Papier, und ein dritter stand stramm neben dem roten Seidenfauteuil. Dieser dritte schlug sogar die Hacken zu= sammen, es klirrte durch die Himmelsmusik, um Jean=Baptistes Mund zuckte es irritiert, dann schrieb er weiter. Und erst als dieser dritte Offizier verschwunden war, hörte er wieder zu. Nicht mehr hochaufgerichtet saß er da, mit Augen, die vor Begeisterung glühten, sondern ein wenig nach vorn gebeugt mit halbgeschlossenen Lidern. Er kaute an seiner Unterlippe. Nur zuletzt — noch einmal jubelte dieser Gesang der Freiheit, der Gleichheit, der Brüderlichkeit auf — hob er lauschend den Kopf. Aber es galt nicht mehr der Musik, das spürte ich genau, sondern einer Stimme in seinem Innern. Ich weiß nicht, was diese Stimme zu ihm sagte. Sie wurde von Beethovens Musik begleitet, und Jean=Baptiste lächelte bitter. Beifall prasselte, ich zog meine Handschuhe aus, um lauter klatschen zu können, un= geschickt und verlegen verbeugte sich Monsieur van Beethoven, wies auf die Musiker, mit denen er so unzufrieden war; sie erhoben sich polternd und verneigten sich, und wir applaudierten noch mehr. Neben Jean=Baptiste standen jetzt alle drei Adjutanten. Ihre Ge= sichter waren aufmerksam gespannt. Aber Jean=Baptiste trat vor und streckte die Hand aus, half Monsieur van Beethoven, dem Unge= schickten und Jüngeren, vom Podium, als ob es sich um einen hohen Würdenträger handeln würde.

„Danke, Beethoven", sagte er nur. „Von ganzem Herzen — danke"! Das pockennarbige Gesicht wirkte plötzlich glatter, ausgeruhter, die tiefliegenden Augen glitzerten lebhaft und geradezu vergnügt. „Erinnern Sie sich noch, General, wie Sie mir an einem Abend in Ihrer Botschaft in Wien die Marseillaise vorgespielt haben?" „Mit einem Finger auf dem Klavier. Mehr kann ich nicht", lachte Jean= Baptiste. „Damals habe ich Ihre Hymne zum erstenmal gehört. Die Hymne eines freien Volkes ..." Beethovens Augen ließen Jean= Baptistes Gesicht nicht los. Jean=Baptiste überragte ihn, und er mußte den Kopf geradezu heben. „Ich habe oft an den Abend ge= dacht, während ich diese Symphonie schrieb. Deshalb wollte ich sie

Ihnen widmen. Einem jungen General des französischen Volkes." „Ich bin kein junger General mehr, Beethoven!" Beethoven ant= wortete nicht. Unverwandt schaute er Jean=Baptiste an. Deshalb dachte Jean=Baptiste, der Komponist hätte nicht richtig gehört, und schrie ihm zu: „Ich habe gesagt, ich bin kein junger General mehr . . ." Beethoven antwortete noch immer nicht. Ich sah, wie die drei Adjutanten hinter Jean=Baptiste vor Ungeduld zu trippeln begannen. „Dann kam ein anderer und trug die Botschaft Ihres Volkes über alle Grenzen", sagte Beethoven schwerfällig. „Deshalb dachte ich, daß ich dem die Symphonie widmen sollte. Was meinen Sie, General Bernadotte?"

„Monseigneur!" verbesserten die drei Adjutanten Jean=Baptistes geradezu im Chor. Jean=Baptiste gab ihnen ärgerlich ein Zeichen. „Über alle Grenzen, Bernadotte —" wiederholte Beethoven ernst= haft. Er lächelte treuherzig, beinahe kindlich. „An jenem Abend in Wien haben Sie mir über die Menschenrechte erzählt. Ich habe vorher sehr wenig darüber gewußt, ich kümmere mich nicht um Politik. Aber das — ja, das hat nichts mit Politik zu tun." — Er lächelte: „Mit einem Finger haben Sie mir die Hymne vorgespielt, Bernadotte!"

„Und das haben Sie daraus gemacht, Beethoven", sagte Jean= Baptiste ergriffen. Eine kleine Pause entstand. „Monseigneur —" flüsterte einer der Adjutanten. Jean=Baptiste richtete sich auf, seine Hand fuhr über sein Gesicht, als ob er Erinnerungen wegwischen wollte. „Monsieur van Beethoven, ich danke Ihnen für Ihr Konzert. Ich wünsche Ihnen eine gute Reise nach Göttingen und hoffe von Herzen, daß der Professor Sie nicht enttäuschen wird." Nun wandte er sich unseren Gästen zu, den Offizieren der Garnisonen mit ihren Damen und den Spitzen der Gesellschaft von Hannover: „Ich möchte mich von Ihnen verabschieden — ich rücke morgen früh mit meinen Truppen ins Feld." Jean=Baptiste verbeugte sich lächelnd: „Befehl des Kaisers. Gute Nacht, meine Damen und Herren." Dann bot er mir den Arm.

Ja, wir waren glücklich in Hannover. Der gelbe Schimmer der Kerzen kämpfte gegen das Grau des anbrechenden Morgens, als sich Jean=Baptiste von mir verabschiedete. „Du fährst noch heute mit Oscar nach Paris zurück", sagte er. Fernand hatte längst Jean= Baptistes Feldgepäck vorbereitet. Die goldbestickte Marschalls= uniform lag sorgsam beschützt zwischen ihren Überzügen in einer großen Reisetasche. Silber für zwölf Personen wird mitgeführt und

ein armselig schmales Feldbett. Jean=Baptiste trug die schlichte glatte Felduniform mit den Generals=Epauletten. Ich nahm seine Hand und preßte sie an mein Gesicht. „Kleines Mädchen, vergiß nicht, oft zu schreiben! Das Kriegsministerium wird —" „— wird meine Briefe weiterbefördern, ich weiß", sagte ich. „Jean=Baptiste, wird das kein Ende nehmen? Wird es immer so weitergehen, immer und immer?" „Gib Oscar einen großen Kuß von mir, kleines Mädchen!" „Jean= Baptiste, ich habe dich gefragt, ob es immer so weitergehen wird?" „Befehl des Kaisers: Bayern zu erobern und zu besetzen. Du bist mit einem Marschall von Frankreich verheiratet, es kann dich nicht über= raschen", kam es ausdruckslos. „Bayern . . . Und wenn du Bayern erobert hast? Kommst du zu mir nach Paris oder kehren wir beide nach Hannover zurück?" „Von Bayern aus werden wir gegen Öster= reich marschieren." „Und dann? Es gibt doch keine Grenzen mehr zu verteidigen! Frankreich hat gar keine Grenzen mehr, Frank= reich —" „Frankreich ist Europa", sagte Jean=Baptiste. „Und Frank= reichs Marschälle marschieren, mein Kind. Befehl des Kaisers!" „Wenn ich mir vorstelle, wie oft man dir seinerzeit angetragen hat, die Macht zu übernehmen. Wenn du nur damals —" „Désirée!" Scharf klang es, verbietend. Und dann leise: „Kleines Mädchen, ich habe als gewöhnlicher Rekrut begonnen und nie die Kriegsschule besucht, aber ich könnte mir nicht vorstellen, jemals eine Krone aus der Gosse zu fischen. Ich fische nämlich nicht in der Gosse. Vergiß das nicht. Vergiß es niemals!" Er blies die Kerze aus. Durch die Vorhänge kroch fahl und unerbittlich ein Morgen des Abschied= nehmens.

Kurz bevor ich meine Reisekutsche bestieg, ließ sich noch Mon= sieur van Beethoven bei mir melden. Ich hatte schon den Hut auf dem Kopf, und Oscar stand neben mir und umklammerte stolz seine eigene kleine Reisetasche, als er eintrat. Langsam, ungeschickt kam er auf mich zu und verbeugte sich linkisch. „Ich möchte gern, daß Sie — " Er stotterte ein wenig, nahm sich dann zusammen: „Daß Sie dem General Bernadotte bestellen, daß ich die neue Symphonie auch nicht dem Kaiser der Franzosen widmen kann. Ihm schon gar nicht." Er machte eine Pause. „Ich werde die Symphonie einfach ‚Eroica' nennen. Zur Erinnerung an eine Hoffnung, die nicht in Er= füllung gegangen ist." Er seufzte. „Der General Bernadotte wird mich schon verstehen." „Ich werde es ihm bestellen, und er wird Sie bestimmt verstehen, Monsieur", sagte ich ihm und reichte ihm die

Hand. „Weißt du, Mama, was ich werden will?" fragte Oscar, als unser Wagen die endlosen Landstraßen entlangrollte. „Musiker will ich werden!" „Ich dachte, Sergeant oder Marschall wie dein Papa. Oder Seidenhändler wie dein Großvater", meinte ich zerstreut. Ich hatte längst mein Buch auf den hochgezogenen Knien und schrieb. „Ich habe es mir überlegt. Musiker will ich werden. Ein Komponist wie dieser Monsieur Beethoven. Oder — König!" „Warum König?" „Weil man als König vielen Leuten etwas Gutes tun kann. Das hat mir einer der Lakaien im Schloß erzählt. Früher gab es nämlich in Hannover einen König. Bevor der Kaiser den Papa hinschickte. Weißt du das?" Jetzt hat sogar mein sechsjähriger Sohn heraus= gefunden, wie ungebildet ich bin. „Komponist oder König", beharrte er. „Dann lieber König", riet ich ihm. „Das ist leichter!"

Paris, 4. Juni 1806.

Wenn ich nur wüßte, wo Ponte Corvo liegt! Aber morgen früh werde ich es ja in der Zeitung lesen. Wozu sich weiter den Kopf darüber zerbrechen? Ich will lieber aufschreiben, was ich seit meiner Rückkehr aus Germanien erlebt habe.

Oscar hatte Keuchhusten und durfte nicht ausgehen. Meine Freundinnen mieden mein Haus, als ob ich die Pest hätte, weil sie solche Angst haben, ihre Kinder könnten sich anstecken. Ich wollte wieder mit meinen Klavierstunden und meinem Anstandsunterricht beginnen, aber sogar Monsieur Montel hat Angst vor mir. Diese männliche Ballerina fürchtet sich vor Kinderkrankheiten wie Josephine vor einem Wimmerl im Emailleteint. Ich war froh, keine Stunden nehmen zu müssen, denn ich war meistens schrecklich müde. Oscar hustete und erbrach sich hauptsächlich in der Nacht, und ich ließ deshalb sein Bettchen in mein Schlafzimmer stellen, um ihn zu pflegen. Weihnachten waren wir ganz allein — Oscar, Marie und ich. Ich schenkte Oscar eine Geige und versprach ihm Geigenunterricht, sowie er wieder gesund ist. Ab und zu kam Julie auf Besuch, sie setzte sich dann in den Salon und ließ sich von Marie heiße Schokolade bringen und die Füße massieren, weil ihr bei dem vielen Herumstehen während der großen Empfänge, die sie und Joseph während der Abwesenheit des Kaisers geben müssen, die Knöchel anschwellen. Ich dagegen mußte im Eßzimmer bleiben, um sie nur ja nicht anzustecken. Wir plauderten durch die offene Tür, das heißt, Julie schrie mir alle Neuigkeiten zu. „Dein Mann hat Bayern erobert, morgen steht es im „Moniteur", schrie sie im Spätherbst. „Er ist dort auf österreichische Truppen gestoßen und hat sie geschlagen. Jetzt hält er München besetzt. Marie, du mußt etwas härter massieren, sonst nützt es nichts! Dein Mann ist ein großer Feldherr, Désirée!" Im Oktober erwähnte sie beiläufig: „Wir haben unsere ganze Flotte verloren, aber Joseph sagt, das macht nichts, der Kaiser wird unseren Feinden schon zeigen, wer Europa regiert ..." Anfang Dezember erschien sie ganz atemlos: „Wir haben eine Riesenschlacht gewonnen, und morgen geben Joseph und ich einen Ball für tausend Gäste. Bei Le Roy arbeiten sie die ganze Nacht hindurch, um mir ein neues Kleid zu machen. Weinrot, Désirée — wie findest du das?" „Rot steht dir doch nicht, Julie! Was hast du über Jean=Baptiste gehört? Ist er gesund?" „Gesund? Mehr als gesund, Liebling! Joseph sagt, daß ihm der Kaiser geradezu ver= pflichtet ist, so gut hat er alles vorbereitet. Weißt du, fünf Armee= korps rückten in die Schlacht bei Austerlitz —" „Wo liegt Austerlitz, Julie?" „Keine Ahnung. Aber das ist doch auch egal, irgendwo in Germanien wahrscheinlich. Hör zu, fünf Armeekorps unter dem Oberbefehl von Lannes, Murat, Soult, Davout und deinem Mann. Jean=Baptiste und Soult haben die Mitte gehalten." „Welche Mitte?" „Was weiß ich, die Mitte der Frontlinie, nehme ich an, ich bin doch kein Stratege. Napoleon ist mit den fünf Marschällen auf einem Hügel gestanden. Und alle Feinde Frankreichs sind jetzt auf immer geschlagen. Wir werden endgültig Frieden haben, Désirée! Hast du noch einen Tropfen Schokolade, Marie?" „Frieden . . ." sagte ich nur und versuchte, mir die Heimkehr Jean=Baptistes vorzustellen. „Dann kommt er endlich nach Hause", rief ich in den Salon hinüber. „Er ist angeblich schon unterwegs, wir müssen jetzt ganz Europa be= herrschen,und er muß sich das alles genau überlegen", schrie Julie zurück. „Ganz Europa ist ihm egal, er muß nach Hause kommen, weil Oscar immer nach ihm fragt", schrie ich zurück. „Ach so, du sprichst von Jean=Baptiste. Ich meine doch den Kaiser. Der Kaiser ist auf der Heimreise. Jean=Baptiste kann vorderhand nicht kommen, sagt Joseph. Jetzt hat ihn der Kaiser beauftragt, neben Hannover auch Ansbach zu verwalten. Er soll sich in Ansbach einen richtigen Hofstaat einrichten und abwechselnd dort und in Hannover regieren. Du mußt zu ihm nach Ansbach fahren und dir alles anschauen!" „Ich kann nicht reisen, Oscar hat doch Keuchhusten", sagte ich leise. Julie hörte mich nicht. „Findest du wirklich, daß mir Rot schlecht steht? Joseph sieht mich so gern in Rot, es ist eine fürstliche Farbe, sagt er . . . Au, Marie, jetzt massierst du zu hart! — Warum antwortest du nicht, Désirée?" „Ich bin traurig, ich habe Sehnsucht nach Jean=Baptiste. Warum kann er sich nicht Urlaub nehmen?"

„Sei nicht kindisch, Désirée! Wie soll denn der Kaiser die er= oberten Gebiete halten, wenn er sie nicht durch seine Marschälle verwalten läßt?"

Ja, wie soll er sie halten . . . dachte ich bitter. Seit dieser neuen Schlacht beherrscht er ganz Europa. Mit Hilfe von achtzehn Mar= schällen. Und ich, gerade ich, bin mit einem Marschall verheiratet! Millionen Franzosen gibt es und nur achtzehn Marschälle. Und von diesen achtzehn habe ich mir einen aussuchen müssen! Und liebe ihn und sehne mich nach ihm.

„Du mußt auch eine Tasse Schokolade trinken und dich dann niederlegen, Eugénie", sagte Marie. „Du hast wieder die ganze Nacht nicht geschlafen!" Ich sah auf. „Wo ist Julie, Marie?" „Du bist eingenickt, und sie ist fortgegangen. Kleider probieren und ihren Ball arrangieren und im Elysée Staub abwischen, bevor die tausend Gäste kommen, nehme ich an."

„Marie, wird das denn nie ein Ende nehmen? Diese Kriege, dieses Verwalten von Ländern, die uns nichts angehen?"

„O ja, aber ein Ende mit Schrecken", sagte Marie düster. Sie haßt Kriege, weil sie fürchtet, daß ihr Sohn doch noch einrücken könnte. Und sie haßt alle Schlösser, in denen wir wohnen, weil sie Republi= kanerin ist. Das waren wir alle übrigens — einst. Ich legte mich nieder und schlief unruhig und fuhr bald wieder auf, weil Oscar vom Husten gewürgt wurde und um Atem rang.

So vergingen viele Wochen. Es wurde Frühling, und Jean=Baptiste war noch immer nicht zurückgekommen. Seine Briefe waren kurz und inhaltslos. Er regierte in Ansbach und versuchte, dort dieselben Reformen wie in Hannover einzuführen. Ich solle zu ihm kommen, sobald Oscar ganz gesund sei, schrieb er. Aber Oscar erholte sich nur langsam. Wir gaben ihm viel Milch zu trinken und setzten ihn in die Frühlingssonne in unserem kleinen Garten. Josephine besuchte mich einmal und sagte, daß ich meine Rosen nicht richtig pflege, und schickte mir ihren Gärtner aus Malmaison. Der Gärtner verlangte einen hohen Lohn und beschnitt meine Rosen so schlimm, daß beinahe gar nichts mehr übrigblieb. Schließlich hörte man auf, sich vor Oscar zu fürchten, und Hortense lud ihn ein, mit ihren zwei Söhnen zu spielen. Seitdem Napoleon diese Söhne adoptiert hat, bilden sich Hortense und Louis Bonaparte ein, daß der älteste Junge Napoleons Kaiserkrone erben wird. Gleichzeitig ist Joseph davon überzeugt, daß ihm der Thron zufallen wird. (Warum Joseph seinen jüngeren Bruder überleben soll und warum Napoleon keinen eigenen Sohn als Erben einsetzen wird, da doch Josephines Vorleserin Eleonore Revel letzten Dezember in „aller Stille", aber unter viel Gerede den kleinen „Leon" geboren hat, verstehe ich nicht. Vielleicht gelingt der Kaiserin doch noch, was ihr in ihrer ersten Ehe gelungen ist. Aber mich geht das Ganze gottlob nichts an!) Wie gesagt, mein Oscar war bei Hortenses Söhnen eingeladen, und ein paar Tage spä= ter hatte er Fieber und Halsschmerzen und wollte nichts essen. Jetzt werde ich nicht mehr wie eine Pestkranke, sondern schon wie eine Aussätzige gemieden: mein Oscar hat die Masern!

Dr. Corvisart war hier und verschrieb kalte Umschläge, um Oscars Fieber niederzudrücken. Aber sie nützen nichts. Oscar phantasiert und ruft gleichzeitig verzweifelt nach seinem Papa. Nachts will er nur in meinem Bett schlafen. Dann drücke ich ihn fest an mich, und sein kleines fieberheißes Gesicht liegt an meiner Schulter, und mir ist, als ob ich ihm Kraft und Gesundheit geben könnte, wenn ich ihn nur dicht an mich gedrückt halte. Vielleicht stecke ich mich an, vielleicht auch nicht, Marie behauptet, ich hätte als Kind Masern gehabt, und sagt, daß man diese Krankheit selten zweimal bekommt. Oscars magerer Körper ist von roten Bläschen übersät, und Dr. Corvisart hat gesagt, daß er sich nicht kratzen darf. Meine Vorleserin bekomme ich überhaupt nicht zu Gesicht, weiß der Himmel, wem sie vorliest, mir bestimmt nicht, sie hat solche Angst vor den Masern. Es ärgert mich nur, daß ich ihr Gehalt bezahlen muß, aber seitdem Jean=Baptiste Marschall geworden ist, haben wir so viele sinnlose Ausgaben. Wieder verging ein Tag wie der andere. Bis zu jenem Augenblick, in dem Julie überraschend erschien. Seitdem Oscar die Masern hat, kommt sie nicht einmal mehr in mein Eß=zimmer, sondern schickt stets nur ihre Zofe, um sich nach seinem Befinden zu erkundigen. An einem Frühlingsnachmittag stand sie jedoch aufgeregt im Salon. Ich erschien an der Tür, die vom Garten ins Haus führt, aber sie rief sofort: „Komm nicht näher, sonst steckst du uns an! Und meine Kinder sind doch so zart. Ich will nur die erste sein, die dir die große Neuigkeit mitteilt. Es ist kaum zu fassen —" Ihr Hut saß schief, kleine Schweißperlen standen auf ihrer Stirn, sie war ganz blaß. „Um Gottes willen, was ist dir geschehen?" fragte ich erschrocken. „Ich bin Königin geworden. Königin von Neapel", stieß Julie tonlos hervor. Ihre Augen waren weit vor Ent=setzen. Zuerst dachte ich, sie sei krank. Sie fiebert. Sie hat sich irgendwo die Masern geholt, aber bestimmt nicht bei uns. „Marie", rief ich, „Marie — komm sofort, Julie ist nicht ganz wohl!" Marie tauchte auf. Aber Julie wehrte ab. „Laß mich, mir ist doch nicht schlecht. Ich muß mich nur an den Gedanken gewöhnen. Königin. Ich bin also eine Königin. Die Königin von Neapel. Neapel liegt in Italien, soviel ich weiß. Mein Mann — Seine Majestät, König Joseph. Und ich bin Ihre Majestät, Königin Julie ... Du, das Ganze ist fürchterlich, Désirée! Wir werden wieder nach Italien müssen und in diesen gräßlichen Marmorschlössern wohnen ..."

„Es wäre dem seligen Herrn Papa nicht recht gewesen, Made=moiselle Julie", mischte sich Marie ein. „Halt den Mund, Marie!"

fuhr Julie sie an. So hatte ich Julie noch nie zu unserer Marie spre=
chen hören. Marie preßte die Lippen zusammen und stapfte aus dem
Zimmer. Und die Tür schlug sie zu. Im gleichen Augenblick jedoch
ging die Tür wieder auf: meine Gesellschaftsdame ließ sich blicken.
Madame La Flotte trug ihr bestes Kleid und versank vor Julie in
einen Hofknicks. Wie vor der Kaiserin . . . „Majestät, darf ich gratu=
lieren?" säuselte sie. Nachdem Marie das Zimmer wütend verlassen
hatte, war Julie zusammengesunken. Jetzt fuhr sie auf und fuhr sich
mit der Hand über die Stirn. Ihre Mundwinkel zuckten. Dann hatte
sie sich völlig in der Gewalt und machte ein Gesicht wie eine schlechte
Schauspielerin, die königlich wirken will. „Danke. Woher wissen
Sie, was sich ereignet hat?" sagte sie mit einer neuen, fremden
Stimme. Meine Gesellschaftsdame hockte noch immer vor Julie auf
dem Teppich. „Man spricht von nichts anderem in der Stadt, Maje=
stät." Und unzusammenhängend: „Majestät sind zu gnädig!" „Las=
sen Sie mich mit meiner Schwester allein", sagte Julie mit ihrer
fremden Stimme. Worauf sich meine Gesellschaftsdame — mit dem
Rücken zur Tür — hinauszubewegen versuchte. Ich betrachtete inter=
essiert diesen Vorgang. Als sie sich irgendwie zur Tür hinausgeschlän=
gelt hatte, meinte ich nur: „Die glaubt anscheinend, sie ist bei Hof!"
    „In meiner Gegenwart hat man sich von nun an wie bei Hof auf=
zuführen", sagte Julie. „Joseph sammelt heute nachmittag einen
richtigen Hofstaat zusammen." Sie zog die schmalen Schultern
zusammen, es sah aus, als ob sie fröstele: „Désirée, ich habe solche
Angst!" Ich versuchte, ihr Mut zu machen. „Unsinn, du bleibst doch,
was du bist!" Aber Julie schüttelte den Kopf und schlug die Hände
vors Gesicht. „Nein, nein, es nützt nichts, du kannst es mir nicht
ausreden — ich bin wirklich eine Königin geworden!" Sie begann
haltlos zu weinen, und unwillkürlich trat ich auf sie zu. Sofort
schrie sie: „Du darfst mich nicht anrühren, geh weg — Masern!" Ich
stellte mich wieder in die Gartentür. „Yvette! Yvette!" Meine Zofe
erschien. Als sie Julie sah, versank auch sie in einen Hofknicks.
„Eine Flasche Champagner, Yvette!" Julie sagte: „Ich fühle mich
der Aufgabe nicht gewachsen. Noch mehr Empfänge, Hofbälle in
einem neuen Land. Wir müssen Paris verlassen..." Yvette
kehrte mit dem Champagner und zwei Gläsern zurück. Hofknicks.
Ich winkte sie aus dem Raum. Schenkte dann ein Glas für Julie ein
und eines für mich. Julie nahm das Glas und begann in hastigen,
durstigen Schlucken zu trinken. „Auf dein Wohl, Liebes — ich nehme
an, es ist ein Anlaß, dir zu gratulieren", sagte ich. „Du hast mir

das Ganze eingebrockt, du hast seinerzeit Joseph in unser Haus gebracht", lächelte sie zurück. Mir fiel ein, was die Leute flüsterten: daß Joseph Julie betrüge. Kleine Liebeleien, nichts weiter. Joseph hat längst eingesehen, daß er kein großer Dichter ist, und bildet sich jetzt viel auf seine politische Begabung ein. Und nun ist er also König, Schwager Joseph. „Ich hoffe, du bist glücklich mit Joseph", sagte ich nur. „Ich sehe ihn selten allein", meinte Julie und starrte an mir vorbei in den Garten hinaus. „Ich nehme an, ich bin glücklich. Ich habe die Kinder. Meine Zenaïde und die kleine Charlotte Napo= leone ..." „Deine Töchter werden jetzt Prinzessinnen, und alles wird sich aufs beste ordnen", lächelte ich. Gleichzeitig versuchte ich, mir das Ganze vorzustellen: Julie ist Königin, ihre Töchter sind Prinzes= sinnen und Joseph, der kleine Sekretär aus dem Maison Commune, der Julie wegen ihrer Mitgift geheiratet hat — König Joseph I. von Neapel. „Der Kaiser hat nämlich beschlossen, die besetzten Gebiete in selbständige Staaten zu verwandeln, die von den kaiserlichen Prinzen und Prinzessinnen regiert werden. Staaten, die natürlich durch Freundschaftspakte mit Frankreich verbunden sind. Wir -- Joseph und ich — regieren Neapel und Sizilien. Elisa ist Herzogin von Lucca geworden. Und Louis König von Holland. Murat, denk dir nur, Murat wird Herzog von Cleve und Berg werden!" „Um Gottes willen, kommen die Marschälle auch an die Reihe?" fragte ich erschrocken. „Nein, Murat ist doch mit Caroline verheiratet, und Caroline wäre todbeleidigt, wenn sie nicht auch über die Einkünfte irgendeines Landes verfügen könnte." Ich atmete erleichtert auf. „Irgend jemand muß doch diese Länder regieren, die wir erobert haben", sagte Julie.

„Die wer erobert hat?" erkundigte ich mich spitz. Julie antwortete nicht, sie schenkte sich noch ein Glas ein, trank wieder hastig und sagte: „Ich wollte die erste sein, die dir das alles erzählt. Und jetzt muß ich gehen. Le Roy wird meine Staatsroben anfertigen. So viel Purpur ..."

„Nein", sagte ich entschieden. „Dagegen mußt du dich wehren. Rot steht dir nicht! Laß dir einen grünen Krönungsmantel machen. Nicht Purpur!"

„Und einpacken muß ich, ich werde mit Joseph feierlich in Neapel einziehen!" jammerte sie. „Du kommst doch mit?" Ich schüttelte den Kopf. „Nein. Ich muß mein Kind gesundpflegen, und außerdem —" Wozu Julie Komödie vorspielen? „Und außerdem warte ich auf meinen Mann. Irgendwann einmal muß doch Jean Baptiste nach

Hause kommen, nicht wahr?" Bis zum heutigen Vormittag hörte ich nichts mehr von Julie. In den Hofnachrichten im „Moniteur" stand allerdings eine Menge über die Bälle, Empfänge und Reisevorberei= tungen Seiner und Ihrer Majestät, des Königspaares von Neapel. Heute früh durfte Oscar zum erstenmal aufstehen und am offenen Fenster sitzen. Es war ein zauberhafter Maitag, sogar in meinem Garten duftet es, obwohl meine beschnittenen Rosenstöcke nur wenige Knospen tragen. Im Nebengarten blüht der Flieder, Flieder= duft und Sehnsucht nach Jean=Baptiste lassen mir Herz und Glieder schwer werden. Ein Wagen fuhr vor. Mein Herzschlag setzte aus, wie jedesmal, wenn ein Wagen unerwartet vor meinem Haus hält. Aber es war nur Julie. „Ist die Madame la Maréchale zu Hause?" Die Salontür flog auf, meine Gesellschaftsdame und Yvette versan= ken im Hofknicks. Marie, die gerade im Salon Staub gewischt hatte, stapfte mit unbeweglicher Miene an mir vorbei in den Garten. Sie will Julie nicht wiedersehen. Julies königliche Handbewegung, sicherlich bei Monsieur Montel einstudiert, fegte alle aus dem Raum. Oscar stand auf und lief auf Julie zu. „Tante Julie, ich bin wieder gesund!" Wortlos schloß sie das Kind in die Arme. Hielt ihn dann an sich gedrückt und blickte mich über den Lockenkopf an. „Bevor du es im ‚Moniteur' liest — und es wird morgen früh veröffentlicht werden —, will ich dir sagen, daß Jean=Baptiste Fürst von Ponte Corvo geworden ist. Gratuliere, Fürstin!" Sie lachte. „Gratuliere, kleiner Erbprinz von Ponte Corvo!" Sie küßte Oscars Wuschelkopf. „Das verstehe ich nicht, Jean=Baptiste ist doch kein Bruder des Kaisers", war das erste, was ich hervorbrachte. „Aber er verwaltet Hannover und Ansbach so wunderbar, der Kaiser will ihn auszeichnen", jubelte Julie und ließ Oscar los. Trat dann ganz nahe an mich heran: „Freust du dich nicht, Durchlaucht? Du — Für= stin du!"

„Ich nehme an —" Ich unterbrach mich: „Yvette, Champagner!" Yvette tanzte heran. „Ich werde zwar einen Schwips bekommen, wenn ich vormittags Champagner trinke", meinte ich. „Aber seit= dem du Marie so bös gemacht hast, kommt sie nicht mehr mit unserer Schokolade, wenn du mich besuchst. So — und jetzt sage mir, wo liegt Ponte Corvo?" Julie zuckte die Achseln. „Zu dumm, ich hätte Joseph fragen sollen! Ich weiß es nicht, Liebling ... Aber das ist doch ganz gleichgültig, nicht wahr?"

„Vielleicht müssen wir hinfahren und dort regieren", warf ich ein. „Das wäre doch entsetzlich, Julie!"

„Der Name klingt italienisch, es liegt sicher in der Nähe von Neapel", meinte Julie tröstend. „Dann würdest du wenigstens in meiner Nähe wohnen. Aber —" Ihr Gesicht wurde wieder traurig: „Zu schön, um wahr zu sein. Dein Jean=Baptiste ist ja Marschall, der Kaiser braucht ihn doch auf seinen Feldzügen. Nein, du darfst sicher hierbleiben, und ich muß allein mit Joseph nach Neapel."

„Einmal müssen doch diese ewigen Kriege ein Ende nehmen." Wir siegen uns noch zu Tode . . . Wer hat das zu mir gesagt? Jean= Baptiste. Frankreich hat keine Grenzen mehr zu verteidigen. Frank= reich ist beinahe ganz Europa. Und wird vom Kaiser und von Joseph, von Louis und Caroline und Elisa regiert. Jetzt kommen auch noch die Marschälle an die Reihe . . .

„Prost, Fürstin!" Julie hob ihr Champagnerglas. „Prost, Maje= stät!" Morgen wird es also im „Moniteur" zu lesen sein. Der Cham= pagner prickelt angenehm süß. Wo liegt Ponte Corvo? Und wann kommt mein Jean=Baptiste endlich nach Haus . . .?

*Sommer 1807, in einem Reisewagen
irgendwo in Europa.*

Marienburg ... So heißt mein Ziel, ich weiß leider nicht genau,
wo Marienburg liegt, aber neben mir sitzt ein Oberst, den mir
der Kaiser als Begleiter mitgegeben hat, und der hält eine Land=
karte auf den Knien. Ab und zu ruft er dem Kutscher Anweisungen
zu. Ich nehme daher an, daß wir Marienburg schließlich erreichen
werden. Marie, mir gegenüber, schimpft ununterbrochen über die
schlechten Straßen, in deren Morast wir so oft steckenbleiben. Ich
glaube, wir fahren gerade durch Polen; wenn wir haltmachen, um
die Pferde zu wechseln, höre ich eine Sprache, die nicht germanisch
klingt. „Eine Abkürzung", erklärte mir der Oberst. „Wir könnten
auch durch Norddeutschland fahren, aber es wäre ein Umweg, und
Durchlaucht haben es so eilig..." Ja, ich habe es sehr, sehr eilig.
„Marienburg ist nicht weit von Danzig entfernt", teilt mir der
Oberst mit. Das sagt mir nichts, ich weiß auch nicht, wo Danzig
liegt. „Auf diesen Straßen wurde noch vor ein paar Wochen ge=
kämpft", berichtet der Oberst. „Aber jetzt haben wir ja den Frie=
den." Ja, Napoleon hat wieder einmal einen Friedensvertrag ge=
schlossen. Diesmal in Tilsit. Die Deutschen hatten sich unter Preu=
ßens Führung erhoben und versucht, unsere Truppen aus dem Land
zu jagen. Und die Russen haben sie dabei unterstützt. Der „Moni=
teur" hat uns alles über unseren glorreichen Sieg bei Jena berichtet.
Und Joseph hat mir im geheimen erzählt, daß Jean=Baptiste dem
Kaiser den Gehorsam verweigert hat. Aus „strategischen Gründen"
ist er einem Befehl nicht nachgekommen und hat dem Kaiser ein=
fach erklärt, er könne ihn ja vor ein Kriegsgericht stellen lassen.
Aber noch bevor es dazu kommen konnte, hat Jean=Baptiste General
Blücher mit seiner Armee in Lübeck (weiß Gott, wo das wieder
liegt!) eingeschlossen und die Stadt gestürmt. Dann kam der end=
lose Winter, in dem ich so wenige Nachrichten erhielt. Berlin war
erobert worden, die feindlichen Truppen wurden quer durch Polen
verfolgt. Jean=Baptiste befehligte den linken Flügel unserer Armee.
Bei Mohrungen gewann er einen Sieg über zahlenmäßig weit über=
legene Truppen. Damals schlug er den vorrückenden Feind nicht
nur endgültig, sondern rettete sogar die Person des Kaisers. Dieser
persönliche Erfolg machte auf das feindliche Oberkommando so

tiefen Eindruck, daß man ihm seine Reisetasche mit der Marschalls=
uniform und das Feldbett — beides war bereits in Feindeshand ge=
fallen — zurückschickte. Das alles liegt jedoch Monate zurück. Immer
wieder haben Jean=Baptistes Regimenter alle Flankenangriffe auf
unsere Armee zurückgeschlagen, der Kaiser hat die Schlachten von
Eylau und Jena gewonnen und schließlich in Tilsit die europäischen
Staaten vereinigt und ihnen seine Friedensbedingungen diktiert.
Ganz überraschend kam Napoleon nach Paris zurück, und ebenso
überraschend ritten seine Lakaien in der grünen Uniform — Grün
ist doch die Farbe Korsikas — von Haus zu Haus, um zu einer großen
Siegesfeier in den Tuilerien einzuladen. Ich nahm das neue Kleid
von Le Roy — blaßrosa Satin, dunkelrote Rosen am Ausschnitt —
aus dem Schrank, und Yvette frisierte mein widerspenstiges Haar
und hielt es mit dem Diadem aus Perlen und Rubinen zusammen,
das mir Jean=Baptiste an unserem letzten Hochzeitstag im August
durch einen Kurier geschickt hat. So lange haben wir einander nicht
gesehen, lieber Gott — so furchtbar lange. „Durchlaucht werden sich
gut unterhalten", sagte meine Gesellschaftsdame neidisch und starrte
auf die goldene Kassette mit dem Adler, in der ich meinen Schmuck
aufbewahrte. Die Kassette, die ich am Krönungstage geschenkt er=
hielt. Ich schüttelte den Kopf. „Ich werde mich sehr allein in den
Tuilerien fühlen, nicht einmal Königin Julie wird dort sein." Julie
ist ja in Neapel und friert dort in der Sommerhitze vor Einsamkeit.
Das Fest in den Tuilerien verlief ganz anders, als ich erwartet hatte.
Wir versammelten uns natürlich im großen Ballsaal und warteten,
bis die Flügeltür aufgeschlagen und die Marseillaise geschmettert
wurde. Dann versanken wir im tiefen Hofknicks — der Kaiser und
die Kaiserin erschienen. Langsam machten Napoleon und Josephine
die Runde, zogen einige Gäste ins Gespräch, machten andere un=
glücklich, weil sie sie übersahen. Zuerst konnte ich Napoleon nicht
richtig sehen, seine hochgewachsenen, mit Gold bestickten Adjutan=
ten umringten ihn. Plötzlich jedoch blieb er dicht neben mir stehen.
Ich glaube, es war vor einem holländischen Würdenträger. „Ich
höre, daß böswillige Zungen behaupten, meine Offiziere schicken
nur ihre Truppen in die vorderste Frontlinie und halten sich selbst
im Hinterland auf —" begann er. Und donnerte: „Nun — sagt man
das nicht bei Ihnen in Holland?" Ich hatte gehört, daß die Holländer
sehr unzufrieden mit der französischen Herrschaft im allgemeinen
und mit dem schwerfälligen Louis und der trübseligen Königin
Hortense im besonderen waren. Deshalb dachte ich, daß der Kaiser

sie tadeln werde, und hörte ihm kaum zu, sondern betrachtete sein Gesicht. Napoleon hat sich sehr verändert. Die scharfen Züge unter dem kurz geschorenen Haar sind viel voller geworden, das Lächeln des blassen Mundes ist nicht mehr werbend und fordernd zugleich, sondern nur überlegen. Außerdem hat er zugenommen, stellte ich fest, er wirkte geradezu eingeschnürt in seiner bescheidenen Generalsuniform, die keine Auszeichnungen mit Ausnahme die der Ehrenlegion, die er selbst gestiftet hat, schmückt. Er wirkte ausgesprochen rundlich. Dieses rundliche Ebenbild Gottes auf Erden sprach mit breiten Gesten und nahm sich nur ab und zu zusammen und faltete dann die Hände auf dem Rücken wie seinerzeit in Augenblicken großer Spannung. Auch jetzt hielt er die Hände auf dem Rücken verschlungen, als ob er diese allzu unruhigen Finger festzuhalten versuchte. Sein überlegenes Lächeln wurde höhnisch: „Meine Herren, ich glaube, unsere große Armee hat einen einzigartigen Beweis für die Tapferkeit ihrer Offiziere geliefert, selbst die höchsten schrecken nicht vor Gefahren zurück. Ich habe in Tilsit die Meldung erhalten, daß einer der Marschälle Frankreichs verwundet worden ist." Hörte man mein Herz in der tiefen Stille schlagen? „Es handelt sich um den Fürsten von Ponte Corvo", fügte er nach einer Kunstpause hinzu. „Ist — das — wahr —?" Meine Stimme zerschnitt den Kreis der Etikette um den Kaiser. Eine steile Falte bildete sich sofort auf seiner Nase. Man schreit nicht in Gegenwart Seiner Majestät auf, man — ach so, da stand sie ja, die kleine Marschallin Bernadotte ... Die Falte verschwand, und in diesem Augenblick wußte ich, daß mich Napoleon bereits vorher gesehen hatte. Auf diese Weise wollte er mir die Nachricht zukommen lassen. In Gegenwart von tausend fremden Menschen. Wollte mich strafen. Wofür —? „Meine liebe Fürstin", begann er, und ich glitt in den tiefen Hofknicks. Er nahm meine Hand und zog mich hoch. „Ich bedaure, Ihnen diese Mitteilung machen zu müssen", sagte er, während er gleichgültig über mich hinwegsah. „Der Fürst von Ponte Corvo, der sich in diesem Feldzug sehr ausgezeichnet hat und dessen Eroberung von Lübeck Wir ungemein bewundert haben, ist bei Spandau von einem Streifschuß am Hals verwundet worden. Ich höre, daß sich der Fürst bereits im Zustand der Besserung befindet. Ich bitte, sich nicht zu beunruhigen, liebe Fürstin."

„Und ich bitte um die Möglichkeit, zu meinem Mann zu fahren, Sire", sagte ich tonlos. Erst jetzt blickte mich der Kaiser wirklich an. Die Marschallinnen pflegten nämlich nicht ihren Gatten in ihre

Hauptquartiere zu folgen. „Der Fürst hat sich nach Marienburg begeben, um sich dort pflegen zu lassen. Ich rate Ihnen ab, Fürstin, diese Reise zu wagen, die Straßen durch Norddeutschland und vor allem im Danziger Gebiet sind sehr schlecht. Auch handelt es sich um Gebiete, die noch vor kurzem Schlachtfelder waren. Kein An=blick für schöne Frauen..." kam es kühl. Gleichzeitig beobachtete er mich interessiert. Das ist die Rache, dachte ich, weil ich in jener Nacht vor der Erschießung des Herzogs von Enghien bei ihm war. Weil ich in jener Nacht seinen Händen entwich. Weil ich Jean=Baptiste liebe. Jean=Baptiste, diesen General, den er mir nicht zu=gedacht hat. „Sire — ich bitte von ganzem Herzen um die Mög=lichkeit, zu meinem Mann zu fahren. Ich habe ihn beinahe zwei Jahre nicht gesehen." Napoleons Augen ließen mein Gesicht noch immer nicht los. Er nickte. „Beinahe zwei Jahre... Sehen Sie, meine Herren, wie sich Frankreichs Marschälle für ihr Vaterland auf=opfern! Wenn Sie es wagen wollen, liebe Fürstin, wird man Sie mit einem Laissez=Passer versehen. Für wieviel Personen?"

„Für zwei. Ich nehme nur Marie mit!"

„Verzeihen Sie, Fürstin — wen?"

„Marie. Unsere treue Marie aus Marseille. Majestät werden sich vielleicht noch ihrer erinnern", warf ich ihm entgegen. Endlich! Die Marmormaske verschwand, ein sehr amüsiertes Lächeln trat an ihre Stelle. „Natürlich, die treue Marie. Marie mit den Marzipantor=ten..." Und zu einem der Adjutanten: „Laissez=Passer für die Für=stin von Ponte Corvo und eine Begleitperson." Seine Blicke schweif=ten im Kreis herum, blieben an einem hochgewachsenen Oberst in Grenadieruniform haften: „Oberst Moulin! Sie fahren mit und haften mir für die Sicherheit der Fürstin." Und zu mir: „Wann ge=denken Sie abzureisen?"

„Morgen früh, Sire."

„Ich möchte, daß Sie dem Fürsten einen herzlichen Gruß von mir bestellen und ihm ein Geschenk überbringen. In Anerkennung sei=ner Verdienste um diesen siegreichen Feldzug schenke ich ihm —" Seine Augen begannen zu schillern, das Lächeln wurde höhnisch, jetzt schlägt er zu, spürte ich — „— schenke ich ihm das Haus des ehemaligen Generals Moreau in der Rue d'Anjou. Ich habe es kürz=lich seiner Gattin abgekauft. Man sagt mir, der General hat Amerika zum Exil gewählt. Schade um ihn, ein fähiger Soldat, leider ein Verräter an Frankreich, sehr schade..." In meinem tiefen Knicks sah ich nur noch seinen Rücken. Die auf dem Rücken verschlunge=

nen Hände. Er hielt sie ineinander verkrampft. Das Haus des Generals Moreau. Jenes Moreau, der gemeinsam mit Jean=Baptiste am 18. Brumaire die Republik nicht verraten wollte. Und den sie fünf Jahre später im Zusammenhang mit einer royalistischen Verschwö= rung verhafteten und zu zwei Jahren Gefängnis verurteilten. Es war so lächerlich, diesen treuesten General der Republik als Royalisten zu verhaften. Der Erste Konsul hat dieses Urteil in lebenslängliche Verbannung verwandelt. Und der Kaiser hat sein Haus gekauft und schenkt es Moreaus bestem Freund, den er haßt und nicht entbehren kann ... So kam es, daß ich über Landstraßen reise, die durch Schlachtfelder führen, vorbei an erschossenen Pferden mit aufge= blähtem Bauch, die alle viere von sich strecken, vorbei an Erdhügeln, auf denen hastig zusammengefügte windschiefe Kreuze stehen. Es regnet, regnet ununterbrochen. „Und alle haben Mütter", sagte ich zusammenhanglos. Der Oberst neben mir, der eingenickt war, fuhr auf. „Wie bitte? Mütter?" Ich wies auf die Erdhügel, auf die der Regen niederprasselte. „Die toten Soldaten. Es sind doch Söhne!" Marie zog die Vorhänge vor die Fenster des Wagens. Verwirrt blickte der Oberst von einer zur anderen. Aber wir schwiegen. Da zuckte er die Achseln und schloß wieder die Augen. „Ich sehne mich nach Oscar", sagte ich zu Marie. Zum erstenmal seit seiner Geburt habe ich Oscar verlassen. In den frühen Morgenstunden vor meiner Abreise war ich mit dem Kind zu Madame Letitia nach Versailles gefahren. Die Mutter des Kaisers wohnt dort im Trianon. Sie kam gerade aus der Frühmesse. „Ich werde schon gut auf Oscar auf= passen, ich habe doch selbst fünf Söhne erzogen", versprach sie mir. Erzogen schon, aber sehr schlecht, ging es mir durch den Kopf. Aber so etwas sagt man nicht zur Mutter Napoleons. Sie strich mit ihrer harten Hand, die trotz aller Salben und Pflege nicht die Spuren schwerer Hausarbeit verlieren will, dem Kind über die Stirn. „Fahren Sie nur ruhig zu Ihrem Bernadotte, Eugénie, ich passe schon auf", wiederholte sie. Oscar ... Mir ist kalt ohne meinen kleinen Sohn. Wenn er krank ist, will er immer in meinem Bett schlafen. „Sollten wir nicht in einem Gasthof Station machen?" fragte der Oberst. Ich schüttelte den Kopf. Als es Nacht wurde, schob Marie eine Wärm= flasche, die wir bei einer Poststation mit heißem Wasser gefüllt hatten, unter meine Füße. Der Regen prasselte auf das Dach des Wagens. Und Soldatengräber und armselige Kreuze ertranken. So fuhren wir Marienburg entgegen.

„Da hört sich doch alles auf!" entfuhr es mir, als unser Wagen schließlich vor Jean=Baptistes Hauptquartier hielt. An Schlösser habe ich mich langsam gewöhnt, aber die Marienburg ist kein Schloß. Sondern eine Burg. Eine mittelalterliche, graue, abscheuliche Burg, verfallen und unheimlich. Vor dem Eingang wimmelte es von Sol= daten. War das ein Hackenzusammenschlagen und eine Aufregung, als Oberst Moulin mein Laissez=Passer zeigte. Die Marschallin per= sönlich! „Ich will den Fürsten überraschen, bitte mich nicht anzu= melden", sagte ich beim Aussteigen. Zwei Offiziere führten mich durch das Portal, wir kamen in einen elend gepflasterten Hof, ich sah entsetzt die verfallenen, dicken Mauern an und erwartete jeden Augenblick, Ritterfräulein und Minnesängern zu begegnen. Aber ich sah nur Soldaten der verschiedensten Regimenter. „Monseigneur ist beinahe ganz hergestellt. Übrigens arbeitet Monseigneur um diese Zeit und wünscht im allgemeinen nicht gestört zu werden. So eine Überraschung", sagte der jüngere der beiden Offiziere und lächelte. „Hat man denn kein besseres Hauptquartier gefunden als diese Minnesängerburg?" entfuhr es mir. „Im Feld ist es dem Fürsten gleichgültig, wo er wohnt. Und hier haben wir wenigstens Platz für unsere Büros. Hier herein, Fürstin, wenn ich bitten darf!" Er öffnete eine unscheinbare Pforte, wir gingen einen Korridor entlang, es war kalt und roch muffig. Schließlich gelangten wir in einen kleinen Vorraum, und Fernand stürzte auf mich zu. „Madame!" Beinahe hätte ich ihn nicht erkannt, so fein herausgeputzt hatte er sich. Eine weinrote Lakaienuniform mit riesigen Goldknöpfen, die mit einem seltsamen Wappen verziert waren. „Du bist aber elegant geworden, Fernand", lachte ich. „Wir sind jetzt der Fürst von Ponte Corvo", erklärte er mir feierlich. „Bitte sich die Knöpfe anzusehen, Madame!" Er streckte den Bauch heraus, um mir alle Knöpfe auf seinem Frack zu zeigen. „Das Wappen von Ponte Corvo, das Wappen von Madame!" verkündete er stolz. „Endlich bekomme ich es zu Gesicht", meinte ich und betrachtete interessiert die verschlungene Ziselierung. „Wie geht es meinem Mann, Fernand?"

„Wir sind eigentlich schon wieder ganz gesund, aber die neue Haut über der Wunde juckt noch", teilte mir Fernand mit. Ich legte den Finger auf den Mund. Fernand verstand mich und öffnete ganz leise eine Tür. Jean=Baptiste hörte mich nicht. Er saß an einem Schreibtisch, stützte das Kinn in die Hand und studierte in einem Folianten. Die Kerze neben dem Buch beleuchtete nur seine Stirn. Diese Stirn war klar und sehr ruhig. Ich sah mich um. Jean=Baptiste hatte ein seltsames Durcheinander um sich aufgebaut. Vor dem

Kamin mit dem prasselnden Feuer stand der Schreibtisch mit den Aktenstücken und Lederfolianten. Neben dem Kamin hing eine riesige Landkarte. Die flackernden Flammen warfen rote Lichter darauf. Im Hintergrund sah ich sein schmales Feldbett und einen Tisch mit einer silbernen Waschschüssel und Verbandszeug. Im übrigen war der riesige Raum leer. Ich trat etwas näher, die Holzscheite im Kamin krachten. Jean=Baptiste hörte mich nicht. Der Kragen seiner dunkel= blauen Felduniform war geöffnet, er trug ein weißes Halstuch. Unter dem Kinn war das Halstuch gelockert, und ich sah eine weiße Ban= dage. Jetzt wendete er eine Seite in dem dicken Folianten und schrieb etwas an den Rand. Ich nahm den Hut ab. Neben dem Kamin war es sehr warm, und zum erstenmal seit Tagen fühlte ich mich wohl und geborgen. Nur müde war ich, schrecklich müde sogar. Aber das machte ja nichts, ich war endlich am Ziel. „Durchlaucht", sagte ich. „Lieber Fürst von Ponte Corvo —"

Beim Klang meiner Stimme sprang er auf. „Mein Gott — Désirée!" In zwei hastigen Schritten war er bei mir. „Tut die Wunde noch weh?" fragte ich zwischen zwei Küssen. „Ja, besonders, wenn du deinen Arm so wie jetzt daraufpreßt", gestand er. Ich ließ er= schrocken die Arme sinken. „Ich werde dich küssen, ohne dich zu umarmen", versprach ich. „Geht das? Es wäre herrlich..." Ich saß auf seinem Schoß. Wies auf den dicken Folianten auf dem Schreib= tisch. „Was liest du da?" — „Jura. Ein ungebildeter Sergeant muß sehr viel lernen, wenn er ganz Norddeutschland und die Hanse= städte verwalten soll", meinte er. „Hansestädte — was ist das?" — „Hamburg, Lübeck, Bremen. Und vergessen wir nicht, daß wir uns auch weiter um Hannover und Ansbach kümmern sollen." Ich schlug das Buch zu und preßte mich verzweifelt an ihn. „Oscar war krank", flüsterte ich. „Und du hast uns allein gelassen. Du warst verwundet und warst weit fort von mir —" Ich spürte seinen Mund. „Kleines Mädchen, kleines Mädchen —" sagte er nur und hielt mich fest. Bis plötzlich die Tür aufgerissen wurde. Es war ausgesprochen peinlich. Natürlich sprang ich von seinem Schoß und richtete mein Haar. Im Türrahmen standen jedoch nur Marie und Fernand. „Marie fragt, wo die Fürstin schlafen wird, sie will die Reisetaschen auspacken", rief Fernand anklagend. Ich wußte, daß er rasend war, weil ich Marie mitgebracht hatte. „In dieser Wanzenburg kann meine Eu= génie nicht übernachten!" klagte Marie. „Wanzen? Nicht eine!" schrie Fernand zurück. „In diesem feuchten Gemäuer erfrieren doch alle Tiere. Im Depot sind Betten, sogar Fürstenbetten mit Baldachin", erklärte er. „Wanzenburg!" wiederholte Marie erbittert. „Wenn die beiden sich streiten, fühle ich mich wie zu Hause in der Rue Cis=alpine", lachte Jean=Baptiste. Mit einem Schlag fiel mir das Geschenk des Kaisers ein. Nach dem Souper werde ich ihm sagen, daß wir Moreaus Haus übernehmen müssen, dachte ich. Zuerst essen und Wein trinken und dann — „Fernand, du bürgst mir dafür, daß inner=halb einer Stunde ein Schlafzimmer und ein Salon für die Fürstin eingerichtet sind", befahl Jean=Baptiste. Und fügte hinzu: „Und nicht mit den feuchten Möbeln aus dem Depot. Der Adjutant vom Dienst hat auf den Gütern der Umgebung für die Fürstin zu re=quirieren. Anständige Möbel!"

„Ohne Wanzen", zischte Marie. „Die Fürstin und ich wünschen allein zu soupieren. Hier in meinem Zimmer. In einer Stunde!" Wir hörten sie noch eine Weile im Vorgemach streiten. Und wir erinnerten uns an das mit Rosen und Dornen geschmückte Braut=bett. Wir lachten viel. Ich saß wieder auf seinem Schoß und er=zählte in wildem Durcheinander von Julies Königinnen=Qualen, Oscars Keuchhusten, den Masern und dem Gruß, den ich ihm von Monsieur Beethoven bestellen sollte. „Ich soll dir sagen, daß er die neue Symphonie nicht dem Kaiser widmen kann. Er will sie einfach ‚Eroica' nennen. Zur Erinnerung an eine Hoffnung, die er einmal hatte." „Die wir alle einmal hatten", nickte Jean=Baptiste. „Eroica. Warum nicht?" Fernand deckte einen kleinen Tisch. Während des Essens — Jean=Baptistes Koch in der Wanzenburg ließ uns ein köst=liches Hühnchen serviert, und Fernand schenkte schweren Bourgogne in die Gläser — konstatierte ich: „Du hast neues Silberbesteck gekauft! Mit den Initialen des Fürsten von Ponte Corvo. Ich benutze zu Haus noch immer unser Besteck mit dem einfachen B." — „Laß das ‚B' aus=merzen und das neue Wappen eingravieren, Désirée. Du brauchst nicht zu sparen, Liebling, wir sind sehr reich." In diesem Augenblick verschwand Fernand endgültig. Ich schöpfte tief Atem. „Wir sind reicher, als du ahnst", begann ich. „Der Kaiser hat uns ein Haus ge=schenkt." Jean=Baptiste hob den Kopf. „Du hast eine Menge Grüße für mich, kleines Mädchen. Mein alter Freund Beethoven nennt eine begrabene Hoffnung Eroica. Mein alter Feind, der Kaiser, schenkt mir ein Haus. Welches Haus?"

„Das Haus des Generals Moreau. In der Rue d'Anjou. Er hat es Madame Moreau abgekauft."

„Ich weiß, für 400 000 Francs. Es ist schon ein paar Monate her, und man hat damals in Offizierskreisen viel darüber gesprochen."

Jean=Baptiste zerteilte langsam eine Orange. Diese Orange war durch ganz Europa gereist. Sie stammte wahrscheinlich aus dem König= reich meiner Schwester. Bildete einen winzigen Bestandteil der Ra= tionen der Großen Armee, die ganz Europa besetzt hält. Ich trank ein Glas Likör. Jean=Baptiste sah plötzlich müde aus. „Moreaus Haus", murmelte er. Kamerad Moreau ist in die Verbannung ge= gangen. Mir dagegen macht der Kaiser große Geschenke." Er sah auf: „Ich habe heute einen Brief erhalten, in dem mir der Kaiser ankündigt, er werde mir Güter in Polen und Westfalen schenken, die mir ein Jahreseinkommen von weiteren dreihunderttausend Francs garantieren. Moreus Haus dagegen und deinen Besuch er= wähnt er nicht. Es ist nicht so leicht, einem Mann die Freude am Wiedersehen mit seiner Frau zu verbittern. Dem Kaiser der Fran= zosen jedoch gelingt es."

„Er sagte, daß er deinen Sturm auf Lübeck sehr bewundert hat", berichtete ich. Jean=Baptiste schwieg. Steil standen die beiden Falten über der Nasenwurzel. „Ich werde das neue Haus gemütlich ein= richten, du mußt nach Hause kommen. Das Kind fragt immer nach dir", sagte ich hilflos. Jean=Baptiste schüttelte den Kopf. „Moreaus Haus wird niemals mein Zuhause sein. Nur ein Quartier, in dem ich dich und Oscar manchmal besuche." Er starrte ins Feuer und lächelte plötzlich: „Ich werde Moreau schreiben!"

„Du kannst doch nicht mit ihm in Verbindung kommen, wir haben die Kontinentalsperre", warf ich ein. „Der Kaiser verlangt, daß ich die Hansestädte verwalte. Man kann von Lübeck aus nach Schweden schreiben. Und Schweden bemüht sich, neutral zu bleiben. Von Schweden aus werden Briefe nach England und Amerika be= fördert. Und in Schweden habe ich Freunde." Eine Erinnerung wurde wach, halb vergessen und plötzlich sehr nahe. Stockholm gleich beim Nordpol, der Himmel wie eine weiße Bettdecke . . . „Was weißt du von Schweden?" fragte ich. Jean=Baptiste erwachte aus seiner Starrheit und wurde sogar ganz lebhaft. „Als ich Lübeck einnahm, fand ich in der Stadt auch schwedische Truppen vor. Und zwar eine schwedische Dragonereskadron." „Sind wir denn auch mit Schweden im Krieg?" „Mit wem sind wir nicht im Krieg? Das heißt, seit Tilsit herrscht wieder sogenannter Frieden. Aber damals hatten sich die Schweden unseren Feinden angeschlossen. Ihr junger verrückter König bildete sich ein, von Gott dazu ausersehen zu sein, Napoleon zu vernichten. Anscheinend religiöser Wahnsinn." „Wie heißt er?" „Gustaf. Der vierte, glaube ich. In Schweden heißen alle Könige

Carl oder Gustaf. Sein Vater, der dritte Gustaf, hatte so viele Feinde, daß er auf einem Maskenball von seinen eigenen Adligen ermordet wurde." „Du, das ist entsetzlich! So barbarisch — auf einem Masken= ball . . ." „In unserer Jugend besorgte man das mit der Guillotine", meinte Jean=Baptiste ironisch. „Findest du das weniger barbarisch? Es ist schwer genug, zu urteilen, aber noch schwerer, zu verurteilen." Er sah wieder ins Feuer; sprunghaft kehrte die gute Laune zurück: „Der Sohn dieses ermordeten Gustaf — ein anderer Gustaf, wie gesagt, der vierte — schickte also seine Dragoner in den Krieg gegen Frankreich, und so kam es, daß ich eine schwedische Eskadron in Lübeck gefangennahm. Nun interessiert mich Schweden aus einem ganz bestimmten Grund, und da ich endlich eine Gelegenheit hatte, Schweden kennenzulernen, ließ ich die gefangenen Offiziere zum Souper zu mir bitten. Auf diese Weise lernte ich die Herren Mör= ner —" er stockte. „Warte, ich habe die Namen doch irgendwo auf= geschrieben!" Er stand auf, ging zum Schreibtisch. „Es ist doch gleichgültig —" sagte ich. „Erzähl weiter!" „Nein, es ist nicht gleich= gültig, ich will mir die Namen merken." Er kramte in einem Schub= fach, fand ein Stück Papier und kehrte zu mir zurück. „Es waren die Herren Graf Mörner, Flach, de la Grange und die Barone Leijon= hjelm, Banér und Friesendorff."

„Die Namen kann kein Mensch aussprechen", konstatierte ich nur. „Diese Offiziere erklärten mir die Situation. Ihr Gustaf hat sich gegen den Willen seines Volkes in diesen Krieg mit uns eingelassen. Übrigens bildete er sich damals ein, auf diese Weise den Zaren für sich zu gewinnen. Die Schweden haben nämlich immer Angst, daß ihnen Rußland Finnland wegnehmen könnte."

„Finnland? Wo liegt Finnland?" fragte ich kopfschüttelnd. „Komm her, ich zeige dir das Ganze auf der Karte", sagte Jean= Baptiste, und ich mußte mich vor die große Landkarte stellen. Er hielt den Leuchter hoch. „Da hast du Dänemark. Durch Jütland mit dem Festland verbunden. Kann sich aus geographischen Gründen gar nicht gegen den Kontinent verteidigen und hat mit dem Kaiser einen Freundschaftspakt abgeschlossen. Das verstehst du, nicht wahr?" Ich nickte. „Da hast du eine Meerenge: den Öresund. Hier beginnt Schweden. Schweden will sich dem Kaiser nicht anschließen. Bis jetzt konnte Schweden auf die Hilfe des Zaren rechnen. Aber jetzt ist es zu spät. Durch den Frieden von Tilsit hat sich der Zar mit Napoleon verbündet. Und Napoleon läßt dem Zaren freie Hand in den Ostsee=Staaten. Was glaubst du, was diesem Gustaf darauf=

hin einfällt?" Ich hatte natürlich keine Ahnung. „Dieser Irrsinnige führt jetzt auch gegen Rußland Krieg. Es geht nämlich um Finnland. Schau auf die Karte: da hast du Finnland! Es gehört zu Schweden."

„Wie sollen die Schweden jemals Finnland halten, wenn der Zar das Land besetzen will?" fragte ich und schaute mir die Landkarte an. „Siehst du, sogar ein dummes kleines Mädchen wie du stellt diese Frage! Natürlich können sie Finnland nicht halten. Verbluten werden sich die Finnen und mit ihnen die Schweden in diesem Kampf. Finnland müßte natürlich an Rußland abgetreten werden, dafür —" Jean=Baptiste klopfte auf die Karte: „Dafür könnte Schwe= den versuchen, eine Vereinigung mit Norwegen zustande zu bringen. Das müßte sich verhältnismäßig leicht durchführen lassen . . ."

„Wer regiert in Norwegen?"

„Der König von Dänemark. Aber die Norweger können ihn nicht leiden. Diese Norweger dürften ein eigentümliches Volk sein. Ohne Adel, ohne Hof. Der dänische König ist gleichzeitig auch König von Norwegen, und die Norweger sind jetzt unzufriedener denn je, weil sie dadurch zu den Verbündeten Napoleons gerechnet werden. Wenn ich den Schweden raten sollte, würde ich vorschlagen, Finnland an Rußland abzutreten und dafür eine Union mit Norwegen anzustre= ben. Dann käme es wenigstens zu einem aus geographischen Grün= den vernünftigen Staatenbund."

„Hast du das den schwedischen Offizieren in Lübeck erklärt?" „Sehr deutlich sogar. Zuerst wollten sie überhaupt nichts von der Möglichkeit, Finnland aufzugeben, hören. Keiner der Gründe, die sie dagegen anführten, erschien mir stichhaltig. Schließlich habe ich gesagt: Meine Herren, ich bin objektiv. Ein Franzose, der sich die Landkarte anschaut, ein Marschall, der etwas von Strategie versteht, erklärt Ihnen, daß Rußland dieses Finnland braucht, um seine Grenzen zu sichern. Wenn Ihnen wirklich etwas am finnischen Volk liegt, dann treten Sie lieber für ein unabhängiges Finnland ein. Aber bis jetzt habe ich den Eindruck gewonnen, daß es Ihnen gar nicht so sehr um die Finnen zu tun ist, als um die Schweden, die in Finnland leben. Wie dem auch sei, so müssen Sie sich klar darüber sein, daß der Zar seine Grenzen sichern will und daß Ihr Land verbluten wird, wenn es in der finnischen Frage nicht nachgibt. Was jedoch Ihren zweiten Feind, den Kaiser von Frankreich betrifft, so kann ich Ihnen mitteilen, daß wir sehr bald französische Truppen nach Dänemark senden werden. Ob sich Schweden gegen unsere Truppen verteidigen kann oder nicht, hängt von Ihnen selbst ab.

Norwegen dagegen kann nur über Schweden von Napoleon einge=
nommen werden. Retten Sie Ihr Land durch bewaffnete Neutralität.
Und wenn Sie durchaus einen Staatenbund brauchen, so halten Sie
sich an Norwegen, meine Herren!"

„Das hast du sehr schön gesagt, Jean=Baptiste. Was haben die
Schweden geantwortet?" „Angestarrt haben sie mich, als ob ich das
Schießpulver erfunden hätte. Schauen Sie nicht mich, sondern lieber
die Landkarte an, habe ich ihnen gesagt." Jean=Baptiste machte eine
Pause. „Und am nächsten Morgen habe ich sie nach Hause geschickt."
Er lächelte: „Jetzt habe ich Freunde in Schweden." „Wozu brauchst
du Freunde in Schweden?" „Freunde kann man immer und überall
brauchen. Aber die Schweden müssen endlich aufhören, gegen Ruß=
land und Frankreich zugleich Krieg zu führen, sonst muß ich ihr
Land besetzen. Wir erwarten nämlich, daß die Engländer Dänemark
angreifen werden, um von dort aus gegen uns zu ziehen. Deshalb
will Napoleon französische Truppen in Dänemark stationieren. Da
ich die Hansestädte verwalten soll, wird mir der Kaiser auch den
Oberbefehl über unsere Truppen in Dänemark geben. Und wenn der
schwedische Gustaf sich weiter als Werkzeug Gottes betrachtet, das
Napoleon vernichten soll, so wird es dem Kaiser eines Tages zu
dumm werden. Dann wird er Befehl geben, Schweden zu erobern und
zu besetzen. Worauf ich ganz einfach von Dänemark aus diese
schmale Merrenge, den Öresund, überqueren und in Schonen, dem
südlichsten Teil von Schweden, landen werde. Komm, schau dir noch
einmal die Karte an!" Wieder mußte ich mich vor der Karte auf=
stellen. Aber ich sah nicht hin. Ich war tage= und nächtelang gereist,
um meinen Mann zu pflegen, und anstatt ihn zu pflegen, mußte ich
mir Geographievorträge anhören. „Schonen können die Schweden
nicht verteidigen. Strategisch unmöglich. Ich nehme an, sie würden
hier —" er klopfte mit dem Zeigefinger auf die Karte „— eine
Schlacht liefern und versuchen, sich zu halten." „Sag einmal, hast
du diesen schwedischen Offizieren gesagt, daß du möglicherweise ihr
Land erobern willst? Und daß sie — wie heißt das — Schone oder
Skone? — nicht halten können, aber weiter nördlich versuchen
müssen, sich zu verteidigen?" „Ja. Du kannst dir gar nicht vorstellen,
wie verblüfft sie waren, als ich ihnen das sagte. Besonders der eine,
dieser Mörner mit dem runden Gesicht und den langen Locken, wurde
ganz aufgeregt. Sie verraten uns Ihre geheimen Pläne, Monseigneur,
rief er immerzu, wie können Sie uns nur in Ihre Pläne einweihen?
Weißt du, was ich geantwortet habe?"

„Nein", sagte ich und bewegte mich langsam auf das schmale Feld=
bett zu. Ich war so müde, daß ich die Augen kaum noch offenhalten
konnte. „Was hast du geantwortet, Jean=Baptiste?" „Meine Herren,
ich kann mir nicht vorstellen, daß sich Schweden halten kann, wenn
es ein französischer Marschall angreift. Das habe ich geantwortet.
Kleines Mädchen, schläfst du?"

„Beinahe —" murmelte ich und versuchte, es mir auf dem elenden
Feldbett bequem zu machen. „Komm, ich habe doch ein Schlaf=
zimmer für dich vorbereiten lassen. Ich nehme an, daß alle schon
schlafen gegangen sind. Ich werde dich hinübertragen, und niemand
wird es sehen", flüsterte Jean=Baptiste. „Ich will aber nicht mehr
aufstehen, ich bin so müde —" Jean=Baptiste beugte sich über mich.
„Wenn du hier schlafen willst, so kann ich mich ja wieder an den
Schreibtisch setzen. Ich habe noch viel zu lesen."

„N—nein, du bist verwundet, du mußt dich niederlegen —" Un=
entschlossen setzte sich Jean=Baptiste auf die Kante des Bettes. „Du
mußt mir die Schuhe ausziehen und das Kleid — ich bin so müde —"
sagte ich. „Ich glaube, die schwedischen Offiziere werden mit den
Ministern sprechen und keine Ruhe geben, bis ihr König zum Rück=
tritt gezwungen wird! Dann kommt sein Onkel an die Regierung."

„Ein Gustaf —"

„Nein, ein Carl. Es wäre Carl Nummer dreizehn. Dieser Onkel
ist leider kinderlos. Übrigens wird behauptet, daß er ziemlich senil
ist. Warum hast du eigentlich drei Unterröcke an, Liebling?" „Weil
es auf der Reise immerfort geregnet hat. Mir war so kalt. Der arme
Mörner. Senil und kinderlos . . ."

„Nein, nicht Mörner. Der dreizehnte Carl von Schweden."

„Wenn ich mich ganz schmal mache und zur Seite rücke, dann
haben wir in deinem Feldbett Platz. Wir könnten es versuchen . . ."

„Ja, wir könnten es versuchen, kleines Mädchen." Irgendwann in
der Nacht wachte ich auf. Ich lag auf Jean=Baptistes Arm. „Liegst
du schlecht, kleines Mädchen?" — „Ich liege herrlich. Warum schläfst
du nicht, Jean=Baptiste?"

„Ich bin nicht müde. Mir gehen so viele Gedanken durch den Kopf.
Aber du mußt schlafen, Liebling."

„Stockholm liegt am Mälar. Und auf dem Mälar treiben grüne
Eisschollen", murmelte ich. „Woher weißt du das?"

„Das weiß ich eben. Ich kenne einen Mann, der Persson heißt. Du
mußt mich fester halten, Jean=Baptiste, damit ich spüre, daß ich
wirklich bei dir bin. Sonst glaube ich, es ist alles nur ein Traum . . ."

Erst im Herbst fuhr ich nach Paris zurück. Jean=Baptiste und seine Offiziere reisten nach Hamburg, Jean=Baptistes Verwaltung der Hansestädte begann. Gleichzeitig wollte er Dänemark besuchen und die Festungswerke an der dänischen Küste, die Schweden gegen= überliegen, inspizieren. Auf meiner Rückreise hatte ich gutes Wetter. Wärmflaschen waren überflüssig, eine müde Herbstsonne schien in unseren Wagen, schien auf Landstraßen und Felder, auf denen in diesem Jahr nichts geerntet worden war. Wir sahen keine Pferde= leichen mehr. Und nur wenige Gräber. Die Erdhügel hatte der Regen aufgeweicht und die Grabkreuze der Wind verweht. Man konnte vergessen, daß man über ehemalige Schlachtfelder fuhr. Man konnte vergessen, daß hier Tausende begraben liegen. Aber ich vergaß es nicht. Irgendwo gelang es Oberst Moulin, eine veraltete Ausgabe des „Moniteur" aufzutreiben. Wir erfuhren, daß der jüngste Bruder Napoleons — das schlimme Kind Jérôme, das sich bei Julies Hochzeit übergessen und dann wie eine Fontäne erbrochen hatte — König geworden war. Der Kaiser hatte einige der eroberten Fürstentümer in Germanien zusammengezogen und das Königreich Westfalen er= richtet. Jérôme I., König von Westfalen. Außerdem hatte er durch= gesetzt, daß ein uraltes deutsches Fürstengeschlecht seine Tochter mit dem dreiundzwanzigjährigen König Jérôme I. von Westfalen verheiratete. Katharine von Württemberg ist jetzt mit Julie ver= schwägert. Ob sich Jérôme noch an jene Miss Patterson aus Amerika erinnert, von der er sich bereitwillig auf Napoleons Befehl scheiden ließ? „Marie, der jüngste Bruder des Kaisers ist König geworden!"

„Jetzt wird er sich täglich überessen, wenn niemand auf ihn auf= paßt", sagte Marie. Oberst Moulin starrte sie ganz entsetzt an.

Es war nicht die erste Majestätsbeleidigung, die er von ihr hörte. Ich ließ die veraltete Ausgabe des „Moniteur" zum Fenster hinaus über die frischen Schlachtfelder flattern.

Die Kirchenglocken weckten mich auf. Stäubchen tanzten in den Sonnenstrahlen, die durch die geschlossenen Fensterläden drangen. Es war sehr heiß, obwohl es noch recht früh war. Ich schob die Decke zurück, verschränkte die Arme unter dem Kopf und dachte nach. Die Glocken von Paris ...

Vielleicht hat einer der vielen Könige aus der Familie Bonaparte Geburtstag. Napoleon läßt nämlich die ganze Verwandtschaft re= gieren. Joseph ist übrigens nicht mehr König von Neapel, sondern von Spanien. Und Julie befindet sich seit Monaten auf dem Wege nach Madrid. Wirklich — seit Monaten. Die Spanier wollten nämlich von Joseph nichts wissen, schossen aus dem Hinterhalt auf seine Truppen, umzingelten und vernichteten sie, und zuletzt sind die Aufständischen an Stelle von König Joseph siegreich in Madrid eingezogen. Worauf der Kaiser neue Truppen nach Spanien schickte, um Josephs Volk von diesen irregeleiteten Patrioten zu befreien. Murat dagegen regiert mit Caroline in Neapel. Das heißt, Caroline regiert, denn Murat ist ja gleichzeitig Marschall und befindet sich deshalb immer an irgendeiner Front. Aber Caroline kümmert sich nicht viel um ihr Königreich und ihren Sohn, sondern besucht fort= während Elisa, die älteste Schwester Napoleons, die in Toscana regiert und von Jahr zu Jahr dicker wird und momentan ein Liebes= verhältnis mit ihrem Hofmusikus hat, einem gewissen Paganini. Julie hat mir davon erzählt, sie war ja vor ihrer Reise nach Spanien einige Wochen hier, um sich neue Staatsroben machen zu lassen. Purpurrot natürlich, auf Wunsch Josephs. Die Glocken ... Welcher der Bonapartes könnte heute Geburtstag haben? Weder König Jé= rôme noch Eugène de Beauharnais, der Vizekönig von Italien. Der schüchterne junge Mann von einst hat sich seit seiner Hochzeit ver= ändert. Napoleon hat ihn mit einer Tochter des bayrischen Königs verheiratet, und Eugène macht jetzt ab und zu in Gesellschaft den Mund auf. Eugène ist glücklich geworden. Noch immer die Glocken. Deutlich hörte ich die tiefe Stimme von Notre=Dame. Wann hat eigentlich König Louis Geburtstag? Der wird uralt werden, trotz seiner eingebildeten Krankheiten. Dabei leidet er nur an Plattfüßen, sonst ist er ganz gesund! Diesen Bruder hat Napoleon von Anfang an versorgt. Hat ihn in die Armee gesteckt, um ihm einen Beruf zu geben, hat ihn dann zu seinem Adjutanten ernannt und ihn mit seiner Stieftochter Hortense verheiratet. Zuletzt hat er ihn auf den holländischen Königsthron gesetzt ... Wie nennt man doch die holländischen Aufrührer, die immer wieder versuchen, sich gegen Louis und seine Soldaten zu erheben? Saboteure, ja, richtig — Saboteure. Weil sie „sabots" tragen. Holzpantoffel, wie unsere Fischer in Marseille. Sie hassen Louis, weil Napoleon ihn auf den holländischen Thron gesetzt hat. Und wissen ja nicht, daß Louis seinen Bruder nicht ausstehen kann. Louis drückt beide Augen zu, wenn heimlich Handelsschiffe aus seinen Hafenstädten nach England ausfahren. In Wirklichkeit ist Louis Ober=Saboteur, um Napoleon zu ärgern. Napoleon hätte ihm wenigstens erlauben sollen, sich seine Frau selbst zu wählen! Wer hat mit mir erst neulich über Louis gesprochen? Polette natürlich. Die einzige Bonaparte, die sich nicht um Politik kümmert, sondern nur ihrem Vergnügen und ihren Liebhabern gehört. An ihrem Geburtstag läuten keine Glocken. Auch nicht an Luciens. Lucien ist immer noch in der Verbannung. Dabei hat ihm Napoleon die spanische Krone angeboten. Natürlich unter der Bedingung, daß er sich von seiner rothaarigen Madame Jouberthon scheiden läßt. Lucien hat sich geweigert und versucht, mit seiner Familie nach Amerika zu reisen. Aber sein Schiff ist unterwegs von den Engländern aufgehalten worden. Jetzt lebt Lucien als „feindlicher Ausländer" in England. Stets bewacht und doch — frei. Das hat er neulich in einem Brief, den er an seine Mutter nach Frankreich schmuggeln ließ, geschrieben. Und dabei war es Lucien, der Napoleon seinerzeit zum Konsulat verhalf, um Frankreichs Republik zu retten. Lucien, der blauäugige Idealist. Keine Glocken für Lucien ... Die Tür öffnete sich einen Spalt. „Ich habe mir gedacht, daß dich die Glocken aufgeweckt haben, ich lasse dir das Frühstück bringen", sagte Marie. —

„Warum läuten eigentlich die Glocken, Marie?"

„Warum werden sie schon läuten? Der Kaiser hat einen großen Sieg errungen." — „Wo? Wann? Steht Näheres in der Zeitung?" „Ich schicke dir das Frühstück und deine Vorleserin", sagte Marie. Überlegte es sich aber: „Nein, zuerst das Frühstück, dann das gnädige Fräulein, das dir vorliest!" Marie macht sich immer lustig, weil ich mir wie die anderen Damen des Hofes ein junges Mädchen aus altadeliger verarmter Familie halten muß, die mir den „Moniteur" und Romane vorliest. Dabei lese ich am liebsten allein und im

Bett. Der Kaiser verlangt, daß wir Marschallsgattinnen uns bedienen lassen, als ob wir achtzig Jahre alt wären. Und ich bin doch erst acht= undzwanzig! Yvette brachte meine Morgenschokolade. Sie öffnete die Fenster, und Sonne und Rosenduft strömten herein. Dabei habe ich hier nur drei Rosenstöcke, der Garten ist sehr klein, das Haus liegt doch mitten in der Stadt. Die meisten Möbel Moreaus, die ich vorfand, habe ich verschenkt. Und neue gekauft — weißgoldene, prachtvolle, sehr teure. Im Salon fand ich ein Büste des früheren Eigentümers. Ich wußte zuerst nicht recht, was ich damit anfangen sollte. Im Salon konnte ich sie nicht aufstellen. Freund Moreau ist ja leider in Ungnade. Hinauswerfen wollte ich sie aber auch nicht. Schließlich stellte ich die Büste in der Halle auf. In dem großen Salon dagegen mußte ich ein Bild des Kaisers aufhängen. Es ist mir ge= lungen, eine Kopie des Porträts von Adolphe Yvon zu bekommen, das Napoleon als Ersten Konsul zeigt. Auf diesem Porträt ist das Ge= sicht des Ebenbildes Gottes noch so mager und straff wie in jenen Tagen in Marseille. Die Haare sind wirr und lang wie einst und die Augen weder glashart noch unheimlich strahlend. Versonnen, aber ganz vernünftig blicken sie in die Ferne, und der Mund ist noch jener des blutjungen Napoleone, der einst an einer Sommerhecke lehnte und davon sprach, daß es Menschen gibt, die dazu ausersehen sind, Weltgeschichte zu machen. Die Glocken ... Man bekommt geradezu Kopfweh, obwohl wir doch an das Läuten von Sieges= glocken gewöhnt sind. „Yvette", fragte ich zwischen zwei Schlucken Schokolade, „wo und wann haben wir gesiegt?"

„Bei Wagram, Fürstin, am 4. und 5. Juli."

„Schicke Mademoiselle herein und Oscar!" Das Kind und die Vorleserin kamen gleichzeitig. Ich schob mein Kissen zurecht und zog Oscar an mich. „Mademoiselle wird uns aus dem ‚Moniteur' vorlesen. Wir haben wieder gesiegt." So erfuhren Oscar und ich, daß eine große Schlacht bei Wagram in der Nähe von Wien ge= schlagen worden war. Eine österreichische Armee von 70 000 Mann ist völlig vernichtet worden. Nur 1500 Franzosen sind gefallen und 3000 verwundet worden. Einzelheiten folgten. Die Namen der mei= sten Marschälle wurden genannt. Nur der Name Jean=Baptistes fehlte. Dabei wußte ich, daß er mit seinen Truppen in Österreich stand. Napoleon hatte ihm das Kommando über alle sächsischen Regimenter seiner Armee übertragen. „Wenn nur nichts passiert ist!" entfuhr es mir unwillkürlich.

„Fürstin, ich habe doch soeben vorgelesen, daß es sich um einen sehr großen Sieg handelt", beteuerte Mademoiselle. „Steht gar nichts über Papa in der Zeitung?" wollte Oscar wissen. Mademoiselle studierte nochmals den Bericht. „Nein, gar nichts", gab sie schließlich zu. In diesem Augenblick wurde hastig an die Tür geklopft. Madame La Flotte zeigte ihr reizend gemaltes Gesicht: „Fürstin, Seine Exzellenz Minister Fouché bittet, empfangen zu werden!" Der Polizeiminister Fouché hat noch niemals bei mir Besuch gemacht. Die Siegesglocken sind endlich verstummt. Vielleicht habe ich Madame La Flotte falsch verstanden. „Wen melden Sie?"

„Monsieur Fouché! Seine Exzellenz, den Polizeiminister", wiederholte Madame La Flotte. Sie bemühte sich, ausdruckslos zu erscheinen, aber die runden Augen kollerten ihr vor Aufregung beinahe aus dem Kopf. „Oscar — hinaus! Ich muß mich schnell fertigmachen. Yvette — Yvette!" Gottlob, da stand schon Yvette mit dem fliederfarbenen Morgenkleid. Yvette hat recht, das Fliederfarbene steht mir gut. „Madame La Flotte! Führen Sie Seine Exzellenz in den kleinen Salon!"

„Ich habe Seine Exzellenz bereits in den kleinen Salon geführt." „Mademoiselle — gehen Sie hinunter und bitten Sie Seine Exzellenz, sich einen Augenblick zu gedulden, ich bin noch bei der Toilette, aber ich beeile mich. Sagen Sie ihm das. Oder nein — sagen Sie es ihm nicht. Borgen Sie ihm den ‚Moniteur' zum Lesen!" Über das hübsche Gesicht der La Flotte huschte ein Lächeln: „Fürstin, der Polizeiminister liest den ‚Moniteur', bevor er in Druck geht. Es gehört zu seinen Pflichten."

„Yvette, wir haben keine Zeit, mein Haar zu ordnen, gib mir den rosa Musselinschal, wickle ihn wie einen Turban um den Kopf!" Die La Flotte und die Vorleserin verschwanden. „Madame La Flotte!" Da war sie schon wieder. „Sagen Sie, sehe ich mit dem Turban nicht wie die arme Madame de Staël aus? Die Schriftstellerin, die der Polizeiminister aus Paris verbannt hat?"

„Fürstin, die Staël hat ein Mopsgesicht, und Fürstin können niemals —". „Danke, Madame. Yvette, ich kann mein Wangenrot nicht finden!"

„In einem Schubfach des Toilettentisches. Fürstin benutzen es so selten —"

„Ja, weil ich viel zu rotwangig für eine Fürstin bin. Fürstinnen sind blaß. Das sieht vornehmer aus. Aber im Augenblick bin ich etwas zu blaß. Ist es heute wirklich so heiß, oder ist mir nur so warm?"

„Es ist sehr heiß, Fürstin. Es ist immer heiß im Hochsommer in Paris", sagte Yvette. Dann ging ich langsam die Treppe hinunter. Fouché ... Jemand hat ihn einmal das schlechte Gewissen aller Leute genannt. Man fürchtet sich vor ihm, weil er zu viel weiß. Und er weiß so viel, weil er immer dabei war. Während der Revolution nannten sie ihn den „blutigen" Fouché, keiner unterschrieb so viele Todesurteile wie dieser Abgeordnete. Zuletzt war er sogar Robes= pierre zu blutig. Aber noch bevor Robespierre ihn vernichten konnte, hatte Fouché schon die Verschwörung gegen Robespierre angezettelt. Auf die Guillotine mit Robespierre ... Und in die Versenkung mit Fouché. Am Anfang konnten ihn die Direktoren der Republik nicht brauchen. Schließlich wollten sie dem Ausland beweisen, daß Frank= reich keine Mörderrepublik sei. Aber Fouché kannte die Geheim= nisse der Direktoren, und sie wurden ihn nicht los. Täglich begeg= nete man ihm im Salon der Tallien. Keiner wußte Bescheid wie er. Als jemand vorschlug, auf das hungrige Volk von Paris zu schießen, um einen Aufruhr zu ersticken, sagte er: „Bernadotte wird es nicht tun. Aber dieser kleine Hungerleider, der immer hinter Josephine herläuft ..." Wie kam es, daß der blutige Fouché doch wieder einen Posten erhielt? Direktor Barras verwendete ihn zuerst, sandte ihn als französischen Geheimagenten ins Ausland. Kurz bevor die Direk= toren gestürzt werden, klammern sie sich geradezu an ihn. Fouché wird zum Polizeiminister ernannt. Und Fouché, ehemaliger Präsident des Jakobinerklubs, begibt sich sofort zu seinen alten Kameraden der äußersten Linken. Ein Jubelruf begrüßt ihn im Klub in der Rue du Bac ... Kühl grüßt Fouché zurück. „Den Klub schließen!" erklärt er nur. Läßt dann von Gendarmen den Saal räumen und versperrt ihn für immer. Die Französische Revolution ist offiziell beendet ... Fouché hat seine eigene Meinung über das Amt eines Polizeimini= sters. Ämter und Ministerien, Beamte und Minister, Offiziere und Zivilpersonen stellt er unter Beobachtung. Das ist gar nicht so schwer, wenn man freigebig ist. Und der Polizeiminister hat einen geheimen Fonds, aus dem er seine Spitzel bezahlen kann. Wer steht in seinem Sold? Oder vielmehr — wer steht nicht in seinem Sold? Die Direktoren haben sich damals, als sie Napoleons Staatsstreich fürchteten, auf ihren Polizeiminister verlassen. Aber gerade den Tag, an dem Napoleons Soldaten in den Rat der Fünfhundert eindrangen, an dem das Direktorium gestürzt und Napoleon zum Ersten Konsul ausgerufen wurde — gerade diesen Tag verbrachte der Polizeiminister in seinem Bett. Er sei erkältet, hieß es. In der Nacht, die diesem Tag folgte, erwarteten Jean=Baptiste und ich den Haftbefehl, der nicht die Unterschrift des Ersten Konsuls getragen hätte. Sondern nur die seines soeben ernannten Polizeiministers: des Herrn Fouché. Was will er nun von mir? fragte ich zum letztenmal, als ich vor der Tür meines kleinen Salons stand. Dieser Massenmörder von Lyon, fiel mir ein. Alle nannten ihn damals so, wenn von den Todes= urteilen, die Fouché während der Revolution in Lyon vollziehen ließ, gesprochen wurde. Zu dumm, daß mir das gerade jetzt einfällt. Dabei sieht er gar nicht wie ein Massenmörder aus! Ich bin ihm oft bei Empfängen in den Tuilerien begegnet. Fouché ist ein sehr sorg= fältig angezogener Herr, auffallend blaß, wahrscheinlich blutarm, er spricht höflich und leise mit halbgeschlossenen Augen ... Der Heeresbericht erwähnt Jean=Baptiste mit keinem Wort. Ich spüre genau, was geschehen ist. Aber ich habe kein schlechtes Gewissen, Monsieur Fouché. Nur Angst habe ich, solche Angst. Als ich eintrat, sprang er sofort auf. „Ich komme, um Ihnen zu gratulieren, Für= stin — wir haben einen großen Sieg errungen, und ich lese, daß der Fürst von Ponte Corvo und seine sächsischen Truppen die ersten waren, die Wagram erstürmt haben. Außerdem lese ich, daß der Fürst von Ponte Corvo mit sieben= bis achttausend Soldaten den Wider= stand von 40 000 Mann niedergekämpft und Wagram erobert hat."

„Ja, aber — davon steht doch nichts in der Zeitung", stammelte ich und ersuchte ihn, sich wieder zu setzen. „Ich habe auch nur gesagt, daß ich das gelesen habe, liebe Fürstin. Aber nicht, wo ich es las. Nein, es steht nicht in der Zeitung. Sondern in einem Tages= befehl, den Ihr Gatte an seine sächsischen Truppen gerichtet hat, um ihre Tapferkeit zu rühmen." Er machte eine Pause, nahm eine kleine Bonbonniere aus Dresdener Porzellan von einem Tischchen, das zwischen uns stand, und betrachtete es interessiert. „Ich habe übri= gens noch etwas anderes gelesen. Die Abschrift eines Briefes Seiner Majestät an den Fürsten von Ponte Corvo. Der Kaiser drückt darin sein ausgesprochenes Mißfallen am Tagesbefehl des Fürsten von Ponte Corvo aus. Seine Majestät erklärt sogar, daß dieser Tages= befehl eine Menge Ungenauigkeiten enthalte. Zum Beispiel, daß Oudinot Wagram eingenommen habe und daß es daher unmöglich sei, daß der Fürst von Ponte Corvo den Ort zuerst erstürmte. Ferner konnten sich die Sachsen unter der Führung Ihres Gatten durchaus nicht auszeichnen, da sie nicht einen einzigen Schuß abgefeuert hätten. Im übrigen sei es Seiner Majestät ein Bedürfnis, den Fürsten von Ponte Corvo wissen zu lassen, daß er sich in diesem Feldzug in keiner Weise bemerkbar gemacht habe." „Das — das hat der Kaiser an Jean=Baptiste geschrieben —?" flüsterte ich fassungslos. Fouché stellte vorsichtig die Bonbonniere zurück. „Darüber besteht kein Zweifel. Denn die Abschrift des kaiserlichen Briefes war einem Schreiben an mich beigelegt. Ich habe Befehl erhalten —" Wieder machte er eine Pause. Blickte mir voll, aber freundlich ins Gesicht: „Die Person des Fürsten von Ponte Corvo und seine Korrespondenz zu überwachen."

„Das wird schwer gehen, Herr Minister. Mein Mann befindet sich ja mit seinen Truppen in Österreich."

„Sie irren, verehrte Fürstin, der Fürst von Ponte Corvo wird jeden Augenblick in Paris eintreffen. Er hat nach diesem Briefwechsel Sei= ner Majestät den Oberbefehl über seine Truppen zurückgegeben und aus Gesundheitsrücksichten um Urlaub gebeten. Der Urlaub ist ihm auf unbegrenzte Zeit bewilligt worden. Ich beglückwünsche Sie, Fürstin, Sie haben Ihren Mann schon lange nicht gesehen, ein sehr baldiges Wiedersehen steht Ihnen bevor!" Wozu ihm Komödie vor= spielen? Das versuchen alle, daran ist er gewöhnt. „Darf ich einen Augenblick nachdenken?" Ein amüsiertes Lächeln huschte über sein Gesicht. „Worüber, verehrte Fürstin?" Ich preßte die Hand an die Stirn. „Über das Ganze. Ich bin nicht sehr klug, Herr Minister, bitte nicht widersprechen, ich muß nachdenken, was sich da abgespielt hat. Sie sagen, daß mein Mann schreibt, seine sächsischen Truppen hätten sich ausgezeichnet, nicht wahr?" „Wie aus Erz gemeißelt standen sie da. Zumindest schreibt das der Fürst in seinem Tages= befehl."

„Und warum ärgert sich der Kaiser über die erzenen Truppen meines Mannes?"

„In einem geheimen Rundschreiben an alle Marschälle erklärt der Kaiser: Seine Majestät der Kaiser kommandiert persönlich seine Truppen, und es steht bei ihm allein, einzelne Truppenformationen zu rühmen. Außerdem verdankt die Armee ihre Siege französischen und nicht ausländischen Soldaten. Das läßt sich weder mit unserer Politik noch mit unserer Ehre vereinbaren ... So ungefähr lautet das Rundschreiben des Kaisers an die Marschälle."

„Irgend jemand hat mir erst neulich erzählt, daß mein Mann sich beim Kaiser beklagt hat, weil er ihm lauter ausländische Regimenter zuteilt. Jean=Baptiste hat ja wirklich alles getan, um ausschließlich französische Truppen zu kommandieren und diese armen Sachsen loszuwerden!"

„Warum — arme Sachsen?" erkundigte sich Fouché. „Der König von Sachsen schickt seine Burschen in Schlachten, die sie doch nichts angehen. Wozu schlagen sich eigentlich die Sachsen bei Wagram?"

„Sie sind Frankreichs Alliierte, Fürstin. Aber sehen Sie nicht selbst, wie klug es vom Kaiser war, den Fürsten von Ponte Corvo die sächsischen Regimenter kommandieren zu lassen?" Ich gab keine Antwort. „Wie aus Erz gegossen standen sie da. Die Sachsen näm= lich unter dem Befehl Ihres Mannes, Fürstin." „Aber der Kaiser sagt doch, daß es nicht wahr sei!" „Nein, der Kaiser sagt nur, daß ihm allein das Recht zustehe, Truppenformationen zu loben. Und daß es unpolitisch ist und mit unserer nationalen Ehre nicht vereinbar, fremde Truppen zu rühmen. Sie haben mir nicht genau zugehört, Fürstin!" Ich muß seine Zimmer in Ordnung bringen lassen, er kommt nach Hause, fiel mir ein. Ich stand auf. „Verzeihen Sie mir, Exzellenz, ich will alles für Jean=Baptistes Empfang herrichten las= sen. Und ich danke Ihnen sehr für Ihren Besuch, ich weiß zwar nicht —" Er stand dicht vor mir. Mittelgroß, schmalbrüstig, ein wenig vorgeneigt. Die lange Spürnase mit den etwas geblähten Nasenflügeln schien zu schnüffeln. „Was wissen Sie nicht, liebe Fürstin?" „Was Sie eigentlich zu mir geführt hat. Wollten Sie mir sagen, daß Sie meinen Mann unter Beobachtung stellen? Daran kann ich Sie nicht hindern, es ist mir auch ganz gleichgültig, aber — wozu erzählen Sie es mir eigentlich?"

„Können Sie es wirklich nicht erraten, verehrte Fürstin?" Ein Gedanke durchfuhr mich. Ich spürte, wie ich dunkelrot vor Empö= rung wurde. Jetzt ersticke ich vor Wut, dachte ich. Aber man erstickt natürlich nicht vor Wut. Im Gegenteil, ich sagte sehr laut und klar: „Herr Minister, wenn Sie sich vorgestellt haben, daß ich Ihnen helfen werde, meinen Mann zu bespitzeln, so haben Sie sich geirrt." Dann wollte ich mit großer Geste die Hand heben und „Hinaus!" schreien. Aber leider liegt mir das nicht. „Wenn ich das angenom= men hätte, dann hätte ich mich eben geirrt", sagte er ruhig. „Viel= leicht habe ich es angenommen, vielleicht auch nicht. Fürstin, in diesem Augenblick weiß ich es selbst nicht." Wozu das Ganze, fragte ich mich, wozu? Wenn uns der Kaiser verbannen will, so wird er uns verbannen. Wenn er Jean=Baptiste vor ein Kriegsgericht stellen will, so wird er ihn vor ein Kriegsgericht stellen. Wenn er Gründe sucht, so wird sein Polizeiminister sie finden. Wir leben ja nicht mehr in einem Rechtsstaat ... „Die meisten Frauen haben un=

bezahlte Rechnungen bei ihrer Schneiderin", bemerkte Fouché leise. Ich fuhr auf: „Jetzt sind Sie zu weit gegangen, Monsieur!"

„Unsere verehrteste Kaiserin, zum Beispiel. Immer offene Rech= nungen bei Le Roy. Ich stehe natürlich Ihrer Majestät stets zu Diensten." Was —? Will er andeuten, daß er die Kaiserin — bezahlt? Für Spitzeldienste? Das ist wahnsinnig, dachte ich. Und wußte gleichzeitig: es ist wahr. „Manchmal ist es nicht uninteressant, die Korrespondenz eines Mannes zu beobachten. Man erlebt Über= raschungen. Überraschungen, die mich nicht interessieren, aber viel= leicht eine — Gattin."

„Bemühen Sie sich nicht", sagte ich angeekelt. „Sie werden heraus= finden, daß Jean=Baptiste seit Jahren an Madame Récamier schreibt und von ihr zärtliche Briefe erhält. Madame Récamier ist eine kluge und sehr gebildete Frau, und es ist für einen Mann wie meinen Jean=Baptiste ein großes Vergnügen, mit ihr zu korrespondieren." Dabei würde ich viel darum geben, die geistvollen Liebesbriefe, die Jean=Baptiste an die Récamier schreibt, lesen zu dürfen, dachte ich gleichzeitig. „Und jetzt müssen Sie mich wirklich entschuldigen, ich muß Jean=Baptistes Zimmer in Ordnung bringen!"

„Nur einen Augenblick, verehrte Fürstin: würden Sie so gütig sein und dem Fürsten einen Bescheid von mir bestellen?"

„Bitte. Worum handelt es sich?"

„Der Kaiser befindet sich in Schloß Schönbrunn in Wien. Es ist mir daher nicht möglich, ihn rechtzeitig zu benachrichtigen, daß die Engländer Truppen gesammelt haben und beabsichtigen, in Dün= kirchen und Antwerpen an Land zu gehen. Sie wollen von der Kanal= küste aus direkt nach Paris marschieren. Deshalb werde ich auf eigene Verantwortung, um für die Sicherheit des Landes zu sorgen, die Nationalgarde einberufen. Ich bitte den Marschall Bernadotte, sofort nach seiner Ankunft den Oberbefehl über diese mobilisierten Truppen zu übernehmen und Frankreich zu verteidigen. Das ist alles, Madame." Mein Herzschlag setzte aus. Ich versuchte, mir alles vor= zustellen. Landgang der Engländer. Angriff der Engländer. Marsch auf Paris. Alle Marschälle sind an der Front im Ausland. Wir haben so gut wie keine eigenen Truppen im Land. Und England greift Frankreich an . . . Fouché spielte wieder mit der kleinen Bonbonniere. „Der Kaiser mißtraut ihm — und Sie — Sie wollen ihm den Ober= befehl über die Nationalgarde geben, die unsere Grenzen halten soll?"

„Ich selbst kann nicht kommandieren, Fürstin. Ich bin ein ehe=

maliger Mathematiklehrer und war niemals — Sergeant. Der Him=
mel sendet mir einen Marschall nach Paris, dem Himmel sei Dank!
Wollen Sie meinen Bescheid dem Fürsten bestellen?" Ich nickte nur.
Begleitete ihn zur Tür. Plötzlich fiel mir etwas ein. Fouché ist doch
so schlau, vielleicht ist das Ganze eine Falle. „Aber ich weiß nicht,
ob mein Mann den Oberbefehl übernehmen wird, wenn es ohne
Wissen Seiner Majestät geschieht", sagte ich. Fouché stand dicht
neben mir. Er muß ein Magenleiden haben, sein Atem riecht schlecht.
„Seien Sie ruhig, Madame, wenn es gilt, Frankreichs Grenzen zu
verteidigen, so wird Marschall Bernadotte den Oberbefehl über=
nehmen." Und kaum hörbar: „Solange er noch Marschall von Frank=
reich ist." Dann küßte er mir die Hand und ging. Und noch am selben
Abend hielt Jean=Baptistes Wagen vor unserem Haus. Jean=Baptiste
wurde nur von Fernand begleitet. Nicht einmal seine Personal=
adjutanten hatte er mitgenommen. Zwei Tage später reiste er wieder
ab. Und zwar an die Kanalküste.

Villa La Grange bei Paris.
Herbst 1809.

Ich habe jetzt sehr wenig Zeit, um irgend etwas aufzuschreiben. Ich bin nämlich den ganzen Tag mit Jean=Baptiste zusammen und ver= suche, ihn aufzuheitern.

Fouché hat damals die Gefahr nicht übertrieben. Die Engländer gingen wirklich an der Kanalküste an Land und eroberten Vlis= singen. Innerhalb weniger Tage vollbrachte Jean=Baptiste das Wun= der, Dünkirchen und Antwerpen so stark zu befestigen, daß nicht nur alle englischen Angriffe zurückgeschlagen wurden, sondern auch zahllose englische Soldaten und sehr viel Kriegsbeute in seine Hand fielen. Die Engländer erreichten mit Mühe und Not bei Dünkirchen wieder ihre Schiffe und sind geflohen. Diese Nachrichten haben den Kaiser im Schloß Schönbrunn in furchtbare Aufregung versetzt. In seiner Abwesenheit hatte ein Minister es gewagt, die National= garde einzuberufen und gerade jenen Marschall, der unter polizei= liche Aufsicht gestellt war, zum Oberbefehlshaber zu ernennen... Gleichzeitig mußte Napoleon öffentlich anerkennen, daß Fouché mit Hilfe Jean=Baptistes Frankreich gerettet hat. Ohne die unerwartete Mobilisierung und die Energie eines Marschalls, der diese ungeschul= ten Bauernsöhne, die seit über zehn Jahren kein Gewehr mehr in der Hand gehalten haben, in eine Armee verwandeln konnte, wäre Frankreich verloren gewesen. Fouché wurde daher in den Adels= stand erhoben und heißt jetzt Herzog von Otranto. Das klingt bei= nahe so romantisch wie Ponte Corvo, und Fouché hat sein Herzog= tum ebensowenig gesehen wie ich unser italienisches Fürstentum. Der Kaiser ließ es sich nicht nehmen, persönlich Fouchés Wappen zu entwerfen: eine goldene Säule, um die sich eine Schlange windet. Die goldene Säule erregte allgemeine Heiterkeit. Der ehemalige Präsident des Jakobinerklubs, der einst jedes Vermögen, von dem er hörte, als republikfeindlich konfiszieren ließ, ist heute einer der reichsten Männer Frankreichs. Einer seiner besten Freunde ist der frühere Liebhaber der Theresa Tallien, der Waffenlieferant Ouvrard. Ouvrard ist auch Bankier und deckt Fouchés Börsengeschäfte. Über die Schlange, die sich um die Säule windet, wird nicht gesprochen. Napoleon ist seinem Polizeiminister zu Dank verpflichtet und hat die Gelegenheit benutzt, ihm seine Meinung zu sagen. Natürlich haben alle erwartet, daß der Kaiser auch Jean=Baptiste auszeichnen und ihm einen neuen Oberbefehl anvertrauen werde. Aber der Kaiser hat ihm nicht einmal ein Wort des Dankes geschrieben. „Wozu denn? Ich verteidige Frankreich nicht um seinetwillen", sagte Jean=Baptiste nur, als ich davon sprach. Wir wohnen jetzt in La Grange, einer sehr hübschen großen Villa in der Nähe von Paris, die Jean=Baptiste gekauft hat. Das Haus in der Rue d'Anjou ist ihm verhaßt. Obwohl ich die Räume neu und schön tapezieren ließ, findet er, daß „Schatten" in allen Ecken lauern. „Es ist dir doch recht, daß ich Moreaus Büste in die Halle gestellt habe?" fragte ich vorsichtig, als Jean=Baptiste das Haus zum erstenmal betrat. Jean= Baptiste sah mich an: „Du hättest keinen besseren Platz finden können. Dann wird wenigstens jedem Besucher gleich beim Eintritt bewußt werden: wir vergessen bestimmt nicht, daß wir in Moreaus ehemaligem Haus wohnen. Seltsam, wie du immer meine unaus= gesprochenen Wünsche errätst, kleines Mädchen!"

„Wieso seltsam? Ich liebe dich doch", meinte ich. Ich genieße jeden Tag, den Jean=Baptiste in Ungnade ist und den wir ruhig miteinander auf dem Land verbringen können. Von Julie erfahre ich sogar, was sich in der sogenannten großen Welt zuträgt. Sie ist mit Joseph zurückgekommen. Der Kaiser hat Junot mit einer Armee nach Spanien geschickt, um Joseph endlich seinen Einzug als König in Madrid zu ermöglichen. Junots Armee ist von den spanischen Patrioten, die von den Engländern unterstützt werden, beinahe ver= nichtet worden. Junot behauptet, die Niederlage sei nur Joseph zu verdanken, weil er als König von Spanien persönlich den Oberbefehl übernehmen und gar nicht auf Junot hören wollte. Mein Gott, jetzt will Joseph sogar Armeen kommandieren! Und das nur, um Napo= leon zu beweisen, daß er genausogut Krieg führen kann wie „mein kleiner Bruder, der General". Ob Julie ihren Joseph noch immer nicht durchschaut hat? Wenn es Napoleon plötzlich schlecht ginge, wie damals in Marseille, würden sie ihn wieder alle im Stich lassen? Nein, nicht alle. Josephine würde zu ihm halten. Aber gerade von ihr will er sich scheiden lassen, heißt es. Um endlich eine Dynastie zu gründen, und zwar mit Hilfe einer österreichischen Erzherzogin, einer Tochter des Kaisers Franz. Arme Josephine, sie hat ihn zwar betrogen, aber sie würde ihn nie verlassen.

Gestern bekamen wir einen überraschenden Besuch: Graf Talley= rand, Fürst von Benevent. Der Fürst nannte es einen „nachbarlichen" Besuch und lachte. Das Herzogtum Benevent liegt nämlich neben

Ponte Corvo. Talleyrand und wir wurden gleichzeitig mit unseren kleinen Fürstentümern beschenkt. Neben Fouché ist Talleyrand der mächtigste Mann im Dienst Napoleons. Dabei hat sich Talleyrand vor einem Jahr von seinem Außenministerposten zurückgezogen. Es heißt, daß er nach einer heftigen Szene mit Napoleon, in der er vor neuen Kriegen warnte, sein Portefeuille zurücklegte. Napoleon scheint jedoch seine diplomatischen Dienste nicht entbehren zu kön= nen, er ernannte ihn zum „Großwürdenträger" des Kaiserreiches und verlangte, daß Talleyrand auch weiterhin vor allen wichtigen Entscheidungen des Außenministeriums befragt wird. Ich kann den hinkenden Großwürdenträger gut leiden, er ist sehr witzig und charmant, spricht mit Frauen niemals über Kriege und Politik, und ich kann mir gar nicht vorstellen, daß er früher einmal Bischof war. Dabei war er es wirklich, er war sogar der erste Bischof, der den Eid auf die Republik ablegte. Da er jedoch aus altadeligem Geschlecht stammte, nützte das nicht viel, und er wäre bestimmt von Robes= pierre verhaftet worden, wenn er nicht rechtzeitig nach Amerika entkommen wäre. Vor ein paar Jahren hat Napoleon den Papst ge= zwungen, Talleyrand aus den Weihen der Kirche zu entlassen. Napoleon verlangte nämlich, daß sein Außenminister heiraten und nicht ständig seine Geliebten wechseln sollte. (Napoleon ist sehr sittenstreng geworden, besonders in bezug auf seinen Hofstaat!) Aber Talleyrand entschuldigte sich immer wieder und sagte, er könne wirklich nicht heiraten, er müsse im Zölibat leben. Auf die Dauer hat ihm die Ausrede nichts genützt, und er mußte seine letzte Geliebte heiraten. Kaum war er mit ihr verheiratet, ließ er sich nie mehr mit ihr sehen. Von einem ehemaligen Bischof hätte ich das nicht erwartet . . . Wie dem auch sei, dieser mächtige Mann besuchte uns gestern und fragte: „Wie kommt es, daß ich Sie so lange nicht in Paris gesehen habe, lieber Fürst?" Worauf Jean=Baptiste höflich erwiderte: „Das kann Sie doch nicht wundern, Exzellenz, Sie werden vielleicht gehört haben, daß ich aus Gesundheitsrücksichten um Urlaub gebeten habe." Talleyrand nickte ernst und erkundigte sich teilnahmsvoll, ob sich Jean=Baptiste schon wieder erholt habe. Und da Jean=Baptiste täglich stundenlang reitet und sehr braun gebrannt ist, mußte er bekennen, daß es ihm bereits etwas besser gehe. „Haben Sie in letzter Zeit etwas Interessantes aus dem Ausland gehört?" wollte Talleyrand daraufhin wissen. Das ist eine sehr dumme Frage. Erstens weiß Talleyrand besser als alle anderen, was im Ausland geschieht. Und zweitens — „Fragen Sie Fouché, er liest alle Briefe, die ich erhalte. Noch vor mir", sagte Jean=Baptiste ruhig. „Übrigens habe ich nichts Nennenswertes aus dem Ausland gehört."

„Nicht einmal Grüße von Ihren schwedischen Freunden erhalten?" An dieser Frage fand ich nichts Besonderes. Daß Jean=Baptiste in Lübeck einigen schwedischen Offizieren gegenüber sehr großmütig gewesen war und sie in ihre Heimat zurückgeschickt hatte, anstatt sie in Gefangenschaft zu halten, ist allgemein bekannt. Natürlich erhält er ab und zu auch einen Brief von diesen Leuten mit den unaussprechlichen Namen. Trotzdem schien die Frage eine gewisse Bedeutung zu haben. Denn Jean=Baptiste hob den Kopf und suchte Talleyrands Blick einzufangen. Dann nickte er. „Ja, das schon. Nichtssagende Grüße. Hat Ihnen Fouché nicht den Brief gezeigt?"

„Der ehemalige Mathematiklehrer ist ein sehr pflichteifriger Mann und hat mir natürlich den Brief gezeigt. Aber ich würde die Grüße nicht gerade als nichtssagend bezeichnen. Allerdings auch noch nicht als besonders vielversprechend."

„Die Schweden haben bereits im März ihren geisteskranken König Gustaf abgesetzt und seinen Onkel, den dreizehnten Carl, zum König ausgerufen", bemerkte Jean=Baptiste. Das begann mich zu interessieren. „Wirklich? Dieser Gustaf, der sich eingebildet hat, vom Himmel dazu ausersehen zu sein, den Kaiser zu besiegen, ist abgesetzt worden?" Ich erhielt keine Antwort. Talleyrand und Jean= Baptiste sahen einander noch immer in die Augen. Die Stille erschien mir drückend. „Glauben Sie nicht, Exzellenz, daß dieser Gustaf wirklich wahnsinnig ist?" sagte ich, um die Stille zu unterbrechen. „Das kann ich schwer von hier aus beurteilen", sagte Talleyrand und lächelte mich an. „Aber ich bin überzeugt davon, daß sein Onkel für die Zukunft Schwedens von höchster Bedeutung ist. Dieser Onkel ist nämlich schon recht altersschwach und kränklich. Und — kinderlos ist er auch, wenn ich nicht irre, Fürst?"

„Er hat einen jungen Verwandten adoptiert und zum Thronfolger bestimmt. Prinz Christian August von Holstein=Sonderburg=Augu= stenburg."

„Wie ausgezeichnet Sie diese fremden Namen aussprechen", be= wunderte Talleyrand. „Ich habe doch lange genug in Norddeutsch= land gelebt, da gewöhnt man sich an diese Namen", meinte Jean= Baptiste. „Für die schwedische Sprache haben Sie sich nicht inter= essiert, lieber Freund?"

„Nein, Exzellenz, dazu hatte ich bisher keinen Anlaß."

„Das wundert mich . . . Vor einem Jahr, als Sie mit Ihren Truppen

in Dänemark standen, hat es der Kaiser Ihrem Gutdünken über=
lassen, Schweden anzugreifen. Ich erinnere mich, Ihnen diesbezüg=
lich geschrieben zu haben. Aber Sie haben sich damit begnügt, von
Dänemark aus hinüber nach Schweden zu blicken und — nichts
unternommen. Warum eigentlich? Ich wollte Sie schon immer da=
nach fragen."

„Sie sagen selbst, der Kaiser hat es meinem Gutdünken über=
lassen. Er wollte damals dem Zaren behilflich sein, Finnland zu
erobern. Nun, unsere Hilfe war nicht notwendig. Es genügte, wie
Sie sehr richtig bemerkten, Exzellenz, von Dänemark aus nach
Schweden hinüberzuschauen."

„Und — die Aussicht? Wie hat Ihnen die Aussicht auf Schweden
gefallen, lieber Freund?" Jean=Baptiste zuckte die Achseln. „In kla=
ren Nächten sieht man von Dänemark aus die Lichter an der schwe=
dischen Küste. Aber die Nächte waren meistens neblig. Ich habe die
Lichter selten gesehen." Talleyrand neigte sich vor und tippte mit
dem Goldknauf des Spazierstockes, den er wegen seines steifen
Fußgelenkes immer bei sich trägt, ein wenig an sein Kinn. Warum
ihn dieses Gespräch amüsierte, kann ich nicht begreifen. „Viele
Lichter in Schweden, lieber Freund?" Jean=Baptiste legte den Kopf
etwas schief, lächelte. Auch ihm schien das Gespräch großen Spaß zu
machen. „Nein, wenig Lichter. Schweden ist ein armes Land. Eine
Großmacht von vorgestern."

„Vielleicht auch eine Großmacht von — morgen?" Jean=Baptiste
schüttelte den Kopf. „Nicht auf politischem Gebiet. Aber vielleicht
auf anderem. Ich weiß es nicht. Jedes Volk hat Möglichkeiten, wenn
es seine große Vergangenheit vergessen will." Talleyrand lächelte:
„Auch jeder Mensch hat Möglichkeiten, wenn er seine — kleine Ver=
gangenheit vergessen kann. Wir kennen Beispiele, lieber Fürst!"

„Sie haben es leicht, Exzellenz, Sie kommen aus adeligem Haus
und durften in Ihrer Jugend studieren. Leichter, viel leichter als die
Beispiele, auf die Sie anspielen." Das saß. Talleyrand lächelte plötz=
lich nicht mehr. „Ich habe diese Zurechtweisung verdient, mein
Fürst", sagte er ruhig. „Der ehemalige Bischof bittet den ehemaligen
Sergeanten um Verzeihung." Wartete er auf ein Lächeln Jean=Bap=
tistes? Wahrscheinlich. Aber Jean=Baptiste saß vorgeneigt, stützte
das Kinn in die Hand und sah nicht auf. „Ich bin müde, Exzellenz",
sagte er nur. „Müde Ihrer Fragen, müde der Beobachtung des Polizei=
ministers, müde des Mißtrauens. Müde, Fürst von Benevent, sehr
müde." Talleyrand erhob sich sofort. „Dann werde ich mich beeilen,

meine Bitte vorzutragen, und sofort gehen!" Jean=Baptiste war auf=
gestanden: „Eine Bitte? Ich wüßte nicht, womit ein in Ungnade ge=
fallener Marschall dem Außenministerium dienen könnte."

„Sehen Sie, lieber Ponte Corvo — es handelt sich um Schweden.
Merkwürdiger Zufall, daß wir gerade von Schweden gesprochen
haben ... Ich habe gestern erfahren, daß der schwedische Staats=
rat einige Herren nach Paris gesandt hat, die über die Wiederauf=
nahme der diplomatischen Beziehungen zwischen ihrem und unserem
Land verhandeln sollen. Schließlich haben ja die Schweden diesen
jungen und zweifellos irrsinnigen König verbannt und seinen be=
jahrten und zweifellos senilen Onkel auf den Thron gesetzt, um
diese guten Beziehungen herzustellen. Diese Herren — ich weiß nicht,
ob Ihnen die Namen etwas sagen, ein Herr von Essen und ein Graf
Peyron — haben in Paris nach Ihnen gefragt." Eine tiefe Falte grub
sich über Jean=Baptistes Nasenwurzel ein. „Diese Namen sagen mir
nichts. Ich weiß nicht, warum die Herren nach mir fragen." „Die
jungen Offiziere, mit denen Sie seinerzeit nach dem Sturm auf Lübeck
soupiert haben, sprechen sehr viel von Ihnen. Man hält Sie für einen
Freund des — mhm, des hohen Nordens, lieber Ponte Corvo. Und
diese Herren, die als schwedische Unterhändler nach Paris kamen,
hoffen wahrscheinlich, daß Sie ein gutes Wort für ihr Land beim
Kaiser einlegen werden." „Sie sehen, man ist in Stockholm schlecht
unterrichtet", murmelte Jean=Baptiste. „Ich möchte Sie bitten, diese
Herren zu empfangen", sagte Talleyrand ausdruckslos. Jean=Baptiste
zog die Brauen noch dichter zusammen. „Wozu? Kann ich den Herren
beim Kaiser behilflich sein? Nein. Oder wollen Sie dem Kaiser ein=
reden, daß ich mich in auswärtige Angelegenheiten, die mich nichts
angehen, einmische? Ich wäre Ihnen sehr dankbar, Exzellenz, wenn
Sie mir klipp und klar sagen würden, was Sie eigentlich wollen."

„Es ist doch so einfach", sagte Talleyrand ruhig. „Ich möchte, daß
Sie diese schwedischen Herren empfangen und Ihnen einige freund=
liche Worte sagen. Die Wahl dieser Worte überlasse ich natürlich
Ihnen. Ist das zuviel verlangt?"

„Ich glaube, Sie wissen nicht, was Sie verlangen", sagte Jean=
Baptiste tonlos. Ich habe ihn noch nie so sprechen hören. „Ich möchte
nicht, daß die Schweden den Eindruck gewinnen, daß der Kaiser einen
seiner berühmtesten Marschälle zur Zeit — nun, sagen wir — kalt=
gestellt hat. Es würde im Ausland den Eindruck von Unstimmig=
keiten in den Kreisen, die dem Kaiser sehr nahestehen, erwecken.
Sie sehen, die Begründung meiner Bitte ist sehr einfach."

„Zu einfach", sagte Jean=Baptiste. „Viel zu einfach für einen Di=
plomaten wie Sie. Und — viel zu kompliziert für einen Sergeanten
wie mich." Er schüttelte den Kopf. „Ich verstehe Sie nicht! Wirklich
nicht, Exzellenz!" Dabei ließ er ihm schwer die Hand auf die Schulter
fallen: „Wollen Sie mir einreden, daß ein ehemaliger Bischof weniger
pflichteifrig ist als ein ehemaliger Mathematikprofessor?" Talley=
rand wies mit einer eleganten Bewegung seines Stockes auf seinen
steifen Fuß: „Der Vergleich hinkt, Ponte Corvo. Genauso wie ich.
Es fragt sich nämlich, wem gegenüber man sich verpflichtet fühlt."
Da lachte Jean=Baptiste auf. Befreit und viel zu laut für einen Fürsten,
es war das Lachen seiner jungen Armee=Tage. „Sagen Sie nicht, daß
Sie sich mir verpflichtet fühlen! Denn das glaube ich Ihnen nicht!"

„Natürlich nicht. Gestatten Sie mir ein wenig großzügig zu
denken. Sie wissen, wir ehemaligen Bischöfe haben es während der
Revolution nicht leicht gehabt. Ich habe mich diesen lebensgefähr=
lichen Schwierigkeiten durch eine Amerikareise entzogen. Diese
Reise hat mich gelehrt, nicht nur an einzelne Staaten, sondern an
ganze Kontinente zu denken. Ich fühle mich einem Kontinent im
allgemeinen verpflichtet. Und zwar unserem, lieber Ponte Corvo.
Europa im allgemeinen. Und natürlich Frankreich im besonderen.
Ich küsse Ihre Hand, schöne Fürstin, leben Sie wohl, lieber Freund —
es war ein anregendes Gespräch!" Jean=Baptiste verbrachte den
ganzen Nachmittag zu Pferd. Abends machte er Rechenaufgaben mit
Oscar und ließ das arme Kind multiplizieren und addieren, bis ihm
die Augen zufielen, und ich versuchte, meinen müden Jungen ins Bett
zu schleppen. Aber Oscar ist so groß geworden, ich kann ihn gar
nicht mehr tragen. Über Talleyrands Besuch sprachen wir nicht mehr,
denn vor dem Schlafengehen hatten wir eine Diskussion über Fer=
nand. Jean=Baptiste sagte nämlich: „Fernand beklagt sich, daß du zu
freigebig mit Trinkgeldern bist. Jeden Augenblick steckst du ihm
etwas zu!" „Herrgott, du hast mir selbst gesagt, daß wir jetzt reich
sind und daß ich nicht so sparsam sein soll. Und wenn ich Fernand,
deinem alten Schulkollegen, diesem Treuesten der Treuen, eine
Freude machen will, so braucht er sich nicht gleich hinter meinem
Rücken bei dir zu beklagen und zu behaupten, daß ich leichtsinnig
sei."

„Schluß mit den Trinkgeldern! Fernand bekommt jetzt eine Mo=
natsrente von Fouché und verdient dabei mehr als genug." „Was —?
Ich war fassungslos. „Gibt sich Fernand dazu her, dich zu be=
spitzeln ... ?"

„Kleines Mädchen, Fernand hat von Fouché den Antrag erhalten, auf mich aufzupassen, und er hat ihn angenommen, weil er findet, daß es schade um das schöne Geld wäre. Aber er ist sofort zu mir gekommen und hat mir erzählt, wieviel ihm Fouché bezahlt, und vorgeschlagen, ich soll ihm dafür weniger Gehalt geben. Fernand ist der anständigste Bursche unter der Sonne."

„Und was hat er alles dem Polizeiminister über dich erzählt?"

„Es gibt jeden Tag etwas zu erzählen. Heute zum Beispiel habe ich mit Oscar Rechenaufgaben gemacht. Sehr interessant für den ehemaligen Mathematiklehrer. Gestern —"

„Gestern hast du an Madame Récamier geschrieben, und das kränkt mich", warf ich sofort ein. Wir waren bei einem vertrauten Thema angelangt. Von Talleyrand war gar nicht mehr die Rede.

Es war entsetzlich!

So peinlich und qualvoll für alle, die dabeisein mußten. Denn der Kaiser verlangte, daß sich alle Mitglieder seiner Familie, seiner Regierung, seines Hofstaates und seine Marschälle versammelten. In ihrer Gegenwart ließ er sich gestern von Josephine scheiden. Zum erstenmal seit langer Zeit hatten Jean=Baptiste und ich eine Auf= forderung erhalten, in den Tuilerien zu erscheinen. Wir sollten uns um elf Uhr vormittags im Thronsaal einfinden. Um halb elf Uhr lag ich noch im Bett. Mag geschehen, was will, ich rühre mich nicht aus den Polstern, hatte ich beschlossen. Es war ein kalter, grauer Tag. Ich schloß die Augen und stellte mich schlafend. Mag geschehen, was will. „Was heißt das? Du bist noch im Bett?" Jean=Baptistes Stimme. Ich öffnete die Augen und sah die Galauniform. Der hohe goldbestickte Kragen funkelte, die Ordenssterne glitzerten. „Ich bin erkältet, entschuldige mich bitte beim Hofmarschall", sagte ich nur. „Wie damals vor der Krönung. Der Kaiser wird dir seinen Leibarzt schicken. Steh sofort auf und mach dich fertig. Wir kommen sonst zu spät!"

„Ich glaube nicht, daß mir der Kaiser diesmal seinen Leibarzt schicken wird", sagte ich ruhig. „Es könnte sein, daß Josephine in dem Augenblick, in dem sie ihre Einwilligung zur Scheidung vorliest, um sich blickt und daß ihr Blick dabei auf mich fällt. Ich nehme an, daß ihr der Kaiser wenigstens diesen Anblick ersparen will." Ich sah Jean=Baptiste flehend an: „Verstehst du mich nicht? Diesen — diesen häßlichen, diesen abscheulich billigen Triumph kann ich nicht er= tragen!" Jean=Baptiste nickte: „Bleib im Bett, kleines Mädchen, du bist sehr erkältet. Und schone dich!" Ich sah zu, wie der blausamtene Mantel, der in schweren Falten von seinen Schultern fällt, ver= schwand. Dann schloß ich wieder die Augen. Als es elf Uhr schlug, zog ich die Decke bis übers Kinn. Auch ich werde älter, dachte ich, auch ich werde einmal Fältchen um die Augen haben und keine Kinder mehr bekommen können ... Trotz meiner Eiderdaunen= decke wurde mir kalt. Ich rief Marie und bat um heiße Milch. Ich war ja erkältet. Sie brachte die Milch und setzte sich an mein Bett und hielt meine Hand. Noch bevor es zwölf schlug, war Jean=Baptiste zurück, und Julie kam mit ihm.

Jean=Baptiste lockerte sofort den hohen bestickten Kragen, mur=
melte: „Die peinlichste Szene, die ich je erlebt habe, der Kaiser
mutet seinen Marschällen etwas zu viel zu!" und verließ dann mein
Schlafzimmer. Marie verschwand, weil Julie eingetreten war. Sie
ist noch immer böse auf sie. Dabei ist doch Julie nur noch eine
Königin ohne Land. Die Spanier haben König Joseph endgültig
davongejagt. Aber niemand in Paris darf das eingestehen. „Wir
mußten uns alle im Thronsaal aufstellen, jedem wurde seinem Rang
gemäß ein Platz angewiesen. Wir — ich meine, die kaiserliche Fa=
milie — standen dicht vor den Thronsesseln. Dann traten der Kaiser
und die Kaiserin gleichzeitig ein, hinter ihnen der Großkanzler und
Graf Regnaud. Graf Regnaud hielt sich dicht neben der Kaiserin. Die
Kaiserin war wie immer in Weiß. Und auf Blaß gepudert, du ver=
stehst. Ganz auf Märtyrerin zurechtgemacht . . ." „Julie, sprich nicht
so häßlich von ihr, es muß doch entsetzlich für sie gewesen sein!"

„Natürlich war es schauerlich für sie. Aber ich habe sie ja nie
leiden können, ich kann ihr nicht verzeihen, daß sie dir damals —"
„Sie hat nichts von mir gewußt, und sie kann gar nichts dafür",
sagte ich schnell. „Was geschah weiter?"

„Es wurde totenstill. Der Kaiser begann eine Urkunde vorzulesen.
Daß nur der liebe Gott weiß, wie schwer ihm dieser Schritt fällt,
und daß ihm kein Opfer zu schwer ist, wenn es sich um das Wohl
Frankreichs handelt . . . Und daß Josephine fünfzehn Jahre lang sein
Leben verschönt habe, daß er sie einst mit eigenen Händen krönte
und daß sie immer den Titel einer Kaiserin von Frankreich führen
soll."

„Wie hat er ausgeschaut, während er das gelesen hat?"

„Du weißt ja, wie er jetzt bei offiziellen Anlässen ausschaut.
Steinern. Talleyrand nennt es die Cäsarenmaske. Er hat die Cäsaren=
maske aufgesetzt und so schnell gelesen, daß man geradezu Mühe
hatte, alles zu verstehen. Er wollte es so schnell wie möglich er=
ledigen."

„Und was geschah weiter?"

„Ja — siehst du, dann wurde es so entsetzlich peinlich. Man reichte
der Kaiserin eine Urkunde, und sie begann vorzulesen. Zuerst war
ihre Stimme so leise, daß man kein Wort verstand. Plötzlich brach
sie in Tränen aus und reichte das Blatt Regnaud. Regnaud mußte für
sie weiterlesen. Es war ein furchtbarer Anblick . . ."

„Was stand in ihrer Urkunde?"

„Daß sie hiermit mit Erlaubnis ihres geliebten Gatten erklärt,

keine Kinder mehr bekommen zu können. Und daß das Wohl Frank=
reichs von ihr das größte Opfer fordert, das je von einer Frau verlangt
wurde. Daß sie ihm für seine Güte dankt und ganz fest davon über=
zeugt ist, daß diese Scheidung notwendig sei, damit Frankreich später
einmal von einem direkten Nachkommen des Kaisers regiert werden
kann. Aber die Auflösung ihrer Ehe könne in keiner Weise die Ge=
fühle ihres Herzens verändern ... Das alles hat Regnaud herunter=
geleiert, als ob es sich um eine Verordnung handeln würde. Und sie
hat ununterbrochen herzzerbrechend geschluchzt."

„Und nachher?"

„Nachher gingen wir als Mitglieder der Familie ins große Arbeits=
zimmer des Kaisers. Napoleon und die Kaiserin haben die Schei=
dungsurkunde unterschrieben, und nach ihnen haben wir als Zeugen
unterzeichnet. Hortense und Eugène führten ihre weinende Mutter
hinaus, und Jérôme sagte: ‚Ich habe Hunger!' Der Kaiser hat ihn an=
geschaut, als ob er ihm vor uns allen eine Ohrfeige geben wollte.
Dann hat er sich nur umgewandt und bemerkt: ‚Ich glaube, man hat
im großen Saal einen kleinen Imbiß für meine Familie vorbereitet
lassen. Ich bitte, mich zu entschuldigen.' Während er verschwand,
stürzten alle zum Büfett. Da sah ich Jean=Baptiste, der bereits im
Weggehen war. Ich fragte ihn natürlich nach dir. So habe ich er=
fahren, daß du krank bist, und bin mit ihm hergekommen."

Sie machte eine Pause. „Deine Krone sitzt schief, Julie!" Sie trug
wie bei allen offiziellen Empfängen ein Diadem in Form einer Krone,
und wie immer saß es schief. Sie setzte sich vor meinen Toiletten=
spiegel, richtete sich das Haar, puderte sich die Nase und plapperte
weiter: „Morgen früh verläßt sie die Tuilerien und fährt nach Mal=
maison. Der Kaiser hat ihr Malmaison geschenkt und alle Schulden
bezahlt. Außerdem erhält sie eine Jahresrente von drei Millionen
Francs, zwei Millionen muß der Staat bezahlen und eine Million der
Kaiser. Außerdem schenkt ihr Napoleon noch 200 000 Francs für die
neuen Pflanzen, die sie bereits für Malmaison bestellt hat, und
400 000 Francs für das Rubinhalsband, das sie bei einem Juwelier
in Arbeit hat."

„Fährt Hortense mit ihr nach Malmaison?"

„Sie wird sie wahrscheinlich morgen früh begleiten. Aber sie be=
hält ihren Wohnsitz in den Tuilerien."

„Und ihr Sohn?"

„Eugène bleibt Vizekönig von Italien. Angeblich wollte er zurück=
treten, aber das läßt der Kaiser nicht zu. Schließlich hat er doch

seinerzeit Josephines Kinder adoptiert. Stell dir vor, Hortense glaubt noch immer, daß ihr ältester Sohn Thronfolger wird. Sie ist verrückt. Die Habsburgerin, die der Kaiser heiratet, ist achtzehn Jahre alt und wird ihm eine Menge Prinzen zur Welt bringen. Die Habsburger sind so fruchtbar veranlagt . . ." Sie stand auf. „Ich muß jetzt gehen, Liebes."

„Wohin?"

„Zurück in die Tuilerien. Die Bonapartes werden es mir übel= nehmen, wenn ich nicht mit ihnen feiere." Sie rückte die Krone zurecht: „Leb wohl, Désirée, gute Besserung!" Ich lag wieder lange mit geschlossenen Augen. Ein Bonaparte ist keine Partie für eine Tochter des François Clary. Julie hat sich an die Bonapartes und ihre Kronen gewöhnt. Sie hat sich sehr verändert. Mein Gott, wie sie sich verändert hat! Bin ich schuld daran? Ich habe die Bonapartes in unser Haus gebracht. In Papas bürgerlich schlichtes und sehr sauberes Haus. Das habe ich nicht gewollt, Papa, das nicht . . . An meinem Bett wurde ein Tischchen aufgestellt. Jean=Baptiste wünschte mit seiner kranken Frau zu speisen. Ich mußte den ganzen Tag im Bett verbringen und schlief bereits am frühen Abend ein. Deshalb er= schrak ich sehr, als plötzlich Marie und Madame La Flotte an meinem Bett standen: „Königin Hortense bittet, empfangen zu werden."

„Jetzt? Wie spät ist es denn?" fragte ich. „Zwei Uhr früh." „Was will sie denn? Haben Sie nicht gesagt, daß ich krank bin, Madame La Flotte?" Die Stimme der La Flotte überschlug sich vor Auf= regung: „Natürlich. Aber die Königin von Holland läßt sich nicht abweisen. Sie bittet, trotzdem empfangen zu werden!"

„Pst! Nicht so laut, Sie wecken ja das ganze Haus auf!" Ich rieb mir den Schlaf aus den Augen. „Die Königin von Holland ist sehr aufgeregt und weint", teilte mir die La Flotte mit. Sie trug einen kostbaren Schlafrock, die Ärmel waren mit Hermelin besetzt. Wahr= scheinlich bezahlt Fouché ihre Schneiderrechnungen, ging es mir durch den Kopf. „Marie, gib der Königin von Holland eine Tasse heiße Schokolade, das wird sie beruhigen", sagte ich. „Madame La Flotte, sagen Sie der Königin, daß ich mich nicht wohl genug fühle, um sie zu empfangen." „Yvette kocht bereits Schokolade für die Königin", sagte Marie und zog den dunklen Wollmantel, den sie über ihr bäuerliches Leinenhemd geworfen hatte, am Hals zu= sammen. „Und du stehst jetzt auf, ich habe der Königin gesagt, daß du sie sofort empfangen wirst. Komm, ich helfe dir, laß sie nicht warten, sie — weint!"

„Sagen Sie Ihrer Majestät, ich werde mich beeilen", sagte ich zur La Flotte. Marie brachte mir ein einfaches Kleid. „Zieh dich lieber richtig an", schlug sie vor. „Sie wird dich bitten, mitzukommen." – „Wohin denn?" – „Zieh dich an, man braucht dich wahrscheinlich in den Tuilerien", meinte Marie. „Fürstin, meine Mutter schickt mich, sie bittet Sie, Erbarmen zu haben und sofort zu ihr zu kommen", schluchzte Hortense, als ich zu ihr trat. Dabei liefen Tränen an beiden Seiten ihrer langen Nase hinab. Die Nase war rotgeweint, die blaßblonden Haarsträhnen fielen ihr in die Stirn. „Ich kann doch Ihrer Mutter nicht helfen, Madame", sagte ich und setzte mich neben sie. „Das habe ich Mama auch gesagt. Aber sie besteht darauf, daß ich Sie bitte."

„Gerade mich?"

„Ja, gerade Sie – ich weiß auch nicht, warum", schluchzte Hortense in die Schokoladentasse. „Und jetzt – mitten in der Nacht?"

„Die Kaiserin kann doch nicht schlafen", stöhnte Hortense. „Und sie will niemand sehen. – Nur – Sie!"

„Ja, dann werde ich eben mit Ihnen fahren, Madame", seufzte ich. An der Tür stand bereits Marie und hielt mir Hut, Mantel und Muff entgegen. Die Salons der Kaiserin waren nur schwach beleuchtet. Schatten tanzten, ich stieß an den Möbeln an. Aber als Hortense die Tür des Schlafzimmers Ihrer Majestät öffnete, schlug uns strahlende Helle entgegen. Auf allen Tischen, auf dem Kamin, sogar auf dem Fußboden standen Leuchter. Weit geöffnete Koffer gähnten, halb vollgepackt. Überall lagen Kleidungsstücke herum, Hüte, Handschuhe, Staatsroben und Negligés in wildem Durcheinander. Jemand hatte in einer Schmuckkassette gewühlt. Ein Brillantendiadem glitzerte unter einem Fauteuil. Die Kaiserin war allein. Sie lag mit ausgestreckten Armen auf dem breiten Bett, der schmale Rücken bebte in verzweifeltem Schluchzen, sie schrie in die Kissen. Aus dem Nebenraum hörte man gedämpfte Frauenstimmen. Wahrscheinlich wurde im Ankleidezimmer gepackt. Josephine jedoch war mutterseelenallein. „Mama, hier bringe ich die Fürstin von Ponte Corvo", sagte Hortense. Josephine rührte sich nicht. Ihre Nägel krallten sich nur noch mehr in die seidene Bettdecke. „Mama", wiederholte Hortense. „Die Fürstin von Ponte Corvo!" Rasch entschlossen trat ich auf das Bett zu. Packte die zarten, vom Weinen geschüttelten Schultern und drehte Josephine um. Nun lag sie auf dem Rücken und starrte mich aus verschwollenen Augen an. Ich erschrak: sie ist eine alte Frau, durchfuhr es mich. Sie ist in dieser Nacht eine alte Frau geworden . . . „Désirée", formten die Lippen. Dann brachen neue Tränen hervor. Unaufhaltsam flossen sie über die ungeschminkten Wangen. Ich setzte mich an den Rand des Bettes und suchte ihre Hände in die meinen zu nehmen. Sofort klammerten sich ihre Finger um meine. Der blasse Mund war halb offen, ich sah die Zahnlücken, ihre Wangen waren zerknittert wie Seidenpapier. Weggeweint war die Emaille= schminke, sichtbar wurden große Poren. Die Kinderlöckchen waren sehr schütter und klebten feucht an den Schläfen. Und das Kinn, dieses mädchenhaft betörende und etwas spitze Kinn war schlaff geworden und zeigte Ansätze eines Doppelkinns. Unbarmherzig badeten die vielen Kerzen das arme Gesicht in ihrem Licht. Hat Napoleon sie jemals ungeschminkt gesehen? „Ich habe einzupacken versucht", weinte Josephine. „Majestät müssen vor allen Dingen schlafen", sagte ich. Und zu Hortense: „Löschen Sie doch die vielen Kerzen aus, Madame!" Hortense gehorchte, sie glitt wie ein Schatten von Leuchter zu Leuchter. Schließlich flackerte nur ein winziges Nachtlicht. Josephines Tränen waren versiegt. Kurze harte Schluch= zer schüttelten sie. Es war schlimmer als Weinen. „Jetzt werden Majestät schlafen", wiederholte ich und versuchte, mich zu erheben. Aber ihre Finger ließen mich nicht los. „Sie müssen heute nacht bei mir bleiben, Désirée", zuckten ihre Lippen. „Sie wissen ja am besten, wie er mich liebt . . . Wie keine andere, nicht wahr? Nur mich, nur mich —" Also deshalb wollte sie mich in dieser Nacht sehen. Weil ich es am besten weiß. Wenn ich ihr nur helfen könnte . . . „Ja, nur Sie, Madame. Alles andere vergaß er, als er Sie kennenlernte. Mich zum Beispiel. Madame erinnern sich?" Ein amüsiertes Lächeln huschte um ihren Mund: „Sie haben ein Champagnerglas nach mir geworfen, die Flecken konnten nicht entfernt werden, es war ein Kleid aus durchsichtigem Musselin, weiß mit roten Tönen . . . Und ich habe Sie damals sehr unglücklich gemacht, kleine Désirée. Ver= zeihen Sie mir, es war nicht absichtlich!" Ich streichelte ihre Hand, ließ sie von vergangenen Tagen sprechen. Wie alt war sie damals? Ungefähr so alt wie ich heute. „Mama, du wirst dich in Malmaison so wohl fühlen. Du hast doch Malmaison immer als dein wirkliches Zuhause betrachtet", kam es von Hortense. Josephine zuckte zu= sammen. Wer zerriß ihre Erinnerungen? Ach so, ihre Tochter. „Hor= tense bleibt in den Tuilerien", sagte Josephine und suchte meine Augen. Das amüsierte Lächeln war verlöscht, sie sah alt und müde aus. „Hortense hofft immer, daß Bonaparte einen ihrer Söhne zum Nachfolger bestimmen wird. Ich hätte nie zustimmen sollen, daß man sie mit seinem Bruder verheiratet. Das Kind hat so wenig vom Leben — einen Mann, den sie haßt, und einen Stiefvater —" — den sie liebt, wollte Josephine sagen. Es kam nicht dazu. Mit einem heiseren Schrei stürzte sich Hortense auf das breite Bett. Ich stieß sie zurück. Wollte sie ihre Mutter schlagen? Hortense begann hilflos zu schluchzen. So geht das nicht weiter, jetzt beginnt Hortenses Weinkrampf, und die Kaiserin wird gleich wieder zu schreien an= fangen, dachte ich. „Hortense, stehen Sie sofort auf und nehmen Sie sich zusammen!" Ich hatte zwar der Königin von Holland nichts zu befehlen, aber die Königin gehorchte sofort. „Ihre Mutter muß jetzt ruhen. Und Sie auch. Wann begibt sich Ihre Majestät nach Malmaison?" „Bonaparte wünscht, daß ich frühmorgens abfahre", flüsterte Josephine. „Er hat schon die Handwerker bestellt, damit meine Zimmer —" Der Rest des Satzes ging in haltlosem Weinen unter. Ich wandte mich an Hortense. „Hat Dr. Corvisart kein Schlaf= mittel für Ihre Majestät hiergelassen?" — „Natürlich. Aber Mama will nichts nehmen. Mama fürchtet, man will sie vergiften." Ich sah Josephine an. Sie lag wieder auf dem Rücken und ließ die Tränen über das geschwollene Gesicht fließen. „Er hat doch immer gewußt, daß ich kein Kind mehr bekommen kann", murmelte sie. „Ich habe es ihm gesagt. Weil ich einmal eines erwartet habe und Barras —" Sie brach ab und schrie plötzlich auf: „Und dieser Stümper von einem Arzt, zu dem mich Barras schleppte, hat mich zerstört. Zer= stört, zerstört . . ."

„Hortense, bitten Sie sofort eine Kammerfrau, eine Tasse heißen Tee zu bringen. Und dann begeben Sie sich selbst zur Ruhe. Ich bleibe hier, bis Ihre Majestät eingeschlafen ist. Wo ist das Schlaf= mittel?" Hortense kramte zwischen den Flakons und Creme=Tiegeln auf dem Toilettentisch und reichte mir schließlich ein Fläschchen. „Fünf Tropfen, hat Dr. Corvisart gesagt." — „Danke. Und gute Nacht, Madame." Dann zog ich Josephine ihr weißes, zerknittertes Kleid aus, löste die goldenen Sandalen von den kleinen Füßen, legte eine Bettdecke über sie. Eine Kammerfrau brachte Tee. Ich nahm ihr die Tasse aus der Hand und wies sie sofort hinaus. Dann schüttete ich sorgsam den Inhalt des Fläschchens in den Tee. Es waren sechs Tropfen, um so besser, dachte ich. Josephine setzte sich gehorsam auf und trank in durstigen, hastigen Schlucken. „Es schmeckt wie alles in meinem Leben — sehr süß mit einem bitteren Nach= geschmack", lächelte sie und erinnerte plötzlich an jene Josephine, die ich bisher gekannt hatte. Dann ließ sie sich in die Kissen zurück=

fallen. „Sie waren heute vormittag nicht beim — nicht beim Staats=
akt", murmelte sie müde. „Nein, ich dachte, es wäre Ihnen lieber."

„Es war mir lieber." Eine kleine Pause entstand. Sie atmete regel=
mäßiger.

„Sie und Lucien sind die einzigen der Bonapartes, die nicht dabei
waren."

„Ich bin doch keine Bonaparte", bemerkte ich. „Meine Schwester
Julie ist mit Joseph verheiratet. Weiter reicht die Verwandtschaft
wirklich nicht."

„Verlassen Sie ihn nicht, Désirée!"

„Wen, Majestät?"

„Bonaparte." Die Tropfen schienen sie etwas zu verwirren. Aber
sie wirkten beruhigend. Ich streichelte ihre Hand, gleichmäßig und
ohne nachzudenken, streichelte eine Hand mit aufgeschwollenen
Adern, die Hand einer zarten, alternden Frau . . . „Wenn er seine
Macht verliert — und warum sollte er sie nicht verlieren, alle Män=
ner, die ich gekannt habe, haben ihre Macht verloren, manche sogar
den Kopf, wie mein seliger de Beauharnais — sehen Sie, wenn er die
Macht verliert —" Ihre Augen fielen zu. Ich ließ ihre Hand los. „Blei=
ben Sie bei mir — ich fürchte mich . . ."

„Ich setze mich ins Nebenzimmer und warte, bis Majestät aus=
geschlafen haben. Dann begleite ich Majestät nach Malmaison."

„Ja, nach Malmai —" Sie schlief. Ich blies die Kerze aus und trat in
den Salon nebenan. Dort war es jetzt stockfinster. Alle Kerzen waren
niedergebrannt. Ich tastete mich zum Fenster durch und zog die
schweren Vorhänge auseinander. Ein trüber Wintermorgen war an=
gebrochen. In seinem fahlen Schein fand ich einen tiefen Fauteuil.
Ich war todmüde, und mein Kopf schmerzte zum Zerspringen. Ich
streifte die Schuhe ab, zog die Füße hoch und versuchte zu schlafen.
Die Kammerfrauen schienen endlich aufgehört zu haben, einzu=
packen. Es war ganz still. — Plötzlich fuhr ich auf. Jemand betrat
den Raum. Der Schein einer Kerze glitt an den Wänden entlang.
Sporen klirrten leise. Die Kerze wurde auf den Kamin gestellt. Ich
versuchte, über die hohe Lehne des Fauteuils zum Kamin zu blicken.
Wer trat, ohne anzuklopfen, in den Salon neben dem Schlafzimmer
der Kaiserin? Er. Natürlich — er. Er stand vor dem Kamin, und seine
Blicke schweiften aufmerksam durch den Raum. Unwillkürlich be=
wegte ich mich. Sofort wandte er sein Gesicht meinem Fauteuil zu: „Ist
jemand hier?" „Ich bin es nur, Sire." „Wer ist ‚ich'?" Es klang wütend.
„Die Fürstin von Ponte Corvo", stammelte ich und versuchte meine

Beine unter mir hervorzuziehen, um mich aufzusetzen und meine Schuhe zu finden. Aber meine Füße waren eingeschlafen und prickelten abscheulich. „Die Fürstin von Ponte Corvo?" Ungläubig trat er näher. „Verzeihung, Majestät — meine Füße sind unter mir eingeschlafen — ich kann auch meine Schuhe nicht finden, einen Augenblick bitte —" stammelte ich, fand endlich meine Schuhe, stand auf und versank im zeremoniellen Hofknicks. „Sagen Sie einmal, Fürstin, was machen Sie eigentlich hier um diese Stunde?" fragte Napoleon. „Das frage ich mich auch, Sire", bekannte ich und rieb mir die Augen. Er nahm meine Hand, und ich richtete mich schlaftrunken auf. „Ihre Majestät hat mich gebeten, ihr heute nacht Gesellschaft zu leisten. Majestät ist endlich eingeschlafen", murmelte ich. Und weil er nichts sagte und ich das Gefühl hatte, ihn zu ärgern, fügte ich hinzu: „Ich möchte mich gern zurückziehen, um Eure Majestät nicht zu stören. Wenn ich nur wüßte, wohin man sich von diesem Salon zurückziehen kann. Ich möchte die Kaiserin nicht aufwecken." „Du störst mich nicht, Eugénie, setz dich nur wieder hin!" Es war heller geworden. Ein grauer, fahler Schein umfaßte nun alle Möbel, alle Bilder, die blaß= gestreiften Seidentapeten. Ich setzte mich wieder und versuchte ver= zweifelt, richtig wach zu werden. „Ich konnte nämlich nicht schla= fen", sagte er unvermittelt. „Ich wollte von diesem Salon Abschied nehmen, morgen — heute früh kommen die Handwerker." Ich nickte. Es war sehr peinlich, daß ich bei diesem Abschiednehmen dabeisein sollte . . . „Schau, das ist sie! Findest du sie nicht schön, Eugénie?" Er hielt mir eine Tabakdose hin, auf die ein Porträt gemalt war, besann sich dann, ging schnell zum Kamin zurück, holte seinen Leuchter und hielt das Porträt in den gelbflackernden Schein. Es war ein rundes Jungmädchengesicht mit porzellanblauen Augen und sehr rosa Wangen. Überhaupt ein sehr rosa Gesicht. „Ich kann so schwer diese Tabakdosen=Miniaturen beurteilen", sagte ich. „Ich finde, sie sehen alle gleich aus." „Marie=Luise von Österreich ist sehr schön, sagt man." Er öffnete die Dose, hielt den Tabak an die Nase, atmete ihn tief ein, preßte dann sein Taschentuch vor das Gesicht, eine sehr elegante und wohleinstudierte Art des Schnupfens. Taschentuch und Porträt verschwanden wieder in der Hosentasche. Er sah mich durch= dringend an: „Ich verstehe noch immer nicht, wie Sie hierher= kommen, Fürstin." Da er sich nicht setzte, wollte ich wieder auf= stehen. Er drückte mich in den Fauteuil zurück. „Du bist ja todmüde, Eugénie, das sehe ich dir an. Was machst du eigentlich hier?" „Die Kaiserin wollte mich sehen. Ich erinnerte Ihre Majestät —" Ich schluckte, es war so peinlich, das alles zu sagen. „Also, ich erinnerte Majestät an den Nachmittag, an dem sie sich mit General Bonaparte verlobte. Es war eine sehr glückliche Zeit im Leben Ihrer Majestät." Er nickte. Setzte sich dann einfach auf die Armlehne meines Fauteuils. „Ja, es war eine glückliche Zeit im Leben Ihrer Majestät. Und in Ihrem Leben, Fürstin?" „Ich war sehr unglücklich, Sire. Aber es ist so lange her und längst verheilt", murmelte ich. Ich war so müde, und mir war so kalt, daß ich vergaß, wer neben mir saß. Erst als mein Kopf zur Seite glitt und auf seinen Arm fiel, fuhr ich erschrocken auf. „Pardon — Majestät." „Laß deinen Kopf nur liegen, dann bin ich wenigstens nicht so allein." Er versuchte, seinen Arm um meine Schultern zu legen und mich an sich zu ziehen. Aber ich machte mich steif und lehnte meinen Kopf an die Lehne des Fauteuils. „Ich war in diesem Salon sehr glücklich, Eugénie." Ich rührte mich nicht. „Die Habsburger sind eine der ältesten Herrscherfamilien der Welt, weißt du das?" kam es plötzlich. „Eine Erzherzogin von Österreich ist des Kaisers der Franzosen würdig." Ich richtete mich auf, wollte sein Gesicht sehen. Meinte er das im Ernst? Daß eine Habsburgerin gerade gut genug für den Sohn des Advokaten Buonaparte aus Korsika ist? Er starrte wieder vor sich hin. Fragte unvermittelt: „Kannst du Walzer tanzen?" Ich nickte. „Kannst du es mir zeigen? Alle Österreicherinnen tanzen Walzer, hat man mir in Wien erzählt. Aber damals in Schönbrunn hatte ich keine Zeit, mich damit zu befassen. Zeig mir, wie man Walzer tanzt!" Ich schüttelte den Kopf. „Nicht jetzt, nicht — hier." Sein Gesicht verzerrte sich. „Jetzt! Und hier!" Erschrocken wies ich auf die Tür, die zu Josephines Schlafzimmer führte. „Sire, Sie wecken sie auf!" Aber er gab nicht nach, dämpfte nur die Stimme: „Zeig es mir! Sofort. Das ist ein Befehl, Fürstin!" Ich stand auf. „Ohne Musik geht es schwer", sagte ich nur. Dann begann ich mich langsam zu drehen. „Eins, zwei, drei und eins, zwei, drei — so tanzt man Walzer, Majestät!" Aber er sah mir nicht zu. Er saß noch immer auf der Armlehne des Fauteuils und starrte vor sich hin. „Und eins, zwei drei — und eins, zwei, drei —" sagte ich etwas lauter. Jetzt sah er auf. Sein schweres Gesicht wirkte grau und gedunsen im fahlen Morgenlicht. „Ich war so glücklich mit ihr, Eugénie!" Ich blieb stehen und sah ihn hilflos an. „Ist es — notwendig, Majestät?"

„Ich kann nicht an drei Fronten gleichzeitig Krieg führen. Im Süden muß ich Aufstände niederschlagen, die Kanalküste verteidigen und Österreich —" Er kaute an der Unterlippe. „Österreich wird

Ruhe geben, wenn die Tochter des Kaisers mit mir verheiratet ist. Mein Freund, der russische Zar, rüstet, liebe Fürstin. Und mit meinem Freund, dem rusisschen Zaren, werde ich nur dann fertig, wenn Österreich endgültig Ruhe gibt. Sie wird meine Geisel sein, meine süße achtzehnjährige Geisel . . ." Er zog wieder die Dose hervor und betrachtete genießerisch das rosa Porträt. Stand dann mit einem Ruck auf und sah sich noch einmal sehr eindringlich im ganzen Raum um. „So hat es hier ausgesehen", murmelte er, als ob er sich die Streifen der Tapeten und die Form des zerbrechlichen Sofas auf immer einprägen wollte. Als er sich zum Gehen wandte, versank ich im Hofknicks. Da legte er plötzlich die Hand auf mein Haar und streichelte mich zerstreut. „Kann ich etwas für Sie tun, liebe Fürstin?" „Ja, wenn Majestät die Güte hätten, mir ein Frühstück zu schicken. Starken Kaffee, wenn das möglich ist!" Er lachte auf. Es klang jung, erweckte Erinnerungen. Dann verließ er sehr schnell den Salon. Um neun Uhr morgens begleitete ich die Kaiserin durch den rückwärtigen Ausgang aus den Tuilerien. Ihr Wagen erwartete uns. Sie trug einen der drei kostbaren Zobelpelze, die der Kaiser vom russischen Zaren in Erfurt zum Geschenk erhalten hatte. Den zweiten hatte er Polette um die Schultern gelegt, über das Schicksal des dritten weiß man nichts. Josephine war sehr sorgfältig geschminkt und unter den Augen stark gepudert, ihr Gesicht wirkte süß und nur ein klein wenig verwelkt. Ich führte sie sehr schnell die Treppe hinunter. Im Wagen erwartete uns bereits Hortense. „Ich habe gehofft, daß sich Bonaparte von mir verabschieden wird", sagte Josephine leise und beugte sich ein wenig vor, um die Fensterreihen der Tuilerien zu betrachten. Der Wagen setzte sich in Bewegung. Hinter jedem Fenster sah man neugierige Gesichter. „Der Kaiser ist heute in aller Frühe nach Versailles geritten. Er beabsichtigt, einige Tage bei seiner Mutter zu verbringen", sagte Hortense. Auf der ganzen Fahrt nach Malmaison wurde kein Wort mehr gesprochen.

Sie schaut leider wirklich wie eine Wurst aus. Die neue Kaiserin
nämlich. Die Hochzeitsfeierlichkeiten sind vorüber, und der Kaiser
hat angeblich fünf Millionen Francs verbraucht, um Marie=Luises
Zimmer in den Tuilerien auszuschmücken. Zuerst wurde der Mar=
schall Berthier im März als Brautwerber nach Wien geschickt. Dann
wurde in Wien Hochzeit gefeiert, der Kaiser ließ sich vom Onkel
der Braut, dem Erzherzog Karl, der Napoleon seinerzeit bei Aspern
geschlagen hat, vertreten. Schließlich wurde Caroline an die Grenze
geschickt, um die angetraute Gattin des Kaisers zu empfangen. Bei
Courcelles wurden die Wagen der beiden Damen von zwei unbe=
kannten Reitern angehalten. Es regnete in Strömen, die beiden
Unbekannten rissen den Wagenschlag auf und drängten sich in die
Kutsche. Marie=Luise schrie natürlich auf, aber Caroline beruhigte
sie: „Es ist nur Ihr Gatte, der Kaiser, liebe Schwägerin — und mein
Mann, der kindische Murat!" Im Schloß von Compiègne wurde
übernachtet, und Napoleon frühstückte am nächsten Morgen be=
reits an Marie=Louises Bett. Als Onkel Fesch das Kaiserpaar in
Paris traute, war die Hochzeitsnacht längst vorüber. Während der
ersten Monate durfte die Kaiserin keine großen Empfänge abhalten.
Aus irgendeinem Grunde bildet sich Napoleon ein, daß Frauen
leichter in Hoffnung kommen, wenn sie sich nicht zu sehr über=
anstrengen. Aber schließlich konnte er es nicht länger aufschieben,
und gestern wurden wir gemeinsam mit allen anderen Marschällen,
Generälen, Gesandten, Würdenträgern, echten und unechten Fürsten
in die Tuilerien gebeten, um der neuen Kaiserin vorgestellt zu
werden. Es war alles wie — seinerzeit. Der große Ballsaal und die
tausend Kerzen, das Gedränge der Uniformen, Hoftoiletten mit
langen Schleppen, über die man stolperte, weil immer irgend jemand
irgend jemandem auf die Schleppe trat, Aufklingen der Marseillaise,
Auffliegen der Flügeltüren am Ende des Saales, Erscheinen des Kai=
sers und der Kaiserin. In Österreich bilden sie sich anscheinend
ein, daß jungvermählte Frauen Rosa tragen müssen. Marie=Luise
war in ein enggeschnittenes rosa Satinkleid gepreßt und über und
über mit Brillanten behängt. Sie ist viel größer als der Kaiser, und
trotz ihrer Jugend hat sie einen schweren Busen, den sie sichtlich
einschnürt. Auch ihr Gesicht ist rosa und sehr voll und beinahe gar
nicht geschminkt. Sie wirkt sehr natürlich neben den gemalten

Hofdamen, aber etwas mehr Puder auf der glänzenden Nase und den roten Wangen hätte nicht geschadet. Ihre Augen sind blaßblau, groß, etwas hervorstehend. Schön sind die Haare, goldbraun, sehr dicht und in einer kunstvollen Frisur aufgesteckt. Erinnert sich noch jemand an Josephines flaumleichte Kinderlöckchen?

Marie=Luise lächelte ununterbrochen. Es schien sie nicht anzu= strengen. Aber schließlich ist sie die Tochter eines wirklichen Kai= sers und dazu erzogen worden, zweitausend Menschen auf einmal anzulächeln. Sie hat die Truppen ihres Vaters gegen Napoleon in den Krieg ziehen sehen und die Besetzung Wiens erlebt. Sie muß den Kaiser von Kindheit an gehaßt haben, lange bevor sie ihn sah. Dann hat ihr Vater sie mit Napoleon verheiratet. In Compiègne wurde sie — seien wir ehrlich — mehr oder weniger vergewaltigt. Ein junges Mädchen, das in einem Schloß von ältlichen Gouver= nanten erzogen wurde. Marie=Luise hat sicher ununterbrochen ge= lächelt. Das Kaiserpaar stand vor uns. Ich versank in meinen Knicks. „Und dies ist die Fürstin von Ponte Corvo, die Schwägerin meines Bruders Joseph", hörte ich Napoleons gelangweilte Stimme. „Der Fürst von Ponte Corvo ist Marschall von Frankreich." Ich küßte ihren mit Jasminduft parfümierten Handschuh. Ich hätte schwören können, daß sie Jasminduft von allen Düften wählt. Die blaßblauen Augen begegneten den meinen. Wie aus Porzellan waren sie und lächelten ausdruckslos. Als das Kaiserpaar auf den Thronsesseln Platz genommen hatte, spielte die Kapelle einen Wie= ner Walzer. Julie kam auf mich zu. „Reizend —" Gleichzeitig musterte sie meine neue Toilette. Sie trug purpurnen Samt und die Kronjuwelen von Spanien. Ihre Krone saß natürlich schief. „Mir tun die Füße weh", sagte sie. „Komm, im Salon nebenan können wir uns niedersetzen!" Beim Eingang des Salons stieß ich auf Hor= tense. Sie trug plötzlich weiß wie seinerzeit ihre Mutter. Hortense hatte sich dem Grafen Flahault, ihrem Stallmeister, zugewandt und blickte ihm tief in die Augen. Julie ließ sich auf ein Sofa fallen und rückte ihre Krone zurecht. Wir tranken durstig den Cham= pagner, den man uns reichte. „Ob sie daran denkt, daß hier in den Tuilerien früher ihre Tante gewohnt hat?" fiel mir plötzlich ein. Julie schaute mich erstaunt an. „Ich bitte dich! An diesem Kaiserhof findest du niemanden, der eine Tante hatte, die in den Tuilerien gewohnt hat!"

„Doch, die neue Kaiserin, sie ist die Großnichte der Königin Marie Antoinette."

„Königin Marie Antoinette", sagte Julie, und ihre Augen wurden plötzlich weit vor Angst. „Ja, Julie Clary — auch eine Königin! Prost, Liebes, und denk nicht an sie!" Ich trank ihr zu. Marie=Luise hat viele Gründe, uns zu hassen, fiel mir ein. „Sag einmal, lächelt die Kaiserin immer?" erkundigte ich mich bei Julie, die ihre neue Schwägerin bereits mehrere Male gesehen hat. „Immer", nickte Julie ernst. „Und ich werde meine Töchter auch dazu erziehen. Prinzessinnen lächeln anscheinend ununterbrochen." Bittersüßer Duft eines exotischen Parfüms unterbrach uns — Polette. Viel an= genehmer als Jasmin. Polette legte ihren Arm um meinen Hals. „Der Kaiser bildet sich ein, daß Marie=Luise in Hoffnung ist." Sie stöhnte vor Lachen. „Seit wann?" fragte Julie aufgeregt. „Seit gestern." Der exotische Duft glitt weiter. Julie stand auf. „Ich muß in den Thronsaal zurück. Der Kaiser sieht seine Familienmitglieder gern in der Nähe des Thrones." Meine Augen suchten Jean=Bap= tiste. Er lehnte an einem der Fenster und betrachtete gleichgültig das Gedränge. Ich trat neben ihn. „Können wir nicht nach Hause gehen?" Er nickte und nahm ganz leicht meinen Arm. Plötzlich verstellte uns Talleyrand den Weg. „Ich suche Sie, lieber Fürst, diese Herren hier haben mich nämlich gebeten, Ihnen vorgestellt zu werden." Hinter ihm standen einige hochgewachsene Offiziere in ausländischer Uniform. Dunkelblau mit blaugelben Schärpen. „Graf Brahe, ein Mitglied der schwedischen Botschaft. Oberst Wrede, der kürzlich hier eingetroffen ist, um dem Kaiser anläßlich seiner Vermählung die Glückwünsche Seiner Majestät des Königs von Schweden zu überbringen. Und Leutnant Baron Karl Otto Mörner, der heute früh als Kurier mit einer tragischen Meldung aus Stock= holm hier angekommen ist. Übrigens ein Cousin jenes Mörner, lieber Fürst, den Sie einst in Lübeck gefangennahmen. Sie erinnern sich doch an ihn?"

„Wir stehen in Korrespondenz", sagte Jean=Baptiste ruhig und ließ seinen Blick von einem Schweden zum anderen gleiten. „Sie sind einer der Führer der sogenannten Unionspartei in Schweden, nicht wahr, Oberst Wrede?" Der hochgewachsene Mann verbeugte sich. Talleyrand wandte sich mir zu: „Sie sehen, verehrte Fürstin, wie genau Ihr Gatte über die nordischen Verhältnisse orientiert ist. Die Unionspartei erstrebt nämlich den Anschluß Norwegens an Schwe= den." Ein höfliches Lächeln umspielte Jean=Baptistes Mund. Er hielt noch immer meinen Arm. Jetzt betrachtete er Mörner. Der dunkle, stark untersetzte Mann mit dem kurzgeschnittenen, an den

Schläfen in die Stirn gestrichenen Haar suchte seinen Blick. „Ich bin in tragischer Mission hier, Fürst", sagte er in fließendem, etwas hartem Französisch. „Ich überbringe die Mitteilung, daß der schwedische Thronfolger, Seine Königliche Hoheit Prinz Christian August von Augustenburg, bei einem Unfall ums Leben gekommen ist." Ich hätte aufschreien mögen, so fest umspannten plötzlich Jean-Baptistes Finger meinen Arm. Nur den Bruchteil einer Sekunde. „Wie furchtbar", sagte er ruhig. „Ich drücke den Herren mein tiefempfundenes Beileid aus." Eine Pause entstand. Ein paar Walzertakte wehten herüber. Warum gehen wir nicht? Das Ganze geht uns doch gar nichts an. Jetzt muß sich eben der kinderlose schwedische König nach einem neuen Thronfolger umsehen, gehen wir doch —. „Wurde bereits ein Nachfolger des verstorbenen Thronfolgers ausersehen?" fragte Talleyrand. Es klang beiläufig, höflich interessiert. Da fiel mein Blick zufällig auf Mörner. Wie sonderbar: der starrte noch immer Jean-Baptiste an. Mit einem eigentümlichen Blick. Als ob er ihm irgendwelche Gedanken übermitteln wollte. Um Gottes willen, was wollen sie denn von meinem Mann? Er kann ihnen ihren verstorbenen Augustenburg nicht wieder zum Leben erwecken, der Unfall interessiert ihn doch gar nicht. Wir haben genug eigene Sorgen, wir sind hier in Paris in Ungnade. Jetzt sah ich den hochgewachsenen Oberst mit der blaugelben Schärpe an, diesen Wrede oder so ähnlich. Auch er ließ keinen Blick von Jean-Baptiste. Schließlich sagte der Untersetzte, dieser Baron Mörner: „Am 21. August wird der schwedische Reichstag einberufen werden, um über die Wahl eines neuen Thronfolgers zu entscheiden." Wieder entstand eine dieser unbegreiflichen Pausen. „Ich fürchte, wir müssen uns von diesen schwedischen Herren verabschieden, Jean-Baptiste", meldete ich mich. Die Offiziere verbeugten sich sofort. „Ich bitte Sie nochmals, Seiner Majestät, dem König von Schweden, mein Mitgefühl auszudrücken und hinzuzufügen, wie sehr ich mit ihm und seinem Volk trauere", sagte Jean-Baptiste. „Ist das alles, was ich mitteilen soll?" entfuhr es Mörner. Schon halb zum Gehen gewandt, blickte Jean-Baptiste noch einmal einen nach dem anderen an. Zuletzt und sehr lange haftete sein Blick auf dem jungen Grafen Brahe. Der konnte nicht älter als neunzehn sein. „Graf Brahe, ich glaube, Sie gehören einem der vornehmsten schwedischen Adelsgeschlechter an. Deshalb bitte ich Sie, Ihre Freunde und Offizierskameraden daran zu erinnern, daß ich nicht immer Fürst von Ponte Corvo und auch nicht immer Marschall von Frankreich war. Ich bin das, was man in Ihren Adelskreisen einen ehemaligen Jakobinergeneral nennt. Und ich habe als einfacher Sergeant begonnen. Mit einem Wort — ein Parvenu! Ich bitte Sie, daran zu denken, damit Sie es mir —." Er atmete tief, wieder schlossen sich seine Finger schmerzhaft um meinen Arm. „Damit Sie es mir später niemals vorwerfen." Und sehr schnell: „Leben Sie wohl, meine Herren!" Merkwürdigerweise begegneten wir Talleyrand noch ein zweites Mal an diesem Abend. Sein Wagen hielt nämlich vor den Tuilerien neben dem unseren. Wir wollten gerade einsteigen, als ich ihn auf Jean=Baptiste zuhinken sah. „Lieber Fürst, dem Menschen ist die Gabe der Sprache gegeben, um seine Gedanken zu verbergen", sagte er. „Aber Sie, mein Freund, machen von dieser Gabe den umgekehrten Gebrauch. Man kann wirklich nicht behaupten, daß Sie den Schweden gegenüber Ihre Gedanken verborgen haben."

„Muß ich wirklich einen ehemaligen Bischof daran erinnern, daß in der Bibel geschrieben steht: Deine Rede sei Ja, Ja oder Nein, Nein. Und was darüber ist, ist vom Übel. So ähnlich lautet doch das Bibelwort, Herr — Bischof?" Talleyrand biß sich auf die Lippen. „Ich habe nie gewußt, daß Sie geistreich sind, Fürst", murmelte er. „Es überrascht mich!" Jean=Baptiste lachte hell auf. „Überschätzen Sie nicht die bescheidenen Scherze eines Sergeanten, der gewohnt ist, mit seinen Kameraden am Lagerfeuer zu spaßen." Plötzlich wurde er ernst. „Haben Ihnen die schwedischen Offiziere gesagt, wer von seiten des schwedischen Königshauses als Thronfolger vor= geschlagen wird?" „Der Schwager des verstorbenen Thronfolgers, der König von Dänemark, will kandidieren." Jean=Baptiste nickte. „Und wer noch?" — „Der jüngere Bruder des Verunglückten, der Herzog von Augustenburg. Außerdem hat der abgesetzte König, der jetzt in der Schweiz in der Verbannung lebt, einen Sohn. Aber da der Vater als irrsinnig gilt, so hält man nicht viel vom Sohn. Nun, man wird ja sehen, der schwedische Reichstag wird ein= berufen. Das Volk kann selbst entscheiden. Gute Nacht, lieber Freund!"

„Gute Nacht, Exzellenz!" Zu Hause begab sich Jean=Baptiste so= fort in sein Ankleidezimmer und riß den hohen, reich bestickten Kragen auf. „Ich sage dir seit Jahren, daß du dir den Kragen weiter machen lassen sollst, die Marschallsuniform ist dir zu eng!"

„Zu eng", murmelte er. „Mein kleines, dummes Mädchen, das nie weiß, was es spricht. Ja, viel zu eng." Ohne mich weiter zu be=

achten, ging er in sein Schlafzimmer. — Ich schreibe, weil ich nicht einschlafen kann. Und ich kann nicht einschlafen, weil ich Angst habe. Große Angst vor etwas, das auf mich zukommt und dem ich nicht entrinnen kann. Jean=Baptiste, hörst du mich nicht? — Ich habe solche Angst...

III

NOTRE DAME DE LA PAIX

Jemand leuchtete mir ins Gesicht. „Steh sofort auf, Désirée — steh auf und zieh dich schnell an!" Jean=Baptiste stand mit einem Leuch= ter an meinem Bett. Jetzt setzte er den Leuchter nieder und be= gann sich die Jacke der Marschallsuniform zuzuknöpfen. „Bist du wahnsinnig geworden, Jean=Baptiste? Es ist doch Nacht!" „Beeile dich, ich habe auch Oscar wecken lassen! Ich will, daß das Kind dabei ist!" Schritte und Stimmen im Erdgeschoß. Yvette schlüpfte herein, sie hatte in aller Eile ein Zofenkleid über ihr Nachthemd geworfen, eines meiner abgelegten. Es schleifte über den Boden. „Bitte, beeile dich! So helfen Sie doch der Fürstin!" kam es un= geduldig von Jean=Baptiste. „Um Gottes willen — ist etwas ge= schehen?" — stieß ich entsetzt hervor. „Ja oder nein. Du wirst alles selbst hören. Zieh dich doch endlich an!"

„Was soll ich denn anziehen?" fragte ich verstört.

„Das schönste Kleid, das du besitzt. Das eleganteste, das kost= barste, verstehst du?"

„Nein, ich verstehe nichts!" Ich war wütend. „Yvette, bringen Sie mir das Gelbseidene, das ich neulich bei Hof getragen habe. Willst du mir nicht endlich sagen, Jean=Baptiste —" Aber er hatte mein Zimmer schon verlassen. Mit fliegenden Händen frisierte ich mich. „Das Diadem, Fürstin?" fragte Yvette. „Ja, das Diadem", sagte ich zornig. „Bringen Sie mir die Schmuckkassette, jetzt be= hänge ich mich mit allem, was ich besitze! Wenn man mir nicht sagt, was geschehen ist, so weiß ich auch nicht, was ich anziehen soll! Und das Kind aufwecken, mitten in der Nacht . . ."

„Bist du endlich fertig, Désirée?"

„Wenn du mir nicht endlich sagst, Jean=Baptiste —"

„Etwas Rouge auf die Lippen, Fürstin", flüsterte Yvette. Im Toi= lettenspiegel gähnte mir ein verschlafenes Gesicht entgegen. „Rouge Puder, schnell, Yvette!"

„Komm endlich, Désirée, wir können sie doch nicht länger warten lassen!"

„Wen können wir nicht warten lassen? Meines Wissens ist es mitten in der Nacht, meines Wissens möchte ich weiterschlafen." Jean=Baptiste nahm meinen Arm. „Nimm dich jetzt zusammen, kleines Mädchen!"

„Worum handelt es sich denn? Willst du nicht so freundlich

sein und es mir endlich sagen?" fuhr ich ihn an. „Um den größten Augenblick meines Lebens, Désirée." Ich wollte stehenbleiben und ihn ansehen, aber er hielt meinen Arm fest und führte mich die Treppe hinunter. Vor der Tür des großen Salons schoben uns Marie und Fernand Oscar zu. Oscars Augen funkelten vor Aufregung. „Papa, ist Krieg ausgebrochen? Papa, kommt der Kaiser zu Besuch? Wie schön die Mama angezogen ist..." Sie hatten das Kind in seinen besten Anzug gesteckt und seine ungebärdigen Locken mit Wasser flach gebürstet. Jean=Baptiste nahm Oscar an die Hand. Der Salon war hell erleuchtet. Alle Kandelaber, die wir besitzen, waren aufgestellt worden. Einige Herren erwarteten uns. Jean=Baptiste nahm wieder meinen Arm und ging langsam zwischen dem Kind und mir auf die Gruppe zu. Ausländische Uniformen, blau=gelbe Schleifen, funkelnde Ordenssterne. Und ein junger Mann in verstaubtem Waffenrock, die hohen Stiefel über und über mit Kot bespritzt. Er hielt ein sehr großes versiegeltes Schreiben in der Hand. Bei unserem Eintritt verneigten sie sich. Es war plötzlich totenstill. Dann trat der junge Mann mit dem versiegelten Schreiben vor. Er schien viele Tage und Nächte ohne Unterbrechung geritten zu sein, unter seinen Augen lagen Schatten. Die Hand mit dem Schreiben zitterte. „Gustaf Frederik Mörner von den Uppland=

Dragonern, mein Gefangener aus Lübeck", sagte Jean=Baptiste lang=
sam. „Ich freue mich, Sie wiederzusehen. Ich freue mich sehr!" Das
war also jener Mörner, mit dem Jean=Baptiste eine Nacht lang über
die Zukunft des Nordens gesprochen hat. Seine zitternde Hand hielt
Jean=Baptiste das Schreiben entgegen. „Königliche Hoheit —" Mein
Herzschlag setzte aus. Jean=Baptiste ließ meinen Arm los und nahm
ruhig das Schreiben entgegen. „Königliche Hoheit — als Kabinetts=
kammerherr Seiner Majestät König Carls XIII. von Schweden melde
ich gehorsamst, daß der schwedische Reichstag den Fürsten von
Ponte Corvo einstimmig zum Thronfolger gewählt hat. Seine Ma=
jestät König Carl XIII. wünscht den Fürsten von Ponte Corvo zu
adoptieren und als seinen lieben Sohn in Schweden zu empfangen."
Gustaf Frederik Mörner wankte. „Verzeihung, ich bin tagelang
nicht aus dem Sattel gekommen", murmelte er. Ein älterer Mann,
die Brust mit Orden bespickt, faßte schnell nach seinem Arm. Da
riß sich Mörner zusammen. „Darf ich Eurer Königlichen Hoheit die
Herren vorstellen?" Jean=Baptiste nickte unmerklich. „Unser außer=
ordentlicher Botschafter in Paris, Feldmarschall Graf Hans Henrik
von Essen." Der ältere Mann schlug die Hacken zusammen, sein
Gesicht war starr. Jean=Baptiste nickte: „Sie waren Generalgouver=
neur in Pommern, Sie haben Pommern damals ausgezeichnet gegen
mich verteidigt, Herr Feldmarschall!" „Oberst Wrede", fuhr Mör=
ner fort. „Wir kennen einander." Jean=Baptistes Blick fiel auf den
Bogen Papier, den Wrede plötzlich hervorgezogen hatte. „Graf
Brahe, ein Mitglied der schwedischen Botschaft in Paris." Der junge
Mann von neulich verbeugte sich. „Baron Friesendorff, Adjutant
des Feldmarschalls Graf von Essen." „Auch einer Ihrer Gefangenen
aus Lübeck, Hoheit", lächelte Friesendorff. Mörner, Friesendorff und
der junge Brahe starrten mit leuchtenden Augen auf Jean=Baptiste.
Wrede wartete mit zusammengezogenen Brauen. Das Gesicht des
Feldmarschalls von Essen war ausdruckslos, nur die zusammen-
gepreßten Lippen wirkten bitter. Es war so still, daß wir die Kerzen
tropfen hörten. Jean=Baptiste atmete tief. „Ich nehme die Wahl des
schwedischen Reichstages an." Seine Augen hefteten sich auf Essen,
den geschlagenen Gegner, den alternden Diener eines alternden
kinderlosen Königs. Erschüttert und sehr eindringlich fügte er hin=
zu: „Ich danke Seiner Majestät, König Carl XIII. und dem schwedischen Volk für das Vertrauen, das man mir entgegenbringt. Ich
gelobe, alles daranzusetzen, um dieses Vertrauen zu rechtfertigen."
Graf von Essen senkte den Kopf. Senkte ihn tief, verbeugte sich.

Und mit ihm verbeugten sich die anderen Schweden. In diesem Augenblick geschah etwas Seltsames. Oscar, der sich bis dahin überhaupt nicht gerührt hatte, trat einen Schritt vor und stand ganz dicht vor den Schweden. Dann wandte er sich um, und seine Kinderhand umfaßte die Hand des jungen Brahe, der keine zehn Jahre älter ist als er selbst. Mitten unter den Schweden stand er und senkte den Kopf ebenso tief wie sie, senkte ihn vor seinem Papa und seiner Mama. Jean=Baptiste suchte meine Hand, wie ein schützendes Dach lagen seine Finger über den meinen. „Die Kron=prinzessin und ich danken Ihnen, daß Sie uns als erste diese Bot=schaft überbracht haben." Dann geschah sehr vieles gleichzeitig. Jean=Baptiste sagte: „Fernand, die Flaschen, die ich bei Oscars Ge=burt in den Keller legen ließ!" Ich wandte mich um und suchte Marie. Unsere Dienerschaft stand an der Tür. Madame La Flotte in einer kostbaren Abendrobe, die Fouché bezahlt haben dürfte, versank in einen Hofknicks. Dicht neben ihr versank meine Vor=leserin. Yvette schluchzte verzweifelt. Nur Marie rührte sich nicht. Sie trug ihren wollenen Schlafrock über dem altmodischen Leinen=nachthemd, sie hatte ja Oscar angezogen und keine Zeit gehabt, an sich zu denken. So stand sie in einer Ecke und hielt den Schlaf=rock ängstlich über der Brust zusammen. „Marie —" flüsterte ich, „hast du es gehört? Das schwedische Volk trägt uns die Krone an. Es ist anders als bei Julie und Joseph. Es ist — ganz anders. Marie — ich habe Angst!"

„Eugénie —" Heiser und erstickt klang es. Und dann vergaß Marie, den Schlafrock zusammenzuhalten. Eine Träne rollte über ihre Wange, während sie — Marie, meine alte Marie — einen Hof=knicks machte. Jean=Baptiste lehnte am Kamin und studierte das Schreiben, das ihm Herr Mörner überreicht hatte. Der strenge Feldmarschall Graf Essen trat auf ihn zu. „Es sind die Bedingungen, Königliche Hoheit", sagte er. Jean=Baptiste sah auf: „Ich nehme an, daß Sie selbst erst vor einer Stunde von meiner Wahl erfahren haben. Sie waren die ganze Zeit in Paris, Herr Feldmarschall. Es tut mir leid —" Feldmarschall von Essen hob erstaunt die Brauen: „Was tut Ihnen leid, Königliche Hoheit?" — „Daß Sie keine Zeit hatten, sich daran zu gewöhnen. Aufrichtig leid, Sie haben mit großer Treue und großer Tapferkeit jede Politik des Hauses Vasa verteidigt. Das war nicht immer leicht, Graf von Essen." — „Es war sogar sehr schwer, und die Schlacht, die ich seinerzeit gegen Sie schlug, habe ich leider verloren, Königliche Hoheit." — „Wir

werden die schwedische Armee gemeinsam wieder aufbauen", ant=
wortete Jean=Baptiste. — „Bevor ich morgen früh die Antwort des
Fürsten von Ponte Corvo nach Stockholm schicke, möchte ich auf
einen Punkt des Schreibens aufmerksam machen", sagte der Feld=
marschall. Es klang beinahe drohend. „Es handelt sich um die
Staatsbürgerschaft. Die Adoption bedingt, daß der Fürst von Ponte
Corvo schwedischer Bürger wird." Jean=Baptiste lächelte: „Haben
Sie angenommen, daß ich als französischer Bürger die Thronfolge
in Schweden antreten werde?" Ein ungläubiges Staunen breitete
sich über das Gesicht des Grafen von Essen. Aber ich dachte, nicht
richtig gehört zu haben. „Ich werde morgen ein Gesuch an den
Kaiser von Frankreich richten und Seine Majestät bitten, meine
Familie und mich aus dem französischen Staatsverband zu ent=
lassen. Ah, der Wein! Fernand — öffne alle Flaschen!" Fernand
stellte triumphierend die verstaubten Flaschen auf ein Tischchen.
Diese Flaschen habe ich von Sceaux in die Rue du Rocher und von
dort in die Rue d'Anjou übersiedelt. „Als ich den Wein kaufte,
war ich Kriegsminister", sagte Jean=Baptiste. „Damals ist Oscar
auf die Welt gekommen, und ich habe zu meiner Frau gesagt: diese
Flaschen öffnen wir an dem Tag, an dem der Junge in die fran=
zösische Armee eintreten wird." Fernand hatte die erste Flasche
entkorkt. „Ich werde nämlich Musiker, Monsieur", hörte ich Os=
cars Kinderstimme. Er hielt noch immer die Hand des jungen Brahe
fest. „Und dabei wünscht sich Mama, daß ich Seidenhändler werde.
Wie Großpapa Clary." Sogar der müde Mörner lachte. Nur Feld=
marschall von Essen verzog keine Miene. Fernand füllte die Gläser
mit dem dunklen Wein. „Königliche Hoheit werden jetzt das erste
schwedische Wort lernen. Es heißt ‚Skal' und bedeutet ‚Santé' ",
sagte der junge Graf Brahe. „Ich möchte auf das Wohl Seiner
Königlichen Ho—" Weiter kam er nicht, Jean=Baptiste hob ablehnend
die Hand. „Meine Herren, ich bitte Sie, dieses Glas mit mir auf
das Wohl Seiner Majestät, des Königs von Schweden, meines güti=
gen Adoptivvaters, zu leeren!" Sie tranken langsam und ernst. Ich
träume, dachte ich und trank den kostbaren Wein, ich liege in mei=
nem Bett und träume ... Jemand schrie: „Auf das Wohl Seiner
Königlichen Hoheit, des Kronprinzen Carl Johan!" — „Han skal
leve —" klang es durcheinander. Was bedeutet das? Ist das viel=
leicht — Schwedisch? Ich saß auf dem kleinen Sofa neben dem
Kamin. Man hat mich mitten in der Nacht aufgeweckt und mir
mitgeteilt, daß der schwedische König meinen Mann an Sohnes

Statt annehmen will. Mein Mann wird dadurch Kronprinz von Schweden. Ich habe immer geglaubt, daß man nur kleine Kinder adoptiert. Schweden, gleich beim Nordpol. Stockholm, die Stadt, über der der Himmel wie eine frisch gewaschene Bettdecke liegt. Morgen wird Persson alles in der Zeitung lesen. Und wird nicht wissen, daß die Fürstin von Ponte Corvo, die Gemahlin des neuen Thronfolgers, die kleine Clary von damals ist... „Mama, die Herren sagen, daß ich jetzt Herzog von Södermanland heiße", sagte Oscar. Seine Wangen waren rot vor Aufregung. „Marie — das Kind darf doch nicht reinen Wein trinken, misch etwas Wasser in Oscars Glas!" Aber Marie war verschwunden. Die La Flotte nahm Oscars Glas mit Hofknicks entgegen. „Wieso Herzog von Södermanland, Liebling?"

„Eigentlich führt in Schweden immer der Bruder des Kronprinzen diesen Titel", sagte der junge Baron Friesendorff eifrig. „Aber da in diesem Fall —" Er stockte und wurde rot. „Aber da in diesem Fall der Kronprinz nicht beabsichtigt, seinen Bruder nach Schweden mitzunehmen, wird sein Sohn diesen Titel führen", sagte Jean=Baptiste ruhig. „Mein Bruder lebt in Pau, ich wünsche nicht, daß er seinen Wohnsitz verändert." — „Ich dachte, Königliche Hoheit hätten keinen Bruder", entfuhr es Graf Brahe. „Ich habe meinen Bruder Jura studieren lassen, damit er nicht zeit seines Lebens Schreiber bei einem Advokaten bleiben muß, wie mein verstorbener Papa. Mein Bruder ist Advokat, meine Herren." — Im gleichen Augenblick fragte Oscar: „Freust du dich auf Schweden, Mama?" Es wurde plötzlich sehr still um mich. Alle wollten meine Antwort hören. Erwartet man denn, daß ich — nein, nein, das können sie nicht erwarten, ich bin doch hier zu Hause, ich bin doch Französin, ich... Da fiel es mir wieder ein! Jean=Baptiste wünscht, daß wir aus dem französischen Staatsverband entlassen werden. Ich bin Kronprinzessin in einem Land, das ich nicht kenne, in dem es uralte Grafengeschlechter gibt und nur richtige Barone, nicht lauter neue Adelige wie bei uns in Frankreich. Ich habe genau gesehen, wie sie gelächelt haben, als Oscar sagte, daß mein Papa Seidenhändler war. Nur der Graf von Essen hat nicht gelächelt, der hat sich geschämt. Geschämt für den schwedischen Hof... „Sag doch, daß du dich freust, Mama!" drängte Oscar. „Ich kenne Schweden noch nicht, Oscar", sagte ich. „Aber ich werde mich sehr bemühen, mich zu freuen." „Mehr kann das schwedische Volk nicht verlangen, Königliche Hoheit", sagte Graf von Essen gemessen. Sein hartes Französisch er=

innerte mich an Persson. Ich wollte so gern etwas Freundliches sagen. „Ich habe einen Bekannten aus meiner Jugend in Stockholm. Er heißt Persson und hat ein Seidengeschäft. Kennen Sie ihn vielleicht, Herr Feldmarschall?"

„Ich bedauere, Königliche Hoheit", kam es knapp. „Vielleicht Sie — Baron Friesendorff?"

„Ich bedauere sehr, Königliche Hoheit." — „Vielleicht kennt Graf Brahe zufällig einen Seidenhändler Persson in Stockholm?" versuchte ich. Graf Brahe lächelte freundlich: „Wirklich nicht, Königliche Hoheit." — „Und Baron Mörner?" — Mörner, Jean=Baptistes erster Freund in Schweden, wollte mir helfen. „Es gibt sehr viele Perssons in Schweden, Königliche Hoheit. Es ist ein bürgerlicher Name, der sehr häufig vorkommt." Jemand löschte Kerzen aus und zog die Vorhänge auseinander. Die Sonne war längst aufgegangen. Jean=Baptistes Marschallsuniform funkelte. „Ich denke nicht daran, irgendein Parteimanifest zu unterschreiben, Oberst Wrede", sagte er gerade. „Auch nicht das der Unionspartei." Neben Wrede stand der staubige, erschöpfte Mörner. „Königliche Hoheit haben doch damals in Lübeck gesagt —"

„Ja, daß Norwegen und Schweden eine geographische Einheit bilden. Wir werden uns bestreben, die Union durchzuführen. Dies ist Sache der schwedischen Regierung, aber nicht die einer einzigen Partei. Übrigens, der Kronprinz steht über allen Parteien. Gute Nacht — vielmehr guten Morgen, meine Herren!" Ich weiß nicht mehr, wie ich in mein Schlafzimmer hinaufkam. Vielleicht hat mich Jean=Baptiste hinaufgetragen. Oder Marie mit Hilfe Fernands. „Du darfst deine neuen Untertanen nicht so anschreien, Jean=Baptiste." Meine Augen waren zugefallen, aber ich spürte, daß er an meinem Bett saß. „Versuche einmal, Carl Johan auszusprechen!" schlug er vor. — „Wozu?" — „So werde ich heißen! Carl nach meinem Adoptivvater, dem schwedischen König, und Johan ist die schwedische Form für Jean. Charles Jean in unserer Sprache." — Er spielte mit den Worten: „Carl Johan ... Carl XIV. Johan. Auf den Münzen wird Carolus Johannes stehen. Und Kronprinzessin Desideria." Mit einem Ruck setzte ich mich auf: „Du — das führt zu weit! Ich lasse mich nicht Desideria nennen. Unter keinen Umständen, verstehst du!"

„Ein Wunsch der schwedischen Königin, deiner Adoptiv=Schwiegermutter. Désirée ist ihr zu französisch. Außerdem klingt Desideria eindrucksvoller. Das mußt du doch zugeben." Ich ließ mich in die Kissen zurückfallen. „Glaubst du denn, man kann sich selbst auslöschen? Vergessen, wer man ist, was man war, wohin man gehört? Nach Schweden fahren und — Kronprinzessin spielen? Jean=Baptiste, ich glaube, ich werde sehr unglücklich sein." Aber er hörte mir nicht zu. Spielte noch immer mit den neuen Namen. „Kron=prinzessin Desideria — Desideria heißt auf lateinisch: die Erwünschte. Gibt es einen schöneren Namen für eine Kronprinzessin, die sich ein Volk selbst wählt?" — „Nein, Jean=Baptiste, ich bin den Schwe=den nicht erwünscht. Die brauchen einen starken Mann. Aber eine schwache Frau, die noch dazu die Tochter eines Seidenhändlers ist und nur einen Monsieur Persson kennt, ist bestimmt nicht er=wünscht." Jean=Baptiste stand auf. „Ich nehme jetzt ein kaltes Bad und diktiere mein Gesuch an den Kaiser." Ich rührte mich nicht. „Schau mich an, Désirée — schau mich an! Ich suche für meine Frau, für meinen Sohn und mich um Entlassung aus dem französischen Staatsverband an. Zwecks Erwerbung der schwedischen Staatsbürger=schaft. Es ist dir doch recht?" Ich gab keine Antwort. Sah ihn auch nicht an. „Désirée — ich will nicht darum ansuchen, wenn du dagegen bist! Hörst du mich nicht?" Ich gab noch immer keine Antwort. „Dé=sirée, begreifst du nicht, worum es geht?" Da sah ich ihn an. Es war, als ob ich ihn zum erstenmal sehen würde. Die wissende Stirn, in die unordentlich die dunklen krausen Haare fallen. Die kühn vor=springende Nase, die tiefliegenden Augen, suchend und ruhig zu=gleich. Der schmale leidenschaftliche Mund. Ich dachte an die Leder=folianten, in denen ein ehemaliger Sergeant Jurisprudenz studierte. An die Zollgesetze von Hannover, die das Land aufleben ließen . . . Er hat seine Krone aus der Gosse gefischt. Und dir bietet sie ein Volk mit seinem König an der Spitze an, dachte ich staunend. „Ja, Jean=Baptiste, ich weiß, worum es geht." „Und du kommst mit mir und Oscar nach Schweden?" „Wenn ich wirklich die — Erwünschte bin. Und —" Endlich hatte ich seine Hand gefunden, endlich konnte ich meine Wange an sie pressen. Wie ich ihn liebe, mein Gott, wie ich ihn liebe! „Und wenn du mir schwörst, daß du mich nie Desideria nennen wirst!" „Ich schwöre, mein kleines Mädchen." „Dann laß die Kronprinzessin des Eiszapfenlandes endlich ihre unterbrochene Nachtruhe aufnehmen und begib dich in dein kaltes Bad, Carl Johan!" „Versuche es mit Charles Jean. An Carl Johan muß ich mich erst langsam gewöhnen." „Wie ich dich kenne, wirst du dich schnell daran gewöhnen. Und küß mich noch einmal, ich möchte wissen, wie ein Kronprinz küßt."

„Nun — wie küßt ein Kronprinz?"

„Ausgesprochen gut. Genauso wie mein alter Jean=Baptiste Berna=
dotte."

Ich schlief lange und unruhig. Erwachte mit dem Gefühl, daß
etwas Furchtbares geschehen war. Ich sah auf die Uhr auf dem
Nachttisch. Zwei Uhr. Zwei Uhr nachts oder zwei Uhr nachmittags?
Ich hörte Oscars Stimme im Garten. Dann eine fremde Männer=
stimme. Durch die geschlossenen Fensterläden drang Tageslicht. Wie
kommt es, daß ich bis jetzt geschlafen habe? In meiner Brust lag ein
Klumpen. Es ist etwas geschehen, aber — was? Ich läutete. Die La
Flotte und meine Vorleserin kamen gleichzeitig herein. Versanken in
einen Hofknicks. „Königliche Hoheit befehlen?" Da fiel es mir ein.
Weiterschlafen, dachte ich verzweifelt. Nichts wissen, nichts denken,
weiterschlafen. „Die Königinnen von Spanien und Holland haben
anfragen lassen, wann Königliche Hoheit sie empfangen will",
meldete Madame La Flotte. „Wo ist mein Mann?" „Seine König=
liche Hoheit hat sich mit den schwedischen Herren in sein Arbeits=
kabinett eingeschlossen."

„Mit wem spielt Oscar im Garten?"

„Der Erbprinz spielt mit dem Grafen Brahe Ball."

„Graf Brahe —?"

„Der junge schwedische Graf", sagte Madame La Flotte eindring=
lich und lächelte verzückt. „Oscar hat eine Fensterscheibe im Speise=
zimmer eingeschlagen", fügte meine Vorleserin hinzu. „Scherben
bedeuten Glück", kam es von Madame La Flotte. „Ich habe entsetz=
lichen Hunger", konstatierte ich. Meine Vorleserin versank in einen
Hofknicks und verschwand. „Welchen Bescheid darf ich den Ma=
jestäten von Spanien und Holland übermitteln?" beharrte Madame
La Flotte. „Ich habe Kopfweh und Hunger und will außer meiner
Schwester niemanden sehen. Bestellen Sie der Königin von Holland,
daß — ach was, Sie werden schon irgend etwas finden, was Sie ihr
sagen können! Und jetzt möchte ich gern allein sein." Die La Flotte
versank in einen Knicks. Diese Knickserei macht mich noch wahn=
sinnig. Ich werde es verbieten. Nach dem Frühstück oder Mittag=
essen, ich weiß nicht, wie man diese Mahlzeit nennen soll, stand ich
auf. Yvette knickste herein, und ich sagte: „Hinaus!" Dann zog ich
das einfachste Kleid an, das ich besitze, und setzte mich an den
Toilettentisch. Desideria, Kronprinzessin von Schweden. Ehemalige
Seidenhändlerstochter aus Marseille, Gattin eines ehemaligen fran=
zösischen Generals. Alles, was mir lieb und vertraut ist, scheint

plötzlich ehemalig zu sein. In zwei Monaten bin ich dreißig Jahre alt. Sieht man mir das an? Mein Gesicht ist rund und glatt. Zu rundlich sogar, ich werde keine Schlagsahne mehr essen. Um die Augen habe ich kleine Fältchen, hoffentlich nur Lachfalten. Ich verzog den Mund und versuchte zu lachen. Die Fältchen vertieften sich. Desideria, lachte ich, Desideria! Ein abscheulicher Name. Ich habe meine Schwiegermutter nie gekannt. Aber Schwiegermütter sollen ein unlösbares Problem darstellen, sind Adoptiv-Schwiegermütter angenehmer? Ich weiß nicht einmal, wie meine Schwiegermutter heißt. Und warum die Schweden gerade Jean-Baptiste zum Kronprinzen gewählt haben... Ich öffnete die Fensterläden und sah in den Garten hinunter. „Sie zielen direkt auf Mamas Rosen, Herr Graf!" schrie Oscar. „Königliche Hoheit müssen den Ball auffangen —. Achtung, ich werfe!" rief der junge Brahe. Brahe warf hart, Oscar wankte, als er den Ball auffing. Aber — er fing ihn auf. „Glauben Sie, daß ich jemals Schlachten gewinnen kann wie der Papa?" schrie Oscar über den Rasen. „Den Ball zurückwerfen, aber scharf!" kommandierte Brahe. Oscar knallte ihm den Ball an die Brust. Brahe fing ihn auf. „Hoheit schießen scharf", konstatierte er anerkennend und warf den Ball zurück. Der Ball landete in meinen gelben Rosen. Große, herbstlich müde Rosen mit etwas verwelkten Blättern. Ich kenne jede einzelne und liebe sie seit mehreren Tagen. „Mama wird sich schrecklich ärgern", sagte Oscar und sah ängstlich zu meinen Fenstern hinauf. „Mama! Ausgeschlafen?" Der junge Graf Brahe verneigte sich. „Ich möchte gern mit Ihnen sprechen, Graf Brahe. Haben Sie Zeit?"

„Wir haben eine Scheibe im Speisezimmer eingeschlagen, Hoheit", gestand er schnell. „Ich hoffe, der schwedische Staat wird für die Reparatur aufkommen", lachte ich. Graf Brahe schlug die Hacken zusammen. „Melde gehorsamst, der schwedische Staat ist beinahe bankrott!"

„Sehen Sie, das habe ich mir gedacht", entfuhr es mir unwillkürlich. „Warten Sie, ich komme in den Garten!" Dann saß ich zwischen dem jungen Grafen und Oscar auf der kleinen weißen Bank vor dem Spalierobst. Die weiche Septembersonne streichelte mich. Ich fühlte mich plötzlich viel wohler. Oscar fragte: „Kannst du nicht später mit dem Grafen sprechen, Mama? Wir haben gerade so schön gespielt." — Ich schüttelte den Kopf: „Nein. Ich möchte, daß du gut zuhörst."

Aus dem Hause drangen Männerstimmen. Jean-Baptistes Stimme

klang entschieden und sehr laut. „Feldmarschall Graf von Essen und die Mitglieder seiner Botschaft reisen noch heute nach Schweden zurück, um die Antwort Seiner Königlichen Hoheit zu überbringen", sagte Graf Brahe. „Mörner bleibt hier. Seine Königliche Hoheit hat ihn zu seinem Personaladjutanten ernannt. Wir haben natürlich bereits einen Kurier nach Stockholm geschickt." Ich nickte. Suchte verzweifelt nach einem Anfang für meine Fragen. Fand keinen geeigneten und platzte deshalb los: „Bitte, sagen Sie mir aufrichtig, lieber Graf, wie kommt es, daß Schweden gerade meinem Mann die Krone anträgt?"

„Seine Majestät, König Carl XIII. ist kinderlos, und man bewundert in unseren Ländern seit Jahren die geniale Verwaltung, die großen Fähigkeiten Seiner Königlichen Hoheit —" Ich unterbrach ihn. „Man hat mir erzählt, daß man einen König abgesetzt hat, weil man glaubt, daß er verrückt ist. Ist er wirklich verrückt?" Graf Brahe richtete den Blick auf ein verwelktes Blatt des Pfirsichspaliers und sagte: „Wir nehmen es an." „Warum?"

„Sein Vater König Gustaf III. war schon sehr — ja, sehr merkwürdig. Er wollte Schwedens alte Großmachtstellung wieder herstellen und griff Rußland an. Der Adel und alle Offiziere waren dagegen. Und um dem Adel zu zeigen, daß der König allein über Krieg und Frieden entscheiden kann, wandte er sich an die — ja, also an die niederen Stände und —" „An wen?"

„An die Gewerbetreibenden, die Handwerker, die Bauern — mit einem Wort, an die Bürgerlichen."

„Er wandte sich an die Bürgerlichen. Was geschah weiter?"

„Ja, der Reichstag, in dem sich nur der dritte und vierte Stand vertreten ließ, übertrug ihm weite Befugnisse, und der König marschierte wieder gegen Rußland. Gleichzeitig war Schweden furchtbar verschuldet und konnte für dieses ewige Aufrüsten nicht aufkommen. Deshalb beschloß der Adel, einzugreifen und —" Graf Brahe wurde lebhaft: „— und dann geschah etwas furchtbar Interessantes. Der König wurde auf einem Maskenball plötzlich von lauter schwarzen Masken umringt und erschossen. Er brach tödlich verwundet zusammen, und der Feldmarschall von Essen —" Brahe machte ein Bewegung in die Richtung des Stimmengemurmels, das aus dem Haus drang — „Ja, der treue Essen fing ihn in seinen Armen auf. Nach seinem Tod übernahm sein Bruder, unser jetziger König, die Regentschaft. Als der junge Gustaf IV. mündig wurde, bestieg er den Thron. Leider stellte sich heraus, daß Gustaf wahnsinnig ist . . ." „Das ist also der König, der sich einbildet, Gottes Werkzeug zu sein, um den Kaiser der Franzosen zu vernichten?"

Graf Brahe nickte und betrachtete zusammengekniffen das ver= welkte Blatt. „Warum hat er die Ermordung seines Papas nicht gerächt?" wollte Oscar wissen. „Daß man sich nicht an seinem eigenen Adel rächen kann, weiß sogar ein Wahnsinniger", murmelte Brahe zerstreut.

„Erzählen Sie Ihre Schauergeschichte weiter, Graf Brahe", sagte ich. Er sah mich an, als ob ich einen Scherz gemacht hätte. Schauer= geschichte? Aber ich lächelte nicht. Da zögerte er. „Bitte erzählen Sie weiter!"

„Gustav IV. glaubte zwischen den Zeilen der Bibel zu lesen, daß er Frankreich — das revolutionäre Frankreich nämlich — vernichten müsse. Deshalb schloß er sich den Feinden Frankreichs an. Nachdem der Zar mit Kaiser Napoleon Frieden geschlossen hatte, wandte er sich auch gegen Rußland. Wir marschierten gegen die stärksten Mächte des Kontinents und sind beinahe daran verblutet. Der Feld= marschall von Essen hat Pommern an den Herrn Gemahl — pardon, an Seine Königliche Hoheit, den Kronprinzen Carl Johan, verloren, und die Russen haben uns Finnland weggenommen. Unser Finn= land . . ." Er machte eine Pause. Plötzlich: „Und wenn der Fürst von Ponte Corvo damals, als er mit seinen Truppen in Dänemark stand, über den vereisten Öresund marschiert wäre, dann würde es heute überhaupt kein Schweden mehr geben. Madame — Königliche Hoheit, wir sind ein uralter Staat, wir sind zwar müde und abgekämpft, aber wir wollen — bestehen!" Er zerbiß seine Unterlippe. Ein schöner, junger Mann mit regelmäßigen Zügen, dieser Graf von Brahe, aus altem schwedischem Geschlecht. „Deshalb haben unsere Offiziere beschlossen, dieser wahnsinnigen Politik ein Ende zu machen. Voriges Jahr — am 13. März — wurde Gustaf IV. im königlichen Schloß in Stockholm gefangengenommen, der Reichstag trat zu= sammen und setzte ihn ab. Man krönte seinen Onkel, der schon ein= mal die Regierung geführt hat. Den Adoptivvater der Königlichen Hoheiten."

„Und wo ist er jetzt, dieser — wahnsinnige Gustaf?"

„In der Schweiz, glaube ich." — „Er hat einen Sohn, nicht wahr?" „Ja, auch einen Gustaf. Der Reichstag hat auch ihn aller Ansprüche auf die schwedische Krone für verlustig erklärt."

„Wie alt ist er?"

„In Oscars — im Alter des Erbprinzen Oscar." Graf Brahe stand auf, pflückte das verwelkte Blatt vom Spalier und zerkrümelte es zerstreut zwischen den Fingern. „Kommen Sie wieder her und sagen Sie mir, was man gegen diesen kleinen Gustaf hat." Graf Brahe zuckte die Achseln: „Nichts. Aber man hat auch nichts für ihn übrig. Das Volk fürchtet krankhafte Veranlagung in der Familie Vasa. Es ist ein sehr altes Fürstengeschlecht, Hoheit, es ist zu vielen Familienheiraten gekommen." Das Haus Vasa ist ihnen zu alt. Es wollte Schweden wieder zur Großmacht erheben und ruinierte dabei das Volk. Zuletzt hat es sich sogar an die „niederen Stände", die sogenannten Bürgerlichen geklammert. Worauf der Adel eine schwarze Maske anlegte und einen Ball besuchte. „War der jetzige König stets kinderlos?" Brahe wurde lebhaft. „Carl XIII. und Königin Hedwig Elisabeth Charlotte hatten einen Sohn, aber der ist schon vor vielen Jahren gestorben. Bei seiner Thronbesteigung mußte Seine Majestät natürlich einen Nachfolger adoptieren und wählte den Prinzen von Augustenburg, den Schwager des dänischen Königs. Der Prinz war gleichzeitig Statthalter in Norwegen. Die Norweger haben ihn sehr geliebt. Man hoffte nach seiner Thronbesteigung auf eine Union zwischen Schweden und Norwegen. Als der Prinz von Augustenburg Ende Mai verunglückte, wurde der Reichstag wieder einberufen. Das Ergebnis der Wahl kennen Königliche Hoheit."

„Das Ergebnis", sagte ich leise. „Aber nicht, wie es dazu gekommen ist. Bitte erzählen Sie mir den Hergang der Wahl!" „Hoheit wissen, daß der Fürst von — ich meine, daß der Kronprinz seinerzeit in Lübeck einige schwedische Offiziere gefangengenommen hat."

„Natürlich, zwei davon sitzen doch gerade bei Jean=Baptiste. Dieser staubige Baron Mörner — hat er übrigens in der Zwischenzeit ein Bad genommen? — und Baron Frie —"

„Ja, Mörner und Baron Friesendorff", nickte Brahe. „Damals in Lübeck hat der Fürst von Ponte Corvo diese jungen Offiziere zum Souper eingeladen und zufällig erwähnt, wie er sich die Zukunft des Nordens vorstellt. Als Realpolitiker an Hand einer Landkarte. Unsere Offiziere kehrten nach Schweden zurück, und seidem ist in Armeekreisen immer nachdrücklicher davon gesprochen worden, daß wir einen Mann wie den Fürsten brauchen, um Schweden zu retten. Mehr gibt es nicht zu erzählen, Hoheit!"

„Sie sagen, daß nach dem Tod dieses Augustenburg der Reichstag einberufen wurde. Wie hat sich dabei der Adel verhalten? Der alte schwedische Adel, der niemals zugelassen hat, daß den Bürgerlichen zu große Rechte eingeräumt werden?" Graf Brahe sah mir voll ins Gesicht. „Die meisten jüngeren Mitglieder des Adels sind Offiziere. Wir haben vergeblich versucht, Finnland zu verteidigen und Pommern zu halten. Die Ideen des Fürsten von Ponte Corvo begeistern uns. Wir haben versucht, unsere Eltern für unseren Plan zu gewinnen. Und nach dem Mord war es jedem klar, daß wir verloren sind, wenn nicht eine sehr starke Persönlichkeit zum Thronfolger gewählt wird."

„Nach dem Mord? Um Gottes willen, schon wieder ein Mord?"

„Hoheit haben wahrscheinlich noch gar nicht gehört, daß beim Begräbnis des Prinzen von Augustenburg Reichsmarschall Graf Axel Fersen ermordet worden ist. In der Nähe des königlichen Schlosses auf offener Straße."

„Fersen? Wer ist Graf Fersen?" Brahe lächelte. „Der Liebhaber der verstorbenen Königin Marie Antoinette. Der Mann, der versuchte, die arme Königin und Louis XVI. aus Frankreich zu schmuggeln. Die ganze Reisegesellschaft wurde bei Varennes aufgegriffen. Übrigens hat Graf Axel Fersen bis zu seinem Tod den Ring der Königin getragen. Eine sehr traurige Geschichte . . ."

„Sie erzählen mir lauter traurige Geschichten, Graf Brahe", murmelte ich verwirrt. „Je mehr Sie mir über Stockholm berichten, um so trauriger wird es." Sonderbar, daß Marie Antoinette einen schwedischen Liebhaber hatte, ging es mir durch den Kopf. Wie klein die Welt ist . . . „Aber warum wurde dieser Graf Fersen ermordet?" —

„Weil er ein fanatischer Gegner des neuen Frankreich war. Und da Augustenburg um jeden Preis Frieden mit Frankreich schließen wollte, bevor Schweden ganz zugrunde gerichtet war, hatte sich das Gerücht verbreitet, daß Graf Fersen den damaligen Kronprinzen vergiftet habe. Ein Unsinn natürlich, der Prinz von Augustenburg stürzte während einer Truppenparade vom Pferd. Aber der Pöbel, der in Fersen einen Gegner der Friedensverhandlungen sah, hat ihn auf offener Straße überfallen und mit Steinen erschlagen. Er wollte gerade dem Leichenzug des verunglückten Augustenburg entgegengehen."

„War denn keine Wache in der Nähe?"

„Zu beiden Seiten der Straße bildeten Truppen Spalier. Sie rührten sich nicht", sagte Brahe ausdruckslos. „Es heißt sogar, daß der König von diesem Anschlag wußte und ihn nicht verhindert hat. Fersen war ein Gegner unserer Neutralitätspolitik. Nach diesem Vorfall hat der Statthalter von Stockholm erklärt, daß er in der Hauptstadt nicht mehr für Ruhe und Ordnung garantieren kann. Deshalb ist der Reichstag in Örebro und nicht in Stockholm abgehalten worden." Oscar bohrte mit der Fußspitze im Sand herum, das Gespräch lang= weilte ihn, er hörte nicht zu. Gottlob hörte er nicht, daß ein einzelner Mann erschlagen worden ist, während ganze Regimenter teilnahms= los zusahen. „Seit diesem Mord versteht der Adel, daß die jungen Offiziere, die den Fürsten von Ponte Corvo ins Land rufen wollen, recht haben. Man hält den alten König für einen —"

Mörder, wollte er sagen und sprach es nicht aus. Ich hob den Kopf: „Und der dritte und vierte Stand?"

„Die verlorenen Kriege haben die Staatskassen geleert. Unsere Rettung ist der Handel mit England. Aber nur ein Mann, der mit Napoleon sehr gut steht , kann verhüten, daß Schweden gezwungen wird, sich der Kontinentalsperre anzuschließen. Das sehen der dritte und vierte Stand auch ein. Übrigens ist ein bettelarmer Hofstaat bei den Gewerbetreibenden nicht beliebt. Das Haus Vasa kann bald die Gärtner seiner Schlösser nicht mehr bezahlen. Als man den Bürgern sagte, daß der Fürst von Ponte Corvo sehr reich ist, stimmten sie für ihn." — „Mama, ist der Papa wirklich so reich, daß er alle Gärtner von Schweden bezahlen kann?" wollte Oscar wissen. „Im allge= meinen nimmt man an, daß Emporkömmlinge reich sind", sagte ich nur. „Das Volk von Schweden und seine Aristokraten haben sich dieser Meinung angeschlossen." Ich habe seit Jahren einen Teil meines Gehaltes aufgespart, ich kann ein kleines Haus für Sie und das Kind kaufen ... Das hat Jean=Baptiste in jener ersten Regen= nacht, in der wir durch die Straßen von Paris fuhren, zu mir gesagt. Ein kleines Haus für mich und das Kind, Jean=Baptiste, aber doch nicht dieses Königsschloß in Schweden, in dem die Adeligen schwarze Masken tragen und ihren König ermorden. Nicht dieses Schloß, vor dem das Volk einen Reichsmarschall mit Steinen erschlägt, während die Truppen des Königs zuschauen. Nicht dieses Schloß, Jean=Bap= tiste ... Ich schlug die Hand vors Gesicht und weinte haltlos. „Mama, liebe Mama —" Oscar hatte die Arme um meinen Hals ge= schlungen und preßte sich an mich. Ich wischte meine Tränen ab und sah in Graf Brahes ernstes Gesicht. Verstand dieser junge Mann eigentlich, warum ich weinte? „Vielleicht hätte ich Ihnen das alles nicht erzählen sollen, Königliche Hoheit", sagte er. „Aber ich glaube, es ist besser, Sie wissen es."

„Der Adel, die Offiziere, der dritte und der vierte Stand wählten meinen Mann. Und Seine Majestät, der König?"

„Der König ist ein Vasa, Hoheit. Ein Mann, der kaum über sechzig Jahre alt ist und bereits einen Schlaganfall nach dem anderen hat. Ein Mann, dessen Knie von der Gicht gekrümmt und dessen Gedanken unklar geworden sind. Er hat sich bis zuletzt gewehrt und einen norddeutschen Vetter nach dem anderen und sämtliche dänischen Prinzen vorgeschlagen. Schließlich mußte er nachgeben ..." Schließlich mußte er nachgeben und Jean=Baptiste als seinen lieben Sohn adoptieren, dachte ich. „Die Königin ist jünger als Seine Majestät, nicht wahr?" „Ihre Majestät ist etwas über fünfzig Jahre alt und eine sehr energische und kluge Frau."

„Wie sie mich hassen wird", flüsterte ich. „Ihre Majestät freut sich sehr auf den kleinen Herzog von Södermanland", sagte Graf Brahe ruhig. Im gleichen Augenblick trat Mörner aus dem Haus. Er sah frisch gewaschen aus, das runde Knabengesicht strahlte, er trug eine Galauniform, Oscar lief auf ihn zu. „Ich will das Wappen auf den Knöpfen sehen!" Er fingerte auf der Brust Mörners herum. „Schau, Mama, drei kleine Kronen und ein Löwe, der eine Krone trägt! Wirklich — ein sehr schönes Wappen!" Mörner ließ jedoch nachdenklich den Blick von mir zu Brahe schweifen. Ich sah verweint aus und der junge Graf verlegen. „Ihre Königliche Hoheit hat gewünscht, die Geschichte unseres Königshauses während der letzten Jahrzehnte zu hören", kam es verlegen von Brahe. Mörner hob überrascht die Augenbrauen. „Sind wir jetzt auch Mitglieder der Familie Vasa?" fragte Oscar eifrig. „Wenn der alte König den Papa adoptiert, so sind wir doch richtige Vasa, nicht wahr?"

„Unsinn, Oscar, du bleibst, was du bist — ein Bernadotte", sagte ich scharf und stand auf. „Wollten Sie mir etwas sagen, Baron Mörner?"

„Seine Königliche Hoheit läßt Ihre Königliche Hoheit bitten, in sein Arbeitskabinett zu kommen." Jean=Baptistes Arbeitskabinett bot einen seltsamen Anblick. Neben dem Schreibtisch, auf dem sich wie immer Aktenstücke auftürmten, stand der große Spiegel aus meinem Ankleidezimmer. Jean=Baptiste probierte eine neue Uniform. Vor ihm knieten drei Schneider, den Mund voll Stecknadeln. Andächtig wohnten die Schweden der Anprobe bei. Ich betrachtete den neuen dunkelblauen Rock. Der hohe Kragen war mit einer schlichten Goldkante besetzt. Die schweren goldenen Stickereien der Marschalls= uniform fehlten. Jean=Baptiste studierte sich ernsthaft im Spiegel. „Es spannt", erklärte er todernst. „Es spannt unter der rechten Achsel." Die drei Schneider fuhren gleichzeitig hoch, trennten die

Naht unter dem Ärmelloch auf und steckten sie wieder zusammen. „Können Sie einen Fehler an der Uniform entdecken, Graf von Essen?" wollte Jean=Baptiste wissen. Worauf alle Schweden eifrig wurden. Essen schüttelte den Kopf, aber Friesendorff fuhr mit der Hand über Jean=Baptistes Schultern, sagte: „Königliche Hoheit ver= zeihen", preßte dann die Hand auf Jean=Baptistes Rücken und er= klärte: „Unterm Kragen wirft sich eine Falte!" Dann tasteten alle drei Schneider Jean=Baptistes Rücken ab, konnten aber keinen Fehler finden. Die Entscheidung fällte natürlich Fernand: „Herr Mar= schall — die Uniform sitzt!"

„Ihre Schärpe, lieber Graf von Essen!" Und schon hatte Jean= Baptiste dem verbitterten Grafen eigenhändig die blaugelbe Schärpe vom Magen gerissen und band sie sich um. „Sie müssen ohne Ihre Schärpe nach Schweden zurückreisen, ich brauche Ihre für die mor= gige Audienz! Schließlich kann ich keine andere in Paris auftreiben. Schicken Sie mir sofort drei schwedische Marschall=Schärpen, wenn Sie nach Stockholm kommen!" Erst jetzt bemerkte er mich. „Das ist die schwedische Uniform — steht sie mir?" Ich nickte. „Wir sind morgen vormittag um elf zum Kaiser bestellt. Ich habe um Audienz angesucht und möchte, daß du mich begleitest", teilte er mir mit. „Essen, soll die Schärpe über dem Gürtel sitzen oder ihn verdecken?"

„Den Gürtel verdecken, Königliche Hoheit."

„Ausgezeichnet, dann muß ich mir nicht auch noch Ihren Gürtel ausborgen. Ich werde den der Marschallsuniform — ich meine, der französischen Marschallsuniform — tragen, kein Mensch wird es bemerken. Désirée, findest du wirklich, daß die Uniform anständig sitzt?" In diesem Augenblick meldete Madame La Flotte Julie an. „Einen schwedischen Hofsäbel brauche ich auch", hörte ich noch Jean=Baptiste sagen. Dann ging ich in den Salon hinüber. Julie wirkte klein und verloren in den schweren Falten ihres weinroten Samt= mantels. Sie stand am Fenster und blickte nachdenklich in den Garten hinaus. „Julie, verzeih — ich habe dich warten lassen!" Bei meinem Eintritt fuhr Julie zusammen. Dann streckte sie den mageren Hals etwas vor, riß die Augen auf, als ob sie mich noch nie gesehen hätte, und versank ernsthaft in einen Hofknicks. „Du, mach dich nicht lustig, ich habe sowieso schon genug Sorgen!" rief ich wütend.

Julie blieb sehr ernst. „Königliche Hoheit, ich mache mich nicht lustig." „Steh sofort auf! Steh sofort auf und ärgere mich nicht! Seit wann verneigt sich eine Königin vor einer Kronprinzessin?" Julie richtete sich auf. „Wenn es sich um eine Königin ohne Land handelt, deren Untertanen sich vom ersten Tag an gegen sie und den König gewehrt haben, und um eine Kronprinzessin, deren Mann einstimmig von einem Reichstag zum Thronfolger gewählt wurde, dann gehört es sich so. Ich gratuliere dir, Liebes, ich gratuliere dir von Herzen!"

„Woher weißt du eigentlich alles? Wir selbst haben es erst heute nacht erfahren", sagte ich und setzte mich mit ihr auf das kleine Sofa. „Ich bitte dich, man spricht doch von nichts anderem in Paris! Uns hat der Kaiser einfach auf die Thronsessel gesetzt, die er erobert hat. Als seine Stellvertreter sozusagen. Aber in Schweden tritt der Reichstag zusammen und wählt freiwillig — Désirée, mir bleibt der Verstand stehen!" Sie lachte. „Übrigens habe ich heute in den Tuilerien gegessen. Der Kaiser hat lange darüber gesprochen und mich furchtbar geneckt." — „Geneckt?" „Ja, er wollte mich zum Narren halten. Stell dir vor, er wollte mir einreden, daß Jean=Baptiste jetzt um Entlassung aus dem französischen Heeresdienst ansuchen und Schwede werden will. Wir haben schrecklich gelacht . . ." Ich sah sie erstaunt an: „Gelacht? Was gibt es da zu lachen? Mir tut das Herz weh, wenn ich daran denke." — „Um Himmels willen, Liebes — es ist doch nicht wahr?" Ich schwieg. „Aber keiner von uns hat jemals an so etwas gedacht", stammelte sie. „Joseph ist doch König von Spanien und gleichzeitig Franzose. Und Louis König von Holland, aber er würde sich bedanken, wenn man ihn einen Holländer nennen wollte. Und Jérôme und Elisa und —"

„Das ist eben der Unterschied", sagte ich nur. „Du hast doch vorhin selbst gesagt, daß ein großer Unterschied zwischen uns und — euch besteht."

„Sag einmal, denkt ihr wirklich daran, nach Schweden überzusiedeln?" — „Jean=Baptiste bestimmt. Bei mir hängt es davon ab."

„Wovon hängt es ab?"

„Ich werde natürlich hinfahren." Ich senkte den Kopf. „Du, sie verlangen, daß ich Desideria heiße. Das bedeutet auf Latein: die Erwünschte. Nur wenn ich in Stockholm wirklich erwünscht sein sollte, bleibe ich."

„Was du für Unsinn zusammenredest, natürlich bist du erwünscht", erklärte Julie. „Ich bin nicht so sicher", meinte ich. „Die alten Adelsfamilien in Schweden und meine neue Schwiegermutter —"

„Unsinn, Schwiegermütter hassen einen nur, weil man ihnen den Sohn wegnimmt", widersprach Julie und dachte an Madame Letitia. „Und Jean=Baptiste ist doch nicht der richtige Sohn der schwedischen

Königin. Außerdem hast du Persson in Stockholm. Der wird sich schon noch daran erinnern, wie gut Papa und Etienne zu ihm waren, du mußt ihn nur in den Adelsstand erheben und hast dann gleich einen Freund bei Hof", tröstete sie weiter. „Du stellst dir das alles ganz falsch vor", seufzte ich und erkannte, daß Julie in Wirklichkeit überhaupt nicht begriff, was geschehen war. Ihre Gedanken wan= derten auch bereits wieder in die Tuilerien zurück. „Du, etwas Un= glaubliches hat sich ereignet! Die Kaiserin ist in Hoffnung. Was sagst du dazu? Der Kaiser ist ganz außer sich vor Freude. Der Sohn soll den Titel König von Rom führen. Napoleon ist nämlich überzeugt, daß es ein Sohn wird."

„Seit wann ist die Kaiserin in Hoffnung? Wieder seit gestern?" „Nein, schon seit drei Monaten und —" Es klopfte. Die La Flotte meldete: „Die schwedischen Herren, die heute abend nach Stockholm zurückreisen, fragen an, ob sie sich von Königlicher Hoheit ver= abschieden dürfen."

„Ich lasse die Herren bitten!"

Ich glaube nicht, daß ein einziger der Schweden meinem Gesicht angesehen hat, wie sehr ich mich vor der Zukunft fürchte. Dem Feldmarschall Graf von Essen, dem treuesten Anhänger des Hauses Vasa, reichte ich die Hand. „Auf Wiedersehen in Stockholm, Hoheit", waren seine Abschiedsworte. Als ich Julie in die Vorhalle begleitete, begegnete ich zu meinem Erstaunen dem jungen Brahe. „Reisen Sie nicht mit Feldmarschall Graf von Essen nach Stockholm zurück, um die Ankunft meines Mannes in Schweden vorzubereiten?"

„Ich habe gebeten, vorläufig zum Personaladjutanten Eurer König= lichen Hoheit ernannt zu werden. Mein Ansuchen ist bewilligt worden. Ich melde mich zum Dienst, Hoheit!"

Hochgewachsen und knabenhaft schlank, neunzehn Jahre alt, dunkle Augen, die vor Begeisterung leuchteten, Ringellocken wie mein Oscar: Graf Magnus Brahe, Sohn eines der vornehmsten und stolzesten Geschlechter Schwedens. Personaladjutant der ehemaligen Mademoiselle Clary, Seidenhändlerstochter aus Marseille. „Ich möchte um die Ehre bitten, Königliche Hoheit nach Stockholm begleiten zu dürfen", fügte er leise hinzu. Und wagen sollen sie es, die Nase über unsere neue Kronprinzessin zu rümpfen, wenn ein Graf Brahe ihr zur Seite steht, dachte er deutlich. Wagen sollen sie es! Ich lächelte: „Danke, Graf Brahe . . . Aber — sehen Sie, ich habe noch nie einen Adjutanten gehabt, ich weiß gar nicht, womit ich einen jungen und vornehmen Offizier beschäftigen soll." „Es wird Eurer Königlichen

Hoheit schon etwas einfallen", tröstete er. „Und bis dahin kann ich ja mit Oscar — pardon, dem Herzog von Södermanland Ball spielen!"

„Vorausgesetzt, daß keine weiteren Fensterscheiben mehr eingeschlagen werden", lachte ich. Zum erstenmal ließ meine Angst nach. Vielleicht ist das Ganze doch nicht so furchtbar.

Wir waren für elf Uhr vormittags zum Kaiser bestellt.

Fünf Minuten vor elf Uhr betraten wir den Vorraum, in dem Napoleon Diplomaten, Generäle, ausländische Fürsten und inländische Minister stundenlang warten läßt. Bei unserem Eintritt wurde es totenstill. Alle starrten auf Jean=Baptistes schwedische Uniform und wichen vor uns zurück. Wirklich — sie wichen geradezu vor uns zurück, während Jean=Baptiste einen der Adjutanten des Kaisers ersuchte, den „Fürsten von Ponte Corvo, Marschall von Frankreich, mit Gemahlin und Sohn" anzumelden. Dann fühlten wir uns wie auf einer Insel. Niemand wollte uns kennen. Niemand gratulierte. Oscar drückte sich dicht an mich, und die mageren Bubenfinger krallten sich in meinem Rock fest. Alle Anwesenden wußten, was geschehen war. Ein fremdes Volk hat vollkommen freiwillig Jean=Baptiste eine Krone angeboten. Und drinnen auf dem Schreibtisch des Kaisers liegt ein Gesuch um Entlassung aus dem französischen Staatsverband, um Entlassung aus der Armee. Jean=Baptiste Bernadotte wünscht, nicht länger französischer Bürger zu sein. Scheue Blicke streiften uns. Geradezu unheimlich waren wir ihnen. Bei Hof wußte man, daß uns drinnen im Arbeitszimmer ein furchtbarer Auftritt erwartete, eine jener Tobsuchtszenen des Kaisers, bei denen die ehrwürdigen Wände erzittern und der Mörtel von den Säulen rieselt. Gottlob, daß er einen immer stundenlang warten läßt, dachte ich und sah Jean=Baptiste von der Seite an. Der betrachtete einen der beiden Wachtposten vor der Tür des Kaisers. Starrte die Bärenfellmütze an, als ob er sie zum erstenmal sehen würde. Oder zum letztenmal. In diesem Augenblick schlug es elf. Meneval, der Privatsekretär des Kaisers, erschien. „Seine Majestät läßt den Fürsten von Ponte Corvo mit Familie bitten!"

Das große Arbeitszimmer des Kaisers ist beinahe ein Saal. Am Ende dieses Saales steht der große Schreibtisch. Und ein endlos langer Weg scheint von der Tür zu diesem Schreibtisch zu führen. Deshalb empfängt der Kaiser seine Freunde meistens in der Mitte des Raumes. Wir jedoch mußten den ganzen Saal durchschreiten. Unbeweglich wie eine Statue saß Napoleon hinter dem Schreibtisch, etwas vorgeneigt, lauernd. Jean=Baptistes Sporen klirrten dicht hinter mir, während ich mit Oscar an der Hand auf den Schreibtisch zu= ging. Jetzt konnte ich seine Gesichtszüge unterscheiden. Napoleon hatte die Cäsarenmaske angelegt, nur die Augen schillerten. Hinter ihm standen Graf Talleyrand, Herzog von Benevent, und der gegen= wärtige Außenminister, der Herzog von Cadore. Und hinter uns schlich Meneval auf leisen Sohlen. Zu dritt standen wir vor dem riesigen Schreibtisch. Das Kind in unserer Mitte. Ich versank im Hofknicks und richtete mich wieder auf. Der Kaiser rührte sich nicht, sondern sah nur Jean=Baptiste an. In den schillernden Augen glomm ein böser Funke. Plötzlich sprang Napoleon auf, stieß den Stuhl zu= rück, kam hinter dem Schreibtisch hervor und brüllte: „In welchem Aufzug wagen Sie es, vor Ihrem Kaiser und Oberbefehlshaber zu erscheinen, Herr Marschall?"

„Die Uniform ist eine Nachahmung der schwedischen Reichs= marschallsuniform, Sire", antwortete Jean=Baptiste. Er sprach sehr leise, abgehackt. „Und Sie wagen, in einer schwedischen Uniform hier zu erscheinen? Sie — ein Marschall von Frankreich?" — Etwas Kalk träufelte von einer Stuckverzierung an der Decke, er schrie wie ein Wahnsinniger. „Ich dachte, daß es Majestät gleichgültig ist, welche Uniformen von den Marschällen getragen werden", sagte Jean=Baptiste ruhig. „Ich habe nämlich den Marschall Murat, König von Neapel, wiederholt in sehr merkwürdigen Uniformstücken bei Hof gesehen." Das saß. Der kindische Marschall Murat setzt sich Straußenfedern auf den Dreispitz, läßt sich den Waffenrock mit Perlen schmücken und trägt Goldstickereien auf den Reithosen. Der Schwager Napoleons hat eine Schwäche für diese Kostüme. Und der Kaiser belacht sie, ohne sie zu rügen. „Seine Majestät, mein königlicher Schwager, hat sich eine Phantasieuniform zugelegt. So= weit ich informiert bin, handelt es sich um — eigene Erfindungen." — Der Anflug eines Lächelns umspielte den schmalen Mund, verlöschte aber sofort. „Aber Sie wagen es, in einer schwedischen Uniform zu erscheinen. Vor Ihrem Kaiser!" Napoleon stampfte vor Wut und schöpfte dann tief Atem. Oscar verkroch sich beinahe in meinem Rock. „Nun — antworten Sie, Herr Marschall!"

„Ich habe es für richtig gehalten, mich zu dieser Audienz in einer schwedischen Uniform zu melden. Es war nicht meine Absicht, Sie zu beleidigen, Sire. Übrigens handelt es sich auch bei mir um eigene Erfindung. Wenn Majestät sehen wollen —" Er zog die Schärpe in die Höhe und ließ den Gürtel sehen. „Ich trage den Gürtel meiner

alten Marschallsuniform, Sire." „Lassen Sie diese Entkleidungs=
szenen, Fürst! Zur Sache!" Die Stimme des Kaisers klang plötzlich
gehetzt, er sprach sehr schnell. Die Ouvertüre, die uns einschüchtern
sollte, war zu Ende. Wie ein Schauspieler, dachte ich und fühlte mich
ganz erschöpft. Wird er uns keinen Stuhl anbieten? Er dachte gar
nicht daran. Stand hinter seinem Schreibtisch und starrte auf ein
Schriftstück nieder: das Gesuch Jean=Baptistes. „Sie haben mir ein
sehr merkwürdiges Gesuch überreichen lassen, Fürst. Sie sprachen
darin die Absicht aus, sich vom schwedischen König adoptieren zu
lassen, und ersuchen um die Genehmigung, die französische Staats=
bürgerschaft abzulegen. Ein seltsames Schriftstück. Beinahe unver=
ständlich, wenn man zurückdenkt ... Aber Sie denken wahrschein=
lich nicht zurück, Herr Marschall von Frankreich?" Jean=Baptiste
hatte die Lippen zusammengepreßt. „Denken Sie wirklich nicht zu=
rück? Zum Beispiel an die Zeit, in der ein junger Rekrut auszog, um
die Grenzen des neuen Frankreich zu verteidigen? Oder an die
Schlachtfelder, auf denen sich dieser Rekrut als Sergeant, als Leut=
nant, als Oberst und schließlich als General der französischen Armee
geschlagen hat? Und an den Tag, an dem der Kaiser der Franzosen
Sie zum Marschall von Frankreich ernannt hat?" Jean=Baptiste
schwieg. „Es ist noch gar nicht so lange her, daß Sie ohne mein
Wissen die Grenzen Ihres Vaterlandes verteidigt haben." Er lächelte
plötzlich, werbend wie einst: „Vielleicht haben Sie sogar — ohne
mein Wissen — Frankreich gerettet! Ich habe Ihnen schon einmal — es
ist sehr lange her, und da Sie sich leider an Ihre Vergangenheit nicht
erinnern, so werden Sie auch das vergessen haben — ja, ich habe
Ihnen schon einmal gesagt, daß ich nicht auf die Dienste eines
Mannes wie Sie verzichten kann. Es war in den Tagen des Brumaire.
Vielleicht erinnern Sie sich doch? Hätte Ihnen damals die Regierung
den Befehl dazu erteilt, so hätten Sie und Moreau mich erschießen
lassen. Die Regierung hat Ihnen den Befehl nicht erteilt. Bernadotte,
ich wiederhole — ich kann auf Sie nicht verzichten." Er setzte sich
und schob das Gesuch etwas zur Seite. Sah auf und bemerkte bei=
läufig: „Da sich das schwedische Volk Sie —" er zuckte mit den
Achseln, lächelte spöttisch — „ausgerechnet Sie als Thronfolger aus=
gesucht hat, so erteile ich Ihnen als Ihr Kaiser und Oberster Kriegs=
herr hiermit die Erlaubnis, die Wahl anzunehmen. Aber als Fran=
zose und Marschall von Frankreich! Womit die Angelegenheit er=
ledigt ist." „Dann werde ich Seiner Majestät dem König von Schwe=
den mitteilen, daß ich die Thronfolge nicht antreten kann. Das

schwedische Volk wünscht einen schwedischen Kronprinzen, Sire",
sagte Jean=Baptiste ruhig. Napoleon sprang auf. „Das ist doch
Unsinn, Bernadotte! Schauen Sie meine Brüder an — Joseph, Louis,
Jérôme! — Hat einer von ihnen seine Staatsbürgerschaft abgegeben?
Oder mein Stiefsohn Eugène in Italien?" Jean=Baptiste antwortete
nicht. Napoleon kam wieder hinter seinem Schreibtisch hervor und
begann wie ein Besessener auf= und abzulaufen. Mein Blick begeg=
nete dem Talleyrands. Der ehemalige Bischof stützte sich auf seinen
Stock, das lange Stehen strengte ihn an. Unmerklich zwinkerte er
mir zu. Was meinte er? Daß Jean=Baptiste seinen Willen durch=
setzen werde? Weiß der Himmel, es sah nicht so aus. Plötzlich
machte der Kaiser halt vor mir. „Fürstin", sagte er weich. „Ich
glaube nicht, daß Sie wissen, daß das schwedische Königshaus ver=
rückt ist. Der jetzige König ist unfähig, auch nur einen einzigen Satz
deutlich auszusprechen, und sein Neffe mußte abgesetzt werden, weil
er ein Narr ist. So richtig — kuckuck!" Er tippte sich an die Stirn.
„Fürstin, sagen Sie mir, ist Ihr Mann auch verrückt? Ich meine, so
verrückt, daß er um der schwedischen Thronfolge willen seine Staats=
bürgerschaft aufgeben will?"

„Ich bitte, in meiner Gegenwart Seine Majestät Carl XIII. von
Schweden nicht zu beleidigen", kam es scharf von Jean=Baptiste.
„Talleyrand — sind die Vasa kuckuck oder nicht?" wollte Napoleon
wissen. „Es ist ein sehr altes Königshaus, Sire. Alte Königshäuser
pflegen nicht sehr gesund zu sein", bemerkte Talleyrand. „Und Sie,
Fürstin, was sagen Sie dazu? Bernadotte sucht nämlich auch für Sie
und das Kind um Entlassung aus dem französischen Staatsverband
an!" „Es ist eine Formsache, Sire. Wir können sonst die schwedische
Thronfolge nicht antreten", hörte ich mich sagen. Habe ich richtig
geantwortet? Ich sah Jean=Baptiste an. Aber Jean Baptiste sah starr
an mir vorbei. Ich blickte zu Talleyrand hinüber. Der Großwürden=
träger nickte unmerklich. „Punkt zwei: Ihre Entlassung aus der
Armee. Das geht nicht, Bernadotte, das geht wirklich nicht." Der
Kaiser stand wieder hinter dem Schreibtisch und studierte das Ge=
such, das er sicher bereits unzählige Male studiert hatte. „Ich denke
nicht daran, auf einen meiner Marschälle zu verzichten. Wenn es zu
erneuten Kriegen kommt —" Er stockte. Dann schnell: „Wenn Eng=
land nicht nachgibt, muß es zu erneuten Kriegen kommen, dann
brauche ich Sie. Sie werden wie immer eine meiner Armeen kom=
mandieren. Und es ist mir gleichgültig, ob Sie Kronprinz von Schwe=
den sind oder nicht. Ihre schwedischen Regimenter werden eben

einen Teil Ihrer Armee bilden. Oder glauben Sie —" Er lächelte plötzlich und sah um zehn Jahre jünger aus: „Glauben Sie, ich kann einen anderen die Sachsen kommandieren lassen?"

„Nachdem im Tagesbefehl Eurer Majestät nach der Schlacht von Wagram stand, daß die Sachsen keinen Schuß abgefeuert haben, so ist es recht gleichgültig, wer sie befehligt. Geben Sie das Kommando Ney, Sire. Ney ist sehr ehrgeizig und hat unter mir gedient."

„Die Sachsen haben Wagram erstürmt. Und ich denke nicht daran, Ihre Truppen Ney zu überlassen. Ich gestatte Ihnen, Schwede zu werden, wenn Sie Marschall von Frankreich bleiben. Ich habe sehr viel Verständnis für den Ehrgeiz meiner Marschälle. Außerdem eignen Sie sich glänzend für die selbständige Verwaltung eines Landes. Ich denke an Hannover, an die Hansestädte. Sie sind ein ausgezeichneter Gouverneur, Bernadotte!"

„Ich ersuche, aus dem französischen Armeedienst entlassen zu werden." Da schlug Napoleon mit der Faust auf den Schreibtisch. Es klang wie ein Donnerschlag.

„Mir tun die Füße weh, darf ich mich setzen, Sire?" entfuhr es mir. Der Kaiser sah mich an. Das Schillern seiner Augen ließ nach, der Blick wurde grau. Es war, als ob er ein Fernrohr verkehrt vor die Augen halten würde: das Bild vor mir verkleinerte sich immer mehr. Zuletzt sah er in weiter Ferne eine winzige Szene. Ein Mädchen in einem Garten, es dämmerte, das junge Mädchen lief mit ihm um die Wette, und er ließ die Kleine zum Spaß gewinnen ... „Sie werden viele Stunden stehen müssen, wenn Sie als Kronprinzessin von Schweden Ihre Untertanen empfangen, Eugénie", sagte er ruhig. „Bitte — setzen Sie sich! Meine Herren, nehmen wir doch alle Platz!" Ganz gemütlich saßen wir nun rund um seinen Schreibtisch. „Wo waren wir? Sie wünschen aus der Armee entlassen zu werden, Fürst von Ponte Corvo. Um sich nicht als Marschall von Frankreich, sondern als unser Verbündeter unseren Armeen anzuschließen. Verstehe ich richtig?" Erst jetzt spannten sich aufmerksam die Züge des Außenministers. Also darauf wollte Napoleon hinaus, darauf wollte er die ganze Zeit hinaus. Auf das Bündnis mit Schweden. „Wenn ich mich den Wünschen beuge, die Sie aus formellen Gründen stellen, so geschieht es deshalb, weil ich natürlich keine Hindernisse in den Weg legen will, wenn einer meiner Marschälle von einem alten, nicht sehr gesunden Königshaus adoptiert wird. Es ist sogar eine ausgezeichnete Idee des schwedischen Volkes, seine Freundschaft mit Frankreich durch die Wahl eines meiner Marschälle zu bekunden.

Hätte man mich vor der Wahl gefragt, so hätte ich sogar einen meiner eigenen Brüder vorgeschlagen, um deutlich zu beweisen, wieviel mir an diesem Bündnis gelegen ist und wie sehr ich das Haus Vasa schätze. Da man mich jedoch nicht gefragt hat und ich nachträglich zu dieser für mich überraschenden Wahl Stellung nehmen muß, so — gratuliere ich Ihnen, lieber Fürst."

„Mama — er ist gar nicht so arg", flüsterte Oscar.

Talleyrand biß sich auf die Lippen, um ein Lachen zu verbergen, ebenso der Herzog von Cadore. Napoleon sah Oscar einen Augenblick nachdenklich an. „Und gerade diesem Patenkind habe ich einen nordischen Namen ausgesucht. Noch dazu im heißen Sand von Ägypten!" Er begann sich vor Lachen zu schütteln und klatschte Jean=Baptiste auf den Schenkel: „Ist das Leben nicht wahnsinnig, Bernadotte?" — Und zu mir: „Sie haben doch schon gehört, Fürstin, daß Ihre Majestät einen Sohn erwartet?" Ich nickte. „Ich freue mich mit Ihnen, Sire." Napoleon sah wieder Oscar an. „Ich verstehe, daß Sie Schwede werden müssen, Bernadotte. Alles so legal wie möglich. Schon wegen des Kindes. Man sagt mir, daß der abgesetzte Verrückte auch einen Sohn hat. Diesen verbannten Sohn dürfen Sie nie aus den Augen verlieren, Bernadotte, verstehen Sie?" Jetzt mischt er sich schon in unsere Zukunftspläne hinein, dachte ich, es geht wirklich alles ganz gut. Er findet sich mit den Tatsachen ab. „Meneval — die Karte der nordischen Länder!" Die große Erdkugel neben dem Schreibtisch ist natürlich nur ein Spielzeug. Wenn es sich um Entscheidungen handelt, bringt Meneval die großen Landkarten. „Kommen Sie zu mir, Bernadotte." Jean=Baptiste setzte sich auf die Armlehne von Napoleons Fauteuil. Der Kaiser rollte die Karte auf und breitete sie auf den Knien aus. Wie oft sind die beiden so in einem Hauptquartier zusammen gesessen, ging es mir durch den Kopf. „Schweden, Bernadotte! Schweden hält sich nicht an die Kontinentalsperre. Da haben wir Göteborg. Hier werden englische Waren ausgeladen und nach Stralsund in Schwedisch=Pommern gebracht. Von dort aus gelangen sie heimlich nach Deutschland."

„Und nach Rußland", bemerkte Talleyrand wie beiläufig. „Mein Verbündeter, der Zar aller Reußen, widmet leider dieser Frage nicht genügend Aufmerksamkeit. Man findet auch englische Waren in dem mit uns verbündeten Rußland. Wie dem auch sei, Bernadotte, Schweden ist die Ursache allen Übels, Sie werden in Schweden aufräumen. Und wenn es sein muß, England den Krieg erklären!" Meneval hatte begonnen, Schlagworte mitzuschreiben. Talleyrand

blickte Jean=Baptiste interessiert an. „Schweden wird die Kontinental=
sperre vervollständigen, ich glaube, wir können uns auf den Fürsten
von Ponte Corvo verlassen", nickte der Herzog von Cadore befrie=
digt. Jean=Baptiste schwieg. „Haben Sie etwas einzuwenden, Fürst?"
fragte der Kaiser scharf. Erst jetzt sah Jean=Baptiste von der Land=
karte auf. „Ich werde natürlich den Interessen Schwedens mit allen
mir zu Gebote stehenden Mitteln dienen."

„Und den Interessen Frankreichs?" Es kam vom Kaiser und war
sehr deutlich. Jean=Baptiste erhob sich, rollte sorgsam die Landkarte
der nordischen Länder zusammen und reichte die Rolle Meneval.
„Soviel ich weiß, verhandelt die Regierung Eurer Majestät mit der
Regierung Schwedens über den Abschluß eines Nichtangriffspaktes,
der in ein Freundschaftsbündnis ausgedehnt werden könnte. Ich
glaube, daß ich daher nicht nur Schweden, sondern auch gleichzeitig
meinem ehemaligen Vaterland dienen kann." Ehemaliges Vaterland
— es schmerzte unbeschreiblich. Jean=Baptistes Gesicht wirkte müde.
Tiefe Furchen verbanden Nase und Mundwinkel. „Sie sind Fürst
eines kleinen Gebietes, das unter französischer Oberhoheit steht",
sagte der Kaiser. Seine Stimme klang kalt. „Ich bin gezwungen,
Ihnen das Fürstentum Ponte Corvo und dessen sehr beträchtliche
Einkünfte zu entziehen." Jean=Baptiste nickte. „Ich habe in meinem
Gesuch ausdrücklich darum angesucht, Sire."

„Beabsichtigen Sie, in Schweden als einfacher Monsieur Jean=
Baptiste Bernadotte, Marschall von Frankreich außer Dienst, anzu=
kommen? Wenn Sie es wünschen, könnte man Ihnen in Anbetracht
Ihrer Verdienste den Fürstentitel lassen." Jean=Baptiste schüttelte
den Kopf. „Ich möchte gleichzeitig mit dem Verzicht auf das
Fürstentum auch dessen Titel ablegen. Sollten jedoch Majestät so
gnädig sein, mir in Anbetracht meiner früheren Verdienste um die
Republik einen Wunsch zu erfüllen, so bitte ich darum, meinem
Bruder in Pau eine Baronie zu verleihen." Napoleon war verblüfft.
„Nehmen Sie denn Ihren Bruder nicht mit nach Schweden? Sie
könnten ihn dort in den Grafenstand erheben oder zum Herzog
ernennen!"

„Ich habe nicht die Absicht, meinen Bruder oder irgendein anderes
Mitglied meiner Familie nach Schweden mitzunehmen. Der schwe=
dische König wünscht nur mich und nicht meine ganze Verwandt=
schaft zu adoptieren. Glauben Sie mir, Sire, ich weiß, was ich tue!"
Unwillkürlich sahen wir alle den Kaiser an. Kronen, Titel, Würden
läßt er auf seine unfähigen Brüder niederregnen. „Ich glaube, Sie

haben recht, Bernadotte", sagte Napoleon langsam und stand auf. Auch wir erhoben uns. Der Kaiser trat an seinen Schreibtisch und betrachtete zum letztenmal das Gesuch. „Und Ihre Güter in Frank= reich? In Litauen? In Westfalen?" fragte er zerstreut. „Ich bin im Begriffe, sie zu verkaufen, Sire."

„Um die Schulden der Dynastie Vasa zu bezahlen?"

„Ja. Und um die Hofhaltung der Dynastie Bernadotte in Schwe= den zu bestreiten." Napoleon griff nach der Feder. Sah noch einmal von einem zum anderen. „Mit dieser Unterschrift hören Sie, Ihre Frau und Ihr Sohn auf, französische Bürger zu sein, Bernadotte. Soll ich unterzeichnen?" Jean=Baptiste nickte. Seine Augen waren beinahe geschlossen, die Lippen fest zusammengepreßt. „Mit dieser Unter= schrift versetze ich Sie auch in den Ruhestand, Herr Marschall! Soll ich wirklich unterschreiben?" Wieder nickte Jean=Baptiste. Ich suchte seine Hand. Es schlug zwölf. Ein Trompetensignal im Hof flatterte auf, die Wachtparade begann. Das Trompetensignal übertönte das Kratzen der Feder. Diesmal legten wir den weiten Weg vom Schreib= tisch des Kaisers bis zur Tür nicht allein zurück. Napoleon begleitete uns. Seine Hand lag auf Oscars Schulter. Meneval riß die Tür zum Vorraum auf. Diplomaten, Generäle, ausländische Fürsten, in= ländische Minister verbeugten sich tief. „Ich möchte, daß Sie mit mir Ihre Königlichen Hoheiten den Kronprinzen und die Kronprinzessin von Schweden beglückwünschen", sagte der Kaiser. „Und mein Patenkind, den —" „Ich bin der Herzog von Södermanland", klang Oscars helle Bubenstimme auf. „Und mein Patenkind, den Herzog von Södermanland", fügte Napoleon hinzu. Auf der Nachhausefahrt saß Jean=Baptiste zusammengesunken in der Wagenecke. Wir schwiegen und wußten alles voneinander. In der Rue d'Anjou hatten sich Neugierige versammelt. Jemand rief: „Vive Bernadotte! Vive Bernadotte . . ." Es war wie damals, als Napoleon die Macht an sich riß und einige glaubten, Jean=Baptiste könne die Republik gegen ihn verteidigen. Vor unserem Haustor erwarteten uns Graf Brahe und Baron Gustaf Mörner mit einigen schwedischen Herren, die soeben mit wichtigen Botschaften aus Stockholm eingetroffen waren. „Ich bitte Sie, uns zu entschuldigen, meine Herren. Ihre Königliche Hoheit und ich möchten allein sein", winkte Jean=Baptiste ab, und wir gingen an ihnen vorbei in den kleinen Salon. Aber wir waren nicht allein. Aus einem Fauteuil erhob sich eine magere Gestalt: Fouché, der Herzog von Otranto. Der Polizeiminister ist kürzlich in Ungnade gefallen, weil er angefangen hat, heimlich mit den Engländern zu verhandeln und weil Napoleon darauf gekommen ist. Jetzt stand er vor uns und hielt mir tiefrote, beinahe schwarze Rosen entgegen. „Darf man gratulieren?" säuselte er. „Frankreich ist stolz auf seinen großen Sohn —!"

„Lassen Sie das, Fouché, ich habe soeben meine französische Staatsbürgerschaft aufgegeben", sagte Jean=Baptiste gequält.

„Ich weiß, Hoheit, ich weiß!"

„Dann entschuldigen Sie uns bitte. Wir können jetzt niemanden empfangen", sagte ich und nahm ihm die Rosen ab. Als wir endlich allein waren, setzten wir uns nebeneinander aufs Sofa und waren so müde, als ob wir einen langen, langen Weg gewandert wären. Nach einer Weile stand Jean=Baptiste auf, trat ans Klavier und schlug zerstreut mit einem Finger auf die Tasten. Die Marseillaise. Er kann nur mit einem Finger spielen und nur die Marseillaise... „Ich habe heute Napoleon zum letztenmal im Leben gesehen", sagte er unvermittelt. Und klimperte weiter. Dieselbe Melodie, immer dieselbe...

Heute mittag ist Jean=Baptiste nach Schweden abgereist. Während
der letzten Tage war er so beschäftigt, daß wir kaum richtig Ab=
schied nehmen konnten. Das französische Außenministerium mußte
ihm eine Liste jener Schweden anfertigen, die man hier für be=
deutungsvoll hält. Mörner und Graf Brahe erklärten ihm dann, wer
die einzelnen Persönlichkeiten eigentlich sind. Eines Nachmittags
ließ sich Baron Alquier bei uns melden. Er trug seine goldbestickte
Botschafteruniform und das ewige Lächeln aller Hofbälle. „Seine
Majestät hat mich zum französischen Botschafter in Stockholm er=
nannt, und ich möchte vor meiner Abreise noch Eurer Königlichen
Hoheit meine Aufwartung machen." „Sie brauchen sich nicht vor=
zustellen, wir kennen einander doch seit Jahren", sagte Jean=Bap=
tiste ruhig. Seine Augen wurden schmal. „Sie waren Botschafter
Seiner Majestät in Neapel, als die neapolitanische Regierung gestürzt
und ein Kabinett nach den Wünschen Seiner Majestät eingesetzt
wurde." Alquier nickte lächelnd: „Prachtvolle Landschaft rund um
Neapel . . ." „Und Sie waren Botschafter Seiner Majestät in Madrid,
als die spanische Regierung zum Rücktritt gezwungen und ein neues
Kabinett — den Wünschen Seiner Majestät entsprechend — eingesetzt
wurde", fuhr Jean=Baptiste fort. „Eine schöne Stadt, dieses Madrid,
nur etwas zu heiß", bemerkte Alquier. „Und jetzt kommen Sie also
nach Stockholm", schloß Jean=Baptiste. „Eine schöne Stadt, aber sehr
kalt, höre ich", meinte Alquier. Jean=Baptiste zuckte die Achseln.
„Es kommt vielleicht auf den Empfang an, der einem dort zuteil
wird. Es gibt warme Empfänge und — kühle." Alquier lächelte
ununterbrochen: „Seine Majestät, der Kaiser, hat mir versichert, daß
mich Eure Königliche Hoheit sehr warm empfangen werden. Als ·—
ehemaligen Landsmann sozusagen." „Wann reisen Sie, Exzellenz?"
„Am 30. September, Hoheit." „Dann werden wir wohl gleichzeitig
Stockholm erreichen." „Welch glücklicher Zufall, Hoheit!" „Generäle
überlassen selten etwas dem Zufall, Exzellenz. Und der Kaiser ist in
erster Linie General", sagte Jean=Baptiste und erhob sich. Alquier
mußte sich verabschieden. Kuriere aus Stockholm überbrachten Mel=
dungen über die großartigen Empfangsvorbereitungen. Dänische
Diplomaten sprachen vor und berichteten, daß Kopenhagen zur fest=
lichen Begrüßung des schwedischen Kronprinzen rüste. Jeden Vor=

mittag kam der Pastor der evangelischen Gemeinde in Paris, um Jean=Baptiste Religionsunterricht zu erteilen. Jean=Baptiste soll näm= lich noch vor seiner Ankunft in Schweden, und zwar in einer däni= schen Hafenstadt, Helsingör heißt sie, vom katholischen Glauben zum evangelischen übertreten und in Anwesenheit des schwedischen Erzbischofs das Augsburger Religionsbekenntnis unterschreiben. In Schweden ist nämlich der Protestantismus Staatsreligion. „Warst du eigentlich schon einmal in einer evangelischen Kirche, Jean=Baptiste?" erkundigte ich mich. „Ja, zweimal. In Deutschland. Es sieht wie in einer katholischen Kirche aus. Nur die Heiligenbilder fehlen." — „Muß ich auch evangelisch werden, Jean=Baptiste?" Er überlegte. „Ich glaube, es ist nicht notwendig, du kannst das halten, wie du willst. Aber für diesen netten jungen Pastor, der mir da täglich Religionsstunden geben will, habe ich jetzt keine Zeit. Er soll in= zwischen Oscar unterrichten. Oscar soll das Augsburger Bekenntnis auswendig lernen, und zwar möglichst auch auf schwedisch. Graf Brahe kann ihm dabei helfen." Oscar lernt das Augsburger Bekennt= nis auf französisch und auf schwedisch. Auf Jean=Baptistes Nacht= tisch liegen die Listen mit den wichtigen Namen. Der Hofkanzler heißt Wetterstedt. Gustaf natürlich. Ich glaube, die meisten Schwe= den heißen Gustaf. Außerdem gibt es viele Löwenhjelms. Einer davon, ein Karl Axel Löwenhjelm, ist auf der Liste unterstrichen. Der wird Jean=Baptiste in Helsingör erwarten und ihn von dort als Kammerherr nach Stockholm begleiten. Seinem Namen hat Jean= Baptiste das Wort „Etikettefragen" hinzugefügt. Dann gibt es einen Grafen Toll, Gouverneur von Schonen. Der Außenminister heißt von Engström und der Erzbischof Jakob Axel Lindholm. „Ich lasse dir diese Liste hier, bitte lerne die Namen mit Hilfe von Brahe aus= wendig", sagte Jean=Baptiste. „Aber ich kann sie nicht aussprechen", klagte ich. „Wie sprichst du zum Beispiel Löwenhjelm aus?" Jean= Baptiste konnte es auch nicht.

„Aber ich werde es lernen, man kann alles lernen, wenn man nur will", sagte er. Und fügte hinzu: „Du mußt dich mit deinen Reise= vorbereitungen beeilen, ich will nicht, daß du mit Oscar länger als unbedingt nötig hierbleibst. Sobald ich deine Zimmer im könig= lichen Schloß in Stockholm eingerichtet habe, wirst du die Reise antreten, versprichst du mir das?" Es klang sehr eindringlich. Ich nickte. „Ich habe übrigens daran gedacht, das Haus hier zu ver= kaufen", meinte er nachdenklich. „Nein, nein — Jean=Baptiste, das darfst du mir nicht antun!" Er sah mich erstaunt an. „Wenn du

Paris später einmal besuchen willst, kannst du doch bei Julie woh=
nen. Es ist ein ganz überflüssiger Luxus, das große Haus hier zu
halten." — „Es ist mein Heim. Und du kannst mir nicht so ohne
weiteres mein Heim wegnehmen. Wenn wir noch Papas Villa in
Marseille hätten ... Aber wir haben sie nicht mehr. Laß mir das
Haus hier, Jean=Baptiste, laß es mir!" flehte ich und: „Du wirst doch
auch wieder nach Paris kommen. Dann wirst du froh sein, dein Haus
zu haben. Oder willst du von nun an in einem Hotel oder in der
schwedischen Botschaft wohnen?" Es war spät nachts, wir saßen auf
der Kante von Jean=Baptistes Bett, seine Reisetaschen standen voll
gepackt herum. „Wenn ich jemals wiederkomme, wird es mir schwer=
fallen und weh tun", murmelte er und starrte ins Kerzenlicht. „Du
hast recht, dann wird es am besten sein, hier abzusteigen. Wir be=
halten das Haus, kleines Mädchen." Heute vormittag fuhr der große
Reisewagen vor. Fernand verstaute das Gepäck und nahm schließlich
am Wagenschlag Aufstellung. Er trug noch immer seine weinrote
Uniform, hatte aber Knöpfe mit dem schwedischen Reichswappen
darangenäht. In der Vorhalle wartete Gustaf Mörner auf Jean=
Baptiste. Ich begleitete ihn mit Oscar die Stiegen hinunter. Er hatte
den Arm um meine Schultern gelegt, es war eigentlich nicht anders
als die vielen Male, in denen er Abschied genommen hat, um an die
Front zu reisen oder einen Gouverneursposten anzutreten. Vor der
Büste General Moreaus machte er plötzlich halt und starrte in das
Marmorgesicht. Wie sie die Republik geliebt haben, diese zwei.
Und jetzt lebt der eine in Amerika im Exil, der andere ist Kron=
prinz geworden ... „Schick die Büste mit meinen übrigen Sachen
nach Stockholm", sagte Jean=Baptiste kurz. Dann umarmte er Oscar
und mich. „Sie haften mir, daß meine Frau und Oscar bald nach=
kommen, Graf Brahe", sagte er heiser. „Es kann sogar von unge=
heurer Wichtigkeit sein, daß meine Familie Frankreich sehr bald
verläßt. Verstehen Sie, was ich meine?" Graf Brahe hielt dem Blick
Jean=Baptistes stand. „Ich glaube schon, Hoheit." Dann stieg Jean=
Baptiste sehr schnell in den Reisewagen, Mörner nahm neben ihm
Platz, Fernand schlug die Wagentür zu und schwang sich neben
den Kutscher auf den Bock. Einige Passanten blieben stehen, ein
invalider Soldat mit den Medaillen aller Feldzüge auf der Brust
rief: „Vive Bernadotte!" Jean=Baptiste zog schnell die Vorhänge zu.

*Helsingör in Dänemark, in der
Nacht vom 21. zum 22. Dezember 1810.*

Ich habe nicht gewußt, daß Nächte so lang und kalt sein können. Morgen werde ich mit Oscar das Kriegsschiff mit den vielen Wimpeln besteigen, das uns über den Sund nach Schweden bringen wird. Wir werden in Hälsingborg landen, Schweden wird Kronprinzessin Desideria begrüßen und ihren Sohn, den Erbprinzen. Meinen guten, kleinen Sohn ... Marie hat mir vier Wärmflaschen ins Bett gelegt. Vielleicht vergeht die Nacht schneller, wenn ich schreibe, ich habe vieles nachzutragen. Aber ich friere trotz aller Wärmflaschen. Am liebsten würde ich aufstehen und Napoleons Zobelpelz nehmen und ganz still in Oscars Zimmer treten und mich an sein Bett setzen. Ich möchte seine Hand halten und seine Wärme spüren. Sohn, du Teil meines Ich. Früher habe ich mich so oft an dein Bett gesetzt, wenn ich mich einsam fühlte. In den vielen Nächten, in denen dein Vater an irgendeiner Front kämpfte. Generalsfrau, Marschallin ... Ich habe es mir nicht ausgesucht, Oscar. Und ich habe nicht geahnt, daß eine Zeit kommen wird, in der ich nicht ungehindert an dein Bett treten kann. Aber du schläfst nicht mehr allein in deinem Zimmer. Oberst Villatte begleitet uns, seit vielen Jahren der treue Adjutant deines Vaters. Dein Vater hat verlangt, daß Villatte in deinem Zimmer schläft, bis wir im königlichen Schloß in Stockholm angelangt sind. Um dich zu schützen, Liebling. Wovor? Vor Mördern, mein Kind, vor Attentätern, die sich schämen, weil das stolze Schweden bankrott und, seiner verlorenen Kriege und wahnsinnigen Könige müde, einen einfachen Monsieur Bernadotte zum Kronprinzen erwählt hat. Und den kleinen Oscar Bernadotte, Enkel eines Seidenhändlers aus Marseille, zum Erbprinzen. Deshalb verlangt dein Vater, daß Villatte in deinem Zimmer schläft. Und der junge Graf von Brahe nebenan. Liebling, wir fürchten uns vor Mördern. In meinem Vorzimmer dagegen schläft Marie. Mein Gott, wie sie schnarcht. Marie und ich sind einen weiten Weg gereist. Zu weit vielleicht. Seit zwei Tagen verhindert der Nebel meine Fahrt über den Sund. Undurchdringlich grau liegt die Zukunft vor mir. Ich habe nicht gewußt, daß es irgendwo so kalt sein kann wie hier in Dänemark. Und dabei sagen alle Leute: „Warten Sie nur, bis Sie erst in Schweden sind, Hoheit!"

Ende Oktober haben wir unser Haus in der Rue d'Anjou ver=

lassen. Ich habe Leinenüberzüge über die Seidenfauteuils gelegt und die Spiegel verhängt. Dann bin ich mit Oscar zu Julie nach Mortefontaine gefahren, um die letzten Tage mit ihr zu verbringen. Aber der junge Brahe und die Herren von der schwedischen Botschaft in Paris schienen kaum erwarten zu können, daß ich Frankreich verlasse. Den Grund dieser Eile habe ich erst gestern erfahren. Aber ich konnte doch nicht abreisen, bevor Le Roy meine neuen Hoftoiletten abgeliefert hatte. Ich saß mit Julie in ihrem herbstlichen Garten, es roch nach feuchter warmer Erde. Ihre kleinen Mädchen spielten mit Oscar, sie sind mager und blaß wie Julie und erinnern nicht an die Bonapartes. „Du wirst mich bald in Stockholm besuchen, Julie", sagte ich. Aber sie zuckte nur die schmalen Schultern: „Sobald die Engländer aus Spanien vertrieben sind, muß ich nach Madrid. Dort bin ich leider Königin." Zu den Anproben im Salon Le Roy begleitete sie mich. Endlich konnte ich mir weiße Hoftoiletten bestellen. In Paris habe ich die Farbe immer vermieden, weil Josephine stets Weiß trug. Aber in Stockholm weiß man wenig von der früheren Kaiserin und ihren Kleidern. Irgend jemand hat mir erzählt, daß Königin Hedwig Elisabeth und ihre Damen sich noch die Haare pudern. Vorstellen kann ich mir das nicht, so unmodern kann man doch nicht einmal in Schweden sein. ... Aber wie gesagt, Brahe drängte zur Abreise. Am ersten November wurden die Toiletten geliefert, und am dritten fuhren die Reisewagen vor. Ich nahm im ersten mit Oberst Villatte, dem Doktor — Jean Baptiste hat in Paris einen Leibarzt für die Reise engagiert — und der La Flotte Platz. Im nächsten Wagen folgten Oscar, Graf von Brahe und Marie. Im dritten Wagen war unser Gepäck verstaut. Ursprünglich wollte ich auch meine Vorleserin mitnehmen. Aber die hat bei dem bloßen Gedanken, Paris zu verlassen, so bitterlich geweint, daß ich sie Julie empfahl. Eine neue Vorleserin engagieren? Graf Brahe hat mir erzählt, daß die schwedische Königin meinen Hofstaat zusammengestellt hat. Hofdamen, Vorleserinnen, Kammerfrauen. Die La Flotte dagegen war Feuer und Flamme für die Reise, weil sie sich in den Grafen Brahe verliebt hat. Daß Sie schreiben können, weiß ich, für Ihre Berichte über den Kronprinzen und mich sind Sie ja von der Polizei ganz gut bezahlt worden", sagte ich zu ihr. „Aber — können Sie auch lesen?" — Sie war blutrot geworden. „Wenn Sie auch lesen können, brauche ich nämlich keine neue Vorleserin zu engagieren." Die La Flotte senkte den Kopf. „Ich freue mich so auf Stockholm — das Venedig des Nordens", lispelte sie.

„Das Venedig des Südens wäre mir lieber, ich bin nämlich aus dem Süden", seufzte ich. Das alles scheint schon so lange zurückzuliegen. Dabei ist es erst sechs Wochen her. Aber in diesen sechs Wochen sind wir von früh bis abends im Wagen gesessen. Und jeden Abend hat man uns zu Ehren ein Fest gegeben. In Amsterdam, in Hamburg. Wir haben in Orten mit so seltsamen Namen wie Itzehoe und Apenrade übernachtet. Erst in Nyborg in Dänemark nahmen wir einen längeren Aufenthalt. Von dort aus sollten wir nämlich von der Insel Fünen mit einem Schiff zur Insel Seeland, auf der Kopenhagen liegt, hinüberfahren. Hier erreichte uns ein Kurier Napoleons. Es war ein junger Kavallerieoffizier, der ein großes Paket trug. Und gerade als wir uns auf das Schiff begeben wollten, holte er uns ein. Sein Pferd hatte er auf dem Kai festgebunden. Keuchend lief er mir mit seinem großen Paket nach. „Melde gehorsamst — die herzlichsten Grüße von Seiner Majestät!"

Graf von Brahe nahm ihm das unförmige Paket ab, und Villatte fragte: „Haben Sie keinen Brief für Ihre Hoheit?" Der junge Offizier schüttelte den Kopf: „Nein, nur diesen mündlichen Gruß. Als der Kaiser hörte, daß Ihre Hoheit abgereist war, murmelte er: Schreckliche Jahreszeit, um nach Schweden zu fahren! und sah sich um. Sein Blick fiel zufällig auf mich. Ich erhielt den Befehl, Eurer Hoheit nachzureisen und dieses Geschenk zu überbringen. Der Kaiser sagte: Beeilen Sie sich, Ihre Hoheit wird es dringend brauchen. Melde gehorsamst — hier ist das Paket!" Der Offizier schlug die Hacken zusammen. Der kalte Wind trieb mir die Tränen in die Augen. Ich reichte ihm die Hand. „Danken Sie Seiner Majestät und grüßen Sie mir Paris!" Dann mußte ich das Schiff besteigen. In der Kajüte packten wir das Geschenk des Kaisers aus. Mir blieb das Herz stehen. Ein Zobelpelz. Der kostbarste Pelz, den ich je gesehen habe. „Einer der drei Pelze des Zaren", flüsterte die La Flotte ergriffen. Alle haben von den drei Zobelpelzen, die der Zar dem Kaiser geschenkt hat, gehört. Den einen gab er Josephine, den zweiten seiner Lieblingsschwester Polette, und der dritte — ja, der dritte liegt jetzt auf meinen Knien. Weil ich ihn so dringend brauche ... Aber ich friere trotzdem. Die Generalsmäntel in alten Tagen haben mich besser gewärmt. Napoleons Mantel in jener Gewitternacht. Jean=Baptistes Mantel in einer Pariser Regennacht. Sie waren nicht mit Gold bestickt wie die Generalsmäntel von heute, sondern rauh und armselig und schlecht geschneidert. Aber es waren die Uniformen der tapferen jungen Republik.

Wir schaukelten drei Stunden von Nyborg nach Korsör. Die La
Flotte war seekrank und wünschte nicht, daß Graf Brahe ihr den
Kopf hielt. Ein sicheres Zeichen, wie sehr sie in ihn verliebt ist.
Villatte stand ihr treu zur Seite. Dabei wäre dies die Pflicht meines
Leibarztes gewesen. Aber der Doktor war verschwunden. Oscar
fand ihn schließlich. „Er ist auf Deck gegangen und kotzt", sagte
er. — „Er erbricht sich, Hoheit, bitte — er erbricht sich", verbesserte
Graf Brahe schnell. „Wie heißt das auf schwedisch?" wollte Oscar
wissen. Marie hielt mir irgendein Riechfläschchen unter die Nase.
In Korsör durften wir uns kaum einen Tag ausruhen, da wir am
17. Dezember in Kopenhagen eintreffen mußten. „Der dänische Kö=
nig hat alles zum Empfang vorbereitet, Hoheit zu Ehren wird ein
Gala=Souper mit anschließendem Konzert stattfinden", erklärte uns
Graf Brahe. In dieser Jahreszeit wird es in Dänemark bereits um
fünf Uhr nachmittags dunkel. Wir drückten uns alle zusammen
in einen Wagen, um uns zu erwärmen. „Erzählen Sie uns vom
dänischen König, Graf Brahe", schlug ich vor. „Er heißt Frederik,
nicht wahr?" — „Alle dänischen Könige heißen Frederik oder Chri=
stian", wußte Oberst Villatte. — „Frederik, König Frederik VI.",
sagte Graf Brahe eindringlich. Der hat sich doch auch um die Kron=
prinzen=Stellung in Schweden beworben, fiel mir ein. „Wie alt ist
dieser Frederik?" — „Anfang vierzig. Und bei seinen Dänen sehr
beliebt. Er hat nämlich die Leibeigenschaft aufgehoben", berichtete
uns Graf Brahe. „Wenn die Französische Revolution nicht gewesen
wäre, hätten wir heute noch in Europa lauter Sklavenvölker!" sagte
Villatte. „War seine Mutter nicht die Königin, die mit ihrem
Staatsminister ein Verhältnis hatte?" mischte sich Madame La Flotte
ins Gespräch. „Wie hat der Staatsminister doch geheißen?" —
„Struensee. Und die Königin hieß Caroline Mathilde und war eine
englische Prinzessin", ergänzte Brahe aus dem Dunkel des Wagens.
„Und als alles entdeckt wurde, ist diesem Struensee oder wie er
nun geheißen hat, der Kopf abgeschlagen worden, und die arme
Königin hat man verbannt. Schrecklich!" sagte die La Flotte auf=
geregt. Villatte murmelte: „Bei uns war es umgekehrt, was näm=
lich Marie Antoinette und Axel Fersen betrifft." — „Pst, Villatte",
ermahnte ich schnell. Fersen war schließlich Schwede, vielleicht war
dieser junge Brahe irgendwie mit ihm verwandt. „Wie hat der
Vater des jetzigen dänischen Königs geheißen?" erkundigte ich mich.
„Nachdem der jetzige König Frederik heißt, muß sein Vater ein
Christian gewesen sein", meinte Villatte. „Muß nicht, aber war

es", sagte Graf Brahe. „Der unselige Christian VII." — „Warum unselig? Weil ihn seine Frau betrogen hat?" wollte die La Flotte wissen. „Nicht gerade deshalb. Sondern weil er geistig nicht ganz — ich meine, man nimmt an, daß er geistesgestört oder —" „Also kuckuck würde Napoleon sagen", entschied Villatte. „Nicht nur das Haus Vasa, auch in Dänemark —" begann die La Flotte. „Madame, Sie vergessen sich", wies ich sie schnell zurecht und zog den Pelz fester um mich. Muß Oscar eine Prinzessin aus altem Fürstengeschlecht heiraten? ging es mir durch den Kopf. Ich fröstelte. „Wir sollten halten und heißes Wasser für die Wärmflaschen Ihrer Hoheit auftreiben", schlug die La Flotte vor. Ich schüttelte den Kopf. Ich fror nicht nur, weil es kalt war. Ich fror doch vor Angst. So viel Schatten, dachte ich, die wir vertreiben sollen. Der Abend in Kopenhagen verlief wie ein wirrer Traum. Das kleine Königsschloß wird erst seit sechzehn Jahren von der königlichen Familie bewohnt, im Schein der Fackeln sah ich einen reizenden Rokokobau, einladend und sehr freundlich. Ich war steif vor Kälte und Müdigkeit. Marie massierte meine Füße, während mich Yvette frisierte. Ich zog eine meiner neuen weißen Toiletten an und fragte nach Oscar. Marie sagte, daß das Kind kaum die Augen offenhalten könne. „Dann muß Oscar ins Bett", befahl ich. Marie verschwand mit diesem Bescheid. Aber sofort ließ sich Graf Brahe bei mir melden. „Der Erbprinz muß unter allen Umständen an der Galatafel teilnehmen", erklärte er ruhig. „Von Kindererziehung hat man an euren alten Höfen keine Ahnung, deshalb sind auch die meisten Könige so kuckuck", antwortete ich wütend. Graf Brahe gab keine Antwort, sondern sah mich nur vorwurfsvoll an. „Lassen Sie das Kind ankleiden", seufzte ich. „Die schwedische Kadettenuniform, die ihm mein Mann geschickt hat!" Als ich fertig angezogen war, hielt mir Marie ein Glas Champagner hin. Ich trank es aus, aber meine große Traurigkeit ließ nicht nach. Das dänische Königspaar war sehr freundlich zu mir, beide Majestäten sprachen ausgezeichnet Französisch und betonten, wie sehr sie den französischen Kaiser bewunderten. Der König bat mich inständig, mir am nächsten Morgen die Zerstörungen anzusehen, die ein Bombardement der englischen Flotte in Kopenhagen angerichtet habe. Ich versprach es hoch und heilig. Während des Soupers wiederholte der König, wie sehr er mit Napoleon fühle — England sei der gemeinsame Erzfeind. „Und dabei war Ihre Mutter doch eine englische Prinzessin", entfuhr es mir. — Wirklich, ich wollte nicht taktlos sein, aber ich war so müde, daß ich alles aussprach, was mir in den Sinn kam. Bei Erwähnung seiner Mutter wurde der König peinlich berührt. Mein Blick fiel auf Oscar, der im Halbschlaf Eiscreme löffelte, und ich sagte: „Man soll seine Mutter nie verleugnen, Majestät." Da hob Seine Majestät sehr schnell die Tafel auf, und wir begaben uns in den Ballsaal.

Und nun sind wir beinahe drei Tage in dieser kleinen Stadt Helsingör, von hier aus kann man nach Schweden hinübersehen, vorausgesetzt, daß es nicht neblig ist. Aber es ist neblig. Und so hoher Seegang, daß Graf Brahe die Überfahrt immer wieder verschiebt. „Hoheit können doch nicht seekrank in Schweden ankommen. Auf der anderen Seite des Sundes will nämlich eine große Volksmenge die neue Kronprinzessin sehen." Wir warten ... Der schwedische Handelsagent Glörfelt, der hier wohnt, bat mich, sein Kind aus der Taufe zu heben und ihm einen hübschen Namen zu geben. Ich nannte den Säugling Jules Désiré Oscar, weil ich mich gerade so nach Julie sehnte. Dann besichtigte ich mit Oscar die Festung Kronborg, und als wir über den Schloßgarten fuhren, krachten plötzlich die Kanonen, um uns zu begrüßen. Die La Flotte, die immer mit ihrer Bildung prahlt, erzählte mir, daß hier einmal ein dänischer Prinz gewohnt habe, der Hamlet hieß und seinen Onkel ermordete. Weil dieser Onkel seinerzeit nicht nur den König, Hamlets Vater, ermorden ließ, um selbst die Krone zu tragen, sondern auch Hamlets Mutter, die wunderschöne Königin, heiratete. Der ermordete Vater soll im Schloß gespukt haben ...

„Ist das alles schon lange her?" wollte ich natürlich wissen. Das wiederum wußte Madame La Flotte nicht. Nur, daß ein englischer Dichter ein Trauerspiel darüber geschrieben habe. Ich dankte dem Schicksal, daß ich nicht in diesem Spukschloß wohnen mußte, und rief natürlich Oscar, der begeistert die Kanonen auf der Bastei untersuchte, sofort zurück. „Lassen Sie doch das Kind", meinte Villatte. „Nein, hier spukt es." Morgen fahren wir nach Schweden hinüber. Es ist zwar immer noch neblig, aber die See ist ruhiger. Ich studiere zum letztenmal den Zettel mit den Namen der Damen und Herren, die mich in Hälsingborg empfangen werden. Meine neue Hofdame, eine Gräfin Carolina Lewenhaupt. Ein Hoffräulein Mariana Koskull. Hofstallmeister Baron Reinhold Adelswärd, die Kammerherren Graf Erik Piper und Sixten Sparre und schließlich ein neuer Leibarzt, der Pontin heißt. Meine Kerzen sind niedergebrannt, es ist vier Uhr morgens, ich muß versuchen zu schlafen.

Jean=Baptiste ist mir nicht entgegengereist. Erst hier habe ich erfahren, daß Napoleon am 12. November der schwedischen Regierung ein Ultimatum gestellt hat. Entweder erklärt Schweden den Engländern innerhalb von fünf Tagen Krieg oder befindet sich selbst im Krieg mit Frankreich, Dänemark und Rußland. In Stockholm trat der Staatsrat zusammen. Alle Augen richteten sich auf den neuen Kronprinzen. Aber Jean=Baptiste erklärte: „Meine Herren, ich bitte Sie zu vergessen, daß ich in Frankreich geboren bin und daß der Kaiser noch das Liebste, was ich auf der Welt besitze, in seiner Macht hat. Meine Herren, ich wünsche, an dieser Staatsratssitzung nicht teilzunehmen, um Ihre Beschlüsse nicht zu beeinflussen." Jetzt verstehe ich, warum die Herren der schwedischen Botschaft in Paris verlangten, daß Oscar und ich unsere Abreise beschleunigen sollten. Der schwedische Staatsrat entschied sich für den Krieg mit England. Am 17. November überreichten die Schweden den Engländern ihre Kriegserklärung. Aber Graf Brahe, der bereits mit einigen Schweden gesprochen hat, verriet mir: „Seine Königliche Hoheit, der Kronprinz, hat einen geheimen Kurier nach England geschickt und ersucht, diese Kriegserklärung nur als Formalität zu betrachten. Schweden wünscht den Handel mit englischen Waren fortzusetzen und schlägt vor, daß von nun an die englischen Schiffe, die den Hafen von Göteborg anlaufen, unter amerikanischer Flagge segeln." Vergeblich zerbreche ich mir den Kopf über diese Vorfälle. Napoleon hätte Oscar und mich als Geiseln behalten können. Aber er ließ uns abreisen und sandte mir noch einen Zobelpelz nach. Weil er annahm, daß ich frieren werde ... Jean=Baptiste dagegen bittet den Staatsrat, auf seine Familie keine Rücksicht zu nehmen. Schweden ist ihm wichtiger, Schweden ist ihm das Allerwichtigste auf Erden. Von allen Seiten höre ich, wie sehnsüchtig die Schweden unser Kind erwarten. Wenn Oscar allein schlafen würde, könnte ich in meiner Angst zu ihm hinübergehen. Ich lasse mich durch Nebel und Kälte jagen, um mein Kind abzuliefern. Und weiß nicht einmal, ob Oscar glücklich werden wird. Sind Erbprinzen eigentlich glücklich?

Hälsingborg, 22. Dezember 1810.
(Ich bin heute in Schweden
angekommen).

Die Kanonen auf der Bastei von Kronenborg in Helsingör don=
nerten, als wir das schwedische Kriegsschiff bestiegen. Die Mann=
schaft stand stramm. Oscar legte die kleine Hand an den Dreispitz,
ich versuchte zu lächeln. Es war immer noch sehr neblig, der eisige
Wind blies mir die Tränen in die Augen. Deshalb setzte ich mich
in die Kajüte. Oscar wollte jedoch auf Deck bleiben und die Ka=
nonen untersuchen. „Und mein Mann ist wirklich nicht gekom=
men?" fragte ich zum soundsovieltenmal den Grafen Brahe. Den
ganzen Vormittag über waren kleine Schiffe mit Botschaften aus
Hälsingborg nach Helsingör gekommen, um ihn über alle Einzel=
heiten des Empfanges zu informieren. „Wichtige politische Entschei=
dungen halten Seine Königliche Hoheit in Stockholm zurück. Man
erwartet neue Forderungen Napoleons." Eine ganze Welt scheint
zwischen diesem eisigen Nebel hier und dem sanft rieselnden Win=
terregen in Paris zu liegen. Die Lichter tanzen in der Seine. Eine
ganze Welt liegt zwischen Jean=Baptiste und Napoleon. Und Na=
poleon fordert ... Das grüne Samthütchen mit der roten Seiden=
rose kleidet mich gut, der grüne Samtmantel umschloß eng meine
Gestalt und ließ mich etwas größer erscheinen, als ich bin. Im grü=
nen Samtmuff zerknüllte ich den Zettel mit den Namen der schwe=
dischen Hofbeamten, die mich erwarteten. Die Hofdamen Lewen=
haupt und Koskull, die Kammerherren Piper und — ich werde mir
die Namen nie merken können ... „Hoheit haben keine Angst,
nicht wahr?" sagte Graf Brahe leise. „Wer beaufsichtigt Oscar?"
wollte ich wissen. „Ich möchte nicht, daß er ins Wasser fällt." —
„Ihr eigener Oberst Villatte paßt auf ihn auf", antwortete Brahe.
Die Worte „Ihr eigener" klangen sarkastisch. „Ist es wahr, daß
Hoheit wollene Unterhosen angezogen haben?" fragte Madame La
Flotte entsetzt. Sie kämpfte schon wieder gegen Seekrankheit an.
Ihr Gesicht unter dem rosa Puder schimmerte grünlich. „Ja, Marie
hat sie in der Stadt gekauft, es war ihre Idee, sie hatte welche in den
Auslagen gesehen. Ich glaube, man braucht warme Unterhosen in
diesem Klima." Marie ist so vernünftig. „Wir werden wahrscheinlich

lange in dem eiskalten Hafen dort drüben stehen und Ansprachen hören, es schaut einem doch keiner unter die Röcke!" Dann bereute ich diese Bemerkungen. Eine Kronprinzessin sagt so etwas nicht, die Gräfin — ich schaute auf meinen Zettel — die Gräfin Lewenhaupt, meine neue Hofdame, wäre sicherlich entsetzt. „Jetzt sieht man deut= lich die schwedische Küste. Vielleicht wollen Hoheit auf Deck kommen", schlug Graf Brahe vor. Und erwartete, daß ich auf Deck stürzen würde. „Mir ist so kalt, und ich bin müde", antwortete ich und verkroch mich tiefer in Napoleons Pelz. „Verzeihung, natür= lich . . .", murmelte der junge Schwede. Kanonenschüsse. Ich schreckte auf, obwohl ich eigentlich schon an das Donnern gewöhnt sein müßte. Die ersten Schüsse kamen von unserem Schiff und wurden sofort von der Küste beantwortet. Yvette hielt mir einen Spiegel entgegen. Ich fuhr mit der Puderquaste über mein Gesicht. Legte noch etwas Rouge auf die Lippen. Unter meinen Augen lagen die Schatten der letzten Nächte, in denen ich schlecht geschlafen habe. „Hoheit sehen sehr schön aus", beruhigte mich Graf Brahe. Aber ich fürchtete mich unsagbar. Ich werde sie enttäuschen, dachte ich, man stellt sich eine Kronprinzessin wie eine Märchenfigur vor. Und ich bin doch nur die ehemalige Bürgerin Eugénie Désirée Clary. Unter dem Donnern der Kanonen begab ich mich auf Deck und stellte mich neben Oscar. „Schau, Mama — das ist unser Land!" rief das Kind. „Nicht unser Land, Oscar — das Land des schwedischen Volkes. Vergiß das nicht, vergiß es nie!" murmelte ich und nahm seine Hand. Militärmusik flatterte zerrissen zu uns herüber, aus dem Nebel leuchteten bunte Toiletten und goldene Epauletten. Ein rosa Blumen= strauß tauchte auf. Rosen, Nelken? Die müssen hier im Winter ein Vermögen kosten . . . „Sobald das Schiff anlegt, werde ich über den Landgang laufen und dann Hoheit die Hand reichen, um beim Be= treten des Kais behilflich zu sein. Ich bitte den Erbprinzen, sich dicht hinter Ihrer Königlichen Hoheit zu halten. An Land gekommen, bitte ich den Erbprinzen, sich an die linke Seite Ihrer Königlichen Hoheit zu stellen. Ich werde mich dicht hinter Ihrer Königlichen Hoheit halten", gab Graf Brahe hastige Anweisungen. Ja, dicht hinter mir, um mich zu schützen. Mein junger Ritter aus altem schwedischem Adelsgeschlecht will ihnen verbieten, die Bürgerstochter auszulachen. „Hast du verstanden, Oscar?" — „Schau, Mama, die vielen schwe= dischen Uniformen! Ein ganzes Regiment! Schau nur!"

„Und wo soll ich mich aufstellen, lieber Graf Brahe?" fragte die La Flotte. Ich wandte mich um: „Halten Sie sich mit Oberst Villatte im Hintergrund, ich fürchte, Sie sind nicht die Hauptperson des Empfanges." — „Weißt du, wie man den Grafen Brahe in Helsingör genannt hat, Mama? Admiral Brahe!" sagte Oscar. Kanonen krach= ten. „Aber warum denn, Oscar? Der Graf ist doch Kavallerie= Offizier!" — „Sie nennen ihn aber Admiral der La Flotte", bekannte Oscar zwischen zwei Kanonenschüssen. „Verstehst du das Mama?" Ich mußte lachen. Ich lachte über das ganze Gesicht, als das Schiff in Schweden vor Anker ging. „Kronprinsessan skal leve!" schrie es aus dem Nebel. „Kronprinsessan, Arveprinsen ...!" Es waren viele Stimmen, sie schrien im Takt. Aber der Nebel verschlang die Ge= sichter des Volkes hinter dem Kordon Soldaten. Ich unterschied nur die Züge der Hofbeamten. Starr, ohne zu lächeln, musterten sie mich. Musterten das Kind. Mein Lachen fror ein.

Der Landgang wurde angelegt. Die schwedische Hymne, die ich bereits kenne, dröhnte auf. Kein mitreißendes Schlachtlied wie die Marseillaise. Sondern ein Choral — fromm, hart, feierlich. Graf Brahe lief an mir vorbei und sprang an Land. Seine Hand streckte sich mir entgegen. Schnell und unsicher ging ich auf die Hand zu. Fühlte sie dann unter meinem Arm, fühlte festen Boden unter meinen Füßen, stand zuerst allein und spürte dann Oscar dicht neben mir. Die leuchtenden Blumen — es waren Rosen — kamen auf mich zu. Ein hagerer alter Mann in schwedischer Marschalluniform überreichte sie mir. „Der Generalgouverneur von Schonen, Graf Johan Kristofer Toll", flüsterte Graf Brahe. Helle Greisenaugen spähten abweisend in mein Gesicht. Ich nahm ihm die Rosen ab, und der alte Mann beugte sich über meine Rechte. Dann neigte er tief das Haupt vor Oscar. Ich sah die Damen in ihren seidenen, mit Hermelin und Nutria verbrämten Hüllen im tiefen Hofknicks. Die gebeugten Uniformrücken. Es begann zu schneien. Schnell gab ich einem nach dem anderen die Hand, die fremden Gesichter zwangen sich zu einem formellen Lächeln. Das Lächeln vertiefte sich und wurde natürlicher, als Oscar ihnen die Hand reichte. Graf Toll hieß mich in hartem Französisch willkommen. Schneeflocken wirbelten plötzlich um uns. Ich wandte den Kopf und sah Oscar an. Ganz ver= zückt blickte er in das wirbelnde Treiben. Wieder die Hymne — so fremd, so feierlich. Schneeflocken legten sich auf mein Gesicht, während ich, ohne mich zu rühren, im Hafen von Hälsingborg stand. In dem Augenblick, in dem die Hymne verklang, schnitt Oscars Kinderstimme durch die Stille: „Wir werden hier sehr glücklich sein, Mama — schau nur, es schneit!" Wie kommt es, daß mein Kind immer im richtigen Augenblick das Richtige sagte oder tut? Genauso wie sein Vater. Der alte Mann bot mir den Arm, um mich zu den wartenden Hofkaleschen zu begleiten. Graf Brahe blieb dicht hinter mir. Ich sah den abweisenden alten Mann an, sah die fremden Gesichter hinter ihm, sah die hellen harten Augen, die kritisch durchdringenden Blicke. „Ich bitte Sie, immer gut zu meinem Kind zu sein", sagte ich tonlos. Die Worte standen nicht im Programm, sie waren mir entschlüpft und wahrscheinlich taktlos und gegen die Etikette. Ein erstaunter, sehr erstaunter Ausdruck glitt über alle Gesichter, gerührt und hochmütig zugleich. Ich spürte die Schneeflocken in meinen Wimpern, auf meinen Lippen, und niemand sah, daß ich weinte. Am gleichen Abend, als ich mich entkleidete, erklärte Marie: „Habe ich nicht recht gehabt, Eugénie? Ich meine mit den wollenen Unterhosen. Den Tod hättest du dir bei dieser Zeremonie im Hafen holen können!"

Diese Fahrt von Hälsingborg nach Stockholm schien kein Ende zu nehmen. Wir reisten bei Tag und tanzten abends Quadrille. Ich weiß nicht warum, aber hier tanzen die Adeligen ununterbrochen Quadrille und glauben, sich hier wie am Hof von Versailles aufzuführen. Dann fragen sie mich, ob ich mich zu Hause fühle, und ich lächle und zucke nur die Achseln. Ich weiß nichts vom Hof in Versailles, das alles war vor meiner Zeit, und außerdem — Papa ist doch nicht einmal Hoflieferant gewesen! Bei Tag hielt unser Wagen in verschiedenen Städten, und wir stiegen aus, und die Schulkinder sangen, und der Bürgermeister hielt in einer mir unverständlichen Sprache eine Rede. „Wenn ich nur Schwedisch könnte!" seufzte ich einmal. „Wieso? Der Bürgermeister spricht doch Französisch, Hoheit", flüsterte mir Graf Brahe zu. Wahrscheinlich hatte er recht, aber dieses Französisch klang wie eine fremde Sprache. Es schneite. Es schneite ununterbrochen, und die Temperatur fiel auf minus 24 Grad. Meistens saß meine neue Hofdame neben mir. Diese Gräfin Lewenhaupt, schlank und nicht mehr ganz jung, und besessen von der Begier, mit mir über alle französischen Romane, die in den letzten zwanzig Jahren erschienen sind, zu plaudern. Manchmal ließ ich auch das Fräulein Koskull in meinem Wagen reisen. Das Hoffräulein ist in meinem Alter, sehr groß und breit wie die meisten Schwedinnen, mit gesunden roten Wangen, dichtem dunklem Haar, einer unmöglichen Frisur und starken, gesunden Zähnen. Ich kann sie nicht leiden, sie schaut mich immer so neugierig abschätzend an. Ich ließ mir alle Einzelheiten über die Ankunft von Jean=Baptiste in Stockholm erzählen. Wie er mit einem Schlag die Herzen der Majestäten gewonnen hatte. Der kränkliche König war bei seinem Eintritt mühsam von seinem Lehnstuhl aufgestanden und hatte ihm die zitternde Hand entgegengestreckt. Jean=Baptiste hat sich über die zitternde Hand gebeugt und sie geküßt. Dem alten Mann waren die Tränen über die Wangen gerollt. Dann hatte Jean=Baptiste die Königin aufgesucht. Hedwig Elisabeth Charlotte hatte für ihn große Toilette gemacht. Auf ihrer Brust steckte jedoch wie immer eine Brosche mit dem Porträt des verbannten Gustaf IV. Als sich Jean=

Baptiste über ihre Hand beugte, soll er ganz einfach gesagt haben: „Madame, ich verstehe, was Sie bei meiner Ankunft fühlen. Und ich bitte Sie nur, sich daran zu erinnern, daß auch Schwedens erster König Soldat war. Ein Soldat, der nichts anderes wollte, als Ihrem Volke zu dienen." Jean=Baptiste scheint jeden Abend im Salon der Königin zu verbringen. Der alte König zeigt sich stets nur am Arm des Kronprinzen. Im Audienzsaal, bei den Sitzungen des Staats= rates — überall muß Jean=Baptiste ihn stützen. Ein zärtlicher Sohn, ein liebender Vater ... Wie die Schneeflocken, so wirbelten auch die Erzählungen um mich. Ich versuchte, mir das neue Familienidyll vorzustellen. Welche Rolle soll ich darin spielen? Alle nennen die Königin eine sehr kluge, sehr ehrgeizige Frau, der das Schicksal einen vorzeitig senilen Mann beschert und den einzigen Sohn im Kindesalter entrissen hat. Sie ist erst Anfang fünfzig, und Jean=Bap= tiste soll ihr den Sohn ersetzen und — nein, ich kenne mich nicht aus! „Bis jetzt war Fräulein von Koskull die einzige, die Seine Ma= jestät dazu bewegen konnte, zuzuhören und sogar zu lachen", sagte jemand. „Aber jetzt schwankt sein Herz zwischen der schönen Ma= riana und Seiner Königlichen Hoheit." Vielleicht ist der König doch nicht ganz senil, vielleicht ist die Koskull wirklich seine Geliebte ... Ich schaute sie an. Sie lachte und zeigte die starken, gesunden Zähne.

Am Nachmittag des 6. Januar näherten wir uns endlich Stockholm. Die Straßen waren so vereist, daß unsere Pferde die Wagen bei der geringsten Steigung nicht schleppen konnten. Ich stieg mit den anderen aus und stapfte hinter den Kaleschen einher. Die Zähne biß ich zusammen, um nicht zu schreien. So sehr peitschte der eisige Wind mein Gesicht. Oscar dagegen störte die Kälte überhaupt nicht. Er lief neben den Kutschern und hielt ein Pferd am Zaum und sprach auf das arme Tier ein. Die Landschaft um uns war weiß. Keine frisch= gewaschene Bettdecke, Persson, sondern ein Leichentuch, ging es mir durch den Kopf. Dabei fiel mir plötzlich Duphot ein. Seit Jahren hatte ich nicht mehr an den erschossenen General gedacht, der mich heiraten wollte. Der erste Tote, den ich gesehen habe. Das erste Leichentuch. Wie warm war es damals in Rom, wie warm ... „Wie lange dauert bei Ihnen der Winter, Baron Adelswärd?" Der eisige Wind riß mir die Worte vom Mund. Ich mußte mehrmals fragen. „Bis April", kam die Antwort. Im April blühen in Marseille die Mimosen.

Dann saßen wir wieder in unserem Wagen. Oscar bestand darauf, neben dem Kutscher auf dem Bock zu sitzen. „Dann kann ich Stock=

holm besser sehen, wenn wir ankommen, Mama." „Es beginnt doch schon zu dunkeln, Liebling", sagte ich. Es schneite so stark, daß man überhaupt nichts mehr sehen konnte. Schließlich versank alles in Dunkelheit. Manchmal strauchelte eines der Pferde auf der vereisten Straße. Da hielt mein Wagen mit einem Ruck an. Roter Fackelschein flackerte auf, der Schlag wurde aufgerissen. „Désirée!" Jean=Baptiste war mir in einem Schlitten entgegengefahren, dem Fackelträger voran= ritten. „Wir sind nur eine Meile von Stockholm entfernt, nur noch ein Weilchen, dann bist du zu Hause, kleines Mädchen!"

„Ich darf doch in deinem Schlitten weiterfahren, Papa? Ich bin noch nie in einem Schlitten gefahren!" Graf Brahe und die Lewen= haupt setzten sich in einen anderen Wagen. Jean=Baptiste stieg zu mir ein. Im Dunkel der Kalesche drückte ich mich an ihn. Aber wir waren nicht allein. Die Koskull saß uns gegenüber. Ich spürte seine Hand in meinem Muff. „Du hast so kalte Hände, kleines Mädchen." Ich wollte lachen und mußte schluchzen. Vierundzwanzig Grad unter Null, und dieses Klima nennt Jean=Baptiste bereits — zu Hause. „Die Majestäten erwarten dich zum Tee im Salon der Königin. Du mußt dich nicht umkleiden, die Majestäten wollen dich und Oscar nur be= grüßen. Ganz ohne Zeremoniell. Morgen gibt Ihre Majestät einen Ball dir zu Ehren . . ." Er sprach rasch, gehetzt. „Bist du krank, Jean= Baptiste?" — „Natürlich nicht. Nur sehr erkältet und etwas über= arbeitet." — „Sorgen?" — „Mhm." — „Große Sorgen?" Pause, dann ohne Übergang: „Alquier, du weißt, der französische Botschafter in Stockholm, hat eine neue Note Napoleons überreicht. Der Kaiser verlangt, daß wir ihm zweitausend Matrosen zur Verfügung stellen. So ganz ohne weiteres — zweitausend schwedische Matrosen! Um Schwedens Freundschaft mit Frankreich zu beweisen."

„Deine Antwort?"

„Bitte — verstehe die Situation richtig! Es handelt sich um die Antwort der Regierung Seiner Majestät des Königs. Nicht um die des Kronprinzen." — Wie ein Schulkind wiederholte ich: „Die Ant= wort der schwedischen Regierung, Jean=Baptiste?" „Wir haben uns geweigert, haben mitgeteilt, daß wir nicht zweitausend Seeleute ent= behren können, wenn Frankreich uns gleichzeitig zwingt, England Krieg zu erklären." — „Vielleicht gibt Napoleon Ruhe, Jean=Bap= tiste." — „Während er Truppen an der Grenze von Schwedisch= Pommern zusammenzieht? Jeden Augenblick können seine Regimen= ter Schwedisch=Pommern überfallen. Davout kommandiert sie."

Vereinzelte Lichter auf beiden Seiten der Straße tauchten auf. „Wir sind beinahe in Stockholm, Hoheit", sagte die Koskull aus dem Dunkel. „Sehnst du dich nach den Lichtern von Paris, Jean=Baptiste?" Seine Hand in meinem Muff preßte meine Finger. Ich verstand, in Anwesenheit von Schweden wird niemals über Sehnsucht nach Paris gesprochen. „Wirst du Schwedisch=Pommern verteidigen?" wollte ich wissen. Jean=Baptiste lachte auf. „Womit? Glaubst du wirklich, daß sich die schwedische Armee in ihrem heutigen Zustand gegen unse — ich meine, gegen eine französische Armee halten kann? Die unter dem Befehl eines Marschalls von Frankreich steht? Nie im Leben. Ich selbst habe doch seinerzeit die Schweden in Pommern —" Er unterbrach sich. „Ich habe begonnen, die schwedische Armee neu zu organisieren. Jeden Monat lasse ich ein anderes Regiment nach Stockholm kommen, um die Truppen selbst zu schulen. Wenn ich zwei Jahre Zeit hätte, nur zwei Jahre ..." Die Lichter vermehrten sich. Ich beugte mich vor, um hinauszusehen. Aber es schneite stark, ich sah nur die wirbelnden Schneeflocken. „Hast du nicht einen neuen Pelz, Désirée?" „Ja, stell dir vor — ein Abschiedsgeschenk des Kaisers! Mit Kurier bis Nyborg in Dänemark nachgeschickt. Sonderbar, nicht wahr?" „Ich nehme an, du konntest ihn nicht ablehnen."

„Jean=Baptiste, die Frau ist noch nicht geboren, die einen Zobelpelz ablehnt! Es ist einer der drei Pelze, die der Zar dem Kaiser geschenkt hat."

„Ich weiß nicht, ob man dich mit den Einzelheiten der Etikette bei Hof vertraut gemacht hat. Haben Sie mit meiner Frau darüber gesprochen, Fräulein von Koskull?" Die Koskull behauptete, sie hätte es getan. Ich kann mich nicht daran erinnern. „Es ist alles noch ein wenig so wie —" Jean=Baptiste räusperte sich. „So wie — seinerzeit, weißt du." Ich legte den Kopf an Jean=Baptistes Schulter. „Wie seinerzeit? Seinerzeit war ich nicht hier, ich weiß es daher nicht."

„Liebling, ich meine, wie seinerzeit in Versailles!"

„Ich war auch seinerzeit nicht in Versailles", seufzte ich. „Aber es wird schon irgendwie gehen, ich werde mich zusammennehmen." Fackeln loderten zu beiden Seiten auf: wir fuhren eine Auffahrt entlang. Der Wagen hielt. Jean=Baptiste hob mich heraus. Ich war steif vor Kälte und sah lange Reihen hoher, hell erleuchteter Fenster. „Den Mälar — sieht man von hier aus den Mälar?"

„Morgen früh wirst du ihn sehen. Das Schloß liegt nämlich am Mälar", sagte Jean=Baptiste. Plötzlich wimmelte es von Menschen. Kavaliere in kurzen Jacken und Pluderhosen in schwarz-roten Farben tauchten auf. „Um Gottes willen — doch kein Maskenball?"

entfuhr es mir. Schwarze Masken ermorden einen König, fiel mir ein. Eine Dame lachte klirrend. „Liebling, das sind keine Kostüme, sondern die Uniformen, die bei Hof getragen werden", erklärte mir Jean=Baptiste. „Komm, die Majestäten erwarten dich!" Nein, Jean= Baptiste ließ seine lieben Adoptiveltern nicht warten. Oscar und ich wurden Marmortreppen hinaufgejagt und hatten kaum Zeit, unsere Pelze abzulegen. Wo war Yvette mit meiner Schminkkassette? Yvette war nicht zu sehen, ich trat vor einen Spiegel, mein Gesicht war weiß, die Nase rot, ich sah abscheulich aus, meine Puderdose fand ich im Muff, eine Stupsnase paßt nicht in ein Königsschloß, ich wollte mein Hütchen zurechtrücken, aber die seidenen Rosen darauf waren von den Schneeflocken durchweicht, ich nahm den Hut ab — zum Teufel, wo ist denn Yvette? Gottlob, auf die La Flotte kann man sich verlassen, sie reichte mir einen Kamm. Die Schuhe klebten naß an meinen Füßen, wir sind doch durch Eis und Schnee hinter unseren Kaleschen hergelaufen. Schon wurde eine Flügeltür aufgeschlagen, strahlende Helle strömte mir entgegen, dann stand ich in einem weißen Salon. „Meine Frau Desideria, die Majestät eine gute Tochter zu sein wünscht. Und mein Sohn Oscar!" Zuerst glaubte ich nicht richtig zu sehen. Denn sie hatte wirklich gepuderte Haare. Das muß ich Julie schreiben. Die Königin trägt gepudertes Haar und ein schwarzes Samtband um den Hals. Ich verneigte mich. Ihre hellen Augen waren zusammengekniffen, sie schien kurzsichtig zu sein. Der helle Blick bohrte sich in mein Gesicht. Sie lächelte, aber es war kein frohes Lächeln. Sie war viel höher als ich und wirkte in ihrer altmodischen blaßblauen Satintoilette sehr königlich. Die Hand hielt sie mir unter die Nase — zum Kuß wahrscheinlich. „Meine liebe Tochter Desideria — willkommen!" sagte sie gemessen. Ich berührte ihre Hand mit der Nase, küssen wollte ich sie nicht. Dann stand ich schon vor einem Greis mit wässrigen Augen und ein paar dünnen weißen Haaren auf dem rosigen Schädel. „Liebe Tochter, liebe Tochter . . .", wimmerte der alte Herr gerührt. Jean=Baptiste war schon neben ihm und reichte ihm stützend seinen Arm. Im gleichen Augenblick trat die Königin neben mich. „Ich möchte Sie der Kö= niginwitwe vorstellen", sagte sie ruhig und führte mich zu einer mageren blassen Frau in Schwarz. Das kokette schwarze Witwen= häubchen auf dem gepuderten Haar schwebte über völlig starren Gesichtszügen. „Ihre Majestät, Königin Sophia Magdalena", sagte die kalte, gemessene Stimme. Um Himmels willen, wer ist das? Wie viele Königinnen gibt es denn an diesem Hof? Königinwitwe —

das muß die Frau des ermordeten dritten Grafen sein, die Mutter des vierten Gustaf, der vertrieben worden ist. Die gibt es also noch, die wohnt hier, die läßt sich sogar die neue Verwandtschaft vorstellen . . . Ich verneigte mich tief. Tiefer sogar als vor der Königin. Die Mutter des Mannes, den Jean=Baptiste beerbt, klopfte mein Herz. Die Groß= mutter des Knaben, dessen Stelle Oscar einnimmt. „Ich hoffe, Sie werden sich an unserem Hofe sehr wohl fühlen, Hoheit", sagte sie. Sie sprach leise und öffnete dabei kaum die Lippen. Es schien ihr nicht dafürzustehen. „Ihre Königliche Hoheit, Prinzessin Sofia Al= bertina, die Schwester Seiner Majestät", stellte die Königin vor. Ein Ziegengesicht unbestimmbaren Alters zeigte in süßlichem Lächeln seine langen Zähne. Ich verneigte mich und steuerte dann auf den großen weißen Porzellanofen zu. In den meisten schwedischen Räu= men gibt es keine Kamine wie bei uns in Frankreich, sondern hohe runde Öfen, an die ich mich an den Abenden meiner Reise gern an= gelehnt hatte. Meine Hände und Füße waren noch immer wie Eis. Es war herrlich, sich an diesen heißen Ofen zu pressen. Lakaien servier= ten Glühwein. Ich faltete meine Hände um das warme Glas und fühlte mich etwas wohler. Graf Brahe stand in meiner Nähe. Mein junger Ritter verläßt mich nicht, dachte ich. Wo war Jean=Bap= tiste? Der beugte sich über den zittrigen König, der jetzt im Lehn= stuhl saß und mit einer von Gicht gekrümmten Hand Oscars Wange tätschelte. Plötzlich spürte ich, daß alle Blicke auf mich gerichtet waren. Was erwartete man von mir? Mit meinem ganzen Ich fühlte ich die Welle von Enttäuschung, die mir entgegenschlug. Ich war keine königliche Erscheinung, keine auffallende Schönheit, keine *grande dame*. Da stand ich beim Ofen und fror und hatte eine Stupsnase und meine kurzen Haare klebten in feuchten Ringeln. „Wollen Sie nicht Platz nehmen, Madame?" Das war die Königin. Langsam, wohleinstudiert, rauschend ließ sie sich in einem Fauteuil nieder. Wies mit der Hand auf den leeren Stuhl an ihrer Seite. „Ver= zeihung, aber ich habe so nasse Füße — Jean=Baptiste, kannst du mir nicht die Schuhe ausziehen? Oder Villatte darum bitten?" Da weiteten sich alle Augen vor Entsetzen. Habe ich etwas angestellt? Ich halte das heiße Glas in den Händen, ich kann doch nicht gleich= zeitig meine Schuhe ausziehen, Jean=Baptiste oder Villatte haben mir unzählige Male in Hannover oder in der Rue d'Anjou —. Ich sah von einem zum anderen. Wie ein eiserner Ring umschloß mich die Stille. Jetzt — jetzt wurde sie unterbrochen. Jemand kicherte. Grell, haltlos. Es war Mariana von Koskull. Scharf wandte sich die Königin ihr zu.

Und sofort verwandelte sich das Kichern in Hüsteln. Dann stand schon Jean=Baptiste neben mir und bot mir den Arm. „Ich bitte die Majestäten, meine Frau zu entschuldigen. Sie ist von der Reise durch= näßt und übermüdet und möchte sich gern zurückziehen." Das ge= puderte Haupt nickte. Der Mund des Königs stand halb offen, als ob er noch immer nachdachte, ob er richtig gehört habe. Ich senkte den Kopf. Als ich ihn wieder hob, begegnete ich dem ersten Lächeln. Man hat mir später erzählt, daß die Königinwitwe Sophia Magda= lena seit Jahren nicht gelächelt habe. Aber jetzt verzog sich der blasse Mund. Bitter, sarkastisch. So weit ist es also mit den Vasa ge= kommen . . . An der Tür wandte ich mich noch einmal um und wollte Oscar rufen. Aber das Kind untersuchte gerade die Knöpfe am Uniformrock Seiner Majestät. Der alte Herr sah ganz glücklich aus. Da ließ ich mich still von Jean=Baptiste hinausbegleiten. Erst in meinem Schlafzimmer begann er zu sprechen. „Ich habe deine Suite völlig neu herrichten lassen. Pariser Tapeten, Pariser Teppiche. Ge= fällt es dir?" „Ich möchte ein Bad, ein heißes Bad, Jean=Baptiste." „Du, das geht nicht! Der einzige Wunsch, den ich dir noch nicht erfüllen kann!" „Wieso? Badet man nicht in Stockholm?" Er schüttelte den Kopf. „Nein. Ich bin der einzige, glaube ich." „Was? Die Kö= niginnen und die Hofdamen und die Kavaliere — kein Mensch badet hier?" „Nein, ich habe dir ja gesagt, es ist noch alles wie — also, wie in Versailles zur Zeit der Bourbonen. Hier wird nicht gebadet. Ich habe so etwas geahnt und meine Wanne mitgenommen, aber erst seit einer Woche kann ich warmes Wasser bekommen. Die Küche liegt zu weit von meinen Privaträumen entfernt. Jetzt hat man irgendwo in der Nähe meines Schlafzimmers einen Herd aufgestellt, auf dem Fernand Wasser für mein Bad wärmen kann. Ich werde dir auch so einen Herd besorgen und versuchen, eine Badewanne aufzu= treiben. Du mußt nur etwas Geduld haben. Überhaupt — du mußt Geduld haben, ja?" „Kann ich nicht heute abend in deiner Wanne ein Bad nehmen?" „Bist du wahnsinnig? Und dann im Schlafrock von meiner Suite in deine laufen! Der ganze Hof würde wochenlang von nichts anderem sprechen." „Soll das heißen, daß ich nie im Schlafrock — ich meine, daß ich nie in dein Schlafzimmer —?" Und fassungslos: „Jean=Baptiste, verbietet uns die Etikette am schwe= dischen Hof —?" Ich stockte. „Du weißt schon, was ich meine." Jean= Baptiste lachte schallend auf. „Komm her, kleines Mädchen, komm her! Du bist wunderbar, du — mein einziges Du! So gelacht habe ich nicht, seitdem ich Paris verlassen habe." Er warf sich in einen Lehn=

stuhl und stöhnte vor Lachen. „Hör zu! Neben meinem Schlafzimmer ist ein Zimmer, in dem sich Tag und Nacht ein Kammerherr auf= zuhalten hat. Das verlangt die Etikette. Natürlich lasse ich auch noch Fernand in diesem Raum schlafen. Wir sind vorsichtig, Lieb= ling. Wir empfangen keine schwarzen Masken und dulden auch keine Verschwörungen im Säulengang wie der vierte Gustaf. Da sich neben meinem Zimmer immer irgend jemand aufhält, ziehe ich für — ja, für gewisse vertrauliche Aussprachen mit meinem kleinen Mäd= chen das Schlafzimmer Ihrer Königlichen Hoheit vor. Verstehst du mich?" Ich nickte. Dann: „Jean=Baptiste — habe ich mich sehr un= möglich benommen? Ich meine, war es ein schlimmer Verstoß gegen die Etikette, daß ich mir von Villatte die nassen Schuhe ausziehen lassen wollte?" Er lachte nicht mehr, sondern sah mich ernst, bei= nahe traurig an. „Es war fürchterlich, kleines Mädchen. Wirklich, es war fürchterlich." Er warf den Kopf zurück, stand auf: „Aber das konntest du nicht wissen. Und bei Hof hätte man es voraussehen können. Ich habe die Abgesandten des Königs gewarnt. In jener Nacht, in der sie uns die Krone angeboten haben." „Nicht uns, Jean= Baptiste, dir!" Marie brachte mich zu Bett. Sie legte Wärmflaschen unter meine Füße und breitete zuletzt noch den Zobelpelz des Kaisers über meine Decke. „Alle Frauen behaupten, eine böse Schwieger= mutter zu haben", murmelte ich. „Aber meine — du, Marie, meine ist es wirklich!"

Am nächsten Abend tanzten wir in den Festräumen des Königs und der Königin. Zwei Tage später gab Stockholms Bürgerschaft in der Börse einen Ball zu meinen Ehren. Ich trug meine weißen Toiletten und legte einen goldenen Schleier über Haare und Schul= tern. Die schwedischen Adelsdamen besaßen wunderbare Familien= juwelen. Große Brillanten und tiefblaue Saphire. Ich bewunderte ihre Diademe. Weder bei den Clarys noch den Bernadottes hat es jemals kostbaren Familienschmuck gegeben.

Am Tag nach dem Ball der Bürgerschaft brachte mir die Gräfin Lewenhaupt ein Paar Ohrgehänge aus Brillanten und Smaragden. „Ein Geschenk der Königin?" nahm ich an. Wahrscheinlich findet sie, daß ich zu armselig gewirkt habe. „Nein, ein Geschenk der Königinwitwe", sagte die Lewenhaupt, ohne die Miene zu ver= ziehen. „Die Königinwitwe hat diese Ohrgehänge früher oft ge= tragen. Jetzt trägt sie stets Trauer und keinerlei Schmuck." Ich trug die Ohrgehänge am 26. Januar, dem Geburtstag Jean=Baptistes. Die

Königin gab ihm zu Ehren ein Fest, bei dem Theater gespielt wurde. Leider nicht von richtigen Schauspielern. Schwedens junge Adels= herren und Adelsdamen tanzten uns eine Quadrille in den National= kostümen der verschiedenen Gebiete des Landes vor. Zuletzt bildeten die Paare einen Kreis, und sogenannte Walküren trippelten herein. Man erklärte mir, daß die Völker des Nordens in alter Zeit an Wal= küren geglaubt haben — es sind Göttinnen des Schlachtfeldes oder Musen des Kampfes, so genau weiß ich es nicht. Jedenfalls hatten die Damen, die sie darstellen sollten, eine Art Nachthemd aus Metall= stückchen angezogen, es klirrte und klingelte, und trugen einen Schild und einen Speer. In ihrer Mitte stand Fräulein Koskull in einem goldenen Panzer und lächelte siegesgewiß. Die anderen sangen: „Oh Brünhilde, oh Brünhilde . . .!" Dann neigte die Koskull ihren Schild und ihr Haupt und blickte schließlich Jean=Baptiste tief in die Augen. Zuletzt tanzten sämtliche Walküren mit zierlichen Menuettschrittchen auf uns zu, verneigten sich vor Oscar, und ehe wir es uns versahen, hoben sie Oscar in die Höhe und trugen ihn unter dem jubelnden Applaus aller Zuschauer aus dem Saal. Das Ganze war ein Einfall der schönen Koskull, und niemand konnte sich ein lustigeres Geburtstagsfest vorstellen. Jean=Baptiste saß zwischen der Königin und mir. Seine Augen lagen tief in ihren Höhlen. Während der Musikstücke kaute er unruhig an der Unter= lippe. „Wird Davout Pommern angreifen?" flüsterte ich. Unmerk= liches Nicken. „Große Sorgen, Jean=Baptiste?" — Unmerkliches Nicken. Dann: „Ich habe einen Kurier an den russischen Zaren ge= schickt." — „Der ist doch Napoleons Verbündeter, was versprichst du dir davon?" — Achselzucken. „Alles. Der Zar rüstet." — Und plötz= lich: „Désirée, wenn du mit Schweden sprichst, erwähne niemals Finnland. Verstanden?" — „Ich weiß nicht, wo Finnland liegt. Ist ihnen Finnland so wichtig?" — Jean=Baptiste nickte wieder. „Eine Herzensangelegenheit. Sie hoffen, ich werde den Zaren dazu bringen, das Land wieder an Schweden abzutreten." — „Und?" — Jean=Bap= tiste schüttelte den Kopf: „Kann der Zar nicht machen. Warum schaust du dir nie die Landkarten an?" — In diesem Augenblick tanzten die klirrenden Walküren ihr Menuett. Es war schauerlich, und ich applaudierte begeistert.

Am übernächsten Tag hatte König Carl XIII. Namenstag. Dies= mal gaben wir für die Majestäten ein Fest. Alles war längst vor meiner Ankunft besprochen worden. „Der Barbier von Sevilla" wurde aufgeführt, und die Koskull sang die Hauptrolle. Der kin=

dische König verschlang sie mit den Blicken und hob die zittrigen Arme, um immer wieder zu klatschen. Als der Ball eröffnet wurde, forderte Jean=Baptiste die Koskull zum ersten Tanz auf. Sie sind ein schönes Paar. Die erste Frau, die beinahe so hochgewachsen ist wie er selbst. Vor mir jedoch verbeugte sich ein kleiner Mann in nagel= neuer schwedischer Hoftracht. Er verbeugte sich leicht und sehr ele= gant. „Darf ich bitten, Mama?" Es war Oscars erster Hofball.

Ein paar Tage später erlitt der alte König einen Schlaganfall. Ich saß gerade in meiner neuen Badewanne, die eigentlich als Wasch= zuber geboren wurde. Der Waschzuber wird in einer Ecke meines großen Schlafzimmers durch eine spanische Wand aus wunder= schönen Gobelins verdeckt. Am anderen Ende des Zimmers unter= hielt sich die La Flotte halbblau mit der Koskull. Marie beugte sich über mich und rieb mir den Rücken ab. Da hörte ich eine Tür gehen und gab Marie ein Zeichen. Marie hielt inne. „Ich komme soeben aus den Gemächern Ihrer Majestät. Seine Majestät hat einen leichten Schlag= anfall erlitten." Es war die Stimme der Gräfin Lewenhaupt. „Oh!" Das war die Koskull. „Es kann nicht der erste gewesen sein, wie geht es dem König?" sagte Madame La Flotte gleichgültig. „Seine Majestät muß vorderhand völlige Ruhe haben. Es besteht keine Gefahr, sagen die Ärzte. Aber der König muß sich sehr schonen und darf sich in der nächsten Zeit den Regierungsgeschäften nicht widmen. Wo ist Ihre Königliche Hoheit?"

Ich bewegte die Beine, es plätscherte. „Die Kronprinzessin badet und ist im Augenblick nicht zu sprechen."

„Natürlich. Sie badet! Auf diese Weise wird sie ihren Schnupfen nie loswerden!" Ich plätscherte wieder mit den Beinen. „Wird der Kronprinz die Regentschaft übernehmen?" Ich hörte zu plätschern auf. „Der Kanzler hat es Ihrer Majestät vorgeschlagen. Weil wir uns in einer so schwierigen Situation befinden — mein Gott, heimliche Verhandlungen mit Rußland und gleichzeitig diese drohenden Noten aus Frankreich. Der Kanzler wünscht, daß dem Kronprinzen die Re= gierung so bald wie nur möglich übertragen wird." „Und?" fragte die Koskull. Ich hörte geradezu, wie sie den Atem anhielt. „Die Kö= nigin weigert sich, dem König das vorzuschlagen. Und der König tut nur, was sie will." „Wirklich?" kam es sarkastisch von der Kos= kull. „Ja. Auch wenn Sie sich einbilden, sein Liebling zu sein! Ihr Vorlesen und Lachen hält ihn höchstens wach. Und das ist immerhin eine Leistung ... Übrigens lesen Sie ihm jetzt sehr selten vor, es scheint Ihnen nicht mehr so viel daran zu liegen, der Sonnenstrahl Seiner Majestät zu sein . . . Irre ich mich?" „Es ist amüsanter, mit dem Fürsten von Ponte Corvo — verzeihen Sie, ich bin zerstreut — ich meine, es ist amüsanter, mit Ihrem Kronprinzen zu tanzen", warf Madame La Flotte hin. „Unserem Kronprinzen, Madame La Flotte", verbesserte die Koskull. „Wieso? Mein Kronprinz ist er ja nicht, ich bin doch nicht Schwedin. Als Französin unterstehe ich Kaiser Napoleon, wenn es die Damen interessiert." „Es interessiert uns nicht", sagte die Gräfin Lewenhaupt. Wie ein Schatten lehnte Marie an den Gobelins. Stumm sahen wir einander an, ich bewegte die Beine im warmen Wasser, es rauschte, dann ließ ich mich tiefer in die Wanne gleiten. „Und warum, wenn ich fragen darf, überträgt man in diesen für Schweden so entscheidenden Wochen nicht die Regentschaft dem Kronprinzen?" erkundigte sich Madame La Flotte. „Weil sie es nie im Leben zugibt", flüsterte die Lewenhaupt. Sie flüsterte es sehr laut. Plötzlich begriff ich, daß dieses Gespräch für mich bestimmt war. „Natürlich nicht", meinte die Koskull. „Sie spielt jetzt endlich die erste Geige." „Sie war doch schon vor der Ankunft des Kronprinzen Königin", meinte die La Flotte. „Ja, aber der König hatte keine Macht. Seine Minister regierten", erklärte ihr die Koskull freundlich. „Bilden Sie sich vielleicht ein, daß der König heute regiert?" lachte Madame La Flotte. „Der König schläft doch bei allen Staatsrats=sitzungen. Wissen Sie, was vorgestern passiert ist? Ich weiß es vom Grafen Brahe. Als Kabinettssekretär Ihres Kronprinzen war er bei der Sitzung des Staatsrates dabei. Es muß entweder vor oder nach zwölf Uhr gewesen sein. Denn Punkt zwölf wacht der König ja auf, weil man sein Glas Punsch und ein belegtes Brot vor ihn hinstellt. Jedenfalls schlummerte er süß, und nur, wenn eine Pause in den Vorträgen seiner Minister eintrat, murmelte er mechanisch: ‚Ich stimme dem Vorschlag des Staatsrates zu.' — Vorgestern wurde gerade irgendein Todesurteil behandelt. Der Justizminister schlägt vor, der König möchte es unterschreiben, der König murmelt im Schlaf: ‚Ich stimme dem Staatsrat zu.' Da packt ihn der Kronprinz plötzlich am Arm und rüttelt ihn wach. Und schreit ihm ins Ohr — halbtaub ist er ja auch, Euer König — also, schreit ihm ins Ohr: ‚Majestät, wachen Sie auf, es handelt sich um ein Menschenleben!' Und trotz=dem will ihm die Königin die Regentschaft nicht übertragen?"

„Und trotzdem will ihm die Königin nicht die Regentschaft über=tragen", sagte laut und deutlich die Lewenhaupt. „Sie will zwar dem König vorschlagen, die Leitung des Staatsrates dem Kronprinzen zu überlassen. Aber zum Regenten wird er nicht ernannt. Zumindest nicht, solange —"

„Solange?" fragte Madame La Flotte. Ich rührte mich nicht. Marie stand wie eine Statue. „Wird der Kronprinz Regent, so ist die Kronprinzessin Regentin", sagte die Lewenhaupt schneidend. Eine Pause entstand. „Der Kronprinz wird den Staatsrat leiten, und die Königin wird während der Krankheit seiner Majestät als Regentin an seiner Seite stehen und den König vertreten", meinte die Lewenhaupt beiläufig. „Und Ihre Majestät, seine Mama, seine liebe zärtliche Mama, wird sich an seinem Arm dem Volke zeigen und beweisen, wer in Schweden an der Macht ist. Das paßt ihr . . .", lachte die Koskull. „Die Königin hat dem Kanzler klipp und klar erklärt, daß dies die einzige Lösung sei", schloß die Lewenhaupt. „Womit hat sie es begründet?" wollte die Koskull wissen. „Die Kronprinzessin sei noch nicht reif genug, um die repräsentativen Pflichten einer Regentin zu erfüllen. Es würde dem Ansehen des Kronprinzen sehr schaden, wenn sich Ihre Königliche Hoheit zu oft in der Öffentlichkeit sehen ließe." „Ich bin neugierig, ob sie das dem Kronprinzen sagen wird", murmelte Madame La Flotte. „Sie hat es ihm bereits gesagt. Denn außer dem Kanzler und mir war auch der Kronprinz bei dieser Unterredung zugegen." „Wieso eigentlich Sie?" erkundigte sich Madame La Flotte. „Sie sind doch Hofdame Ihrer Königlichen Hoheit, soweit ich informiert bin." „Sie sind richtig informiert, liebe Madame La Flotte. Aber ich genieße die große Ehre, mit der Königin befreundet zu sein." Und das Ganze ist ein Bescheid der Königin an mich, dachte ich. „Marie, das Badetuch!" Marie hüllte mich fest in mein Badetuch. Frottierte mich. Stark und liebreich waren ihre Arme. Ich drückte mich an sie. „Laß dir das nicht gefallen, Eugénie, laß es dir nicht gefallen!" flüsterte sie und reichte mir einen Schlafrock. Ich trat hinter dem Wandschirm hervor. Meine drei Hofdamen hatten die Köpfe zusammengesteckt und tuschelten. „Ich möchte mich ausruhen, bitte, lassen Sie mich allein, meine Damen!" Die Lewenhaupt verneigte sich: „Ich komme mit einer traurigen Nachricht, Hoheit. Seine Majestät hat einen leichten Schlaganfall erlitten, der linke Arm erscheint etwas gelähmt. Seine Majestät muß sich schonen und —" „Danke, Gräfin. Ich habe alles gehört, während ich gebadet habe. Ich bitte, mich jetzt allein zu lassen."

Ich wickelte mich fester in meinen Schlafrock und trat ans Fenster. Es war fünf Uhr nachmittags und schon ganz dunkel. Schneemassen waren zur Seite geschaufelt worden und türmten sich an den Mauern

des Schlosses auf. Sie begraben mich hier, dachte ich, sie begraben mich im Schnee. Es war ein dummer Gedanke, und mir fiel ein, daß ich heute noch nicht meine schwedische Lektion auswendig gelernt hatte. Ich nehme nämlich schwedischen Unterricht. Jean=Baptiste hat einen Kanzleirat Wallmark als Sprachlehrer engagiert, und dieser würdige Herr erscheint jeden Nachmittag vergeblich bei ihm. Jean=Baptiste hat immer wichtige Besprechungen und keine Zeit für seine Stunden. „Du mußt endlich Schwedisch lernen", sage ich oft zu ihm. „Damit du dir nicht fortwährend einbildest, daß sich die Anhänger der Vasa gegen dich verschwören, wenn in irgendeiner Ecke schwe= disch gesprochen wird. Hier wird nämlich an allen Ecken und Enden schwedisch gesprochen." Aber Jean=Baptiste hörte nicht auf mich. „Kleines Mädchen, wenn du wüßtest, was gerade jetzt für Schwe= den auf dem Spiel steht!" Mir ist es leid um das Geld, das an diesen Kanzleirat Wallmark jeden Monat ausbezahlt wird, und deshalb nehme ich jeden Tag eine Lektion. Oscar kann schon eine ganze Menge schwedische Sätze. Aber er hat auch drei schwedische Lehrer und kennt gleichaltrige Kinder, mit denen er Schlittschuhlaufen darf. Jag er, du er, han er . . . lernte ich. Jag var, du var, han var . . . Jag er Kronprinsessan — ich bin Kronprinzessin, — du er Kronprinsessan — du bist Kronprinzessin, — han er — nein, er ist nicht Kronprinzessin, das ist blödsinnig — han er Kronprins — er ist Kronprinz . . ."
„Marie!" „Hast du mich gerufen, Eugénie?" „Du könntest mir einen Gefallen tun, Marie. Es gibt hier in Stockholm eine Straße, die Västerlanggatan oder so ähnlich heißt. Dort hatte Perssons Vater sein Seidengeschäft, du erinnerst dich doch noch an Persson, Marie? Vielleicht kannst du dich bis zu dieser Straße durchfragen und her= ausfinden, ob es dort noch ein Seidengeschäft Persson gibt. Wenn ja, dann verlange den jungen Persson zu sprechen." „Er wird gar nicht mehr so jung sein", brummte Marie. „Du mußt ihm erzählen, daß ich hier bin", sagte ich. „Vielleicht weiß er gar nicht, daß die neue Kronprinzessin die ehemalige Eugénie Clary ist. Und wenn er sich an mich erinnern sollte, Marie, dann sag ihm, er soll mich besuchen!" „Ich weiß nicht, ob das sehr gescheit ist, Eugénie." „Gescheit! Das ist mir ganz egal. Stell dir doch vor, Persson käme mich besuchen, und ich hätte hier jemanden, der unsere Villa in Marseille gekannt hat und den Garten und sogar das Gartenhäuschen, in dem sich Julie verlobt hat, und Mama und Papa und — Marie, ein Mensch, der genau weiß, wie alles einmal war. Du mußt es versuchen, Marie, du mußt ihn finden!" Und Marie versprach es mir, und ich hatte

endlich etwas, worauf ich mich freuen konnte. Am Abend desselben Tages zog die Königin den schweren Siegelring vom Finger des Königs und steckte ihn Jean=Baptiste an. Dies bedeutet, daß der König ihn mit der Führung der Regierungsgeschäfte betraut hatte. Aber nicht, daß er die Regentschaft antreten durfte.

Der Himmel war wirklich wie eine frischgewaschene Bettdecke, und grüne Eisschollen schwammen im Mälar. Die Fluten unter dem grünen Eis schwollen an und brausten, der Schnee schmolz, donnernd zersplitterte das Eis. Seltsam — nicht sanft kommt der Frühling in dieses Land. Sondern tobend, leidenschaftlich kämpfend. Und trotz= dem sehr langsam ... An einem dieser allerersten Frühlingsnach= mittage erschien die Lewenhaupt bei mir. „Ihre Majestät läßt König= liche Hoheit bitten, eine Tasse Tee im Salon Ihrer Majestät einzu= nehmen." Das überraschte mich. Jeden Abend soupieren Jean=Bap= tiste und ich allein mit dem Kind und verbringen mindestens eine Stunde mit der Königin. Dem König geht es übrigens viel besser, er sitzt wieder in seinem gewohnten Lehnstuhl, ein kindliches Lächeln um den Greisenmund. Nur der linke Mundwinkel hängt etwas herab. Aber allein habe ich die Königin noch nie besucht. Wozu auch? Wir haben einander doch nichts zu sagen. „Melden Sie mich bei Ihrer Majestät", sagte ich sofort zur Lewenhaupt und trat schnell in mein Ankleidezimmer. Bürstete mein Haar, nahm den pelz= gefütterten Schal um, den mir Jean=Baptiste neulich geschenkt hat, und trat die Wanderung über die eiskalten Marmortreppen in den Salon Ihrer Majestät an. Sie saßen rund um ein kleines Tischchen -- alle drei. Königin Hedvig Elisabeth Charlotte, meine Adoptiv= Schwiegermutter, die mich lieben sollte. Königin Sophia Magdalena, die allen Grund hat, mich zu hassen. Der Mann ermordet, der Sohn verbannt, der Enkel aller Anrechte auf die Krone beraubt und in Oscars Alter. Und Prinzessin Sofia Albertina, der ich gleichgültig sein konnte. Die alte Jungfer mit verblühtem Gesicht, dem flachen Busen, der kindlichen Schleife im Haar und den geschmacklosen Bernsteinperlen um den dürren Hals. Die drei Damen stickten. „Setzen Sie sich, Madame", sagte die Königin. Die drei Damen stick= ten weiter. Winzige Rosenblüten in rosa=violetten Farben ringelten sich in ihren Stickrahmen. Dann wurde Tee serviert. Die Damen ließen ihre Stickrahmen sinken und rührten in ihren Tassen. Ich trank hastig ein paar Schlucke und verbrannte mir die Zunge. Auf einen Wink der Königin verließen die Lakaien den Salon. Nicht eine einzige Hofdame war zugegen. „Ich möchte mit Ihnen sprechen, liebe Tochter", sagte die Königin. Prinzessin Sofia Albertina zeigte in schadenfrohem Lächeln die langen Zähne. Die Königinwitwe dagegen blickte gleichgültig in ihre Teetasse. „Ich möchte Sie fragen, liebe Tochter, ob Sie selbst das Gefühl haben, Ihren Verpflichtungen als Kronprinzessin von Schweden nachzukommen?" Ich fühlte, daß ich rot wurde. Die blassen kurzsichtigen Augen bohrten sich erbarmungslos in mein errötendes Gesicht. „Das weiß ich nicht, Madame", brachte ich schließlich hervor. Die Königin zog die dunklen, stark geschwungenen Augenbrauen in die Höhe: „Sie wissen es nicht?" „Nein", sagte ich. „Ich kann es nicht beurteilen. Ich bin doch zum erstenmal Kronprinzessin. Und erst seit sehr kurzer Zeit." Prinzessin Sofia Albertina begann zu meckern. Wirklich, sie meckerte wie eine Ziege. Die Königin hob irritiert die Hand. Ihre Stimme klang seidenweich: „Es ist sehr bedauerlich für das schwedische Volk und vor allem für den von diesem Volk erwählten Thronfolger, daß Sie nicht wissen, wie sich eine Kronprinzessin benimmt, Madame." Die Königin trank sehr langsam einen Schluck Tee und sah mich ununterbrochen über den Rand ihrer Tasse an. „Deshalb will ich Ihnen sagen, meine liebe Tochter, wie sich eine Kronprinzessin zu benehmen hat." Alles vergeblich, dachte ich, der Anstandsunterricht des Herrn Montel, die Klavierstunden, meine graziösen, so mühsam einstudierten Handbewegungen. Und vergeblich auch, daß ich mich auf allen Hoffesten in Stockholm ganz still verhalte, um Jean=Baptiste nicht wieder durch einen unüberlegten Ausruf zu blamieren. Vergeblich, alles vergeblich . . .

„Eine Kronprinzessin unternimmt niemals ohne Begleitung einer Hofdame eine Ausfahrt in Gesellschaft eines Adjutanten ihres Gatten." Mein Gott, meinte sie — Villatte? „Ich — ich kenne doch Oberst Villatte seit vielen Jahren, er ist schon in Sceaux zu uns gekommen, wir plaudern gern von alten Zeiten", sagte ich mühsam. „Bei Hoffesten bemüht sich die Kronprinzessin huldvoll, alle Anwesenden ins Gespräch zu ziehen. Sie jedoch stehen linkisch und beinahe taubstumm herum, Madame!"

„Die Sprache ist dem Menschen gegeben, um seine Gedanken zu verbergen", entfuhr es mir. Die jungfräuliche Ziege meckerte grell. Die blassen Augen der Königin weiteten sich überrascht. Ich sagte schnell: „Der Ausspruch stammt nicht von mir, sondern von einem unserer — von einem französischen Diplomaten, dem Grafen Talleyrand, Fürst von Benevent. Vielleicht haben Majestät —"

„Ich weiß selbstverständlich, wer Talleyrand ist", sagte die Köni=

gin scharf. „Madame, wenn man nicht sehr klug und auch nicht sehr gebildet ist und gleichzeitig seine Gedanken verbergen muß, dann kann man nicht das Mittel der Sprache verwenden. Deshalb bin ich gezwungen — zu schweigen." Eine Teetasse klirrte. Die Königin= witwe hatte ihre Tasse niedergesetzt, ihre Hand zitterte plötzlich. „Sie müssen sich zwingen, Konversation zu machen, Madame", sagte die Königin. „Und außerdem, ich wüßte nicht, welche Gedanken Sie vor Ihren schwedischen Freunden und künftigen Untertanen ver= bergen sollten!" Ich faltete die Hände im Schoß, ließ sie reden, alles geht vorüber, auch diese Teestunde . . . „Einer meiner Lakaien meldet mir, daß Ihre Kammerfrau ihn nach dem Laden eines gewissen Persson gefragt hat. Ich möchte Sie darauf aufmerksam machen, daß Sie bei dieser Firma keinerlei Einkäufe tätigen können." Ich hob den Kopf: „Warum nicht?" „Dieser gewisse Persson ist nicht Hofliefe= rant und wird es auch nicht werden. Ich habe mich, durch Ihre Nachfrage dazu bewogen, nach ihm erkundigt, Madame. Er gilt als — nun, sagen wir als Anhänger gewisser revolutionärer Ideen." Meine Augen wurden rund: „Persson?"

„Dieser gewisse Persson hat sich zur Zeit der Französischen Revo= lution in Frankreich aufgehalten. Angeblich, um den Seidenhandel zu erlernen. Seit seiner Rückkehr umgibt er sich gern mit Studenten, Schriftstellern und anderen Wirrköpfen und verbreitet jene Ideen, die seinerzeit der französischen Nation zum Unglück geworden sind." Was meint sie eigentlich . . . ? „Ich begreife nicht recht, Madame. Persson war damals bei uns in Marseille, er hat bei Papa im Geschäft gearbeitet, abends habe ich ihm oft Französischunterricht gegeben, wir haben die Menschenrechte auswendig gelernt —"

„Madame!" Es klang wie eine Ohrfeige. „Ich bitte Sie inständig, dies zu vergessen. Es ist ausgeschlossen, daß ein gewisser Persson jemals bei Ihnen Unterricht genommen oder —" Sie atmete schwer. „Ja, oder auch nur jemals mit Ihrem Vater etwas zu tun hatte."

„Madame, Papa war ein sehr angesehener Seidenhändler, und die Firma Clary ist auch heute noch ein sehr solides Geschäft!" „Ich bitte Sie, das alles zu vergessen, Madame, Sie sind Kronprinzessin von Schweden!" Eine sehr lange Stille folgte. Ich sah in meine Hände. Versuchte nachzudenken. Aber meine Gedanken verwirrten sich. Nur meine Gefühle wurden klar. *„Jag er Kronprinsessan . . .",* murmelte ich auf schwedisch. Fügte ungeschickt hinzu: „Ich habe begonnen, Schwedisch zu lernen. Ich wollte mir Mühe geben. Aber es ist scheinbar nicht genug . . ." Keine Antwort. Da sah ich auf:

„Madame, hätten Sie Seine Majestät dazu bewogen, Jean=Baptiste zum Regenten zu ernennen, wenn — wenn ich nicht dadurch zur Gattin des Regenten geworden wäre?" „Möglich." „Nehmen Sie noch eine Tasse Tee, Madame?" Das war die meckernde Ziege. Ich schüttelte den Kopf. „Ich möchte hören, daß Sie über meine Worte nachdenken und sich danach richten werden, liebe Tochter", sagte die kalte Stimme der Königin. „Ich denke gerade darüber nach." „Sie dürfen keinen Augenblick die Stellung unseres lieben Sohnes, des Kronprinzen, vergessen, Madame", schloß die Königin. Da riß mir die Geduld: „Majestät haben mir soeben vorgeworfen, daß ich nicht vergessen kann, wer und was mein verstorbener Papa war. Jetzt ermahnen Sie mich, die Stellung meines Mannes nicht zu vergessen. Ich bitte ein für allemal zur Kenntnis zu nehmen — ich vergesse nichts und niemanden!" Ohne ein Zeichen der Königin abzuwarten, stand ich auf. Zum Teufel mit der Etikette. Die drei Damen saßen womöglich noch steifer. Ich verneigte mich tief. „In meiner Heimat, in Marseille, blühen jetzt schon die Mimosen, Madame. Wenn es etwas wärmer wird, reise ich nach Frankreich zurück." Das wirkte. Alle drei fuhren auf. Die Königin starrte mich erschrocken an, die alte Ziege ungläubig, und sogar das Gesicht der Königinwitwe wirkte überrascht. „Sie reisen — zurück?" formte die Königin. „Wann haben Sie sich dazu entschlossen, liebe Tochter?" „In diesem Augen= blick, Majestät." „Es ist politisch unklug, bestimmt unklug. Sie müssen mit meinem lieben Sohn, dem Kronprinzen, darüber spre= chen", sagte sie hastig. „Ich unternehme nichts ohne die Zustimmung meines Mannes."

„Und wo werden Sie in Paris wohnen, Madame? Sie haben doch dort kein Palais!" ließ sich die Ziege aufgeregt vernehmen. „Ich habe dort niemals eines gehabt. Und unser Heim in der Rue d'Anjou haben wir behalten, ein gewöhnliches Wohnhaus, kein Schloß. Aber sehr hübsch eingerichtet", erklärte ich ihr und fügte schnell hinzu: „Ich brauche doch kein Schloß, ich bin gar nicht gewöhnt, in Schlös= sern zu wohnen. Ich — hasse sogar Schlösser, Madame!" Die Königin hatte ihre Fassung wiedergewonnen. „Ihr Landsitz in der Nähe von Paris wäre vielleicht ein würdigerer Aufenthalt für die Kronprin= zessin von Schweden." „La Grange? Wir haben doch La Grange und alle anderen Güter verkauft, um Schwedens Auslandsschulden zu bezahlen. Es waren große Schulden, Madame!" Sie biß sich auf die Lippen. Dann schnell: „Nein, das geht nicht. Kronprinzessin Desi= deria von Schweden in einem gewöhnlichen Pariser Wohnhaus! Und

außerdem —" „Ich werde mit meinem Mann darüber sprechen. Übri=
gens habe ich nicht die Absicht, unter dem Namen Desideria von
Schweden zu reisen." Ich spürte, wie sich meine Augen mit Tränen
füllten. Nur jetzt nicht weinen, nur den dreien nicht diese Freude
machen! Ich warf den Kopf zurück: „Desideria — die Erwünschte!
Ich bitte Majestät, sich den Kopf über ein Inkognito für mich zu
zerbrechen. Darf ich mich jetzt zurückziehen?" Und ich knallte hinter
mir die Türe zu, daß es nur so durch die Marmorgänge hallte. Wie
einst in Rom. Im ersten Schloß, in das mich das Schicksal verschlug . . .
Vom Salon der Königin ging ich geradewegs in Jean=Baptistes
Arbeitszimmer. Im Vorraum vertrat mir einer der Kammerherren
den Weg. „Darf ich Königliche Hoheit anmelden?" „Nein, danke.
Ich bin gewohnt, ohne vorherige Anmeldung in die Zimmer meines
Mannes zu treten." „Ich bin aber gezwungen, Hoheit anzumelden",
beharrte der Kammerherr. „Wer zwingt Sie dazu? Vielleicht Seine
Königliche Hoheit?" „Die Etikette, Hoheit. Seit Jahrhunderten —"
Ich schob ihn zur Seite. Er fuhr bei meiner Berührung zusammen,
als ob ich ihn gestochen hätte. Da mußte ich lachen: „Machen Sie
sich nichts daraus, Baron, ich werde Sie nicht mehr oft an der Ein=
haltung der Etikette hindern!" Dann trat ich in Jean=Baptistes
Arbeitszimmer. Jean=Baptiste saß an seinem Schreibtisch, studierte
Aktenstücke und hörte gleichzeitig dem Kanzler Wetterstedt und
zwei anderen Herren zu. Ein grüner Augenschirm hüllte die obere
Hälfte seines Gesichts in Schatten. Ich wußte längst von Fernand,
wie sehr er an Augenschmerzen litt, weil er hier durch den frühen
Einbruch der Dunkelheit gezwungen ist, fast ausschließlich bei künst=
lichem Licht zu lesen. Gegenwärtig arbeitet er täglich von halb zehn
Uhr früh bis drei Uhr nachts, und seine Augen sind stark entzündet.
Den grünen Augenschirm kennen aber nur die Herren seiner aller=
nächsten Umgebung, sogar mir wird er verheimlicht, damit ich mir
keine Sorgen mache. Deshalb nahm er ihn bei meinem Eintritt sofort
ab. „Ist etwas Besonderes geschehen, Désirée?" — „Nein. Ich möchte
nur mit dir sprechen." — „Eilt es?" — Ich schüttelte den Kopf. „Nein.
Ich werde mich ganz still in eine Ecke setzen und warten, bis du mit
den Herren fertig bist." Ich zog einen Lehnstuhl an den großen
runden Ofen und wärmte mich. Zuerst hörte ich sogar zu. Jean=
Baptiste sagte: „Wir müssen uns klar darüber sein, daß der schwe=
dische Reichstaler gegenwärtig die schlechteste Währung Europas
ist!" — Und: „Ich verbiete, daß wir die wenigen englischen Pfunde,
die wir schwer genug durch unseren heimlichen Handel mit England

verdienen, für nicht notwendige Waren ausgeben." — Oder: „Ich muß mich aber hineinmischen, ich opfere mein ganzes Privat= vermögen, um die Kurse zu regulieren, ich soll mobilisieren und kann dabei unseren Eisenwerken und Sägemühlen keine Männer entziehen, ich muß Artillerie anschaffen, oder glauben Sie, daß man heute Schlachten mit dem Säbel in der Faust gewinnt?" Dann be= gann ich, meine eigenen Gedanken zu ordnen, und spürte ganz deut= lich, daß ich recht hatte, und wurde sehr ruhig. Nur weh war mir zumute, so unsagbar weh. Jean=Baptiste hatte meine Anwesenheit vergessen und den grünen Augenschirm wieder aufgesetzt. Er hielt ein Aktenstück dicht vor die Augen. „Ich hoffe, daß Engström end= lich die Bedeutung dieser Angelegenheit einsieht. Wir haben ein paar englische Matrosen in einer Hafenkneipe in Göteborg ange= halten, und England hat drei Schweden festgenommen, um Frank= reich zu zeigen, daß wir wirklich miteinander Krieg führen. Jetzt schickt die englische Regierung einen ihrer klügsten Diplomaten her= über, um über den Austausch der Gefangenen zu beraten. Ich ver= lange, daß Engström selbst mit diesem Herrn Thornton spricht." Er hob den Kopf. „Ich möchte, daß auch Suchtelen informiert wird. Vielleicht könnte er an dieser Unterredung teilnehmen. In aller Stille natürlich." Suchtelen ist der russische Botschafter in Stock= holm. Der Zar ist zwar noch immer mit Napoleon verbündet, aber er hat zu rüsten begonnen, und Napoleon zieht Truppen in Pommern und Polen zusammen. Will Jean=Baptiste heimlich eine Verstän= digung zwischen Frankreichs Feinden, den Engländern, und Rußland herbeiführen? „Vielleicht kann man bei dieser Gelegenheit mit Such= telen wieder über Finnland sprechen", bemerkte einer der Herren. Jean=Baptiste seufzte irritiert: „Sie kommen immer wieder darauf zurück. Sie langweilen den Zaren und —" er unterbrach sich. „Ver= zeihen Sie, meine Herren, ich weiß, was Finnland für Sie bedeutet. Man wird mit Suchtelen wieder darüber sprechen, ich werde auch in meinem nächsten Schreiben an den Zaren die Frage streifen. Wir setzen morgen fort. Ich wünsche Ihnen einen guten Abend!" Die Herren verneigten sich vor Jean=Baptiste. Verneigten sich vor mir, steuerten dann, mit dem Rücken zur Tür gewandt, aus dem Zimmer. Das Holz im Ofen krachte. Jean=Baptiste hatte den Augenschirm abgenommen und hielt die Augen geschlossen. Sein Mund erinnerte mich an Oscars schlafendes Gesicht — müde und zufrieden. Wie gern er regiert, dachte ich. Wie gern. Und wahrscheinlich auch sehr gut. „Nun, was gibt es, kleines Mädchen?" „Ich reise, Jean=Baptiste.

Wenn es Sommer wird und die Straßen besser sind. Dann fahre ich nach Hause, Liebster", sagte ich leise. Erst jetzt öffnete er die Augen. „Bist du verrückt geworden? Du bist doch zu Hause! Hier, im Königlichen Schloß in Stockholm! Im Sommer werden wir nach Drottningholm übersiedeln, in die Sommerresidenz. Ein reizendes Lustschloß, ein großer schöner Park, es wird dir dort sehr gut ge= fallen." „Ich muß aber fahren, Jean=Baptiste. Es ist das einzig Richtige", beharrte ich. Und berichtete ihm Wort für Wort meine Unterredung mit der Königin. Er hörte mich schweigend an. Die steilen Falten auf seiner Stirn wurden tiefer. Plötzlich brach es los. Wie ein Gewitter: „Und diesen Unsinn muß ich mir anhören! Ihre Majestät und Ihre Königliche Hoheit können sich nicht vertragen! Übrigens hat die Königin recht, du benimmst dich nicht immer wie — nun, wie es der schwedische Hof erwartet. Du wirst es schon lernen, warum sollst du es nicht lernen? Aber ich kann mich jetzt mit diesen Dingen weiß Gott nicht befassen. Bist du dir eigentlich klar darüber, was sich abspielt? Und was sich in den allernächsten Jahren ab= spielen wird?" Er stand auf und kam auf mich zu. Seine Stimme war heiser vor Aufregung. „Es geht um die Existenz. Um Europas Exi= stenz nämlich. Napoleons System kracht in allen Fugen. Im Süden hat er längst keine Ruhe mehr. In Deutschland rotten sich seine Gegner heimlich zusammen, täglich beinahe wird auf französische Soldaten aus dem Hinterhalt geschossen, und im Norden —" er brach ab und kaute an der Unterlippe. „Da sich Napoleon nicht mehr auf den Zaren verlassen kann, wird er Rußland überfallen. Verstehst du, was das heißt?"

„Er hat so viele Länder überfallen und so viele Länder unter= worfen", sagte ich achselzuckend. „Wir kennen ihn doch." Jean= Baptiste nickte. „Ja, wir kennen ihn. Besser als irgendein anderer kennt ihn der schwedische Kronprinz. Und deshalb wird sich der Zar aller Reußen in seiner Schicksalsstunde beim schwedischen Kron= prinzen Rat holen." Jean=Baptiste schöpfte tief Atem. „Und wenn sich die unterworfenen Länder unter Rußlands und Englands Füh= rung zu einer neuen Koalition zusammenschließen, wird man an Schweden herantreten. Dann muß sich Schweden entscheiden — für Napoleon oder gegen ihn." — „Gegen ihn? Das — das würde bedeu= ten, daß du gegen Frankreich —?" Ich sprach den Satz nicht zu Ende. „Nein, Napoleon und Frankreich sind nicht dasselbe. Schon lange nicht mehr. Nicht seit den Tagen des Brumaire, die weder er noch ich vergessen haben. Deshalb sammelt er auch Truppen an der Grenze von Schwedisch=Pommern. Wenn er den russischen Krieg gewinnt, wird er Schweden einfach niedertrampeln und einen seiner Brüder auf den Königsthron setzen. Aber während des russischen Krieges möchte er mich gern zur Seite haben. Momentan versucht er, mich zu kaufen. Bietet mir ununterbrochen Finnland an, will mit dem Zaren darüber sprechen. Schließlich ist der Zar nach außen hin noch immer sein Verbündeter."

„Aber du sagst doch, daß der Zar Finnland nie hergeben wird!" „Natürlich nicht. Die Schweden können sich nur nicht an den Ge= danken gewöhnen. Aber ich werde ihnen Ersatz für Finnland ver= schaffen." Er lächelte plötzlich. „Wenn nämlich Napoleon geschlagen ist, wenn es in Europa zum großen Aufräumen kommt, dann wird Napoleons treuester Verbündeter einen Preis bezahlen müssen. Dänemark nämlich. Dänemark wird dann auf Vorschlag des Zaren auf Norwegen verzichten, und Norwegen wird mit Schweden ver= einigt werden. Und das, mein kleines Mädchen, steht nicht in den Sternen, sondern auf der Landkarte geschrieben." „Napoleon ist noch nicht geschlagen", sagte ich. „Außerdem behauptest du fortwährend, daß es um Schwedens Schicksal geht, und kannst nicht einsehen, daß ich schon deshalb nach Paris zurückfahren muß." Jean=Baptiste seufzte. „Wenn du wüßtest, wie müde ich bin, so würdest du nicht so eigensinnig auf diesem Thema beharren. Ich kann dich nicht reisen lassen. Du bist hier Kronprinzessin. Schluß, keine Widerrede!" „Hier kann ich nur Schaden anrichten und in Paris sehr viel nützen — ich habe alles genau durchdacht." „Sei nicht kindisch, willst du viel= leicht beim Kaiser für mich spionieren? Ich habe meine Spione in Paris, verlaß dich darauf! Ich könnte dir erzählen, daß unser alter Talleyrand nicht nur heimlich mit den Bourbonen korrespondiert, sondern auch mit mir. Und der in Ungnade gefallene Fouché —"

Jetzt unterbrach ich ihn. „Ich will doch nicht spionieren, Jean= Baptiste. Weißt du nicht, was geschehen wird, wenn das — wie nennst du es? — das große Aufräumen kommt? Alle Länder, denen Napoleon ihre Selbständigkeit genommen hat, werden die Bonaparte=Könige verjagen. Aber Frankreich ist Republik gewesen, bevor sich Napo= leon krönen ließ, soviel Blut ist um dieser Republik willen geflossen. Du sagst, daß Talleyrand heimlich mit den Bourbonen korrespon= diert? Man kann Frankreich doch nicht zwingen, die Boubonen zurückzurufen!" Jean=Baptiste zuckte die Achseln. „Verlaß dich dar= auf, die alten Dynastien halten zusammen und werden es versuchen. Aber was hat das mit uns zu tun, mit dir und mir?" „Dann werden

die alten Dynastien auch versuchen, den ehemaligen Jakobiner=
general Bernadotte von der schwedischen Thronfolge auszuschließen.
Und wer wird dann zu dir halten?" „Ich kann nicht mehr tun, als
mit allen meinen Kräften den Interessen Schwedens zu dienen.
Jeden Franc, den ich zeit meines Lebens aufgespart habe, werfe ich
in dieses Land, um es hochzubringen. Keine Sekunde lang denke ich
an mich oder meine Vergangenheit, sondern nur an eine Politik, die
Schwedens Selbständigkeit bewahren kann. Wenn es mir gelingt —
Désirée, wenn mir das gelingt, wird es auch zur schwedisch=nor=
wegischen Union kommen." Er lehnte jetzt am Ofen und vergrub die
entzündeten Augen in der Hand. „Mehr kann man nicht von einem
Menschen verlangen. Und solange Europa mich braucht, um Napo=
leon zu bekämpfen, wird mich Europa schützen. Wer nachher zu mir
halten wird. Désirée —?" „Das schwedische Volk, Jean=Baptiste. Nur
das schwedische Volk, und darauf kommt es an. Halt dich an die
Schweden, die dich gerufen haben!" „Und du, kleines Mädchen?"
„Ich bin nur die Frau eines wahrscheinlich genialen Mannes. Und
nicht jene Desideria, die sich der schwedische Adel gewünscht hat.
Ich schade deinem Ansehen. Der Adel hier wird sich über mich lustig
machen, und die Bürger werden ihrem Adel mehr Glauben schenken
als einer Ausländerin. Laß mich reisen, Jean=Baptiste, deine Stellung
wird dadurch fester." Ich lächelte traurig. „Beim nächsten Schlag=
anfall des Königs wirst du zum Regenten ernannt werden. Du kannst
deine Politik besser durchführen, wenn du die Regentschaft über=
nimmst. Du hast es leichter ohne mich, Liebster."

„Es klingt sehr vernünftig, kleines Mädchen, aber — nein, nein!
Erstens kann ich Napoleon nicht die schwedische Kronprinzessin als
Geisel nach Paris setzen. Meine eigenen Entschlüsse wären gehemmt,
wenn ich dich in ständiger Gefahr wüßte und —" „Wirklich? Du
hast doch kurz vor deiner Ankunft hier den Staatsrat gebeten, nicht
auf das Liebste, was du hast, Rücksicht zu nehmen. Damals befanden
wir uns noch auf französischem Gebiet. Oscar und ich. Nein, Jean=
Baptiste — du kannst keine Rücksicht nehmen. Wenn die Schweden
zu dir stehen sollen, mußt du auch zu ihnen stehen!" Ich nahm seine
Hand, zog ihn auf die Armlehne meines Lehnstuhles nieder, drückte
mich an ihn: „Außerdem — glaubst du wirklich, daß Napoleon
jemals die Schwägerin seines Bruders Joseph verhaften ließe? Sehr
unwahrscheinlich, nicht wahr? Und, da er dich kennt, so weiß er,
daß das zu nichts führen würde. Du siehst doch, daß er mir einen
Zobelpelz geschenkt hat, während er gleichzeitig einen abweisenden

Brief der schwedischen Regierung erhielt. Mich nimmt man nicht ernst, Liebster, laß mich reisen!" Er schüttelte heftig den Kopf. „Ich arbeite Tag und Nacht, in meiner Freizeit lege ich den Grundstein neuer Gebäude und empfange die Rektoren der Universität, in meiner Mittagspause fahre ich auf den Exerzierplatz und versuche meinen Schweden beizubringen, wie Napoleon seine Soldaten drillt — ich kann das nicht durchhalten, wenn ich dich nicht in meiner Nähe weiß. Désirée — ich brauche dich." „Andere brauchen mich mehr, Jean=Baptiste. Es wird vielleicht der Tag kommen, an dem mein Haus das einzige ist, in dem meine Schwester und ihre Kinder Schutz finden können. Laß mich reisen, Jean=Baptiste. Ich bitte dich!" „Du kannst nicht das Ansehen Schwedens mißbrauchen, um deiner Familie zu helfen. Désirée, das dulde ich nicht!" „Ich werde das Ansehen Schwedens immer mißbrauchen, wenn ich irgend jemandem, der verfolgt wird, helfen kann. Schweden ist ein kleines Land, Jean= Baptiste, mit ein paar Millionen Einwohnern, nicht wahr? Nur durch seine Menschlichkeit kann Schweden groß werden." „Man sollte glauben, daß du dir Zeit nimmst, Bücher zu lesen", lächelte Jean= Baptiste. „Ich werde mir die Zeit nehmen, Liebster. In Paris habe ich nichts anderes zu tun. Ich werde versuchen, mich zu bilden. Damit ihr euch später einmal meiner nicht schämen müßt, du und Oscar."
„Désirée, das Kind braucht dich, kannst du dir wirklich vorstellen, dich von Oscar auf längere Zeit zu trennen? Ich weiß doch nicht, wie sich die Verhältnisse entwickeln, vielleicht kannst du nicht so bald zurückreisen. Europa wird ein einziges großes Schlachtfeld werden, und du und ich —" „Liebster, ich darf dich sowieso nicht an deine Front begleiten. Und das Kind —" Ja, das Kind. Die ganze Zeit hatte ich versucht, diesen Gedanken fortzuschieben. Die Vorstellung, mich von Oscar zu trennen, war wie eine offene Wunde und brannte. „Das Kind, Liebster, ist jetzt ein Erbprinz. Umgeben von drei Lehrern und einem Adjutanten. Das Kind hat seit unserer Ankunft in Stock= holm sehr wenig Zeit für mich gehabt. Ich kenne doch seinen Stundenplan, jede Minute ist eingeteilt. Anfangs wird es mich sehr vermissen und dann einsehen, daß ein Erbprinz sich niemals seinen Gefühlen hingeben darf. Nur seinen Pflichten. Auf diese Weise wird unser Kind genauso wie ein gebürtiger Prinz erzogen werden. Und niemand wird es später einmal einen Parvenü=König nennen, Jean= Baptiste." Ich legte den Kopf an Jean=Baptistes Schulter und weinte. „Du weinst mir wieder meine Schulterwattierung naß. Wie damals, als ich dich kennenlernte..." „Der Stoff deiner Uniform ist jetzt

feiner und weicher, er kratzt nicht mehr so", schluchzte ich. Dann nahm ich mich zusammen und stand auf. „Ich glaube, es ist Zeit zum Speisen." Jean=Baptiste saß noch immer regungslos auf der Armlehne des Fauteuils. Sobald ich mich vom Ofen entfernte, spürte ich die eisige Kälte, die in allen Ecken lauert. „Weißt du, daß in Marseille um diese Zeit schon die Mimosen blühen?" fiel mir ein. „Der Kanzler hat mir versprochen, daß wir in vier Wochen Früh= ling haben, und Wetterstedt ist ein verläßlicher Mann", murmelte Jean=Baptiste. Langsam bewegte ich mich auf die Tür zu. Mit allen Fasern meines Wesens wartete ich auf ein Wort von ihm. Auf seine Entscheidung. Wie ein Urteil wollte ich sie empfangen. An der Tür blieb ich stehen. Was immer er entscheidet, ich zerbreche daran, spürte ich. „Und wie soll ich den Majestäten und dem Hof deine Abreise erklären?" Hingeworfen klang es, beinahe bedeutungslos. Das Urteil war gefallen. „Sage, daß ich aus Gesundheitsrücksichten nach Plombières reisen muß, um dort die Bäder zu besuchen, und den Herbst und Winter in Paris verbringen werde, weil ich das rauhe Klima nicht vertrage." Dann ging ich sehr schnell hinaus.

Wie blaßgrüne Seide spannte sich der Nachthimmel über dem Park aus. Mitternacht ist längst vorüber, und noch immer wird es nicht finster. Die Sommernächte im Norden sind hell. Ich habe die Vorhänge zugezogen und sogar dunkle Draperien an meinen Fenstern anbringen lassen, um schlafen zu können. Aber ich habe schlecht geschlafen. Ich weiß nicht, ob das grüne Zwielicht daran schuld ist oder mein bevorstehender Abschied. Morgen früh trete ich meine Rückreise nach Frankreich an. Vor drei Tagen ist der Hof in die Sommerresidenz, das Schloß Drottningholm, übergesiedelt. So weit das Auge reicht, sieht man nur Parkanlagen. Zurechtgestutzte Lindenalleen, zurechtgestutzte Hecken, verschlungene Pfade. Aber, wenn man bis ans Ende des weiten Parkes geht, findet man plötzlich unberührte Wiesen, auf denen zarte Birken wachsen und gelbe Primeln und tiefblaue Hyazinthen blühen. Die hellen Nächte duften sehr süß. Und alles erscheint unwirklich wie im Traum, man schläft nicht richtig, sondern starrt ins Zwielicht, es ist nicht Nacht, nicht Tag. Im Zwielicht liegen diese letzten Tage vor meiner Abreise in meinem Leben, diese letzten Gespräche, unwirklich in ihrer Aufrichtigkeit, das Abschiednehmen, schmerzhaft und trotzdem leicht, weil ich zurückreisen darf. Ich blättere in meinem Tagebuch und denke an Papa. „Ich habe seit Jahren einen Teil meines Gehaltes aufgespart, ich kann ein kleines Haus für Sie und das Kind kaufen —", sagte damals Jean=Baptiste, ich habe es aufgeschrieben. „Für welches Kind?" fragte ich zerstreut, meine Gedanken waren bei Napoleon ... Jean=Baptiste, du hast Wort gehalten: du hast ein Häuschen gekauft, es lag in Sceaux bei Paris und war sehr klein und sehr gemütlich, und wir waren sehr glücklich dort. Am 1. Juni ist der schwedische Hof aus dem Königlichen Schloß in Stockholm in das Königliche Schloß Drottningholm übergesiedelt. Jean=Baptiste, du hast mir doch ein kleines Haus versprochen, warum schenkst du mir Schlösser, Marmortreppen, Säulengänge, Ballsäle? Vielleicht träume ich, sagte ich mir im Zwielicht dieser letzten Nacht, in der ich mich noch Kronprinzessin von Schweden nenne. Morgen früh trete ich unter dem Inkognito einer Gräfin von Gotland meine

Reise an. Vielleicht träume ich und werde in meinem Schlafzimmer in Sceaux erwachen. Marie wird eintreten und den kleinen Oscar in meine Arme legen. Ich werde das Nachthemd öffnen und Oscar die Brust geben. Aber die Umrisse der Koffer in meinem Zimmer sind sehr wirklich. Oscar, mein Kind, deine Mama fährt nicht nur aus Gesundheitsrücksichten nach Frankreich. Es ist keine Badereise, und ich werde dich sehr lange nicht wiedersehen, mein Kind. Und wenn ich dich wiedersehen werde, wirst du kein Kind mehr sein. Zumindest nicht — mein Kind. Sondern ein wirklicher Prinz, eine Hoheit, erzogen für den Thron. Für den Thron muß man nämlich geboren oder erzogen werden ... Jean=Baptiste ist zum Regieren geboren. Dich lassen wir dazu erziehen. Deine Mama ist weder dazu geboren noch erzogen worden, und deshalb werde ich dich in wenigen Stunden noch einmal an mein Herz drücken und abreisen. Wochenlang konnte der Hof nicht fassen, daß ich wirklich abreisen wollte. Sie tuschelten und warfen mir neugierig verstohlene Blicke zu. Ich habe erwartet, daß sie es mir übelnehmen werden. Aber sonderbarerweise nehmen sie es der Königin übel. Es wird behauptet, die Königin sei mir keine gütige Schwiegermutter gewesen und habe mich sozusagen hinausgebissen. Sie hatten sich schon auf Intrigen zwischen Ihrer Majestät und Ihrer Königlichen Hoheit gefreut. Man hat sie betrogen, morgen fährt mein Reisewagen vor, eine unbekannte Gräfin von Gotland verläßt das Land. Nach Drottningholm bin ich nur deshalb mitgekommen, weil ich das berühmte Lustschloß der Vasa sehen wollte, in dem Oscar von nun an seine Sommer verbringen wird. Gleich am Abend nach unserer Ankunft wurde in dem kleinen Theater, das der wahnsinnige Gustaf III. erbaut und so kostbar ausgeschmückt hat, eine Vorstellung gegeben. Selig in ihrem Dilettantismus sang die Koskull einige Arien vor. Der König klatschte begeistert. Aber Jean=Baptiste betrachtete sie gleichgültig. Seltsam, einen Augenblick lang in diesem dunklen Winter habe ich geglaubt ... Und jetzt, da ich mich zur Abreise entschlossen habe, hat die hochgewachsene Koskull mit den gesunden Zähnen, die Walküre mit dem vergoldeten Schild, die Göttin des Schlachtfeldes für Jean=Baptiste alle Reize verloren. Liebster, ich reise doch, ich war bereit, einen großen Kummer auf mich zu nehmen ... Steht mir ein größerer bevor? Die Worte im Zwielicht dieses letzten Abends waren deutlich. Die Majestäten gaben mir zu Ehren ein Abschiedssouper, und nach dem Essen wurde sogar ein wenig getanzt. Der König und die Königin saßen in vergoldeten

Lehnstühlen und hohen steifen Lehnen und lächelten gnädig, das heißt, der König glaubte nur, er lächelte gnädig — es sah traurig aus, der hängende Mundwinkel, das verständnislose Gesicht. Ich tanzte mit Baron Mörner, der uns seinerzeit die Botschaft gebracht hat, dem Kanzler Wetterstedt und Außenminister Engström, der immer von Finnland spricht. Auch mit dem jüngsten Kabinetts=sekretär Jean=Baptistes, unserem Grafen Brahe, tanzte ich. Obwohl die hellen Nächte des Nordens nicht sehr warm sind, sagte ich: „Es ist heiß im Saal, ich möchte ein wenig Luft schöpfen", und wir tra=ten ins Freie. „Ich möchte Ihnen danken, Graf Brahe, Sie sind ritterlich an meiner Seite gestanden, als ich hier ankam, und ich weiß, Sie werden morgen ebenso ritterlich an meinem Reisewagen stehen, um sich von mir zu verabschieden. Sie haben alles getan, was in Ihrer Macht steht, um mir den Anfang zu erleichtern. Ver=zeihen Sie, daß ich Sie enttäuscht habe. Der Anfang ist zu Ende." Er hatte den dunklen Kopf gesenkt und kaute an dem kleinen Schnurr=bart, den er sich wachsen läßt. „Wenn Hoheit wünschen —" begann er, aber ich schüttelte energisch den Kopf: „Nein, nein, mein lieber Graf! Glauben Sie mir, mein Mann ist ein guter Menschenkenner, wenn er Sie trotz Ihrer Jugend zum Kabinettssekretär ernannt hat, so ist das nur geschehen, weil er Sie braucht. Und zwar hier in Schweden." Er dankte mir nicht für dieses Kompliment. Kaute weiter an dem werdenden Schnurrbart. Hob plötzlich verzweifelt den Kopf: „Ich bitte Königliche Hoheit, nicht abzureisen. Ich bitte — inständig!"

„Es ist seit Wochen beschlossene Sache, Graf Brahe. Und ich glaube, ich handle richtig."

„Aber nein — Hoheit, ich bitte nochmals, die Reise zu verschie=ben! Der Zeitpunkt erscheint mir —" Er stockte wieder. Fuhr sich plötzlich mit der Hand durchs dichte Haar und stieß beinahe heftig hervor: „Der Zeitpunkt ist bestimmt nicht richtig gewählt!" „Nicht richtig gewählt? Ich verstehe Sie nicht, Graf Brahe." Er wandte den Kopf ab. „Es ist ein Brief des Zaren gekommen. Mehr kann ich nicht sagen, Hoheit."

„Dann lassen Sie es. Sie sind Kabinettssekretär des Kronprinzen. Sie dürfen sich über die Korrespondenz Seiner Hoheit mit Staats=oberhäuptern bestimmt nicht äußern. Ich freue mich, daß ein Brief des Zaren gekommen ist. Es liegt dem Kronprinzen sehr viel an einem guten Einverständnis mit dem Zaren. Ich hoffe daher, es war ein freundlicher Brief."

„Zu freundlich!" Das Benehmen des jungen Brahe war mir völlig unverständlich. Was hat meine Abreise mit dem Zaren zu tun? „Der Zar bietet dem Kronprinzen ein Zeichen seiner Freundschaft an", kam es verzweifelt von Brahe. Und ohne mich anzusehen: „Der Zar beginnt sein Schreiben mit ,Mein lieber Cousin!' Ein großer Freundschaftsbeweis . . ." Ja, ein sehr großer. Der Zar spricht den ehemaligen Sergeanten Bernadotte als seinen Vetter an. Ich lächelte: „Das bedeutet viel für — Schweden."

„Es handelt sich um eine Allianz. Rußland will sein Bündnis mit Frankreich aufgeben und damit die Kontinentalsperre beenden. Nun müssen wir uns entscheiden, ob wir uns den Russen oder Napoleon anschließen. Beide schlagen Schweden eine Allianz vor." Ja, ja — das weiß ich. Jean=Baptiste kann seine bewaffnete Neutralität nicht mehr lange halten. „Und deshalb schreibt der Zar an Seine König= liche Hoheit: Mein lieber Cousin, wenn es Ihre persönliche Stellung in Schweden sichern kann, so biete ich Ihnen —"

„Finnland an, nicht wahr?"

„Nein, das schreibt der Zar nicht. Sondern: Wenn es Ihre per= sönliche Stellung in Schweden sichern kann, so biete ich Ihnen an, in meine Familie aufgenommen zu werden." Brahe schöpfte tief Atem. Die schmalen jungen Schultern beugten sich wie unter einer Last. Ich starrte ihn entgeistert an. „Was heißt das? Will uns der Zar auch adoptieren?"

„Der Zar spricht ausschließlich von — Seiner Hoheit." Endlich wandte er mir sein Gesicht zu. Er sah sehr gequält aus. „Es gibt auch andere Möglichkeiten, um ein Verwandtschaftsverhältnis her= zustellen, Hoheit." Da — ja, da verstand ich ihn. Es gibt noch andere Möglichkeiten . . . Napoleon hat seinen Stiefsohn mit einer bayrischen Prinzessin verheiratet. Napoleon selbst ist der Schwie= gersohn des Kaisers von Österreich und daher mit den Habsburgern verwandt. Sehr nah sogar. Man muß nur eine Prinzessin heiraten. Das ist ganz einfach. Ein Staatsakt, ein Dokument, das Josephine vorgelesen hat. Josephine, schreiend, keuchend vor Schmerz auf dem Bett . . . „Das würde die Stellung Seiner Hoheit zweifellos sehr sichern", sagte ich tonlos. „Nicht bei uns in Schweden. Der Zar hat uns Finnland genommen, wir können diesen Verlust nicht so schnell verwinden. Aber im übrigen Europa, Hoheit —" Josephine, schreiend auf dem Bett. So einfach läßt sich das durchführen. Aber Josephine schenkte ihm keinen Sohn . . . „— — im übrigen Europa würde die Stellung Seiner Hoheit zweifellos an Bedeutung gewinnen." Aber Jo=

sephine schenkte ihm keinen Sohn. „— dann noch einmal andeuten, daß der Zeitpunkt der Abreise Eurer Hoheit nicht günstig ist."

„Doch, Graf Brahe. Jetzt — gerade. Eines Tages werden Sie es verstehen." Ich reichte ihm die Hand. „Ich bitte Sie von Herzen, meinem Mann treu zur Seite zu stehen. Mein Mann und ich haben das Gefühl, daß man uns hier unsere französischen Freunde und Diener übelnimmt. Deshalb kehrt Oberst Villatte, der älteste und treueste Adjutant meines Mannes, der ihn an allen Fronten begleitet hat, mit mir nach Paris zurück. Versuchen Sie, ihn zu ersetzen. Mein Mann wird sehr allein sein. Ich sehe Sie morgen noch, Graf!" Ich kehrte nicht sofort in den Ballsaal zurück. Sondern ging langsam, wie betäubt, in den Park hinunter. Vorbei an den gestutzten Hecken. Hier ist alles so ehemalig. Noch keine zwanzig Jahre ist es her, da feierte hier der seltsame Gustaf III. seine berühmten Gartenfeste. Die Gärtner wissen, wie sehr er diesen Park geliebt hat. Noch heute arbeiten sie genau nach den Anweisungen des Er= mordeten. Dort unten im chinesischen Pavillon hat er seine Elegien gedichtet. Wie oft hat er sich verkleidet, um zum Maskenball ein= zuladen ... In dieser Nacht erschien der Park endlos. Der Sohn des Emordeten wurde für wahnsinnig erklärt. Eine Verschwörung, der Wahnsinnige wird zur Abdankung gezwungen und als Gefan= gener zunächst hierhergebracht. Hierher ins Lustschloß, man hat es mir genau erzählt. In diesen zierlichen Alleen ist er auf und ab gelaufen, hinter ihm liefen seine Wächter. Zu sich selbst und den Lindenbäumen hat er in seiner Verzweiflung und seiner Ohnmacht und seinem Wahn geredet. Und dort — nahe dem chinesischen Pa= villon — hat täglich seine Mutter auf ihn gewartet. Mutter eines Wahnsinnigen, Witwe eines Ermordeten — Sophia Magdalena. Ganz leise sang der Sommerwind in den Blättern. Da bemerkte ich den Schatten. Der Schatten bewegte sich auf mich zu. Ich schrie auf. Wollte laufen und war wie gelähmt. „Es tut mir leid, wenn ich Sie erschreckt habe." Dicht vor mir auf dem mondübergossenen Kies stand die Königinwitwe in ihren schwarzen Kleidern. „Sie — Sie haben hier auf mich gewartet, Madame?" fragte ich und schämte mich, weil ich vor Herzklopfen kaum sprechen konnte. „Nein, ich konnte doch nicht wissen, daß Sie einen Spaziergang dem Tanz vorziehen, Madame", sagte die klanglose Stimme. „Ich selbst gehe immer in schönen Sommernächten spazieren. Ich schlafe sehr schlecht, Madame. Und dieser Park läßt so viele Erinnerungen lebendig wer= den. Natürlich nur für mich, Madame." Darauf konnte ich schwer etwas erwidern. Ihren Sohn und ihren Enkel hatte man verbannt. Meinen Mann und meinen Sohn hat man berufen. „Ich nehme Abschied von diesen Alleen, die ich kaum kenne, ich reise morgen früh nach Frankreich zurück", sagte ich wohlerzogen. „Ich habe nicht erwartet, Sie jemals allein sprechen zu können, Madame. Ich freue mich über die Gelegenheit." Nebeneinander gingen wir weiter. Die gestutzten Linden dufteten. Ich fürchtete mich nicht mehr vor ihr. Mein Gott, eine alte Dame in schwarzen Kleidern. „Ich denke oft über Ihre Abreise nach. Und ich glaube, ich bin die einzige, die Ihre Gründe kennt."

„Es ist besser, nicht darüber zu sprechen", sagte ich und begann etwas schneller zu gehen. Da griff sie nach meinem Arm. Die plötzliche Berührung erschreckte mich derart, daß ich zurückfuhr. „Fürchten Sie sich denn vor mir, mein Kind?" Ihre Stimme hatte Farbe angenommen und klang tieftraurig. Wir waren stehengeblieben. „Natürlich nicht, das heißt — ich fürchte mich vor Ihnen, Madame."

„Sie fürchten sich vor einer kranken, einsamen Frau?" Ich nickte heftig. „Weil Sie mich hassen. Genauso wie die anderen Damen Ihrer Familie. Wie Ihre Majestät, wie die Prinzessin Sofia Albertina. Ich störe Sie nur, ich gehöre nicht hierher ..." Ich zerbiß meine Lippen. „Es hat keinen Sinn, darüber zu sprechen, es ändert nichts an den Tatsachen. Ich verstehe Sie sehr gut, Madame. Wir beide versuchen nämlich genau dasselbe."

„Bitte erklären Sie mir, was Sie damit meinen." Weinen stieg in mir auf. Dieser letzte Abend war so unbeschreiblich grauenhaft. So kam es, daß ich aufschluchzte. Aber nur ein einziges Mal, dann hatte ich mich schon in der Gewalt. „Sie bleiben hier in Schweden, Madame, um durch Ihre Anwesenheit ständig an Ihren verbannten Sohn und Ihren verbannten Enkel zu erinnern. Solange Sie hier sind, kann man die letzten Vasa nicht vergessen. Wahrscheinlich würden Sie sogar lieber bei Ihrem Sohn in der Schweiz leben. Seine materiellen Verhältnisse sollen sehr bescheiden sein. Sie könnten ihm den Haushalt führen und seine Strümpfe stopfen, anstatt im Salon Ihrer Majestät Rosen zu sticken." Meine Stimme senkte sich, ich verriet ihr unser gemeinsames Geheimnis. „Aber — Sie bleiben, Madame, weil Sie die Mutter eines verbannten Königs sind und durch Ihr Bleiben seinen Interessen dienen. Habe ich nicht recht, Madame?" Sie rührte sich nicht. Mager stand sie da, sehr aufrecht, ein schwarzer Schatten in dem grünen Zwielicht. „Sie haben recht. Und — warum reisen Sie, Madame?"

„Weil ich den Interessen des künftigen Königs dadurch am besten diene." Sie schwieg sehr lange. „Genau das habe ich mir gedacht", sagte sie dann. Abgerissene Takte Guitarrenmusik schwebten durch die Bäume. Eine Frau sang. Ein Trillerfetzchen flog durch den Park. Es war die Stimme der Koskull. „Sind Sie auch sicher, daß Sie durch Ihre Abreise Ihren eigenen Interessen dienen?" fragte die alte Frau. „Ganz sicher, Madame. Ich denke an eine ferne Zukunft und an König Oscar I.", sagte ich leise. Dann verneigte ich mich tief vor ihr und ging allein ins Schloß zurück. Zwei Uhr nachts. Im Park beginnen die Vögel zu zwitschern. Irgendwo hier in diesem Schloß wohnt eine alte Frau, die nicht schlafen kann. Vielleicht wandelt sie noch immer im Park herum. Sie bleibt, ich reise ... Den letzten Abend habe ich beschrieben, es bleibt nichts mehr hinzuzufügen. Meinen Gedanken kann ich ja nicht entfliehen. Hat der Zar Töchter? Oder Schwestern? Um Gottes willen — ich sehe schon wieder Gespenster! Meine Tür öffnet sich leise, vielleicht spukt es in diesem Schloß, ich könnte schreien, aber vielleicht irre ich mich, nein — die Tür öffnet sich wirklich, ich tue, als ob ich schreiben würde — Jean=Baptiste. Mein geliebter Jean=Bap — —

Im Reisewagen auf der Fahrt.
von Schweden nach Frankreich.
Ende Juni 1811.

Mein Paß lautet auf den Namen einer Gräfin von Gotland. Got=
land ist eine große schwedische Insel, ich kenne sie nicht. Die Kö=
nigin selbst ist auf diesen Titel verfallen. Unter keinen Umständen
läßt sie es zu, daß ihre liebe Tochter als Kronprinzessin ganz be=
scheiden durch Europa reist. Aber Aufsehen sollte doch vermieden
werden, nicht wahr? Desideria, die angeblich Erwünschte hat bereits
nach wenigen Monaten ihre neue Heimat wieder verlassen. Die Kö=
nigin erschien sogar bei meinem Wagen, um Abschied zu nehmen.
Oscar schluchzte herzzerreißend und versuchte es zu verbergen.
Sie legte ihm tröstend die Hand auf die Schulter, aber das Kind
schüttelte sie ab. „Versprechen Sie mir, Madame, daß Sie dafür
sorgen werden, daß das Kind jeden Abend um neun Uhr ins Bett
geht", bat ich. — „Ich habe neulich einen Brief von Madame de Staël
erhalten, diese kluge Frau macht wirklich vernünftige und sehr mo=
derne Vorschläge zur Erziehung des Erbprinzen", sagte Jean=Baptiste.
„Oh — die Staël", murmelte ich. Diese Journalistin, von Fouché ver=
bannt, eine Freiheitsgöttin mit Hängebusen, die sich viel darauf
einbildet, von Napoleon verfolgt zu werden. Die Freundin der Ré=
camier, die langweilige Romane und weniger langweilige Briefe an
Jean=Baptiste schreibt. — „Auf jeden Fall — um neun ins Bett",
wiederholte ich und sah Jean=Baptiste zum letztenmal an. Morgen
wirst du ihn nicht mehr sehen, übermorgen nicht mehr, ein Woche
lang nicht und noch eine Woche und viele Wochen. Die Récamier.
die Staël, die Königin von Schweden, die Koskull, lauter kluge und
gebildete Frauen. Eine russische Großfürstin wartet . . . Jean=Baptiste
zog meine Hand an die Lippen. „Graf Rosen wird dir stets zur Seite
stehen, was immer auch geschieht", sagte er. Graf Rosen, mein neuer
Adjutant. Der beste Freund des jungen Grafen Brahe. Der neue
junge Mann mit der Adjutantenschärpe und dem schimmernden
Blondhaar schlug die Hacken zusammen. Graf Brahe tauchte auf,
aber wir sprachen nicht mehr miteinander. „Ich wünsche Ihnen eine
angenehme Reise, Madame", sagte die Königin und sah plötzlich
alt aus. Sie schien schlecht geschlafen zu haben. Die Tränensäcke

unter den blassen Augen waren geschwollen. Wer hat eigentlich heute nacht gut geschlafen? Die Gräfin Lewenhaupt. Die hat gut geschlafen, die strahlt beim Abschied, jetzt ist sie nicht mehr Hof= dame einer Seidenhändlerstochter. Auch die Koskull sah frisch und blühend aus, gut geschminkt und sehr siegessicher. Sie sah Möglich= keiten . . . Zuletzt drängten sie sich so eifrig um mich, daß sie Oscar beiseite schoben. Aber das Kind stieß sich durch. Oscar ist schon bei= nahe so groß wie ich, dazu gehört zwar nicht viel, aber Oscar ist wirklich groß für sein Alter. Ich zog ihn ganz schnell an mich. „Gott schütze dich, Liebling." Ich spürte den frischen Duft seiner Haare, er ist heute früh bestimmt schon ausgeritten. Oscar riecht nach Sonne und Lindenblüten. „Mama, kannst du nicht hierbleiben? Hier ist es doch so schön!" Wie gut, daß er es hier so schön findet. Wie gut . . . Ich stieg in den Wagen. Jean=Baptiste schob mir ein Kissen hinter den Rücken. Die La Flotte setzte sich neben mich. Dann stiegen Villatte und Graf Rosen ein. Marie und Yvette reisten in einem zweiten Wagen. Als die Pferde anzogen, beugte ich mich vor und be= trachtete die Fassade der Fenster. Ich wußte, daß im ersten Stockwerk eine schwarze Gestalt stehen würde. Und sie stand da. Sie blieb. Ich reise. „Wenn wir in Plombières ankommen, haben wir nicht ein einziges Sommermodell aus diesem Jahr", bemerkte die La Flotte, „wir sollten zuerst nach Paris fahren und einkaufen." Am Straßen= rand stehen blonde Kinder und winken. Ich winke zurück. Ich sehne mich jetzt schon nach Oscar.

Paris, 1. Januar 1812.

In dem Augenblick, in dem alle Glocken von Paris das neue Jahr ein=
läuteten, standen wir einander allein gegenüber — Napoleon und ich.
Julie überreichte mir überraschend die Einladung. „Nach Mitternacht
halten der Kaiser und die Kaiserin Cercle. Aber die Familie ist
bereits für zehn Uhr eingeladen. Und du sollst unbedingt mit uns
kommen, hat die Kaiserin gesagt." Wir saßen wie jeden Tag im
kleinen Salon in der Rue d'Anjou. Julie erzählte mir von ihren
Kindern, ihren Haushaltssorgen und von Joseph, der sich unausge=
setzt über die französischen Generäle beklagt, die sich in Spanien
herumschlagen und ihn nicht auf einem Thron halten können, auf
dem er niemals wirklich gesessen hat. Julie dagegen scheint mit
ihrem Leben zufrieden zu sein. Sie trägt purpurrote Modelle des
Hauses Le Roy, näht Puppenkleider für ihre kleinen Mädchen, ver=
kehrt viel bei Hof und findet die Kaiserin wirklich majestätisch und
den kleinen König von Rom sehr herzig. Er soll blonde Haare und
blaue Augen haben und zwei Zähne im Unterkiefer. Napoleon kräht
wie ein Hahn, um seinen kleinen Sohn zum Lachen zu bringen, oder
miaut wie eine Katze. Ich versuche, mir den krähenden und miauen=
den Napoleon vorzustellen. Julie konnte zuerst nicht verstehen,
warum ich mich nicht nach meiner Rückkehr in den Tuilerien
meldete. Aber ich lebe ganz zurückgezogen und sehe nur Julie und
meine nächsten Freundinnen. Deshalb kam diese Einladung sehr
überraschend. Und ich konnte das Gefühl nicht loswerden, daß man
mit dieser Aufforderung irgendeinen Zweck verfolgte. Aber welchen?
So kam es, daß ich zum drittenmal mit Angst im Herzen in die
Tuilerien fuhr. Das erstemal war jene Nacht, in der ich Napoleon um
das Leben des Herzogs von Enghien bat. Ich hatte meinen neuen
Hut aufgesetzt und bat vergebens. Das zweitemal begleitete ich
Jean=Baptiste, als er den Kaiser der Franzosen um Ausbürgerung
und Entlassung aus der Armee ersuchte. Gestern abend trug ich mein
weißgoldenes Kleid und die Brillantohrgehänge der Königinwitwe
Sophia Magdalena. Den Zobelpelz hatte ich lose umgeworfen, mir
war nicht kalt. In Stockholm friert es jetzt, zwanzig bis fünfund=
zwanzig Grad . . . In der Seine tanzten besonders viele Lichter. Als
ich die Tuilerien betrat, atmete ich tief auf. Ich fühlte mich — zu
Hause. Die dunkelgrünen Livreen der Lakaien des Kaisers, die Go=

410

belins und Teppiche mit den Bienen. Überall Bienen, wie er es mir in jener Nacht vorausgesagt hat. Und überall strahlende Helle, keine Schatten, keine Gespenster. Im Salon der Kaiserin war bereits die ganze Familie versammelt. Bei meinem Eintritt wollten mich alle zugleich begrüßen, ich bin ja plötzlich eine waschechte Kronprinzessin, sogar Marie=Luise erhob sich und ging mir entgegen. Sie war noch immer oder schon wieder in Rosa. Die Porzellanaugen waren aus= druckslos, aber sie lächelte überschwenglich, und ihre erste Frage galt ihrer lieben „Cousine", der schwedischen Königin. Eine Vasa steht dem Herzen einer Habsburgerin natürlich näher als alle Par= venü=Bonapartes zusammen. Dann mußte ich mich neben sie auf ein zerbrechliches Sofa setzen. Madame Letitia bewunderte meine Ohr= gehänge und wollte wissen, was sie gekostet haben. Ich freute mich, die alte Dame wiederzusehen. Madame Mère mit Pariser Ringel= locken und fein manikürten Nägeln. „Ich kann nicht verstehen, was Napoleone gegen meine Beichtstühle hat", klagte sie der Kaiserin. „Da habe ich auf einer der Auktionen, bei denen unbrauchbares Armee=Material versteigert wird, drei alte Schilderhäuschen gekauft und sie in meiner Hauskapelle in Versailles als Beichtstühle auf= gestellt. Sie eignen sich ausgezeichnet dafür, und ich habe sie wirk= lich billig gekauft. Napoleone findet das kleinlich. Aber in diesem Haus hier wird eben nicht gespart!" Anklagend sah sie sich im Salon der Kaiserin um. Nein, in den Tuilerien wurde nicht gespart . . . „Mama mia — oh, mama mia", lachte Polette. Die Fürstin Borghese ist womöglich noch schöner geworden, sie wirkt jetzt zart und zer= brechlich, und unter den großen grauen Augen liegen blaue Schatten. Sie ließ sich ihr Champagnerglas ununterbrochen nachfüllen. Julie hat mir erzählt, daß Polette krank ist. „Eine Krankheit, von der man nicht spricht und die Damen niemals bekommen", deutete Julie an und wurde dunkelrot dabei. Ich sah Polette an und zerbrach mir den Kopf über ihr geheimnisvolles Leiden. „Erinnern Sie sich noch an den Neujahrsabend, an dem Ihnen schlecht wurde? Damals haben Sie Oscar erwartet", sagte Joseph zu mir. Ich nickte. „Wir haben damals auf die Dynastie Bernadotte getrunken", lächelte Joseph. Es war kein angenehmes Lächeln. „Aus König Joseph I. von Spanien spricht der blasse Neid", bemerkte Polette und trank ihr Glas leer. Es war elf Uhr vorbei. Der Kaiser war noch nicht erschienen. „Seine Majestät arbeitet noch", erklärte uns Marie=Luise. Die Champagner= gläser der Familie wurden gefüllt. „Wann bekommen wir den Kleinen zu sehen?" erkundigte sich Julie. „Wenn das neue Jahr be=

ginnt, der Kaiser will mit dem Kind auf dem Arm das neue Jahr begrüßen", sagte Marie=Luise. „Es ist sehr ungesund, den Kleinen aus dem Schlaf zu reißen und den vielen Gästen vorzuführen", ließ sich Madame Letitia vernehmen. Meneval, der Sekretär des Kaisers, war eingetreten. „Seine Majestät wünscht Ihre Königliche Hoheit zu sprechen", sagte er leise. „Meinen Sie — mich?" fragte ich unwillkür= lich. Menevals Gesicht blieb ernsthaft. „Ihre Königliche Hoheit, die Kronprinzessin von Schweden." Marie=Luise plauderte mit Julie, der Vorfall überraschte sie nicht. Da begriff ich, daß sie mich auf ausdrücklichen Befehl des Kaisers eingeladen hatte. Die Gespräche der Bonapartes verstummten. „Seine Majestät erwartet Hoheit im kleinen Arbeitskabinett", bemerkte Meneval, während wir eine Un= zahl von Räumen durchschritten. Meine beiden ersten Unterredungen mit Napoleon hatten im großen Arbeitszimmer stattgefunden. Bei unserem Eintritt sah der Kaiser nur ganz flüchtig von seinen Pa= pieren auf. „Bitte nehmen Sie Platz, Madame." Das war alles. Es war sehr unhöflich. Meneval verschwand. Ich setzte mich und wartete. Vor ihm lag eine Mappe mit vielen eng beschriebenen Bogen. Die kleine eifrige Handschrift kam mir bekannt vor. Das sind wahr= scheinlich Alquiers Berichte aus Stockholm, ging es mir durch den Kopf, der französische Botschafter in Schweden ist ein fleißiger Mann. Die Uhr auf dem Kamin tickte dem neuen Jahr entgegen. Ein vergoldeter Bronzeadler mit ausgebreiteten Schwingen hielt das Zifferblatt. Wozu denn das Theater, fragte ich mich, der Kaiser hat mich rufen lassen, um mir etwas Bestimmtes zu sagen. „Sie brauchen mich nicht durch Warten einzuschüchtern, Sire", hörte ich mich plötzlich sagen. „Ich bin von Natur aus eher schüchtern, und vor Ihnen habe ich sogar Angst."

„Eugénie, Eugénie . . ." Dabei sah er noch immer nicht auf. „Man wartet, bis der Kaiser das Gespräch eröffnet. Hat dir Monsieur Montel nicht einmal so viel Etikette beigebracht?" Dann las er weiter, und ich hatte Zeit, ihn zu betrachten. Die Cäsarenmaske ist fleischig geworden, das Haar sehr dünn. Und dieses Gesicht habe ich einst so geliebt, staunte ich. Es ist lange her, aber an meine Liebe erinnere ich mich noch genau. Nur sein Gesicht habe ich inzwischen ganz ver= gessen . . . Mir riß die Geduld. „Sire, haben Sie mich rufen lassen, um mich in Fragen der Etikette zu prüfen?" „Unter anderm. Ich möchte nämlich wissen, was Sie nach Frankreich zurückgeführt hat."

„Die Kälte, Sire."

Er lehnte sich zurück, kreuzte die Arme über der Brust und ver=

zog ironisch den Mund. „So — so. Die Kälte also. Sie haben trotz des Zobelpelzes, den ich Ihnen nachsandte, gefroren, Madame?"

„Trotz des Zobelpelzes, Sire."

„Und warum haben Sie sich bisher nicht bei Hof gemeldet? Die Gattinnen meiner Marschälle pflegen Ihrer Majestät regelmäßig ihre Aufwartung zu machen."

„Ich bin nicht mehr die Gattin eines Ihrer Marschälle, Sire."

„Richtig, das hätte ich beinahe vergessen. Wir haben es jetzt mit Ihrer Königlichen Hoheit, der Kronprinzessin Desideria zu tun. Sie sollten wissen, Madame, daß Angehörige fremder Königshäuser bei ihren Besuchen in meiner Hauptstadt um Audienz anzusuchen pflegen. Aus Höflichkeit, Madame!" „Ich bin nicht auf Besuch hier. Ich bin hier zu Hause."

„Ach so — Sie sind hier zu Hause . . ." Er stand langsam auf, kam hinter dem Schreibtisch hervor, blieb dicht vor mir stehen und schrie mich plötzlich an: „Und wie stellen Sie sich das eigentlich vor? Sie sind hier zu Hause. Und lassen sich täglich durch Ihre Schwester und die anderen Damen berichten, was hier gesprochen wird. Setzen sich dann hin und schreiben an den Herrn Gemahl. Hält man Sie wirklich in Schweden für so klug, daß man Sie als Spionin hierher= geschickt hat?"

„Nein, im Gegenteil. Ich bin so dumm, daß ich hierher zurück= kommen mußte."

Diese Antwort hatte er nicht erwartet. Er hatte sogar schon tief eingeatmet, um mich weiter anzuschreien. Jetzt fragte er mit ge= wöhnlicher Stimme: „Was heißt das?"

„Ich bin dumm, Sire. Erinnern Sie sich doch an die Eugénie aus den alten Tagen. Dumm, unpolitisch, ungebildet. Ich habe leider keinen guten Eindruck auf den schwedischen Hof gemacht. Und da es sehr wichtig ist, daß wir — Jean=Baptiste, Oscar und ich — in Schweden beliebt werden, so bin ich eben zurückgekommen. Das Ganze ist sehr einfach!"

„So einfach, daß ich es Ihnen nicht glaube, Madame!" Wie ein Peitschenknall klang es. Er begann auf und ab zu laufen. „Vielleicht irre ich mich, vielleicht sind Sie wirklich nicht auf Wunsch Berna= dottes hier. Auf jeden Fall, Madame — die politische Lage hat sich derart zugespitzt, daß ich Sie bitten muß, Frankreich wieder zu ver= lassen." Ich starrte ihn fassungslos an. Wirft er mich hinaus? Wirft er mich aus Frankreich — hinaus?

„Ich möchte gern hierbleiben", sagte ich leise. „Wenn ich nicht in

Paris bleiben kann, werde ich nach Marseille gehen. Ich habe schon oft daran gedacht, unser altes Haus zurückzukaufen. Papas Haus. Aber die jetzigen Besitzer wollen nicht verkaufen. Deshalb habe ich kein anderes Heim mehr als das Haus in der Rue d'Anjou." „Sagen Sie einmal, Madame, ist Bernadotte verrückt geworden?" kam es unvermittelt. Er kramte unter den Papieren auf seinem Schreibtisch, zog schließlich einen Brief hervor. Ich erkannte Jean=Baptistes Schrift. „Ich biete Bernadotte eine Allianz an, und er antwortet mir, er sei keiner meiner Vasallenfürsten."

„Ich befasse mich nicht mit Politik, Sire", sagte ich nur. „Und ich weiß auch nicht, was das mit meinem Aufenthalt zu tun hat." „Dann will ich es Ihnen sagen, Madame!" Er schlug mit der Faust auf den Tisch. Stuck träufelte von der Zimmerdecke, nun wurde er rasend — leider Gottes richtig rasend. „Ihr Bernadotte wagt es, eine Allianz mit Frankreich auszuschlagen! Warum, glauben Sie, habe ich ihm diese Allianz angetragen? Nun, sagen Sie es mir!" Ich ant= wortete nicht. „So dumm können nicht einmal Sie sein, Madame. Sie müssen wissen, was man in allen Salons weiß. Der Zar hat die Kontinentalsperre aufgehoben, und sein Reich wird bald nicht mehr existieren. Die größte Armee aller Zeiten wird Rußland besetzen. Die größte Armee aller Zeiten ..." Das Wort berauschte ihn. „Schweden könnte an unserer Seite unsterblichen Ruhm erwerben. Schweden könnte wieder zur Großmacht werden, ich habe Bernadotte Finnland angeboten, wenn er mit uns marschiert. Ich habe ihm Finnland und die Hansestädte angeboten. Stellen Sie sich das vor, Madame — Finnland!" Ich versuchte wie so oft, mir Finnland vorzu= stellen. „Ich habe es mir auf der Landkarte angesehen, lauter blaue Flecken, die Seen bedeuten", sagte ich. „Und Bernadotte greift nicht zu! Bernadotte marschiert nicht mit! Ein französischer Marschall, der diesen Feldzug nicht mitmacht!" Ich sah auf die Uhr. In einer Viertelstunde beginnt das neue Jahr.

„Sire, es ist bald Mitternacht." Er hörte mich nicht. Er stand vor dem Spiegel über dem Kamin. Starrte in sein eigenes Gesicht. „Zwei= hunderttausend Franzosen, hundertfünfzigtausend Deutsche, achtzig= tausend Italiener, sechzigtausend Polen, außerdem hundertzehn= tausend Freiwillige anderer Nationen", murmelte er. „Die große Armee Napoleons I. Die größte Armee aller Zeiten. Ich marschiere wieder." Zehn Minuten vor Mitternacht. „Sire —" begann ich. Er wandte sich jäh um. Sein Gesicht war vor Zorn verzerrt.

„Und diese Armee mißachtet Bernadotte!" Ich schüttelte den Kopf.

„Sire, Jean=Baptiste ist für das Wohl Schwedens verantwortlich. Seine Maßnahmen dienen einzig und allein den Interessen dieses Landes."

„Wer nicht für mich ist, ist gegen mich! Madame, wenn Sie Frank= reich nicht freiwillig verlassen wollen, so könnte es geschehen, daß ich Sie als Geisel verhaften lasse." Ich rührte mich nicht. „Es ist spät geworden", sagte er plötzlich, trat schnell auf den Schreibtisch zu und läutete. Meneval, der hinter der Tür gelauert haben mußte, schoß herein. „Hier! Sofort mit Eilkurier bestellen." Und zu mir: „Wissen Sie, was das ist? Ein Befehl, Madame. Und zwar an den Marschall Davout. Davout und seine Truppen werden die Grenze überschreiten und Schwedisch=Pommern besetzen. Nun, was sagen Sie jetzt, Madame?" „Daß Sie die linke Flanke Ihrer großen Armee zu decken versuchen, Sire." Er lachte schallend auf. „Wer hat Ihnen diesen Satz vorgesagt? Haben Sie in den letzten Tagen mit einem meiner Offiziere geplaudert?"

„Das hat mir Jean=Baptiste schon vor längerer Zeit gesagt." Seine Augen wurden schmal. „Gedenkt er Schwedisch=Pommern zu ver= teidigen? Es würde mich amüsieren, ihn im Kampf mit Davout zu sehen."

„Amüsieren?" Ich dachte an die Schlachtfelder. Die armseligen Erdhügel mit den windschiefen Kreuzen. Erdhügel in Reih und Glied. Und das amüsierte ihn ... „Sind Sie sich klar darüber, Ma= dame, daß ich Sie als Geisel verhaften lassen kann, um die schwe= dische Regierung zu einer Allianz zu zwingen?" Ich lächelte. „Mein Schicksal würde an den Beschlüssen der schwedischen Regierung nichts ändern. Aber meine Gefangennahme würde den Schweden beweisen, daß ich bereit bin, für mein neues Vaterland zu — leiden. Wollen Sie wirklich eine Märtyrerin aus mir machen, Sire?" Der Kaiser biß sich auf die Lippen. Manchmal findet auch eine blinde Henne ein Korn! Napoleon will Madame Bernadotte bestimmt nicht in eine schwedische Nationalheldin verwandeln ... Er zuckte die Achseln. „Wir zwingen niemandem unsere Freundschaft auf. Man pflegt sich um unsere Freundschaft zu bewerben." Es war drei Mi= nuten vor Mitternacht. „Ich erwarte, daß Sie Ihrem Gatten zu= reden werden, sich um unsere Freundschaft zu bewerben." Er legte die Hand auf die Türklinke. „Schon in Ihrem eigenen Interesse, Madame." Seine Augen schillerten boshaft. Ich sah ihn fragend an. In diesem Augenblick dröhnten die Glocken. In ihrem Klang ertrank meine Frage und seine Antwort. Napoleon ließ unwillkürlich die

Türklinke los. Wie gebannt starrte er vor sich hin. Die Glocken von Paris läuteten das neue Jahr ein. Diese Glocken, dachte ich, wie ich diese dunklen Glocken liebe ... „Ein großes Jahr in der Geschichte Frankreichs ist angebrochen", murmelte Napoleon, als sie verstummten. Ich drückte die Türklinke nieder. Im großen Arbeits= zimmer warteten Adjutanten und Kammerherren. „Wir müssen uns beeilen, Ihre Majestät erwartet uns", sagte Napoleon hastig und be= gann zu laufen. Sporenklirrend jagten ihm seine Adjutanten und Kammerherren nach. Langsam wanderte ich neben Meneval durch die ausgestorbenen Räume. „Haben Sie den Befehl abgeschickt?" fragte ich. Er nickte. „Der Kaiser bricht die Neutralität eines Staates. Die erste Handlung im neuen Jahr", konstatierte ich. „Nein, die letzte im alten Jahr, Hoheit", berichtigte Meneval. Als ich den Salon der Kaiserin wieder betrat, sah ich zum erstenmal den kleinen König von Rom. Der Kaiser hielt ihn auf dem Arm, und der Kleine schrie zum Steinerbarmen. Der Säugling trug ein Spitzenhemd und eine breite Ordensschärpe. „Ordensschärpen statt Windeln, ich muß schon sagen ..." klagte Madame Letitia. Der Kaiser wollte seinen schrei= enden Sohn aufheitern und kitzelte ihn zärtlich. Aber die fremden Diplomaten und die Hofuniformen, die durcheinanderkichernden Damen und die Mitglieder der Familie Bonaparte, die alle den Klei= nen gleichzeitig streicheln wollten, erschreckten das arme Kind immer mehr. Marie=Luise stand neben dem Kaiser und betrachtete unver= wandt das Kind. Ihre Augen waren nicht mehr ausdruckslos, sondern ehrlich erstaunt. Es war, als ob sie nicht fassen konnte, daß sie es war, die Napoleon ein Kind geboren hatte. Als mich Napoleon sah, trat er mit dem schreienden Säugling auf mich zu. Das fleischige Gesicht strahlte. „Sie müssen aufhören zu weinen, Sire, ein König weint nicht", redete er dem Kleinen zu. Unwillkürlich streckte ich die Arme aus und nahm ihm das Kind ab. Madame von Montesquieu, die vornehme Kinderfrau, war sofort an meiner Seite. Aber ich hielt das Kind fest. Unter dem Spitzenhemdchen war es recht feucht. Ich kraulte die blonden Härchen im Nacken, der Kleine hörte zu weinen auf und sah mich scheu an. Ich preßte ihn dicht an mich, Oscar, dachte ich, Oscar trinkt jetzt Champagner in den Salons der Königin, Skal — artig stößt er mit den Majestäten an, dann mit der mageren Ziege Prinzessin Sofia Albertina, zuletzt mit der Königinwitwe. Die Koskull trillert eine Arie. Jean=Baptiste wird in ein paar Tagen wis= sen, daß Davout in Schwedisch=Pommern einmarschiert ist, die Koskull trillert ... Ich küßte die seidenen blonden Härchen. „Auf das Wohl Seiner Majestät, des Königs von Rom!" rief jemand. Man leerte die Champagnergläser. Ich reichte den Kleinen seiner Pflegerin „Er ist sehr feucht", flüsterte ich ihr zu. Man trug das Kind hinaus. Der Kaiser und die Kaiserin waren in bester Stimmung und plau= derten — wie nannte es nur die schwedische Königin? — ja, huldvoll. Sie plauderten ausgesprochen huldvoll. Mein Blick fiel auf Hortense. Vor zwei Monaten hat sie einen Sohn geboren, obwohl sie seit Jah= ren getrennt von Louis Napoleon lebt. Auf ihren Wangen brannten rote Flecken, ihre Augen glänzten, sie lehnte sich dicht an ihren Hofstallmeister, den Grafen Flahault. Nun hat ihr Leben den letzten Sinn verloren, ihre Söhne werden Napoleon nicht beerben. Der Kaiser übersah wie immer seine Stieftochter. Ein Graf Flahault, warum nicht? „Hoheit werden sehen, der Kronprinz wird sich Ruß= land anschließen. Und der Kronprinz hat recht", hörte ich. Hat mir jemand diese Worte zugeflüstert oder habe ich sie nur geträumt? Talleyrand war vorübergehinkt. Ich möchte nach Hause, ich bin müde. Jetzt kommt der Kaiser auf mich zu, die Kaiserin am Arm, man darf nicht Rosa tragen, wenn man so rosa Wangen hat . . . „Da haben wir ja meine Geisel — meine schöne kleine Geisel", sagte der Kaiser freundlich. Die Umstehenden brachen wohlerzogen in Ge= lächter aus. „Aber Sie wissen doch gar nicht, worum es sich handelt, meine Damen und Herren!" Manchmal irritiert es den Kaiser, daß man bereits lacht, bevor er noch die Pointe eines Witzes erzählt. „Ich fürchte nur, Ihrer Hoheit ist nicht zum Lachen zumute. Marschall Davout ist leider gezwungen, einen Teil der nordischen Heimat Ihrer Hoheit zu besetzen." Wie still es geworden war. „Ich nehme an, der Zar hat mehr zu bieten, Madame. Ich höre, er bietet sogar die Hand einer Großfürstin an. Könnten Sie sich vorstellen, daß dies unseren ehemaligen Marschall lockt?" „Die Ehe mit einem Mitglied eines alten Fürstenhauses ist immer verlockend für einen Mann bürger= licher Abstammung", sagte ich langsam. Die Umstehenden zuckten zusammen. „Zweifellos", lächelte der Kaiser. „Aber eine derartige Verlockung könnte Ihre eigene Stellung in Schweden gefährden, Madame. Deshalb rate ich Ihnen als alter Freund, an Bernadotte zu schreiben und ihm zu einer Allianz mit Frankreich zuzureden. Im Interesse Ihrer eigenen Zukunft, Madame!"

„Meine Zukunft ist gesichert, Sire." Ich verneigte mich. „Zumin= dest als — Königinmutter." Er sah mich überrascht an. Donnerte dann: „Madame, bevor die schwedisch=französische Allianz ab= geschlossen ist, möchte ich Sie nicht mehr bei Hofe sehen!" und ging mit Marie=Luise weiter. Zu Hause erwartete mich Marie. Yvette und den anderen Mädchen hatte ich freigegeben, sie sollten die Neujahrs= nacht feiern. Marie löste mir die Brillanten aus den Ohren und öffnete die Goldspangen an meinen Schultern. „Prosit Marie, der Kaiser hat die größte Armee aller Zeiten aufgestellt, und ich soll an Jean=Baptiste wegen einer Allianz schreiben. Kannst du mir eigent= lich sagen, wie ich in die Weltgeschichte gekommen bin?"

„Schau, wenn du damals im Maison Commune nicht eingeschlafen wärest, hätte dich dieser Herr Joseph Bonaparte nicht aufwecken müssen. Wenn du dir nicht in den Kopf gesetzt hättest, daß er und Julie —"

„Ja, und wenn ich nicht so neugierig auf seinen Bruder, den klei= nen General, gewesen wäre! Wie schäbig der in seiner abgewetzten Uniform ausgesehen hat . . ." Ich stützte die Arme auf den Toiletten= tisch und schloß die Augen. Neugierde, dachte ich, aus lauter Neu= gierde habe ich mir das alles eingebrockt. Aber der Weg über Napo= leon hat zu Jean=Baptiste geführt. Und ich bin sehr glücklich mit ihm gewesen. „Eugénie", kam es vorsichtig von Marie. „Wann wirst du wieder nach Stockholm reisen?" Wenn ich mich beeile, komme ich vielleicht noch zurecht, um die Verlobung meines Mannes mit einer russischen Großfürstin zu feiern, dachte ich verzweifelt und rührte mich nicht. „Prosit Neujahr!" murmelte Marie schließlich. Das Jahr 1812 hat zwar erst begonnen, aber ich sehe schon, daß es abscheulich werden wird.

Pierre kam, der Sohn meiner Marie. Er kam ganz überraschend. Hatte sich freiwillig zur größten Armee aller Zeiten gemeldet und war einem Regiment zugeteilt worden, das von Paris aus den Feldzug antreten sollte. Bisher habe ich regelmäßig achttausend Francs jähr= lich bezahlt, um Pierre vom Militärdienst zu befreien. Ich habe es von Herzen getan, ich kann mir nicht helfen, ich habe Pierre gegen= über ein schlechtes Gewissen. Nach seiner Geburt gab Marie ihn in Pflege, um als Amme zu mir zu kommen und ihren Unterhalt zu verdienen. Ich habe Pierre seine Muttermilch weggetrunken und bin von Marie geküßt worden, wenn sie sich nach ihm sehnte. Mutter= milch oder nicht — Pierre ist ein sehniger, baumlanger Kerl, von südlicher Sonne gebräunt, er hat Maries dunkle Augen, aber einen lachenden Blick. Den muß er von seinem Vater geerbt haben. Er trug eine funkelnagelneue Uniform und eine ebenso neue Bärenfell= mütze. Sogar die blauweißrote Kokarde schimmerte, so neu war sie. Marie war wie vor den Kopf geschlagen. Schüchtern streichelten ihre knochigen Hände seine Arme. „Warum?" fragte sie nur immer wie= der. „Du warst doch so zufrieden mit dem Verwalterposten, den dir Hoheit verschafft hat." Pierre zeigte blitzende Zähne. „Mama, man muß doch dabeisein! Mit der großen Armee marschieren, Rußland unterwerfen, Moskau erobern! Der Kaiser ruft uns zu den Waffen, um Europa endlich zu einigen, denk an all die Möglichkeiten, Mama, man kann —"

„Was kann man?" fragte Marie bitter. „General werden, Mar= schall, Kronprinz, König — was weiß ich!" Seine Worte überstürzten sich. Nein, man kann nicht auf einem Weingut in der Nähe von Marseille verkommen, wenn der Kaiser die größte Armee aller Zeiten unter die Fahnen gerufen hat. Tag und Nacht ziehen sie an meinem Fenster vorüber: Regimenter auf dem Weg nach Rußland. Mit klin= gendem Spiel, ihr Marschtritt läßt die Häuser erzittern, die Trom= meln wirbeln, man hängt aus den Fenstern und jubelt ihnen zu. „Mama, du mußt mir den Gewehrlauf mit Rosen schmücken!" Die Soldaten der größten Armee aller Zeiten haben Blumen angesteckt. Im Garten blühten die ersten Rosen. Marie sah mich fragend an. „Nimm sie, Marie, steck sie ihm an, schau — die Knospe dort, die tiefrote, die steckst du ihm oben in den Gewehrlauf!" Marie ging in den Garten und schnitt die ersten Rosen ab. „Ich werde immer daran denken, daß ich die Rosen einer Marschallin von Frankreich am Gewehr getragen habe", versicherte Pierre, dem ich die Muttermilch weggetrunken habe. — "Einer ehemaligen Marschallin von Frank= reich", sagte ich. "Ich hätte am liebsten unter dem Herrn Gemahl gedient", begann er. — "Es wird Ihnen auch in einem der Korps des Marschalls Ney gefallen", tröstete ich ihn. Marie kehrte aus dem Garten zurück. Wir steckten Pierre Rosen in alle Knopflöcher, ban= den zwei gelbe Blüten um den Säbelknauf und setzten die rote Knospe in den Gewehrlauf. Pierre stand stramm und salutierte. "Kommen Sie gesund wieder, Pierre!" Marie begleitete ihn bis an die Haustür. Als sie zurückkam, waren die Furchen ihres Gesichtes noch tiefer geworden, sie hielt einen Putzlappen in der Hand und begann leidenschaftlich die silbernen Leuchter zu polieren. Unten zog gerade wieder ein Regiment mit klingendem Spiel vorbei. Villatte war eingetreten. Seitdem die große Armee zu marschieren begonnen hat, ist er seltsam ruhelos. "Warum marschieren eigentlich Soldaten immer mit einer Musikkapelle in den Krieg?" erkundigte ich mich. — "Weil Marschmusik anfeuert, weil man dabei nicht denken kann und leichter den Takt einhält." — "Warum müssen denn Soldaten unbedingt im Takt marschieren?" — "Hoheit, ver= suchen Sie sich doch einmal eine Schlacht vorzustellen. Befehl zum Angriff. Wie würde das aussehen, wenn der eine mit langen und der andere mit kurzen Schritten vorwärtsstürmen würde?" Ich dachte darüber nach. "Ich verstehe es noch immer nicht. Es macht doch nichts, wenn der eine mit langen und der andere mit kurzen Schrit= ten den Feind angreift." — "Es sieht nicht gut aus. Außerdem könnte es geschehen, daß der eine oder andere im letzten Moment Angst bekommt und überhaupt nicht angreift. Verstehen Sie, Hoheit?" Ja, das verstand ich. "Deshalb geht es nicht ohne Regimentsmusik", schloß Villatte seinen Vortrag. Die Regimentsmusik klang auf ein= mal leer. Blechtrompeten, dachte ich, Trommeln und Blechtrompeten. Es ist lange her, seitdem ich das Lied von Marseille ohne Musik= begleitung gehört habe. Einfach von Hafenarbeitern, Bankbeamten und Handwerkern gesungen. Jetzt schmettern tausend Trompeten die Melodie, wenn sich Napoleon zeigt . . . Graf Rosen kam auf mich zu. Er hielt eine Depesche in der Hand und sagte etwas. Ich konnte ihn nicht verstehen, die Trompeten auf der Straße schmetterten zu laut. Wir wandten uns vom Fenster ab. "Ich habe Hoheit eine wich= tige Mitteilung zu machen. Schweden hat am 5. April ein Bündnis mit Rußland abgeschlossen."

„Oberst Villatte!" Meine Stimme war tonlos. Jean=Baptistes Kamerad in den Schlachten des Jahres 1794, in denen es um die Republik ging, sein Mitarbeiter im Kriegsministerium, der Adjutant aller Feldzüge, der treue Freund, der uns nach Schweden folgte und mit mir zurückkehrte, weil Stockholm über unsere französischen Freunde murrte. Unser Villatte ...

„Hoheit befehlen?"

„Wir haben soeben erfahren, daß eine Allianz zwischen Schweden und Rußland abgeschlossen worden ist." Die Militärmusik verklang, man hörte nur noch Stiefel. Ich konnte Villatte nicht ansehen. Aber ich mußte weitersprechen ... „Sie sind französischer Staatsbürger und französischer Offizier, Oberst Villatte. Ich glaube, diese Allianz mit Frankreichs Feinden wird Ihnen Ihren Aufenthalt in meinem Hause unerträglich machen. Sie haben seinerzeit um Urlaub von Ihrem Regiment angesucht, um uns zu begleiten und mir zur Seite zu stehen. Ich bitte Sie jetzt, sich von allen Verpflichtungen mir gegenüber entbunden zu fühlen." Mein Gott, wie weh das tat. „Hoheit, ich — ich kann Sie doch jetzt nicht allein lassen", sagte Villatte. Ich zerbiß meine Lippen, sah dann den blonden Grafen Rosen an. „Ich bin nicht allein!" Der Graf starrte an mir vorbei in eine Zimmerecke. Begriff er eigentlich, daß ich von unserem besten Freunde Abschied nehmen mußte? „Graf Rosen ist zu meinem Personaladjutanten ernannt worden. Graf Rosen wird die Kron= prinzessin von Schweden schützen, wenn es notwendig sein sollte", fügte ich hinzu. Es störte mich nicht, daß Villatte die Tränen sah, die über mein Gesicht strömten. Ich reichte ihm beide Hände. „Leben Sie wohl, Oberst Villatte."

„Hat der Marschall — ich meine, hat Seine Hoheit keinen Brief an mich gerichtet?"

„Es ist keiner angekommen, ich habe die Meldung durch die schwedische Botschaft erhalten." Villatte sah mich ratlos an.

„Ich weiß wirklich nicht ..."

„Aber ich weiß, was Sie fühlen. Sie müssen entweder um die Ent= lassung aus dem französischen Heeresdienst ansuchen wie Jean= Baptiste oder" — ich machte eine Bewegung zum Fenster, die Stiefel, diese ewig marschierenden Stiefel — „oder marschieren, Oberst Villatte!"

„Nicht marschieren, reiten!" entgegnete Villatte empört. Ich lächelte unter Tränen: „Reiten Sie, Villatte, reiten Sie mit Gott! Und kommen Sie gesund wieder, ja?"

Paris, Mitte September 1812.

Ich glaube, ich würde verrückt werden, wenn ich nicht alles auf=
schreiben könnte. Sprechen kann ich ja mit niemandem über meine
Gedanken. Ich bin so unsagbar allein in dieser großen Stadt Paris.
In meiner Stadt, wie ich sie in meinem Herzen nenne, weil ich hier
schon maßlos glücklich und maßlos unglücklich gewesen bin ... Julie
hat mich zwar in den heißen Sommertagen nach Mortefontaine ein=
geladen, aber zum erstenmal in meinem Leben konnte ich ihr nicht
sagen, was ich denke. Wir haben einst ein weißes Jungmädchen=
zimmer in Marseille geteilt. Aber jetzt schläft sie neben Joseph
Bonaparte. Und Marie? Marie ist die Mutter eines Soldaten, der mit
Napoleon durch Rußland marschiert. Bleibt mir — lieber Himmel,
wie komisch — bleibt mir nur mein schwedischer Personaladjutant
als Vertrauter. Graf von Rosen, sehr nordischer Adel, blond, blau=
äugig und niemals aufgeregt. Schwedisch mit jeder Faser seines
Herzens. Seit Jahrhunderten verblutet Schweden in seinen Kriegen
gegen Rußland. Jetzt hat der neue Kronprinz mit dem alten Erzfeind
einen Bund geschlossen. Und der blonde Graf von Rosen versteht
nicht, worum es sich handelt. Und spürt nicht, daß ich fassungslos
bin. Es ist so ungeheuerlich ... Sie sind erst vor ein paar Stunden
gemeinsam fortgegangen: Graf Talleyrand, Fürst von Benevent und
Berater des Außenministeriums, und Fouché, Herzog von Otranto
und ehemaliger Polizeiminister. Übrigens kam jeder für sich, sie
trafen einander nur zufällig in meinem Salon. Talleyrand erschien
als erster. Ich bin ja nicht mehr an Besuche gewöhnt, meine Freunde
leben im Siegesrausch der russischen Schlachten und meiden mich.
„Rufen Sie doch den Grafen von Rosen, er soll mich in den Salon
begleiten", sagte ich der Madame La Flotte, während ich mich
schnell umzog. Ich konnte mir nicht denken, was Talleyrand von mir
wollte. Am hellichten Nachmittag noch dazu. Wenn er in der Däm=
merung gekommen wäre, um in dem blauen Schatten des Gartens
ein Glas Champagner zu trinken, dann hätte ich es gewußt ...
Talleyrand wartete in meinem Salon und betrachtete mit halbge=
schlossenen Augen das Porträt des Ersten Konsuls. Noch bevor ich
ihm Graf von Rosen vorstellen konnte, wurde der Herzog von
Otranto gemeldet. „Das verstehe ich nicht", entfuhr es mir. Talley=
rand zog die Augenbrauen hoch. „Verstehen Königliche Hoheit das
nicht?" „Es ist so lange her, daß ich Besuch bekommen habe", sagte

ich verwirrt. „Ich lasse den Herzog von Otranto bitten." Fouché war sichtlich unangenehm überrascht, Talleyrand bei mir zu finden. Er blähte die Nasenlöcher auf und säuselte: „Ich freue mich, daß Hoheit Gesellschaft haben. Ich fürchtete nämlich, daß Hoheit sehr einsam sein würden."

„Ich war sehr einsam bis zu diesem Augenblick", sagte ich und setzte mich auf das Sofa unter dem Porträt des Ersten Konsuls. Die beiden Herren nahmen mir gegenüber Platz. Yvette brachte Tee herein. „Das ist Frankreichs berühmter Polizeiminister, der sich aus Gesundheitsrücksichten auf seine Güter zurückgezogen hat", erklärte ich dem Grafen von Rosen. Graf von Rosen reichte den Herren ihre Teetassen. „Man scheint auf den Gütern des Herzogs von Otranto ebensogut informiert zu sein wie im Außenministerium in Paris", bemerkte Talleyrand. „Gewisse Dinge sprechen sich schnell herum." Fouché trank in wohlerzogen kleinen Schlückchen. „Was spricht sich herum?" fragte ich höflich. „Die großen Siege der französischen Armee sind doch kein Geheimnis mehr. Die Glocken sind nach der Einnahme von Smolensk noch kaum verstummt."

„Ja, Smolensk . . .", meinte Talleyrand und öffnete endlich die Augen und betrachtete Napoleons Jugendporträt sehr interessiert. „Übrigens werden die Glocken in einer halben Stunde wieder läuten, Hoheit."

„Was Sie nicht sagen, Exzellenz!" rief Fouché. Talleyrand lächelte: „Überrascht Sie das? Der Kaiser führt doch die größte Armee aller Zeiten gegen den Zaren. Die Glocken werden natürlich bald wieder läuten. Es stört Sie doch nicht, Hoheit?" „Nein, natürlich nicht. Im Gegenteil, ich bin doch —" Ich brach ab. Ich bin doch Französin, wollte ich sagen. Aber ich bin ja längst keine Französin mehr. Und mein Mann hat mit Rußland einen Freundschaftspakt abgeschlossen. „Glauben Sie eigentlich an den Sieg des Kaisers, Hoheit?" erkundigte sich Talleyrand. „Der Kaiser hat doch noch nie einen Krieg verloren", antwortete ich. Eine seltsame Pause entstand. Fouché musterte mich neugierig, während Talleyrand langsam und genießerisch den wirk= lich sehr guten Tee austrank. „Der Zar hat sich Rat geholt", bemerkte er ganz zuletzt und setzte die leere Tasse nieder. Ich gab Yvette ein Zeichen, nachzuschenken. „Der Zar wird um Frieden bitten", meinte ich gelangweilt. Talleyrand lächelte: „Das hat der Kaiser nach dem Sieg bei Smolensk erwartet. Aber der Kurier, der vor einer Stunde in Paris eingetroffen ist, um den Sieg bei Borodino zu melden, weiß nichts von Friedensverhandlungen. Dabei gibt dieser Sieg den Weg nach Moskau frei." War er gekommen, um mir das zu erzählen? Siege, Siege, seit vielen Jahren nichts als Siege. Ich werde Marie berichten, daß Pierre bald in Moskau einmarschieren wird. „Damit ist wohl der russische Feldzug zu Ende? Nehmen Sie doch ein Stück= chen Marzipan, Exzellenz!" „Haben Hoheit in letzter Zeit etwas von Seiner Königlichen Hoheit, dem Kronprinzen, gehört?" erkundigte sich Fouché. Ich lachte: „Richtig — Sie überwachen ja nicht mehr meine Korrespondenz! Ihr Nachfolger könnte Ihnen erzählen, daß mir Jean=Baptiste seit vierzehn Tagen nicht mehr geschrieben hat. Aber von Oscar habe ich Post. Es geht ihm gut, er —" Ich verstummte. Es langweilt die Herren, daß ich von meinem Kind erzählte. „Der schwedische Kronprinz war verreist", sagte Fouché und ließ mich nicht aus den Augen. Verreist? Ich sah erstaunt von einem zum anderen. Auch von Rosen öffnete vor Überraschung die Lippen. „Seine Königliche Hoheit war in Abo", fuhr Fouché fort. Von Rosen zuckte zusammen. Ich sah ihn an: „Abo? Wo liegt Abo?"

„In Finnland, Hoheit", sagte von Rosen. Seine Stimme war ganz heiser. Schon wieder Finnland . . . „Finnland ist doch von den Rus= sen besetzt, nicht wahr?" Talleyrand trank seine zweite Tasse Tee. „Der Zar hat den schwedischen Kronprinzen gebeten, mit ihm in Abo zusammenzutreffen", sagte Fouché genießerisch. „Sagen Sie das noch einmal, und zwar ganz langsam", bat ich. „Der Zar hat den schwedischen Kronprinzen gebeten, ihn in Abo zu treffen", wiederholte Fouché triumphierend und sah Talleyrand an. „Was will denn der Zar von Jean=Baptiste?"

„Ratschläge", antwortete Talleyrand gelangweilt. „Ein ehemaliger Marschall, der die Taktik des Kaisers ganz genau kennt, ist doch ein ausgezeichneter Ratgeber in einer derartigen Situation."

„Und auf Grund dieser Ratschläge sendet der Zar keine Unter= händler zum Kaiser, sondern läßt unsere Armee weiter vorrücken", sagte Fouché ausdruckslos. Talleyrand sah auf seine Uhr. „Jetzt wer= den die Glocken jeden Augenblick zu läuten beginnen, um den Sieg bei Borodino zu verkünden. Unserer Truppen werden in wenigen Tagen in Moskau einziehen." „Hat er ihm Finnland versprochen?" platzte Graf von Rosen heraus. „Wer soll wem Finnland ver= sprechen?" fragte Fouché erstaunt. „Finnland? Wie kommen Sie nur darauf, Herr Graf?" erkundigte sich Talleyrand. Ich versuchte es zu erklären: „Schweden hofft noch immer auf eine Rückgabe Finnlands. Finnland liegt den — ich meine, liegt meinen Landsleuten sehr am Herzen."

„Und dem verehrten Herrn Gemahl, Hoheit?" wollte Talleyrand wissen. „Jean=Baptiste meinte, daß der Zar auf Finnland nicht ver= zichten wird. Dagegen wünscht er sich sehr, Norwegen mit Schweden zu vereinen." Talleyrand nickte langsam. „Mein Gewährsmann deu= tet mir an, daß der Zar dem schwedischen Kronprinzen versprochen hat, diese Union zu unterstützen. Natürlich erst nach Beendigung des Krieges." „Ist denn der Krieg nicht beendet, wenn der Kaiser in Moskau einzieht?" fragte ich. Talleyrand zuckte die Achseln: „Mir sind die Ratschläge, die der Herr Gemahl dem Zaren aller Reußen gegeben hat, nicht bekannt." Eine neue bleischwere Pause. Fouché nahm ein Marzipankügelchen und schmatzte. „Diese Ratschläge jedoch, die angeblich Seine Königliche Hoheit dem Zaren erteilt haben soll —" begann Graf von Rosen. Fouché grinste über das ganze Gesicht. „Die französische Armee rückt in Dörfer ein, die von ihren Bewohnern niedergebrannt worden sind. Die französische Armee findet nur ausgebrannte Kornspeicher vor. Die französische Armee marschiert von Sieg zu Sieg und — hungert. Der Kaiser ist gezwun= gen, Proviant aus dem Hinterland herbeizuschaffen. Damit hat der Kaiser nicht gerechnet. Übrigens auch nicht mit den Flankenangrif= fen der Kosaken, die sich nicht richtig zur Schlacht stellen wollen. Aber der Kaiser hofft, seine Truppen in Móskau auffüttern zu kön= nen. Die Armee wird in Moskau überwintern. Moskau ist eine reiche Stadt und kann die Truppen verköstigen. Sie sehen, alles hängt vom Einmarsch in Moskau ab." — „Zweifeln Sie denn an diesem Ein= marsch?" fragte Graf von Rosen erstaunt. „Seine Exzellenz, der Fürst von Benevent, sagte doch soeben, daß die Glocken jeden Augenblick den Sieg von Borodino verkünden werden. Der Weg nach Moskau ist frei. Der Kaiser steht wahrscheinlich schon über= morgen im Kreml, lieber Graf", erklärte Fouché und grinste noch immer. Eine große Angst begann meine Kehle zuzuschnüren. Verzweifelt sah ich von einem zum anderen. „Bitte sagen Sie mir aufrichtig, meine Herren — warum sind Sie eigentlich zu mir ge= kommen?" — „Ich wollte Ihnen schon lange einen Besuch abstatten, Hoheit", sagte Fouché. „Und da ich erfahren habe, welche bedeu= tende Rolle der hohe Gemahl in diesem Völkerringen spielt, ist es mir ein Herzensbedürfnis, Hoheit meiner Sympathie zu versichern. Meiner jahrelangen Sympathie, wenn ich so sagen darf."

Ja, jahrelang hat uns der Polizeiminister Napoleons bespitzelt. „Ich verstehe Sie nicht", sagte ich nur und sah Talleyrand an. „Ist ein ehemaliger Rechenlehrer wirklich so schwer zu durchschauen,

Hoheit?" erkundigte sich Talleyrand. „Kriege sind wie Gleichungen in der höheren Mathematik. Auch im Kriege rechnet man mit einer Unbekannten. In diesem Kriege handelt es sich um — einen Unbe= kannten. Und dieser Unbekannte ist seit seinem Zusammentreffen mit dem Zaren nicht mehr — unbekannt. Der schwedische Kronprinz hat eingegriffen, Madame." „Und welchen Vorteil hat dieses Ein= greifen für Schweden? Anstatt bewaffneter Neutralität ein Pakt mit Rußland", fuhr Graf von Rosen leidenschaftlich auf. „Ich fürchte, die bewaffnete Neutralität Schwedens imponiert dem Kaiser nicht mehr. Seine Majestät hat Schwedisch=Pommern besetzt. Sie sind doch mit der Politik Ihres Kronprinzen nicht unzufrieden, junger Mann?" meinte Talleyrand freundlich. Aber mein blonder junger Graf gab nicht nach. „Die Russen haben hundertvierzigtausend Mann unter den Waffen und Napoleon —" „Beinahe eine halbe Million", nickte Talleyrand. „Aber ein russischer Winter ohne geeignete Quartiere erschlägt die größte, die beste Armee, junger Mann." Ich begriff. Ohne geeignete Quartiere... Mein Gott — ich begriff. In diesem Augenblick setzten die Glocken ein. Die La Flotte riß die Tür auf und schrie: „Ein neuer Sieg! Die Schlacht bei Borodino gewonnen!" Wir rührten uns nicht. Das Meer der Glockenstimmen schlug über mir zusammen. Napoleon will in Moskau überwintern. Welchen Rat hat Jean=Baptiste dem Zaren gegeben? Fouché und Talleyrand halten sich Spione und Kuriere in allen Lagern, sie werden immer auf der richtigen Seite stehen, wenn sie mich heute besuchen, so bedeutet es, daß Napoleon diesen Krieg verlieren wird. Irgendwann, irgendwie, während die Siegesglocken in Paris läuten. Jean=Baptiste hat ein= gegriffen und sichert einem kleinen Land im Norden seine Freiheit. Aber Pierre erfriert und Villatte verblutet. Talleyrand war der erste, der sich verabschiedete. Fouché dagegen wartete noch. Da saß er und kaute Marzipan, fuhr sich mit der Zunge in die Lücken zwischen den langen gelben Zähnen, sah das Porträt Napoleons an und schien sehr zufrieden zu sein. Womit? Mit dem neuen Sieg? Mit sich selbst, weil er in Ungnade gefallen war? Erst als die Glocken verstummten, erhob er sich. „Es geht um das Wohl des französischen Volkes, und das Volk sehnt sich nach Ruhe", verkündete er. Ich konnte keinen Doppelsinn in seinen leeren Worten finden. „Der schwedische Kron= prinz und ich haben das gleiche Ziel — den Frieden!" fügte er noch hinzu. Er beugte sich über meine Hand, seine Lippen waren klebrig, schnell zog ich die Hand zurück. Ich trat in den Garten hinaus und setzte mich auf die Bank. Die Rosen waren längst verblüht, der

Rasen abgestorben. Plötzlich hatte ich Angst vor meinem Haus und allen Erinnerungen. Ich hatte begriffen und konnte es noch nicht fassen. In meiner Angst ließ ich anspannen. Als ich in die Kutsche steigen wollte, stand Graf von Rosen bereits am Schlag. Ich vergesse so oft, daß ich einen Personaladjutanten habe, ich wäre jetzt gern allein gewesen ... Wir fuhren die Seine entlang. Irgendwann bemerkte ich, daß von Rosen mir etwas erzählte. Er unterbrach sich durch eine Frage. „Dieser Herzog von Otranto — so heißt er doch, nicht wahr?"

„Ja, der ehemalige Fouché, der Kaiser hat ihn geadelt. Was ist mit ihm?" — „Dieser Otranto weiß Einzelheiten über die Besprechung in Abo. In der Vorhalle hat er mir alles berichtet. Seine Hoheit wurde von Kanzler Wetterstedt und Reichsmarschall Adlercreutz begleitet. Löwenhjelm war auch mit ..." Ich nickte. Diese Namen sagen mir so wenig. „Zuerst war der Zar mit Seiner Hoheit allein, später hat auch ein englischer Botschafter an den Besprechungen teilgenommen. Man nimmt an, daß Seine Hoheit eine Allianz zwischen England und Rußland zustande bringen wird. Die entscheidende Allianz gegen Napoleon, Hoheit. Es heißt, daß auch Österreich heimlich —"

„Der Kaiser von Österreich ist doch Napoleons Schwiegervater", wandte ich ein. „Das bedeutet nichts, Hoheit. Napoleon hat ihn ja dazu gezwungen. Freiwillig hätte ein Habsburger niemals diesen Parvenü in seine Familie aufgenommen." Der Wagen rollte langsam, aus dem tiefblauen Abend ragten schwarz die Türme von Notre=Dame. „Ich war dabei, Graf von Rosen, als dieser Parvenü, wie Sie den Kaiser der Franzosen zu nennen belieben, dem Papst die Krone aus der Hand nahm und sich aufs Haupt setzte. Ich stand hinter der schönen Josephine und habe ein Samtkissen mit einem Spitzentaschentuch gehalten. Hier — in dieser Kathedrale, Graf." Weiße Zeitungsfetzen schwammen in der Gosse. Extra=Ausgaben des „Moniteur", die den neuen Sieg meldeten. Morgen wird sie der Straßenkehrer in den Rinnstein fegen. Gleichgültig saßen die Leute vor ihren Haustoren, sie waren an Siege gewöhnt und sehnten sich nur nach ihren Söhnen. Es war alles wie immer, nur mein Herz krampfte sich zusammen vor Traurigkeit. „Vielleicht werden sie wirklich zurückkommen, wenn alles vorüber ist. Die Bourbonen nämlich", meinte der blonde Graf gleichmütig. Ich sah ihn von der Seite an: klassisch geformtes Gesicht, sehr helle Haut, sehr helle Haare, knabenhaft schmale Schultern. Wir fuhren über den

Pont Royal. Marie=Louises Fenster waren erleuchtet. „Ich werde Sie der Kaiserin Josephine vorstellen, Graf", sagte ich plötzlich. – Nach der Scheidung hat sie zwei Tage und zwei Nächte lang ge= weint. Dann ließ sie ihr Gesicht massieren und bestellte drei neue Toiletten. Silberne Augenlider, Lächeln mit geschlossenen Lippen. Napoleon hat um ihretwillen den Italienern das Bild der Mona Lisa gestohlen. Ich werde dem kleinen schwedischen Grafen die schönste Frau von Paris zeigen. Und Josephine fragen, wie ich mein Gesicht schminken soll. Wenn den Schweden schon eine Parvenü= Kronprinzessin beschieden ist, so sollte es doch wenigstens eine schöne sein ... Als wir nach Hause kamen, ging ich gleich in mein Zimmer und begann zu schreiben. Wie lange werde ich noch so allein sein? Soeben kam Marie herein und fragte: „Ist vielleicht Post von Oberst Villatte angekommen? Schreibt er etwas von Pierre?" Ich schüttelte den Kopf. „Nach diesem neuen Sieg wird der Zar um Frieden bitten, und Pierre wird noch vor dem Winter zurückkommen", sagte Marie zufrieden, kniete neben mir nieder und zog mir die Schuhe aus. In ihrem Haar sind so viele weiße Fäden, ihre Hände sind rauh, ihr Leben lang hat sie schwer gear= beitet und ihre Ersparnisse diesem Pierre geschickt. Jetzt marschiert Pierre nach Moskau. Jean=Baptiste, was wird mit Pierre in Moskau geschehen?

„Schlaf gut, Eugénie! Und träum etwas Schönes!"

„Danke, Marie! Gute Nacht ..." Wie in meiner Kinderzeit. Wer legt meinen Oscar schlafen? Ein, zwei, drei Adjutanten? Oder Kammerherren? Und du, Jean=Baptiste? Hörst du mich? Laß Pierre zurückkommen, laß ihn zurückkommen. – Aber du hörst mich wahrscheinlich nicht.

Paris, vierzehn Tage später.

Da haben wir es: Ich bin schon wieder der Schandfleck der Familie! Julie und Joseph sind nämlich aus Mortefontaine nach Paris zurück= gekommen und haben ein großes Fest gegeben, um den Einzug Napoleons in Moskau zu feiern. Auch ich wurde eingeladen. Aber ich wollte nicht hingehen und schrieb Julie, daß ich Schnupfen hätte. Schon am nächsten Tage besuchte sie mich. „Es liegt mir so viel daran, daß du kommst", beharrte sie. „Man tuschelt nämlich so viel über dich und Jean=Baptiste. Natürlich hätte es sich gehört, daß dein Mann mit dem Kaiser nach Rußland marschiert. Dann könnte man nicht das Gerücht verbreiten, daß Jean=Baptiste mit dem Zaren verbündet ist. Ich will, daß dieses böswillige Gerede —"

„Julie, Jean=Baptiste hat sich mit dem Zaren verbündet." Fas= sungslos schaute Julie mich an. „Willst du damit sagen, daß — daß alles wahr ist, was die Leute sagen?"

„Ich weiß nicht, was die Leute sagen. Jean=Baptiste ist mit dem Zaren zusammengetroffen und hat dem Zaren Ratschläge gegeben." „Désirée — du bist wirklich der Schandfleck der Familie!" stöhnte Julie und schüttelte verzweifelt den Kopf. Das hat man mir schon einmal gesagt, weil ich Joseph und Napoleon Bonaparte in unser Haus eingeladen habe. Damals, als alles begann ... Schandfleck unserer Familie! „Sag einmal, welche Familie meinst du eigentlich?"

„Natürlich die Bonapartes", fuhr mich Julie an. „Ich bin doch keine Bonaparte, Julie."

„Du bist die Schwägerin des ältesten Bruders des Kaisers", er= klärte sie. „Unter anderem, Liebes, nur unter anderem. Ich bin vor allem eine Bernadotte. Sogar die erste Bernadotte, wenn man uns als Dynastie betrachtet."

„Wenn du nicht kommst, dann werden sie noch mehr über euch reden und wissen, daß sich Jean=Baptiste Bernadotte heimlich mit dem Zaren verbündet hat."

„Das ist doch kein Geheimnis, Julie. Die französischen Zeitungen dürfen nur nichts darüber schreiben."

„Aber Joseph verlangt ausdrücklich, daß du kommst. Mach mir doch keine Unannehmlichkeiten, Désirée!" Wir hatten uns den ganzen Sommer nicht gesehen. Julies Gesicht ist noch magerer geworden. Die Falten an den Mundwinkeln sind tief eingeritzt, ihre farblose Haut wirkt plötzlich welk. Eine wilde Zärtlichkeit packte mich. Julie, meine Julie ist eine abgehetzte, verblühte und tief enttäuschte Frau. Vielleicht hat sie von Josephs Liebesaben=teuern erfahren, vielleicht behandelt er sie schlecht, weil er selbst von Jahr zu Jahr mehr verbittert wird und seine Königskronen nur Napoleon zu verdanken hat. Vielleicht spürt sie, daß Joseph sie nie geliebt und nur ihrer Mitgift wegen geheiratet hat, bestimmt weiß sie, daß diese Mitgift heute für Joseph, der an Häuserspeku=lationen und Staatsdomänen steinreich wurde, nichts mehr bedeutet. Warum bleibt sie bei ihm, warum quält sie sich mit Zeremonien und Empfängen ab — aus Liebe, aus Pflichtbewußtsein, aus Eigen=sinn? „Wenn ich dir einen Dienst damit erweise, werde ich kom=men." Sie preßte die Hand an die Stirn: „Ich habe wieder einmal meine entsetzlichen Kopfschmerzen. So oft in letzter Zeit. Ja, bitte — komm! Joseph will dadurch ganz Paris beweisen, daß Schweden noch immer neutral ist. Die Kaiserin kommt auch und das ganze diplomatische Korps." — „Ich bringe den Grafen von Rosen mit, meinen schwedischen Adjutanten", sagte ich. — „Deinen — ach so, natürlich, deinen Adjutanten. Bring ihn nur mit, es kommen sowie=so zu wenig Herren. Alle sind doch eingerückt." Beim Weggehen blieb sie einen Augenblick vor Napoleons Porträt als Erster Konsul stehen. „Ja, so hat er damals ausgesehen. Die langen Haare, die eingefallenen Wangen, jetzt —"

„Jetzt wird er fett", sagte ich. „Stell dir nur vor — Einmarsch in Moskau, Napoleon im Kreml! Wenn man nachdenkt, wird einem ganz schwindlig."

„Denk nicht nach, Julie. Leg dich lieber nieder, du siehst so müde aus."

„Ich habe solche Angst vor dem Fest. Wenn nur alles klappt!" Schandfleck der Familie. Ich dachte an Mama ... Wenn nur alles klappt. Erst, wenn man keine Eltern mehr hat, ist man wirklich erwachsen. So unheimlich allein und erwachsen.

Die hohen Bronzekandelaber im Elysée=Palais strahlten. Ich spürte, daß hinter meinem Rücken getuschelt wurde, wie sich Köpfe nach mir umwandten. Aber mein Rücken wurde von der hoch=gewachsenen Gestalt des jungen Grafen von Rosen gedeckt, und die Blicke trafen mich nicht. Dann wurde die Marseillaise gespielt. Beim Eintritt der Kaiserin verneigte ich mich weniger tief als die anderen Damen. Ich bin Mitglied eines regierenden Hauses. Marie=Luise — in Rosa, noch immer, schon wieder in Rosa — blieb **vor** mir stehen. „Ich höre, daß ein neuer österreichischer Botschafter in Stockholm eingetroffen ist, Madame", sagte sie. „Ein Graf Neipperg. Haben Sie sich den Grafen vorstellen lassen, Madame?" — „Er dürfte erst nach meiner Abreise angekommen sein, Majestät", antwortete ich und suchte in dem ausdruckslosen Puppengesicht zu lesen. Seit der Geburt des kleinen Königs von Rom ist Marie= Luise noch voller geworden. Sie scheint sich sehr einzuschnüren, kleine Schweißtropfen standen auf der kurzen Nase. „Ich habe als junges Mädchen mit dem Grafen Neipperg getanzt. Auf meinem ersten Hofball." Ihr Lächeln vertiefte sich, wurde persönlich. „Es war übrigens mein erster und letzter Hofball in Wien. Kurz darauf habe ich ja geheiratet." Ich wußte nicht recht, was ich sagen sollte. Sie schien irgend etwas zu erwarten und tat mir plötzlich leid. Seit sie denken kann, hat sie gehört, daß Napoleon ein Emporkömm= ling, ein Tyrann und ein Feind ihrer Heimat ist. Dann wurde sie plötzlich mit ihm verheiratet und von ihm vergewaltigt. „Stellen Sie sich vor, der Graf hat nur ein Auge. Über dem anderen trägt er eine schwarze Binde", kam es nachdenklich. „Und trotzdem — trotzdem habe ich den Grafen Neipperg in angenehmer Erinnerung. Wir haben Walzer getanzt." Damit verließ sie mich, und mir fiel die Nacht ein, in der Napoleon Walzerschritte geübt hatte. Eins, zwei, drei — und eins, zwei, drei ... Um Mitternacht wurde wieder die Marseillaise geschmettert. Dann trat Joseph neben die Kaiserin und hielt ein Sektglas hoch. „Am 15. September ist Seine Majestät an der Spitze der glorreichsten Armee aller Zeiten in Moskau ein= gezogen und hat im Kreml, dem Schloß des Zaren, Aufenthalt ge= nommen. Unsere siegreiche Armee wird in der Hauptstadt unseres niedergeworfenen Feindes überwintern. Vive l'Empereur!" Ich trank mein Glas aus. Schluck für Schluck. Talleyrand tauchte vor mir auf. „Hat man Hoheit gezwungen, zu erscheinen?" fragte er und warf einen Blick auf Joseph. Ich zuckte mit den Achseln. „Mein Erschei= nen oder Nichterscheinen ist ohne Bedeutung, Exzellenz. Ich ver= stehe nichts von Politik."

„Wie seltsam, daß das Schicksal gerade Sie dazu ausersehen hat, eine so bedeutungsvolle Rolle zu spielen, Hoheit!"

„Wie meinen Sie das?" fragte ich erschrocken. „Vielleicht werde ich mich einmal mit einer entscheidenden Bitte an Sie wenden, Ho= heit. Vielleicht werden Sie mir diese Bitte erfüllen. Ich werde diese Bitte im Namen Frankreichs an Sie richten." — „Sagen Sie einmal — wovon sprechen Sie eigentlich?" „Ich bin sehr verliebt, Hoheit.

Verzeihen Sie, ich wollte Sie nicht erschrecken, Sie mißverstehen mich — ich bin in Frankreich verliebt, Hoheit. In — unser Frankreich." Er ließ einen Schluck Champagner auf der Zunge zergehen. „Ich habe kürzlich Hoheit gegenüber erwähnt, daß der Kaiser nicht mehr gegen einen Unbekannten, sondern gegen einen guten Bekannten ins Feld zieht. Hoheit erinnern sich doch noch? Und heute abend feiern wir den Einzug des Kaisers in Moskau. Die große Armee hat endlich ihre Winterquartiere in der russischen Hauptstadt bezogen. Hoheit, glauben Sie, daß dies unseren guten Bekannten überrascht?" Meine Hand preßte sich um den Stiel des Champagnerglases. „Mein Bruder dürfte sich im Kreml sehr wohl fühlen, das Schloß des Zaren soll mit orientalischer Pracht ausgestattet sein", sagte jemand dicht neben uns. Joseph, König Joseph... „Genial, daß mein Bruder diesen Feldzug so rasch durchführen konnte, jetzt können unsere Truppen ruhig in Moskau überwintern." Aber Talleyrand schüttelte langsam den Kopf. „Ich kann leider die Ansicht Eurer Majestät nicht teilen. Vor einer halben Stunde ist ein Kurier eingetroffen. Moskau steht seit vierzehn Tagen in Flammen. Auch der Kreml brennt." Aus weiter Ferne kamen Walzermelodien. Die Kerzen flackerten, Josephs Gesicht sah wie eine Maske aus, grünweiß, weit aufgerissene Augen, ein vor Entsetzen geöffneter Mund ... Talleyrand dagegen hielt die Augen halb geschlossen, unberührt und ungerührt, als ob er diese Nachricht, die erst vor einer halben Stunde eingetroffen war, längst erwartet hätte. Moskau brennt. Moskau brennt seit vierzehn Tagen ... „Wie ist das Feuer entstanden?" fragte Joseph heiser. „Brandstiftung, kein Zweifel. Und zwar gleichzeitig in verschiedenen Teilen der Stadt. Unsere Truppen versuchen vergebens, die Flammen zu löschen. Jedesmal, wenn man glaubt, das Feuer erstickt zu haben, wird aus einem anderen Bezirk Moskaus ein neuer Ausbruch der Flammen gemeldet. Die Bevölkerung leidet fürchterlich darunter."

„Und unsere Truppen, Exzellenz?"

„Werden den Rückzug antreten müssen."

„Aber der Kaiser hat mir gegenüber erwähnt, daß er unter gar keinen Umständen die Armee während der Wintermonate durch die russischen Steppen führen kann. Der Kaiser rechnet mit Moskau als Winterquartier", beharrte Joseph verzweifelt. „Ich teile nur mit, was der Kurier meldet. Der Kaiser kann nicht in Moskau überwintern, weil Moskau seit vierzehn Tagen brennt." Dabei hob Talleyrand den Champagnerkelch Joseph entgegen: „Lassen Sie sich nichts anmerken, Majestät, der Kaiser wünscht vorderhand nicht, daß die Nachricht bekannt wird. Vive l'Empereur!"

„Vive l'Empereur!" widerholte Joseph tonlos. „Hoheit?" Talley= rand hielt auch mir sein Glas entgegen. Aber ich stand wie erstarrt. Sah, wie die Kaiserin mit einem gichtgekrümmten alten Herrn Wal= zer tanzte. Eins, zwei, drei — und eins, zwei, drei ... Joseph wischte sich mit einem Spitzentaschentuch die plötzlichen Schweißtropfen von der Stirn. „Gute Nacht, Schwager Joseph, grüßen Sie mir Julie. Gute Nacht, Exzellenz", murmelte ich. Dabei verläßt man kein Fest, bevor sich Ihre Majestät, die Kaiserin, zurückgezogen hat. Ich pfeife auf die Etikette. Ich bin müde und verwirrt. Nein, nein, nicht verwirrt. Ich sehe klar, so fürchterlich klar. Fackelträger liefen neben den Pferden meines Wagens, wie immer, wenn ich eine offizielle Ausfahrt unternehme. „Es war ein unvergeßlich glanz= volles Fest", sagte der junge schwedische Graf an meiner Linken. Ja, unvergeßlich. „Kennen Sie Moskau, Graf von Rosen?" — „Nein, Hoheit. Warum?"

„Weil Moskau brennt, Graf. Weil Moskau seit vierzehn Tagen brennt."

„Der Rat, den Seine Hoheit dem Zaren in Abo —"

„Nicht weitersprechen, bitte nicht weitersprechen! Ich bin sehr müde." Und die entscheidende Bitte Talleyrands? Welche Bitte — und wann?

Bei Josephine in Malmaison wurde gezupft. Und zwar im weißgelben Salon Scharpie für die Verwundeten in Rußland und in
ihrem Boudoir an meinen Augenbrauen ... Josephine selbst beugte
sich mit einer Pinzette über mein Gesicht und rupfte meine dichten
Augenbrauen aus, es tat sehr weh, aber die schmalen gewölbten
Linien ließen meine Augen viel größer erscheinen. Dann kramte
sie zwischen Tiegeln und Puderdosen herum und fand ein Töpfchen Goldschminke und legte etwas Gold auf meine Augenlider
und betrachtete dann im Spiegel mein neues Gesicht. In diesem
Augenblick fand ich die Morgenausgabe des „Moniteur". Das Blatt
lag zerknittert unter Bändern und Haarkämmen auf dem Toilettentisch. Ein roter Fleck war darüber geschmiert. Ich begann zu lesen.
Es war das 29. Bulletin des Kaisers Napoleon. Dieses 29. Bulletin,
in dem er der Öffentlichkeit mitteilt, daß seine große Armee in
den russischen Schneewüsten erschossen, erfroren, verhungert und
begraben liegt. Es gibt keine große Armee mehr. Der rote Fleck
sah wie ein Blutstropfen aus, war aber nur Lippenschminke. „So
müssen Sie sich herrichten, wenn Sie in der Öffentlichkeit erscheinen, Désirée", sagte Josephine. „Schmale, gewölbte Augenbrauen,
etwas Grün auf die Augenlider und vor allem Goldschminke. Wenn
Sie sich dem Volk von einem Fenster oder einem Balkon aus zeigen, müssen Sie immer auf einem Fußschemel stehen. Niemand
wird es bemerken, Sie erscheinen dadurch größer. Glauben Sie
mir —" „Haben Sie das gelesen, Madame?" Ich hielt ihr mit zitternden Händen das Zeitungsblatt entgegen. Josephine warf einen
flüchtigen Blick darauf. „Natürlich. Bonapartes erster Frontbericht
seit Wochen! Das Bulletin bestätigt doch nur, was wir längst ge-
fürchtet haben. Bonaparte hat den Krieg mit Rußland verloren. Ich
nehme an, daß er bald wieder in Paris sein wird. Haben Sie jemals
versucht, beim Haarwaschen Henna zu verwenden? Ihre dunklen
Haare würden bei Kerzenlicht rötlich schimmern. Es würde Ihnen
gut stehen, Désirée!" „Dieses Heer, das am Sechsten noch so stolz
prangte, war schon am Vierzehnten ein ganz anderes; es hatte
keine Reiterei, keine Artillerie und keine Transportwagen mehr",
las ich. „Der Feind fand die Spuren des schrecklichen Unglücks, das
die französische Armee befiel, und suchte es auszunutzen. Er um-
zingelte alle Kolonnen mit seinen Kosaken ..." Mit diesen Worten

teilte Napoleon die Tatsache mit, daß die größte Armee aller Zeiten auf ihrem Rückzug durch die russischen Schneewüsten zugrunde gegangen ist. Ganz nüchtern zählte er Truppeneinheiten auf. Von den Hunderttausenden, die er nach Moskau geführt hat, sind zum Beispiel nur noch viermal hundertfünfzig Reiter übrig. Sechshundert Reiter — Napoleons Kavallerie! Die Worte „Erschöpfung" und „Hunger" wiederholen sich. Zuerst konnte ich mir noch nichts darunter vorstellen. Ich las. Las dies 29. Bulletin von Anfang bis zu Ende. Es schloß mit den Worten: „Die Gesundheit Seiner Majestät war nie besser."

Als ich aufsah, starrte mir aus dem Spiegel ein fremdes Gesicht entgegen. Große, schwermütige Augen unter vergoldeten Lidern. Eine Stupsnase, nicht wie sonst rosig, sondern bräunlich gepudert. Und geschwungene Lippen, tiefrosa wie Zyklamen. So kann ich also aussehen, so schön, so neu . . . Ich senkte mein neues Gesicht wieder über das Zeitungsblatt. „Und was wird jetzt geschehen, Madame?"

Achselzucken und — „Es gibt doch immer zwei Möglichkeiten im Leben, Désirée." Josephine polierte ihre Nägel. „Entweder wird Bonaparte Frieden schließen und darauf verzichten, ganz Europa zu regieren. Oder weiter Krieg führen. Wenn er weiter Krieg führt, gibt es wieder zwei Möglichkeiten, er könnte —" „Und Frankreich, Madame?" Ich muß sie angeschrien haben, denn sie zuckte zusammen. Aber ich konnte mir nicht helfen. Plötzlich verstand ich das Bulletin. Verstand auch die Gerüchte, die ich gehört hatte. Die Gerüchte sind wahr. Mein Gott — sie sind wahr. Zehntausend Männer, hunderttausend Männer stolpern durch den Schnee und weinen vor Schmerzen wie Kinder, weil ihre Glieder abfrieren, schließlich fallen sie und können nicht mehr aufstehen. Hungrige Wölfe bilden einen Kreis, sie wollen nach ihnen schießen und können das Gewehr nicht mehr halten. Da schreien sie in ihrer Not, und die Wölfe ziehen sich ein wenig zurück, es dämmert schon, die Nacht wird lang sein, die Wölfe warten . . . In verzweifelter Hast schlagen die Pioniere eine Brücke über einen Fluß, der Beresina heißt. Nur über diese Brücke führt der Weg zurück, die Kosaken sind schon sehr nah, jeden Augenblick wird diese Brücke in die Luft gesprengt werden, um sie aufzuhalten. Deshalb taumeln die Erschöpften mit letzter Kraft auf die Brücke, stoßen sich vorwärts, brechen zusammen und werden von Kameraden zertrampelt. Die Brücke kracht in ihren Fugen, nur hinüberkommen, nur hinüber ins Leben. Wer sich nicht durchstoßen kann, wird von der Brücke gedrängt, stürzt heulend zwischen die Eisschollen, versucht sich anzuklammern, wird von der Strömung erfaßt, schreit auf, schreit, schreit und versinkt ... Aber die Gesundheit Seiner Majestät war nie besser. „Und Frank= reich, Madame?" wiederholte ich tonlos. „Wieso? Bonaparte ist doch nicht Frankreich!" Josephine lächelte ihre schimmernden Nä= gel an. „Napoleon der Erste, von Gottes Gnaden Kaiser der Fran= zosen ..." Sie blinzelte mir zu. „Wir zwei wissen doch, wie er es geworden ist. Barras braucht jemanden, der eine Hungerrevolte unterdrückt, und Bonaparte ist bereit, auf die Pariser mit Kanonen zu schießen. Bonaparte wird Militärgouverneur von Paris, Bona= parte erhält den Oberbefehl im Süden, Bonaparte erobert Italien, Bonaparte in Ägypten, Bonaparte stürzt die Regierung, Bonaparte wird Erster Konsul —" Sie stockte. „Vielleicht wird sie ihn im Un= glück verlassen", fügte sie vergnügt hinzu. „Sie ist doch die Mutter seines Sohnes", protestierte ich. Aber Josephine schüttelte den Kopf mit den süßen Kinderlöckchen. „Das bedeutet nichts, ich zum Bei= spiel bin immer mehr Frau als Mutter gewesen. Diese Marie=Luise — ein Mädchen aus sehr feiner Familie — ist wahrscheinlich mehr Tochter als Frau oder Mutter. Mich hat mein Bonaparte selbst ge= krönt. Marie=Luise dagegen ist von ihrem Papa mit diesem Napo= leon von Gottes Gnaden verheiratet worden ... Was immer auch geschieht, Sie dürfen nicht vergessen, was ich Ihnen gesagt habe. Désirée, versprechen Sie mir das?" Ich sah sie verwirrt an. „Unter uns — es gibt vornehmere Dynastien als die Familie Bernadotte, Désirée! Aber die Schweden haben sich ja Jean=Baptiste ausgesucht, und Jean=Baptiste wird sie nicht enttäuschen. Der kann nämlich regieren, das hat mein Bonaparte schon immer behauptet. Aber Sie, mein Kleines, Sie können weder regieren noch sonst irgend etwas. Erweisen Sie wenigstens den Schweden den Gefallen und schauen Sie hübsch aus! Goldschminke und Zyklamenrouge und —"

„Aber meine Stupsnase?"

„Die können wir nicht verändern. Aber sie steht Ihnen gut, Sie sehen so jung aus. Sie werden immer jünger aussehen, als Sie sind. So — und jetzt gehen wir in den Salon hinunter und lassen uns von Theresa die Karten aufschlagen. Sie soll einen großen Stern für Bonaparte legen. Schade, daß es regnet, ich hätte Ihrem schwe= dischen Grafen gern den Garten gezeigt. Die gelben Rosen blühen noch immer. Aber jetzt ertrinken sie natürlich im Regen ..." Mit= ten auf der Treppe blieb Josephine stehen. „Désirée, warum sind

Sie eigentlich nicht in Stockholm?" Ich sah sie nicht an. „In Stock=
holm gibt es eine Königin und eine Königinwitwe. Genügt das
nicht?" „Fürchten Sie sich denn vor Ihren Vorgängerinnen?" Tränen
stiegen auf. Ich würgte sie hinunter. „Unsinn, Vorgängerinnen
sind nicht gefährlich, nur — Nachfolgerinnen", murmelte Josephine
und seufzte dann ganz erleichtert auf. „Wissen Sie, ich hatte schon
Angst, daß Sie seinetwegen hier sind. Weil Sie ihn noch immer
lieben — den Bonaparte nämlich!" Im gelbweißen Salon zupften die
Hofdamen Josephines endlos lange Gazebinden zurecht. Auf dem
köstlichen Teppich dicht vor dem Kamin kauerte Polette und wik=
kelte die Gazebinden in winzige Röllchen. Königin Hortense lag
auf einem Sofa und las Briefe. Eine schrecklich dicke Dame ver=
kroch sich in einen orientalischen Schal und sah wie eine bunte
Kugel aus. Die bunte Kugel legte eine Patience. Mein junger Graf
von Rosen stand am Fenster und betrachtete verzweifelt den Regen.
Bei unserem Eintritt erhoben sich die Damen. Nur die schöne Po=
lette rutschte vom linken Bein aufs rechte. Die bunte Kugel ver=
sank vor mir in einem Hofknicks. „Hoheit erinnern sich vielleicht
noch an die Prinzessin Chimay?" sagte Josephine. Désirée nennt sie
mich nur, wenn wir allein sind. Prinzessin Chimay? Der Name
eines unbeschreiblich alten, vornehmen Adelsgeschlechtes. Ich war
überzeugt davon, niemals ein Mitglied dieser schrecklich feinen
Familie getroffen zu haben. „Notre Dame de Thermidor", lachte
Josephine. „Meine Freundin Theresa!" Josephines Freundin The=
resa ... Die Marquise von Fontenay, die während der Revolution
den ehemaligen Kammerdiener Tallien geheiratet hat, um ihren
Kopf zu retten. Tallien war Abgeordneter, und die schöne Theresa
wurde die erste Dame des Direktoriums. Angeblich hat sie ihren
Gästen splitterfasernackt vorgetanzt. Übrigens hat sie damals Na=
poleon neue Hosen verschafft, seine alten waren ganz durchgewetzt.
Ich bin in ihr Haus eingedrungen, um meinen Bräutigam zu suchen.
Aber ich habe ihn dort verloren und Jean=Baptiste gefunden ...
Sie hatte einen noch schlechteren Ruf als Josephine, der sie gerade
damals den Direktor Barras als Liebhaber ausspannte. Napoleon hat
ihr verboten, bei Hof zu erscheinen, er ist schrecklich moralisch,
seitdem er Kaiser ist. Die arme Theresa hat sich so darüber ge=
kränkt, sie ist doch Josephines Busenfreundin ... Zuletzt beschloß
sie, Napoleon zu ärgern, und heiratete den Prinzen Chimay. Dabei
hatte sie sieben Kinder und war eine Kugel. Aber ihre schwarzen
Augen lachten unwiderstehlich. Napoleon hätte den vornehmen

Prinzen nur zu gern in den Tuilerien gesehen. Ältester französischer Adel, nicht wahr? Aber der Prinz erschien nicht, denn Napoleon erklärte Theresa noch immer nicht für hoffähig. Splitterfasernackt getanzt, Napoleon kann es nicht vergessen. Sicherlich hat er zuge= schaut ... „Ich freue mich, Sie wiederzusehen, Prinzessin", sagte ich unwillkürlich. „Wiederzusehen?" Theresas Augen wurden so weit, wie es die Fettpolster der Wangen erlaubten. „Ich habe noch nicht die Ehre gehabt, Hoheit vorgestellt zu werden."

„Désirée, die Kaiserin hat Ihnen ja Goldschminke auf die Augen= lider geschmiert!" kam es vom Kamin. Polette, zerbrechlich mager, mit den rosa Perlen der Fürstin Borghese behangen, musterte mich. „Aber es steht Ihnen! Sagen Sie einmal, kleine neue Kronprinzessin von Schweden, ist Ihr Adjutant dort am Fenster taubstumm?"

„Nein, nur stumm, Kaiserliche Hoheit", stieß von Rosen wütend hervor. Sofort erkannte ich, daß es ein Fehler gewesen war, den jungen Schweden hierherzubringen. Schnell legte Josephine ihre schmale Hand auf seinen Arm. Ganz leicht nur, aber von Rosen zuckte zusammen. „Wenn es aufhört zu regnen, werde ich Ihnen den Garten zeigen. Bei mir blühen noch im Dezember die Rosen. Sie lieben doch Rosen, nicht wahr? Sie führen ja denselben Na= men ..." Dabei blickte sie ihn schelmisch von unten herauf an, lächelte, ohne die schlechten Zähne zu zeigen, und tauchte ihren Blick in seine Augen. Weiß der Himmel, wie sie das macht ... Dann wandte sie sich den anderen zu. „Was schreibt Graf Flahault aus Rußland, Hortense?" Hortenses Geliebter ist Adjutant des Kaisers. Seitdem sie nicht mehr mit dem dicken Louis lebt, wird ihre Be= ziehung im Salon ihrer Mutter ruhig anerkannt. „Er marschiert an der Seite des Kaisers durch den Schnee", sagte Hortense stolz. „Bo= naparte marschiert durch den Schnee! Wahrscheinlich fährt er in einem Schlitten, und dein Flahault schreibt lauter Unsinn zusam= men." „Graf Flahault teilt mir mit, daß er seit Smolensk neben dem Kaiser marschiert. Der Kaiser ist gezwungen, zu Fuß zu gehen, weil beinahe alle Pferde erfroren sind. Erfroren oder von den hung= rigen Truppen erschossen und aufgegessen, Mama. Der Kaiser trägt den Pelzmantel, den er seinerzeit vom Zaren zum Geschenk erhalten hat, und eine Mütze aus Persianerfell. Er stützt sich beim Gehen auf einen Stock. Er wird von lauter Generälen, die ihre Regimenter verloren haben, begleitet. Er geht zwischen Murat und dem Grafen Flahault."

„Blödsinn, sein treuer Meneval marschiert neben ihm!" warf Jo=

sephine ein. Hortense blätterte in ihrem mehrere Seiten langen Brief. „Meneval ist an Erschöpfung zusammengebrochen und wurde auf einen Wagen mit Verwundeten verladen." Da wurde es sehr still im Zimmer. Ein Holzscheit im Kamin krachte, und trotzdem froren wir. „Ich werde morgen einen Bittgottesdienst abhalten lassen", murmelte Josephine und bat Theresa, einen großen Stern für Bonaparte zu legen. Notre Dame sammelte todernst ihre Karten, teilte sie in zwei Stöße und bemerkte zu Josephine: „Bonaparte ist wie immer Herzkönig." Dann mußte Josephine von beiden Häufchen abheben. Theresa runzelte feierlich die Stirn und legte die Karten in Form eines Sternes auf. Josephine hielt vor Spannung den Atem an. Hortense war aufgestanden und hinter sie getreten, die lange Nase hing ungepudert und traurig auf die Oberlippe. Polette schmiegte sich an mich und sah dabei den jungen Grafen an. Graf von Rosen dagegen ließ seine Blicke wandern und zweifelte sichtlich an unserem Verstand. — Theresa ist eine Künstlerin im Kartenaufschlagen. Nach= dem sie den Stern gelegt hatte, blickte sie lange Zeit bedeutsam drein und schwieg. Schließlich konnte Josephine ihr Schweigen nicht mehr ertragen und flüsterte: „Nun?" „Schlecht steht es", sagte The= resa mit hohler Stimme. Dann schwieg sie wieder lange nachdenk= lich. Zuletzt: „Ich sehe eine Reise."

„Natürlich, der Kaiser kommt doch aus Rußland zurück, er geht zwar zu Fuß, aber er macht trotzdem eine Reise", warf Polette ein. Theresa schüttelte den Kopf. „Ich sehe eine andere Reise. Über ein Wasser. Eine Schiffsreise." Lange Pause. „Nein, es sieht leider gar nicht gut aus."

„Was ist mit mir", wollte Josephine wissen. „Die Pik=Dame wird den Kaiser nicht begleiten. Bei dir wird sich nichts verändern. Ich sehe Geldsorgen. Aber das ist doch nichts Neues." „Ich habe schon wieder Schulden bei Le Roy", gestand Josephine. Da hob Theresa feierlich die Hand und verkündete: „Ich sehe eine Trennung von der Karo=Dame."

„Das ist Marie=Luise", flüsterte Polette mir zu. „Aber sie bedeutet nichts Gutes. Ich sehe überhaupt nichts Gutes." Theresa machte ihre Stimme so unheimlich wie nur möglich. „Übrigens — was kann der Herzbub bedeuten? Der Herzbub liegt nämlich zwischen ihm und dem Treffbuben. Der Treffbub ist Talleyrand . . ."

„Neulich war es Fouché", bemerkte Hortense.

„Der Herzbub ist vielleicht der kleine König von Rom. Bonaparte kehrt zu seinem Kind zurück", schlug Josephine vor. Theresa warf die Karten zusammen und begann in rasender Geschwindigkeit zu mischen. Dann teilte sie sie wieder in zwei Häufchen und legte einen neuen Stern. „Nichts zu machen, da haben wir wieder die Seereise, finanzielle Sorgen, Verrat der —" Sie brach ab. „Verrat der Karo= Dame?" fragte Josephine atemlos. Theresa nickte. „Und ich?" be= harrte Josephine. „Ich verstehe es nicht. Nichts liegt mehr zwischen der Pik=Dame und dem Kaiser. Und trotzdem —" Sie schüttelte seufzend den Kopf. „Trotzdem kommt er nicht zu ihr, ich weiß wirklich nicht, warum, liebste Josephine. Und da haben wir wieder den Herzbuben. Neben dem Kaiser, immer neben dem Kaiser! Treff= Sieben und Treff=As können nicht an ihn heran, weil der Herzbub sie abhält. Das kann nicht das Kind, der kleine König von Rom sein, es muß sich um einen Erwachsenen handeln. Aber um wen?" Ratlos blickte sie sich im Kreis um. Wir wußten keine Antwort. Schließlich beugte sie sich wieder grübelnd über die Karten. „Es könnte ja auch ein weibliches Wesen sein — ein Mädchen vielleicht, das der Kaiser nicht als Frau behandelt — jemand, der ihn sein Leben lang begleitet hat und in der Not nicht im Stich läßt, vielleicht —" „Désirée! Na= türlich — der Herzbub ist Désirée", rief Polette. Verständnislos starrte mich Theresa an. Josephine jedoch nickte heftig. „Das könnte stimmen. Der kleine Kamerad. Ein junges Mädchen von einst. Ich glaube wirklich, daß es Ihre Königliche Hoheit ist."

„Bitte lassen Sie mich aus dem Spiel", sagte ich hastig und schämte mich vor dem Grafen Rosen. Josephine verstand mich. „Genug für heute!" sagte sie und ging auf den Grafen zu. „Ich glaube, es hat aufgehört zu regnen. Ich werde Ihnen die gelben Rosen und die Glashäuser zeigen." Abends fuhren wir nach Paris zurück. Es regnete wieder. „Ich fürchte, Sie haben sich in Malmaison sehr gelangweilt, Graf von Rosen. Dabei wollte ich Sie der schönsten Frau von Frankreich vorstellen."

„Die Kaiserin Josephine ist sicherlich sehr schön gewesen — früher einmal", antwortete der junge Mann höflich. Sie ist in einer ein= zigen Nacht gealtert, dachte ich. Ich werde auch einmal altern, mit oder ohne Goldschminke auf den Augenlidern. Hoffentlich nicht über Nacht. Aber das hängt von Jean=Baptiste ab ... „Die Damen in Malmaison sind ganz anders als unsere Damen in Stockholm", bemerkte von Rosen plötzlich. „Sie sprechen von ihren Gebeten und ihren Liebesabenteuern."

„Man betet und liebt doch auch in Stockholm."

„Natürlich. Aber man spricht nicht davon!"

Paris, 19. Dezember 1812.

Seit meinem Besuch in Malmaison regnet es ununterbrochen. Aber
trotz des Regens stehen in diesen Tagen die Leute an allen Straßen=
ecken herum und lesen einander aus aufgeweichten Zeitungsblättern
das 29. Bulletin vor und versuchen sich vorzustellen, daß ihre Söhne
in Rußland erfroren sind. An allen Straßenecken warten sie auf
Trost und neue Nachrichten. Sie warten vergebens. Ich kenne keine
einzige Familie, die nicht einen nahen Verwandten in Rußland weiß.
In allen Kirchen werden Bittgottesdienste abgehalten. Gestern abend
konnte ich nicht schlafen gehen. Rastlos wanderte ich von einem
Zimmer ins andere. Moreaus ehemaliges Haus war kalt, einsam und
viel zu groß für mich allein. Schließlich hängte ich mir den Zobelpelz
Napoleons über den Schlafrock, setzte mich an den Schreibtisch im
kleinen Salon und versuchte, an Oscar zu schreiben. Marie saß in
einer Ecke und strickte an einem grauen Schal. Seitdem sie von der
eisigen Kälte der russischen Steppe gehört hat, strickt sie diesen
Schal für Pierre. Wir haben keine Nachricht von ihm. Die
Nadeln klappern, Maries Lippen bewegen sich lautlos. Ab und zu
raschelt ein Zeitungsblatt. Graf von Rosen liest dänische Zeitungen,
schwedische sind seit Tagen nicht mehr zu bekommen. Jetzt studiert
er die dänischen Hofnachrichten. Die La Flotte und die Dienerschaft
waren längst schlafen gegangen. Ich klammerte mich an den Ge=
danken an Oscar. Ich wollte ihm schreiben, daß er beim Eislaufen
aufpassen soll, damit er sich kein Bein bricht. Wenn er hier wäre —
wenn er hier wäre, würde er in ein paar Jahren einberufen werden.
Wie ertragen es die anderen Mütter? Marie strickt, und der Schnee
in Rußland fällt unaufhaltsam weich und sanft und begräbt die
Söhne ... In diesem Augenblick hörte ich den Wagen. Er hielt vor
meinem Haus. Dann wurde donnernd an die Tür gepocht. „Die
Dienerschaft ist schon schlafen gegangen", sagte ich. Marie ließ das
Strickzeug sinken. „Der schwedische Kutscher in der Pförtner=
wohnung wird öffnen", meinte sie. Wir lauschten mit angehaltenem
Atem. Hörten Stimmen in der Halle. „Ich bin für niemanden zu
sprechen, ich habe mich schon zurückgezogen", sagte ich schnell. Graf
von Rosen verließ den Salon. Gleich darauf hörte ich sein hartes
Französisch. Eine Tür wurde geöffnet. Er begleitete jemanden in den
großen Salon nebenan. Ist er verrückt geworden? Ich habe ihm doch
gesagt, daß ich niemanden mehr empfange. „Du mußt sofort hinein=

gehen und mitteilen, daß ich schlafen gegangen bin, Marie!" Marie stand sofort auf und trat durch die Verbindungstür in den großen Salon. Ich hörte, daß sie einen Satz begann und sofort verstummte. Nebenan war es jetzt ganz still. Unbegreiflich, wen man zu dieser späten Stunde gegen meinen Wunsch hereinläßt ... Ich hörte Papier rascheln und Holzscheite fallen. Der Kutscher machte Feuer im großen Kamin. Es war das einzige Geräusch, das zu mir drang. Sonst herrschte nebenan tiefe Stille.

Endlich ging die Tür auf, Graf von Rosen trat ein. Seine Bewegungen waren seltsam steif und förmlich. „Seine Majestät, der Kaiser."

Ich zuckte zusammen. Glaubte, nicht richtig verstanden zu haben. „Wer —?"

„Seine Majestät ist in Begleitung eines Herrn eingetroffen und wünscht Königliche Hoheit zu sprechen."

„Der Kaiser ist doch an der Front", flüsterte ich verwirrt.

„Seine Majestät ist soeben zurückgekehrt." Der junge Schwede war ganz blaß vor Erregung. Inzwischen war ich ruhig geworden. Unsinn, ich lasse mich nicht einschüchtern, ich lasse mich auch nicht in diese entsetzliche Situation bringen, ich will ihn nicht wiedersehen, zumindest nicht jetzt, nicht allein ...

„Sagen Sie Seiner Majestät, daß ich schlafen gegangen bin!"

„Das habe ich Seiner Majestät bereits gesagt. Seine Majestät besteht darauf, Hoheit sofort zu sprechen." Ich rührte mich nicht. Was sagt man einem Kaiser, der seine Armee in den russischen Schneefeldern im Stich läßt? Nein, nicht im Stich läßt, es gibt ja keine Armee mehr. Er hat die Armee verloren. Und kommt zuerst zu mir ... Ich stand langsam auf, strich mir die Haare aus der Stirn, es fiel mir ein, daß ich den alten Samtschlafrock trug und darüber den Zobelpelz und sicherlich ganz lächerlich aussah. Widerwillig ging ich auf die Tür zu. Jetzt weiß er, daß Jean=Baptiste mit dem Zaren verbündet ist und ihm geraten hat, sich zu verteidigen. Jetzt weiß er, daß Jean=Baptistes Ratschläge befolgt worden sind. „Ich habe Angst, Graf von Rosen", gestand ich. Der junge Schwede schüttelte den Kopf. „Ich glaube, Hoheit müssen gar keine Angst haben." Es war sehr hell im großen Salon. Marie setzte gerade Kerzen in den letzten der hohen Kandelaber. Das Feuer flackerte. Auf dem Sofa unter dem Porträt saß Graf Caulaincourt, der Großstallmeister des Kaisers, einst dritter Adjutant des Ersten Konsuls. Caulaincourt trug einen Schafspelz und ein wollene Mütze, die er über die Ohren gezogen hatte. Er hielt die Augen geschlossen und schien zu schlafen. Der Kaiser stand dicht vor dem Feuer und stützte die Arme auf dem Kaminsims auf. Die Schultern sackten vornüber, er schien so müde zu sein, daß er sich aufstützen mußte, um überhaupt stehen zu können. Eine graue Persianermütze saß schief auf dem Kopf. Er sah völlig fremd aus. Keiner der beiden hörte mich eintreten. „Sire —" sagte ich leise und trat neben den Kaiser. Caulaincourt fuhr auf, riß sich die Wollmütze ab und stand stramm. Der Kaiser hob langsam den Kopf. Ich vergaß, mich zu verneigen. Fassungslos starrte ich in sein Gesicht. Zum erstenmal im Leben sah ich Napoleon unrasiert. Die Bartstoppeln waren rötlich, die aufgedunsenen Wangen schlaff und grau. Der Mund war schmal wie ein Strich, und das Kinn sprang abgemagert spitz hervor. Blicklos richteten sich die Augen auf mich. „Graf von Rosen, man hat vergessen, Seiner Majestät die Mütze abzunehmen", bemerkte ich scharf. „Übrigens auch den Pelz."

„Mir ist kalt, ich behalte den Mantel an", murmelte Napoleon und streifte müde die Pelzmütze ab. Von Rosen trug Caulaincourts Schafspelz hinaus. „Kommen Sie sofort zurück, Graf! Marie, bitte Cognac und Gläser!" Marie muß die Rolle einer Hofdame übernehmen, um diese Stunde kann ich Herren nicht allein empfangen. Auch nicht den Kaiser von Frankreich. Ihn schon gar nicht. Und Graf von Rosen muß Zeuge unseres Gespräches sein . . . „Ich bitte, Platz zu nehmen, Sire", sagte ich und setzte mich auf das Sofa. Der Kaiser rührte sich nicht. Caulaincourt stand unschlüssig in der Mitte des Raumes. Graf von Rosen kam zurück, Marie brachte Cognac und Gläser. „Sire — ein Glas Cognac?" Der Kaiser hörte mich nicht. Worauf ich Caulaincourt fragend ansah. „Wir sind dreizehn Tage und Nächte ununterbrochen gereist", murmelte Caulaincourt. „Man weiß noch gar nicht in den Tuilerien, daß wir zurück sind. Seine Majestät wollte zuerst mit Hoheit sprechen." Das war phantastisch. Der Kaiser reist dreizehn Tage und Nächte lang, um sich wie ein Ertrinkender an meinem Kaminsims festzuhalten, und kein Mensch weiß, daß er in Paris ist. Ich schenkte ein Glas Cognac ein und trat dicht neben ihn. „Sire, trinken Sie das, dann wird Ihnen wärmer werden." Ich sagte es sehr laut. Er hob auch wirklich den Kopf und sah mich an. Betrachtete meinen alten Schlafrock, betrachtete den Zobelpelz, den er mir selbst geschenkt hat, und stürzte dann mit einem Zug den Cognac hinunter. „Trägt man in Schweden immer einen Pelzmantel über dem Schlafrock?" erkundigte er sich. „Natürlich nicht. Aber mir war kalt. Ich bin nämlich traurig. Wenn ich traurig bin, friere ich. Übrigens hat Ihnen Graf von Rosen gemeldet, daß ich schon schlafen gegangen bin." — „Wer?"

„Mein Adjutant Graf von Rosen. Kommen Sie, Graf, ich werde Sie Seiner Majestät vorstellen." Graf von Rosen schlug die Sporen zusammen. Der Kaiser hielt ihm sein Glas entgegen: „Geben Sie mir noch einen Cognac! Auch Caulaincourt wird gern ein Glas trinken. Wir haben eine lange Reise hinter uns." Er goß den Cognac wieder in einem Zuge hinunter. „Sie sind überrascht, mich hier zu sehen, Hoheit?" „Natürlich, Sire."

„Natürlich? Wir sind doch alte Freunde, Hoheit. Sehr alte Freunde sogar, wenn ich mich recht erinnere. Was überrascht Sie daher an meinem Besuch?"

„Die späte Stunde, Sire. Und die Tatsache, daß Sie unrasiert zu mir kommen." Napoleon fuhr sich mit der Hand über die Bart=stoppeln. Ein Schatten jenes jungen unbeschwerten Lachens aus den Tagen von Marseille glitt über das schlaffe, schwere Gesicht. „Ver=zeihen Sie, Hoheit, ich habe in den letzten Tagen vergessen, mich zu rasieren. Ich wollte möglichst schnell Paris erreichen." Die Erinnerung an das Lachen verlöschte. „Wie ist die Wirkung meines letzten Bulletins?" „Vielleicht nehmen Sie endlich Platz, Sire", schlug ich vor. „Danke, ich stehe lieber beim Kamin. Aber bitte, sich nicht stören zu lassen, Madame, setzen Sie sich doch, meine Herren!" Ich setzte mich wieder aufs Sofa. „Graf Caulaincourt —" Ich wies auf einen Fauteuil. „Graf von Rosen — bitte hier. Und du mußt dich auch setzen, Marie."

„Graf Caulaincourt ist längst Herzog von Vicenza", bemerkte Na=poleon. Caulaincourt hob abwehrend die Hand, damit ich mich nicht entschuldigte. Dann fiel er in einen Lehnstuhl und schloß wieder die Augen. „Darf ich fragen, Sire —" begann ich. „Nein! Sie dürfen nicht fragen, Madame. Sie dürfen ganz bestimmt nicht fragen, Madame Jean=Baptiste Bernadotte!" brüllte er und wandte sich mir zu. Graf von Rosen zuckte erschreckt zusammen. „Ich möchte aber gern wissen, was mir die Ehre dieses unerwarteten Besuches verschafft, Sire", sagte ich ruhig. „Mein Besuch ist keine Ehre für Sie, sondern eine Schande. Wenn Sie nicht Ihr Leben lang ein so kindisches, gedankenloses Geschöpf gewesen wären, so würden Sie erfassen, welche Schande dieser Besuch darstellt — Madame Jean=Baptiste Ber=nadotte!" „Bleiben Sie ruhig sitzen, Graf von Rosen, Seine Majestät ist anscheinend zu müde, um den richtigen Ton zu finden", beschwor ich meinen jungen Schweden. Von Rosen war aufgesprungen, noch dazu mit der Hand am Säbel. Mehr hätte mir in dieser Nacht nicht gefehlt ... Der Kaiser überhörte es. Er trat näher und starrte das Porträt an, das über mir hing. Das Porträt des Ersten Konsuls. Das Porträt des jungen Napoleon mit dem hageren Gesicht, den strahlen= den Augen, dem unordentlichen Haar, das bis auf die Schultern herabhing. Hastig, tonlos begann er zu sprechen. Mehr zu diesem Bild als zu mir. „Wissen Sie eigentlich, woher ich komme, Madame? Ich komme aus den Steppen, in denen meine Soldaten begraben liegen. Dort schleppen sich die Husaren Murats durch den Schnee. Die Kosaken haben ihre Pferde erschossen. Die Husaren sind schnee= blind und wimmern vor Schmerzen. Wissen Sie überhaupt, was das ist, schneeblind, Madame? Ich komme von der Brücke, die unter Davouts Grenadieren zusammengebrochen ist, die Eisschollen haben den Grenadieren den Schädel eingeschlagen, das Eiswasser färbte sich rot. Manche Männer kriechen jede Nacht unter die Leichen ihrer Kameraden, um sich zu wärmen. Ich habe —"

„Wie kann ich ihm den Schal schicken — wie?" Maries Schrei zer= schnitt seine Worte. Marie war aufgesprungen und stürzte sich auf den Kaiser, fiel vor ihm auf die Knie und krallte sich an seinen Arm. „Ich stricke meinem Pierre einen warmen Schal, er kann ihn auch über die Ohren schlagen, ich weiß nur nicht, wie ich ihn schicken soll. Majestät haben Kuriere — Majestät, helfen Sie einer Mutter, lassen Sie einen Kurier —" Angeekelt fuhr Napoleon zurück. Aber Marie rutschte ihm nach und bohrte ihre Finger in seine Arme. Schnell beugte ich mich über sie. „Es ist Marie, Sire, Marie aus Marseille. Ihr Sohn ist in Rußland." Napoleon riß sich los. Sein Ge= sicht verzerrte sich vor Wut. „Ich habe aufgeschrieben, bei welchem Regiment er ist, er ist leicht zu finden —" wimmerte Marie. „Diesen Schal, nur diesen warmen —"

„Sind Sie wahnsinnig, Frau?" Speichelbläschen standen in Napo= leons Mundwinkeln. „Einen Schal soll ich nach Rußland schicken, einen Schal! Es ist zum Lachen ..." Und er begann zu lachen. Schüttelte sich vor Lachen, keuchte vor Lachen, stöhnte vor Lachen. „Einen Schal für meine hunderttausend Toten, für meine erfrorenen Grenadiere, einen schönen warmen Schal für meine große Armee —" Tränen standen ihm in den Augen — vor Lachen. Ich führte Marie zur Tür. „Geh schlafen, Liebste, geh jetzt schlafen." Napoleon war verstummt. Hilflos stand er in der Mitte des Salons. Ging dann mit seltsam steifen Schritten auf den nächsten Stuhl zu und sackte zu=

sammen. „Verzeihen Sie, Madame, ich bin sehr müde." Die Minuten tropften, keiner von uns rührte sich. Das ist das Ende, dachte ich. Meine Gedanken wanderten über den Kontinent und über eine Meerenge zu Jean=Baptiste im Königlichen Schloß in Stockholm. Eine klare harte Stimme. „Ich bin gekommen, um Ihnen einen Brief an den Marschall Bernadotte zu diktieren, Madame." „Ich bitte, diesen Brief von einem der Sekretäre Eurer Majestät schreiben zu lassen." „Ich wünsche, daß Sie diesen Brief schreiben, Madame. Es ist ein sehr persönliches Schreiben und gar nicht lang. Teilen Sie dem schwedischen Kronprinzen mit, daß Wir nach Paris zurückgekehrt sind, um die endgültige Niederlage der Feinde Frankreichs vorzubereiten." Der Kaiser war aufgestanden. Begann auf und ab zu gehen und betrachtete den Fußboden. Dort schien die Landkarte Europas ausgebreitet zu liegen. Mit ungeputzten Stiefeln marschierte er darüber. „Wir erinnern den schwedischen Kronprinzen an den jungen General Bernadotte, der im Frühling 1797 dem General Bonaparte mit seinen Regimentern zu Hilfe eilte. Dieser in kürzester Zeit vorgenommene Übergang über die Alpen entschied den siegreichen Ausgang des italienischen Feldzuges. Werden Sie das behalten, Madame?" Ich nickte. Der Kaiser wandte sich an Caulaincourt. „Bernadottes Übergang über die Alpen wird in allen Militärakademien als Vorbild gelehrt. Meisterhaft durchgeführt. Meisterhaft ... Er brachte mir Regimenter von der Rheinarmee, die ursprünglich unter Moreaus Kommando standen." Er brach ab. Ein Holzscheit krachte. Moreau im Exil. Jean=Baptiste Kronprinz von Schweden. „Erinnern Sie Bernadotte zuerst an das Ersatzheer, das er mir nach Italien brachte. Dann an die Schlachten, in denen er die junge Republik verteidigt hat. Schließlich an das Lied ‚Le Régiment de Sambre et Meuse marche toujours aux cris de la liberté, suivant la route glorieuse ...' Schreiben Sie ihm, daß ich das Lied vor vierzehn Tagen im russischen Schnee gehört habe, zwei Grenadiere, die nicht mehr weiterkonnten, scharrten sich im Schnee ein. Während sie die Wölfe erwarteten, sangen sie dieses Lied ... Es muß sich um ehemalige Kameraden Ihres Mannes von der Rheinarmee gehandelt haben. Vergessen Sie nicht, diesen Vorfall zu erwähnen." Ich bohrte meine Nägel in die Handflächen. „Der Marschall Bernadotte hat dem Zaren geraten, den europäischen Frieden durch meine Gefangennahme während unseres Rückzuges zu sichern. Sie können Ihrem Mann berichten, Madame, daß sein Plan beinahe geglückt wäre. Aber nur — beinahe. Ich befinde mich in Ihrem Salon in Paris, und Europas

Frieden wird von mir selbst gesichert werden. Um endgültig Frank=
reichs Feinde und somit auch jene eines dauernden Friedens zu ver=
nichten, schlage ich Schweden eine Allianz vor. Haben Sie mich
verstanden, Madame?"

„Ja, Sire. Sie schlagen Schweden eine Allianz vor."

„Um mich einfacher auszudrücken — ich will, daß Bernadotte
wieder mit mir marschiert. Schreiben Sie das wörtlich Ihrem Mann,
Madame!" Ich nickte. „Um die Aufrüstung zu bekosten, erhält
Schweden monatlich eine Million Francs ausbezahlt. Außerdem
Waren im Wert von sechs Millionen." Sein Blick heftete sich auf das
Gesicht des jungen Grafen von Rosen. „Nach Friedensschluß wird
Schweden Finnland zugesprochen. Und natürlich auch Pommern." —
Er machte eine großartige Armbewegung. „Schreiben Sie Bernadotte,
er bekommt Finnland, Pommern und — Norddeutschland von Danzig
bis Mecklenburg. Nun?"

„Graf von Rosen, holen Sie ein Stück Papier und schreiben Sie
das auf. Es sieht so aus, als ob Schweden nach endgültigem Friedens=
schluß so viele Länder zugesprochen erhält, daß wir beide uns gar
nicht alles merken können!"

„Nicht notwendig, ich habe hier ein Memorandum, das Seine
Majestät mir heute vormittag diktiert hat", ließ sich Caulaincourt
vernehmen, griff in die Brusttasche und reichte von Rosen einen eng
beschriebenen Bogen. Graf von Rosen überflog ihn mit ungläubigen
Augen. „Finnland?"

„Wir werden Schwedens Großmachtstellung wieder befestigen",
sagte Napoleon und lächelte von Rosen zu. Es war das werbende
Lächeln alter Zeiten. „Übrigens — das wird Sie als Schwede inter=
essieren, junger Mann — ich habe mir aus den Archiven des Kreml
eine Beschreibung des russischen Feldzuges Ihres Heldenkönigs
Carl XII. heraussuchen lassen. Man sagt mir, daß Sie in Schweden
sein Andenken heilig halten. Ich wollte an den Erfolgen dieses
Heldenkönigs in Rußland lernen." — Graf von Rosen sah verklärt
aus. — „Aber leider mußte ich feststellen, daß die schwedische Nation
an den Kriegen ihres Heldenkönigs beinahe verblutete und an den
Steuern, die er ihr auferlegte, ganz verarmte." Er lächelte bitter und
sehr amüsiert. „Junger Mann, ich habe das Gefühl, daß man auch
in den Stockholmer Archiven Beschreibungen der russischen Aben=
teuer Ihres Carl XII. finden kann. Jemand hat in letzter Zeit viel
daraus gelernt. Ihr — wie nennen Sie ihn nur? — Carl Johan. Mein
alter Bernadotte." Er zuckte die Achseln. Schöpfte tief Atem und

schaute mich an. „Madame, Sie werden morgen an Bernadotte schreiben. Ich muß wissen, woran ich bin." Also deshalb ist er zu mir gekommen. „Sie haben mir nicht gesagt, was geschehen wird, wenn Schweden nicht auf die Allianz eingeht, Sire." Er überhörte es. Betrachtete wieder sein Jugendporträt. „Ein gutes Bild, habe ich damals wirklich so ausgesehen? So — mager?" Ich nickte. „Und dabei hatten Sie damals schon zugenommen, Sire. Seinerzeit in Marseille haben Sie ausgesprochen verhungert ausgesehen."

„Seinerzeit in Marseille?" Überrascht sah er mich an. „Wieso wissen Sie das, Madame?"

„Ja, aber damals —"

Er fuhr sich mit der Hand über die Stirn. „Ich hatte es einen Augenblick lang vergessen ... Ja, wir kennen einander schon sehr lange, Madame." Ich stand auf. „Ich bin müde, so unbeschreiblich müde", murmelte er. „Ich wollte mit der Kronprinzessin von Schweden sprechen. Aber du bist ja gleichzeitig Eugénie ..."

„Fahren Sie in die Tuilerien, Sire, und schlafen Sie sich aus!" Er schüttelte den Kopf. „Ich kann nicht, Liebste. Die Kosaken reiten. Und Bernadotte hat die Koalition zustande gebracht: Rußland — Schweden — England. Der österreichische Botschafter in Stockholm diniert häufig bei ihm. Weißt du, was das bedeutet?" Jetzt nennt er mich wieder Eugénie und hat vergessen, daß ich mit Bernadotte verheiratet bin. Der Mann hat wirklich zuviel im Kopf. „Wozu noch mein Brief, Sire?" „Weil ich Schweden von der Landkarte streichen werde, wenn Bernadotte nicht mit mir marschiert!" Er schrie wieder. Wandte sich dann mit einem Ruck zum Gehen. „Sie werden mir persönlich das Antwortschreiben Ihres Gatten bringen, Madame. Sollte es eine Absage sein, so werden Sie sich gleichzeitig von mir verabschieden. Es wäre mir dann nicht mehr möglich, Sie bei Hof zu empfangen." Ich verneigte mich. „Ich würde auch nicht mehr kommen, Sire." Graf von Rosen begleitete den Kaiser und Caulaincourt hinaus. Auf dem Tisch vor dem Sofa lag der Bogen mit der ordentlichen Handschrift Caulaincourts. Finnland! Mit Ausrufungszeichen. Und Pommern. Norddeutschland von Danzig bis Mecklenburg. Früher hat er seine Marschälle ernannt, jetzt versucht er sie zu kaufen. Langsam ging ich von einem Kandelaber zum anderen und blies die Kerzen aus. Von Rosen kehrte zurück. „Werden Hoheit morgen an den Kronprinzen schreiben?" Ich nickte. „Und Sie werden mir dabei helfen, Graf."

„Glauben Hoheit, daß der Kronprinz dem Kaiser antwortet?" „Ich bin überzeugt davon. Und es wird der letzte Brief sein, den mein Mann an den Kaiser schreibt." Ich sah zu, wie die Flammen im Kamin starben. Sehr viel Asche blieb zurück. „Ich möchte Hoheit gerade jetzt nicht allein lassen", kam es zögernd. „Das ist lieb von Ihnen. Aber ich bin allein. Furchtbar allein, und Sie sind zu jung, um das zu verstehen. Übrigens werde ich zu Marie gehen und sie trösten." Den Rest der Nacht verbrachte ich an Maries Bett. Ich versprach ihr, an Murat zu schreiben und an den Marschall Ney und natürlich an Oberst Villatte, von dem ich seit Wochen nichts gehört habe. Ich versprach, im Frühling mit ihr in die russischen Steppen zu fahren und Pierre zu suchen. Ich versprach und versprach, und sie war in ihrer Angst wie ein Kind und glaubte wirklich, ich könne ihr helfen. — Heute verkünden Extra=Ausgaben, daß der Kaiser über=raschend aus Rußland zurückgekehrt ist. Die Gesundheit Seiner Majestät war nie besser.

Endlich ist ein Kurier mit Briefen aus Stockholm eingetroffen. „Meine liebe Mama", schreibt Oscar. Seine Schrift ist regelmäßig und sehr erwachsen. In einem halben Jahr wird er vierzehn Jahre alt sein. Manchmal könnte ich vor Sehnsucht schreien. Der zarte bräunliche Kinderhals, die Grübchen in den dicken Ärmchen . . . Aber das ist schon so lange her. Oscar ist heute ein magerer eckiger Junge in schwedischer Kadettenuniform, vielleicht rasiert er sich schon ab und zu, ich kann es mir nur nicht vorstellen . . . „Meine liebe Mama, wir waren am 6. Januar bei einer wunderschönen Vorstellung im Theater Gustafs III. Denk Dir, eine berühmte französische Schau-spielerin, Mademoiselle George, die früher in Paris am Théâtre Français engagiert war und dann in Moskau Gastspiele gegeben hat, ist hier aufgetreten. Sie hat die Marie Tudor gespielt, und ich war mit der Königin, der Prinzessin Sofia Albertina und dem Papa in einer Loge. Die Damen haben sehr geweint, weil es ein furchtbar trauriges Stück ist. Ich weine nie im Theater. Auch der Papa nicht. Nach der Vorstellung hat der Papa ein Souper für Mademoiselle George gegeben, der Königin war es gar nicht recht, daß Papa und die Künstlerin immerfort von Paris und alten Zeiten gesprochen haben, sie hat das Gespräch immer wieder unterbrochen und sehr oft ‚Unser lieber Sohn Carl Johan' gesagt. Darüber mußte Mademoiselle George schrecklich lachen. Schließlich zupfte sie Papa am Großkreuz der Ehrenlegion, das Papa immer trägt, und rief: ‚General Berna-dotte, daß ich Sie hier in Stockholm wiederfinden würde und noch dazu als Sohn der schwedischen Königin — das habe ich mir auch nicht gedacht!' Da wurde die Königin so böse, daß sie mich schlafen schickte und sich mit allen Damen zurückzog. Die Künstlerin trank noch Kaffee und Likör mit Papa und dem Grafen Brahe. Das Hof-fräulein Mariana Koskull legte sich vor Ärger und Eifersucht eine ganze Woche lang mit Schnupfen ins Bett. Papa arbeitet jeden Tag sechzehn Stunden lang und sieht sehr schlecht aus, die Theatervor-stellung von Mademoiselle George war die erste, die er seit vielen Wochen besucht hat . . ." Ich lachte. Und weinte auch ein bißchen und hatte große Lust, mich mit einem Schnupfen auf eine Woche ins Bett zu legen wie Mariana von Koskull. Mademoiselle George in Stockholm . . . Vor zehn Jahren hat Josephine vor Eifersucht getobt,

während der Erste Konsul mit seiner neuen sechzehnjährigen Ge=
liebten in seinem Arbeitszimmer Verstecken spielte. Georgina nannte
er sie, Georgina ... Als er Kaiser wurde, verließ er sie, weil Made=
moiselle George zuviel lachte. „Unser lieber Sohn Carl Johan ...“
Ich hoffe, sie lacht der schwedischen Königin ins Gesicht. Diesen
Brief hat Oscar ohne Aufsicht seines Erziehers geschrieben, er ist
ganz klein zusammengefaltet und einfach mit „Dein Oscar“ unter=
zeichnet. In seinem zweiten Schreiben drückt sich mein Sohn ge=
wählter aus. Er berichtet: „Eine berühmte französische Schrift=
stellerin, die vom Kaiser der Franzosen verbannt wurde, weil sie
gegen seinen Despotismus geschrieben hat, ist hier angekommen
und wird oft von Papa empfangen. Sie heißt Madame de Staël und
nennt Papa den Retter Europas. Die Dame ist sehr dick (durchge=
strichen, ‚beleibt‘ darübergeschrieben) und redet ununterbrochen.
Papa bekommt nach jedem ihrer Besuche Kopfschmerzen. Papa
arbeitet nämlich sechzehn Stunden am Tag und hat das schwedische
Heer neu organisiert.“ Mademoiselle George. Madame de Staël. Eine
russische Großfürstin wartet ... Der zweite Brief Oscars war form=
vollendet unterzeichnet: „Dein Dich stets liebender Sohn Oscar,
Herzog von Södermanland.“ Ich suchte ein Schreiben von Jean=Bap=
tiste. Er muß doch längst meinen Brief über Napoleons Besuch und
Angebot erhalten haben. Aber ich fand nur ein paar hastig hinge=
kritzelte Zeilen. „Mein geliebtes kleines Mädchen! Ich bin mit Arbeit
überlastet und schreibe nächstens ausführlicher. Danke für Deinen
Bericht über den Besuch des Kaisers. Ich werde dem Kaiser antworten.
Aber ich brauche Zeit. Meine Antwort wird nicht nur für ihn, sondern
auch für die französische Nation und die Nachwelt bestimmt sein.
Ich weiß nicht, warum er wünscht, daß ich sie durch Dich überreichen
lasse. Ich werde sie Dir jedoch senden und bedaure, Dir neuerlich
eine schwere Stunde bereiten zu müssen. Es umarmt Dich --
Dein J. B.“ Zuletzt fiel noch ein Notenblatt aus dem großen Um=
schlag. „Oscars erste Komposition. Ein schwedischer Volkstanz.
Versuche, die Melodie zu spielen! J. B.“ war an den Rand gekritzelt.
Eine einfache Melodie, die mich an Walzertakte erinnert. Ich setzte
mich gleich ans Klavier und spielte sie immer wieder. „Komponist
will ich werden. Oder König ...“ Das war im Reisewagen, der uns
von Hannover nach Paris zurückbrachte. „Warum König?“ — „Weil
man als König viel Gutes tun kann.“ Ja, Oscar, man kann auch vor
Entscheidungen stehen, die einem das Herz brechen und einer Nation
das Genick. „Komponist oder König“, wiederholte mein Kind. „Dann

lieber König, das ist leichter!" Ich las noch einmal Jean=Baptistes hingekritzelte Zeilen. „Meine Antwort wird nicht nur für ihn, sondern auch für die französische Nation und die Nachwelt bestimmt sein." Mir fiel plötzlich dieser unfrisierte Monsieur van Beethoven ein. „Zur Erinnerung an eine Hoffnung, die nicht in Erfüllung ge= gangen ist . . ." Ich läutete und ließ den Grafen von Rosen rufen. Der Kurier hatte auch ihm Post gebracht. Er hielt beim Eintreten noch ein ganzes Bündel Briefe in der Hand. „Gute Nachrichten von zu Haus, Graf?"

„Die Briefe sind sehr vorsichtig geschrieben, man weiß ja nie, ob die französische Geheimpolizei einen Kurier durchläßt oder nicht. Aber zwischen den Zeilen —"

„Zwischen den Zeilen?"

„— kann ich herauslesen, daß die Alliierten — Rußland, England und Schweden — die Absicht haben, Seine Königliche Hoheit den Plan für den kommenden Feldzug entwerfen zu lassen. Und Öster= reich, das sich durch den Botschafter Graf Neipperg in Stockholm vertreten läßt, ist über alles genau informiert und steht den alliier= ten Plänen sehr wohlwollend gegenüber."

Also auch sein Schwiegervater, der österreichische Kaiser Franz, wird gegen Napoleon ins Feld ziehen. „Die besetzten deutschen Gebiete bereiten eine Erhebung vor", sagte Graf von Rosen. „Vor allem die Preußen wollen marschieren. Über den Rhein natürlich." „Die Preußen wollen immer marschieren und immer über den Rhein", murmelte ich zerstreut und dachte: sogar sein Schwieger= vater . . . „Die Vorbereitungen für diesen größten Feldzug der Ge= schichte werden gegenwärtig heimlich in Schweden getroffen", flüsterte Graf von Rosen. Seine Stimme war ganz heiser vor Er= regung. „Wir werden wieder zu einer Großmacht. Und der Sohn Eurer Hoheit, der kleine Herzog von Södermanland . . ."

„Oscar hat mir seine erste Komposition geschickt, ich werde sie einüben und Ihnen abends vorspielen", sagte ich. „Es ist ein schwe= discher Volkstanz. Warum sehen Sie mich so merkwürdig an? Sind Sie von meinem Sohn enttäuscht?"

„Natürlich nicht, Hoheit. Im Gegenteil — ich bin nur überrascht, ich wußte gar nicht —"

„Sie wußten nicht, daß der Erbprinz sehr musikalisch ist? Und trotzdem sprechen Sie davon, daß Schweden wieder zur Großmacht wird?"

„Ich habe an das Reich gedacht, das Seine Königliche Hoheit, der

Kronprinz, seinem Sohn dereinst hinterlassen wird." Seine Worte überstürzten sich. „Schweden hat einen der größten Feldherren aller Zeiten zum Thronfolger gewählt. Die Dynastie Bernadotte wird Schwedens alte Großmachtstellung wiederherstellen."

„Sie sprechen wie ein Lesebuch für Schulkinder, Graf", sagte ich angewidert. „Die Dynastie Bernadotte ... Ihr Kronprinz wird in diesem Völkerschlachten einfach für die Menschenrechte, die wir Freiheit und Gleichheit und Brüderlichkeit nennen, kämpfen. Dafür hat er schon mit fünfzehn Jahren gekämpft, Graf von Rosen. Des=halb hat man ihn an den alten Höfen heimlich den Jakobinergeneral genannt. Und nachher — wenn alles vorüber ist und Jean=Baptiste diesen fürchterlichen Krieg für ganz Europa gewonnen haben wird — nachher wird man ihn wieder so nennen. Dann —" ich brach ab, weil mich von Rosen verständnislos ansah. „Ein Musiker, der nichts von Politik versteht, hat einmal von einer Hoffnung gesprochen, die nicht in Erfüllung gegangen ist", sagte ich schließlich leise. „Viel=leicht geht sie doch noch in Erfüllung, zumindest in Schweden. Und Ihr kleines Land wird wirklich wieder zur Großmacht, Graf. Aber anders, als Sie sich das vorstellen. Eine Großmacht, deren Könige keine Kriege mehr führen, sondern Zeit haben, um zu dichten, zu musizieren ... Freuen Sie sich nicht, daß Oscar komponiert?"

„Hoheit sind die seltsamste Frau, die mir je begegnet ist!"

„Das kommt Ihnen nur so vor, weil ich die erste Bürgerliche bin, die Sie näher kennengelernt haben." Ich war plötzlich sehr müde. „Sie haben doch immer nur bei Hof und in Adelsschlössern verkehrt. Jetzt sind Sie Adjutant einer Seidenhändlerstochter. Versuchen Sie, sich daran zu gewöhnen, ja?"

Der Brief wurde gegen sieben Uhr abends für mich abgegegen. Ich ließ sofort anspannen und bat Graf von Rosen, mich zu be= gleiten. „Zum Hôtel Dieu!" Mein schwedischer Kutscher kennt sich leider noch immer nicht in Paris aus. „Das Hôtel Dieu ist ein Spital." Und, weil er mich verständnislos anstarrte: „Fahren Sie zu Notre= Dame, es liegt gegenüber." Das nasse Straßenpflaster schimmerte in den Farben vieler Lichter. „Ich habe soeben ein paar Zeilen von Oberst Villatte bekommen, es ist ihm gelungen, Maries Sohn in einem Verwundetentransport unterzubringen, der ins große Hôtel Dieu gebracht wurde. Das Spital soll furchtbar überfüllt sein. Ich möchte Pierre mit nach Hause nehmen."

„Und Oberst Villatte?" fragte von Rosen. „Konnte nicht nach Paris kommen, sondern ist ins Rheinland kommandiert worden. Dort versucht man, die Reste seines Regiments zu sammeln."

„Ich bin froh, daß er gesund ist", murmelte von Rosen höflich.

„Er ist nicht gesund, er leidet an den Folgen eines Schulterschusses. Aber er hofft, uns wiederzusehen."

„Wann?"

„Irgendwann. Wenn alles vorüber ist."

„Ein seltsamer Name — Hôtel Dieu!"

„Hotel zum lieben Gott. Ein schöner Name für ein Spital. Früher hat man die Verwundeten immer in Lazaretten außerhalb der Stadt untergebracht. Aber diesmal sind so wenige bis Paris durchge= kommen, daß man keine Lazarette brauchte. Man hat sie einfach dem Gemeindespital übergeben."

„Aber es muß doch Tausende und aber Tausende Verwundete geben, wo sind die denn?"

„Warum quälen Sie mich so, Sie haben es ja hundertmal gehört, von den Wölfen sind sie überfallen worden, im Schnee liegen sie begraben . . ." schluchzte ich auf. „Ich bitte um Verzeihung, Hoheit." Wie ich mich schämte. Man schreit seinen Adjutanten nicht an, Adjutanten können sich doch nicht wehren. „Die Überlebenden wurden zuerst in Notlazarette nach Smolensk und nach Wilna und was weiß ich gebracht. Dann sind die Kosaken vorgerückt, niemand ahnt, was aus den Verwundeten geworden ist, es waren ja keine Wagen mehr da, um sie weiterzubringen. Ein paar Tausend lie= gen in Deutschland. Nur ein einziger Transport ist bis Paris ge=

bracht worden. Villatte ist es irgendwie gelungen, Pierre mitzu=
schicken."

„Was fehlt Pierre eigentlich?"

„Villatte schreibt nicht darüber. Deshalb habe ich Marie noch
nichts gesagt. So, da haben wir die Kathedrale. Links liegt das
Spital, Kutscher!" Das Tor war versperrt. Von Rosen riß am
Glockenstrang. Schließlich wurde ein Spalt geöffnet. Der Pförtner
hatte nur einen Arm, ein Invalide aus den Italienkriegen, ich sah es
an den Medaillen. „Besuche verboten!"

„Es handelt sich um Ihre Königliche Hoheit —"

„Besuche verboten!" Das Tor fiel zu. „Klopfen Sie, Graf!" Von
Rosen klopfte. Klopfte laut und lange. Schließlich öffnete sich wieder
der Spalt, ich schob von Rosen beiseite und sagte schnell: „Ich habe
Erlaubnis, das Spital zu besuchen."

„Haben Sie einen Passierzettel?" kam es mißtrauisch. „Ja." Wir
wurden endlich eingelassen. Standen in einer finsteren Einfahrt und
wurden von der Kerze, die der Invalide hielt, beleuchtet. „Ihren
Passierzettel, Madame!"

„Den habe ich nicht bei mir. Ich bin die Schwägerin von König
Joseph." Er hob die Kerze hoch und leuchtete mir ins Gesicht. „Sie
werden verstehen, daß ich jederzeit einen Passierzettel haben könnte.
Aber ich habe mich so beeilt, daß ich keinen anfordern konnte. Ich
hole jemanden ab", sagte ich hastig. Und weil er nicht antwortete,
versicherte ich noch einmal: „Ich bin wirklich die Schwägerin König
Josephs."

„Ich kenne Sie, Madame, ich habe Sie oft bei Paraden gesehen. Sie
sind die Marschallin Bernadotte." Gottlob. Ich lächelte erleichtert:
„Haben Sie vielleicht unter meinem Mann gedient?" Sein Gesicht
verzog sich nicht. Er schwieg. „Bitte rufen Sie jemanden, der uns in
die Krankensäle führt", sagte ich schließlich. Aber er rührte sich
nicht. Der Mann wurde mir unheimlich. „Borgen Sie uns die Kerze,
wir werden uns schon selbst zurechtfinden", murmelte ich hilflos.
Da reichte er mir die Kerze. Trat einen Schritt zurück und verschwand
im Dunkel. Nur seine Stimme hörten wir: „Die Frau Marschallin
Bernadotte!" krächzte er höhnisch. Und spuckte laut klatschend aus.
Graf von Rosen nahm mir die Kerze ab, weil meine Hand so heftig
zitterte. „Vergessen Sie den Mann, wir müssen Pierre suchen", sagte
ich mühsam. Dann tasteten wir uns eine breite Treppe hinauf. Von
Rosen leuchtete — ein Korridor mit vielen Türen. Die Türen waren
nur angelehnt. Stöhnen sickerte hindurch, jemand wimmerte. Ich

stieß schnell die erste Tür auf. Wie eine Welle schlug mir der Ge=
stank entgegen — Blut, Schweiß, Kot. Ich riß mich zusammen und
atmete tief, um nicht unterzugehen. Das Wimmern war jetzt sehr
nah. Es wimmerte zu meinen Füßen. Ich nahm von Rosen die Kerze
ab und leuchtete. An beiden Seiten des Saales Betten. Und in der
Mitte eine Reihe von Strohmatratzen. Das Ende des Raumes schien
sehr weit entfernt zu sein, dort brannten eine Kerze und ein rotes
ewiges Licht. Vor dem Tisch mit der Kerze saß eine Nonne. „Schwe=
ster!" Aber meine Stimme drang nicht durch das Röcheln und Stöh=
nen. Das Wimmern zu meinen Füßen hörte nicht auf. „Wasser,
Wasser . . ." Ich senkte die Kerze. Auf dem Strohsack vor mir lag ein
Mann mit eingebundenem Kopf. Der Mund stand weit offen in sei=
ner Qual und wimmerte nur das eine Wort, immer wieder, immer
wieder. Ich hob meine Röcke, um das arme Gesicht nicht zu streifen,
und tastete ein paar Schritte vorwärts. „Schwester!" Endlich hörte
sie mich, nahm ihre Kerze und kam auf uns zu. Ich sah in ein mage=
res, ausdrucksloses Gesicht unter einer riesigen weißen Flügelhaube.
„Schwester, ich suche einen Verwundeten, der Pierre Dubois heißt."
Es schien sie nicht zu überraschen.

„Den ganzen Tag lang stehen Frauen vor dem Spital und suchen
Einlaß, um ihre Verwundeten zu finden oder Nachricht über sie zu
bekommen. Wir lassen niemanden herein. Es ist kein Anblick für
Frauen, Bräute und Mütter."

„Ich — habe aber die Erlaubnis, Pierre Dubois zu suchen", beharrte
ich. „Wir können Ihnen nicht helfen, es sind zu viele hier, wir ken=
nen die Namen nicht", kam es sanft und gleichgültig. „Wie soll ich
ihn denn finden?" schluchzte ich auf.

„Das weiß ich nicht", sagte die Nonne höflich. „Wenn Sie die Er=
laubnis haben, ihn zu suchen, dann müssen Sie ihn eben suchen.
Gehen Sie von Bett zu Bett, vielleicht finden Sie ihn!" Auf leisen
Sohlen wandte sie sich um und wollte wieder zu ihrem Tisch zurück.
„Wasser . . . Wasser . . ." wimmerte es weiter. „Schwester, geben
Sie dem Mann doch zu trinken!" Sie blieb stehen. „Er hat einen
Bauchschuß und darf nicht trinken. Übrigens ist er gar nicht bei
Bewußtsein." Dann verschwand sie endgültig aus dem Schein meiner
Kerze. Ich schloß einen Augenblick die Augen. In den Blutgeruch
mischte sich der Gestank der Leibschüsseln, die zwischen Betten und
Strohsäcken standen. Ich gab mir einen Ruck. „Wir müssen von Bett
zu Bett gehen", sagte ich zu von Rosen. Und dann gingen wir von
Bett zu Bett, von Strohsack zu Strohsack, leuchteten in jedes Gesicht.

Unschlüssig stand ich vor verbundenen Augen und Nasen, sah lange die blutig gebissenen Lippen an, vielleicht — nein, doch nicht. Stand vor dem Mann, der zwischen jedem Atemzug Schluckauf hatte wie jener General Duphot, der in meinen Armen vor vielen Jahren gestorben ist, sah einen wachsgelben Mund lächeln und ging weiter; der Mann lächelt nur, weil er gerade gestorben ist, sein Nachbar riß geblendet die Augen auf, öffnete den Mund zu einer Bitte, aber ich hielt schon beim nächsten und konnte die Bitte nicht mehr hören. Diese Suche muß ich dir ersparen, Marie, das ist mehr, als eine Mutter ertragen kann. Das vorletzte Bett, das letzte, die Tür. Pierre war nicht in diesem Saal. Wir traten in den nächsten. Ich hob den Rock, leuchtete ins Gesicht auf dem ersten Strohsack, dem zweiten, zauderte vor verbundenen Kopfschüssen, schloß die Augen vor dem Gesicht mit dem zerschmetterten Kinn und riß sie wieder auf und sah es an. Vielleicht — nein, bestimmt nicht, weitersuchen, weitersuchen . . . Erst als wir bereits am Ende des Saales angelangt waren, bemerkte uns die Nonne. Sie war noch sehr jung, ihre Augen waren voll Mitleid. „Suchen Sie Ihren Gatten, Madame?" Ich schüttelte den Kopf. Der Schein meiner Kerze fiel auf einen abgezehrten Arm mit einer kleinen runden Wunde. Der Rand der Wunde war verkrustet. Die Krusten bewegten sich, waren Läuse. „Diese Wunden schließen sich von selbst, wenn die Soldaten wieder genug zu essen bekommen", sagte die weiche Stimme der Schwester. „Auf dem Rückzug sind so viele verhungert. Aber vielleicht finden Sie doch noch jenen, den Sie suchen, Madame!" Pierre war auch nicht in diesem Saal. Auf dem Korridor lehnte sich von Rosen plötzlich an die Wand. Ich hob die Kerze. Auf seiner Stirn standen Schweißtropfen. Schnell wandte er sich um, taumelte ein paar Schritte und erbrach sich. Ich hätte ihn gern getröstet. Aber das hätte ihn in schreckliche Verlegenheit gebracht. Blieb mir nichts anderes übrig, als zu warten, bis sein Magen leer war. Während ich wartete, bemerkte ich ein rotes Ewigkeitslicht. Ich ging langsam auf das Licht zu. Es brannte unter einer Madonnenstatue. Es war eine sehr einfache Muttergottes in einem blauweißen Gewand, sie hatte rote runde Wangen und traurige Augen. Das Bübchen in ihrem Arm war sehr rosa und lachte. Ich stellte meine Kerze auf den Fußboden und faltete die Hände. Das habe ich seit vielen Jahren nicht mehr getan. Das kleine rote Licht flackerte, aus den vielen Türen sickerte der Jammer, ich preßte die Hände zusammen. Dann hörte ich Schritte hinter mir und hob die Kerze auf. „Ich bitte untertänigst um Vergebung, Hoheit", murmelte mein junger Schwede beschämt. Ich warf meiner Madonna noch einen letzten Blick zu. Ihr pausbäckiges Gesicht war wieder im Schatten. Wir Mütter, dachte ich, wir Mütter ... Vor der nächsten Tür sagte ich: „Bleiben Sie lieber draußen, ich gehe allein hinein." Er zögerte. „Ich möchte diesen Weg mit Hoheit bis zu Ende gehen." „Sie werden diesen Weg mit mir zu Ende gehen, verlassen Sie sich darauf, Herr Graf", sagte ich ruhig und ließ ihn stehen. Die Betten an der rechten Seite hatte ich bereits abgeleuchtet. Am Ende des Raumes saß eine alte Nonne und las in einem schwarzen Büchlein. Auch sie blickte mich ohne Überraschung an. Im Hotel zum lieben Gott kennt man keine Überraschungen. „Ich suche einen gewissen Pierre Dubois", sagte ich und hörte selbst, wie hoffnungslos meine Stimme klang. „Dubois? Ich glaube, wir haben zwei Dubois hier. Der eine —" Sie nahm mich bei der Hand und zog mich zu einem Strohsack in der Mitte des Raumes. Ich kniete nieder und leuchtete in ein abgezehrtes Gesicht, von wirren, weißen Haarsträhnen umgeben. Die knochigen Fäuste preßten sich auf den Bauch, die Knie waren hochgezogen, betäubender Gestank stieg auf. Die feste Hand der alten Nonne zog mich hoch. „Böser Bauchlauf, wie die meisten. Sie haben von Schnee-wasser und rohem Pferdefleisch gelebt. Ist es Ihr Dubois?" Ich schüt-telte den Kopf. Da führte sie mich zur linken Wand. Zum letzten Bett. Ich trat ans Kopfende und leuchtete. Die dunklen Augen waren weit offen und stierten mich gleichgültig an. Die aufgesprungenen Lippen hatten blutige Risse. Ich ließ die Kerze sinken. „Guten Abend, Pierre!" Er starrte vor sich hin. „Pierre — erkennen Sie mich nicht?"

„Natürlich", murmelte er gleichgültig. „Madame la Maréchale." Ich beugt mich über ihn. „Ich bin gekommen, um Sie abzuholen. Wir fahren nach Hause, Pierre, jetzt gleich. Zu Ihrer Mutter!" Sein Gesicht veränderte sich nicht. „Pierre — freuen Sie sich nicht?" Keine Antwort. Hilflos wandte ich mich an die Nonne. „Das ist mein Pierre Dubois. Der, den ich suche. Ich möchte ihn gern bei mir zu Hause gesundpflegen. Seine Mutter wartet dort auf ihn. Ich habe unten einen Wagen. Vielleicht kann mir jemand helfen?" „Die Porteure sind schon nach Hause gegangen. Sie müssen bis morgen warten, Madame!" Aber ich wollte Pierre nicht einen Augenblick länger hier lassen. „Ist er sehr schwer verletzt? Vor der Tür wartet mein Adju — ein Herr auf mich, wir beide können Pierre Dubois stützen, wenn er nur die Treppe hinuntergehen kann, dann —" Da hob die Nonne meine Hand mit der Kerze in die Höhe. Licht fiel auf die Bettdecke.

Wo Pierres Beine liegen sollten, war sie flach. Ganz flach. „Ich habe unten einen Kutscher, der kann mir helfen", sagte ich mühsam. „Ich komme sofort zurück, Schwester." Eine Gestalt löste sich von der Wand neben der Tür. „Rufen Sie unseren Kutscher herauf, Graf. Er muß Pierre in den Wagen tragen. Hier — nehmen Sie meine Kerze. Bringen Sie alle Decken mit, die wir im Wagen haben!" Dann war= tete ich. Nicht mehr und nie wieder gehen können, dachte ich. So sieht es also aus im Hotel zum lieben Gott. Der eine lernt hier beten, und der andere übergibt sich. Die ganze Welt kommt mir vor wie ein Hotel zum lieben Gott. Und das haben wir aus ihr gemacht. Wir Mütter von Söhnen und ihr Söhne von Müttern. Ihre Tritte hallten. Ich zog Rosen und den Kutscher in den Saal. „Bitte helfen Sie uns, Schwester — wir müssen ihn in warme Decken packen! Dann wird ihn Johansson —" Ich stieß den Kutscher etwas vor. „Dann wird ihn Johansson hinuntertragen!" Die Schwester zog Pierre an den Schultern hoch. Er konnte sich nicht wehren. Seine Augen brannten vor Haß. „Lassen Sie mich in Ruhe, Madame. Lassen Sie mich doch —" Die Nonne schlug die Bettdecke zurück. Ich preßte die Augen zusammen und leuchtete ihr. Als ich die Augen wieder öffnete, lag Pierre Dubois wie ein zusammengeschnürtes Paket vor mir. Jemand zupfte mich am Mantel. Ich wandte mich um. Der Mann im Neben= bett versuchte sich aufzurichten. Aber er fiel kraftlos zusammen. Ich beugte mich über ihn. „Madame la Maréchale? So hat er Sie ge= nannt, nicht wahr? Welche Madame la Maréchale?"

„Bernadotte", flüsterte ich. Er winkte mich noch näher. Ein irres Lächeln verzerrte seinen Mund, fieberheiße Lippen berührten bei= nahe mein Ohr. „Das habe ich mir gedacht . . . habe Bilder gesehen, seinerzeit . . . Bestellen Sie dem Herrn Gemahl im Königsschloß in Stockholm den Gruß eines Soldaten vom Alpenfeldzug . . ." Er kämpfte um Atem. „Sagen Sie dem Herrn Marschall in Stockholm, daß die Alpen tiefe Abgründe haben . . . und daß er niemals lebend über die Alpen gekommen wäre, wenn wir gewußt hätten —" blutige Schaumbläschen zitterten auf seinen Lippen „— gewußt hätten, daß er uns in Rußland verrecken lassen wird . . . Ein Gruß, Madame — von einem alten Kameraden . . ." Eine Hand legte sich schützend unter meinen Arm. „Sein Wille geschehe, wie im Himmel also auch auf Erden. Kommen Sie, Madame." Der Kutscher hob das Paket auf, das einmal Pierre Dubois war und mit einer roten Rosenknospe im Gewehrlauf lachend ausgezogen ist, um die Welt zu erobern, und schleppte es aus der Tür. Graf von Rosen nahm mir die Kerze ab und leuchtete ihm. Aber ich klammerte mich wie ein Kind an die Nonne und ließ mich von der alten Frau die Treppe hinunterführen. „Sie sind doch gar nicht mehr die Marschallin Bernadotte, sondern die Kronprinzessin von Schweden?" fragte sie plötzlich. Ich schluchzte auf. „Gehen Sie mit Gott, mein Kind, und suchen Sie mit Ihrem Volk den Frieden." Dann ließ sie meinen Arm los. Der Invalide öffnete schweigend das Tor. Johansson keuchte unter seiner Last. Ich wandte mich um, um der alten Nonne die Hand zu küssen. Aber sie war bereits im Dunkel verschwunden. Graf von Rosen saß auf dem Rücksitz. Das Paket, das einmal Pierre Dubois war, lag neben mir. Ich tastete über die Decken und suchte seine Hand. Sie war kalt und schlaff. So brachte ich Marie ihren Sohn zurück.

Paris. Anfang April 1813.

In einer halben Stunde werde ich ihn zum letztenmal im Leben sprechen, dachte ich und legte etwas Goldschminke auf die Augen= lider. Dann ist diese lange Bekanntschaft, die als erste Liebe begann, vorüber ... Ich schminkte meine Lippen mit dem tiefen Zyklamenrot und setzte den neuen Hut auf, einen hohen schmalen Hut, den ich unter dem Kinn mit einer rosa Schleife festband und von dem ich nicht ganz sicher war, ob er mir stand. Dann sah ich lange in den Spiegel. So wird er mich also in Erinnerung behalten, eine Kron= prinzessin mit goldenen Augenlidern, einem violetten Samtkostüm, einem Strauß blasser Veilchen am Ausschnitt. Und einem neuen Hutmodell mit rosa Schleife. Ich hörte, wie Graf von Rosen nebenan die La Flotte fragte, ob ich nicht endlich fertig sei. Ich rückte meine Veilchen zurecht. In einer halben Stunde endet die persönliche Be= kanntschaft mit meiner ersten Liebe ... Gestern abend hat mir mein Kurier aus Stockholm Jean=Baptistes Antwortschreiben an Napoleon gebracht. Das Antwortschreiben war versiegelt, aber Graf Brahe hatte eine für mich bestimmte Abschrift beigelegt. Graf Brahe teilte mir auch mit, daß dieser Brief des schwedischen Kronprinzen an Napoleon allen Zeitungen zur Veröffentlichung zugestellt wird. Ich stand auf und las zum letztenmal die Abschrift durch ...

„Die Leiden des Kontinents fordern Frieden, und Eure Majestät können diese Forderung nicht ablehnen, ohne die Summe der Ver= brechen, die Sie bereits begangen haben, zehnfach zu vermehren. Was hat Frankreich als Entschädigung für seine ungeheuren Opfer erhalten? Nichts anderes als militärischen Ruhm, äußeren Glanz und tatsächliches Unglück innerhalb der Grenzen des Reiches ..." Und diesen Brief soll ich Napoleon überreichen. So etwas kann auch nur mir passieren. Mir wurde ganz heiß vor Angst, während ich weiter= las — *„Ich bin in dem schönen Frankreich, das Sie regieren, geboren. Seine Ehre und sein Wohlstand können mir niemals gleichgültig werden. Aber ohne aufzuhören, für sein Wohlergehen zu beten, werde ich doch stets mit allen Hilfsmitteln das Recht jenes Volkes, das mich berief, und die Ehre jenes Regenten, der mich als seinen Sohn anerkennen wollte, verteidigen. In diesem Kampf zwischen Welttyrannei und Freiheit will ich den Schweden sagen: ich kämpfe mit euch und für euch, und alle freiheitsliebenden Völker segnen unseren Schritt. Was meinen persönlichen Ehrgeiz betrifft, so ver=*

hält es sich folgendermaßen — ich bin ehrgeizig, sogar sehr ehrgeizig. Aber ehrgeizig, den Interessen der Menschheit zu dienen und die Selbständigkeit der skandinavischen Halbinsel zu erobern und zu gewähren." Dieser Brief, den Jean=Baptiste nicht nur an Napoleon, sondern an die ganze französische Nation und die Nachwelt ge= richtet hat, endet mit einem sehr persönlichen Satz: *„Unabhängig von dem Entschluß, den Sie fassen, Sire, ob es sich um Krieg oder Frieden handelt, bewahre ich stets für Eure Majestät die Ergebenheit eines alten Kriegskameraden."* Ich legte die Abschrift auf den Nacht= tisch zurück und stand auf. Graf von Rosen wartet. Ich bin für fünf Uhr nachmittags in die Tuilerien bestellt worden. Der Kaiser zieht bereits in den nächsten Tagen mit seiner neuen Armee ins Feld. Die Russen rücken vor, die Preußen schließen sich ihnen an. Napoleons Entschluß ist längst gefaßt. Ich nahm das versiegelte Schreiben und rückte den hohen Hut zurecht. Graf von Rosen trug die Parade= uniform der schwedischen Dragoner und seine Adjutantenschärpe. „Sie begleiten mich auf schweren Wegen, Graf", sagte ich, als wir über den Pont Royal rollten. Seit jener Nacht im Spital herrscht eine seltsame Vertraulichkeit zwischen uns. Wahrscheinlich, weil ich dabei war, wie er sich übergeben hat. Diese Dinge verbinden mehr, als man glaubt. Wir fuhren im offenen Wagen, es roch nach Frühling, die Dämmerung war sehr blau und ließ alle Umrisse weich erscheinen. Jetzt sollte man ein Rendez=vous haben, dachte ich, ein flüchtiges und heimliches Rendez=vous, für das man sich Veil= chen angesteckt und einen neuen Hut gekauft hat. Statt dessen muß ich dem Kaiser der Franzosen einen für die Nachwelt bestimmten Brief des Kronprinzen von Schweden überreichen und einen napoleo= nischen Wutausbruch über mich ergehen lassen. Schade um die süße Dämmerung . . . Nicht eine Minute mußten wir warten. Der Kaiser empfing uns in seinem großen Arbeitszimmer. Caulaincourt und Meneval waren anwesend. Graf Talleyrand lehnte am Fenster und wandte sich erst um, als ich schon den halben Weg zum großen Schreibtisch zurückgelegt hatte. Napoleon dachte gar nicht daran, meinem sporenklirrenden von Rosen und mir den wohlbekannten langen Leidensweg von der Tür bis zu seinem Schreibtisch zu er= sparen. Er trug die grüne Uniform der Chasseure, stand mit ver= schränkten Armen vor dem Schreibtisch, lehnte sich etwas an und blickte mir mit leicht angeekeltem Lächeln entgegen. Ich verneigte mich und reichte ihm wortlos das versiegelte Schreiben. Der Siegel= lack krachte. Der Kaiser las, ohne die Miene zu verziehen. Dann

reichte er die Bogen, die dicht mit Jean=Baptistes Handschrift be=
deckt waren, Meneval. „Eine Abschrift im Archiv des Außenmini=
steriums hinterlegen, das Original bei meinen Privatpapieren auf=
bewahren!" Und zu mir: „Sie haben sich herausgeputzt, Hoheit.
Violett steht Ihnen gut. Übrigens — ein seltsamer Hut. Trägt man
jetzt hohe Hüte?" Das war ärger als der Wutausbruch, den ich er=
wartet hatte. Das war offener Hohn, Hohn, der nicht mir galt, son=
dern dem Kronprinzen von Schweden. Ich preßte die Lippen zusam=
men. Napoleon wandte sich zu Talleyrand. „Sie verstehen doch etwas
von schönen Frauen, Exzellenz? Wie gefällt Ihnen der neue Hut der
Kronprinzessin von Schweden?" Talleyrand hielt die Augen halb
geschlossen. Er schien sich unsagbar zu langweilen. Napoleon
wandte sich wieder zu mir. „Haben Sie sich für mich so schön ge=
macht, Hoheit?" — „Ja, Sire." — „Und Veilchen angesteckt, um mir
diesen —", er atmete höhnisch durch die Nase, „— diesen Papierwisch
des ehemaligen Marschalls Bernadotte zu überbringen? Veilchen,
Madame, blühen im verborgenen und duften süß. Aber dieser Ver=
rat, über den bereits alle englischen und russischen Zeitungen froh=
locken, stinkt zum Himmel, Madame!" Ich verneigte mich. „Ich bitte,
mich verabschieden zu dürfen, Sire."

„Sie dürfen sich nicht nur verabschieden, Madame, Sie müssen
sich sogar verabschieden", brüllte er. „Oder glauben Sie, daß ich Sie
weiter bei Hof ein= und ausgehen lasse, während Bernadotte gegen
mich ins Feld zieht? Und mit Kanonen auf die Regimenter schießen
läßt, die er selbst in unzähligen Schlachten befehligt hat! Sie da=
gegen wagen es, Madame, hier zu erscheinen — mit Veilchen ge=
schmückt!"

„Sire, Sie haben mich in jener Nacht, als Sie aus Rußland zurück=
kehrten, sehr dringend ersucht, an meinen Mann zu schreiben und
Ihnen seine Antwort zu überbringen. Ich habe eine Abschrift seines
Briefes gelesen und bin mir klar darüber, daß Sie mich zum letzten=
mal sehen, Sire. Die Veilchen habe ich mir angesteckt, weil sie mir
gut stehen. Vielleicht behalten Sie mich dadurch in angenehmer
Erinnerung, Sire. Darf ich mich jetzt — für immer — verabschieden?"
Eine Pause entstand. Eine schrecklich peinliche Pause. Graf von Rosen
stand steif wie eine Statue hinter mir. Meneval und Caulaincourt
starrten den Kaiser erstaunt an. Talleyrand öffnete interessiert die
Augen. Napoleon war plötzlich verlegen geworden und sah sich
unruhig suchend um. „Ich bitte die Herren, hier zu warten, ich
möchte einen Augenblick allein mit Ihrer Königlichen Hoheit spre=

chen", murmelte er schließlich. „Bitte mir in mein Arbeitszimmer zu folgen, Hoheit!" Er wies auf eine Tapetentür. „Meneval, schen= ken Sie den Herren doch ein Glas Likör ein!" Ich sah noch, wie Meneval den Wandschrank öffnete, dann trat ich in denselben Raum, in dem ich vor Jahren vergeblich um das Leben des Herzogs von Enghien gebeten hatte. Hier hatte sich nicht viel verändert. Die= selben Tischchen, dieselben Aktenstöße. Wahrscheinlich enthielten sie andere Akten. Auf dem Teppich vor dem Kamin lagen Holz= klötzchen in verschiedenen Farben. Die Klötzchen waren mit Zacken versehen. Unwillkürlich bückte ich mich und hob ein rotes auf. „Was ist das? Spielzeug des Königs von Rom?" „Ja — und nein. Ich be= nutze diese Klötzchen, wenn ich einen Feldzug vorbereite. Sehen Sie, jedes von ihnen stellt ein bestimmtes Korps dar. Und die Zacken bedeuten die Divisionen, über die das betreffende Korps verfügt. Das rote Klötzchen, das Sie in der Hand halten, ist das dritte Korps — das Korps des Marschalls Ney. Es hat fünf Zacken, das Korps Ney umfaßt fünf Divisionen. Und hier — das blaue Klötzchen mit den drei Zacken: sechstes Korps, Korps Marmont, drei Divisionen. Wenn ich die Klötzchen auf dem Fußboden aufstelle, sehe ich eine Schlacht= ordnung ganz deutlich vor mir, die Landkarte habe ich im Kopf, es ist wirklich ganz einfach."

„Aber lutschen Sie auch an den Klötzchen?" fragte ich und be= trachte erstaunt das zerbissene Stück Holz in meiner Hand. „Nein, das ist wiederum der kleine König von Rom. Sobald er in mein Kabinett gebracht wird, zieht er sofort die bunten Hölzchen hervor, er weiß, wo ich sie aufbewahre. Dann stellen wir sie zusammen auf, mein kleiner Adler und ich. Und manchmal nagt er auch an einem. Weiß Gott, warum, meistens lutscht er am Korps des braven Ney!" Ich legte das rote Hölzchen wieder auf den Fußboden zurück. „Sie wollten mir etwas sagen, Sire? Ich lehne es ab, mit Eurer Majestät über Seine Königliche Hoheit, den schwedischen Kronprinzen zu sprechen." „Wer spricht schon von Bernadotte!" Er machte eine un= willige Bewegung. „Das war es doch nicht, Eugénie, es war nur —" Er trat dicht auf mich zu und starrte mir ins Gesicht, als ob er sich jeden Zug genau einprägen wollte. „Nur, wie du plötzlich gesagt hast, daß ich dich in angenehmer Erinnerung behalten soll, weil du dich für immer verabschiedest, dachte ich —" Er wandte sich brüsk ab und trat ans Fenster. „So kann man doch nicht Abschied nehmen, wenn man einander so lange gekannt hat. Nicht wahr?" Ich stand vor dem Kamin und spielte mit der Fußspitze mit den bunten Bau=

steinchen eines Heeres. Korps Ney, Korps Marmont, Korps Berna=
dotte? Gibt es nicht mehr. Dafür eine Armee, eine ganze Armee, die
schwedische, russische und preußische Truppen umfaßt. Die Armee
Bernadotte auf der anderen Seite . . . „Ich habe gesagt, man kann
doch nicht so ohne weiteres auseinandergehen", kam es vom Fenster.
„Warum nicht, Sire?" Er wandte sich um. „Warum nicht? Eugénie,
hast du die Tage von Marseille vergessen, die Hecke, die Wiese?
Unsere Gespräche über Goethes Roman? Unsere Jugend, Eugénie,
unsere Jugend . . . Du hast überhaupt nicht verstanden, warum ich
zu dir gekommen bin. An dem Abend nämlich, an dem ich aus
Rußland zurückkehrte. Mir war damals so kalt, ich war müde und
sehr allein."

„Während Sie mir den Brief an Jean=Baptiste diktiert haben,
hatten Sie doch ganz vergessen, daß Sie mich schon als Eugénie
Clary gekannt haben. Ihr Besuch galt der Kronprinzessin von Schwe=
den, Sire." Ich war traurig. Sogar beim Abschied lügt er, dachte ich.
Aber er schüttelte heftig den Kopf. „Ich hatte über Bernadotte nach=
gedacht. Am Vormittag jenes Tages. Aber als ich nach Paris kam,
wollte ich dich sehen, nur dich. Und dann — ich weiß nicht mehr,
wieso, ich war so müde an jenem Abend, sobald wir von Bernadotte
sprachen, vergaß ich wieder Marseille. Kannst du mich verstehen?"
Es dunkelte. Niemand zündete die Kerzen an, um uns nicht zu
stören. Ich konnte seine Züge nicht mehr unterscheiden. Was wollte
er eigentlich von mir? „Ich habe in diesen Wochen eine Armee von
200 000 Mann aufgestellt. Übrigens hat sich England verpflichtet,
eine Million Pfund an Schweden auszubezahlen, um die Truppen
auszurüsten. Haben Sie das gewußt, Madame?" Ich gab keine Ant=
wort. Übrigens habe ich es nicht gewußt. „Wissen Sie, wer Berna=
dotte geraten hat, seinen Brief an mich der feindlichen Presse zur
Verfügung zu stellen? Madame de Staël ist bei ihm in Stockholm.
Wahrscheinlich läßt er sich abends von ihr aus ihren Romanen vor=
lesen. Haben Sie das gewußt, Madame?" Ja, ja, ich weiß es, es ist
gleichgültig, wozu erwähnt er es überhaupt? „Angenehmere Gesell=
schaft scheint Bernadotte in Stockholm nicht zu finden!" „Doch,
Sire", lachte ich. „Mademoiselle George gastierte kürzlich mit sehr
viel Erfolg in Stockholm und erfreute sich des Wohlwollens Seiner
Königlichen Hoheit. Haben Sie das gewußt, Sire?"

„Mein Gott, Georgina, süße kleine Georgina . . ."

„Seine Königliche Hoheit wird bald seinen alten Freund Moreau
wiedersehen. Moreau kehrt nach Europa zurück und will unter Jean=

Baptistes Oberbefehl kämpfen. Haben Sie das gewußt, Sire?" Wie gut, daß die Dunkelheit wie eine Wand zwischen uns lag. „Man sagt, daß der Zar Bernadotte die französische Krone versprochen hat", kam es langsam. Das klingt wahnsinnig, aber es ist durchaus möglich. Wenn Napoleon besiegt wird, dann — ja, was dann? „Nun, Madame? Sollte Bernadotte mit diesem Gedanken auch nur spielen, so wäre das der tiefste Verrat, der je von einem Franzosen begangen wurde." „Natürlich. Verrat an seiner eigenen Gesinnung. Darf ich mich jetzt verabschieden, Sire?"

„Wenn Sie sich jemals persönlich in Paris unsicher fühlen, Madame, ich meine, wenn das Volk Sie belästigen sollte, dann müssen Sie sofort bei Ihrer Schwester Julie Zuflucht suchen. Versprechen Sie mir das?"

„Ja, natürlich. Und umgekehrt."

„Was heißt das — umgekehrt."

„Daß mein Haus Julie immer offensteht. Deshalb bleibe ich doch hier."

„Du rechnest also mit meiner Niederlage, Eugénie?" Er trat ganz nahe an mich heran. „Deine Veilchen duften betäubend. Ich sollte dich ausweisen lassen, du erzählst wahrscheinlich allen Leuten, daß der Kaiser geschlagen werden wird. Außerdem gefällt es mir nicht, daß du mit dem langen Schweden spazieren fährst."

„Der ist doch mein Adjutant, ich muß ihn immer mitnehmen!"

„Deiner seligen Mama wäre es trotzdem nicht recht. Und deinem strengen Bruder Etienne . . ."

Er suchte meine Hand und legte sie an seine Wange. „Heute sind Sie wenigstens rasiert, Sire", sagte ich und entzog ihm meine Hand. „Wie schade, daß du mit Bernadotte verheiratet bist", murmelte er. Schnell tastete ich mich zur Tür zurück. „Eugénie!"

Aber ich stand schon in der Halle des großen Arbeitszimmers. Die Herren saßen rund um den Schreibtisch und tranken Likör. Talleyrand schien gerade einen Witz gemacht zu haben, denn Meneval, Caulaincourt und mein Schwede schüttelten sich vor Lachen. „Lassen Sie uns mitlachen, meine Herren", verlangte der Kaiser. „Wir sprachen gerade davon, daß der Senat die Aushebung von 250 000 Rekruten für die neue Armee bewilligt hat", sagte Meneval und platzte beinahe vor Lachen. „Und daß es sich dabei um zwei Jahrgänge handelt, die zu früh einberufen werden, die Jahrgänge 1814 und 1815, reine Kinder —" fuhr Caulaincourt fort. „Da hat der Fürst von Benevent erklärt, daß nächstes Jahr zumindest einen Tag lang

Waffenstillstand herrschen muß, damit die neue Armee Eurer Majestät gefirmt und konfirmiert werden kann." Der Kaiser lachte auch. Es klang nicht ganz echt. Die Rekruten sind in Oscars Alter. „Das ist nicht komisch, sondern traurig", sagte ich und verneigte mich zum letztenmal. Diesmal begleitete mich der Kaiser bis zur Tür. Wir sprachen kein Wort mehr miteinander.

Auf der Rückfahrt fragte ich von Rosen, ob der Zar wirklich Jean= Baptiste die französische Krone angeboten habe. „Das ist offenes Geheimnis in Schweden. Weiß der Kaiser davon?" Ich nickte. „Wor= über hat er sonst gesprochen?" kam es schüchtern. Ich dachte nach. Plötzlich riß ich meinen Veilchenstrauß vom Ausschnitt und warf ihn aus dem Wagen. „Über Veilchen, Graf — nur über Veilchen." Noch am selben Abend wurde ein Päckchen aus den Tuilerien bei mir abgegeben. Der Lakai sagte, es sei für den Kronprinzen von Schweden bestimmt. Ich machte es auf und fand ein abgenagtes Holzklötzchen darin. Grün mit fünf Zacken. Wenn ich Jean=Baptiste wiedersehe, werde ich es ihm geben.

Der Kutscher hat Pierre in den Garten getragen. Ich sitze am Fen=
ster und beobachte Marie, die ihrem Sohn ein Glas Limonade bringt.
Um die Rosenstöcke summen Bienen. Auch die Marschtritte der
Regimenter, die auf der Straße vorüberziehen, höre ich. Im Takt,
immer im gleichen Takt... Napoleon hat seine Goldbarren, die er
in den Kellern der Tuilerien versteckt gehalten hat und die hundert=
vierzig Millionen Francs wert sein sollen, einschmelzen lassen, um
seine neuen Regimenter auszurüsten. Wie komisch, daß ich ihm ein=
mal mein aufgespartes Taschengeld borgen mußte. Hundertvierzig
Millionen... Ich wollte ihm damals so gern eine richtige Generals=
uniform kaufen. Das ist natürlich schon sehr lange her. Inzwischen
sind Frankreichs Söhne in Rußland umgekommen, und Frankreichs
Kinder, Jahrgang 1814 und 1815, marschieren. Ein großer Teil von
ihnen wurde in neugebildete Garderegimenter eingereiht, der Kaiser
nimmt an, daß jeder Bub in Frankreich davon träumt, zur Garde zu
gehören. Aber weil man mit Kindern, die noch nie ein Manöver mit=
gemacht haben, nicht Schlachten schlagen kann, hat der Kaiser ein=
fach alle Artilleristen der Marine als Fußvolk einberufen. An der
Elbe werden die letzten Pferde gesammelt, die man noch in den
Ställen der Bauern findet, und vor Kanonen und Wagen gespannt.
Wo nimmt er eigentlich die Pferde für die Kavallerie her? Jede
Stadt Frankreichs hat den Befehl erhalten, dem Kaiser eine Kom=
panie Freiwillige zu stellen. Paris hat sogar ein ganzes Regiment
ausgerüstet. Zehntausend Gardisten haben ihre Ausstattung selbst
bezahlt. Und die Gendarmerie schickt dreitausend Mann als Offi=
ziere und Unteroffiziere an die Front, da es an erfahrenen Leuten
mangelt. Die Stimmung erinnert mich an die Tage der jungen Re=
publik, in denen es galt, die Grenzen irgendwie zu halten. Auch
diesmal spürt man, daß es in Wirklichkeit nur um die Grenzen
geht. Aber Kinder werden einberufen, und Kinder singen die Mar=
seillaise, während an allen Straßenecken die Krüppel lehnen und die
Spitäler noch immer überfüllt sind. Die Frauen mit den Markt=
körben sehen grau und müde aus. Schlaflose Nächte, grenzenlose
Angst, Warten, Wiedersehen und Abschiednehmen haben ihnen die
guten Jahre ihres Lebens gestohlen. Unten in meinem Garten hat
Pierre seine Limonade ausgetrunken. Marie stellt das Glas auf den

Rasen und setzt sich zu ihrem Sohn. Sie legt den Arm um ihn, um seinen Rücken zu stützen. Das abgefrorene linke Bein wurde in der Hüfte amputiert. Am Stumpf des rechten, das oberhalb vom Knie abgenommen werden mußte, wird hoffentlich ein Holzbein befestigt werden können. Wenn die Wunde verheilt ist. Aber die Wunde will nicht verheilen. Wenn Marie den Verband wechselt, weint Pierre wie ein Kind vor Schmerz. Ich habe ihm Oscars Zimmer überlassen. Marie schläft bei ihm. Aber ich muß für ihn einen Raum im Erdgeschoß finden, es ist so mühsam, ihn immer die Stiegen hinauf und hinunter zu tragen.

In den Abendstunden hat mich Talleyrand besucht. Angeblich nur, um sich wieder einmal zu erkundigen, ob ich mich nicht zu einsam fühle. „Ich wäre doch in diesem Sommer auf jeden Fall allein, ich bin leider gewohnt, meinen Mann an der Front zu wis= sen." Er nickte: „Ja — an der Front. Unter anderen Umständen wären Hoheit zwar allein, aber — nicht einsam." Ich zuckte die Achseln. Wir saßen im Garten, und die La Flotte schenkte kalten Champagner ein. Talleyrand erzählte, daß Fouché wieder einen Posten hat: Gouverneur von Illyrien. Illyrien ist ein italienischer Staat, den der Kaiser nur errichtet hat, um Fouché hinzuschicken. „Intrigen in Paris kann sich der Kaiser heute nicht mehr leisten", stellte Talleyrand fest. „Und Fouché würde intrigieren."

„Und Sie — Sie fürchtet der Kaiser nicht, Exzellenz?"

„Fouché intrigiert, um Macht zu gewinnen oder zu behalten. Ich dagegen, meine liebe Hoheit, wünsche nichts anderes als das Wohl Frankreichs." Ich sah zu, wie der erste Stern aufflammte, der Him= mel war aus blauem Samt, es war noch immer so heiß, daß man kaum atmen konnte.

„Wie schnell unsere Verbündeten abgefallen sind, wie schnell", bemerkte Talleyrand zwischen zwei Schlucken. „Zuerst die Preußen. Die stehen übrigens unter dem Oberbefehl des Herrn Gemahls. Der Herr Gemahl hat sein Hauptquartier in Stralsund aufgeschla= gen und befehligt die Nordarmee der Alliierten." Ich nickte. Von Rosen hat es mir erzählt. „Im ‚Moniteur' steht, daß der Kaiser von Österreich zu vermitteln versucht, damit ein Waffenstillstand zwi= schen Frankreich und Rußland geschlossen wird", sagte ich schließ= lich. Talleyrand reichte der La Flotte sein leeres Glas. „Österreich hat vermittelt, um Zeit zur Aufrüstung zu gewinnen."

„Der österreichische Kaiser ist doch der Vater unserer Kaiserin", sagte Madame La Flotte scharf. Talleyrand überhörte den Einwurf und betrachtete sein halbvolles Glas. „Wenn Frankreich erst einmal geschlagen ist, werden sämtliche alliierten Staaten versuchen, sich auf unsere Kosten zu bereichern. Österreich will natürlich nicht leer ausgehen und schließt sich schnell noch den Alliierten an." Mein Mund war trocken. Ich mußte schlucken, bevor ich sprach.

„Der österreichische Kaiser kann doch nicht gegen seine eigene Tochter und sein Enkelkind Krieg führen!"

„Nicht? Aber meine liebe Hoheit, er führt bereits Krieg gegen sie!" Er lächelte. „Es steht nur nicht im ‚Moniteur', Madame." Ich rührte mich nicht. „Die alliierten Heere haben 800 000 Mann unter Waffen und der Kaiser kaum die Hälfte", berichtete er freundlich. „Aber Seine Majestät ist ein Genie!" sagte die La Flotte mit zitternden Lippen. Es klang wie ein auswendig gelerntes Sprüchlein. Talleyrand hielt ihr sein leeres Glas hin. „Sehr richtig, Madame — Seine Majestät ist ein Genie." Die La Flotte schenkte nach. „Übrigens hat der Kaiser die mit uns verbündeten Dänen gezwungen, Schweden den Krieg zu erklären. Der Herr Gemahl hat die Dänen im Rücken, Hoheit", plauderte Talleyrand weiter. „Er wird sich zu helfen wissen", sagte ich ungeduldig und dachte — ich muß Pierre eine Beschäftigung verschaffen, das ist das wichtigste, eine regelmäßige Beschäftigung. „Haben Sie etwas gesagt, Exzellenz?" „Nur, daß der Tag nicht mehr fern ist, an dem ich mit meiner Bitte an Sie herantreten werde", sagte Talleyrand und stand auf. „Grüßen Sie meine Schwester, wenn Sie sie sehen, Exzellenz. Julie kann mich leider nicht mehr besuchen. König Joseph hat ihr mein Haus verboten." Er zog die schmalen Augenbrauen in die Höhe. „Ich vermisse auch Ihre beiden treuen Adjutanten, Hoheit."

„Oberst Villatte ist längst eingerückt, er hat schon den russischen Feldzug mitgemacht. Und Graf von Rosen —"

„Der lange blonde Schwede, ich entsinne mich —"

„— hat mir vor ein paar Tagen gestanden, daß er sich als schwedischer Adelsmann verpflichtet fühlt, an der Seite seines Kronprinzen zu kämpfen."

„Unsinn, er ist nur auf den Grafen Brahe eifersüchtig, den Personaladjutanten", mischte sich Madame La Flotte ein. „Nein, er hat es ernst gemeint. Die Schweden sind ein sehr ernstes Volk, Madame. Reiten Sie mit Gott und kommen Sie gesund wieder, habe ich ihm gesagt. Dasselbe wie einst zu Villatte. Sie haben recht, Exzellenz — ich bin sehr einsam." Ich sah ihm nach, während

er davonhinkte. Talleyrand hinkt so graziös, so elegant. Gleich=
zeitig beschloß ich, Pierre mit der Verwaltung meiner Gelder und
der Führung meines Haushaltes zu betrauen. Ich glaube, das ist
eine gute Idee.

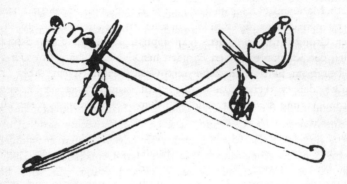

Nachts wird jede Angst riesengroß, weil man mit ihr allein ist. Jedesmal, wenn ich einschlafe, habe ich denselben Traum. Jean= Baptiste reitet einsam über ein Schlachtfeld. Und zwar über ein Feld vierzehn Tage nach einer Schlacht, wie ich es auf der Fahrt nach Marienburg gesehen habe. Lose Hügel, tote Pferde mit auf= geblähten Leibern. Und tiefe Erdlöcher nach Kanonenschüssen, die den Grund zerrissen haben. Jean=Baptiste reitet auf einem Schim= mel, den ich von so vielen Paraden her kenne. Er hängt vornüber= gebeugt im Sattel. Ich kann sein Gesicht nicht sehen. Aber ich spüre, daß er weint. Das weiße Pferd stolpert über die frischen Erdhügel und strauchelt, und Jean=Baptiste sinkt noch mehr zu= sammen und richtet sich nicht auf. Seit über einer Woche ist in Paris das Gerücht verbreitet, daß bei Leipzig eine entscheidende Schlacht geschlagen wird. Niemand weiß Näheres. Beim Bäcker sagen sie, daß alles von dieser einen Schlacht abhängt, berichtete mir Marie. Woher wissen die Frauen, die beim Bäcker einkaufen, was vorgeht? Aber vielleicht liegen sie auch schlaflos in ihren Betten oder werden von Träumen aufgeschreckt. Deshalb habe ich auch zuerst geglaubt, daß ich von den Pferden, die ich hörte, nur ge= träumt habe. Ich öffnete die Augen, mein Nachtlicht war beinahe niedergebrannt, nur undeutlich sah ich die Zeiger auf der Uhr: halb fünf Uhr früh. Ein Pferd wieherte. Ich richtete mich auf und lauschte. Dann wurde vorsichtig am Haustor gepocht. So vorsichtig, daß ich überzeugt davon war, daß es niemand hörte. Ich stand auf und nahm meinen Schlafrock um. Ging die Stiegen hinunter, in der Vorhalle verlöschte mein Nachtlicht. Da pochte es wieder — vor= sichtig, um niemanden zu erschrecken. „Wer da?" fragte ich. „Vil= latte", und beinahe gleichzeitig: „Von Rosen." Ich schob den schwe= ren Riegel zurück. Im Schein der großen Laterne, die über dem Haustor hängt, unterschied ich zwei Gestalten. „Um Gottes willen — woher kommen Sie?"

„Aus Leipzig", sagte Villatte. „Wir bringen Grüße von Seiner Hoheit", fügte von Rosen hinzu. Ich trat in die Halle zurück und zog fröstelnd den Schlafrock zusammen. Von Rosen tastete sich zu einem der Kandelaber durch und zündete eine Kerze an. Villatte war verschwunden, wahrscheinlich brachte er die Pferde in den

Stall. Von Rosen trug Mantel und Bärenfellmütze eines französischen Grenadiers. „Eine seltsame Uniform für einen schwedischen Dragoner", bemerkte ich. „Unsere Truppen stehen doch noch nicht in Frankreich. Seine Hoheit hat mich mit diesem komischen Mantel und dieser lächerlichen Mütze hierhergeschickt, damit ich ohne Schwierigkeiten durchkomme." Ich zuckte zusammen. „Finden Sie die Bärenfellmütze der Grenadiere wirklich so lächerlich?" In diesem Augenblick kehrte Villatte zurück. „Wir sind Tag und Nacht geritten", murmelte er. Sein Gesicht war ausgemergelt und erschöpft, die Bartstoppeln ließen es bläulich erscheinen. Und zusammenhanglos: „Übrigens — die Entscheidungsschlacht haben wir verloren." „Gewonnen — und Seine Hoheit persönlich hat Leipzig erstürmt", stieß von Rosen leidenschaftlich hervor. „Im selben Augenblick, in dem Seine Hoheit durch das Grimmaische Tor in Leipzig einzog, flüchtete Napoleon aus der Stadt. Seine Hoheit hat an der Spitze seiner Truppen gekämpft — von Anfang bis zu Ende."

„Und warum sind Sie nicht bei der flüchtenden französischen Armee, Oberst Villatte?" — „Ich bin Kriegsgefangener, Hoheit."

„Von Rosens Kriegsgefangener?" Der Schein eines Lächelns glitt über Villattes Gesicht. „Sozusagen — ja. Seine Hoheit hat mich nicht mit den anderen Gefangenen in die Baracken abmarschieren lassen, sondern verlangt, daß ich sofort nach Paris reite. Um Ihnen zur Seite zu stehen, Hoheit, bis —" er schluckte. „Bis —?"

„Bis die feindlichen Truppen hier einziehen." So steht es also. Ein einsamer Reiter trabt nachts über ein Schlachtfeld und weint. „Kommen Sie, meine Herren, gehen wir in die Küche, ich werde Kaffee kochen!"

„Ich werde den Koch wecken, Hoheit!"

„Wozu, Graf von Rosen? Ich koche sehr guten Kaffee. Vielleicht können Sie so freundlich sein und Feuer machen." Von Rosen schob ungeschickt ein paar schwere Holzscheite in den Herd. Diese Grafen, diese Grafen ... „Zuerst Kienspäne, von Rosen, sonst brennt es nicht! Helfen Sie ihm, Villatte, ich glaube, der Graf hat noch nie in seinem Leben mit einem Herd zu tun gehabt!" Villatte machte Feuer, und ich stellte einen Kessel Wasser darüber. Dann setzten wir drei uns an den Küchentisch und warteten. Die Stiefel, die Hände, die Gesichter der beiden Männer waren mit Kot bespritzt. „Die Schlacht wurde am siebzehnten und achtzehnten Oktober geschlagen. Am Vormittag des neunzehnten stürmte Bernadotte Leipzig", sagte Villatte ausdruckslos.

„Ist Jean=Baptiste gesund? Haben Sie ihn selbst gesehen, Villatte? Ist er gesund?"

„Sehr gesund. Ich habe ihn mit eigenen Augen gesehen, inmitten des ärgsten Schlachtens — vor den Toren von Leipzig war es näm= lich ein wahres Schlachten, Madame — und Bernadotte war die ganze Zeit über ausgesprochen gesund."

„Haben Sie ihn gesprochen, Villatte?"

„Ja — nachher. Nach der Niederlage, Madame."

„Dem Sieg, Oberst Villatte! Ich dulde nicht —" Graf von Rosens Knabenstimme überschlug sich. „Wie hat er ausgesehen, Villatte? Ich meine — nachher?" Villatte zuckte die Achseln und starrte in die fahle Ölflamme auf dem Küchentisch. Das Wasser kochte, ich machte Kaffee. Dann stellte ich die groben Tassen der Dienerschaft auf den Tisch und schenkte ein. „Villatte, wie hat er ausgesehen?"

„Er ist grauhaarig geworden, Madame." Der Kaffee schmeckte bitter, ich hatte den Zucker vergessen. Ich stand auf und suchte die Zuckerschale. Schämte mich plötzlich, weil ich mich in meiner eigenen Speisekammer nicht mehr auskannte. Zuletzt fand ich den Zucker und stellte ihn auf den Tisch. „Hoheit kochen wunderbaren Kaffee", sagte von Rosen ergriffen. „Das sagt auch mein Mann. Früher habe ich ihm immer schwarzen Kaffee gekocht, wenn er die Nächte durch= gearbeitet hat. Erzählen Sie mir alles, was Sie wissen, Graf!"

„Wenn ich nur wüßte, womit ich beginnen soll, es ist ja so viel geschehen. Ich erreichte Seine Hoheit im Schloß Trachtenberg. Und ich war dabei, wie Seine Hoheit dem Zaren von Rußland und dem Kaiser von Österreich und dem Generalstab der Verbündeten den ganzen Feldzugsplan erklärte. Die beiden Kaiser und ihre Generäle beugten sich über Landkarten. Seine Hoheit dagegen hatte nicht einmal ein Stück Papier vor sich liegen. Während er sprach, blickte er die gegenüberliegende Wand an und nannte dabei die Namen winziger Dörfer und völlig unbekannter Hügel. Der Plan Seiner Hoheit wurde ohne Diskussion einstimmig angenommen. Seine Hoheit schlug vor, die alliierten Truppen in drei Armeen einzu= teilen und diese in einem Halbkreis gegen Napoleon vorrücken zu lassen. Sobald Napoleon sich einer der Armeen stellte, sollten die beiden anderen seine Flanken angreifen und seine Rückzugslinien abschneiden. Jemand sagte zu Seiner Hoheit: Ein genialer Plan! Worauf Seine Hoheit antwortete: Ja, aber nicht neu. Napoleons bewährte Taktik." Ich schenkte Kaffee nach. Eine Uhr schlug halb sechs. „Weiter!" drängte ich. „Seine Hoheit befehligte die Nord=

armee und hatte zuerst sein Hauptquartier in Stralsund. Dann rück=
ten wir in Berlin ein, und Seine Hoheit wohnte in Charlottenburg."

„Was hat eigentlich Seine Hoheit gesagt, als Sie plötzlich auf=
tauchten?" Von Rosen wurde verlegen. „Ja, ehrlich gestanden —
Seine Hoheit war rasend und schrie mich an, daß er den Krieg
auch ohne mich gewinnen könne. Und — ja, daß ich in Paris hätte
bleiben müssen, um Eurer Hoheit zur Seite zu stehen."

„Sie hätten natürlich hierbleiben müssen", sagte Oberst Villatte.

„Und Sie? Sie sind doch auch davongeritten, um dabei zu sein!"
verteidigte sich von Rosen. „Nein, nein, nicht um ,dabei' zu sein.
Sondern, um Frankreich zu verteidigen. Außerdem ist Ihre Hoheit
nicht meine Kronprinzessin, sondern Ihre. Aber das ist doch jetzt
gleichgültig, nicht wahr?" „Von Berlin aus ging Seine Hoheit in
Stellung bei Großbeeren. Dort schlug Seine Hoheit die erste große
Schlacht. Zuerst wurden wir von Oudinots Artillerie beschossen,
dann versuchten die Kellermannschen Husaren unsere Linien zu
durchbrechen. Hinter ihnen marschierte eine Infanterie=Division —"
„Die Division Dupas, Madame", bemerkte Villatte. „Lauter Regi=
menter, die jahrelang unter Bernadotte gedient haben." Wie hast
du es ertragen, Jean=Baptiste, wie hast du es ertragen? „Erst in
diesem Augenblick gab Seine Hoheit Befehl, die Kosaken vor=
stürmen zu lassen. Die Kosaken sprengten gegen die Flanke der
Franzosen vor, und dann brach ein Höllenlärm los. Der Feind
wußte genau, auf welchem Hügel sich Seine Hoheit befand. Rund
um uns schlugen Kanonenkugeln ein. Aber Seine Hoheit saß re=
gungslos zu Pferd, Stunde um Stunde, Hoheit. Unten in der Ebene
blitzten Bajonette und Säbel auf, über den Köpfen schwankten
die französischen Adler, schließlich war alles in Rauchwolken ge=
hüllt, man konnte gar nichts mehr sehen, aber Seine Hoheit schien
ganz genau zu wissen, was vorging, ununterbrochen kamen seine
Befehle, erst nach dem Sturm der Kosaken ließ er unsere schwere
Artillerie schießen —" Von Rosen schöpfte tief Atem. „Weiter",
drängte ich. Der Graf fuhr sich mit der Hand über die Stirn. „Es
begann zu regnen. Ich legte einen Mantel über die Schultern Seiner
Hoheit, aber Seine Hoheit schüttelte den Mantel sofort ab. Es war
sehr kühl geworden, aber auf der Stirn Seiner Hoheit standen
große Schweißtropfen. Gegen Abend zogen sich endlich die Fran=
zosen zurück. Nachher — ja, nachher ritt Seine Hoheit von einem
Regiment zum anderen und dankte den Männern. Graf Brahe und
ich begleiteten ihn. In der Nähe des Zeltes des preußischen Generals

Bülow sahen wir plötzlich die französischen Gefangenen. Ein paar Tausend, glaube ich. Sie standen habacht, die Preußen verlangen immer, daß ihre Gefangenen habacht stehen. Als Seine Hoheit die Gefangenen sah, zuckte er zusammen. Es sah aus, als wollte er umkehren. Aber dann preßte er die Lippen zusammen und trabte auf sie zu. Langsam ritt er die ganze Linie ab und sah dabei jedem einzelnen Mann ins Gesicht. Einmal machte er halt und versicherte dem zunächst stehenden Franzosen, daß er für gute Verpflegung der Gefangenen sorgen werde. Der Mann gab ihm keine Antwort. Seine Hoheit ritt weiter und wirkte plötzlich todmüde. Vornüber= gebeugt hing er im Sattel. Erst als er die Adler sah, veränderte er sich." — „Was geschah, als Bernadotte die Adler sah?" fragte Vil= latte scharf. „Die erbeuteten Fahnen und Adler hatte der preußische General vor seinem Zelt aufpflanzen lassen. Es war eine Eigenmäch= tigkeit, aber Seine Hoheit hatte keinerlei Befehle in bezug auf die eroberten Feldzeichen gegeben. Die Preußen hatten sie daher schön in Reih und Glied vor dem Zelt ihres Generals aufgepflanzt, und da glitzerten sie im Schein der Lagerfeuer. Als Seine Hoheit die Adler sah, hielt er an und stieg vom Pferd. Dann ging er dicht auf die Adler zu, salutierte vor ihnen und stand stramm. Mindestens zwei, drei Minuten lang. Dann wandte er sich mit einem Ruck um und ritt in sein Hauptquartier zurück."

„Und nachher?"

„Das weiß ich nicht. Seine Hoheit ging in sein Zelt und gab Be= fehl, niemanden hineinzulassen. Nicht einmal Brahe, seinen Per= sonaladjutanten. Ich glaube, Fernand brachte ihm eine Tasse Suppe." Ich schenkte wieder Kaffee ein. „Seine Hoheit hat natürlich die ganze Zeit über gewußt, daß die Entscheidung bei Leipzig fallen wird", sagte von Rosen. „Dort sollten sich die drei alliierten Ar= meen vereinigen. Der Zar, der österreichische Kaiser und der König von Preußen warteten bereits auf die Nordarmee. Montag, den 18. Oktober, ließ Seine Hoheit unsere Kanonen in Stellung bringen und befahl, den Ort Schönefeld anzugreifen. Schönefeld wurde von französischen und sächsischen Regimentern unter dem Befehl des Marschalls Ney verteidigt." Ich suchte Villattes Blick. Villatte, der müde Villatte lächelte: „Wie Sie sehen, Madame, hat der Kaiser seine Elitetruppen Bernadotte entgegengeworfen. Darunter natürlich die Sachsen. Er hat nicht vergessen, daß Bernadotte behauptet hat, die Sachsen stehen wie aus Erz gegossen. Graf von Rosen, wie standen die Sachsen in der Schlacht bei Leipzig?"

„Wenn ich es nicht mit eigenen Augen gesehen hätte, so würde ich es nicht glauben, Hoheit! So phantastisch war es ... Vor Beginn der Schlacht verschwindet Seine Hoheit in seinem Zelt und kommt in der Paradeuniform zum Vorschein."

„Nicht in der Felduniform?"

„Nein. Zum erstenmal während des ganzen Feldzuges in der Paradeuniform: violetter Samtmantel, der weithin leuchtet, und weiße Straußenfedern auf dem Dreispitz. Nicht genug damit — Seine Hoheit verlangt auch noch einen Schimmel. Dann läßt er zum Angriff blasen und gibt dem Schimmel die Sporen und sprengt geradewegs auf die feindlichen Linien zu. Und zwar in die Richtung der sächsischen Regimenter. Und die Regimenter —" „Die Regimenter stehen wie aus Erz gegossen. Nicht ein Schuß fällt", lachte Villatte. „Nein, nicht ein Schuß fällt. Brahe und ich galoppieren ihm nach. Dicht vor den Sachsen macht Seine Hoheit halt. Die Sachsen präsentieren das Gewehr. ‚Vive Bernadotte!' schreit einer. ‚Vive Bernadotte!' kommt es im Chor. Seine Hoheit hebt den Kommandostab, wendet den Schimmel, reitet zurück. Hinter ihm marschieren die Sachsen im Parademarsch. Die Regimentsmusik an der Spitze. Zwölftausend Mann mit vierzig Kanonen gingen zu uns über."

„Und was hat Jean=Baptiste dazu gesagt?"

„Seine Hoheit hat ihnen kurz Befehl gegeben, in welche Stellungen ihre Kanonen gebracht werden sollen", sagte von Rosen. „Während der Schlacht saß Seine Hoheit wieder Stunde um Stunde zu Pferd. Adlercreutz neben ihm wollte ihm von Zeit zu Zeit einen Feldstecher reichen. Seine Hoheit lehnte ab. ‚Ich weiß doch alles, ich weiß es ... Jetzt zieht sich Korps Regnier zurück, lassen Sie sofort Schönefeld besetzen!' Und später: ‚Ney hat schon zu wenig Munition, seine Artillerie schießt nur noch jede fünfte Minute — die Garde versucht durchzuhalten. Es nützt nichts, die Garde sucht in der Stadt Leipzig Deckung...' Als die Nacht anbrach, sagte er plötzlich: ‚Der Kaiser ist bei seinem vierten Korps. Sie sehen doch die vielen Wachtfeuer, Adlercreutz? Dort erteilt Napoleon seine Befehle für die Nacht=Stellungen.' Erst als der letzte Kanonenschuß verstummt war, stieg Seine Hoheit vom Pferd und trat an ein Lagerfeuer und wärmte sich die Hände. Plötzlich verlangte er den dunkelblauen Mantel seiner Felduniform und einen Dreispitz ohne Abzeichen. Außerdem ein ausgeruhtes Pferd. ‚Aber ein dunkles', fügte er hinzu. Als er das Pferd bestieg, fragte Brahe, ob er Seine Hoheit begleiten dürfe. Seine Hoheit sah ihn so zerstreut an, als ob er ihn noch nie gesehen hätte. ‚Fernand kommt mit', murmelte er. Brahe war tief verletzt. Fernand ist schließlich nur ein Kammer=diener ..."

„Unsinn, Fernand ist Jean=Baptistes Schulkamerad", sagte ich. „Jean=Baptiste ist sogar seinetwegen aus der Schule geworfen wor=den. Aber was geschah in jener Nacht?"

„Seine Hoheit ritt mit Fernand davon. Ich weiß nicht, wohin. Beide kehrten erst im Morgengrauen zurück. Vorposten haben Seine Hoheit vorüberreiten sehen. Seine Hoheit ist auch einmal abgestie=gen und ein Stück zu Fuß weitergegangen. Fernand hat unterdessen die Pferde gehalten. Seine Hoheit hat sich neben einen Gefallenen gesetzt und seinen Kopf in den Schoß genommen. Ein Vorposten hörte ihn zu dem Gefallenen sprechen, aber der Mann war längst tot. Seine Hoheit hat es wahrscheinlich nicht bemerkt. Am nächsten Morgen hat sich der Vorposten den Toten angeschaut. Es war ein Franzose."

„Und — am nächsten Tag?"

„Wir wußten, daß Seine Hoheit den drei anderen Herrschern vor=geschlagen hatte, Leipzig mit seinen Truppen zu stürmen. Der Kaiser von Österreich, der Zar von Rußland und der König von Preußen standen jeder für sich auf einem Hügel und sahen durch ihre Feldstecher zu und — mein Gott, wir haben es geschafft!"

Villatte stützte den Kopf in die Hand. „Bernadotte hat an der Spitze seiner Truppen das sogenannte Grimmaische Stadttor von Leipzig gestürmt. Wir hatten starke Infanteriestellungen vor dem Tor, aber Bernadotte ließ seinen Angriff durch schwere Artillerie decken. Dann sprengte er selbst mit seinen schwedischen Dragonern heran, unsere Infanterie warf sich entgegen und zerfleischte mit ihren Bajonetten die Bäuche der Pferde. Da kämpften die Schweden mit dem Säbel in der Faust zu Fuß weiter, Madame, es war ein Schlachten, wie ich es noch nie gesehen habe. Mann gegen Mann. Bernadotte auf seinem Schimmel immer inmitten des Knäuels, der weiße Federbusch weithin sichtbar, den Säbel —"

„Den Säbel —?"

„In der Scheide. Er hielt nur den Feldherrnstab in der Hand."

„Danke, Villatte!"

„Schließlich wichen die Franzosen zurück — fluchtartig sogar", sagte von Rosen. „Nein, wir bekamen Befehl zum Rückzug. Wir haben innerhalb von fünf Tagen zweihundertzwanzigtausend Ka=nonenschüsse abgefeuert und verfügten nur noch über Munition für weitere sechzehntausend. Nur deshalb gab der Kaiser den Befehl zum Rückzug", sagte Villatte scharf. „Beim Sturm auf das Stadttor habe ich überhaupt keine Kanonen gesehen. Nur Infanterie. Und die haben wir zurückgetrieben", triumphierte von Rosen. „Die Infanterie, die Sie beim Grimmaischen Tor gesehen haben, sollte nur den Rückzug decken", erklärte Villatte ruhig. „Der Kaiser —"

„Ihr Kaiser ist durch das Westtor geflohen, als Seine Hoheit in Leipzig einrückte", schrie ihn von Rosen an. „Die letzten sechzehntausend Kanonenschüsse sind gegen Bernadottes Truppen abgefeuert worden. Bernadotte hat Leipzig mit sechsundachtzig Bataillonen Infanterie und neununddreißig Kavallerieregimentern im Sturm genommen." Von Rosen war überrascht. „Woher wissen Sie das so genau, Oberst Villatte?" Villatte zuckte die Achseln. „Darf ich mir noch Kaffee nehmen?" „Der Topf steht auf dem Herd, Oberst. Und nachher, Graf von Rosen, nachher?"

„Nachher ist Seine Hoheit auf den Marktplatz von Leipzig geritten und hat gewartet. Auf die anderen drei Herrscher nämlich. Er hatte ihnen in Trachtenberg vorausgesagt, er würde sie auf dem Marktplatz von Leipzig wiedersehen und — ja, da saß er nun auf seinem Schimmel und wartete ... Zufällig wurden die französischen Gefangenen vorübergeführt. Seine Hoheit hielt die Augen halb geschlossen, ich dachte, er sieht sich die Gefangenen gar nicht an. Aber plötzlich hob er den Kommandostab und zeigte auf einen Oberst: Villatte, kommen Sie her, Villatte!"

„Ich trat aus der Reihe. So haben wir einander wiedergesehen, Madame. Villatte, was machen Sie denn hier? fragte er mich. — Ich verteidige Frankreich, Herr Marschall, antwortete ich und nannte ihn absichtlich sehr laut Herr Marschall. — Dann muß ich Ihnen leider sagen, daß Sie Frankreich sehr schlecht verteidigen, Villatte, sagte Bernadotte. Übrigens habe ich erwartet, daß Sie bei meiner Frau in Paris bleiben werden. — Die Marschallin selbst hat mich an die Front geschickt. — Da schwieg er. Ich stand neben seinem Pferd und sah zu, wie meine gefangenen Kameraden vorübermarschierten. Schließlich dachte ich, er habe mich vergessen, und wollte mich ihnen anschließen. Aber sowie ich mich rührte, beugte sich Bernadotte vom Pferd und hielt mich an der Schulter fest: Oberst Villatte, Sie sind Kriegsgefangener. Ich befehle Ihnen, unverzüglich nach Paris zurückzukehren und im Haus meiner Frau Aufenthalt zu nehmen. Geben Sie mir Ihr Ehrenwort als französischer Offizier, daß Sie meine Frau nicht verlassen werden bis —"

„Bis —?"

„Bis ich selbst komme. Das sind seine Worte. Ich habe ihm mein Ehrenwort gegeben." Ich senkte den Kopf. Hörte von Rosens Stimme. „— und dann wandte sich Seine Hoheit zu mir: Und da haben wir den zweiten treuen Adjutanten meiner Frau! Graf von Rosen, Sie werden Oberst Villatte auf seinem Ritt nach Paris begleiten. — In schwedischer Uniform? fragte ich entsetzt. Schließlich sind die Verbündeten noch nicht in Frankreich einmarschiert. Seine Hoheit sah Villatte an: Oberst, Sie bürgen mir dafür, daß von Rosen wohlbehalten in Paris ankommt und daß ihm die dortigen Behörden Asylrecht im Haus meiner Frau gewähren. Von Rosen, Sie dagegen passen mir auf unseren Kriegsgefangenen auf!" Mir kam das Ganze sehr verwirrt vor. „Wer hält eigentlich wen gefangen?" Das überhörten beide. Jetzt sprach wieder Villatte. „Dann muß ich ihm eine französische Uniform anziehen, sonst bringe ich ihn nicht durch unsere Linien, Herr Marschall, erklärte ich Bernadotte. Setzen Sie ihm eine Bärenfellmütze auf, Villatte, und Sie, Graf Rosen, tragen die Bärenfellmütze in Ehren! entschied er. Ehe wir uns richtig besinnen konnten, kommandierte er schon: Vorwärts marsch — auf Wiedersehen, Graf, auf Wiedersehen, Villatte!"

„Da habe ich Villatte ein Pferd verschafft, Villatte hat für mich die französische Uniform aufgetrieben, wir haben schnell etwas gegessen und sind davongeritten. Seitdem sind wir ununterbrochen unterwegs gewesen, und jetzt — ja, jetzt sind wir eben wieder da", schloß von Rosen. Eine Uhr schlug halb sieben. „Unsere Truppen versuchten über die Elster zu fliehen. Dabei ist der Marschall Poniatowski ertrunken." — „Und der Kaiser?" — Villatte schwieg. Schließlich: „Hofft, irgendwie die Rheingrenze zu halten. Wenn das mißlingt, will er wenigstens Paris verteidigen." Ich stützte die Arme auf dem Küchentisch auf und preßte die Hände vor die Augen. Die Rheingrenze ... Wie sie seinerzeit alle zu den Waffen gegriffen haben, um die Rheingrenze zu halten. Wie sie sie gehalten haben, wie Jean-Baptiste dort General wurde ... Irgend jemand kam in die Küche, irgend jemand sagte: „Himmelkreuzdonnerwetter, ohne meine Erlaubnis darf niemand in der Küche — oh pardon, Hoheit!" Ich richtete mich auf. Mein dicker Koch stand vor mir. Ein verschrecktes Küchenmädchen öffnete die Fenster und ließ graues Morgenlicht herein. Ich zitterte plötzlich vor Kälte. „Hoheit — eine Tasse heiße Schokolade?" schlug der Koch vor. Ich schüttelte den Kopf. Jemand stützte mich, als ich aufstand. Villatte. Mein Kriegsgefangener. „Gehen sie in Ihre Zimmer, meine Herren. Sie werden alles so vorfinden, wie Sie es verlassen haben", schlug ich den beiden Helden vor. Dann verlangte ich ein Staubtuch. Das Küchenmädchen sah mich kopfschüttelnd an. „Wissen Sie nicht, was ein Staubtuch ist?" Das arme Ding knickste erschrocken und brachte mir eine blütenweiße Serviette. So stellt sich also mein Küchenmädchen das Staubtuch einer Kronprinzessin vor! Ich nahm die Serviette und ging in Jean=Baptistes Zimmer. Wann ist hier zum letztenmal Staub gewischt worden? Ich fuhr mit der Serviette über die Scheibe des Toilettenspiegels und erschrak, weil der Raum so unbewohnt aussah. Jean=Baptiste hat sich längst alle Bücher, alle Porträts, alle Büsten, die ihm lieb sind, nach Stockholm bringen lassen. In diesem Zimmer gibt es nichts mehr, woran ihm etwas liegt.

Ich öffnete das Fenster, um zu lüften. Mein Garten sah genauso aus wie gestern. Ein Tag wie alle Tage, dachte ich. Dabei werden die Russen, die Preußen, die Österreicher über den Rhein gehen. Die Russen, die Preußen, die Österreicher und die Schweden. „Steh doch nicht im Schlafrock am offenen Fenster! Geh sofort in dein Zimmer, du wirst dich sonst verkühlen", sagte Marie. „Was machst du eigentlich hier?" „Ich bereite das Zimmer für Jean=Baptiste vor. Frankreich ist geschlagen worden. Die verbündeten Truppen marschieren auf Paris zu. Jean=Baptiste kommt nach Hause, Marie." „Daß er sich nicht schämt —" Zwischen den Zähnen stieß sie es hervor. Kaum hörbar. Aber ich hörte es doch. Mein Reiter, mein armer, einsamer Reiter . . .

Beim Bäcker behaupten sie, daß die Kosaken alle Frauen schänden, auch die alten", berichtete Marie aufgeregt. „Die alten sogar besonders gern", behauptete ich. — „Eugénie, mach dich nicht lustig über mich!" — „Aber nein. Die Kosaken glauben, daß alte Frauen Glück bringen." — „Unsinn!" — Ich neckte sie weiter. „Du mußt es ja wissen, Marie . . ." Da wurde sie bös: „Wer hat dir das erzählt?" — „Villatte." Sie runzelte die Stirn. „Könntest du nicht den schwedischen Grafen fragen, ob es wahr ist? Der ist schließlich mit den Kosaken verbündet, der muß es wissen." — „Den kann ich aber nicht fragen. Eine Kronprinzessin weiß nämlich nicht, was schän —" Da hörten wir zum erstenmal das ferne Donnern. „Gewitter im März?" meinte Marie erstaunt. Wie sahen einander an. Es donnerte wieder. „Die Kanonen vor der Stadt", flüsterte ich. Das ist zwei Tage her. Seit jenem Augenblick sind die Kanonen vor Paris nicht verstummt. Wir hatten in der letzten Zeit so oft gehört, daß die Truppen des österreichischen Kaisers jeden Augenblick vor den Toren stehen werden. Daß die Kosaken Paris stürmen und alle Häuser niederbrennen wollen. Daß die Preußen schon vor Wochen mit dem Feldruf „Nach Paris! Nach Paris!" den Rhein überschritten haben. Natürlich versucht Napoleon, die Verbündeten aufzuhalten. Hier in Paris wissen wir wenig über seine Schlachten. Der „Moniteur" meldet ununterbrochen Siege, bald hier, bald dort. Aber wir lesen den „Moniteur" nicht mehr. Jetzt donnern die Kanonen vor Paris. Unsere Kanonen? Österreichische, preußische, russische? Meine Tage sind bis zum Rand mit Warten ausgefüllt. Ich weiß nicht mehr, wo sich Jean=Baptiste befindet. Weiß nur, daß er kommen wird. Heute nacht, morgen nacht. Sein Zimmer ist bereit . . . Briefe bekomme ich schon lange nicht mehr, weder von ihm noch von Oscar. Deutschland und Frankreich liegen zwischen uns, die aufgerissene Erde eines einzigen großen Schlachtfeldes. Ab und zu wird ein Zettel zu uns durch=geschmuggelt. So haben wir erfahren, daß sich Jean=Baptiste nach der Schlacht bei Leipzig geweigert hat, die französischen Truppen über den Rhein zu verfolgen. Glatt geweigert. Daß er von allen seinen Truppen nur seine 30 000 Schweden bei sich behielt und mit ihnen nordwärts marschierte. Daß er durch Hannover zog und wahrscheinlich Erinnerungen auffrischte. Gehöre ich zu deinen Er=

innerungen, Jean=Baptiste? Und Monsieur Beethoven und seine zer=
schlagene Hoffnung? Der Kanzler Wetterstedt begleitet ihn und der
schwedische Generalstab, alle versuchen, ihm zu erklären, daß die
Verbündeten nur eines von ihm erwarten, nur eines fordern: den
Übergang über den Rhein. Da diktiert Jean=Baptiste einen Brief an
den Zaren und fordert, daß Frankreichs Grenzen respektiert werden.
Frankreich sei nicht Napoleon. Und Napoleon bereits geschlagen.
Die Preußen, die Russen, die Österreicher marschieren in Frankreich
ein. Jean=Baptiste führt unterdessen seinen eigenen Krieg ... — Der
Kanonendonner kommt näher. Ob Marmont Paris halten wird? Das
Korps Marmont verteidigt die Stadt. Marmont wollte mich einmal
heiraten. Was hat nur Napoleon damals in Marseille über ihn gesagt?
Marmont: intelligent, will mit mir zusammen Karriere machen.
Nein, Marmont wird Paris nicht halten, zumindest nicht für Na=
poleon ... Jean=Baptiste marschiert mit seinen Schweden gegen
Dänemark. Schließlich hatte Napoleon die Dänen im September ge=
zwungen, den Schweden den Krieg zu erklären. Ungern, sehr ungern
haben sich die Dänen dazu hergegeben. Aber ihr König Frederik VI.
hielt eigensinnig an seiner Allianz mit Frankreich fest. Warum nur?
Ich versuchte, mich an diesen Frederik, den ich nur ein einziges Mal
gesehen habe, zu erinnern. Der Sohn eines wahnsinnigen Christian
und einer schönen Engländerin, die Karoline Mathilde hieß und
ihren Staatsminister liebte. Der Staatsminister ist um dieser Liebe
willen geköpft worden. Der Sohn nennt niemals den Namen seiner
Mutter. Der Sohn hält zu Napoleon, um ihr englisches Vaterland zu
strafen, der Sohn — der Sohn muß seine Mutter sehr geliebt haben
und sehr eifersüchtig auf ihr bißchen Glück gewesen sein. Wie selt=
sam, daß Söhne so leicht ihre Mütter verurteilen. Die Fensterscheiben
klirren, die Kanonen sind sehr nahe. Weiterschreiben, nur nicht an
Jean=Baptiste denken ... Jean=Baptiste führt seinen privaten Krieg
und rückt in Schleswig vor. Kämpft, beinahe im Parademarsch. Von
Kiel aus sendet er dem dänischen König ein Ultimatum. Jean=Bap=
tiste verlangt die Abtretung von Norwegen an Schweden und bietet
eine Million Reichstaler als Entschädigung. Von Kiel aus hat uns ein
an den Grafen von Rosen durchgeschmuggelter Zettel erreicht. Däne=
mark hat Norwegen mit Ausnahme von Grönland, den Färöer=Inseln
und Island an Schweden abgetreten. Die Million Taler dagegen hat
der dänische König empört abgelehnt. Die Norweger werden nicht
verkauft! „Kronprinzessin von Schweden und Norwegen", sagte
damals Graf von Rosen nachdenklich zu mir. Ich nahm eine Land=

karte und schaute mir Norwegen an. „Und Grönland?" fragte ich dann. Von Rosen wies auf einen großen weißen Fleck auf der Karte. „Lauter Schnee und Eis, Hoheit." Ich bin so froh, daß die Dänen wenigstens Grönland behalten haben. Jean=Baptiste ist imstande, mich auf einem weißen Fleck auf der Landkarte wohnen zu lassen . . . Aber ich schreibe doch alles nur auf, um meiner Angst davonzu= laufen. Jean=Baptiste ist doch nicht mehr in Kiel. Jean=Baptiste ist -- ich weiß nicht, wo er ist. Verschwunden, seit drei Wochen ver= schwunden. Schließlich hat er dem Drängen der Verbündeten nach= gegeben und ist an den Rhein marschiert. Aber nicht über den Rhein, nicht über den Rhein . . . Die letzte Spur führt über Liège nach Belgien. Dort setzte er sich in einen Reisewagen, Graf Brahe war angeblich mit ihm, und — seitdem ist er verschwunden. Kein Mensch weiß, wo er herumfährt. Viele behaupten, daß ihn Napoleon heim= lich und verzweifelt um Hilfe gebeten hat. Und daß er sich mit dem Zaren gestritten hat, weil der die Grenzen von 1794 nicht anerkennen will. Inzwischen schreiben die Pariser Zeitungen, daß Jean=Baptiste geisteskrank ist. Marie und Yvette verstecken zwar die Artikel vor mir, aber die La Flotte läßt die Zeitungen, die sie veröffentlichen, immer ganz zufällig im Salon liegen. Die Skribenten behaupten, daß Jean=Baptistes Vater am Wahnsinn gestorben ist und daß auch sein Bruder verrückt sei und — nein, ich will das nicht wiederholen. Nicht jetzt, während niemand weiß, wo Jean=Baptiste herumirrt. Und wozu . . . Wahrscheinlich ist er längst in Frankreich. Wahr= scheinlich fährt er die Landstraßen entlang, die von den Russen und Preußen Meile für Meile erobert werden mußten. Wahrscheinlich sieht er die aufgerissene Erde und die zerstörten Häuser . . . Zwei Zettel aus Liège haben mich erreicht. Kammerherr Graf Löwenstein fragt an, ob ich weiß, wo Seine Hoheit eigentlich sei. Ich weiß es nicht, Herr Kammerherr, aber ich kann es mir denken. Heimgekehrt ist er, heimgekehrt und findet einen Trümmerhaufen vor. Und soll die Paradeuniform anziehen und als Sieger einmarschieren. Ich kann Ihre Anfrage nicht beantworten, Herr Kammerherr — ich bitte Sie um Geduld, Seine Hoheit ist auch nur ein Mensch, lassen Sie ihn allein in diesen dunklen Tagen und Nächten —. Gestern, am 29. März um halb sieben Uhr früh, trat Marie in mein Zimmer. „Du sollst sofort in die Tuilerien kommen." Ich sah sie ungläubig an. „In die Tuilerien?" „König Joseph hat einen Wagen geschickt, du mußt sofort zu Julie fahren." Ich stand auf und zog mich schnell an. Joseph führt den Oberbefehl über Paris und versucht, die Stadt zu

halten. Julie hält sich an sein Verbot, wir haben einander seit Mo=
naten nicht gesehen. Und jetzt plötzlich diese Aufforderung . . . „Soll
ich einen deiner Adjutanten aufwecken? Welchen — den Kriegs=
gefangenen oder den Alliierten?" Villatte ist mein „kriegsgefan=
gener" und Graf Rosen mein „alliierter" Adjutant. „Ich brauche
überhaupt keinen Adjutanten, wenn ich zu Julie soll", meinte ich.
„Ich habe überhaupt nie verstanden, wozu du immer einen Offizier
mit dir herumschleppst", brummte Marie. Fröstelnd fuhr ich durch
die menschenleeren Straßen. Straßenkehrer fegten großgedruckte
Aufrufe zusammen. Ich ließ halten, um einen dieser Aufrufe zu
lesen. Der Lakai sprang vom Bock und fischte einen aus der Gosse.
„Pariser, ergebt euch! Macht es euren Brüdern in Bordeaux nach!
Beruft Ludwig XVIII. auf den Thron! Sichert euch den Frieden!"
Unterzeichnet vom Fürsten Schwarzenberg, dem österreichischen
Oberbefehlshaber. Die Straßenkehrer von Paris schienen nicht viel
von Ludwig XVIII. zu halten. Sie fegten die Aufrufe, die während
der Nacht heimlich verstreut worden waren, eifrig zusammen. Vor
dem Eingang zu den Tuilerien hielt ein Kürassier=Regiment hoch zu
Roß. Unbeweglich warteten die Reiter im fahlen Morgenlicht. Als
wir in den Hof der Tuilerien einfuhren, sah ich eine Wagenauffahrt
wie zu einem Fest. Dicht vor dem Portal hielten zehn grüne Staats=
kaleschen mit dem kaiserlichen Wappen. Reisekutschen und Last=
wagen jeder Art füllten den Hof. Ununterbrochen schleppten Lakaien
schwere eiserne Kassen in die Wagen. Die Kronjuwelen, die Schätze
der kaiserlichen Familie, ging es mir durch den Kopf. Und Geld=
kassetten, sehr viel Geldkassetten . . . Die Schildwachen beobachteten
mit ausdruckslosen Gesichtern den Abtransport der Kassetten. Da
mein Wagen nicht weiterkommen konnte, stieg ich aus und schlän=
gelte mich zwischen den wartenden Kutschen zum Portal durch. Ich
verlangte, sofort bei Joseph gemeldet zu werden. „Sagen Sie nur,
seine Schwägerin sei da", erklärte ich dem diensthabenden Offizier.
Ein erstaunter Blick traf mich. „Sehr wohl, Königliche Hoheit." Man
hat mich also in den Tuilerien noch nicht vergessen. Zu meiner
Überraschung wurde ich in die Privatgemächer der Kaiserin geführt.
Als ich in den großen Salon trat, setzte mein Herz einen Schlag lang
aus — Napoleon? Nein, nein — nur Joseph, der in diesem Augenblick
verzweifelt versuchte, seinem Bruder ähnlich zu sehen. Joseph
stand vor einem Kamin, hielt die Hände auf dem Rücken verschränkt
und sprach hastig, den Kopf in den Nacken geworfen. Die Kaiserin,
die man jetzt Regentin nennt, weil ihr Napoleon für die Dauer seiner

Abwesenheit von Paris die unumschränkte Regierungsvollmacht übertragen hat, saß neben Madame Letitia auf einem Sofa. Madame Letitia hatte wie eine Bäuerin ein Wolltuch um die Schultern geschlagen, während die Kaiserin einen Reisemantel trug und einen Hut aufgesetzt hatte. Marie=Luise wirkte wie ein Gast, der sich kaum Zeit nimmt, sich niederzusetzen. Ich bemerkte Meneval, jetzt Sekretär der Regentin, und einige Herren des Senats. Hinter Madame Letitia, hochgewachsen, schlank und in tadelloser Uniform, König Jérôme von Westfalen, das gefräßige Kind von einst. Die Alliierten haben ihm längst sein Königreich weggenommen. Der Raum war von vielen Kerzen erleuchtet. Ihr Schimmer vermischte sich mit dem grauen Morgenlicht. Die ganze Szene erschien dadurch seltsam unwirklich. „Hier — bitte, hier steht es ausdrücklich geschrieben", sagte Joseph gerade und zog einen Brief aus der Brusttasche. „Reims, den 16. März 1814. Meinen mündlichen Instruktionen gemäß — und so weiter und so weiter — hier: Verlaß meinen Sohn nicht und bedenke, daß ich ihn lieber in der Seine als in den Händen der Feinde Frankreichs wissen möchte. Das Schicksal des Astyanax, des Gefangenen der Griechen, ist mir immer als das unglücklichste der Geschichte erschienen. Dein wohlgeneigter Bruder. Gezeichnet: Napoleon." „Den Brief hast du doch schon gestern abend im Staatsrat vorgelesen. Wir wissen bereits, was Napoleon über das Schicksal des Astyanax denkt. Welche Möglichkeiten hast du, um das Kind weder in die Seine noch in die Hände der Feinde fallen zu lassen?" erkundigte sich Jérôme. Seit seinem Aufenthalt in Amerika spricht er absichtlich langsam und etwas nasal. „Napoleon schreibt —" Joseph zog ein anderes Schreiben aus der Brusttasche. „Seid standhaft vor den Toren von Paris, laßt zwei Kanonen an den verschiedenen Toren aufstellen und die Nationalgarde dort Wache halten. An jedem Tor müssen sich 50 Mann mit Gewehren und Jagdflinten und 100 Mann mit Lanzen befinden, also 250 Mann an jedem Haupttor ... Als ob ich nicht zählen könnte, er schreibt an mich wie an einen Idioten! Und weiter: Täglich ist eine Reserve von 3000 Mann zu bilden, die mit Gewehren, Jagdflinten und Lanzen bewaffnet wird und die sich überall, wo sie benötigt wird, mit den Batterien der Garde oder der Kriegsschule hinbegeben kann. Dein wohlgeneigter Bruder. Gezeichnet: Napoleon."

„Das ist doch sehr klar, hast du die Befehle ausgeführt, Joseph?" fragte Madame Letitia ruhig. „Aber das ist es ja — ich kann sie nicht ausführen! Wir haben weder Gewehre noch Flinten, der alte Unter=

hosenoberst vom Depot kann keine mehr auftreiben. Und die Garde weigert sich, mit den alten Lanzen aus dem Museum gegen eine moderne Armee zu marschieren."

„Weigert sich?" schrie Jérôme empört. „Kannst du vielleicht eine Stadt mit Lanzen gegen Kanonen verteidigen?"

„Ich weiß überhaupt nichts mit Lanzen anzufangen. Und Napoleon wahrscheinlich auch nicht!"

„Seine Majestät kann alles, wenn es gilt, Frankreich zu verteidigen", erklärte Meneval leidenschaftlich. Eine Pause entstand. „Nun?" Das war Marie=Luise, ruhig und sehr gleichgültig. „Was wird beschlossen? Soll ich mit dem König von Rom abreisen oder hierbleiben?"

„Madame —" Jérôme sprang hinter dem Sofa hervor und pflanzte sich vor ihr auf. „Madame, Sie haben gehört, was die Offiziere der Garde geschworen haben. Solange die Regentin mit dem König von Rom in Paris weilt, wird Paris nicht fallen! Die Garde wird Übermenschliches leisten, um die Regentin und den Sohn des Kaisers in den Tuilerien zu schützen. Stellen Sie sich doch die Situation vor — eine Frau, eine junge schöne Frau und ein hilfloses Kind auf den Stufen des französischen Kaiserthrones. Jeder waffenfähige Mann wird bis zu seinem letzten Blutstropfen —"

„Jérôme —" unterbrach ihn Joseph. „Wir haben nur Lanzen für die Waffenfähigen Männer. Nur Lanzen!"

„Aber die Garde ist noch voll bewaffnet, Joseph!"

„Ein paar hundert Mann . . . Aber bitte, ich will die Verantwortung nicht allein tragen, ich sehe ein, daß die Anwesenheit der Regentin nicht nur die Garde, sondern auch das Volk von Paris zu äußerstem Widerstand antreiben wird. Die Abreise dagegen —" „Die Flucht", zischte Jérôme. „Die Flucht!"

„Wie du willst — die Flucht der Regentin und des Königs von Rom wird leider die allgemeine Stimmung ungünstig beeinflussen. Ich fürchte, daß dann Paris —" Er sprach nicht weiter. „Nun?" fragte schließlich die Kaiserin.

„Ich muß die Entscheidung der Regentin überlassen", sagte Joseph müde und erinnerte überhaupt nicht mehr an Napoleon. Ein dicker älterer Mann strich sich hilflos mit der Hand über das schüttere Haar. „Ich möchte nichts anderes als meine Pflicht tun und nachher keine Vorwürfe hören", erklärte Marie=Luise gelangweilt. Madame Letitia zuckte wie unter einem Schlag zusammen. Das war also die Frau ihres Napoleon . . . „Madame, wenn Sie jetzt die Tuilerien ver=

lassen, verlieren Sie vielleicht jeden Anspruch auf die französische Kaiserkrone. Sie und Ihr Sohn, Madame!" flüsterte Jérôme eindringlich. „Madame, lassen Sie sich von der Garde schützen, vertrauen Sie sich dem Volk von Paris an!"

„Also hierbleiben", sagte Marie=Luise frenudlich und begann die Bänder ihres Hutes aufzuknüpfen. „Madame, der Brief Seiner Majestät!" stöhnte Joseph. „Napoleon will doch lieber seinen Sohn in der Seine wissen als —" „Wiederholen Sie doch nicht diesen abscheulichen Satz!" entfuhr es mir. Alle Gesichter wandten sich mir zu. Es war schrecklich peinlich. Ich stand noch immer in der Tür, schnell verneigte ich mich in der Richtung der Kaiserin und murmelte: „Verzeihung, ich will nicht stören."

„Die Kronprinzessin von Schweden im Salon der Regentin? Madame, das ist eine Herausforderung, die nicht geduldet werden kann!" brüllte Jérôme und stürzte wie ein Rasender auf mich zu. „Jérôme, ich habe Ihre Königliche Hoheit selbst hierher gebeten, weil — weil Julie —" stotterte Joseph verlegen und wies auf meine Schwester. Ich folgte seinem Blick. Erst jetzt entdeckte ich Julie, sie saß am äußersten Ende des Salons mit ihren Töchtern auf einem Sofa. Die drei zarten Gestalten verschwammen im Halbdunkel. „Bitte, nehmen Sie doch Platz, Hoheit", sagte Marie=Luise liebenswürdig. Schnell verzog ich mich in den Hintergrund und setzte mich zu Julie. Sie hielt Zenaïdes Schulter umschlungen und bohrte ihre Finger in den Arm des Kindes. „Reg dich doch nicht so auf", flüsterte ich. Gleichzeitig drangen die ersten Sonnenstrahlen herein. „Jérôme, lösch die Kerzen aus, wir müssen sparen", sagte Madame Letitia sofort. Jérôme rührte sich nicht. Julies kleine Töchter sprangen auf, erleichtert, sich mit irgend etwas beschäftigen zu können. Ich schob meinen Arm unter Julies. „Du kommst mit den Kindern zu mir", wisperte ich. Vor dem Kamin wurde weiter beraten. Plötzlich trat Joseph auf uns zu. „Sollte sich die Regentin mit dem Kind nach Rambouillet begeben, so muß ich sie begleiten."

„Du führst doch den Oberbefehl über Paris", sagte Julie leise. „Aber der Kaiser hat mir geschrieben, daß ich seinen Sohn nicht verlassen soll", kam es hastig. „Die ganze Familie wird sich uns anschließen. Julie, ich frage dich zum letztenmal —" Julie schüttelte den Kopf. Tränen liefen über ihre Wangen. „Nein, nein — ich habe Angst, wir werden von Schloß zu Schloß gejagt werden, zuletzt werden uns die Kosaken einfangen — laß mich bei Désirée, Joseph! Ihr Haus ist sicher. Nicht wahr, dein Haus ist sicher, Désirée?" Joseph und ich sahen einander an. Es war ein langer Blick, in dem wir einander alles sagten, was wir uns seit jenem Abend, an dem ich ihn im Maison Commune kennenlernte, nicht gesagt haben. „Auch Sie können bei mir wohnen, Schwager Joseph", murmelte ich zuletzt. Er schüttelte den Kopf und zwang sich zu einem Lächeln. „Vielleicht kommt Napoleon noch zurecht, um Paris zu halten, dann bin ich in wenigen Tagen wieder bei Julie. Wenn nicht —" Er küßte mir die Hand — „danke ich Ihnen für alles, was Sie für Julie und meine Kinder tun. Ihnen und Ihrem Gatten." In diesem Augenblick meldete der Kammerherr: „Der Fürst von Benevent bittet um Audienz." Wir sahen Marie=Luise an. Lächelnd wandte sich die Regentin zur Tür. „Ich lasse bitten!" Talleyrand hinkte sehr schnell auf die Kaiserin zu. Sein Gesicht sah müde und zerknittert aus, aber sein Haar war sorgfältig gepudert. Er trug die Uniform eines Großwürdenträgers des Kaiserreiches. „Majestät, ich habe mit dem Kriegsminister gesprochen. Wir haben Nachricht von Marschall Marmont. Der Marschall läßt Majestät bitten, Paris mit dem König von Rom unverzüglich zu verlassen. Der Marschall weiß nicht, wie lange er noch die Straße nach Rambouillet halten kann. Ich bin untröstlich, der Überbringer dieser furchtbaren Nachricht zu sein." Es war sehr still geworden. Nur die Seidenschleifen des Hutes, die Marie=Luise wieder unter ihrem Kinn festband, raschelten. „Werde ich Seine Majestät in Rambouillet treffen können?" erkundigte sie sich. „Seine Majestät ist doch auf dem Weg nach Fontainebleau und wird von dort unverzüglich hierhereilen, um Paris zu halten", sagte Joseph. „Aber ich meine doch Seine Majestät den Kaiser von Österreich — meinen Papa!" Joseph wurde weiß bis in die Lippen. Jérôme preßte die Zähne zusammen, seine Stirnader schwoll. Nur Talleyrand lächelte mitleidig und gar nicht überrascht. Da packte Madame Letitia mit hartem Griff den Arm ihrer Schwiegertochter: „Kommen Sie, Madame, kommen Sie !" An der Tür wandte sich Marie=Luise noch einmal um. Ihr blauer Blick glitt über den Salon, blieb an den weißen Vorhängen mit den eingestickten Bienen hängen, begegnete dem Lächeln Talleyrands und verwirrte sich. „Wenn ich nur nachher keine Vorwürfe bekomme", seufzte sie im Hinausgehen. Wie das Kind weinte und schrie ... Unwillkürlich trat ich zur Tür. Die beiden Gouvernanten — Mesdames de Montesquieu und Bouber — versuchten, den kleinen Napoleon hinunterzuführen. Sie hatten ihm eine kleine Chasseur-Uniform angezogen. Das Kind mit den blonden Locken Marie=Luises und dem eigensinnigen Kinn seines Vaters klammerte sich ver-

zweifelt an das Stiegengeländer. „Will nicht, will nicht reisen!"
schrie es und stieß die hilflosen Gouvernanten ans Schienbein.
„Komm, Liebchen, komm doch!" redete ihm die Montesquieu ver=
zweifelt zu. „Mama wartet unten in einem großen schönen Wagen."
Aber das Kind gab nicht nach. Plötzlich tauchte Hortense auf. „Ich
weiß, wie man mit kleinen Buben umgeht", lächelte sie und beugte
sich über den Kleinen. Dann löste sie mit jähem Griff die Buben=
finger vom Geländer. „So — und jetzt gehst du brav hinunter!" Das
Kind war verstummt. Zum erstenmal hatte man es hart angepackt.
„Fahren wir zu Papa, Tante Hortense?" Stoß sie ans Schienbein,
dachte ich, stoß sie doch . . . „Natürlich, Liebling", nickte Hortense.
Da ging der kleine Napoleon mit seinen Gouvernanten folgsam die
Stiegen hinunter. Ich sah Hortense an. Sie atmete keuchend. Hat
nicht Napoleon einst ihren Ältesten zum Nachfolger bestimmt? Vor
der Geburt des Königs von Rom. Vorher . . . „Exit Napoleon II.",
murmelte Talleyrand neben mir. „Ich bin leider sehr ungebildet. Ich
weiß nicht, wer dieser Astyanax in der Seine sein soll, und das Wort
‚Exit' kenne ich auch nicht."

„Astyanax ist eine Figur aus dem klassischen Altertum. Ein un=
glücklicher junger Mann, der von den Griechen gefangen und von
einer Mauer gestürzt wurde. Man fürchtete, er könnte die Vernich=
tung Trojas und den Tod seines Vaters rächen. Aber ich kann Ihnen
in diesem Augenblick unmöglich die Geschichte vom Trojanischen
Krieg erzählen, Hoheit. ‚Exit' dagegen ist ein lateinisches Wort und
bedeutet: er geht hinaus. Exit Napoleon II.: Napoleon II. verläßt —
die Tuilerien? Die Weltgeschichte?" Er zog eine Uhr. „Ich fürchte,
ich muß mich verabschieden, mein Wagen wartet —" Auch seine
Blicke schweiften nachdenklich über den Salon. Auch seine Augen
hingen an den weißen Vorhängen mit den eingewebten Bienen. „Ein
hübsches Muster . . . Schade, daß man die Portieren bald herunter=
nehmen wird!"

„Wenn man sie umgekehrt aufhängt, stehen die Bienen auf dem
Kopf. Dann sehen sie wie Lilien aus. Wie bourbonische Lilien sogar."
Er hob sein Lorgnon vor die Augen. „Wie sonderbar . . . Aber ich
muß mich wirklich verabschieden, Hoheit!"

„Niemand hält Sie zurück. Werden Sie wirklich der Kaiserin folgen?"

„Natürlich. Aber ich werde leider vor dem Stadttor in russische
Gefangenschaft geraten. Deshalb muß ich pünktlich sein, die russi=
sche Patrouille erwartet mich bereits. Auf Wiedersehen, liebe Hoheit!"

„Vielleicht wird Marschall Marmont Sie befreien, ich würde es

Ihnen gönnen", zischte ich. „So? Dann muß ich Sie enttäuschen. Marschall Marmont ist augenblicklich zu beschäftigt dazu, er führt bereits die Verhandlungen über die Übergabe von Paris. Aber behalten Sie die Nachricht für sich, liebe Hoheit. Wir wollen überflüssige Ver= wirrung und Blutvergießen vermeiden." Wie artig er sich verbeugte, wie sicher er davonhinkte. Der wird die Vorhänge rechtzeitig um= drehen lassen ... Schließlich saß ich mit Julie und ihren Töchtern in meinem Wagen und kehrte in die Rue d'Anjou zurück. Und zum erstenmal seit jenem Tag, an dem Julie Königin geworden ist, sprach Marie wieder mit ihr. Mütterlich legte sie den Arm um ihre schmalen Schultern und führte sie die Treppen hinauf. „Marie, die Königin Julie wird in Oscars Zimmer schlafen! Und die Kinder bekommen das Zimmer der La Flotte. Diese muß ins Gästezimmer übersiedeln."

„Und der General Clary, der Sohn vom Herrn Etienne?" wollte Marie wissen. „Was heißt das?"

„Der General ist vor einer Stunde angekommen und möchte hier wohnen. Bis auf weiteres", verkündete Marie. Etienne hat nämlich seinen Sohn Marius auf die Militärakademie gesteckt anstatt in Papas Firma. Und Marius ist mit Gottes und Napoleons Hilfe bis zum General avanciert. „Der alliierte und der kriegsgefangene Adju= tant können ein Zimmer teilen. Dann kann General Clary Villattes Bett bekommen", entschied ich. „Und die Gräfin Tascher?" Diese Frage verstand ich erst, als ich in den Salon trat. Dort warf sich Etiennes Tochter Marceline, die mit einem Grafen Tascher verhei= ratet ist, weinend in meine Arme. „Tante, ich habe solche Angst in meinem Haus, jeden Moment können doch die Kosaken kommen!" schluchzte sie. „Und dein Mann?"

„Irgendwo an der Front. Marius hat bei mir übernachtet, und wir haben beschlossen, herzukommen und vorderhand bei dir —" Ich gebe ihr das Gästezimmer, und die La Flotte muß auf einem Diwan in meinem Boudoir schlafen, überlegte ich. Gegen fünf Uhr nach= mittags verstummten die Kanonen. Villatte und von Rosen kehrten von einem Spaziergang zurück und berichteten, daß Blücher Mont= martre erstürmt habe und die Österreicher in Menilmontant standen. Die Alliierten verlangten bedingungslose Kapitulation. „Und die Gouvernante meiner Kinder?" jammerte Julie. „Du mußt ihr ein eigenes Zimmer geben, sonst kündigt sie mir. Wer schläft denn in Jean=Baptistes Bett?" Nicht die Gouvernante, dachte ich wütend und flüchtete. Flüchtete in Jean=Baptistes leeres Schlafzimmer. Setzte mich auf das breite leere Bett. Lauschte in die Nacht hinaus, lauschte ...

Um zwei Uhr nachts wurde die Kapitulation unterzeichnet. Als ich heute früh aus dem Fenster sah, wehte die schwedische Fahne über meinem Haustor. Graf von Rosen hat sie mit Hilfe des schwedischen Kutschers hinausgehängt. Eine dichte Menschenmenge wartete vor unserem Haus. Ihr Gemurmel steigt dumpf zu meinem Fenster auf. „Was wollen denn die Leute, Villatte?"

„Das Gerücht hat sich verbreitet, daß Hoheit eintreffen wird."

„Aber was wollen die Leute von Jean=Baptiste?" Das Murmeln schwoll an und klang drohend. Da fragte ich nicht mehr. Ein Wagen fuhr vor. Gendarmen drängten die Menge zurück. Ich sah Hortense mit dem neunjährigen Napoleon Louis und dem sechsjährigen Charles Louis Napoleon aussteigen. Das Volksgemurmel verstummte. Eines der Kinder deutete auf die schwedische Fahne und fragte etwas. Aber Hortense zerrte ihre Buben schnell in mein Haus. Die La Flotte er= schien. „Die Königin Hortense läßt fragen, ob die Neffen des Kaisers vorläufig unter dem Schutz Eurer Hoheit wohnen können. Die Köni= gin selbst will sich zu ihrer Mutter nach Malmaison begeben." Wie= der zwei kleine Jungen im Haus, vielleicht haben wir auf dem Dach= boden noch Spielzeug von Oscar ... „Sagen Sie Ihrer Majestät, die Kinder werden bei mir gut aufgehoben sein." Ich werde sie in das Zimmer der La Flotte legen. Marceline muß im Boudoir schlafen und die La Flotte in Yvettes Kabinett, Yvette dagegen ... Unten stieg Hortense wieder in den Wagen. „Vive l'Empereur!" schrie ihr die Menge nach. Dann schloß sich wieder die Menschenmauer vor mei= nem Haus. Ich warte nicht mehr allein. Drohend wartet die Straße mit mir.

Am 31. März zogen die Truppen der Verbündeten in Paris ein. Die Kosaken sprengten im Galopp über die Champs Elysées und stießen dabei unartikulierte Laute aus. Die Preußen marschierten in Reih und Glied und trugen alle erbeuteten Adler, Standarten und französischen Fahnen durch die Straßen und sangen Lieder, die ihre kriegerischen Freiheitsdichter geschrieben haben, eines davon begann:

> „Du Schwert an meiner Linken,
> was soll dein heiteres Blinken,
> schaust mich so freundlich an,
> hab meine Freude dran . . ."

Die Österreicher dagegen zogen mit klingendem Spiel ein und winkten den Mädchen zu, die aus den Fenstern heraushingen. Man rollte Kanonen vor die Hauptquartiere der verbündeten Feldherren, um sie vor der Wut der Pariser zu schützen. Aber die Pariser hatten ja gar keine Zeit, sich am Fürsten Schwarzenberg oder Blücher zu rächen. Sie standen vor den Bäckerläden Schlange und bettelten bei den Händlern um ein Säckchen Mehl. Die Kornspeicher in der Umgebung von Paris sind von den Verbündeten geplündert und dann angezündet worden. Die Zufahrtsstraßen zu den südlichen Provinzen sind gesperrt. Man hungert. Am 1. April wurde eine provisorische Regierung eingesetzt, die mit den verbündeten Mächten verhandelt. An ihrer Spitze steht Talleyrand. Der Zar ist im Palais Talleyrand abgestiegen. Talleyrand gab ihm zu Ehren ein Fest, an dem die Mitglieder der alten Adelsfamilien, die Napoleon aus der Emigration zurückkehren ließ, teilnahmen. Der Champagner floß in Strömen, und der Zar zauberte Mehl und Fleisch und Kaviar herbei. Die Gäste wurden satt. Napoleon befindet sich mit fünftausend Mann seiner Garde in Fontainebleau. Caulaincourts Wagen rollt ununterbrochen zwischen Paris und Fontainebleau hin und her. Caulaincourt verhandelt im Namen des Kaisers mit den Verbündeten. Die Verbündeten schoben Talleyrand als Vorsitzenden der neuen französischen Regierung vor: Frankreich selbst sollte bestimmen. Am 4. April unterschrieb Napoleon folgende Abdankungsurkunde: *„Da die verbündeten Mächte erklärt haben, daß der Kaiser Napoleon das einzige Hindernis für die Wiederherstellung des Friedens in Europa ist, so erklärt der Kaiser Napoleon seinem Eid getreu, daß er bereit ist,* vom Throne zu steigen, Frankreich zu verlassen und sogar das Leben zu opfern für das vaterländische Wohl, das von den Rechten seines Sohnes, den Rechten der Regentschaft der Kaiserin und der Aufrechterhaltung der Gesetze des Kaisertums unzertrennbar ist. Gezeichnet: Napoleon." Zwei Tage später erklärte der Senat, daß eine Regentschaft Napoleons II. gar nicht in Frage käme. Ich weiß nicht, woher plötzlich alle Leute die weißen Fahnen der Bourbonen nehmen, die sie aus den Fenstern hängen. Schmutziggrau wehen sie im Aprilregen. Niemand reißt sie herunter, niemand jubelt ihnen zu. Der „Moniteur" schreibt, daß nur die Restauration der Bourbonen Gewähr für dauernden Frieden bietet. Die Polizisten, die die Hauptstraßen für den Einmarsch weiterer verbündeter Truppen freihalten, tragen nicht mehr die blauweißrote Kokarde, sondern die weiße, um derentwillen während der großen Revolution so viel Blut geflossen ist. Die meisten Mitglieder der Familie Bonaparte sind von Rambouillet mit der Kaiserin nach Blois geflohen. Die Kaiserin ist für niemanden zu sprechen. Sie liegt in den Armen Seiner Majestät, ihres Herrn Papa, und bittet ihn schluchzend, sie und ihr Kind zu schützen. Ihr Kind, nur das ihre. Der österreichische Kaiser beschloß, seinen kleinen Enkel Franz zu rufen. Der Name Napoleon gefällt ihm nicht.

Joseph sandte mehrmals Briefe von Blois aus an Julie. Sie wurden von Bauernjungen überbracht, die sie gern durch die verbündeten Linien schmuggelten, um Paris zu sehen. Julie soll mit den Kindern bei mir bleiben, bis die neue Regierung und die Verbündeten über das weitere Schicksal der Familie Bonaparte und die „Vergütung allen Eigentums" Beschlüsse gefaßt haben, schreibt er. Julie hat mich am 1. April um Geld für die Gage der Gouvernante ihrer Kinder gebeten. „Ich habe keinen Sou bei mir. Joseph hat alles, was wir an Geld und Staatspapieren besitzen, in einer eisernen Kasse mitgenommen. Auch meinen Schmuck", erklärte sie mir. Pierre bezahlte natürlich die Gouvernante. Auch mein Neffe Marius wollte sich Geld ausborgen. Ich wies ihn an Pierre. Obwohl sich Marceline vor den Passanten fürchtet, die jetzt nur noch in kleinen Gruppen vor meinem Haus stehen, entschloß sie sich zu einer Ausfahrt. Sie nahm meinen Wagen mit dem schwedischen Wappen und kehrte mit zwei neuen Hüten zurück. Die Rechnung ließ sie an mich schicken. Am Morgen des 11. April trat Marie an mein Bett, stellte eine Tasse Ersatzkaffee, der abscheulich schmeckte, auf meinen Nachttisch, legte ein trockenes graues Brötchen daneben und sagte: „Pierre muß mit dir sprechen.

Du hast kein Geld mehr!" Pierre wohnt jetzt in der ehemaligen Pförtnerwohnung im Erdgeschoß. Ich fand ihn vor seinem Schreib= tisch. Sein Holzbein lehnte in einer Ecke, er trägt es selten. Die Wunde am rechten Kniestumpf ist noch immer entzündet. Auf dem Schreibtisch stand unsere Geldkassette — offen und leer. Ganz leer. Ich setzte mich auf den Sessel neben dem Schreibtisch. Pierre reichte mir einen Bogen, auf dem lange Reihen von Zahlen standen. „Die Aufstellung aller Zahlungen, die ich seit dem ersten April geleistet habe. Alle Gehälter. Einkäufe für den Haushalt. Die Summen sind hoch. Lebensmittel nur noch auf dem schwarzen Markt erhältlich. Vorigen Monat habe ich noch im letzten Augenblick die französischen Staatspapiere Eurer Hoheit verkauft. Von ihrem Erlös haben wir bis jetzt gelebt. Der Koch könnte heute einen Kalbsbraten bekommen, der für alle Gäste ausreichen würde, wenn ich hundert Francs hätte. Oder Schweizer Währung. Hoheit, wir haben nicht einen Sou." Er schob mir die Kasse zu. Ja, ja — ich habe gesehen, sie ist leer. „Kön= nen Hoheit in absehbarer Zeit mit einer Summe aus Schweden rech= nen?" Ich zuckte die Achseln. „Vielleicht könnte Seine Hoheit, der Kronprinz —"

„Ich weiß doch nicht, wo sich Seine Hoheit aufhält."

„Ich kann selbstverständlich jede Summe geliehen bekommen, wenn Hoheit den Wechsel unterzeichnen. Der Kronprinzessin von Schwe= den steht heute jeder Betrag zur Verfügung. Wollen Hoheit unter= schreiben?" Ich preßte die Hände an die Schläfen. Schüttelte dann den Kopf. „Ich kann mir doch nicht Geld ausborgen. Zumindest nicht als Kronprinzessin von Schweden, es würde einen schrecklich schlech= ten Eindruck machen und meinem Mann nicht recht sein. Nein, es geht wirklich nicht!" Marie war eingetreten. „Du kannst ein paar Silberschüsseln verkaufen oder versetzen." Und zu Pierre: „Du mußt dir das Holzbein anschnallen, sonst wirst du dich nie daran gewöh= nen. Nun, Eugénie?"

„Ja, das wäre ein Ausweg. Aber — nein, Marie, das geht auch nicht! Überall ist etwas eingraviert. Entweder J. B. oder das Wappen von Ponte Corvo. Auf der großen Fleischschüssel, für die wir wirk= lich etwas im Leihhaus bekämen, sogar die Kronprinzenkrone. Ganz Paris würde sofort erfahren, daß wir kein Geld haben. Das würde dem Ansehen Schwedens furchtbar schaden." „Ich könnte ein Schmuckstück Eurer Hoheit versetzen, und niemand würde erfahren, wem es gehört", schlug Pierre vor. „Und wenn ich plötzlich als Kronprinzessin von Schweden einen meiner hohen Cousins — den russischen Zaren oder den österreichischen Kaiser empfangen soll? Dann stehe ich mit nacktem Hals da! Ich habe doch so wenig wert= vollen Schmuck . . ."

„Julie hat sich immer mit Brillanten behängt, sie kann jetzt ruhig —" „Marie, Joseph hat doch Julies Schmuck mitgenommen", seufzte ich. „Wie willst du eigentlich die vielen Menschen, die du unterm Dach hast, durchfüttern?" erkundigte sich Marie. Ich starrte die leere Kasse an. „Laßt mich nachdenken, laßt mich doch nach= denken!" Sie ließen mich nachdenken. Ganz still war es in der Pförtnerwohnung. „Marie, die Firma Clary hat doch zu Papas Zeiten ein Warenlager in Paris gehabt, nicht wahr?" „Natürlich. Das Lager gibt es noch. Jedesmal, wenn Herr Etienne aus Genua nach Paris kommt, besucht er es. Hat er nie darüber mit dir gesprochen?" „Nein. Dazu war auch kein Anlaß."

Marie zog die Augenbrauen in die Höhe. „Nicht? Wer hat eigent= lich die Hälfte der Firma, die deiner seligen Mama gehört hat, geerbt?"

„Das weiß ich doch nicht. Etienne hat nie —"

„Nach dem Gesetz gehören Ihnen, der Königin Julie und Ihrem Bruder Etienne je ein Drittel dieser Hälfte", erklärte Pierre. „Wir haben doch seinerzeit die Mitgift bekommen, Julie und ich", warf ich ein. „Ja, das war das Erbteil nach dem seligen Herrn Papa. Etienne hat damals die eine Hälfte der Firma geerbt und die Frau Mama die andere." Marie schien zu rechnen. „Aber seit dem Tod der Frau Mama —" „Gehört ein Sechstel der Firma Clary Ihnen, Hoheit!" sagte Pierre. Darüber müßte ich mit Julie sprechen, dachte ich. Aber Julie lag den ganzen Tag im Bett und ließ sich von Yvette Essig= kompressen auf die schmerzende Stirn legen. Da konnte ich nicht plötzlich kommen und sagen, daß ich kein Geld fürs Mittagessen habe. „Marie, der Koch soll den Kalbsbraten holen. Der Fleischer wird heute abend das Geld dafür bekommen. Bitte beschaffe mir sofort einen Mietwagen!" Im großen Salon ging es wie in einem Narrenhaus zu. Marius und Villatte beugten sich über eine Land= karte und gewannen im Gespräch sämtliche Schlachten, die Napoleon in den letzten Monaten verloren hat. Julies Töchter rauften sich mit den Söhnen Hortenses um den Inhalt einer Bonbonnière aus hauch= dünnem Sèvres=Porzellan. Die La Flotte dagegen übersetzte dem Grafen von Rosen weinend einen Zeitungsartikel, in dem Napoleon Bluthund genannt wurde. Ich wandte mich an Marius. „Wo liegt eigentlich das Warenlager der Firma Clary?" Sonderbarerweise er=

rötete er. „Du weißt doch, daß ich mit dem Seidenhandel nichts zu schaffen habe, Tante. Ich bin zeit meines Lebens Offizier gewesen." Das Gespräch war ihm in Gegenwart Villattes überaus peinlich. Ich gab nicht nach. „Aber dein Vater ist Seidenhändler, und du solltest dich erinnern, wo sein Warenlager liegt. Er hat es jedesmal, wenn er in Paris war, aufgesucht." — „Ich habe ihn aber nie begleitet, ich —" Ich sah ihn an. Da stockte er. „Es liegt in einem Keller im Palais Royal, wenn ich mich richtig erinnere—" kam es schnell. Dann nannte er mir die Adresse. „Glaubst du, daß mich deine Yvette frisieren kann?" fragte im gleichen Augenblick Marceline, die in einem kostbaren Morgenrock hereingerauscht kam. „Ich möchte ausfahren. Natürlich nur, wenn du deinen Wagen nicht brauchst, Tante." — „Ich brauche ihn im Augenblick nicht. Aber ich würde dir abraten, den Wagen mit dem Wappen des schwedischen Kronprinzen zu benutzen."

„Oh, es ist ganz ruhig in den Straßen, man hat sich an den Umschwung schnell gewöhnt", lächelte Marceline. „Darf ich?" Ich nickte. „Der Mietwagen ist vorgefahren", wisperte mir Marie ins Ohr. — Der Mietwagen hielt vor einem geräumigen, sehr eleganten Kellergeschäft im Palais Royal. Ein schmales Schild mit vornehmen Goldlettern: François Clary. Seidenwaren — en gros, en detail. Ich ließ den Wagen warten, stieg drei Treppen hinab, öffnete eine Tür, hörte eine helle Geschäftsglocke bimmeln und stand in einem sehr hübsch eingerichteten Büro. Nur die halbleeren Regale an den Wänden mit den großen Seidenrollen verrieten den Zweck des vornehmen Mahagonischreibtisches und der zierlichen Stühle und Tischchen. Hinter dem Schreibtisch saß ein älterer Mann in vornehm dunklem Zivil, die weiße Kokarde der Bourbonen im Knopfloch. „Womit kann ich dienen, Madame?" „Führen Sie die Geschäfte der Firma Clary in Paris?"

Der Mann verbeugte sich. „Zu Diensten, Madame. Weißer Satin ist leider ausverkauft, aber wir haben noch eine Restpartie Vorhangmusselin, den Madame über Ihre Gardinen hängen können. Sehr gefragt im Faubourg St. Germain —" „Darum handelt es sich nicht", sagte ich scharf.

„Oh, ich verstehe — Madame denken an eine Toilette!" Er sah die Regale an. „Bis gestern hatte ich noch eine Partie Brokatstoff mit eingewebter Lilie, Madame, aber leider — ausverkauft, alles ausverkauft. Vielleicht Velour oder weißer —" „Sie machen gute Geschäfte, Monsieur —"

„Legrand, Madame, Legrand", stellte er sich vor. „Diese weißen Stoffe — Brokat mit eingewebter bourbonischer Lilie, Vorhangmusselin für die Restauration und die anderen weißen Fetzen — wann sind die eigentlich angekommen? Die Zufahrtsstraßen nach Paris sind doch gesperrt." Er mußte so lachen, daß die beiden Doppelkinne im hohen Kragen auf und ab wippten. „Monsieur Clary hat die Stoffe schon vor Monaten aus Genua geschickt. Kurz nach der Schlacht bei Leipzig kamen die ersten Partien an. Monsieur Clary, der Chef der Firma, ist überaus wohlinformiert. Madame werden ja wissen, Monsieur Clary ist —" Er räusperte sich. „Monsieur Clary ist der Schwager des Siegers von Leipzig! Der Schwager des schwedischen Kronprinzen. Madame werden verstehen, daß —" „Und Sie haben schon vor Wochen weiße Seide an die Damen des alten Adels verkauft?" unterbrach ich ihn. Er nickte stolz. Ich starrte die Kokarde auf seinem Rockaufschlag an. „Ich konnte bisher nicht verstehen, woher über Nacht die weißen Kokarden kamen", murmelte ich. „Die Damen der alten Familien, die der Kaiser an seinem Hofe empfing, haben also heimlich weiße Kokarden genäht?" „Madame — ich bitte!" wehrte er ab. Aber ich war plötzlich wütend, schrecklich wütend. Die Regale waren beinahe leer. „Und Sie haben weiße Seide verkauft, eine Rolle nach der anderen! Während sich die französischen Truppen noch geschlagen haben, um die Verbündeten zurückzuwerfen, sind Sie hier gesessen und haben Geld eingescheffelt — nicht wahr, Monsieur?" „Madame, ich bin nur Angestellter der Firma François Clary", verteidigte er sich beleidigt. „Außerdem sind die meisten Lieferungen noch gar nicht bezahlt worden. Außenstände, nichts als Außenstände! Die Damen, die diese weißen Stoffe mit den Lilien gekauft haben, warten doch auf die Ankunft der Bourbonen. Dann werden ihre Männer die großen Stellungen bekommen, und die Damen können bezahlen. Aber die Toiletten für den Empfang in den Tuilerien müssen vorher genäht werden." Er machte eine Pause und betrachtete mich mißtrauisch.

„Womit kann ich Ihnen dienen, Madame?"

„Ich brauche Geld. Wieviel haben Sie in der Kasse?"

„Madame! Ich — ich verstehe nicht —"

„Ein Sechstel der Firma Clary gehört mir, ich bin eine Tochter ihres verstorbenen Gründers. Und ich brauche dringend Geld. Wieviel haben Sie in der Kasse, Monsieur Legrand?"

„Madame — das verstehe ich nicht recht. Monsieur Etienne hat doch nur zwei Schwestern. Madame Joseph Bonaparte und Ihre

Königliche Hoheit, die Kronprinzessin von Schweden." „Stimmt.
Und ich bin die Kronprinzessin von Schweden. Wieviel haben Sie
in der Kasse, Monsieur?" Monsieur Legrand tastete mit zitternder
Hand in seine Westentasche, zog eine Brille heraus, setzte sie auf
und sah mich an. Dann verbeugte er sich so tief, wie es sein dicker
Bauch erlaubte. Als ich ihm die Hand reichte, begann er vor Rüh=
rung zu schnaufen. „Ich war schon Lehrling beim Herrn Papa in
Marseille, als Hoheit noch ein Kind waren — ein so liebes Kind
und schlimm, Hoheit, sehr schlimm!"

„Sie hätten mich nicht wiedererkannt, nicht wahr? Nicht einmal
mit der Brille?" Mir war zum Weinen. „Ich bin nicht mehr schlimm,
Monsieur, ich versuche ja mein Bestes, um in diesen Tagen —" Ich
senkte den Kopf, um meine Tränen mit der Zunge aufzufangen.
Mit ein paar raschen Schritten war Legrand an der Tür und ver=
sperrte sie. „Jetzt brauchen wir keine Kunden, Hoheit", flüsterte er.

Ich kramte in meinem Pompadour nach einem Taschentuch. Legrand reichte mir seines. Blütenweiß, aus feinster Seide. „Ich habe mir den Kopf zermartert, wie ich durchkommen soll, ohne Schulden zu machen. Eine Clary macht doch keine Schulden, nicht wahr? Ich warte nur, bis mein Mann —" Ich biß verzweifelt in das Taschentuch unseres ehemaligen Lehrlings. „Ganz Paris wartet auf den feier= lichen Einzug des Siegers von Leipzig", versicherte mir Legrand. „Der Zar ist bereits angekommen, der Preußenkönig, es kann nicht mehr lange dauern, bis —" Ich wischte die letzten Tränen ab. „Ich habe in all diesen Jahren niemals meinen Anteil an den Einnahmen der Firma behoben. Deshalb möchte ich jetzt alles mitnehmen, was Sie flüssig haben." — „Ich habe sehr wenig flüssig, Hoheit. Am Tag vor seiner Abreise hat mich König Joseph um einen großen Betrag gebeten." Meine Augen wurden weit vor Staunen. Er bemerkte es nicht, sprach weiter — „König Joseph hat zweimal jährlich den Anteil seiner Gattin an unseren Einnahmen behoben. Was wir bis Ende März am heimlichen Verkauf der weißen Seidenstoffe verdient haben, hat König Joseph einkassiert. Bleiben nur die Außenstände, Hoheit!"

Auch Joseph Bonaparte hat an den weißen Kokarden verdient. Bewußt, unbewußt, jetzt ist es egal . . . „Hier —" sagte Legrand und reichte mir ein Bündel Banknoten. „Das ist alles, was wir mo= mentan flüssig haben."

„Immerhin etwas", murmelte ich und stopfte die Banknoten in den Pompadour. Dann faßte ich einen Entschluß. „Monsieur Le= grand, wir müssen sofort die Außenstände einkassieren. Alle Leute sagen, daß der Franc noch fallen wird. Draußen wartet mein Miet= wagen. Nehmen Sie ihn, fahren Sie von einer Kundschaft zur ande= ren und kassieren sie. Weigert man sich, zu bezahlen, dann ver= langen Sie die Ware zurück. Ja?"

„Aber ich kann nicht abkommen, ich habe den Lehrling — wir haben hier nur noch einen, die Gehilfen sind alle einberufen wor= den — also, den Lehrling habe ich mit Warenproben zu einer alten Kundin geschickt, die dringend neue Kleider braucht. Zur Mar= schallin Marmont, Hoheit. Und ich erwarte jeden Augenblick den Einkäufer des Salons Le Roy. Bei Le Roy wird Tag und Nacht ge= arbeitet, und die Damen vom neuen Hof —"

„Während Sie einkassieren, werde ich hier die Kunden bedienen!" Dabei zog ich meinen Mantel aus und nahm den Hut ab. Legrand stotterte: „Aber Hoheit —"

„Worüber wundern Sie sich? Ich habe als junges Mädchen sehr oft im Geschäft in Marseille geholfen. Haben Sie keine Angst, ich weiß, wie man Seide zusammenrollt. Beeilen Sie sich, Monsieur!" Fassungslos stolperte Legrand auf die Tür zu. „Monsieur, einen Augenblick!" Er wandte sich um. „Bitte nehmen Sie die weiße Kokarde ab, wenn Sie im Auftrag der Firma Clary Besuche ab= statten!"

„Hoheit, die meisten Leute tragen doch —"

„Ja, aber nicht ehemalige Lehrlinge meines Papas. Auf Wieder= sehen, Monsieur!"Als ich allein war, setzte ich mich hinter den Schreibtisch und ließ den Kopf auf die Tischplatte sinken. Ich war sehr müde. So viele Nächte, in denen ich nicht mehr richtig schlafen kann. Meine Augen brannten von den dummen Tränen, die ich plötzlich geweint hatte. Die Erinnerung an Marseille ist schuld daran gewesen. Ein schlimmes Kind ... Ich war ein schlimmes und völlig sorgloses Kind, das Papa an der Hand genommen hat, um ihm die Menschenrechte zu erklären. Das ist lange her. Und kommt nie wieder. Die Glocke über der Eingangstür bimmelte. Ich sprang diensteifrig auf. Ein hellblauer Frack mit kunstvollen Stickereien, eine weiße Kokarde: der Einkäufer des Salons Le Roy. Ich habe dort immer nur mit der Direktrice zu tun gehabt, der Einkäufer kennt mich nicht. „Sie sind der Einkäufer von Le Roy, nicht wahr? Ich vertrete Monsieur Legrand. Womit können wir Ihnen dienen?"

„Ich hätte gern mit Monsieur Legrand persönlich —"

Ich bedauerte. Zog dann eine schwere Rolle Samt von den Re= galen. Ein Zettel lag darauf: „Bestellung von Madame Mère. Zu= rückgeschickt." Ich rollte ein Stück auf, um die richtige Seite des Stoffes zu sehen. Dunkelgrün, die Farbe Korsikas. Mit eingewebten Goldbienen. „Hier —" sagte ich. „Dunkelgrüner Samt mit der Lilie der Bourbonen!" Dabei strengte ich mich an, um die Rolle mög= lichst schnell umzudrehen. Die Bienen kamen dadurch verkehrt zu liegen. Der Einkäufer half mir nicht. Hielt nur ein Lorgnon vor die Nase und betrachtete den Samt. „Die Lilien erinnern an die Biene", kritisierte er. „Dafür kann ich nichts", bemerkte ich schnip= pisch. „Sie erinnern an die Napoleonische Biene", beharrte er. Und kritisierte: „Außerdem ist Dunkelgrün ganz unmodern geworden, man hat die Farbe während des Kaiserreiches zuviel gesehen. Noch dazu Samt! Samt im Frühling...! Haben Sie blaßlila Musselin?" Ich sah die Regale entlang. Musselin ... Rosa Musselin, gelber Musselin, violetter Musselin ... Ausgerechnet auf dem obersten

Fach. Irgendwo muß doch eine Leiter stehen, vielleicht — ja, dort drüben steht die Leiter, ich legte sie an. Kroch hinauf, fischte nach dem violetten Musselin ... „Kaiserin Josephine wünscht nämlich eine blaßlila Toilette. Blaßlila ist eine Andeutung von Trauer. Die Kaiserin braucht die Toilette, um den Zaren zu empfangen."

Da fiel ich beinahe von der Leiter. „Sie will — den Zaren — emp= fangen?"

„Natürlich. Sie hofft sehr auf seinen Besuch, um mit ihm über ihre Einkünfte zu sprechen. Über die Einkünfte der Bonapartes wird ja noch verhandelt. Es sieht so aus, als ob man großzügig sein und diesen Parvenüs eine Rente lassen wird. Haben Sie blaßlila Musselin oder nicht?" Ich kletterte mit der Rolle die Leiter hinunter. Blätterte dann das hauchdünne Gewebe vor ihm auf. „Zu dunkel", erklärte er. „Fliederfarbe — die große Mode", widersprach ich. Er betrachtete mich verächtlich. „Wie kommen Sie darauf?" — „Kleidsam und ein wenig melancholisch. Gerade das Richtige für Josephine. Übrigens — wir verkaufen jetzt nur gegen sofortige Bezahlung!" „Kommt gegenwärtig nicht in Frage. Unsere Kunden bezahlen auch nicht sofort. Natürlich, sowie sich die Lage geklärt haben wird, Made= moiselle —"

„Die Lage hat sich geklärt. Der Franc fällt. Wir verkaufen nur kontant." Ich nahm die Rolle vom Schreibtisch und trug sie zu den Regalen zurück. „Wo ist denn Monsieur Legrand?" klagte er. „Nicht hier, das habe ich Ihnen schon gesagt." Hungrig schweiften seine Blicke über die halbleeren Regale. „Sie haben beinahe keine Waren mehr", bemerkte er. Ich nickte. „Ja, so gut wie ausverkauft. Und zwar gegen sofortige Bezahlung." Er starrte wie gebannt auf ein paar Rollen Satin. „Die Marschallin Ney", murmelte er. „Hell= blauer Satin? Madame Ney hat einen Rubinschmuck und trägt gern Hellblau", schlug ich vor. Er sah mich neugierig an. „Sie sind gut informiert, meine Kleine, gut eingearbeitet in der Branche, Made= moiselle —?"

„Désirée", sagte ich freundlich. „Nun? Was wollen wir der Mar= schallin Ney anziehen, wenn sie den Bourbonen in den Tuilerien vorgestellt wird?"

„Sie sagen das so bitter, Mademoiselle Désirée, Sie sind doch nicht heimlich Bonapartistin?"

„Nehmen Sie Hellblau für die Marschallin Ney. Sie bekommen den Satin zum Vorkriegspreis." An der Rolle hing ein Zettel mit Etiennes dünner Handschrift. Der Preis stand darauf geschrieben.

Ich nannte die Summe. „Ich werde einen Wechsel ausstellen", be=
harrte er. „Sie werden kontant bezahlen oder den Satin hierlassen.
Ich habe andere Abnehmer." Er zählte das Geld auf den Schreib=
tisch. „Und der violette Musselin?" fragte ich, während ich acht
Meter blauen Satin abmaß und die große Schere vom Fensterbrett
nahm. Dann wagte ich einen kleinen Einschnitt und riß das Ge=
webe mit einem energischen Ruck durch — genauso, wie ich Papa
und Etienne Seiden durchreißen sah, wenn sie ein Stück verkauft
hatten. „Die Kaiserin zahlt doch auch nie sofort", klagte er. Ich
überhörte es. „Sieben Meter Musselin", seufzte er schließlich. „Neh=
men Sie neun, sie wird sich einen Schal zu dem Kleid sticken las=
sen", riet ich ihm und maß neun Meter ab. Inzwischen legte er
widerwillig das Geld für Josephines melancholische Toilette auf
den Schreibtisch. „Und ersuchen Sie Legrand, uns den grünen Samt
mit der goldenen Biene bis heute abend zu reservieren", schärfte
er mir beim Abschied ein. Das versprach ich ihm gern. Ich bediente
noch drei weitere Kunden und kletterte ununterbrochen auf der
kleinen Leiter herum. Dann kehrte endlich Legrand zurück. Das
Geschäft war gerade leer. „Haben Sie alles einkassiert, Monsieur."

„Nicht alles. Aber einen Teil. Hier!" Er reichte mir eine Leder=
tasche mit vielen Banknoten. „Schreiben Sie alles genau auf, und
ich werde Ihnen den Empfang der Summe bestätigen", sagte ich.
Er begann zu schreiben. Wie lange werden wir von der Summe
leben? Eine Woche, zwei Wochen? Er schob mir das Stück Papier
zur Unterschrift hin. Ich überlegte. Schrieb dann: „Désirée, Kron=
prinzessin von Schweden. Geborene Clary." Er schüttete Sand dar=
über. „Von nun an werde ich regelmäßig mit meinem Bruder Etienne
abrechnen", sagte ich. „Und verschaffen Sie sich violetten Musse=
lin — die neue Modefarbe, Sie werden schon sehen! Und den grünen
Samt, den Madame Mère zurückgeschickt hat, reservieren Sie für
Le Roy. Aber nein, ich mache mich nicht lustig, Le Roy will ihn
wirklich haben! Auf Wiedersehen, Monsieur Legrand."

„Hoheit . . ." Die kleine Glocke über der Geschäftstür bimmelte.
Der Mietwagen wartete. Als ich einstieg, reichte mir der Kutscher
ein Zeitungsblatt. Ich bat ihn, mich in die Rue d'Anjou zu fahren.
Unterwegs fiel mir die Extra=Ausgabe ein. Der Wagen schaukelte,
die Buchstaben tanzten . . . „Da die verbündeten Mächte proklamiert
haben, daß der Kaiser das einzige Hindernis für die Wiederherstel=
lung des Friedens in Europa ist, so erklärt der Kaiser, seinem Eide
getreu, daß er für sich und seine Kinder auf die Throne von Frank=

reich und Italien verzichtet und daß es kein Opfer gibt, das des Lebens nicht ausgenommen, das er nicht bereit wäre, für das Wohl Frankreichs zu bringen." Und das alles in einem einzigen Satz ... Zum Nachtmahl werden wir Kalbsbraten bekommen. Ich muß auf meinen Pompadour aufpassen, ich habe alle Geldscheine hinein=gestopft. Es riecht schon nach Frühling. Aber die Leute auf der Straße haben angewiderte Gesichter. Nach einem Krieg weiß kein Mensch mehr, warum und wozu man hungert. Die Frauen vor den Bäckerläden stehen noch immer Schlange und tragen weiße Ko=karden. Die Extra=Ausgaben mit der Abdankung schwimmen im Rinnstein. Mit einem Ruck hielt der Wagen. Eine Kette von Gen=darmen versperrte die Einfahrt in die Rue d'Anjou. Ein Gendarm schrie dem Kutscher etwas zu. Der Kutscher stieg vom Bock und öffnete den Wagenschlag. „Weiterfahren verboten, die Rue d'Anjou ist abgesperrt, der Zar wird erwartet!"

„Aber ich muß in die Rue d'Anjou, ich wohne dort!" Der Kut=scher erklärte es den Gendarmen. „Personen, die nachweislich in der Rue d'Anjou wohnen, dürfen passieren. Aber nur zu Fuß", wurde uns mitgeteilt. Ich stieg aus und bezahlte den Kutscher. Zu beiden Seiten der Rue d'Anjou standen Gendarmen Spalier. Die Fahrbahn war menschenleer, meine Schritte hallten. Knapp vor meinem Haus wurde ich angehalten. Ein Gendarmeriewachtmeister zu Pferd sprengte auf mich zu. „Weitergehen verboten!" Ich sah zu ihm auf. Sein Gesicht kam mir bekannt vor. Mir fiel ein, daß es derselbe Mann war, der jahrelang vor unserem Haus im Auftrag des Polizeiministers Wache gehalten hatte. Ich habe nie heraus=gefunden, ob diese Wache als Ehrung oder als Aufsicht gedacht war. Napoleon ließ die Häuser, die seine Marschälle bewohnten, Tag und Nacht von der Polizei beaufsichtigen. Der Wachtmeister war ein älterer Mann in einer sehr abgetragenen Uniform. Auf sei=nem schäbigen Dreispitz glänzte ein dunkler Fleck: die Stelle, an der bis vor zwei Tagen die blauweißrote Kokarde angenäht war. Die ließ er absichtlich frei. Daneben hing lose die weiße Kokarde, erster Erlaß der neuen Regierung. „Lassen Sie mich durch, Sie wis=sen doch, daß ich in diesem Haus dort wohne!" Ich wies mit dem Kinn auf mein Haus. Vor dem Eingang bildeten die Gendarmen einen dichten Knäuel. „In einer halben Stunde stattet Seine Ma=jestät, der Kaiser von Rußland, Ihrer Königlichen Hoheit, der Kron=prinzessin von Schweden, einen Besuch ab. Ich habe Befehl, nie=manden an dem Haus vorbeizulassen", schnarrte er und sah über

mich hinweg. Auch das noch, der Zar kommt zu mir, der Zar ...
„Dann lassen Sie mich schnell durch, ich muß mich doch umziehen",
schrie ich wütend. Aber der schäbige Wachtmeister sah mir noch
immer nicht ins Gesicht. Ich stampfte mit dem Fuß auf. „Schauen
Sie mich doch an, Sie kennen mich seit Jahren, Sie wissen genau,
daß ich in dem Haus dort wohne!"

„Ich habe mich geirrt und Hoheit mit der Marschallin Bernadotte
verwechselt." Jetzt sah er mich an. Die Augen glitzerten böse. „Ich
bitte um Entschuldigung — eine Verwechslung. Hoheit sind die
Dame, die den Zaren empfängt." Er brüllte: „Passage frei für die
Kronprinzessin von Schweden!" Ich lief Spießruten zwischen den
Gendarmen. Meine Füße waren wie Blei. Aber ich lief ... Zu Hause
wartete man schon auf mich, das Tor flog auf, als ich mich näherte.
Marie packte meinen Arm. „Schnell, schnell — in einer halben
Stunde haben wir den Zaren hier!" Pierre hing zwischen seinen
Krücken in der Tür zur Pförtnerwohnung. Ich warf ihm meinen
Pompadour zu. „Da — wir sind aus der Patsche! Zumindest vor=
läufig", stieß ich hervor. Ich weiß nicht mehr, wie ich in mein
Boudoir kam. Marie riß mir die Kleider herunter und warf mir ein
Negligé über. Yvette begann mein Haar zu bürsten. Ich schloß er=
schöpft die Augen. „Trink das, trink es mit einem Schluck!" Marie
hielt ein Glas Kognak in der Hand. „Ich kann nicht, Marie — ich
trinke niemals Kognak."

„Trink!"

Da nahm ich ihr das Glas ab. Meine Hände zitterten. Mir ekelte
vor dem Kognak. Aber ich goß ihn in einem Zug hinunter. Er
brannte bis tief in den Magen. „Was ziehst du an?" wollte Marie
wissen. „Ich weiß nicht. Ich habe nichts Neues. Vielleicht das vio=
lette Samtkleid, das ich zur Abschiedsaudienz beim Kaiser getragen
habe." Samt im Frühling? Violett — kleidsam und melancholisch.
Ich rieb mein Gesicht mit Rosenwasser ab, rieb den Staub des
Warenlagers aus allen Poren, Goldschminke auf die Augenlider
— Yvette hielt mir den Schminkspiegel entgegen. So — und jetzt
Rouge auf die Wangen, die Puderquaste ... „Du hast noch eine
Viertelstunde, Eugénie", sagte Marie und kniete neben mir nieder
und streifte mir Schuhe und Strümpfe ab. „Ich werde den Zaren
im kleinen Salon empfangen. Im großen sitzt ja die ganze Familie."
Dabei hämmerten Kopfschmerzen in meinen Schläfen. „Ich habe
schon alles im kleinen Salon vorbereitet — Champagner, Konfekt,
zerbrich dir nicht den Kopf!" Marie zog mir silberne Sandalen an.

In diesem Augenblick sah ich im Spiegel Julie. Sie hatte eines ihrer Purpurgewänder angezogen und hielt eine ihrer kleinen Kronen in der Hand. „Soll ich die Krone tragen oder nicht, Désirée?" Ich drehte mich um und starrte sie verständnislos an. Sie war so mager, daß der Purpur, der ihr so entsetzlich schlecht steht, in losen Falten an ihr herunterhing. „Um Himmels willen, wozu willst du die Krone aufsetzen?"

„Ich dachte nur — ich meine, wenn du mich dem Zaren vorstellst, so wirst du doch meinen alten Titel nennen und —" Ich wandte mich ab und sprach in den Spiegel. „Willst du wirklich dem Zaren vorgestellt werden, Julie?" Sie nickte heftig. „Natürlich. Ich werde ihn bitten, meine Interessen und die meiner Kinder zu schützen. Der Kaiser von Rußland —"

„Daß du dich nicht schämst, Julie Clary", flüsterte ich. „Napoleon hat erst vor ein paar Stunden abgedankt. Seine Familie hat seinen Erfolg geteilt, zwei Kronen hast du von ihm angenommen. Jetzt mußt du warten, was über dich bestimmt wird. Deine Interessen —" Ich schluckte, mein Mund war so trocken. „Julie, du bist keine Königin mehr. Sondern nur Julie Bonaparte, geborene Clary. Nicht mehr. Aber auch nicht weniger!" Etwas klirrte. Die kleine Krone war ihr aus der Hand gefallen. Dann warf sie hinter sich die Tür zu. Ich preßte die Augen vor Kopfweh zusammen. Yvette setzte die Ohrgehänge der Königinmutter von Schweden in meine Ohren. „Man hat mich den ganzen Tag über gefragt, wo du bist", bemerkte Marie und zog mich in die Höhe. „Was hast du geantwortet?"

„Gar nichts. Du bist sehr lange ausgeblieben!"

„Ich habe den Prokuristen herumgeschickt, um Außenstände ein= zutreiben. Unterdessen mußte ich die Kunden bedienen." Schlaf= rock ausziehen, ins violette Samtkleid schlüpfen, niedersetzen. „Noch fünf Minuten", sagte Marie. Yvette begann meine Locken mit einem rosa Band aufzubinden. Marie fragte: „Wie geht das Geschäft?"

„Blühend. Satin und Musselin für die neuen Hoftoiletten der alten Marschallinnen. Gib mir noch ein Glas Kognak, Marie!" Wortlos schenkte sie ein. Wortlos goß ich das Zeug hinunter. Es brannte, aber ganz angenehm . . . Ich schaute in den Spiegel. Meine Augen wirkten unnatürlich groß unter den goldenen Lidern. Vielleicht sollte ich die blauen Schatten darunter überpudern? Als ich das Kleid zum letztenmal trug, steckte ich Veilchen an. Schade, heute habe ich keine . . . „Übrigens sind Blumen für dich abgegeben wor= den, Eugénie. Veilchen. Sie stehen auf dem Kamin im kleinen Sa=

lon. Jetzt mußt du hinuntergehen!" Ich weiß nicht, ob der Kognak oder meine Müdigkeit daran schuld waren — jedenfalls schwebte ich wie im Traum die Treppen hinunter. Unten in der Halle waren sie alle aufgestellt. Marceline in einer Balltoilette, die Julie gehörte. Mein Neffe, der General, in gut gebürsteter Paradeuniform. Die La Flotte in ihrem besten Kleid. Julies Töchter mit Purpurschleifen im Haar. Die kleinen Söhne von Hortense. Graf von Rosen in schwedischer Gala=Uniform mit leuchtender Adjutantenschärpe. Im Hintergrund Oberst Villatte in seiner abgetragenen Felduniform. Als ich, ohne über meine Schleppe zu stolpern, unten angelangt war, schob er sich vor. „Hoheit, ich bitte mich während des Besuches des Zaren zu entschuldigen. Ich werde Hoheit diese Gnade niemals vergessen." Ich nickte zerstreut und sah dann von einem zum anderen. „Ich bitte alle, sich in den großen Salon zu begeben. Ich werde nämlich den Zaren im kleinen Salon empfangen." Warum starren sie mich so erstaunt an? „Graf von Rosen, ich sehe, Sie haben sich eine Adjutantenuniform beschafft."

„Seine Hoheit hat sie mir durch einen russischen Offizier ge= schickt." Jean=Baptiste denkt an alles ... „Sie werden mich in den kleinen Salon begleiten, Graf!"

„Und wir —?" entfuhr es Marceline. Ich stand schon an der Tür. „Ich möchte keinem Franzosen zumuten, dem Herrscher einer ver= bündeten Macht vorgestellt zu werden, bevor Friede zwischen Frankreich und den Alliierten geschlossen wurde. Meines Wissens hat der Kaiser erst heute abgedankt." Marius wurde rot. Marceline schüttelte verständnislos den Kopf. Die La Flotte biß sich auf die Lippen. Die Kinder riefen: „Dürfen wir wenigstens durchs Schlüssel= loch schauen?" Der kleine Salon war tadellos in Ordnung. Auf dem Tischchen vor dem Spiegel Champagner, Gläser, Konfekt. Auf dem Kamin ein silberner Korb mit Veilchen — sie waren armselig klein und verwelkt — und ein versiegelter Briefumschlag. Da — Trompeten und Pferdegetrappel. Der Zar läßt sich natürlich von einer Leibgarde begleiten. Ein Wagen hielt. Ich stand steif aufgerichtet in der Mitte des Raumes. Die Tür flog auf: eine blütenweiße Uniform, funkelnde Goldepauletten, ein Riese mit einem runden Knabengesicht, blonden Locken und unbeschwertem Lächeln. Und nach ihm, gleich nach ihm — Talleyrand. Hinter den beiden wimmelte es von fremden Uniformen. Ich verneigte mich und reichte dem blonden Riesen die Hand zum Kuß. „Hoheit, es ist mir ein Herzensbedürfnis, der Gattin jenes Mannes, der so viel zur Befreiung Europas beigetragen hat, meine Aufwartung zu machen", sagte der Zar. Meine beiden Diener schlichen lautlos herum und boten Champagnerkelche an. Der Zar setzte sich mit mir auf das kleine Sofa. Im Fauteuil gegenüber der bestickte Frack des Herrn von Talleyrand. „Der Fürst von Benevent hatte die Güte, mir sein Haus zur Verfügung zu stellen", lächelte der Zar. Trägt er immer eine blütenweiße Uniform? Auch in der Schlacht? Unsinn, der Zar ist doch kein Heerführer, sondern ein feiner Mann, der hoch zu Roß in seinem Hauptquartier auf Sieges= nachrichten wartet. Nur Jean=Baptiste ist Fürst und Feldherr zugleich, deshalb haben sie ihn bei Leipzig die blutige Arbeit verrichten las= sen, deshalb haben sie ihm bei Leipzig das Herz gebrochen . . . Ich trank Champagner und lächelte. „Ich bedaure unendlich, daß der Gemahl Eurer Hoheit nicht an meiner Seite in Paris eingezogen ist." Die blauen Augen waren plötzlich schmal. „Ich hatte damit gerech= net. Wir haben, während unsere Truppen über den Rhein gingen, eine Menge Briefe gewechselt. Eine kleine Meinungsverschiedenheit über die künftigen Grenzen Frankreichs . . ." Ich lächelte und trank Champagner. „Es wäre mir lieb gewesen, wenn Seine Hoheit an den Beratungen über die neue Staatsform Frankreichs teilgenommen hätte. Schließlich ist Seine Hoheit besser über die Wünsche des französischen Volkes informiert als ich — oder Unsere teuren Cou= sins, der Kaiser von Österreich und der König von Preußen. Auch machen sich bei den einzelnen Herrschern und ihren Ratgebern ver= schiedene — nun, sagen wir verschiedene Interessen geltend." Er leerte sein Glas mit einem Schluck und hielt es geistesabwesend einem Adjutanten hin. Der Adjutant füllte es wieder. Keiner meiner Diener durfte in seine Nähe treten. Ich lächelte weiter. „Ich erwarte mit Ungeduld die Ankunft Ihres Gemahls, Hoheit. Vielleicht wissen Hoheit, wann ich den Kronprinzen erwarten darf?" Ich schüttelte den Kopf und trank Champagner. „Die provisorische Regierung Frank= reichs unter dem Vorsitz unseres Freundes, des Fürsten von Bene= vent —" Er hob sein Glas Talleyrand entgegen. Talleyrand verneigte sich — „diese provisorische Regierung hat Uns wissen lassen, daß sich Frankreich nach der Rückkehr der Bourbonen sehnt. Und daß nur die Restauration den inneren Frieden sichern kann. Mich per= sönlich überrascht diese Anschauung sehr. Wie denken denn Eure Hoheit darüber?"

„Ich verstehe nichts von Politik, Sire."

„Bei meinen wiederholten Aussprachen mit dem Gemahl Eurer Hoheit gewann ich nämlich den Eindruck, daß die Dynastie der

Bourbonen dem französischen Volke durchaus nicht — mhm, durch=
aus nicht erwünscht ist. Ich habe deshalb Seiner Hoheit den Vor=
schlag gemacht —" Er hielt sein leeres Glas dem Adjutanten hin
und sah mir voll ins Gesicht. „Madame, ich habe Ihrem Gemahl den
Vorschlag gemacht, dem französischen Volk nahezulegen, seinen
großen Marschall Jean=Baptiste Bernadotte, Prinz von Schweden,
zum König zu wählen."

„Und was hat mein Mann Eurer Majestät geantwortet?"

„Unverständlicherweise — nichts, Hoheit. Unser teurer Cousin, der
Kronprinz von Schweden, hat Unseren diesbezüglichen Brief nicht
beantwortet, Seine Hoheit ist nicht zur festgesetzten Zeit in Paris
eingetroffen, meine Kuriere erreichen ihn nicht mehr, Seine Hoheit
ist — verschwunden." Er trank das frisch gefüllte Glas leer und sah
mich betrübt an. „Der Kaiser von Österreich und der König von
Preußen unterstützen die Rückkehr der Bourbonen. England hat
bereits ein Kriegsschiff zur Einschiffung Ludwigs XVIII. bereit=
gestellt. Da mir der schwedische Kronprinz nicht antwortet, werde
ich mich den Wünschen der französischen Regierung —" Sein Blick
streifte Talleyrand. „— und meiner Verbündeten fügen." Er blickte
nachdenklich in sein Glas. „Schade . . ." Und unvermittelt: „Sie
haben einen reizenden Salon, Madame." Wir erhoben uns, und der
Zar trat ans Fenster und blickte in den Garten hinaus. Ich stand
dicht neben ihm und reichte ihm kaum bis zur Schulter. „Ein schöner
Garten", murmelte er zerstreut. Herrgott, mein Gärtchen ist heuer
ganz ungepflegt und schaut trostlos aus! „Ich wohne in Moreaus
ehemaligem Haus." Der Zar schloß plötzlich in schmerzlicher Erin=
nerung die Augen. „Ein Kanonenschuß hat seine beiden Beine zer=
schmettert, Moreau hat meinem Generalstab angehört, er ist Anfang
September gestorben. Haben Hoheit nichts davon gehört?" Ich preßte
den Kopf an die kühle Fensterscheibe. „Moreau ist ein alter Freund
von uns. Aus der Zeit, in der mein Mann noch hoffte, dem franzö=
sischen Volke die Republik erhalten zu können." Ich sprach sehr
leise, wir lehnten allein am Fenster, der Zar aller Reußen und ich.
Nicht einmal Talleyrand konnte uns hören. „Und um dieser Repu=
blik willen geht Ihr Gemahl nicht auf meinen Vorschlag ein, Ma=
dame?" Ich schwieg. „Keine Antwort ist auch eine Antwort", lächelte
er. Plötzlich fiel mir etwas ein, und ich wurde sehr zornig. „Sire —"
Er beugte sich zu mir nieder. „Liebe verehrte Cousine?" — „Sire, Sie
haben meinem Mann nicht nur die französische Königskrone an=
geboten. Sondern auch die Hand einer Großfürstin."

„Man sagt, daß Wände Ohren haben. Aber daß sogar die dicken Schloßmauern von Abo welche besitzen . . ." Er lachte. „Wissen Sie, was mir Ihr Gemahl geantwortet hat, Hoheit?" Ich sagte nichts. War auch nicht mehr zornig, nur schrecklich müde. „Ich bin doch schon verheiratet, hat mir der Kronprinz erwidert. Daraufhin wurde das Thema nie wieder berührt. Sind Sie jetzt beruhigt, Hoheit?"

„Ich war nicht beunruhigt, Sire. Zumindest nicht — in dieser Beziehung. Trinken Sie noch ein Glas, mein lieber — Cousin?" Talleyrand tauchte auf, Talleyrand reichte uns Gläser, Talleyrand ließ uns keine Sekunde mehr allein. „Wenn ich etwas in diesen Tagen für Sie tun könnte, meine liebe Cousine, so würden Sie mich sehr glücklich machen", sagte der Zar eifrig.

„Sie sind sehr gütig, Sire, aber ich brauche nichts."

„Vielleicht eine Ehrenwache von russischen Gardeoffizieren?"

„Um Gottes willen — nur das nicht!" entfuhr es mir. Talleyrand lächelte spöttisch. „Ich verstehe", sagte der Zar ernst. „Natürlich — ich verstehe, liebste Cousine." Er beugte sich über meine Hand. „Wenn ich früher die Ehre Ihrer Bekanntschaft gehabt hätte, so würde ich dem Kronprinzen jenen Vorschlag niemals gemacht haben, Hoheit. Ich meine natürlich den Vorschlag in Abo."

„Aber Sie haben es doch nur gut gemeint, Sire", tröstete ich ihn. „Die Damen meiner Familie, die in Frage kämen, sind leider sehr unhübsch. Sie dagegen, liebe — sehr liebe Cousine —" Das Ende des Satzes ging in Sporenklirren über. Die Tür hatte sich hinter meinem hohen Gast und seinen Herren längst geschlossen. Aber ich stand noch immer bewegungslos in der Mitte des Salons. Nur weil ich zu müde war, mich zu rühren. Ich sah den Raum an, den der Zar soeben verlassen hatte, und dachte an Moreau, der aus Amerika gekommen war, um für Frankreichs Freiheit zu kämpfen. Die weißen Fahnen hat er nicht mehr erlebt, die weißen Kokarden . . . Die Diener begannen, die leeren Champagnergläser hinauszutragen. Mein Blick fiel wieder auf die verwelkten Veilchen. „Graf von Rosen, woher kommen die Blumen?" „Die hat Caulaincourt abgegeben. Er kam gerade aus Fontainebleau und war auf dem Weg zu Talleyrand, um die unterschriebene Abdankungsurkunde zu überreichen." Ich trat an den Kamin. In Fontainebleau blühen so viele Veilchen. Der versiegelte Brief trug keine Anschrift. Ich riß ihn auf. Ein leeres Blatt, auf das ein einziger Buchstabe gekritzelt war. Ein N. Ich griff in den silbernen Korb und hielt eine Handvoll der verwelkten Veilchen an mein Gesicht. Sie dufteten sehr süß, sehr lebendig und waren doch schon halb gestorben. „Hoheit — ich bitte um Verzeihung, daß ich Hoheit damit belästige —" stotterte von Rosen hinter mir. „Seine Hoheit hat bisher immer irgendeine Möglichkeit gefunden, mir meine Gage zukommen zu lassen. Aber jetzt habe ich seit Wochen kein Geld mehr erhalten, und einige dringende Anschaffungen zwingen mich —" „Pierre — ich meine, mein Haushofmeister wird Ihnen sofort Ihre Gage auszahlen." — „Bitte Hoheit, nur wenn es Hoheit keine Ungelegenheiten bereitet, Hoheit haben doch selbst seit langer Zeit keine Möglichkeit mehr gehabt, Revenüen zu beziehen." — „Natürlich nicht. Ich bin heute so müde. Ich habe den ganzen Tag gearbeitet, um Geld für den Haushalt zu verdienen."

„Hoheit —!" Er starrte mich entsetzt an. „Sie brauchen nicht zu erschrecken, ich habe Seidenwaren verkauft. Nichts Ehrenrühriges, Herr Graf. Man mißt ein paar Meter Satin und ein paar Meter Musselin und etwas Samt von einer Rolle ab, schneidet den Stoff durch, packt die Waren ein, zählt das Geld nach. Sie wissen doch, daß ich eine Seidenhändlerstochter bin!" „Man hätte Hoheit jeden beliebigen Betrag geliehen", kam es empört. „Bestimmt, Graf von Rosen. Aber mein hoher Gemahl hat eben erst die Auslandsschulden des Hauses Vasa mit seinen Ersparnissen bezahlt. Ich möchte nicht mit den Schulden der Familie Bernadotte beginnen. Und jetzt, lieber Graf, gute Nacht, entschuldigen Sie mich bei meinen Gästen und bitten Sie Königin Julie, mich bei Tisch zu vertreten. Ich hoffe, der Kalbsbraten wird allen gut schmecken!" Am Fuß der Treppe erwartete mich Marie. Sie nahm meinen Arm und führte mich die Stiegen hinauf. In meinem Boudoir stolperte ich über irgend etwas Glitzerndes und wollte mich bücken, um es aufzuheben. Aber Marie sagte: „Laß das, es ist nur eine von Julies Kronen." Sie zog mir das Kleid aus, als ob ich ein Kind wäre. Dann brachte sie mich zu Bett und stopfte die Decke rund um mich fest, wie ich es gern habe. „Denk dir, der Kalbsbraten ist angebrannt", sagte sie düster. Mir fielen die Augen zu. „Der Koch hat sich in der Einfahrt herumgetrieben, er wollte den Zaren sehen." Mitten in der Nacht erwachte ich. Mit einem Ruck setzte ich mich auf. Es war stockfinster und ganz still. Mein Herz hämmerte. Ich preßte die Hände an die Schläfen, um mich zu erinnern. Irgend etwas hatte mich aufgeweckt — ein Gedanke, ein Traum? Nein. Ich wußte plötzlich, daß etwas geschehen würde. In dieser Nacht, vielleicht in dieser Stunde. Etwas, das ich den ganzen Abend vorausgefühlt hatte, aber nicht durchdenken konnte. Zuerst war ich so müde, dann ist auch noch der Zar gekommen . . . Plötzlich wußte ich es. Es hing mit der Abdankungsurkunde und den Veilchen zusammen. Die Veilchen, um Gottes willen — die Veilchen. Ich zün=dete die Kerze an und ging in mein Boudoir. Auf dem Toilettentisch lag noch die Extra=Ausgabe. Langsam — Wort für Wort las ich sie durch. „ . . . so erklärt der Kaiser, seinem Eide getreu . . . auf die Throne von Frankreich und Italien verzichtet und daß es kein Opfer gibt, das des Lebens nicht ausgenommen, das er nicht bereit wäre . . . "

Kein Opfer, das des Lebens nicht ausgenommen . . . Diese Worte haben mich aufgeweckt. Wenn man weiß, daß man am Ende seines Lebens angelangt ist, denkt man wahrscheinlich zurück. An seine Jugend, an die Jahre des Hoffens und Wartens. Eine Hecke fällt einem ein, ein zufälliges junges Mädchen, das mit einem an dieser blühenden Hecke lehnte, es ist übrigens noch gar nicht so lange her, daß man dieses Mädchen wiedergesehen hat, Veilchen am Ausschnitt, im Park von Fontainebleau blühen jetzt Veilchen, die Gardisten stehen müßig im Hof herum und haben nichts mehr zu tun, man läßt einen von ihnen Veilchen pflücken, während man die Urkunde unterschreibt, Caulaincourt kann sie mitnehmen, wenn er das Doku=ment nach Paris bringt, ein letzter Gruß, man ist allein mit seiner Jugend . . . Er wird sich das Leben nehmen, die Veilchen sind der Beweis. Ich werde Villatte befehlen, sofort nach Fontainebleau zu reiten und in Napoleons Schlafzimmer einzudringen. Villatte wird vielleicht zu spät kommen. Aber ich muß ihn trotzdem aufwecken und alles versuchen, ich muß. — Muß ich? Warum muß ich es ver=hindern? Er steht doch schon an der Hecke. Ihn zurückzwingen, weil es sich so gehört? Nur, weil es sich so gehört —? Ich ließ mich vom Stuhl gleiten und krümmte mich auf dem Fußboden zusammen und biß in meine Fäuste, um nicht zu schreien. Ich wollte niemanden aufwecken. Es war eine sehr lange Nacht . . . Erst als sie zu Ende war, schleppte ich mich in mein Bett zurück. Meine Glieder schmerzten, mir war kalt, schrecklich kalt. Nach dem Frühstück — Schokolade, weißes Gebäck und süße Marmelade aus dem Schleichhandel, wir haben ja wieder Geld — ließ ich Oberst Villatte rufen. „Begeben Sie sich im Laufe des Vormittags in das Büro Talleyrands und erkun=digen Sie sich in meinem Auftrag nach dem Befinden des Kaisers."

Dann fuhr ich mit dem Grafen von Rosen in einem Mietwagen zum Warenlager, denn ich hatte gehört, daß die Preußen in ganz Paris „einkaufen", ohne zu bezahlen. Die Russen waren auf der Jagd nach Parfüms und tranken die Fläschchen gleich aus und behaupteten, es

schmecke besser als Branntwein. Als wir in den Keller der Firma Clary kamen, versuchte Monsieur Legrand gerade vergeblich, ein paar preußische Soldaten zurückzuhalten, unsere letzten Seidenrollen davonzuschleppen. Ich schob schnell von Rosen in seiner schwedischen Uniform vor. „Paris hat unter der Bedingung kapituliert, daß nicht geplündert wird", sagte von Rosen höflich. Ich stieß ihn in den Rücken: „Schreien Sie sie doch an!" Von Rosen schöpfte Atem und schrie: „Das werde ich General Blücher melden!" Die Preußen murrten. Befühlten noch einmal die Stoffe, griffen schließlich in die Brusttasche und bezahlten. Auf unserer Rückfahrt in die Rue d'Anjou mußten uns Gendarmen den Weg bahnen, so groß war die Menschenmenge vor meinem Haus. Vor dem Portal marschierten zwei russische Leibgardisten feierlich auf und ab. Als ich ausstieg, präsentierten sie das Gewehr. Sie trugen Vollbärte und sahen zum Fürchten aus. „Eine Ehrenwache", murmelte Graf von Rosen. „Worauf warten denn die Leute schon wieder? Warum starren sie zu den Fenstern hinauf?" „Wahrscheinlich hat sich das Gerücht verbreitet, daß Seine Königliche Hoheit im Laufe des Tages ankommen wird. Schließlich findet morgen der offizielle Einzug der siegreichen Herrscher und Feldmarschälle statt. Undenkbar, daß Seine Hoheit nicht an der Spitze der schwedischen Truppen an der Siegesparade teilnimmt." Undenkbar, ja undenkbar . . . Vor dem Essen zog mich Oberst Villatte beiseite. „Zuerst wollte man nicht mit der Sprache heraus. Aber als ich sagte, daß ich im Auftrag Eurer Hoheit anfrage, hat mir Talleyrand im Vertrauen mitgeteilt —" Er flüsterte. „Es ist unfaßbar", sagte er zuletzt. Dann folgte er mir ins Speisezimmer. Erst nach dem Dessert fiel mir auf, daß alle in gedrücktem Schweigen dasaßen. Sogar die Kinder. „Ist — ist irgend etwas geschehen?" fragte ich verwirrt. Zuerst erhielt ich keine Antwort. Dann sah ich, daß Julie neben mir mit den Tränen kämpfte. „Du bist so sonderbar geworden, Désirée", kam es gequält. „So fremd und — unnahbar. Ganz anders als sonst . . ."

„Herrgott, ich habe Sorgen und schlafe schlecht, diese Tage sind so traurig."

„Und du hast niemanden von uns dem Zaren vorgestellt", schluchzte sie auf. „Und die Kinder möchten morgen so gern die Parade sehen, aber niemand traut sich, dich zu fragen, ob du ihnen den Wagen mit dem schwedischen Wappen borgen willst. In deinem Wagen wären sie nämlich sicher — die armen, armen Bonaparte-Kinder!" Ich sah die Kinder an. Die Söhne von Hortense und Louis sind schmächtig, blond und schüchtern. Sie erinnern nicht im gering= sten an ihren Onkel Napoleon. Julies Zenaïde dagegen hat die hohe Stirn der Bonapartes geerbt. Charlotte mit den dunklen Locken sieht meinem Oscar sehr ähnlich. „Mein Wagen steht natürlich allen, die den Einzug der siegreichen Truppen sehen wollen, zur Verfügung." Julie legte ihre Hand auf meinen Arm. „Wie lieb von dir, Désirée!"

„Wieso? Morgen brauche ich ihn doch nicht. Ich bleibe den ganzen Tag zu Hause." In jener Nacht — vom 12. auf den 13. April — blies ich die Kerze auf meinem Nachttisch nicht aus. Gegen elf Uhr abends verebbte das Gemurmel vor meinem Haus. Die Neugierigen ver= zogen zich. Es wurde sehr still in der Rue d'Anjou. Die Schritte der beiden russischen Wachtposten hallten. Mitternacht: nur die Schritte der Wachtposten. Es schlug eins. Der Tag der Siegesparade war an= gebrochen. Jeder Muskel in meinem Körper war gespannt. Ich lauschte. Ich glaubte vor Lauschen wahnsinnig zu werden. Dann schlug es zwei. Wagenrollen unterbrach die Stille. Wagenräder hiel= ten knirschend vor meinem Haus. Klick — klack: die Wachtposten präsentierten das Gewehr. Hart wurde ans Haustor geklopft. Stim= men. Drei, vier ... Aber nicht jene Stimme, auf die ich wartete. Ich lag ganz steif mit geschlossenen Augen. Jemand lief die Treppe her= auf. Jagte, nahm zwei Stiegen auf einmal. Riß die Tür meines Schlafzimmers auf, küßte meinen Mund, meine Wangen, meine Augen, meine Stirn. Jean=Baptiste. Mein Jean=Baptiste. „Du mußt etwas Warmes essen, du hast eine lange Reise hinter dir", sagte ich ungeschickt und öffnete die Augen. Jean=Baptiste kniete neben mei= nem Bett, sein Gesicht lag auf meiner Hand. „Eine Reise — ja, eine entsetzlich lange Reise", kam es tonlos.

Ich streichelte mit der anderen Hand sein Haar. Wie hell es im Kerzenlicht schimmerte — grau ist es geworden, wirklich ganz grau. Ich richtete mich auf. „Komm, Jean=Baptiste, geh in dein Zimmer und ruh dich aus. Ich laufe inzwischen schnell in die Küche und mache dir eine Omelette, ja?" Aber er rührte sich nicht. Preßte die Stirn an die Kante meines Bettes und rührte sich nicht.

„Jean=Baptiste! Du bist doch zu Hause — endlich wieder zu Hause!" Da hob er langsam den Kopf. Die scharfen Falten um den Mund sind zu tiefen Furchen geworden, die Augen schienen er= loschen. „Jean=Baptiste, steh auf! Dein Zimmer wartet und —"

Er fuhr sich mit der Hand über die Stirn, als wollte er Erinnerun= gen auslöschen. „Ja, ja — natürlich. Kannst du alle unterbringen?" „Alle —?"

„Ich bin doch nicht allein gekommen. Ich habe Brahe als Adjutanten und Löwenhjelm als Kammerherrn mit, außerdem Admiral
Stedingk und —"

„Ausgeschlossen, das Haus ist sowieso schon überfüllt! Mit Ausnahme deines Schlaf- und Ankleidezimmers habe ich keinen einzigen
Raum frei."

„Überfüllt?"

„Herrgott, Julie und ihre Kinder und die Söhne von Hortense
und —" Jetzt sprang er auf. „Willst du behaupten, daß du sämtlichen
Bonapartes Unterkunft gewährst und sie auf Rechnung des schwedischen Hofes verköstigst?"

„Nein, ich habe nur Julie und verschiedenen Kindern — Kindern,
Jean-Baptiste! — mein Haus geöffnet. Außerdem noch einigen Clarys.
Die beiden Adjutanten dagegen hast du mir selbst hergeschickt. Die
Kosten des ganzen Haushaltes sowie die Gagen meiner Herren Adju-
tanten und des schwedischen Personals bezahle ich selbst."

„Was heißt das — selbst?"

„Ich verkaufe Seidenwaren. In einem Geschäft, weißt du . . ."
Schnell ging ich in mein Boudoir und schlüpfte in den schönen, grünen Samtschlafrock mit dem Nerzkragen. „Waren der Firma Clary
nämlich . . . Und jetzt werde ich dir und deinen Herren eine Omelette
machen!" Da geschah das Wunder. Er lachte. Saß auf meinem Bett
und schüttelte sich vor Lachen und breitete die Arme aus. „Mein
kleines Mädchen — mein unbezahlbares kleines Mädchen! Die Kronprinzessin von Schweden und Norwegen verkauft Seidenstoffe —
komm, komm zu mir!" Ich trat neben ihn. „Ich verstehe nicht, was
es da zu lachen gibt", sagte ich beleidigt. „Ich hatte eben kein Geld
mehr. Übrigens ist alles schrecklich teuer geworden, du wirst schon
sehen!"

„Vor vierzehn Tagen habe ich einen Kurier mit Geld zu dir geschickt."

„Der ist leider nicht angekommen. Du, wenn deine Herren gegessen haben, müssen wir Hotelzimmer für sie finden."

Er wurde sofort wieder ernst. „Das schwedische Hauptquartier
wird in einem Palais in der Rue St. Honoré liegen, das Haus ist
längst requiriert worden, mein Stab kann wahrscheinlich sofort
dort absteigen." Dann öffnete er die Tür, die von meinem Schlafzimmer in seines führt. Ich hielt die Kerze hoch. „Dein Bett ist
gemacht, die Bettdecke sogar zurückgeschlagen, alles erwartet dich!"
Aber er starrte sein Schlafzimmer an, sein vertrautes Schlafzimmer

mit den vertrauten Möbeln, als ob er es noch nie gesehen hätte. „Ich werde auch im schwedischen Hauptquartier wohnen." Wieder die tonlose Stimme: „Ich werde viele Leute empfangen müssen. Und das geht hier nicht, das — das kann ich hier nicht. Désirée! Verstehst du mich nicht?"

„Du willst nicht mehr hier wohnen?" Ich war fassungslos. Er legte den Arm um meine Schultern. „Ich bin doch nur nach Paris ge= kommen, um die schwedischen Truppen an der Siegesparade teil= nehmen zu lassen. Außerdem muß ich mit dem Zaren sprechen. Aber eines sage ich dir, Désirée — in dieses Zimmer kehre ich nicht zurück, nie wieder!"

„Herrgott, vor fünf Minuten wolltest du noch mit deinem ganzen Stab hier wohnen!" protestierte ich wütend.

„Das war, bevor ich mein Zimmer wiedergesehen habe. Verzeih meinen Irrtum. Aber es gibt keine Rückkehr von dort, woher ich komme." Er preßte mich an sich. „So — und jetzt gehen wir hin= unter, meine Herren hoffen, daß du sie begrüßen wirst. Und Fer= nand hat bestimmt eine Mahlzeit vorbereitet!" Fernand ... Der Gedanke an ihn und die Rosen in meinem Brautbett half mir in die Wirklichkeit zurück. Ich legte Rouge und Puder auf. Jean=Bap= tiste und ich traten Arm in Arm ins Eßzimmer. Meinem jungen Ritter von einst, dem jungen Grafen von Brahe, hätte ich gern einen Kuß gegeben. Aber Löwenhjelm, der sich seinerzeit so bemüht hat, mir schwedische Etikette beizubringen, stand neben ihm. Da traute ich mich nicht. ... Admiral von Stedingk mit den vielen Orden kam auf mich zu. Und Fernand in einer nagelneuen Livree mit schwedischen Goldknöpfen. „Wie geht es Oscar?" wollte ich wissen. Seit Monaten lebt mein Kind allein unter Fremden in Stock= holm. Jean=Baptiste zog aus seiner Brusttasche ein paar Briefe her= vor. „Der Erbprinz hat einen Regimentsmarsch komponiert", ver= kündete er stolz. Mein Herz schlug einen Augenblick ganz leicht, die Kerzen strahlten so hell: Oscar komponiert. Fernands Kaffee schmeckte bitter und süß zugleich. Wie diese Heimkehr, dachte ich. Wir saßen vor dem Kamin im großen Salon. Das andere Ende des Raumes lag im Dunkel. Aber Jean=Baptiste spähte in jenes Dunkel, in dem das Porträt des Ersten Konsuls hing. Schließlich verstumm= ten unsere Gespräche. Es wurde peinlich still. Plötzlich wandte sich Jean=Baptiste an mich. Seine Stimme klang schneidend: „Und — er?"

„Der Kaiser wartet in Fontainebleau, was über sein Schicksal be=

stimmt wird. Übrigens hat er in der Nacht von gestern auf heute versucht, Selbstmord zu begehen."

„Was?" riefen sie alle zugleich — Brahe, Löwenhjelm, Stedingk, von Rosen. Nur Jean=Baptiste schwieg. „Der Kaiser hat seit dem russischen Feldzug immer Gift bei sich getragen", sagte ich und betrachtete die flackernden Flammen. „Heute — oder vielmehr gestern nacht hat er dieses Gift geschluckt. Sein Kammerdiener hat ihn beobachtet und — ja, und hat sofort Maßnahmen ergriffen. Das ist alles."

„Welche Maßnahmen?" fragte Löwenhjelm erstaunt. „Mein Gott, wenn Sie es so genau wissen wollen — Constant, der Kammer=diener, hat dem Kaiser den Finger in den Mund gesteckt, worauf der Kaiser erbrochen hat. Dann hat er Caulaincourt gerufen, und Caulaincourt hat den Kaiser gezwungen, Milch zu trinken. Der Kaiser hat nachher starke Magenschmerzen gehabt, aber heute früh ist er wie gewöhnlich aufgestanden und hat Briefe diktiert."

„Das ist grotesk", sagte Stedingk und schüttelte den Kopf. „Tra=gisch und lächerlich zugleich. Den Finger in den Mund gesteckt —! Warum erschießt er sich denn nicht?" Ich schwieg. Jean=Baptiste nagte an seiner Unterlippe und starrte ins Feuer, seine Gedanken schienen weit fort zu sein ... Schon wieder diese bleischwere Stille. Brahe räusperte sich. „Hoheit, was die morgige Siegesparade be=trifft —" Jean=Baptiste zuckte gequält zusammen. Fuhr sich wieder wie vorhin in meinem Zimmer über die Stirn, sein erloschener Blick veränderte sich, kehrte zu uns zurück, er begann knapp und präzis zu sprechen. „In erster Linie muß jedes etwaige Mißver=ständnis zwischen dem Zaren und mir aufgeklärt werden. Der Zar hat, wie die Herren wissen, von mir erwartet, daß ich gleichzeitig mit den Preußen und Russen über den Rhein gehe. Ich habe da=mals unsere Truppen nordwärts geführt und an keiner einzigen Schlacht auf dem Boden Frankreichs teilgenommen. Sollten mir dies meine Verbündeten übelnehmen—" Er verstummte. Ich sah Brahe an. Zögernd beantwortete er meine stumme Frage. „Wir sind nämlich wochenlang herumgefahren — ziellos, Hoheit, in Belgien, auch in Frankreich. Seine Hoheit wollte die Schlachtfelder sehen." Brahe sah mich hilflos an und fügte hinzu: „Seine Hoheit konnte sich zum Einmarsch nur schwer entschließen."

„In den Dörfern, um die gekämpft worden ist, liegt kein Stein mehr auf dem anderen. So darf man nicht Krieg führen, so nicht ..." sagte Jean=Baptiste zwischen den Zähnen. Da öffnete Löwenhjelm

kurz entschlossen das Portefeuille, das er die ganze Zeit herum=
getragen hatte. Ein Paket Briefe kam zum Vorschein. „Hoheit, hier
habe ich alle Handschreiben des Zaren, die nicht beantwortet worden
sind", sagte er laut. „Es handelt sich vor allem —"

„Sprechen Sie es nicht aus!" schrie ihn Jean=Baptiste an. So un=
beherrscht habe ich ihn noch nie gesehen. Dann beugte er sich wie=
der vor und starrte in die Flammen. Die Augen der Schweden ruh=
ten auf mir. Ich war ihre letzte Hoffnung. „Jean=Baptiste —" begann
ich. Aber er rührte sich nicht. Da stand ich auf und kniete neben
ihm nieder und drückte meinen Kopf an seinen Arm. „Jean=Bap=
tiste, du mußt die Herren aussprechen lassen. Der Zar hat dir vor=
geschlagen, König von Frankreich zu werden, nicht wahr?" Ich
spürte, wie sein Körper steif vor Unwillen wurde. Aber ich gab
nicht nach. „Du hast dem Zaren nicht geantwortet. Deshalb wird
morgen der Graf von Artois, der Bruder des achtzehnten Louis, in
Paris ankommen, um alles für den Einzug der Bourbonen vorzu=
bereiten. Der Zar hat sich den Wünschen der anderen Verbündeten
und den Vorschlägen Talleyrands gefügt."

„Aber der Zar wird nie verstehen, warum ich nicht mit ihm über
den Rhein gegangen bin, warum ich nicht auf französischem
Boden kämpfte, warum ich auf seinen entscheidenden Vorschlag
überhaupt nicht geantwortet habe! Schweden dagegen kann sich
ein Zerwürfnis mit dem Zaren nicht leisten — verstehst du das
nicht?"

„Jean=Baptiste — der Zar ist doch so stolz darauf, dein Freund zu
sein. Und er versteht sehr gut, daß du die französische Krone nicht
annehmen kannst. Ich habe ihm alles erklärt."

„Du — du hast ihm — alles erklärt?" Jean=Baptiste packte meine
Schultern und starrte mir ins Gesicht. „Ja, er war nämlich hier, um
der Gattin des Siegers von Leipzig seine Aufwartung zu machen."
Wie sie aufatmeten, Jean=Baptiste und seine Schweden . . . Ich stand
auf. „Und jetzt wünsche ich Ihnen eine gute Nacht — oder vielmehr
einen guten Morgen, meine Herren, Sie werden vor der Sieges=
parade noch einige Stunden ruhen wollen. Ich hoffe, daß inzwischen
alles in der Rue St. Honoré vorbereitet worden ist." Dann verließ
ich sehr schnell den Salon. Alles hat seine Grenzen, ich wollte nicht
zuschauen, wie Jean=Baptiste sein eigenes Heim verließ, um in
irgendeinem Palais um die Ecke zu übernachten. Auf der Stiege
holte er mich ein. Legte wortlos den Arm um meine Schultern und
stützte sich schwer auf mich. So gelangten wir in mein Schlafzim=

mer. Dort ließ er sich sofort auf mein Bett fallen. Ich kniete vor ihm nieder und versuchte, ihm die Stiefel auszuziehen. Ich zerrte und zerrte.

„Du mußt mithelfen, Jean=Baptiste, sonst kriege ich sie nicht her= unter."

„Wenn du wüßtest, wie müde ich bin . . ." Wie ein Kind ließ er sich ausziehen. Schließlich war es soweit — ich zog die Decke über uns beide und blies die Kerze aus. Aber der Morgen kroch bereits unerbittlich durch die Spalten der Fensterläden. „Diese verdammte Siegesparade . . ." murmelte er. Dann: „Du, ich kann doch nicht mit Tschinderata=Bumdada an der Spitze der Nordarmee über die Champs Elysées ziehen — ich kann nicht!"

„Natürlich kannst du. Die Schweden haben sich für Europas Frei= heit brav geschlagen, jetzt wollen sie unter Führung ihres Kron= prinzen im Parademarsch in Paris einziehen. Wie lange wird es schon dauern? Eine Stunde, höchstens zwei. Es wird viel leichter sein als — Leipzig, Jean=Baptiste." Ein Stöhnen. „Bei Großbeeren hat er mir meine ältesten Regimenter entgegengeschickt —"

„Vergiß es, Jean=Baptiste, vergiß es." Ich haßte mich und sprach trotzdem weiter. „Denk daran, wofür du dich geschlagen hast!"

„Wofür? Für die Rückkehr der Bourbonen vielleicht? Désirée, was hast du dem Zaren eigentlich gesagt?"

„Daß du in Frankreich Republikaner und in Schweden Kronprinz bist. In etwas anderen Worten, Jean=Baptiste. Aber er hat mich schon verstanden."

Er schwieg und atmete ruhiger. „Hast du ihm noch etwas gesagt, kleines Mädchen?"

„Ja . . . Daß du zwar die französische Krone nicht haben willst, aber dafür von Herzen gern eine Großfürstin heiraten möchtest. Damit er nicht glaubt, daß du alle Angebote ausschlägst!"

„Mhm —"

„Schläfst du, Jean=Baptiste?"

„Mhm —"

„Der Zar meint, du solltest lieber bei mir bleiben. Die Groß= fürstinnen, die er auf Lager hat, sind gar nicht hübsch."

„Mhm —" Zuletzt schlief er doch noch ein. Schlief kurz und un= ruhig wie ein Reisender im fremden Bett eines zufälligen Gast= hofes . . . Marie und Fernand stritten in meinem Boudoir. Und zwar um das große Bügeleisen. Jean=Baptiste bewegte den Kopf auf mei= ner Schulter. „Brahe, was geht vor meinem Zelt vor?"

„Schlaf weiter, Jean=Baptiste!"

„Brahe, sagen Sie Löwenhjelm —"

„Jean=Baptiste, erstens bist du nicht in einem Zelt, sondern im Schlafzimmer deiner Frau. Zweitens hörst du nichts anderes als den ewigen Streit zwischen Marie und Fernand. Schlaf weiter!" Aber Jean=Baptiste setzte sich auf. Nachdenklich sah er sich in meinem Zimmer um. Abschied im Blick, nicht Heimkehr. Fernands Stimme überschlug sich: „Nein, Ihr großes Bügeleisen für die Parade=Uniform!" Da stand Jean=Baptiste auf und ging in sein Ankleide=zimmer. Ich läutete, und Marie brachte Frühstück für zwei. „Den Fernand hätte der Marschall auch zu Hause lassen können", brummte sie.

„Was nennst du zu Hause?"

„Bei den Eiszapfen natürlich. In Stockholm." Die Tür zwischen meinem Boudoir und Jean=Baptistes Ankleidezimmer war nur an=gelehnt. Ich hörte folgende Unterhaltung. Fernand: „Brahe und Löwenhjelm melden sich zum Dienst. Die Zimmer Eurer Hoheit in der Rue St. Honoré sind in Ordnung. Der Zar ist gestern ins Elysée=Palais übergesiedelt. Russisches Hauptquartier. Früher hat Madame Julie dort gewohnt. Die Parade beginnt um zwei Uhr. Vor dem Hauptquartier Eurer Hoheit hat man Kanonen aufgestellt. Aus Sicherheitsgründen. Man will die Rue St. Honoré ganz ab=sperren. Demonstrationen, Hoheit, Pöbel —" Jean=Baptiste sagte etwas, ich konnte es nicht verstehen. „Also gut — kein Pöbel. Wenn Hoheit befehlen — Passanten. Jedenfalls behauptet die Polizei, daß diese Passanten die Absicht haben, Hoheit zu —" Der Rest ging in Plätschern unter. Fernand rieb Jean=Baptiste wie jeden Morgen mit kaltem Wasser ab. „Schick jetzt Brahe und Löwenhjelm herauf!" Brahes Stimme: „Wetterstedt ist angekommen. Mit seinen Atta=chés." Wetterstedt? überlegte ich. Natürlich — der Reichskanzler von Schweden. Brahe: „Wetterstedt hat sich bereits bei Metternich und den Engländern angesagt. Unser Hauptquartier wird übrigens gestürmt." Jean=Baptiste: „Von den Passanten?" „Aber nein, die Straße ist längst geräumt worden, Gendarmen und Kosaken bilden Kordons. Der Zar hat ein ganzes Regiment zur Verfü=gung gestellt." Jean=Baptiste sprach sehr schnell, ich verstand nur einzelne Worte: „Ausschließlich schwedische Dragoner ... unter keinen Umständen russische Posten ..." Kammerherr Baron Löwen=hjelm: „— Hauptquartier von Besuchern gestürmt. Talleyrand will Hoheit im Namen der französischen Regierung begrüßen. Die Mar=

schälle Ney und Marmont haben ihre Karte abgegeben. Der Per=
sonaladjutant des preußischen Königs hat vorgesprochen. Der eng=
lische Ambassadeur. Eine Abordnung der Bürgerschaft von Paris."
Brahe: „Oberst Villatte bittet, vorgelassen zu werden." Jean=Bap=
tiste: „Soll sofort hereinkommen. Habe wenig Zeit." Leise trat ich
in Jean=Baptistes Ankleidezimmer. Mein Mann stand vor dem
hohen Ankleidespiegel und knöpfte gerade den Waffenrock der
schwedischen Reichsmarschallsuniform zu. Fernand bespritzte ihn
mit Eau de Cologne und reichte ihm dann das Großkreuz der Ehren=
legion. Jean=Baptiste nahm gewohnheitsmäßig die Kette und wollte
sie um den Hals legen. Plötzlich erstarrte er. „Hoheit müssen sich
bereits jetzt zur Parade ankleiden, nach dem Gala=Frühstück der
russischen Majestät bleibt keine Zeit mehr", ermahnte Löwen=
hjelm. Da legte sich Jean=Baptiste langsam die Kette um den Hals
und befestigte den Stern der Ehrenlegion. Seine Augen wurden
schmal. „Parade — Herr Marschall Bernadotte", flüsterte er dem
eingefallenen Gesicht in seinem Spiegel zu. Im gleichen Augenblick
trat Villatte ein. Jean=Baptiste wandte sich rasch um, ging ihm ent=
gegen und schlug ihm auf die Schulter. „Villatte! Wie ich mich
freue, Sie wiederzusehen!" Villatte stand stramm. Jean=Baptiste
rüttelte an Villattes Schulter. „Na, alter Kamerad?" Aber Villatte
rührte sich nicht. Sein Gesicht war starr. Da glitt Jean=Baptistes
Hand von der Schulter des Freundes. „Kann ich etwas für Sie tun,
Herr Oberst?" „Ich höre, daß die alliierten Mächte die Freilassung
aller französischen Kriegsgefangenen angeordnet haben. Ich bitte
daher um meine — Freilassung." Ich lachte. Aber mein Lachen zer=
brach. Villatte spaßte nicht, sein starres Gesicht wurde tieftraurig.
„Natürlich, Herr Oberst, Sie sind selbstverständlich Ihr eigener
Herr", sagte Jean=Baptiste. „Ich würde mich freuen, wenn Sie bis
auf weiteres als Gast bei uns bleiben würden."

„Ich danke Eurer Hoheit für das freundliche Anerbieten. Ich muß
es leider ablehnen und bitte die Hoheit, mich zu entschuldigen."
Dann ging er schnell auf mich zu und verbeugte sich tief. Über seine
Schultern hinweg sah ich, wie grau Jean=Baptistes Gesicht war.
„Villatte", flüsterte ich. „Sie sind einen langen Weg mit uns ge=
gangen. Bleiben Sie bei uns, ja?" „Der Kaiser hat doch seine Armee
ihres Eides entbunden", sagte Jean=Baptiste heiser. „Ich höre, daß
sogar Marschälle mir ihre Aufwartung machen. Weshalb wollen
gerade Sie —" „Deshalb, Hoheit. Nur ein paar Garderegimenter
halten sich noch in Fontainebleau auf. Die Marschälle haben es nicht

der Mühe wert gefunden, sich von ihrem ehemaligen Oberstkom=
mandierenden zu verabschieden. Ich bin nur Oberst, Hoheit. Aber
ich weiß, was sich gehört. Zuerst nach Fontainebleau. Dann rücke
ich zu meinem Regiment ein." Als ich wieder aufsah, war Villatte
verschwunden, und Jean=Baptiste wickelte sich die schwedische
Schärpe um. „Bevor du fortgehst, möchte ich dich noch einen Augen=
blick allein sprechen, Jean=Baptiste", sagte ich und kehrte in mein
Boudoir zurück. Jean=Baptiste folgte mir. Ich wies auf den Stuhl
vor dem Toilettentisch. „Setz dich!" Dann nahm ich mein Töpf=
chen Rouge und begann vorsichtig, sehr vorsichtig die grauen Wan=
gen zu schminken. „Du bist verrückt, Désirée — ich will das nicht!"
wehrte er ab. Sorgfältig verwischte ich das Rot, es sah wirklich
ganz natürlich aus. „So —" sagte ich zufrieden. „Du kannst nicht
mit totenblassem Gesicht an der Spitze deiner siegreichen Truppen
über die Champs Elysées reiten. Wenn du als Sieger einziehst, dann
mußt du auch wie ein Sieger aussehen." Plötzlich schüttelte er an=
gewidert den Kopf. „Ich kann nicht!" Es klang wie Schluchzen. „Du
— ich kann nicht!" Ich legte meine Hände auf seine Schultern. „Und
nach der Siegesparade wirst du dich bei der Galavorstellung im
Théâtre Français zeigen, Jean=Baptiste. Das schuldest du Schweden.
Ich fürchte, du mußt jetzt gehen, Liebster!" Er lehnte sich zurück.
Sein Kopf lag an meiner Brust, die blassen Lippen waren rissig
und zerbissen. „Ich glaube, es gibt während dieser Siegesparade
nur noch einen, der so einsam ist wie ich. Und das ist — er."

„Unsinn. Du bist nicht einsam. Schließlich bin ich bei dir und
nicht bei — ihm. Geh jetzt, deine Herren warten!" Da stand er
gehorsam auf und zog meine Hand an seine Lippen. „Versprich
mir, daß du dir die Parade nicht ansiehst. Ich möchte nicht, daß
du mich — also, daß du mich dabei siehst." „Natürlich nicht. Ich
werde im Garten sein und an dich denken."

Als die Glocken zu läuten begannen, setzte ich mich in den Gar=
ten. Sie verkündeten den Beginn der Siegesparade und läuteten
ununterbrochen, während die siegreichen Truppen unter Führung
des Kaisers von Rußland, des Kaisers von Österreich, des Königs
von Preußen und des Kronprinzen von Schweden mit klingendem
Spiel in Paris einzogen. Die Kinder waren mit Madame La Flotte
und ihrer Gouvernante in meinem Wagen davongefahren, um zu=
zuschauen. Im letzten Augenblick stiegen auch noch mein Neffe
Marius und Marceline in den Wagen, weiß der Himmel, wie sie

alle Platz fanden. Julie lag im Bett und ließ sich von Marie Essig=
kompressen auf die Stirn legen. Sie war beleidigt, weil Jean=Bap=
tiste vergessen hatte, sie zu begrüßen. Meiner Dienerschaft hatte
ich freigegeben. So kam es, daß ich allein im Garten saß und nie=
mand den unerwarteten Besucher ankündigte. Dieser unerwartete
Besucher hatte das Haustor offen gefunden, war eingetreten und
durch die beiden leeren Salons gewandert. Schließlich trat er in den
Garten. Ich bemerkte ihn nicht, weil ich die Augen geschlossen
hielt, um ganz fest an Jean=Baptiste zu denken. Die Champs Elysées
nehmen heute kein Ende, Jean=Baptiste, kein Ende ... „Hoheit!"
schrie es durch das Glockenläuten. „Hoheit!" Erschrocken öffnete
ich die Augen. Jemand krümmte sich in tiefer Verbeugung vor mir
zusammen. Richtete sich dann auf — spitze Nase, kleine Augen mit
Pupillen wie Stecknadelköpfe. Den gibt es also auch noch. Als Na=
poleon entdeckte, daß sein Polizeiminister heimlich mit den Eng=
ländern verhandelte, hat er ihn hinausgeworfen. Aber kurz vor
der Schlacht bei Leipzig ernannte er Fouché zum Gouverneur italie=
nischer Gebiete, um ihn von Paris zu entfernen. Der ehemalige
Jakobiner trug einen bescheidenen Frack und eine sehr große weiße
Kokarde. Hilflos wies ich auf die Bank. Sofort saß er neben mir und
begann zu reden. Aber seine Worte ertranken im Klang der Glocken.
Er schloß dauernd den Mund und lächelte. Ich wandte den Kopf
ab. Jean=Baptiste, jetzt kann es nicht mehr lange dauern ... Da
verstummten die Glocken. „Verzeihung, Hoheit, wenn ich störe —"
Fouché hatte ich inzwischen vergessen. Widerwillig sah ich ihn an.
„Ich komme im Auftrag Talleyrands zu Madame Julie Bonaparte",
begann er und zog ein Dokument aus seiner Brusttasche. „Talley=
rand ist in diesen Tagen sehr beschäftigt, während ich —" er lächelte
beklagend „— leider sehr viel Zeit habe. Und da ich sowieso Eurer
Hoheit wieder einen Besuch abstatten wollte, schlug ich Talleyrand
vor, das Dokument mitzunehmen. Es betrifft die Zukunft der Mit=
glieder der Familie Bonaparte." Er reichte mir die Abschrift einer
langen Urkunde. „Ich werde es meiner Schwester geben", sagte
ich. Er klopfte mit dem Zeigefinger auf das Dokument. „Sehen Sie
sich doch die Liste an, Hoheit." Da stand: „Der Mutter des Kaisers:
300 000 Francs. Dem König Joseph: 500 000 Francs. Dem König
Louis: 200 000 Francs. Der Königin Hortense und ihren Kindern:
400 000 Francs. Dem König Jérôme und der Königin: 500 000
Francs. Der Prinzessin Elisa: 300 000 Francs. Der Prinzessin Pau=
line: 300 000 Francs."

„Jährlich, Hoheit, jährlich!" erklärte Fouché. „Der Familie des Kaisers werden nämlich Güter oder Renten aus der französischen Staatsschuld gewährt, die ihr diese Summen als Jahreseinkommen sichern. Unsere neue Regierung ist wirklich großzügig, Hoheit."

„Wo dürfen die Mitglieder der Familie Aufenthalt nehmen?"

„Im Ausland, nur im Ausland, Hoheit!"

Julie, die sich stets außerhalb von Frankreich unglücklich fühlt — Emigrantin. Ihr Leben lang Emigrantin ... Und warum? Weil ich seinerzeit Joseph ins Haus gebracht habe. Ich muß versuchen, ihr zu helfen, dachte ich. Ich werde alles daransetzen, um sie hier= zuhalten. „Sie werden Seine Hoheit bitten, sich für Madame Julie Bonaparte zu verwenden, nicht wahr? Sie werden vielleicht selbst zu Seiner Majestät König Louis gehen und sich für Ihre Schwester einsetzen?" — „König Louis ..." wiederholte ich und versuchte, mich zumindest an den Namen zu gewöhnen. „Seine Majestät wird bereits in den nächsten Tagen in den Tuilerien erwartet."

„Was hat dieser König Louis in den vielen Jahren seiner Emi= gration eigentlich gemacht? Womit hat er sich beschäftigt?" erkun= digte ich mich. Ich wollte mir ein Bild über die Zukunft der Bona= parte=Brüder machen. „Seine Majestät hat sich hauptsächlich in England aufgehalten und seine Zeit mit Studien verbracht. Der König hat ein großes Werk, die ,Geschichte des Aufstieges und Verfalls des Römischen Kaiserreiches' von Gibbons, ins Französische übersetzt." Also Weltgeschichte übersetzt und nicht gemacht, kon= statierte ich. „Bringt dieser König Louis auch einen eigenen Hof= staat mit?" „Selbstverständlich. Die wirklich treuen Anhänger des Hauses Bourbon kehren erst mit ihm nach Frankreich zurück. Des= halb möchte ich Hoheit bitten —" Ich sah ihn erstaunt an. Das bemerkte er gar nicht. „— bitten, sich auch für mich zu verwenden. Vielleicht wird Seine Majestät nicht alle Posten nur mit Franzosen, die seit der Revolution im Ausland gelebt haben, besetzen. Wenn man mich erwähnen könnte —"

„Man hat Sie sicherlich nicht vergessen, Monsieur Fouché. Ich war zwar damals noch ein Kind, aber ich erinnere mich deutlich an die vielen tausend Todesurteile, die Sie unterschrieben haben."

„Hoheit, das ist vergessen!" Er rückte die weiße Kokarde zurecht. „Man müßte in Erinnerung bringen, daß ich in den letzten Jahren heimlich versucht habe, Frieden mit England zu schließen. Gene= ral Bonaparte hat mich Verräter geschimpft, ich habe mein Leben riskiert, Hoheit." Ich sah wieder auf das Aktenstück in meiner Hand. „Und — der General Bonaparte?"

„Sehr günstige Bedingungen. Der General darf sich selbst ein Domizil außerhalb Frankreichs aussuchen — irgendeine Insel, zum Beispiel Elba — oder die Fahrt nach Übersee antreten. Eine Truppe von vierhundert Mann, die der General selbst auswählen darf, kann ihn begleiten. Außerdem behält der General den Titel eines Kaisers. Gnädig, überaus gnädig, nicht wahr?"

„Wofür hat sich der Kaiser entschieden?"

„Man spricht von Elba. Eine reizende kleine Insel, die an die Geburtsstätte des Generals erinnern soll. Dieselbe Vegetation wie Korsika, höre ich."

„Und die Kaiserin?"

„Wird zur Herzogin von Parma ernannt werden. Vorausgesetzt, daß sie darauf verzichtet, ihren Sohn als Erben anzuerkennen. Aber diese Einzelheiten werden in Wien auf einem großen Kongreß festgelegt werden. Aufbau des neuen Europa. Rückkehr der von Bonaparte vertriebenen Dynastien, Bekenntnis zur Legitimität, Hoheit ... Ich nehme an, daß Seine Hoheit auch nach Wien reisen werden. Um seine Ansprüche auf den schwedischen Thron geltend zu machen." Er räusperte sich leise. „Ich höre, daß man leider von österreichischer und preußischer Seite behauptet, Seine Hoheit hätten keine — mhm, ja — keine legitimen Ansprüche. Ich stehe natürlich jederzeit Seiner Hoheit zu Diensten, um in Wien die Stimmung zu sondieren und —" Da stand ich auf. „Ich verstehe nicht, was Sie meinen. Das Aktenstück werde ich meiner Schwester geben." Wenn er noch eine Minute länger geblieben wäre, hätte ich um Hilfe geschrien. Dann entdeckte ich die ersten Gänseblümchen im Gras. Und die Knospen an den Rosenbäumchen. Es ist Frühling geworden, und ich habe es gar nicht bemerkt. Wie süß die Pariser Frühlingsluft schmeckt! Sie können Julie nicht einfach davonjagen ... Kinderstimmen zerrissen die Stille. Sie kamen von der Parade zurück und liefen auf mich zu — zwei magere hochaufgeschossene Mädchen in rosa Jäckchen und zwei blonde Buben in Kadettenuniform. „Tante Désirée — der Onkel hat prachtvoll ausgesehen!" Charlotte war ganz atemlos vor Aufregung. „Auf einem Schimmel ist er geritten und einen violetten Samtmantel hat er getragen — so elegant —" „Es war doch kein Mantel, sondern ein Umhang", unterbrach sie ihr Vetter Louis Napoleon ernsthaft. — „Auf dem Hut hat er weiße Straußfedern getragen und in der Hand einen silbernen Stab!" — „Den

527

Kommandostab", erklärte ihr Louis Napoleon. — „Onkel Marius sagt, es war ein alter Marschallstab", flüsterte Zenaïde. — „Und sein Gesicht! Wie aus Marmor gemeißelt, behauptet Tante Marceline", kam es von Charlotte. „So blaß?" fragte ich erschrocken. „Nein, so — weißt du, so unbeweglich. Wie eine Statue ... Der Zar hat immerfort gelächelt, und der alte Kaiser von Österreich hat sogar gewinkt, aber der Preußenkönig —" Die Kinder begannen zu kichern. „Du, der Preußenkönig hat ein schrecklich böses Gesicht gemacht — mit Stirnfalten und allem, was dazu gehört. Damit wir uns in Zukunft vor ihm mehr fürchten, sagt Onkel Marius." „Und die Leute, die anderen Zuschauer? Was haben die gesagt?" „Alles mögliche, es hat ja so viel zu sehen gegeben. Die vielen fremden Uniformen und das schöne Pferd des Zaren und — du, die Kosaken tragen außer ihren Waffen noch lange Peitschen! Über die Preußen hat man sehr gelacht, die werfen die Beine nämlich im Parademarsch so hoch und —"

„Was haben denn die Leute gesagt, während Onkel Jean=Baptiste vorbeiritt?" Die Kinder sahen einander verlegen an. „Tante, da ist es auf einmal ganz still geworden", sagte Louis Napoleon zögernd. „Wirklich — totenstill."

„Die Schweden haben viele Adler und Fahnen erobert, die haben sie hinter ihm hergetragen", flüsterte Charlotte. „Tante, unsere Adler!" stieß plötzlich Charles Louis Napoleon verzweifelt hervor. — „Geht jetzt ins Haus, Kinder, und laßt euch von Marie etwas zu essen geben", sagte ich schnell. Dann beschloß ich, mit Julie zu sprechen. Zuerst einmal versuchten wir den Inhalt des Schriftstückes, das im Amtsstil über ihr Schicksal bestimmte, zu verstehen. Julie warf die Kompressen ab und bohrte schluchzend ihr Gesicht in die Kissen. „Aber ich gehe nicht! Ich gehe nicht, ich gehe nicht ...!" schrie sie verzweifelt. „Mortefontaine können sie mir doch nicht nehmen! Désirée — du mußt durchsetzen, daß ich in Mortefontaine bleiben kann. Mit den Kindern ..." Ich streichelte das dünne strähnige Haar. „Du bleibst vorderhand bei mir. Später können wir versuchen, Mortefontaine zurückzufordern. Aber Joseph —? Wenn Joseph keine Aufenthaltsbewilligung bekommt, was dann?"

„Joseph hat mir aus Blois geschrieben. Er will in die Schweiz reisen und dort ein Gut kaufen. Und ich soll sobald als möglich mit den Kindern zu ihm kommen. Aber ich fahre nicht, ich fahre nicht!" Sie setzte sich plötzlich auf: „Désirée — du wirst mich nicht im Stich lassen, du bleibst bei mir, bis alles geordnet ist, nicht wahr?" Ich nickte. „Du fährst nicht nach Schweden, sondern bleibst hier — hier in deinem Haus, ja? Und hilfst mir?" Ich habe sie mit den Bona=partes zusammengebracht, ich bin schuld daran, daß sie jetzt kein Heim hat, ich muß ihr helfen, ich muß ... „Versprichst du es mir?"

„Ich bleibe bei dir, Julie!"

An jenem Abend, an dem König Louis XVIII. den ersten Hofball in den Tuilerien abhielt, hatte ich Schnupfen. Natürlich keinen wirklichen Schnupfen. Ich legte mich nur so wie damals vor der Krönung Napoleons ins Bett und war eben krank. Marie brachte mir Milch mit Honig. Milch mit Honig schmeckt mir in jeder Lebenslage. Ich begann Zeitungen zu lesen ... Der „Moniteur" beschrieb die Abreise Napoleons nach Elba. Am 20. April sind die Reisewagen im Hof des Cheval=blanc in Fontainebleau vorgefahren. Kein einziger Marschall war anwesend. Der General Petit hatte ein Regiment der kaiserlichen Garde im Hof versammelt. Der Kaiser erschien, und General Petit trat vor und hielt ihm einen der vergoldeten Adler ent=gegen. Napoleon küßte die Fahne, die unter dem Adler hing. Dann stieg er in einen Wagen, in dem der General Bertrand auf ihn wartete. Das war alles. Zumindest alles, was der „Moniteur" seinen Lesern berichtete. Im „Journal des Débats" dagegen fand ich einen inter=essanten Artikel über den Kronprinzen von Schweden. Ich las, daß der „Kronprinz die Absicht habe, sich von seiner Gattin Désirée Clary, der Schwester von Madame Julie Bonaparte, scheiden zu lassen". Nach vollzogener Scheidung werde die ehemalige Kron=prinzessin von Schweden unter dem Namen einer Gräfin von Got=land weiter in ihrem Heim in der Rue d'Anjou in Paris wohnen. Der Kronprinz dagegen — ich schluckte heiße Milch mit Honig — der Kronprinz dagegen hatte die Wahl zwischen einer russischen und einer preußischen Prinzessin. Sogar die Möglichkeit einer Verbin=dung mit dem Hause Bourbon wurde im „Journal des Débats" an=gedeutet. Die Aufnahme des ehemaligen Marschalls J. B. Bernadotte in eine der legitimen Dynastien sei nämlich für seine künftige Stellung in Schweden von größter Bedeutung. Die Milch schmeckte gar nicht mehr süß. Und Zeitungen wollte ich auch nicht mehr lesen. Der erste Hofball der Bourbonen fiel mir wieder ein. Wie sonderbar, daß Jean=Baptiste und ich eingeladen worden sind. Das heißt — nein, es ist eigentlich ganz natürlich, schließlich hat Jean=Baptiste eine der drei Armeen kommandiert, die Europa befreit haben. Außerdem ist er der Adoptivsohn des schwedischen Königs. Ob Jean=Baptiste die

Einladung angenommen hat? Seit jener ersten Nacht sind wir kaum miteinander allein gewesen. Natürlich habe ich ihn öfters im schwe= dischen Hauptquartier in der Rue St. Honoré besucht. Vor dem Haus stehen Kanonen. Schwedische Dragoner, schwer bewaffnet, halten Wache. In seinem Vorzimmer fand ich jedesmal Fouché vor. Und dreimal Talleyrand. Auch Marschall Ney wartete geduldig. Im Salon dagegen schienen Kanzler Wetterstedt, Admiral Stedingk und die schwedischen Generäle ununterbrochen Verhandlungen zu führen. Jean=Baptiste beugte sich über Aktenstücke und diktierte Briefe. Er benutzt noch immer mein Rouge. Heute nachmittag gaben wir beide in der Rue St. Honoré zu Ehren des Zaren einen Empfang. Zu meinem Entsetzen brachte der Zar den Grafen von Artois, den Bruder des neuen Königs von Frankreich, mit. Der Graf von Artois hat ein grobes, verbittertes Gesicht und trägt noch eine Perücke. Die Bourbonen versuchen sich nämlich einzureden, daß die Revolution gar nichts verändert hat. Louis XVIII. hat allerdings versprechen müssen, den Eid auf die Gesetze des heutigen Frankreichs abzulegen. Auf den Code Napoleon. Der Graf von Artois stürzte sich auf Jean= Baptiste. „Hoheit, Frankreich ist Ihnen zu ewigem Dank verpflichtet. Lieber Cousin!" Jean=Baptiste wurde weiß unter der Schminke. Schon wandte sich der Bourbon an mich. „Hoheit erscheinen doch heute abend auf dem Hofball in den Tuilerien?" Ich preßte mein Taschen= tuch an die Nase. „Ich fürchte, mein Frühlingsschnupfen . . ." Der Zar war schrecklich besorgt und wünschte mir gute Besserung. Und jetzt liege ich im Bett, während sich die Gäste im großen Festsaal in den Tuilerien versammeln und die neuen Vorhänge bewundern, himmelblaue und weiße. Mit Lilien bestickt. Die Hofkapelle stimmt ihre Instrumente. Lauter bekannte Gesichter. Napoleon legte Wert auf gute Ballmusik. Die Flügeltüren werden aufgeschlagen, die Toi= letten der Damen rauschen im Hofknicks. Wo bleibt die Marseillaise? Verboten natürlich, verboten . . . Schwer stützt sich der achtzehnte Louis auf seinen Stock, unter den weißen Kniestrümpfen trägt er Bandagen über den geschwollenen Waden, er leidet an Wassersucht und kann kaum gehen. Müde betrachtet der alte Herr den Saal. Hier also haben die Pariser seinen Bruder mit Füßen getreten, aus diesem Saal haben sie ihn geschleift, aus diesem Saal . . . Jetzt nennt der neue Hofmarschall die Namen der Gäste, der alte Herr hält den Kopf schief, um besser zu hören, zuerst die verbündeten Fürsten, Wir danken ihnen, daß Wir in diesem Saal stehen dürfen, da haben Wir einen gewissen J. B. Bernadotte, fanatischer Republikaner und Kron=

prinz von Schweden, umarmen Wir unseren verdienstvollen Cousin, gleich wird der Tanz beginnen, Hoheit ... Ich werde aus meinen Gedanken gerissen — gottlob. Jemand kommt die Treppe herauf. Sonderbar, ich dachte, alle sind schon schlafen gegangen. Jemand nimmt zwei Stiegen auf einmal — „Hoffentlich habe ich dich nicht aufgeweckt, kleines Mädchen?" Weder Gala noch Samtmantel. Nur die dunkelblaue Felduniform.

„Du bist doch nicht wirklich krank, Désirée?"

„Natürlich nicht. Und du, Jean=Baptiste —? Der neue König hat dich doch in die Tuilerien eingeladen!"

„Merkwürdig, daß ein ehemaliger Sergeant mehr Taktgefühl hat als ein Bourbone. Findest du nicht?" Pause. „Wie schade, daß du schon im Bett liegst, kleines Mädchen. Ich wollte Abschied nehmen." Jetzt kommt es. Lieber Gott. Jetzt kommt es. „Ich reise nämlich morgen früh." Mein Herz hämmerte in harten Stößen. Schon morgen ... „Ich habe meine Aufgabe hier erfüllt und bin siegreich eingezogen — kann man mehr verlangen? Außerdem haben die Kommissare der Alliierten mein Abkommen mit Dänemark unterzeichnet. Die Großmächte anerkennen die Abtretung Norwegens an Schweden. Aber stell dir vor, Désirée — die Norweger wollen nicht!" Das ist also der Abschied. Ich sitze im Bett, eine Kerze flackert, er spricht von Norwegen. „Warum denn nicht?" „Weil sie nicht über sich bestimmen lassen wollen. Dabei biete ich ihnen die liberalste Verfassung der Welt. Verspreche, nicht einen einzigen schwedischen Beamten nach Christiania zu setzen. Aber sie lassen ihr Storting zusammentreten und —"

„Welches Ting lassen sie zusammentreten?"

„Storting — die norwegische Nationalversammlung. Sie wollen selbständig sein. Vielleicht sogar Republik."

„Dann laß sie doch!" Ich kann sein Gesicht nicht sehen, er hält den Kopf gesenkt, die Augen sind im Schatten — Jean=Baptiste, ist das wirklich der Abschied? „Laß sie, laß sie! Wie du dir das vorstellst! Erstens bilden Schweden und Norwegen eine geographische Einheit. Zweitens habe ich den Schweden die Union versprochen. Drittens werden sie dadurch Finnland endlich verschmerzen. Viertens kann ich die Schweden nicht enttäuschen. Fünftens — jetzt schon gar nicht. Verstehst du mich endlich?"

„Der schwedische Reichstag hat dich doch ein für allemal zum Thronfolger gewählt, Jean=Baptiste."

„Und der schwedische Reichstag kann mich ein für allemal wieder

von der Thronfolge ausschließen und den Vasa=Prinzen zurück=
berufen. Mit den Bourbonen sind die Legitimisten zurückgekehrt,
mein Kind, schmeißt den Jakobinergeneral hinaus, ruft die alten
Dynastien zurück, vergeßt die letzten zwanzig Jahre!" Sein Blick
fiel auf die Zeitungen auf meinem Nachttisch. Zerstreut blätterte er
im „Journal des Débats". Plötzlich begann er zu lesen. Schwer und
hart wie ein Stein lag mein Herz in der Brust. „Du könntest durch
eine Heirat zum Mitglied einer alten Dynastie werden, Jean=Bap=
tiste", sagte ich. Und, weil er noch immer im „Journal des Débats"
las: „Hast du denn diesen Artikel noch nicht gelesen?" „Nein, ich
habe wirklich keine Zeit für Skandalgeschichten. Hoftratsch, wider=
licher Hoftratsch . . ." Er warf das Blatt auf den Nachttisch zurück
und sah mich an. „Schade, ich habe unten einen Wagen stehen und
wollte dir vorschlagen — nein, lassen wir das, du bist wahrscheinlich
schon müde."

„Du willst Abschied nehmen und mir einen Vorschlag machen."
Meine Stimme war tonlos, aber ich nahm mich zusammen. „Sag mir,
was du mir zu sagen hast. Aber sag es schnell, sonst werde ich noch
verrückt!" Ganz erstaunt sah er mich an. „Es ist nicht so wichtig, ich
wollte mit dir noch einmal durch die Straßen von Paris fahren. Zum
letztenmal, Désirée!"

„Zum — letztenmal", flüsterte ich. „Ich werde nämlich nie wieder
nach Paris kommen." Zuerst glaubte ich, nicht richtig gehört zu
haben. Und dann begann ich zu weinen. „Was hast du denn, Dé=
sirée — ist dir nicht gut?"

„Ich habe geglaubt — du willst dich — scheiden lassen", schluchzte
ich und stieß die Bettdecke zurück. „Und jetzt ziehe ich mich schnell
an, wir fahren zusammen durch die Straßen, Jean=Baptiste — nicht
wahr, zusammen?" Der Wagen rollte die Seine entlang. Es war ein
offener Wagen, ich legte den Kopf an Jean=Baptistes Schulter und
spürte seinen Arm um mich. Die Lichter von Paris tanzten im
schwarzen Wasser. Jean=Baptiste ließ den Wagen halten. Wir stiegen
aus und wanderten Arm in Arm über „unsere" Brücke. Dann lehnten
wir uns über die Brüstung. „Es ist immer dasselbe", sagte ich trau=
rig. „Ich mache dir Schande. Zuerst im Salon der Tallien, später im
Salon der Königin von Schweden. Verzeih mir, Jean=Baptiste!" „Das
ist mir ganz egal. Es tut mir nur so leid — deinetwegen." Dieselben
Worte wie einst. Nur, daß er mir jetzt Du sagt und nicht Sie . . . Die
Worte unseres ersten Gespräches fielen mir ein, unwillkürlich fragte
ich: „Kennen Sie den General Bonaparte persönlich?"

Unwillkürlich antwortete er: „Ja, er ist mir unsympathisch." Ich beugte mich vor und sprach zu den tanzenden Lichtern. „Ich habe mich hinaufgedient, Mademoiselle — mit fünfzehn bin ich in die Armee gekommen, und dann war ich sehr lange Unteroffizier — ich bin jetzt Divisionsgeneral, Mademoiselle! Ich heiße Jean=Baptiste Bernadotte. Ich habe seit Jahren einen Teil meines Gehaltes aufge= spart, ich kann ein kleines Haus für Sie und das Kind kaufen ... Das hast du damals gesagt, erinnerst du dich?"

„Natürlich. Aber ich möchte lieber wissen, wie du dir deine Zu= kunft vorgestellt hast, Désirée." Zuerst stotterte ich. Aber dann ging es ganz gut. „Wenn du glaubst, daß es für dich und Oscar not= wendig ist, dich scheiden zu lassen und eine Prinzessin zu heiraten — dann lasse dich eben scheiden. Ich stelle nur eine Bedingung."

„Und zwar?"

„Daß ich deine Maîtresse werde, Jean=Baptiste!"

„Ausgeschlossen, ich möchte am schwedischen Hof gar nicht erst mit einer Maîtressenwirtschaft beginnen. Übrigens kann ich mir eine Maîtresse gar nicht leisten, kleines Mädchen. Du mußt schon meine Frau bleiben, Désirée — was immer auch geschieht." Unsere Seine rauschte. Wie Musik war es, wie ein leiser Walzer.

„Und wenn das Schlimmste passiert? Wenn du König wirst?"

„Ja, Liebchen, auch wenn ich König werde." Langsam kehrten wir zu unserem Wagen zurück. „Vielleicht könntest du mir den Ge= fallen tun und aufhören, persönlich Seide zu verkaufen", bemerkte er noch. Dann tauchte Notre=Dame vor uns auf. „Halten!" Wort= los starrte Jean=Baptiste die Kathedrale an, öffnete sogar die Lippen, als ob er ihren Anblick trinken wollte. Dann schloß er die Augen, um Notre=Dame in sich zu verschließen. „Weiterfahren!"

„Ich werde Pierre beauftragen, meinen Anteil an der Firma Clary regelmäßig einzukassieren", sagte ich. „Pierre bleibt als Haushof= meister bei mir. Marius Clary ernenne ich zu meinem Hofmarschall und Marceline Tascher zur Hofdame. Die La Flotte will ich ent= lassen."

„Bist du mit dem Grafen von Rosen zufrieden?"

„Privat schon, aber geschäftlich nicht."

„Was heißt das?"

„Du, der Graf kann nicht einmal ein Paket zusammenschnüren! Ich habe ihn ursprünglich nur wegen der Preußen ins Warenlager mitgenommen, die Preußen plünderten nämlich — ganz unter uns! Aber da wir momentan keinen Lehrling haben, mußte er —"

„Désirée! Du kannst doch nicht den Dragonerleutnant Graf von Rosen in einen Lehrling verwandeln!" Ich zuckte die Achseln. „Vielleicht könntest du mir einen Adjutanten schicken, der kein gebürtiger Graf ist. Gibt es denn gar keine Parvenüs am schwedischen Hof?"

„Nur die Bernadottes!" lachte Jean=Baptiste. „Und Baron Wetter= stedt. Aber der ist Reichskanzler, und den brauche ich selbst." Er beugte sich vor und rief dem Kutscher eine Adresse zu. Wir fuhren nach Sceaux, um unser erstes Haus wiederzusehen. Die Sterne waren sehr klar. Hinter Gartenmauern blühte der Flieder. „Diesen Weg bin ich als Kriegsminister zweimal täglich geritten." Und unvermittelt: „Wann darf ich dich eigentlich in Stockholm erwarten, meine Königliche Hoheit?" „Noch nicht." Seine Epauletten zerkratzten meine Wange. „Die nächsten Jahre werden schwer genug für dich sein ... Ich will dir das Leben nicht noch schwerer machen. Du weißt ja, wie ungeeignet ich für den schwedischen Hof bin!" Er sah mich scharf an. „Willst du damit sagen, daß du dir das schwedische Hofzeremoniell nie zu eigen machen willst, Désirée?" „Wenn ich kommen werde, werde ich alle Fragen der Etikette selbst bestimmen", sagte ich langsam. Da hielt der Wagen in der Rue de la Lune Nr. 3 in Sceaux. Fremde Leute wohnen in unserem Häuschen. Ich dachte — im ersten Stock ist Oscar zur Welt gekommen. Und Jean= Baptiste sagte im gleichen Augenblick: „Stell dir vor, Oscar muß sich schon barbieren. Zweimal in der Woche." Wir sahen, daß der alte Kastanienbaum im Garten schon Kerzen hatte. Auf der Rückfahrt waren wir einander so nahe, daß wir gar nicht sprachen. Erst als der Wagen in die Rue d'Anjou einfuhr, sagte Jean=Baptiste plötzlich scharf: „Andere Gründe hast du nicht, um noch hierzubleiben? Wirklich nicht?" „Doch, Jean=Baptiste. Hier braucht man mich und dort — bin ich überflüssig. Ich muß Julie helfen."

„Napoleon habe ich bei Leipzig geschlagen. Und trotzdem kann ich diese Bonapartes nicht loswerden!"

„Es handelt sich um die Clarys", sagte ich beleidigt. „Bitte — vergiß das nicht!" Zum letztenmal hielt der Wagen. Es kam schrecklich plötzlich. Jean=Baptiste stieg mit mir aus und sah das Haus an. Aufmerksam, schweigend. Die beiden Posten traten ins Gewehr. Ich reichte Jean=Baptiste die Hand. Die Wachtposten schauten zu. „Was immer auch in den Zeitungen an gewissen Gerüchten steht —" Er zog meine Hand an die Lippen. „Glaub nicht daran, verstehst du?"

„Schade. Ich wäre so gern deine Maîtresse geworden — Au!" Jean= Baptiste biß mich in den Finger. Die Wachtposten schauten leider zu.

Paris, Pfingstmontag, 30. Mai 1814
Spät abends.

Für mich gibt es nichts Unangenehmeres als Kondolenzbesuche. Noch dazu an einem strahlenden Pfingstsonntag ... Gestern abend ließ sich eine verweinte Ex=Hofdame aus Malmaison bei mir melden. Josephine ist am Samstag um die Mittagsstunde plötzlich gestorben. An einer schweren Erkältung, die sie sich vor ein paar Tagen auf einem Abendspaziergang am Arm des Zaren im Park von Malmaison geholt hat. „Der Abend war recht kühl, aber Ihre Majestät wollte absolut keinen Mantel anziehen. Ihre Majestät trug ein neues Musse= linkleid und war sehr dekolletiert. Nur einen Schal hatte sie umge= worfen, hauchdünn und durchsichtig." Ich kenne den Musselin, Josephine, zu leicht für einen Maiabend. Violett — nicht wahr? Etwas melancholisch und so kleidsam ... Hortense und Eugène Beauharnais wohnten bei ihrer Mutter. Die Ex=Hofdame reichte mir den Brief. „Bring mir die Kinder mit, meinen einzigen Trost", schrieb Hortense zwischen vielen Gedankenstrichen und Ausrufungszeichen. So kam es, daß ich heute früh mit Julie und den beiden Söhnen der ehe= maligen Königin von Holland nach Malmaison fuhr. Wir versuchten, den Buben begreiflich zu machen, daß ihre Großmutter gestorben war „Vielleicht ist sie gar nicht richtig tot. Vielleicht redet sie es nur den Verbündeten ein und fährt heimlich zum Kaiser nach Elba", schlug Charles Napoleon vor. Im Bois de Bologne wehte der Wind Sommer und Lindenblüten in den Wagen. Es schien unglaublich, daß Josephine nicht mehr lebte. In Malmaison fanden wir Hortense in tiefschwarzen Gewändern vor, grünblaß, mit vom Weinen ge= röteter Nase. Feierlich warf sie sich zuerst in meine, dann in Julies Arme. Eugène Beauharnais saß vor einem winzigen Damenschreib= tisch und wühlte in lauter Zetteln. Der verlegene junge Mann von einst war von Napoleon zum Vizekönig von Italien ernannt und zur Heirat mit der Tochter des bayrischen Königs gezwungen worden. Er beugte sich steif über unsere Hände. Dann wies er auf den Schreib= tisch mit den vielen Zetteln und seufzte: „Es ist mir unverständlich — lauter unbezahlte Rechnungen. Für Kleider, Hüte und Rosenstöcke!" Hortenses Mund war ein Strich. „Mama ist doch niemals mit ihrer Apanage ausgekommen."

„Außer den zwei Millionen, die ihr der Staat nach der Scheidung jedes Jahr ausbezahlte, hat ihr der Kaiser noch eine Million von seiner Zivilliste zur Verfügung gestellt. Und trotzdem —" Er fuhr sich verzweifelt durch die Haare. „Hortense, diese Schulden gehen in die Millionen, ich möchte wissen, wer sie bezahlen wird!"

„Das wird die Damen nicht interessieren", sagte Hortense und bat uns, Platz zu nehmen. Steif und wortlos saßen wir auf Josephines weißem Seidensofa. Die Flügeltüren in den Garten waren offen, der Duft von Josephines Rosen strömte herein . . . „Der Kaiser von Rußland hat Mama seine Aufwartung gemacht, und Mama hat ihn zum Souper eingeladen." Hortense betupfte mit einem Taschentuch die trockenen Augen. „Ich nehme an, sie wollte ihn bitten, sich meiner schutzlosen Kinder anzunehmen. Sie wissen doch, daß ich jetzt geschieden bin, nicht wahr?" Wir nickten höflich. Hortenses Geliebter, der Graf Flahault, tauchte auf. Der uneheliche Sohn, den sie ihm geboren hat, wird bei einem Grafen Morny aufgezogen. Eugène Beauharnais raschelte mit den unbezahlten Rechnungen der toten Josephine. „Mama scheint dem Salon Le Roy seit Monaten nichts bezahlt zu haben. Trotzdem hat sie sich sechsundzwanzig Toiletten bestellt. Ich frage mich nur, wozu Mama in ihrer Abge= schiedenheit sechsundzwanzig Toiletten —" Er starrte den Zettel an. Seine Schwester zuckte verächtlich die Achseln, das Taschentuch verbarg ihren Mund. Der einzige Mann, den Hortense Beauharnais jemals geliebt hat, ist mit ihrer Mutter verheiratet gewesen. „Wollen Sie sie sehen?" fragte Hortense unvermittelt. Julie schüttelte heftig den Kopf. „Ja", sagte ich, ohne nachzudenken. „Graf Flahault, führen Sie Ihre Königliche Hoheit hinauf!" Wir gingen in den ersten Stock. „Die teure Verstorbene liegt noch in ihrem Schlafzimmer", flüsterte er. „Hier — bitte einzutreten, Hoheit!" Die hohen Kerzen brannten, ohne zu flackern. Die Fensterläden waren dicht geschlossen. Es roch betäubend nach Weihrauch, Rosen und Josephines schwerem Parfüm. Langsam gewöhnten sich meine Augen an das Halbdunkel. Wie schwarze Riesenvögel kauerten Nonnen am Fußende des breiten, niederen Bettes und murmelten Totengebete, einförmig, plätschernd. Zuerst hatte ich Angst, die Tote anzusehen. Aber dann nahm ich mich zusammen und trat näher. Erkannte den Krönungs= mantel, der in weichen Falten über das Bett gebreitet lag. Wie eine gute warme Decke . . . Den Hermelinkragen hatte man über ihre Brust und Schultern gelegt. Gelblich schimmerte er im Licht der Kerzen, gelblich wie das Gesicht der toten Josephine. Nein — Jo=

sephine sah nicht zum Fürchten aus. Nicht einmal zum Weinen. Dazu war sie viel zu schön ... Der kleine Kopf lag etwas schräg. Ganz genauso, wie sie ihn so oft gehalten hat, wenn sie einem Mann durch die langen dunklen Wimpern einen Blick zuwarf. Auch die Augen waren nicht fest geschlossen, sondern schimmerten unter dem Schleier der Wimpern. Nur die schmale Nase wirkte fremd und scharf. Um so süßer das Lächeln des geschlossenen Mundes, der nicht einmal im Tode das Geheimnis der schlechten Zähne verriet. Nein, keines ihrer Geheimnisse verriet die tote Josephine. Die Zofen hatten noch ein letztes Mal das schüttere Haar der Einundfünfzigjährigen in kindliche Ringellöckchen gedreht. Ein letztes Mal Silberschminke auf die Lider, die sich für immer geschlossen haben, und Rouge auf die gelblichen Wangen, über die das Licht der Wachskerzen spielte. Wie süß lächelte Josephine im ewigen Schlaf, süß und kokett und — „— und so charmant", bemerkte jemand dicht neben mir. Ein alter Herr mit aufgedunsenen Wangen und schönem, silbrigem Haar. Er schien aus dem Dunkel einer Ecke getreten zu sein. „Mein Name ist Barras", stellte er sich vor und·hob ein Lorgnon an die Augen. „Habe ich die Ehre, Madame zu kennen?"

„Das ist sehr lange her", sagte ich. „Wir waren im Salon des Generals Bonaparte zusammen. Sie waren damals Direktor der Republik, Monsieur Barras." Er ließ das Lorgnon sinken. „Diesen Krönungsmantel — sehen Sie, Madame, diesen Krönungsmantel hat Josephine mir zu verdanken ... Du heiratest den kleinen Bonaparte, ich ernenne ihn zum Militärgouverneur von Paris, und alles weitere wird sich finden, liebe — sehr liebe Josephine, habe ich zu ihr gesagt. Wie Sie wissen, Madame — alles weitere hat sich gefunden." Er kicherte leise. „Ist sie Ihnen nahe gestanden, Madame?" Nein, sie hat mir nur das Herz gebrochen, Monsieur, dachte ich und begann zu weinen. „Ein Narr, dieser Bonaparte! Ein Narr ..." flüsterte der alte Herr und strich mit zärtlicher Hand eine Falte des Purpurmantels glatt. „Von der einzigen Frau, mit der man sich auf einer einsamen Insel nicht langweilt, läßt er sich scheiden!" Auf dem Hermelinkragen des Mantels der Kaiserin der Franzosen lagen rote Rosen. Sie waren im Schimmer der Wachskerzen verwelkt und dufteten schmerzhaft. Ihr Duft preßte meine Schläfen zusammen, meine Knie gaben nach, plötzlich sank ich am Bett Josephines zusammen und vergrub mein Gesicht im Samt des Krönungsmantels. „Weinen Sie nicht um Josephine, Madame. Josephine starb, wie sie gelebt hat. Am Arm eines sehr mächtigen Mannes, der ihr an einem

Maiabend zwischen den Rosenstöcken von Malmaison versprach, alle Schulden zu bezahlen. — Hörst du, liebe, sehr liebe Josephine?" Als ich aufstand, war der alte Herr wieder im Dunkel seiner Ecke verschwunden. Nur Totengebete waren zu hören. Da nickte ich Josephine noch einmal zu. Ihre langen Wimpern schienen ein wenig zu flattern, und sie lächelte mit geschlossenen Lippen ... Als ich wieder hinunterkam, wandte sich Eugène gerade ernsthaft an Julie: „Kostet ein Morgenrock aus Brüsseler Spitzen mit dazugehörigem Häubchen wirklich zwanzigtausend Francs, Madame?" Schnell steuerte ich auf die offene Tür zu, die in den Garten führte. Die Sonne schien so stark, daß die Luft zitterte. Rosen blühten in allen Farben. Plötzlich stand ich vor einem winzigen künstlichen Teich. Auf der steinernen Einfassung saß ein kleines Mädchen und sah den komischen Entlein zu, die aufgeregt und unbeholfen hinter einer dicken Entenmutter einherschwammen. Ich setzte mich dicht neben das Kind. Die Kleine hatte braune Locken, die in Korkziehern bis zu den Schultern fielen, und ein weißes Kleid mit einer schwarzen Schärpe. Als sie den Kopf hob und mich von der Seite ansah, blieb mir das Herz stehen — sehr lange Wimpern über länglichen Augen und ein süßes herzförmiges Gesicht. Das Kind begann zu lächeln. Es lächelte mit geschlossenen Lippen. Ich fragte: „Wie heißt du?" „Josephine, Madame!" Sie hatte blaue Augen und wunderschöne Perlenzähne. Ihre Haut war sehr hell, und in dem dichten Haar funkelten goldene Lichter. Josephine — und doch nicht Josephine. „Sind Sie eine der Hofdamen, Madame?" fragte das Kind höflich. „Nein. Wie kommst du darauf?" „Weil Tante Hortense sagt, daß die Kronprinzessin von Schweden auf Besuch kommt. Prinzessinnen bringen immer Hofdamen mit. Natürlich nur, wenn es sich um erwachsene Prinzessinnen handelt." „Und kleine Prinzessinnen?"

„Die haben Gouvernanten." Das Kind sah wieder den Entlein zu. „Die Entlein sind noch so klein — ich glaube, die sind erst gestern aus dem Magen ihrer Mama gekrochen." „Unsinn, Entlein kriechen doch aus dem Ei!"

Das Kind lächelte. „Sie müssen mir keine Märchen erzählen, Madame." „Sie kommen wirklich aus einem Ei", beharrte ich. Das Kind nickte. „Wie Sie wünschen, Madame." „Bist du die Tochter des Prinzen Eugène?" „Ja. Aber Papa ist kein Prinz mehr. Wenn wir Glück haben, sprechen ihm die Alliierten ein Herzogtum in Bayern zu. Mein Großvater — der Papa meiner Mama nämlich — ist der König von Bayern."

„Dann bist du auf jeden Fall eine Prinzessin", entschied ich. „Wo ist deine Gouvernante?"

„Der bin ich davongelaufen", sagte die Kleine und griff mit der Hand ins Wasser. Plötzlich fiel ihr etwas ein. „Wenn Sie keine Hof= dame sind, dann sind Sie vielleicht eine Gouvernante?" „Warum?" „Irgend jemand müssen Sie doch sein." „Vielleicht bin ich auch eine Prinzessin."

„Ausgeschlossen. So sehen Sie nicht aus!" Die Wimpern flatterten, die Kleine legte den Kopf etwas schräg und lächelte. „Ich möchte gern wissen, wer Sie sind." „Wirklich?" „Sie gefallen mir. Obwohl Sie mir diese dumme Enterreier=Geschichte einreden wollen. Haben Sie Kinder?"

„Einen Sohn. Aber er ist nicht hier."

„Schade. Ich spiele viel lieber mit Buben als mit Mädchen. Wo ist Ihr Sohn?"

„In Schweden. Aber du weißt sicherlich nicht, wo das liegt." „Das weiß ich genau, ich nehme doch Geographiestunden. Und Papa sagt —"

„Josephine! Josephi i i i ne —!"

Das Kind seufzte. „Meine Gouvernante!" Dann kniff es ein Auge zusammen und schnitt ein Gassenbubengesicht. „Ein Brechmittel. Aber sagen Sie es nicht weiter, Madame!" Langsam kehrte ich ins Haus zurück. Wir speisten allein mit Hortense und Eugène. „Wissen Sie vielleicht, wann wir einen Kurier nach Elba schicken dürfen?" fragte er Julie beim Abschied. „Ich möchte dem Kaiser so schnell wie möglich den Tod unserer armen Mama melden. Und — ja, die unbe= zahlten Rechnungen werde ich mitschicken." Wir fuhren durch einen sehr blauen Abend zurück. Kurz vor Paris fiel mir etwas Wichtiges ein. Ich will es aufschreiben, um es von Zeit zu Zeit durchzulesen und nie zu vergessen. Wenn man schon eine Dynastie gründet, warum nicht gleich eine — charmante? „Eine Sternschnuppe — schnell, wünsch dir etwas!" rief Julie. Da habe ich es mir gewünscht — schnell und wahrscheinlich sehr unbedacht. „Die Schweden werden sie Josephina nennen", überlegte ich laut. „Sag einmal, von wem sprichst du eigentlich?" fragte Julie erstaunt. „Von der Sternschnuppe, die ge= rade vom Himmel gefallen ist. Nur von einer Sternschnuppe . . ."

Oscar hat mir hinter dem Rücken seines Hofmeisters aus Nor=
wegen geschrieben. Ich habe seinen Brief in mein Buch geklebt, um
ihn nicht zu verlieren.

Christiania, 10. November 1814.

Meine liebe Mama,

Graf Brahe schickt einen Kurier von hier nach Paris, und ich be=
eile mich, Dir zu schreiben. Besonders, weil mein Hofmeister Baron
Cederström mit einer Erkältung im Bett liegt. Cederström versucht
nämlich, immer meine Briefe an Dich zu lesen, um zu sehen, ob ich
formvollendet schreibe. Der alte Idiot. Liebe Mama, meine innig=
sten Glückwünsche — Du bist soeben Kronprinzessin von Nor=
wegen geworden! Norwegen und Schweden sind jetzt in einer Union
verbunden, und der schwedische König ist gleichzeitig König von
Norwegen. Wir haben sogar einen Feldzug hinter uns, auf dem wir
Norwegen erobert haben. Und gestern abend bin ich mit Papa hier
in Christiania angekommen, der Hauptstadt von Norwegen. Aber
ich will Dir lieber alles der Reihe nach erzählen. Papas Einzug in
Stockholm nach der Befreiung Frankreichs war einzigartig. In den
Straßen, durch die Papa im offenen Wagen fuhr, herrschte solcher
Jubel und so viel Gedränge, daß die Leute einander zertrampelten
und es nicht einmal bemerkten. Seine Majestät fiel Papa um den
Hals und weinte wie ein Kind vor lauter Freude. Auch Ihre Majestät
weinte, aber etwas diskreter. Die Schweden fühlen sich wieder als
Heldennation wie zur Zeit Carls XII. Aber Papa war müde und
traurig. Kennst du den Grund, Mama? Obwohl die Dänen Norwegen
an uns abgetreten haben, hat der norwegische Reichstag am 17. Mai
in Eidsvold erklärt, daß das Land selbständig zu sein wünscht. Stell
Dir das vor, Mama! Papa hat mir erzählt, daß es in Christiania seit
Jahren eine Partei gibt, die sich „Vereinigtes Skandinavien" nennt
und einen republikanischen skandinavischen Staatenbund anstrebt.
Aber die Norweger haben sich doch nicht getraut, die Republik aus=
zurufen. Deshalb haben sie schnell einen dänischen Prinzen zu ihrem
Regenten ernannt. Nur um uns zu ärgern, weißt Du. Dann haben
sie erklärt, sie würden ihre Selbständigkeit verteidigen. Mama — die
Kriegsbegeisterung unserer schwedischen Offiziere kann ich Dir gar

nicht schildern. Seine Majestät, dessen Zustand sich stets verschlechtert und der sich vor lauter Gicht kaum rühren kann, wollte sofort in die Schlacht ziehen. Oder vielmehr segeln — er flehte den Papa um ein Kriegsschiff an und wies darauf hin, daß er seit seiner Geburt Admiral der schwedischen Flotte sei. Papa gestand mir, daß sich Schweden momentan nur einen drei Monate langen Krieg gegen Norwegen leisten kann. Das Kriegsschiff, um das der alte König so bettelte, bezahlte Papa aus eigener Tasche. Der alte Herr hat keine Ahnung davon! Ich erklärte natürlich: wenn der alte König mitfahren darf, will ich auch mitkommen! Papa hat gar nichts dagegen. Er sagte nur: „Oscar, diese Norweger sind ein wunderbares Volk. Riskieren diesen Krieg mit Schweden und haben nur halb soviel Truppen wie wir und so gut wie gar keine Munition." Papa war ehrlich ergriffen. Dann reichte er mir ein Aktenstück: „Lies dir das durch, Oscar, aber gründlich! Ich gebe den Norwegern die freieste Verfassung Europas." Das wunderbare Volk bestand leider auf seiner Selbständigkeit, und Papa reiste mit seinem Generalstab nach Strömstad. Wir kamen ihm nach, beide Majestäten, der ganze Hofstaat und ich. Im Hafen lag das versprochene Kriegsschiff. Es hieß „Gustaf den store" (Gustaf der Große), und wir gingen alle an Bord. Ein paar Tage später stürmten unsere Truppen die erste norwegische Insel. Seine Majestät sah vom Deck aus mit einem Feldstecher zu. Papa schickte jeden Augenblick einen Adjutanten an Bord und meldete ihm, daß unsere Soldaten planmäßig vorrückten. Als wir die Festung Kongsten eroberten, stand Papa neben mir an der Reling. Die Marschälle von Essen und Adlercreutz waren bei den Truppen. Zuletzt konnte ich den Kanonendonner und die Gewehrsalven nicht mehr aushalten. Ich packte Papa am Arm. „Schick einen Offizier zu den Norwegern und sag ihnen, daß sie in Gottes Namen selbständig sein können! Papa, laß doch nicht mit Kanonen auf sie schießen —!" Papa lächelte. „Natürlich nicht, Oscar! Wir schießen doch nur mit Blindgängern wie bei Manövern. Und die Feuer, die dich so aufregen, sind Leuchtraketen." Schnell legte er den Finger an die Lippen und sah zum alten König und zur Königin hinüber, die einander aufgeregt den Feldstecher aus den Händen rissen. „Dann — dann ist das doch kein richtiger Feldzug", flüsterte ich. „Nein, Oscar, nur — eine Landpartie."

„Warum ziehen sich denn die Norweger zurück?"

„Weil ihre Offiziere die Reichweite meiner Kanonen berechnen und wissen, daß ich dieses Manöver gewinne. Übrigens haben die

Norweger gar nicht die Absicht, diese Festungen hier zu halten. Ihre wirkliche Verteidigungslinie beginnt erst westlich von Glommen." Weiter kam er nicht. In diesem Augenblick verstummten die schwedischen Kanonen. Es war totenstill. Die Norweger räumten die Festung Kongsten. Erst jetzt bat Papa um einen Feldstecher. „Und was geschieht, wenn sich die Norweger in ihre Berge zurückziehen? Kannst du sie bis über die Gletscher verfolgen, Papa?" „Und wie! Oscar, auf allen Kriegsakademien der Welt wird gelehrt, wie der General Bernadotte seinerzeit ein Armeekorps in Eilmärschen über die Alpen geführt hat." Plötzlich sah Papa wieder müde und traurig aus. „Damals habe ich eine junge Republik verteidigt, und heute — siehst du, heute nehme ich diesem kleinen freiheitsliebenden Volk dort drüben sein Selbstbestimmungsrecht. Oscar, man wird alt, man überlebt sich selbst." Der ganze Feldzug dauerte nur vierzehn Tage. Dann baten die Norweger um Einstellung der Feindseligkeiten. Ihr Reichstag wurde für den 10. November (heute!) einberufen und Papa gebeten, persönlich in Christiania zu erscheinen, um die Vereinigung Norwegens mit Schweden zu bestätigen. Wir kehrten alle nach Stockholm zurück, und Papa verlangte, daß der alte König in einem offenen Wagen durch die Straßen fuhr. Das Volk jubelte, und dem alten Herrn liefen die Tränen über die Wangen. Außer den Norwegern wissen nur unsere Artilleristen, daß mit Blindgängern geschossen wurde. Nach vier Tagen reisten Papa und ich nach Norwegen. Papa wurde vom Grafen Brahe und den Marschällen Adlercreutz und von Essen begleitet. Ich mußte neben meinem unvermeidlichen Cederström reiten. Wir mußten in Zelten übernachten, weil Papa den Bauern nicht zur Last fallen wollte. Meistens konnten wir vor Kälte nicht schlafen. Endlich erreichten wir die kleine Stadt Frederikshald und wohnten dort beim Bürgermeister. Papa ließ uns endlich wieder in Betten schlafen ... Von Frederikshald aus machten wir täglich lange Spazierritte. Papa wollte das Land kennenlernen. Die Bauern starrten uns an und grüßten nicht. Ich lege ein kleines Lied bei, Mama, das ich Regenlied nenne und während dieser endlosen Ritte komponiert habe. Hoffentlich findest du die Melodie nicht zu traurig. Wir ritten auch zwischen den grauen Mauern der Festung Frederiksten herum, in der sich einst die Norweger gegen den Schwedenkönig Carl XII. verteidigt haben. Der wollte Schweden in eine Großmacht verwandeln und Rußland erobern. Aber in Rußland sind ihm die meisten seiner Truppen erfroren. Dann zog er in die Türkei, um von dort aus die Russen zu schlagen. Zuletzt konnten die Schweden gar kein Geld mehr für seine Kriege aufbringen. Da wollte er Norwegen erobern. Und bei der Belagerung von Frederiksten traf ihn eine Kugel ... Auf unserem Ritt durch Regen und Nebel starrte uns plötzlich ein großes Holzkreuz entgegen. „An dieser Stelle ist Carl XII. gefallen", hieß es. Wir stiegen alle vom Pferd. Papa winkte mich zu sich. „Oscar, hier ist der größte Dillettant auf militärischem Gebiet umgekommen. Versprich mir, die Schweden niemals selbst in den Krieg zu führen, ja?" „Aber Papa, du führst doch auch das Oberkommando!" warf ich ein. „Ich habe als Sergeant begonnen und nicht als Erbprinz", sagte er noch. Da begannen schon von Essen und Adlercreutz ein Vaterunser zu beten. Papa betete nicht mit, sondern sah mich ununterbrochen an. (Papa betet nie!) Als die Marschälle „Amen" sagten, wandte er sich schnell um, und wir ritten weiter. „Übrigens bin ich der Ansicht, daß die Kugel, die euren Heldenkönig tötete, aus den eigenen Reihen kam", sagte er plötzlich. „Ich habe alle Dokumente, die ich über diesen Vorfall finden konnte, studiert. Der Mann war ein Unglück für Schweden, meine Herren. Vergessen Sie ihn, ich bitte Sie, vergessen Sie ihn!" „Hoheit, darüber sind die Ansichten geteilt", sagte Adlercreutz gekränkt. Mama, Du mußt immer sehr vorsichtig über Carl XII. sprechen! Gestern abend fuhren wir endlich in einem Galawagen, den wir uns aus Stockholm kommen ließen, in Christiania ein. Ich glaube, Papa hatte Festbeleuchtung und Jubelrufe erwartet. Die Straßen waren stockfinster und menschenleer. Plötzlich krachten irgendwo in der Finsternis Kanonen. Papa zuckte zusammen. Aber es waren nur Salut=Schüsse, ich habe es mir gleich gedacht. Der Wagen hielt vor dem Palais des ehemaligen dänischen Statthalters. Eine Ehrenkompanie präsentierte das Gewehr. Papa schaute entsetzt die abgetragenen Uniformen und ungleich ausgerichteten Stiefel an. Dann betrachtete er das Palais, das wie ein gewöhnliches Bürgerhaus aussieht, einstöckig und sehr bescheiden. Er schüttelte den Kopf und stürmte dann mit Riesenschritten in den einzigen Saal des Hauses. Ich hinter ihm. Die Marschälle und Adjutanten im Laufschritt, um uns nachzukommen. Es muß wahnsinnig komisch gewirkt haben. Der norwegische Reichstagspräsident und die Regierungsmitglieder erwarteten uns. Ein mächtiges Holzfeuer warf rote zuckende Lichter über die düstere Versammlung. Papa trug den violetten Parademantel und den Hut mit den Straußenfedern. Stortings=Präsident Christie begrüßte Papa in ausgezeichnetem Französisch. Papa setzte sein mitreißendes Lächeln auf, drückte den ernsten Herren die Hand

und überbrachte die Grüße seiner Majestät, des Königs von Schwe=
den und Norwegen. Worauf die düsteren Gesellen sich Mühe gaben,
nicht laut zu lachen. Ich glaube, die Norweger haben Humor! Der
alte Herr in Stockholm hat doch nichts mit dieser Union zu tun. Die
ist ausschließlich Papas Werk. Papa legte auch sofort mit einer ge=
waltigen Rede los. „Norwegens neue Verfassung, meine Herren,
verteidigt die Menschenrechte, für die ich bereits als Fünfzehnjäh=
riger in Frankreich ins Feld gezogen bin. Diese Union ist mehr als
eine geographische Notwendigkeit, sie ist mir ein Herzensbedürf=
nis!" Aber auf die Norweger machte es keinen Eindruck. Die werden
uns die Blindgänger und Leuchtraketen niemals verzeihen … Ich
begleitete Papa in sein Schlafzimmer und sah zu, wie er alle Orden
abnahm und angewidert auf den Toilettentisch warf. Er sagte noch:
„Gestern hat deine Mama Geburtstag gehabt, hoffentlich sind unsere
Briefe rechtzeitig angekommen." Dann zog er die Bettvorhänge zu=
sammen. Liebe Mama, mir tut Papa schrecklich leid. Aber man kann
nicht Kronprinz und Republikaner zugleich sein. Bitte schreibe ihm
einen lieben, lustigen Brief, wir sind Ende des Monats wieder in
Stockholm. Und jetzt fallen mir die Augen zu, und der Kurier wartet.
Sei innig umarmt und geküßt

von Deinem Sohn Oscar.

PS. Kannst Du vielleicht in Paris die 7. Symphonie von Monsieur
Beethoven auftreiben und mir schicken?

Der Kurier überbrachte auch ein Schreiben des Grafen Brahe an
von Rosen. „Von nun an ist bei festlichen Anlässen die norwegische
Fahne neben der schwedischen auf dem Haus Eurer Hoheit zu hissen.
Wir sollen auch das norwegische Wappen auf den Wagen malen
lassen", verkündete er aufgeregt. „Seine Hoheit, der Kronprinz, ist
größer als Carl XII." Ich bat ihn um eine Landkarte und suchte das
zweite Land, in dem ich jetzt Kronprinzessin bin.

Der heutige Nachmittag begann wie viele andere Nachmittage. Ich setzte mit Hilfe meines Neffen Marius ein Gesuch an den achtzehnten Louis auf, um Julies Aufenthaltsbewilligung als mein Gast zu ver=längern. Julie saß im kleinen Salon und schrieb einen langen nichts=sagenden Brief an Joseph in der Schweiz. Da trat Graf von Rosen ein und meldete einen Besuch. Den Herzog von Otranto, Monsieur Fouché. Dieses vollbeschriebene Blatt von einem Menschen ist mir unbegreiflich. Als in den Tagen der Revolution die Mitglieder der Nationalversammlung ihre Stimme über das Schicksal des Bürgers Louis Capet abgeben sollten, hat der Abgeordnete Fouché laut und deutlich die Worte „la morte" ausgesprochen. Und jetzt setzt er Himmel und Hölle in Bewegung, damit ihn der Bruder des Hinge=richteten in Gnaden empfängt und ihm einen Posten gibt. „Wir las=sen bitten", sagte ich angewidert. Joseph Fouché war in angeregter Stimmung. Auf dem pergamentfarbenen Gesicht brannten rote Flek=ken. Ich ließ Tee servieren. Er rührte vergnügt in seiner Tasse herum. „Ich habe Hoheit doch nicht bei einer wichtigen Beschäftigung ge=stört?" Ich antwortete ihm nicht. „Meine Schwester hat gerade für mich ein Gesuch an Seine Majestät aufgesetzt", sagte Julie. „An welche Majestät?" fragte Fouché. Es war die dümmste Frage der Welt. „An König Louis natürlich", sagte Julie irritiert. „Meines Wissens regiert keine andere Majestät in Frankreich."

„Ich hätte noch heute vormittag die Möglichkeit gehabt, Ihr Ge=such zu unterstützen, Madame." Er trank ein Schlückchen und sah Julie amüsiert an. „Seine Majestät hat mir nämlich eine Stellung angeboten. Sogar eine sehr einflußreiche. Die — des Polizeiministers." „Nicht möglich!" entfuhr es mir. „Und?" fragte Julie mit großen Augen. „Ich habe es abgelehnt." Joseph Fouché trank mehrere zier=liche Schlückchen. „Wenn der König Ihnen die Stellung eines Polizei=ministers anbietet, fühlt er sich unsicher. Und dazu hat er weiß Gott keinen Grund mehr", mischte sich Marius ins Gespräch. „Warum nicht?" fragte Fouché erstaunt. „Die Liste. Die heimliche Liste, auf die er nicht nur die Anhänger der Republik, sondern auch die des Kaiser setzen läßt. Die heimliche Aufzeichnung dieser Namen genügt, um ihm unumschränkte Macht zu verleihen", behauptete Marius. „Man sagt, daß Ihr Name als erster auf der Liste steht, Herzog!" „Der König hat die Anfertigung dieser Liste unterbrochen",

meinte Fouché und stellte die Teetasse auf ein Tischchen. „An seiner Stelle würde ich mich auch unsicher fühlen. Schließlich rückt er un= aufhaltsam vor."

„Sagen Sie einmal, von wem sprechen Sie eigentlich?" erkundigte ich mich. „Vom Kaiser natürlich." Der ganze Raum begann sich zu drehen, vor meinen Augen tanzten Schatten. Ich hatte das Ge= fühl, ohnmächtig zu werden. Das ist mir seit der Zeit, in der ich Oscar erwartete, nicht mehr passiert ... Wie aus weiter Ferne drang Fouchés Stimme zu mir. „Der Kaiser hat sich vor elf Tagen mit seinen Truppen in Elba eingeschifft und ist am 1. März in Cannes gelandet." Und Marius: „Das ist phantastisch, er hat doch nur vierhundert Mann bei sich!" Fouchés Antwort: „— sind zu ihm übergegangen, küssen seinen Mantel und marschieren mit ihm im Triumph nach Paris." „Und das Ausland, Herr Herzog?" Hartes Französisch, Graf von Rosen meldete sich: „Das Ausland wird —" „Désirée, du bist ja ganz blaß — ist dir nicht gut?" Das war Julie. Und Fouché: „Schnell ein Glas Wasser für Ihre Hoheit —!" Sie hielten mir ein Glas an die Lippen. Ich trank. Der Salon hörte auf, sich zu drehen. Ich sah sogar alle Umrisse besonders scharf. Das Gesicht meines Neffen Marius glühte. „Die ganze Armee hat er hinter sich. Man kann nicht die Gagen von Frankreichs Offizieren, die diese Nation groß gemacht haben, um die Hälfte kürzen. Wir marschieren — wir marschieren wieder!" „Gegen ganz Europa?" fragte Marceline spitz. (Ihr Mann ist nicht zurückgekehrt. Er ist in den Schlachten um Paris gefallen. Allerdings in die Arme eines jun= gen Mädchens, das ihn versteckte ...) Mein Blick fiel auf einen Lakai, der mir etwas sagen wollte und fortwährend überschrien wurde. Ich gab ihm eine Chance. Ein neuer Besuch — die Marschallin Ney. Die Marschallin Ney hat die imponierenden Maße eines Grena= diers und überfällt einen wie eine Naturkatastrophe. Keuchend stürmte sie herein, preßte mich an ihren mächtigen Busen und fuhr mich an: „Nun — was sagen Sie dazu, Madame? Aber er wird es ihm zeigen! Mit der Faust hat er auf den Tisch geschlagen und geschrien, daß er es ihm zeigen wird!"

„Setzen Sie sich doch, Madame la Maréchale", bat ich. „Und sagen Sie mir, wer wird wem etwas zeigen?"

„Mein Mann dem Kaiser!" donnerte die Marschallin und fiel auf den nächsten Stuhl. „Er hat soeben den Befehl erhalten, sich mit sei= nen Regimentern in Besançon dem Kaiser entgegenzustellen. Und ihn gefangenzunehmen! Wissen Sie, was mein alter Ney geantwortet hat? Einfangen wird er ihn wie einen wütenden Stier und in einen Käfig sperren und im ganzen Land ausstellen!"

„Verzeihen Sie, Madame, ich verstehe nicht ganz — warum ärgert sich eigentlich der Marschall Ney so sehr über seinen ehemaligen obersten Kriegsherrn und Kaiser?" säuselte Fouché. Die Marschallin bemerkte erst jetzt seine Anwesenheit und wurde merkwürdig verlegen. „So — Sie sind auch hier", murmelte sie. „Wieso eigentlich? Sie sind doch bei Hof in Ungnade? Sie sind doch auf Ihren Gütern?" Fouché lächelte und zuckte die Achseln. Da wurde sie unsicher. Sehr unsicher sogar. „Sie glauben doch nicht, daß es der Kaiser noch einmal schafft?" flüsterte sie mit ersterbender Stimme. „Ja", sagte Marius laut und entschieden. „Ja, Madame, er schafft es!" Julie erhob sich. „Ich muß das alles meinem Mann schreiben, es wird ihn sehr interessieren." Fouché schüttelte den Kopf. „Bemühen Sie sich nicht, die königliche Geheimpolizei würde ihren Brief sofort abfangen. Und ich bin sicher, Madame, daß der Kasier längst mit dem Herrn Gemahl in Verbindung steht. Es ist anzunehmen, daß Seine Majestät schon von Elba aus alle Brüder über seinen Plan informiert hat."

„Sie glauben doch nicht, daß es sich um einen vorbereiteten Plan handelt, Herzog?" schnaufte die Marschallin. „Das müßte mein Mann doch wissen!"

„Daß die Armee unzufrieden ist, weil sowohl Offiziere als Mannschaften auf Halbsold gesetzt und die Pensionen der Veteranen und Invaliden gekürzt worden sind, kann der Aufmerksamkeit des Marschalls Ney kaum entgangen sein!" donnerte mein Neffe Marius. „Auch nicht der des Kaisers auf Elba", fügte Fouché freundlich hinzu. Dann verabschiedete er sich. Eine lange Pause entstand. Mit einem Ruck wandte sich die Marschallin Ney zu mir, ihr Sessel krachte, die tiefe Stimme grollte. „Madame, Sie als Frau eines Marschalls werden mir doch recht geben, es ist —" „Sie irren sich, ich bin nicht mehr die Frau eines Marschalls. Sondern die Kronprinzessin von Schweden und Norwegen. Ich bitte mich zu entschuldigen, ich habe Kopfschmerzen." Ich hatte Kopfschmerzen wie nie zuvor. Dröhnende, hämmernde ... Ich legte mich auf mein Bett und war für niemanden zu sprechen. Nicht einmal für mich selbst. Nein, schon gar nicht für mich selbst ... Man kann sich vor seiner Familie verstecken. Man kann vor seiner Dienerschaft flüchten. Aber man kann unter gar keinen Umständen Hortense entgehen. Um acht Uhr abends meldete mir Marie die „ehemalige Königin von Holland, jetzige Herzogin von Saint Leu". Ich zog die Decke über meinen

Kopf. Fünf Minuten später jammerte Marceline an meiner Tür. „Tante, du mußt kommen, Hortense sitzt im kleinen Salon und will auf dich warten, auch wenn es die ganze Nacht dauern sollte. Ihre Söhne hat sie auch mitgebracht!" Ich rührte mich nicht. Nach zehn Minuten beugte sich Julie über mein Bett. „Désirée, sei doch nicht so hart! Die arme Hortense fleht dich an, sie zu empfangen." Da ergab ich mich in mein Schicksal. „Laß sie hereinkommen, aber nur auf einen Augenblick!" Hortense schob ihre Söhne zuerst herein. „Versagen Sie meinen armen Kindern nicht Ihren Schutz, nehmen Sie sie auf, bis alles entschieden ist", schluchzte sie. Hortense ist im letzten Jahr sehr mager geworden, ihre Trauerkleider machen sie sehr blaß, ihre farblosen Haare sind unordentlich und ungepflegt. „Ihre Kinder sind doch nicht in Gefahr", sagte ich. „Aber natürlich", flüsterte sie aufgeregt. „Der König kann sie jeden Augenblick verhaften lassen, um sie als Geiseln gegen den Kaiser auszuspielen. Meine Kinder sind doch die Erben der Dynastie, Madame!"

„Der Erbe der Dynastie heißt Napoleon wie sein Vater und lebt momentan in Wien", erklärte ich ruhig. „Und wenn diesem Kind etwas zustößt — in seiner Gefangenschaft — in Wien?" zischte sie. „Was dann, Madame?" Ihre Blicke liebkosten die beiden eckigen Buben. „Napoleon III.", flüsterte sie mit seltsam irrem Lächeln und strich dem Jüngeren das strähnige Haar aus der Stirn. Ihre Augen saugten sich an mir fest. „Der König wird nicht wagen, meine Kinder bis ins Haus der schwedischen Kronprinzessin zu verfolgen. Ich flehe Sie an —"

„Die Kinder können selbstverständlich hierbleiben."

„Napoleon Louis, Charles Louis Napoleon — küßt der guten Tante die Hand!" Da zog ich schnell wieder die Decke über den Kopf. Aber an diesem Abend durfte ich nicht zur Ruhe kommen. Ich war kaum eingeschlafen, als mich Kerzenschimmer und Rascheln wieder aufweckten. Jemand wühlte in meiner Kommode. Ich setzte mich auf. „Julie! Suchst du etwas?"

„Meine Krone, Désirée. Weißt du vielleicht, was mit der kleinen Krone geschehen ist, die ich damals in deinem Boudoir vergessen habe?"

„Ja, die ist mehrere Tage herumgekugelt, dann habe ich sie ins unterste Fach der Kommode gelegt. Unter die warmen Unterhosen aus Schweden. Aber was willst du denn jetzt mitten in der Nacht mit der Krone, Julie?"

„Ich wollte sie nur probieren", kam es leise. „Und vielleicht aufpolieren, damit sie wieder glänzt."

Paris, 20. März 1815.

Gestern nacht ist Louis XVIII. durch eine Hintertür aus den Tuilerien geschlichen. Dann sind die Bourbonen ins gewohnte Exil gereist. Nur bis Gent, heißt es. Der alte Herr soll sehr müde gewesen
sein ... Vormittags ließ General Exelman die leeren Tuilerien besetzen und die Trikolore aufziehen. In den Straßen werden Flug-
blätter mit einer Proklamation Napoleons verteilt. Und kein Mensch
hat jemals eine weiße Kokarde getragen. Auf allen Rockaufschlägen
stecken blauweißrote Schleifen. Knopflöcher und Rockaufschläge sind
geduldig. Und — sehr abgenutzt. Die Lakaien und Scheuerfrauen in
den Tuilerien — immer dieselben natürlich — arbeiten und schwitzen
wieder einmal wie die Besessenen. Die neuen Gardinen und Portieren
werden heruntergerissen. Und die dunkelgrünen mit dem Bienenmuster aus den Depots gebracht und aufgehängt. Hortense hat den
Oberbefehl übernommen, läßt alle vergoldeten Adler aus dem Keller
holen und staubt sie persönlich ab. Auch in meinem Haus geht es
leider drunter und drüber. Ein Kurier des Kaisers hat Julie gemeldet,
daß Seine Majestät um neun Uhr abends in den Tuilerien eintreffen
wird. Gut, schön — Julie wird dort sein, in Purpur gehüllt, die Krone
der Kaiserlichen Prinzessin auf dem Kopf. (Schief wahrscheinlich!)
Sie ist so aufgeregt und zerfahren, daß sie nicht einmal ihre Töchter
frisieren kann. „Die ganze Familie ist noch unterwegs, Hortense und
ich müssen ihn allein empfangen ... Désirée, ich habe solche Angst
vor ihm!"

„Unsinn, Julie, es ist doch derselbe Buonaparte wie seinerzeit in
Marseille. Dein Schwager, Julie. Was gibt es dazu fürchten?" „Ist es
wirklich derselbe? Dieser Triumphzug — von Elba nach Cannes, von
Cannes über Grenoble nach Paris! Regimenter, die vor ihm auf die
Knie fallen, der Marschall Ney —" Ja, der tapfere Marschall Ney ist
mit fliegenden Fahnen zu ihm übergegangen. Die ganze Armee
rechnet damit, daß jetzt alles wieder so wird wie früher, Kriegs-
zulagen, Sprungavancements, Marschallstellungen, Gouverneur-
posten, Aufteilung von Königreichen ... „Julie, die Armee jubelt,
aber alle anderen Leute schweigen!" Verständnislos sah sie mich an.
Dann borgte sie sich die Ohrgehänge der Königinwitwe von Schweden aus und verschwand. Hoffentlich bringt Joseph ihren Schmuck
wieder zurück ... Unterdessen stellte Marie meine Badewanne im
Boudoir auf und schrubbte die Bonaparte-Buben ab. Sie werden

später mit Julie in die Tuilerien fahren. Ich mußte ihnen auf Hortenses Wunsch Löckchen ins glatte Haar brennen. „Glaubst du, daß er zurückkommt, Tante?" fragte mich Louis Napoleon plötzlich. „Natürlich, der Kaiser ist schon beinahe hier." „Ich meine seinen Sohn, den kleinen König von Rom", sagte Louis Napoleon zögernd und wich meinem Blick aus. Wortlos brannte ich dem dritten Napoleon noch ein letztes Löckchen. Dann nahm ich mein Buch und begann zu schreiben.

Nachts.

Um acht Uhr abends holte eine Staatskarosse aus den Stallungen der Tuilerien Julie und die Kinder ab. Der Wagen trug noch das Wappen der Bourbonen. In meinem Haus wurde es sehr still. Ich begann unruhig durch die Zimmer zu wandern. Graf von Rosen lehnte aus einem offenen Fenster. „Ich wäre eigentlich sehr gern dabei", gestand er. „Dabei?" „Ja — vor den Tuilerien. Ich möchte die Ankunft sehen." „Nehmen Sie einen Zivilanzug, stecken Sie sich eine Trikolore an und warten Sie auf mich!" entfuhr es mir. Verdutzt sah er mich an. „Beeilen Sie sich", drängte ich ihn. Dann schlüpfte ich in einen einfachen Mantel und setzte einen Hut auf. Es war schwer, bis zu den Tuilerien zu gelangen. Zuerst mieteten wir einen Wagen, dann stiegen wir aus, weil man zu Fuß leichter vorwärts kam. Eine undurchdringlich dichte Menschenmenge schob sich auf die Tuilerien zu. Schob und wurde geschoben. Ich hielt mich krampfhaft am Arm meines jungen Grafen fest, um ihn nicht im Gedränge zu verlieren. Fest eingekeilt wurden wir vorwärtsgestoßen. Die Tuilerien waren hell erleuchtet wie in den Nächten der rauschenden Feste. Aber ich wußte, daß der große Saal beinahe leer war. Julie, Hortense, zwei kleine Mädchen, zwei kleine Buben. Der Herzog von Vincenza und der Marschall Davout. Vielleicht noch ein paar Generäle. Das war alles ... Plötzlich sprengten berittene Gardisten in die Menge. „Bahn frei — Bahn frei!" In der Ferne schien ein Sturm ausgebrochen zu sein. Der Sturm verpflanzte sich, brauste näher, erfaßte uns. „Vive l'Empereur, vive l'Empereur..." Die Gesichter der Zunächststehenden bestanden nur noch aus Mündern, die Münder schrien ... ein Wagen wurde sichtbar, in wildem Galopp sprengten die Pferde auf die Tuilerien zu. Offiziere aller Chargen, aller Regimenter galoppierten ihm nach. Um uns und über uns gellte ein einziger Schrei. Auf der Freitreppe standen plötzlich Lakaien mit Fackeln. Der Wagenschlag wurde aufgerissen. Für den Bruchteil eines Augenblicks sah ich die Gestalt des Kaisers. Dann stieg der Marschall Ney aus dem Wagen ... Vorwärts stürmte die Menge, durchbrach die Kette der Gardisten, das Gesicht des Kaisers schwebte über allen Schultern. Sie trugen ihn die Freitreppe hinauf, sie trugen ihn in die Tuilerien zurück. Sein Gesicht war vom Fackelschein übergossen, er lächelte mit geschlossenen Augen — gierig und genußsüchtig, wie einer, der durstig ist und endlich zu trinken bekommt. Und wieder wurden wir zurückgetrieben. Wieder rollte ein Wagen heran. Wieder verrenkten sich alle den Hals. Dann murmelten sie enttäuscht. Nur Fouché, der den Kaiser willkommen heißen wollte, nur Fouché, der ihm seine Dienste anbot ... Ich hatte genug. Von Rosen mußte mir einen Rückweg durch die Menschenmasse bahnen. Aber als wir das andere Ufer der Seine erreichten, wanderten wir durch ausgestorbene Straßen. „Man darf zwei= bis dreitausend Neugierige nicht überschätzen, Hoheit." Unsere Schritte hallten. Mein Haus kam in Sicht. Finster und unge= schmückt stand es zwischen seinen Nachbarn. Von allen Dächern wehte die Trikolore.

Marie brachte mir gerade mein Frühstück ans Bett, da begannen plötzlich die Kanonen zu donnern und alle Glocken zu läuten. „Mein Gott, er hat wirklich gesiegt!" sagte Marie. In diesem Augen= blick wurde ich mir klar darüber, daß wir es nicht erwartet hatten. Wir nicht und die anderen auch nicht. Aber die Kanonen vor dem Dôme des Invalides und die Glocken von Notre=Dame verkündeten den Sieg. Es war alles wie einst ... Julie wohnt wieder mit Joseph im Elysée=Palais. Madame Letitia und alle Bonaparte=Brüder sind zurückgekehrt. Aber in den Tuilerien spielt Hortense die Hausfrau. Sie soupiert mit Napoleon und arrangiert Bälle, um seine Nächte zu verkürzen. Denn in den Nächten wandert Napoleon durch die leeren Gemächer der Kaiserin und das verlassene Kinderzimmer des kleinen Königs von Rom. Einen Brief nach dem anderen hat er an Marie=Luise geschrieben. Und ein Schaukelpferd hat er gekauft. Marie=Luises Boudoir wurde neu tapeziert. Napoleon trieb die Hand= werker zur Eile an. „Ihre Majestät kann jeden Augenblick aus Wien eintreffen." Aber Marie=Luise und das Kind sind nicht gekommen. Gleich nach seiner Rückkehr ließ Napoleon Wahlen ausschreiben. Ihr Resultat sollte dem Ausland beweisen, wie verhaßt hier die Bourbonen sind. Es waren die ersten freien Wahlen seit den Tagen der Republik. Da wählte Frankreich die neue Nationalversammlung. Carnot wurde Abgeordneter. Und — Lafayette. Es kann nicht der= selbe sein, dachte ich, als ich die Wahlresultate im „Moniteur" las. Aber Marie sagte, es sei derselbe. Jener General Lafayette, der als erster die Menschenrechte verkündet hat. Wie ist es möglich, daß man in all diesen Jahren nicht mehr an General Lafayette gedacht hat? Papa hat uns Kindern oft von ihm erzählt. Vom Marquis Lafa= yette, der mit neunzehn Jahren ein eigenes Schiff ausgerüstet hat und nach Nord=Amerika gefahren ist, um als Freiwilliger für die Unabhängigkeit der Vereinigten Staaten zu kämpfen. Der erste amerikanische Kongreß hat ihn dafür zum Generalmajor ernannt. Mit ihm zusammen hat der Amerikaner Washington die Verfassung ausgearbeitet, dann ist Lafayette nach Frankreich zurückgekehrt. Nein, ich habe nicht vergessen, was du erzählt hast, Papa — La= fayette hat Freiwillige gesammelt und ist mit ihnen zu seinem Freund Washington gereist. Und dieses Korps Lafayette hat sich in einem fremden Erdteil für Freiheit und Unabhängigkeit geschlagen. Eines Tages ist dieser junge Marquis in einer abgetragenen amerikanischen Generalsuniform in der Nationalversammlung in Paris auf die Rednertribüne gestiegen und hat die Erklärung der Menschenrechte vorgelesen. Du hast das Zeitungsblatt mit dieser Erklärung nach Haus gebracht, Papa, und deiner kleinen Tochter vorgelesen. Wort für Wort, damit ich sie nie vergesse ... Lafayette hat damals Frankreichs Nationalgarde gegründet, um unsere neue Republik zu verteidigen. Aber was ist dann mit ihm geschehen? Ich fragte meinen Neffen Marius. Aber er wußte es nicht, und es war ihm auch ganz egal. Jean=Baptiste könnte mir antworten. Aber Jean=Baptiste ist in Stockholm. Sein Botschafter hat Paris verlassen, alle fremden Diplomaten sind abgereist. Das Ausland unterhält keine diplomatischen Beziehungen mehr mit Napoleon. Das Ausland beantwortet auch nicht seine Briefe. Das Ausland schickt nur Armeen. Unaufhaltsam, ohne Kriegserklärung marschiert ein Heer von achthunderttausend Mann gegen Frankreich. Napoleon verfügt über hunderttausend. Tag und Nacht mußten Gendarmen durch die Dörfer reiten, um waffenfähige Bauernburschen zu finden und Pferde zu requirieren. Die Bauernburschen versteckten sich. Und Pferde gibt es keine mehr. Die Offiziere dagegen, die einst mit ihm von Sieg zu Sieg geritten sind, bringen ärztliche Atteste. Napoleon hat sie enttäuscht. Die Staatskassen sind leer, die Gagen werden nicht erhöht. Auch mein kriegerischer Marius muß sich plötzlich einer Badekur unterziehen. Und die Marschälle? Die Marschälle haben Landgüter, auf die sie sich zurückgezogen haben. Nur Davout steht neben Napoleon. Und Ney, dessen Regimenter überliefen und ihn einfach mitgerissen haben. Napoleon ernennt schnell einen General Grouchy zum Marschall. Dann marschiert er an der Spitze seiner letzten Armee über die Grenze, um die Verbündeten aufzuhalten. Das war vor drei Tagen. Sein Armeebefehl ist überall abgedruckt. Wir können ihn alle auswendig. *„Für jeden mutigen Franzosen ist der Augenblick gekommen, um zu siegen oder zu sterben."* Nach dieser entsetzlichen Proklamation sind die Papiere an der Börse noch mehr gefallen. Man hamstert Lebensmittel. Die Theater sind leer. Die Restaurants dunkel. Mit geducktem Kopf erwartet Paris den Gnadenstoß. Und da geschieht das Wunder: die Siegesglocken läuten. Ich kleidete mich an und ging in den Garten. Eine Biene summte. Zuerst beachtete ich es nicht. Aber dann fuhr ich zusammen und lauschte. Ja — es war totenstill geworden. Die Glocken waren verstummt. Die Kanonen schwiegen. Nur eine Biene summte. Ich war froh, als ich den Fremden sah. Nur jetzt nicht allein sein in dieser atemlosen Stille. Der Fremde war in Zivil, schmalschultrig, unbestimmten Alters. Ich ging ihm entgegen. Das magere Gesicht war von vielen Fältchen zerknittert. Dann begegnete ich dem kurz= sichtigen Blick: Lucien Bonaparte. Lucien, der ins Exil ging, als Napoleon Kaiser wurde. Der in all diesen Jahren in England gelebt hat. Wie seltsam, daß er gerade jetzt zurückgekommen ist. „Sie er= innern sich doch noch an mich, Désirée? Ich war bei Ihren Ver= lobungen dabei." Wir setzten uns auf eine Bank. „Warum Sind Sie zurückgekommen, Lucien?"

„Ja, warum . . . Nach der Restauration war ich der einzige Bona= parte, der machen konnte, was er wollte. Ich wäre gern in England geblieben. Dann hörte ich von seiner Rückkehr." Lucien lehnte sich zurück und blickte verträumt in den Garten. „Wie schön so ein Fleckchen Rasen ist. So still, so wunderbar still!"

„Die Siegesglocken sind gerade verstummt."

„Die waren nämlich ein Irrtum, Désirée!" Er sah einem Schmetter= ling nach. „Der brave Marschall Davout, den Napoleon in Paris zurückgelassen hat, um die Moral der sogenannten Heimatfront zu stärken, hat sie zu früh läuten lassen. Napoleon hat nur ein Gefecht — die Ouvertüre zu einer großen Schlacht — gewonnen. Das Dorf Charleroi ist eingenommen worden. Aber die Entscheidung fiel bei Ligny und Waterloo. Und diese Schlacht hat Napoleone verloren. Beobachten Sie doch, wie dieser blaue Schmetterling —" „Und der Kaiser?"

„Wird heute abend in aller Stille in Paris ankommen. Ohne Auf= sehen zu erregen. Sie verstehen? Er wird im Elysée bei Joseph und Julie absteigen. Nicht in den Tuilerien, die Säle dort sind so groß und so leer. Für jeden mutigen Franzosen ist der Augenblick ge= kommen, um zu siegen oder zu sterben — Sie haben doch seine schönen Worte gelesen? Ich glaube, es ist ihm peinlich, weder ge= siegt zu haben noch gestorben zu sein."

„Und die Armee, Lucien?"

„Welche Armee?"

„Seine Armee — die französische!"

„Aber es gibt doch keine Armee mehr. Von seinen hunderttausend Mann sind sechzigtausend gefallen . . . Ich bin eigentlich nicht ge= kommen, um Ihnen das alles zu erzählen, ich wollte Sie nur bitten — wenn alles vorüber ist und Sie wieder an Jean=Baptiste Berna=

dotte schreiben können, dann grüßen Sie ihn von mir. Ich denke oft an ihn."

„Lucien, warum sind Sie gerade jetzt zu mir gekommen?"

„Um irgendwo zehn ruhige Minuten zu verbringen. Die Regie= rung ist bereits informiert. Und die Nationalversammlung tagt permanent wie in den Tagen der Revolution." Er stand auf. „Ich muß jetzt gehen und weitere Kuriere abwarten." Aber ich hielt ihn zurück. „Dieser Lafayette, Lucien — ist dieser Abgeordnete Lafayette derselbe Mann, der die Menschenrechte verkündet hat?" Er nickte. „Ich habe geglaubt, Lafayette ist längst gestorben. Warum hat man nie etwas von ihm gehört?"

„Weil er sich mit seinem Gemüsegarten beschäftigt hat. Auf einem kleinen, sehr bescheidenen Landgut, Désirée. Seinerzeit, als der Pöbel die Tuilerien stürmte und die abgeschlagenen Köpfe der Adeligen auf Stangen herumgetragen wurden, hat der Abgeord= nete Lafayette protestiert. Daraufhin wurde gegen ihn selbst ein Haftbefehl erlassen, Lafayette mußte fliehen und wurde von den Österreichern aufgegriffen. Die haben ihn dann jahrelang gefangen= gehalten. Erst zur Zeit des Konsulates wurde er freigegeben und kehrte nach Frankreich zurück."

„Und dann, Lucien?"

„Dann hat er seinen Gemüsegarten bestellt, Karotten, Tomaten und wahrscheinlich auch Spargel. Der Mann hat doch sein Leben lang für die Menschenrechte gekämpft — glauben Sie, daß er mit dem Ersten Konsul etwas zu tun haben wollte? Oder mit dem Kaiser Napoleon?" Ich begleitete Lucien durch den Garten. Ver= traulich schob er seinen Arm unter den meinen. „Ich habe mir oft Vorwürfe gemacht. Seinerzeit im Brumaire war ich es, der im Rat der Fünfhundert für ihn gesprochen hat." Er senkte den Kopf. „Aber damals habe ich noch an ihn geglaubt." — „Und jetzt?"

„Désirée, wetten wir — in England wettet man so gern — wetten wir, daß er mich jetzt wieder zu den Abgeordneten schicken wird? Die Abgeordneten werden nämlich seine Abdankung verlangen, und er wird mich bitten, ihn zu verteidigen. Und wissen Sie, was ich tun werde?" Ich lächelte. „Ja, Sie werden ihn verteidigen. In Wirklichkeit sind Sie nur deshalb zurückgekommen." Als er mich verlassen hatte, dachte ich einen Augenblick — das Ganze ist nicht wahr, Lucien hat sich geirrt, die Siegesglocken haben doch gerade ge= läutet ... Aber da hörte ich schon einen Wagen, Hortense erschien und bat mich weinend, ihre schutzlosen Kinder aufzunehmen.

Wenn ich nach so vielen Jahren zum erstenmal wieder meine Stimme erhebe —" begann Lafayette in jener entscheidenden Sitzung der Nationalversammlung. Der „Moniteur" druckte die ganze Rede ab. Ich las gerade die ersten Worte, da wurde die Tür meines Boudoirs aufgerissen, eine schluchzende, schreiende Julie taumelte herein, fiel vor mir auf die Knie und wühlte ihr tränennasses Gesicht in meinen Schoß. Die ersten, halbwegs verständlichen Worte, die sie hervorstieß, waren: „Er hat abgedankt." Dann kam wieder nichts als Schluchzen. Und schließlich: „Die Preußen können jeden Augenblick einmarschieren..." Marie kam herein, wir legten Julie auf ein Sofa, ich setzte mich zu ihr, wie eine Ertrinkende klammerte sie sich an mich — „— und mitten in der Nacht ist er zurückgekommen. In einer alten Postkutsche — die er irgendwo requiriert hat — sein eigener Wagen und sein Gepäck — ist dem General Blücher in die Hände gefallen — gleich zu uns ins Elysée ist er gefahren ... Alle Brüder wollte er sprechen und die Minister, die sind nur fünf Minuten geblieben, die wollten in die Nationalversammlung zurück. Der Kaiser hat ihnen erklärt, daß er hunderttausend Mann ausheben muß, um eine neue Armee — ja, und dann hat er vom armen Lucien verlangt, daß er in seinem Namen vor die Abgeordneten tritt und der Nation vorwirft, daß sie ihn im Stich läßt." „Und Lucien ist wirklich gegangen?" Julie nickte. „Ja, er ging — und kam bereits zwanzig Minuten später zurück." Lucien war auf die Rednertribüne gestiegen und mit den ärgsten Schimpfworten überfallen worden. Ganz still war er dagestanden, kein Muskel in dem weißen Gesicht zuckte, während die Abgeordneten „A bas Bonaparte, à bas Bonaparte" heulten. Nur als sie Tintenfässer nach ihm warfen, nahm er die Brille ab. Schließlich ermahnte der Vorsitzende zur Ruhe, es wurde still, und Lucien sagte tonlos, daß die Nation seinen Bruder im Stiche lasse. Aber da war Lafayette aufgesprungen. „Und das wagen Sie uns zu sagen! Unsere Nation hat in diesen zehn Jahren drei Millionen — drei Millionen — Söhne geopfert. Verlangt Ihr Bruder mehr von uns? Noch mehr?" Wortlos hatte Lucien die Rednertribüne verlassen. „Ich weiß das alles von Fouché, er selbst hat uns nichts erzählt", schluchzte Julie. „Joseph und Lucien sprachen dann eine ganze Nacht lang mit Napoleon. Bis zum Morgengrauen habe ich ihnen abwechselnd Kaffee und Kognak servieren müssen — der Kaiser ist ununterbrochen auf und ab gelaufen und hat auf die Tischplatte geschlagen und geschrien —" Sie preßte die dünnen Hände vors Gesicht. „Haben ihn Joseph und Lucien zur Abdankung überreden können?" Julie schüttelte den Kopf und ließ die Hände sinken. „Heute früh hat Lafayette in der Nationalversammlung erklärt: Wenn General Bonaparte nicht innerhalb einer Stunde abdankt, werde ich seine Absetzung beantragen! Mit diesem Bescheid ist Fouché zu uns gekommen. Nur eine Stunde haben sie ihm Zeit gelassen."

„Und den ganzen gestrigen Tag und die ganze Nacht", warf ich ein. „Schließlich hat der Kaiser unterschrieben — Fouché ist neben ihm gestanden. Er hat zugunsten des Königs von Rom abgedankt. Aber das interessiert die Minister nicht..." Marie begann wie in alten Zeiten Julies Knöchel zu massieren.

„Du, ich gehe nicht mehr ins Elysée zurück", flüsterte Julie plötzlich. „Die Kinder sollen hierherkommen, ich will hierbleiben..." Sie sah sich verstört um. „Bei dir können sie mich doch nicht verhaften, nicht wahr? Hier nicht —?"

„Die verbündeten Truppen sind doch noch gar nicht in Paris, vielleicht kommen sie überhaupt nicht." Julies Lippen zitterten. „Die Verbündeten? Nein, unsere Regierung, Désirée — unsere! Dem Kaiser haben sie schon einen General Becker geschickt, der ihn zu bewachen hat, das Direktorium —"

„Direktorium?"

„Die neue Regierung nennt sich Direktorium. Sie verhandelt schon mit den Verbündeten. Carnot und Fouché sind zwei von den fünf Direktoren, ich habe solche Angst vor ihnen..." Sie begann wieder, hilflos zu weinen. „Du, auf der Straße haben sie mir ‚Nieder mit den Bonapartes' nachgeschrien —" Da wurde die Tür aufgerissen — Joseph. „Julie, du mußt gleich packen. Der Kaiser wünscht, Paris sofort zu verlassen und nach Malmaison zu übersiedeln. Die ganze Familie wird ihn begleiten. Komm, Julie — bitte, komm!" Wie eine Rasende krallte Julie ihre Finger in meine Schultern. Nie im Leben, nie im Leben werde sie mich verlassen. Josephs Augen waren entzündet, das Gesicht mit den schweren Tränensäcken grau, man sah ihm an, daß er seit zwei Tagen nicht geschlafen hatte. „Die ganze Familie begibt sich nach Malmaison, Julie", wiederholte er. Da löste ich Julies Finger von meinen Schultern. „Julie — du mußt mit deinem Mann gehen." Sie schüttelte den

Kopf, ihre Zähne schlugen aufeinander. „Auf der Straße schreien sie doch ‚Nieder mit den Bonapartes!'"

„Eben — deshalb, Julie", sagte ich und zog sie in die Höhe. „Ich möchte Sie bitten, Julie, die Kinder und mich in Ihrem Wagen nach Malmaison fahren zu lassen", murmelte Joseph und sah mich dabei nicht an. „Ich wollte meinen Wagen Madame Letitia borgen. Aber vielleicht können Sie alle Platz darin finden. Das schwedische Wappen ist deutlich sichtbar."

„Aber du wirst mir helfen, Désirée, du wirst mir helfen, nicht wahr?" schrie Julie. Joseph trat schnell auf sie zu und legte seinen Arm um sie. Dann führte er sie zur Tür. Es ist ungefähr ein Jahr her, seitdem Josephine gestorben ist. In Malmaison blühen jetzt alle Rosen.

Paris, in der Nacht vom 29. auf den 30. Juni 1815.

Sein Säbel liegt auf meinem Nachttisch, sein Schicksal hat sich erfüllt, und ich habe es besiegelt. Alle sprechen von meiner großen Mission. Aber mir ist schrecklich weh ums Herz. Dabei habe ich doch nur einen blauen Fleck auf dem Knie ... Vielleicht vergeht diese Nacht schneller, wenn ich zu schreiben beginne. Heute in aller Herrgottsfrühe wollte mich plötzlich die Nation sprechen. Das klingt verrückt, aber es war wirklich so. Ich lag schon zwei Stunden lang wach. Wir sind wehrlos der Sommerhitze ausgeliefert. Und die Sonne brennt erbarmungslos auf die Frauen, die wieder vor Flei= scherläden und beim Bäcker Schlange stehen. Die letzten Kanonen rollen vorüber und werden vor den Stadttoren aufgestellt, niemand kümmert sich darum. Paris wird von den Preußen und Engländern, den Russen und Sachsen und Österreichern gestürmt werden. Nur nicht in der Hitze zusammenfallen, während man auf ein Stück Brot wartet ... In aller Herrgottsfrühe erschien Yvette. Graf von Rosen wollte mich unverzüglich sprechen. Bevor sie noch ausreden konnte, stürzte der Schwede schon an mein Bett.

„Melde gehorsamst, die Vertreter der Nation wünschen Hoheit so bald wie möglich zu sprechen!" Dabei knöpfte er aufgeregt den Rock seiner Paradeuniform zu. Ich mußte lachen. „Ich kenne mich ja in Etikettefragen nicht sehr gut aus, aber wenn Sie schon in aller Frühe in mein Schlafzimmer stürmen, sollten Sie sich doch vorher fertig ankleiden!"

„Verzeihung, Hoheit — die Nation", stammelte der Graf. „Welche Nation?" Das Lachen verging mir. „Die französische Nation." Graf von Rosen hatte seine Paradeuniform fertig zugeknöpft und stand stramm. „Kaffee, Yvette", sagte ich. „Starken Kaffee!" Ich starrte den Grafen verwirrt an. „Bevor ich Kaffee getrunken habe, muß man ganz langsam mit mir sprechen und mir alles sehr genau erklären, sonst begreife ich es nicht. Sie sagen, die französische Nation wünscht — ja, was wünscht sie eigentlich?"

„Die Nation oder vielmehr die Vertreter der Nation bitten um Audienz. Es sei von ungeheurer Bedeutung, sagte der Herr, den sie hergeschickt haben. Ich habe mir deshalb die Paradeuniform angezogen."

„Ja, die sehe ich." Yvette brachte meinen Kaffee. Ich verbrannte mir die Zunge daran. „Der Herr wartet auf Bescheid", sagte Graf von Rosen. „In einer halben Stunde kann ich sie empfangen ... Die Vertreter der Nation nämlich. Nicht die ganze, Graf!" Ich redete Dummheiten, um meine Angst zu betäuben. Was will man denn von mir? Ich schwitzte, aber meine Hände waren eiskalt. Ich schlüpfte in ein dünnes, weißes Musselinkleid und weiße Sandalen. Yvette wollte mich schön frisieren, aber ich konnte nicht stillsitzen. Während ich mir noch die Nase puderte, meldete man mir bereits, daß die Herren gekommen seien. Die Herren ... Welche Herren? Wegen der Hitze waren alle Fensterläden des großen Salons geschlossen. Die Dämmerung verwischte alle Umrisse. Auf dem Sofa unter dem großen Porträt des Ersten Konsuls saßen drei Herren. Bei meinem Eintritt erhoben sie sich. Es waren die Vertreter der Nation. Die Nation ließ sich von den Exzellenzen Fouché und Talleyrand vertreten. Den Mann in ihrer Mitte kannte ich nicht. Er war klein und sehr mager. Trug eine altmodische weiße Perücke und eine verblaßte, fremde Uniform. Als ich näher trat, sah ich, daß seine Wangen und seine Stirn verrunzelt waren. Aber die Augen leuchteten seltsam hell in dem alten Gesicht. „Hoheit, dürfen wir Ihnen den General Lafayette vorstellen?" sagte Talleyrand. Mein Herzschlag setzte aus. Die Nation. Die Nation war wirklich zu mir gekommen ... Ich knickste tief und ungeschickt wie ein Schulmädchen. Fouchés klanglose Stimme zerschnitt die Stille. „Hoheit, im Namen der französischen Regierung —" „Sie sind wirklich zu mir gekommen, General Lafayette?" flüsterte ich. Lafayette begann zu lächeln — so schlicht, so herzlich. Ich faßte Mut.

„Mein Papa hat sich nie von jenem ersten Druck der Menschenrechte getrennt, das Blatt lag bis zu seinem Tode in seinem Zimmer. Ich hätte nie geglaubt, daß ich die Ehre haben werde, Lafayette persönlich — und noch dazu in meinem Salon —" Ich stockte verwirrt. „Hoheit, im Namen der französischen Regierung, die Außenminister Talleyrand und ich repräsentieren, und im Namen der Nation, die der Abgeordnete General Lafayette vertritt, wenden wir uns in dieser ernsten Stunde an Sie", begann wieder Fouché. Erst jetzt sah ich von einem zum anderen. Fouché, einer der fünf Direktoren, die im Augenblick Frankreich regieren. Talleyrand, der erst vorgestern vom Wiener Kongreß zurückgekehrt ist, wo er die ganze Zeit über das Frankreich der Bourbonen vertreten hat. Beide Exminister Napoleons, beide mit Orden behängt, beide in goldbestickten Fräcken. Und zwischen ihnen Lafayette in einer abgetragenen Uniform ohne Stern. „Kann ich etwas für Sie tun, meine Herren?" fragte ich erstaunt.

„Ich habe eine Situation wie diese seit langem vorausgesehen, Hoheit", sagte Talleyrand. Er sprach sehr leise, sehr schnell. „Vielleicht werden sich Hoheit erinnern, daß ich einst angedeutet habe, daß sich die Nation möglicherweise einmal mit einer großen Bitte an Sie wenden wird. Hoheit erinnern sich?" Ich nickte. „Diese Situation ist jetzt eingetreten. Die französische Nation wendet sich mit ihrer Bitte an die Kronprinzessin von Schweden." Meine Hände wurden feucht vor Angst.

„Ich möchte Hoheit ein Bild der Lage geben", erklärte Fouché. „Die verbündeten Truppen stehen vor Paris. Der Fürst von Benevent als Minister des Äußeren ist mit den Feldherren Wellington und Blücher in Verbindung getreten, um einen Sturm auf Paris zu vermeiden und Zerstörung und Plünderung zu verhüten. Wir bieten selbstverständlich bedingungslose Kapitulation an."

„Die Oberbefehlshaber der verbündeten Truppen haben uns wissen lassen, daß sie nur unter einer einzigen Bedingung geneigt sind, sich in diesbezügliche Verhandlungen einzulassen", sagte Talleyrand ruhig. „Und diese Bedingung ist —"

„General Bonaparte hat Frankreich unverzüglich zu verlassen!" Fouchés Stimme überschlug sich. Eine kleine Pause entstand. Was will man denn von mir? Ich sah Talleyrand an. Aber Fouché sprach weiter. „Obwohl wir diesen Wunsch der Regierung, diesen Wunsch der französischen Nation dem General Bonaparte ausdrücklich mitgeteilt haben, so ist seine Abreise nicht erfolgt. Im Gegenteil —" Fouchés Stimme zitterte vor Wut. „Der General ist mit einem so ungeheuerlichen Vorschlag an uns herangetreten, daß man sich des Eindruckes nicht erwehren kann, einen Wahnsinnigen in Malmaison zu beherbergen. Der General Bonaparte hat gestern seinen Adjutanten Graf Flahault mit dem Anerbieten nach Paris geschickt, sich an die Spitze der Reste der Armee zu stellen und den Feind vor den Toren von Paris zurückzuschlagen. Mit einem Wort — ein Blutbad vor Paris!" Mein Mund war ganz trocken. Ich schluckte ein paarmal. Es half nichts. „Wir haben das Anerbieten des Generals Bonaparte entschieden abgelehnt und ihn ersucht, sich unverzüglich in den Hafen von Rochefort zu begeben, um Frankreich zu verlassen", fuhr Fouché fort. „Worauf er heute nacht General Becker, den ihm die französische Regierung als — nun, als Kommissar zugeteilt hat und der dafür sorgen sollte, daß die Abreise reibungslos verläuft,

zu uns geschickt hat. Mit einer neuerlichen Herausforderung. Bona=
parte verlangt — verlangt, Hoheit! — als einfacher General den
Oberbefehl über die letzten Regimenter zu erhalten, um Paris zu
verteidigen. Erst nach der — natürlich erfolgreichen Verteidigung,
die uns die Möglichkeit geben soll, günstige Friedensbedingungen
zu erhalten — will sich General Bonaparte ins Ausland begeben."
Fouché schnaufte und trocknete den Schweiß von der Stirn. „Dieser
Hohn, Hoheit — dieser Hohn!" Ich schwieg. Talleyrand sah mich
an. „Wir können nicht kapitulieren und Paris vor Zerstörung
schützen, bevor General Bonaparte Frankreich verlassen hat. Die
Verbündeten stehen bereits bei Versailles. Wir haben keine Zeit
mehr zu verlieren, Hoheit, General Bonaparte muß noch heute Mal=
maison verlassen und sich nach Rochefort begeben!"

„Warum gerade nach Rochefort?"

„Die Verbündeten werden leider die Übergabe des Generals Bona=
parte von uns verlangen." Talleyrand gähnte verstohlen. „General
Bonaparte hat jedoch bei seiner Abdankung darauf bestanden, daß
ihm zwei Fregatten der französischen Marine zur Verfügung ge=
stellt werden, damit er sich ins Ausland begeben kann. Die Fre=
gatten erwarten ihn seit Tagen vergebens im Hafen von Roche=
fort." Fouchés Augen wurden schmal. „Übrigens hat die englische
Marine alle Häfen gesperrt. Ich höre, daß der englische Kreuzer
‚Bellerophon‘ in Rochefort neben den Fregatten vor Anker liegt. Er
sah auf die Uhr. Jetzt kommt es, dachte ich, jetzt ... Ich schluckte
und fragte leise: „Was habe ich damit zu tun?"

„Sie, liebe Kronprinzessin, sind als Mitglied des schwedischen
Königshauses in der Lage, im Namen der Verbündeten mit Gene=
ral Bonaparte zu sprechen", lächelte Talleyrand amüsiert. „Hoheit
könnten dem General Bonaparte gleichzeitig die Antwort der fran=
zösischen Regierung auf seinen unerhörten Antrag übermitteln."
Fouché zog hastig ein versiegeltes Schreiben aus der Brusttasche.
„Ich fürchte, die französische Regierung wird sich eines ihrer Ku=
riere bedienen müssen, um das Schriftstück nach Malmaison zu be=
fördern", sagte ich. „Und die Aufforderung, ins Ausland zu gehen?
Oder sich den Verbündeten zu stellen, um Frankreich endlich Ruhe
zu verschaffen?" Fouché schrie plötzlich vor Wut. Langsam schüt=
telte ich den Kopf. „Sie irren sich, meine Herren — ich bin nur als
Privatperson hier."

„Mein Kind, man hat Ihnen nicht die ganze Wahrheit gesagt —"
Ich zuckte zusammen. Zum erstenmal hörte ich Lafayettes Stimme.

Eine tiefe, ruhige und gütige Stimme. „Dieser General Bonaparte hat in Malmaison einige Bataillone versammelt, junge Leute, die zu allem bereit sind … Wir fürchten, daß sich der General zu einem Entschluß hinreißen läßt, der den Ausgang der Ereignisse zwar nicht verändern, aber ein paar hundert Menschenleben mehr kosten würde. Ein paar hundert Menschenleben sind sehr viel, mein Kind!" Ich senkte den Kopf. „Die Kriege des Generals Bonaparte haben Europa bereits über zehn Millionen Menschenleben gekostet", fuhr die ruhige Stimme unerbittlich fort. Ich richtete mich auf und sah über die Schultern der drei Männer das Porträt des jungen Napoleon. Wie aus weiter Ferne hörte ich meine eigene Stimme. „Ich will es versuchen, meine Herren." Und dann ging alles sehr schnell. Fouché stieß mir das versiegelte Schreiben in die Hand. „General Becker wird Hoheit begleiten!" Und ich: „Nein, ich nehme nur meinen schwedischen Adjutanten mit." — „Ein Bataillon Garde steht zur Verfügung", sagte Talleyrand eindringlich. „Ich fühle mich nicht gefährdet. Graf von Rosen, mein Wagen — wir fahren sofort nach Malmaison!" Mein Herz flatterte. Yvette reichte mir meine Handschuhe. „Und welchen Hut, Hoheit?" — Hut, welchen Hut … Talleyrand will mir noch etwas sagen: „— davon überzeugt, daß man sich dankbar erweisen und vielleicht Madame Julie Bonaparte eine Ausnahmestellung einräumen wird." Warum beleidigt er mich? Ich wandte ihm den Rücken zu. General Lafayette stand an der Tür, die zum Garten führt, und spähte durch die Ritzen der geschlossenen Läden. Schnell trat ich neben ihn. „Mein Kind, wenn Sie gestatten, werde ich mich jetzt in Ihren Garten setzen und auf Ihre Rückkehr warten." — „Den ganzen langen Tag?" — „Den ganzen langen Tag, und ich werde ununterbrochen an Sie denken."

„Hoheit, der Wagen ist vorgefahren." Graf von Rosen trug die blaugelbe Adjutantenschärpe über der Paradeuniform. Ich sah noch, wie Lafayette in den Garten ging. Die Fahrt nach Malmaison war viel kürzer als sonst. Ich ließ das Dach zurückschlagen, weil ich kaum atmen konnte. Aber es half nichts. Dicht hinter uns galoppierte ein einsamer Reiter. General Becker, der Kommissar, der den ehemaligen Kaiser der Franzosen im Auftrag der französischen Regierung zu bewachen hat. Graf von Rosen sah mich ab und zu von der Seite an. Wir sprachen auf dem ganzen Weg kein einziges Wort. In der Nähe von Malmaison versperrte eine Barrikade die Straße. Nationalgardisten hielten Wache. Als sie General Becker sahen, rückten sie sofort die Barrikade zur Seite. Auch die Einfahrt in den

Park wurde von schwerbewaffneten Posten bewacht. Becker sprang vom Pferd. Mein Wagen durfte einfahren. Mein Herz begann wieder zu flattern. In meiner Not versuchte ich mir einzubilden, es sei alles wie früher. Ein Ausflug nach Malmaison, wo ich jede Bank und jeden Rosenstock kenne, ich werde den kleinen Teich wiedersehen und — Der Wagen hielt, Graf von Rosen half mir beim Aussteigen. Meneval erschien auf der Freitreppe. Hinter ihm der Herzog von Vincenza. Im nächsten Augenblick war ich von lauter vertrauten Gesichtern umringt. Hortense lief auf mich zu, hinter ihr Julie. Ich zwang meine zitternden Lippen zu einem Lächeln. „Wie schön, daß du gekommen bist, Liebstes", sagte Julie. „Eine reizende Überraschung", kam es von Joseph. Neben Joseph tauchte Lucien auf. Die kurzsichtigen Augen forschten in meinem Gesicht. Ich lächelte verzweifelt. Aus dem geöffneten Fenster des weißgelben Salons winkte mir Madame Letitia zu. Wie sie sich alle über meinen Besuch freuten . . . „Joseph —" sagte ich und schluckte. „Ich möchte — bitte, ich muß sofort Ihren Bruder sprechen."

„Wie freundlich von Ihnen, Désirée. Aber Sie müssen sich gedulden! Der Kaiser erwartet eine wichtige Nachricht der Regierung aus Paris und wünscht, bis dahin allein zu sein." Mein Mund war wieder ausgetrocknet. „Joseph — ich bringe Ihrem Bruder diese Nachricht."

„Und?" Gleichzeitig kam es von allen: Joseph, Lucien, Hortense und Julie, von Meneval und Vincenza. Vom General Bertrand und von Jérôme Bonaparte, die zu uns getreten waren. „Und —?" „Ich möchte diese Nachricht zuerst dem General Bonaparte geben." Josephs Gesicht wurde um einen Schein blasser, als ich „General Bonaparte" sagte. „Sein Majestät befindet sich auf der Bank im Labyrinth. Sie kennen doch das Labyrinth und seine Bank, Désirée?"

„Ich kenne den Park sehr genau", flüsterte ich und wandte mich zum Gehen. Hinter mir klirrten Sporen. „Bleiben Sie zurück, Graf von Rosen, diesen Weg muß ich allein gehen." Ich kenne die Irrgänge des Labyrinths, das Josephine so reizend anlegen ließ. Ich weiß, wie man es anstellt, um sich nicht in den Hecken zu verirren, sondern ganz plötzlich und überraschend auf die kleine weiße Bank zu stoßen, auf der nur zwei, die dicht nebeneinander sitzen wollen, Platz finden können. Auf dieser kleinen Bank saß Napoleon. Er trug die grüne Uniform der Gardejäger, sein dünn gewordenes Haar war sorgfältig zurückgestrichen. Das Gesicht mit den blassen feisten Wangen und dem herrischen Kinn war in die Hand gestützt. Blicklos starrte er auf die blühende Hecke vor ihm. Als ich ihn sah, wurde ich plötzlich ganz ruhig. Mit der Angst verlöschte die Süße aller Erinnerungen. Ich überlegte sogar, wie ich ihn ansprechen sollte, um ihn auf mich aufmerksam zu machen. Dann fiel mir ein, daß das vollkommen gleichgültig war, wir beide waren ja ganz allein im Labyrinth der duftenden Hecken ... Aber noch bevor ich ihn anrief, wandte er ein wenig den Kopf. Sein Blick streifte mein weißes Kleid. „Josephine—" murmelte er. „Josephine, rufst du mich wirklich schon zum Essen?" Und erst, weil keine Antwort kam, wurde er aufmerksam. Sein Blick kehrte in die Wirklichkeit zurück, betrachtete das weiße Kleid und erkannte mich, wurde überrascht und sehr erfreut. „Eugénie — bist du doch noch gekommen?" Nein, niemand hörte, daß er mich Eugénie rief. Niemand sah, daß er ein wenig auf der kleinen Bank für zwei, die dicht nebeneinander sitzen wollen, zur Seite rückte. Als ich mich dicht neben ihn setzte, betrachtete er mich lächelnd. „Wir beide haben viele Jahre lang nicht nebeneinander eine blühende Hecke angeschaut."

Und, weil ich noch immer nichts sagte — „Du erinnerst dich doch daran, Eugénie?" Dabei strich er sich — noch immer lächelnd — eine Haarsträhne, die längst nicht mehr vorhanden war, aus der Stirn. „Man hat Zeit, sich zu erinnern, während man wartet. Ich warte nämlich auf eine Botschaft der Regierung. Eine ungemein wichtige Botschaft." Seine Brauen zogen sich zusammen, zwei steile Falten standen über der Nasenwurzel, das Kinn schob sich vor. „Und ich bin nicht gewohnt, zu warten."

„Sie müssen nicht länger warten, General Bonaparte. Ich bringe die Antwort der Regierung." Schnell zog ich das versiegelte Schreiben aus meinem Pompadour. Ich hörte ihn hastig das Siegel aufbrechen. Ich sah ihn nicht an, während er las. „Wie kommt es, daß gerade Sie mir dieses Schreiben übermitteln, Madame? Findet es die Regierung nicht einmal für notwendig, mir ihre Antwort durch einen Minister oder einen Offizier zu senden? Ein zufälliger Gast, eine Dame, die mir einen freundschaftlichen Besuch abstattet, wird zum Boten ausersehen!"

„Ich bin kein zufälliger Gast, General Bonaparte. Auch keine Dame, die Ihnen einen Freundschaftsbesuch abstattet", sagte ich und schöpfte tief Atem. „Ich bin die Kronprinzessin von Schweden, General Bonaparte."

„Und was wollen Sie damit sagen, Madame?" fragte er zwischen den Zähnen. „Die französische Regierung hat mich ersucht, Ihnen mitzuteilen, daß die Verbündeten nur dann Verhandlungen zur Übergabe von Paris einzuleiten gedenken, wenn Sie Frankreich verlassen. Um Paris vor Zerstörung zu schützen, ist es notwendig, daß Sie noch heute abreisen." „Ich biete der Regierung an, den Feind vor den Toren von Paris zurückzuschlagen, und man lehnt mein Anerbieten ab", brüllte er auf. „Die ersten verbündeten Truppen haben Versailles erreicht", sagte ich ruhig. „Wollen Sie sich hier in Malmaison gefangennehmen lassen?" „Seien Sie unbesorgt, Madame, ich werde mich schon zu verteidigen wissen!" „Darum geht es ja, General. Man will unnötiges Blutvergießen verhüten." Seine Augen waren ganz schmal, zwei Schlitze nur, aus denen es schillerte. „So — will man? Und wenn es für die Ehre einer Nation notwendig ist?" Ich könnte von den Millionen sprechen, die für die Ehre dieser Nation gefallen sind, dachte ich. Aber er kennt die Zahlen besser als ich. Ich biß die Zähne zusammen. Nicht nachgeben. Hier auf dieser Bank sitzen bleiben und nicht nachgeben ... Aber er war aufgestanden. Wahrscheinlich wollte er auf und ab laufen. Dazu war im Herzen des Labyrinths kein Platz. Wie in einem Käfig, dachte ich und erschrak über den Gedanken. „Madame —" er stand so dicht vor mir, daß ich den Kopf zurücklegen mußte, um sein Gesicht zu sehen. „Sie sagen, die französische Regierung wünscht, daß ich abreise. Und — die Verbündeten?" Sein Gesicht war verzerrt, in den Mundwinkeln standen Speichelbläschen. „Die Verbündeten bestehen auf Ihrer Gefangennahme, General!" Noch einen Augenblick sah er mich unverwandt an. Dann wandte er mir den Rücken zu und lehnte sich an die Hecke. „In diesem Papierwisch der sogenannten französischen Regierung, den Sie mir soeben überbracht haben, Madame, wird wieder auf die Fregatten in Rochefort hingewiesen. Ich soll reisen, wohin es mir beliebt! — Madame, warum liefert mich die Regierung nicht aus?"

„Ich glaube, es ist den Herren peinlich." Er drehte sich um und sah mich wieder an. „Ich müßte also nur eines der Schiffe besteigen und mein Ziel nennen und —"

„Der Hafen von Rochefort wird wie alle anderen Häfen von englischen Marinefahrzeugen bewacht. Sie würden nicht weit kommen, General." Er brüllte nicht, er tobte nicht, er setzte sich ganz still neben mich. Wir hatten so wenig Platz, daß ich jeden seiner Atemzüge mit ihm teilen mußte. Zuerst atmete er sehr schwer. „Als ich Sie vorhin plötzlich sah und Ihr Gesicht erkannte, Madame, da war mir einen Augenblick lang, als ob meine Jugend zurückgekommen

sei. Ich habe mich geirrt — Königliche Hoheit!" „Warum? Ich er=
innere mich noch sehr genau an die Abende, an denen wir um die
Wette gelaufen sind. Sie waren damals schon General, ein sehr
junger und schöner General . . ." Ich sprach wie im Traum, die Worte
kamen ganz von selbst, es war heiß und still, und die Hecke duftete.
„Manchmal haben Sie mich sogar gewinnen lassen. Aber das haben
Sie wahrscheinlich längst vergessen." „Nein — Eugénie."

„Und einmal — es war spät abends, und die Wiese neben unserem
Garten war ganz dunkel — da haben Sie mir gesagt, daß Sie Ihre
Bestimmung kennen. Ihr Gesicht war so weiß im Mondlicht. Damals
hatte ich zum erstenmal Angst vor Ihnen." „Und damals habe ich
Sie zum erstenmal geküßt, Eugénie!" Ich lächelte. „Sie dachten an
die Mitgift, General." „Nicht ausschließlich — Eugénie. Wirklich —
nicht ausschließlich . . ." Dann saßen wir wieder schweigend neben=
einander. Ich spürte, daß er mich von der Seite ansah, daß ihm ein
Einfall gekommen war, der mit mir zusammenhing. Ich preßte die
Hände zusammen. Ein paar hundert Menschenleben sind sehr viel,
mein Kind . . . Wenn ich beten könnte, würde ich jetzt beten. „Und
wenn ich mich nicht gefangennehmen lasse, sondern mich freiwillig
in Kriegsgefangenschaft begebe, was dann?" „Ich weiß es nicht",
sagte ich traurig. „Eine Insel? Wieder eine Insel? Vielleicht jener
Felsen im Meer, der Sankt Helena heißt und bereits auf dem Wiener
Kongreß vorgeschlagen wurde?"

Angst schrie aus seinen Augen. Sein Gesicht war nackt. „Ist es —
Sankt Helena?"

„Ich weiß es wirklich nicht. Wo liegt Sankt Helena?"

„Jenseits des Kaps der guten Hoffnung. Jenseits, Eugénie!"

„Und trotzdem würde ich mich nie einfangen lassen — nie, Gene=
ral, nie! Dann schon lieber mich freiwillig in Gefangenschaft be=
geben." Aber er saß wieder vornübergebeugt und legte die Hand
vor die Augen, aus denen unverhüllte Angst schrie. Ich stand auf.
Er rührte sich nicht. „Ich gehe jetzt", sagte ich leise. Und blieb
stehen und wartete. Er hob den Kopf. „Wohin gehst du?"

„Zurück nach Paris. Sie haben weder der Kronprinzessin von
Schweden noch der französischen Regierung eine Antwort gegeben.
Aber Sie haben ja Zeit bis — abends."

Da begann er schallend zu lachen. Es kam so unerwartet, daß ich
zurückfuhr. „Soll ich verhindern, daß sie mich gefangennehmen?
Hier oder in Rochefort? Ja — soll ich es verhindern?" Dabei nestelte
er an seinem Säbel. „Du — sollen wir den Herren Blücher und

Wellington den Spaß verderben?" Er riß den Säbel aus der Scheide. „Da — nimm ihn, Eugénie! Nimm den Säbel von Waterloo!" Stahl flammte in der Sonne auf. Zögernd streckte ich die Hand aus. „Gib acht, faß den Säbel nicht an der Klinge an!" Ungeschickt griff ich nach dem Knauf. Dann starrte ich fassungslos auf den Säbel in meiner Hand. Napoleon war aufgestanden. „In diesem Augenblick ergebe ich mich den Verbündeten. Ich betrachte mich als Kriegs= gefangener. Man pflegt seinen Säbel jenem Offizier, der einen ge= fangennimmt, zu übergeben. Bernadotte soll dir das einmal er= klären. Ich habe meinen Säbel der Kronprinzessin von Schweden übergeben, weil —" seine Worte überstürzten sich — „weil wir an der Hecke angelangt sind, Eugénie. Und du hast gewonnen!" — „Das mit der Hecke kann ich der französischen Regierung schwer erklären", sagte ich. „Man wartet in meinem Haus auf Ihre Antwort, General Bonaparte!" „Ja, warten sie?" höhnte er. „Warten die Herren Talleyrand und Fouché in deinem Haus, um Frankreich wieder den Bourbonen auszuliefern?"

„Nein, Lafayette wartet." Er schnitt eine Grimasse. „Eugénie, halte doch den Säbel nicht wie einen Regenschirm!"

„Und Ihre Antwort an die Regierung, General?"

„Zeige meinen Säbel und sage, daß ich mich in die Kriegsgefangen= schaft der Verbündeten begeben habe. Ich reise in einer — nein, sagen wir in zwei Stunden nach Rochefort. Von dort aus werde ich einen Brief an meinen ältesten und besten Feind, den Prinzregenten von England, richten. Mein weiteres Schicksal hängt von den Ver= bündeten ab." Er machte eine Pause und fügte hastig hinzu: „Die Fregatten sollen unter allen Umständen in Rochefort warten!" „Sie liegen neben dem englischen Kreuzer ‚Bellerophon' vor Anker", sagte ich tonlos. Dann wartete ich auf ein Wort des Abschieds. Das Wort blieb aus, und ich wandte mich zum Gehen. „Madame!" Ich drehte mich schnell um. „Madame, man sagt, daß das Klima auf Sankt Helena sehr ungesund sein soll. Kann ich damit rechnen, daß man sich gegebenenfalls bei den Engländern verwendet, um meinen Aufenthaltsort zu verändern?"

„Sie haben selbst gesagt, daß Sankt Helena jenseits des Kaps der guten Hoffnung liegt." Er sah starr vor sich hin. „Nach meiner ersten Abdankung habe ich versucht, mir das Leben zu nehmen. In Fontainebleau ... Aber ich wurde gerettet. Ich habe meine Be= stimmung noch nicht erfüllt. Auf Sankt Helena werde ich mein politisches Testament diktieren. Sie haben wohl noch nie zwischen

Leben und Tod geschwebt, Madame?" „An jenem Abend, an dem Sie sich mit der Vicomtesse Beauharnais verlobt haben, wollte ich mich in die Seine stürzen." Sein Blick kehrte zu mir zurück. „Sie wollten sich —? Und wie wurdest du gerettet, Eugénie?"

„Bernadotte hat mich zurückgerissen." Verblüfft schüttelte er den Kopf. „Sonderbar. Bernadotte hat dich zurückgerissen, du wirst Königin von Schweden, ich reiche dir den Säbel von Waterloo ... Du glaubst doch an Bestimmung?"

„Nein, nur an seltsame Zufälle." Ich reichte ihm die Hand. „Findest du allein durch das Labyrinth zurück, Eugénie?" Ich nickte. „Sage meinen Brüdern, daß man alles für meine Abreise vorbereiten soll. Vor allem einen Zivilanzug. Ich möchte noch einen Augenblick hier allein sein. Und die Verlobung damals — nicht nur wegen der Mitgift. — Und jetzt geh, Eugénie — geh sehr schnell! Ehe ich bereue!" Ich ging sehr schnell. Die Irrgänge des Labyrinths nahmen auf einmal kein Ende. Die Sonne brannte. Kein Zweig, kein Blatt bewegte sich, kein Vogel sang. Ich bringe den Säbel, dachte ich, alles ist vorüber, ich bringe den Säbel ... Das weiße Kleid klebte an mir, es flimmerte vor meinen Augen. Rosen in allen Farben, so viele weiße, sie hat Weiß so geliebt, ich begann zu laufen. Ein Fenster öffnete sich. Julies Stimme: „Das hat aber lange gedauert!" Ja, ein Leben lang, ich lief weiter, an der Freitreppe erwarteten sie mich — die Brüder, von Rosens leuchtende Schärpe, die dunkle Uniform des Kommissars. Wie sonderbar, daß sich keiner von ihnen bewegt. Wie Wachsfiguren stehen sie da und starren mich an ... Aber sie starrten nicht mich an, sondern den Säbel, den ich ängstlich von mir abhielt. Da blieb ich stehen und schöpfte tief Atem. Graf von Rosen streckte die Hand aus, um mir den Säbel abzunehmen. Ich schüttelte den Kopf. Die anderen rührten sich nicht. „General Becker!" „Zu Befehl, Hoheit!" „General Bonaparte hat beschlossen, sich den Verbündeten zu ergeben. Der General hat mir in meiner Eigenschaft als Kronprinzessin von Schweden seinen Säbel überreicht. In zwei Stunden wird General Bonaparte nach Rochefort abreisen." Schritte auf der Treppe. Zwischen die Männer der Familie Bonaparte traten Frauen. „Napoleone —" flüsterte Madame Letitia und begann leise zu weinen. „Schon in zwei Stunden ..." Josephs Finger umkrampften Julies Arm. „Ich werde meinen Bruder nach Rochefort begleiten, General Becker", sagte er ruhig. Er haßt ihn, dachte ich wieder, sonst würde er ihn nicht begleiten. General Bertrand raunte ihm etwas zu. „Zwei Regimenter sind bereit, unter dem Befehl Seiner Majestät —"

„Davor will General Bonaparte Frankreich bewahren. Vor dem Bürgerkrieg nämlich", schrie ich auf. „Nehmen Sie ihm nicht diese Möglichkeit!" Plötzlich begann ich am ganzen Körper zu zittern, vor meinen Augen flimmerte es wieder. Dicht neben mir schluchzte Julie. „Hat Napoleone überhaupt schon gegessen?" klagte Madame Letitia. „Wird er weit fortreisen?" Und dann hörte ich nichts mehr, so stark rauschte es in meinen Ohren. Untergehen in diesem Rauschen, dachte ich und sagte: „Der General bittet um einen Zivil= anzug und möchte noch eine kleine Weile allein sein." Irgendwie muß ich in meinen Wagen gestiegen sein. Die Räder rollten. Als ich die Augen wieder öffnete, sah ich die Landstraße. Und Wiesen, Bäume, Sträucher hatten sich nicht verändert. Wie sonderbar, dachte ich staunend. Ein leichter Wind hatte sich erhoben. Der schmeckte süß wie die Rosen von Malmaison. Graf von Rosen löste den Säbel aus meinen verkrampften Fingern und lehnte ihn in die Wagenecke neben mir. Gleichzeitig geschah es. Ich weiß nicht, wieso ich recht= zeitig den Kopf zurückgerissen habe. Aber ich riß ihn zurück und hörte mich schreien. Der Stein traf mein Knie. Es war ein spitzer Stein.

Von Rosen schrie Johansson etwas Schwedisches zu, und Johans= son schlug auf die Pferde ein. Der nächste Stein traf nur das Hinter= rad. Von Rosens Gesicht war leichenblaß. „Hoheit, ich schwöre — der Attentäter wird gefunden werden!" — „Wozu? Es spielt doch keine Rolle." — „Keine Rolle? Wenn man die Kronprinzessin von Schweden mit Steinen bewirft?"

„Aber der Stein hat doch nicht der Kronprinzessin von Schweden gegolten. Nur der Marschallin Bernadotte. Und die gibt es gar nicht mehr . . ." Es begann zu dämmern, der süße Wind wurde kühler, ich konnte wieder atmen. Ein Reiter überholte uns. Wahrscheinlich ein Kurier des Kommissars Becker, der der Regierung melden sollte, daß alles vorüber war. Ich legte den Kopf zurück und sah in den grünblauen Abendhimmel. Die ersten Sterne schimmerten auf. Vorüber — ja, vorüber . . . Ich konnte mir nicht vorstellen, jemals wieder diesen Wagen zu verlassen, Menschen zu sehen, zu denken, zu handeln. „Es schickt sich nicht, aber vielleicht könnten Sie meine Hand halten, Graf — ich bin so müde und so allein." Scheu legte er seine Finger auf meine. Als wir die Vorstädte erreichten, schlug bereits Dunkelheit über uns zusammen. Vor allen Haustoren dräng= ten sich flüsternde Gruppen zusammen. Jetzt hat Napoleon schon seinen Zivilanzug angezogen, dachte ich. Jetzt reist er schon der

Küste zu, seine Mutter hat ihm belegte Brote mitgegeben, er tritt eine lange Reise an, Paris ist gerettet . . . In der Nähe der Rue d'Anjou stießen wir auf eine Menschenmenge, die sich unaufhaltsam vor= wärtsschob. Wir mußten halten. Aus der Rue d'Anjou drang dumpfes Brausen. Plötzlich rief jemand „La Princesse Royale de Suède —!" Der Ruf pflanzte sich fort, das Brausen in der Rue d'Anjou wurde zum Sturm. Gendarmen tauchten auf, drängten die Massen zurück, die Pferde zogen wieder an . . . Vor meinem Haus loderten Fackeln. Das Tor stand weit offen, der Wagen konnte einfahren. Dann wurde das Portal hinter uns schnell zugeschlagen. Der Sturm draußen klang nur noch wie fernes Meeresrauschen. Beim Aussteigen zuckte ein rasender Schmerz durch mein Knie. Ich biß die Zähne zusammen und griff nach dem Säbel in der Wagenecke. Dann hinkte ich schnell ins Haus. Die Halle war hell erleuchtet, die Türen standen offen. Er= schrocken blinzelte ich in den plötzlichen Lichterglanz. Die vielen fremden Leute. — „Ich danke Ihnen im Namen Frankreichs — Bür= gerin." Lafayette war auf mich zugetreten. Die Augen lächelten aus hundert Runzeln. Seine Hand legte sich schützend unter meinen Arm, um mich weiterzuführen. „Um Gottes willen — wer sind denn diese vielen fremden Leute?" flüsterte ich verwirrt. „Die Vertreter der Nation, mein Kind", lächelte Lafayette. „Und — la grande nation hat viele Vertreter, Hoheit." Talleyrand war bereits neben mir. Hinter ihm stand Fouché mit zwei weißen Kokarden auf den Rock= aufschlägen. Die vielen Vertreter der Nation verbeugten sich. Toten= still war es. Nur das Meeresrauschen von der Straße drang durch die geschlossenen Fenster. „Und die vielen Menschen auf der Straße? Worauf warten die?" wollte ich wissen. „Es hat sich herumge= sprochen, daß Hoheit versucht haben, zu vermitteln", sagte Fouché hastig. „Das Volk von Paris wartet seit Stunden auf die Rückkehr Eurer Hoheit!"

„Sagen Sie doch den Leuten, daß der Kai — daß sich General Bona= parte den Verbündeten ergeben hat und abgereist ist. Dann werden sie nach Hause gehen."

„Das Volk will Sie sehen, Bürgerin", sagte Lafayette. „Mich —? Mich sehen —?" Lafayette nickte. „Sie bringen uns den Frieden. Die Kapitulation ohne Bürgerkrieg. Sie haben Ihre Mission erfüllt, Bürgerin." Ich schüttelte entsetzt den Kopf. Nein, nein, nur das nicht . . . Aber Lafayette ließ meinen Arm nicht los. „Zeigen Sie sich Ihrem Volk. Bürgerin, Sie haben viele Menschenleben gerettet. Darf ich Sie jetzt an ein Fenster geleiten?" Willenlos ließ ich mich von ihm ins Speisezimmer führen. Ein Fenster in die Rue d'Anjou hinaus wurde geöffnet. Ein Schrei stieg aus der Dunkelheit. Dann trat Lafayette ans Fenster. Er breitete die Arme aus. Der Schrei verebbte. Die Stimme des alten Mannes klang wie eine Fanfare. „Bürger und Bürgerinnen — der Friede ist gesichert. General Bonaparte hat sich in Kriegsgefangenschaft begeben und einer Frau aus eurer Mitte —" „Einen Schemel", wisperte ich. — „Einen — was?" wollte von Rosen wissen. „Einen Fußschemel, ich bin zu klein für eine Kronprin= zessin", flüsterte ich und dachte — Josephine, Josephine ... „— und einer Frau aus eurer Mitte — einer Bürgerin, die ein freiheitslieben= des Volk im hohen Norden zu seiner Kronprinzessin wählte — hat er den Säbel überreicht. Den Säbel von Waterloo —!" Wieder stieg ein Schrei aus dem Dunkel. Lafayette trat schnell zur Seite. Ein Fußschemel wurde vors Fenster geschoben ... Mit beiden Händen hielt ich den Säbel vor mich hin. Fackeln glühten, die Finsternis unter mir siedete. Dann unterschied ich die Rufe. Immer dasselbe schrien sie zu mir empor. „Notre Dame de la Paix!" Zuerst in wildem Jubel. Und dann im Takt, immer wieder, immer noch — „Notre Dame de la Paix —! Notre Dame de la Paix!" Die Friedens= bringerin nannten sie mich. Ich weinte. Lafayette zog sich zurück und schob den jungen Grafen von Rosen vor. Dann griff der alte Mann nach einem Leuchter und ließ seinen Schein auf die schwe= dische Uniform und die blaugelbe Schärpe fallen. „Schweden — es lebe Schweden!" brauste es auf. Auf der Stange über dem Portal wurde die schwedische Fahne aufgezogen, der Nachtwind spielte mit ihr und ließ sie riesengroß erscheinen. „Notre Dame de la Paix —!" jubelten sie. Dabei war ich längst von meinem Schemel gestiegen, und das Fenster wurde geschlossen. Dann stand ich ganz fremd und verloren in meinem eigenen Salon. Die Herren Abgeordneten der grande nation bildeten aufgeregte Gruppen. Ich glaube, sie stritten. Jemand sagte: „Talleyrand hat die Waffenstillstandsverhandlungen bereits eingeleitet", und ein anderer: „Fouché wird einen Geheim= kurier zum dicken Louis schicken!" — Sie machten leider keine An= stalten, um sich zu verabschieden. Ich legte den Säbel auf den Tisch unter dem Porträt des Ersten Konsuls. Marie steckte neue Kerzen in den Leuchter. Sie hatte ihr feines Blauseidenes an. „Marie — ich glaube, wir müssen ihnen etwas anbieten, das gehört sich. Vielleicht die Kirschen, die wir einkochen wollten. Und Wein dazu, ja?" — „Ich hätte einige Torten gebacken, wenn ich alles vorher gewußt hätte. Diesmal haben wir so viel Mehl gehamstert."

Ja, die Mehlsäcke im Keller . . . Ich lauschte. Auf der Straße schrien sie noch immer. „Marie, diese Leute dort unten — die hungern doch seit Tagen. Laß die Mehlsäcke aus dem Keller holen, der Koch soll vor dem Haus das Mehl verteilen, die Gendarmen werden ihm dabei helfen, jeder bekommt so viel, wie er in seinem Taschentuch oder Halstuch mitnehmen kann!" „Eugénie — du bist leider verrückt!" Es klang sehr zärtlich. Zehn Minuten später stürzten sich die Vertreter der Nation wie Verdurstende auf die Weingläser und spuckten die Kirschkerne in alle Ecken. Mein Knie hämmerte und löschte alle Gedanken aus. Ich hinkte zur Tür. Aber Talleyrand hielt mich auf. „Haben sich Hoheit am Bein verletzt?"

„Nein — nein, ich bin nur müde, Exzellenz." — Er hob sein Lorgnon vor die Augen. „Unser republikanischer Freund, der Marquis de Lafayette, scheint ein alter Schwarm Eurer Hoheit zu sein." Sein Ton machte mich wütend. Schrecklich wütend sogar. „Er ist der einzige Mann mit sauberen Händen in diesem Raum!" stieß ich hervor. „Natürlich, Hoheit. Er hat doch in all diesen Jahren ausschließlich seinen Gemüsegarten bestellt und seine Hände in Unschuld gewaschen. Jetzt sind sie sauber — diese Hände!"

„Die Stillen im Lande —" begann ich. „Sind immer die besten Untertanen eines Diktators." Er lauschte. Durch die geschlossenen Fensterscheiben klang des Schlurfen vieler Schritte und die Kommandorufe der Gendarmen. „Das ist nur die Mehlverteilung", sagte ich. Lafayette tauchte auf, der blaue Blick umarmte mich. „Wie gütig Sie sind, mein Kind — erst zu vermitteln und dann noch Lebensmittel zu verschenken!"

„Wie gütig und wie klug", lächelte Talleyrand und nahm einem Diener ein Glas Wein ab. „Das kleine Land mit der großen Zukunft — vermitteln und nachher Mehl zu verteilen." Er reichte mir das Glas. „Auf Schweden, Hoheit!" Mir fiel ein, daß ich den ganzen Tag nichts gegessen hatte, und ich traute mich nicht, auf leeren Magen zu trinken. Da bemerkte ich, daß Fouché nach dem Säbel greifen wollte. „O nein, Herr Minister!" schrie ich und hinkte schnell auf ihn zu. „Aber die französische Regierung —" verteidigte er sich. Zum erstenmal sah ich das Glitzern in den kleinen Augen. Ein sehr gieriges Glitzern. „Der Säbel ist den Verbündeten übergeben worden und nicht der französischen Regierung. Ich werde ihn aufbewahren, bis die Generäle Blücher und Wellington über ihn bestimmen." Das lange Messer im Vorzimmer unserer Villa in Marseille . . . Ich hielt den Säbel von Waterloo wieder wie einen Regenschirm und stützte mich darauf. Vielleicht helfen kalte Umschläge meinem wehen Knie, dachte ich und sah das Porträt an. Der Erste Konsul blickte fern und spöttisch drein. Die Stillen im Lande stritten weiter mit den Verrätern der Republik. Ich hörte sie bis in mein Schlafzimmer hinauf. Mein Knie war blau und sehr geschwollen. Kopfschüttelnd zog mir Marie mein staubiges verschwitztes Kleid aus. Auf der Straße war es still geworden. Ich begann, in mein Buch zu schreiben ... Und jetzt graut endlich der Morgen. Papa, Lafayette ist ein alter Mann geworden. Und dein Zeitungsblatt mit den Menschenrechten ist wahrscheinlich in Schweden ... Seit Napoleons Rückkehr aus Elba sind nur neunzig, fünfundneunzig, nein — hundert Tage vergangen. Hundert Tage und hundert Ewigkeiten — bin ich wirklich erst fünfunddreißig Jahre alt? Jean=Baptiste ist in der Schlacht bei Leipzig gestorben und die junge Désirée im Laby=rinth von Malmaison. Wie sollen diese beiden jemals wieder zu=sammen leben? Ich glaube, ich werde nie wieder in mein Buch schreiben, Papa.

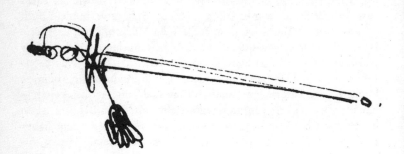

IV

KÖNIGIN VON SCHWEDEN

Jetzt ist es mir also wirklich passiert ... Obwohl ich seit Jahren weiß, daß es eines Tages geschehen wird, konnte ich es mir nicht richtig vorstellen. Aber jetzt ist es soweit. Und nichts, nichts kann es ungeschehen machen. Ich saß gerade am Klavier und versuchte, eine neue Melodie durchzuspielen, die Oscar komponiert hat. Schade um das viele Geld, das Jean=Baptiste für meine Klavier= und Anstandsstunden ausgegeben hat, dachte ich wieder einmal und zerbrach mir beinahe die Finger. Da meldete man mir den schwedischen Botschafter. Ich fand nichts Außergewöhnliches daran, der Botschafter besuchte mich sehr oft, der Nachmittag war grau und regnerisch, wie geschaffen, um Tee zu trinken. Aber in dem Augenblick, in dem er eintrat, spürte ich es. Er blieb nämlich stehen. Hinter ihm schloß sich die Tür. Wir waren ganz allein. Und noch immer stand er an der Tür und rührte sich nicht. Das ganze Zimmer lag zwischen uns. Ich wollte auf ihn zueilen. Da verbeugte er sich. Mir wurde ganz unheimlich ums Herz. So tief war die Verbeugung, so — feierlich. Dann bemerkte ich den Trauerflor an seinem Ärmel und spürte, wie alles Blut aus meinem Gesicht wich. „Majestät —" Er richtete sich langsam auf. „Majestät, ich komme mit einer traurigen Botschaft. König Carl ist am 5. Februar verschieden." Ich stand wie versteinert. Mir sind Menschen gestorben, die ich lieb gehabt habe. Den kleinen zittrigen König habe ich kaum gekannt. Aber sein Tod bedeutet — „Seine Majestät hat mich beauftragt, Eurer Hoheit alle näheren Umstände mitzuteilen und diesen Brief zu übermitteln." Ich rührte mich nicht. Der Botschafter trat auf mich zu und hielt mir ein versiegeltes Schreiben entgegen. „Majestät, bitte —" drängte er. Zögernd streckte ich die Hand aus und nahm ihm den Brief ab. „Setzen Sie sich doch, Baron", murmelte ich und sank selbst auf den nächsten Stuhl zusammen. Meine Finger zitterten, während ich das schwere Siegel erbrach. Es war ein großer Bogen, auf den Jean=Baptiste in größter Eile hingekritzelt hatte: „Liebste, Du bist jetzt Königin von Schweden und Norwegen. Bitte benimm Dich dementsprechend. In Eile — Dein J. B." Und darunter: „PS. Vergiß nicht, diesen Brief sofort zu vernichten." Benimm dich dementsprechend! Ich ließ den Bogen sinken und lächelte. Plötzlich fiel mir ein, daß mich der Botschafter beobachtete. Der Botschafter mit seinem Trauerflor. Ganz schnell versuchte ich, ein traurig würdevolles Gesicht zu machen. „Mein Mann schreibt mir, daß ich jetzt Königin von Schweden und Norwegen bin", sagte ich feierlich. Da begann der Botschafter zu lächeln. Ich möchte gern wissen, warum. „Seine Majestät ist am 6. Februar von den Reichsherolden zum König Carl XIV. Johan von Schweden und Norwegen ausgerufen worden und die Gemahlin Seiner Majestät zur Königin Desideria."

„Das hätte Jean=Baptiste nie erlauben dürfen! Ich meine, daß man mich Desideria nennt", erklärte ich. Darauf wußte der Botschafter nichts zu antworten. „Wie — wie ist es denn gekommen?" fragte ich schließlich. „Der alte Herr ist sanft hinübergeschlummert. Ein Schlaganfall am 1. Februar, zwei Tage später wußte man, daß das Ende bevorstand. Seine Majestät und Seine Hoheit, der Kronprinz, haben im Krankenzimmer gewacht." Ich versuchte mir alles vorzustellen. Das Schloß in Stockholm, das überfüllte Sterbezimmer, Jean=Baptiste und Seine Hoheit, der Kronprinz. Oscar — Kronprinz Oscar ... „Dicht neben dem Bett saß die Königinwitwe und —" „Die Königinwitwe?"

„Ihre Majestät, Königin Sophie Hedwig, und neben ihr Prinzessin Sofia Albertina. Seine Majestät hatte sich neben den kleinen Toilettentisch gesetzt. In den vielen Stunden, die der Todeskampf währte, machte Seine Majestät nur eine einzige Bewegung. Es handelte sich um den Mantel — ich hoffe, der Bericht regt Eure Majestät nicht zu sehr auf?"

„Bitte sprechen Sie weiter, Exzellenz!"

„Mein Freund Salomon Brelin hat mir nämlich alles ausführlich beschrieben. Im Kabinett neben dem Sterbezimmer waren die Mitglieder der Regierung und des Hofes versammelt. Die Tür stand offen. Am 5. Februar gegen sieben Uhr wurden die Atemzüge des Königs ruhiger. Man hatte das Gefühl, daß er wieder bei Bewußtsein sei. Die Königin an seinem Bett fiel auf die Knie, Prinzessin Sofia Albertina begann halblaut zu beten. Plötzlich öffnete der alte Herr die Augen und starrte unverwandt in die Richtung des Kronprinzen — ich meine, Seiner Majestät. Und Seine Majestät erwiderte ebenso unverwandt seinen Blick. Nur einmal wandte er sich um und bat den Kronprinzen, ihm einen Mantel zu bringen. Mein Freund schreibt, daß Seine Majestät sehr blaß war und zu frieren schien. Dabei war die Hitze in dem Zimmer kaum zu ertragen. Unverständlich, daß —"

„Nein, Exzellenz — das können Sie nicht verstehen. Was geschah weiter?"

„Je länger der Sterbende den Kronprinzen — ich meine, Seine Majestät ansah, um so ruhiger und leiser wurden seine Atemzüge. Um Viertel elf Uhr abends war alles vorüber." Ich senkte den Kopf. Auch mir wurde plötzlich kalt. „Und dann?"

„Dann verließen die Königinwitwe und Prinzessin Sofia Albertina das Sterbezimmer. Auch die anderen zogen sich zurück. Nur — nur Seine Majestät verweilte noch. Seine Majestät wünschte ausdrücklich, mit dem Toten allein gelassen zu werden." Den Botschafter schauderte ein wenig. Dann sprach er schnell weiter. „Vor Mitternacht empfing Seine Majestät die Mitglieder der Regierung, Vertreter der Armee und die höchsten Beamten, um ihren Treueid entgegenzunehmen. Diese Zeremonie ist in der Verfassung vorgesehen. In der Frühe wurde Seine Majestät von den Reichsherolden in Schweden und Norwegen zum König ausgerufen. Dann begab sich Seine Majestät zum Trauergottesdienst. Nach dem Gottesdienst verlangte Seine Majestät ein Pferd und nahm den Truppen der Garnison Stockholm den Eid ab. Unterdessen hatte sich die Bürgerschaft vor dem Schloß versammelt, um Seiner Majestät zu huldigen. Am nächsten Tag bestieg Seine Majestät zum erstenmal den Thron im Reichstag, um den Königseid abzulegen. Während Seine Majestät die Hand auf die Bibel legte, um zu schwören, fiel Kronprinz Oscar vor seinem Vater auf die Knie ... Eure Majestät können sich gar nicht vorstellen, welcher Jubel in Schweden herrschte. Die Krönungszeremonie wird jedoch auf Wunsch Seiner Majestät erst am 11. Mai abgehalten werden." „Wirklich — am 11. Mai?"

„Hat Seine Majestät einen besonderen Anlaß, gerade diesen Tag zu wählen?"

„Am 11. Mai ist es genau fünfundzwanzig Jahre her, seitdem der Soldat Jean=Baptiste Bernadotte zum Sergeanten in der Armee der Französischen Republik ernannt wurde. Es war ein großer Tag im Leben meines Mannes, Exzellenz!"

„Ja — ja, natürlich, Majestät."

Ich läutete und bat um Tee. Dann kam Marceline herein, um mir beim Einschenken zu helfen. Die erste Tasse Tee tranken wir schweigend aus. „Noch eine Tasse Tee, Exzellenz?"

„Zu gütig, Majestät!" Der armen Marceline fiel vor lauter Schrecken eine Tasse aus der Hand. Die Scherben klirrten. Kurz darauf empfahl sich der Botschafter. „Der französische König wird Eurer Majestät zweifellos einen Kondolenzbesuch abstatten", versicherte er mir noch. „Scherben bedeuten Glück", flüsterte Marceline und sah mich seltsam scheu an. „Vielleicht ... Warum siehst du mich so eigentümlich an?"

„Ihre Majestät, die Königin von Schweden und Norwegen", sagte sie langsam und hörte nicht auf, mich anzustarren. „Ich muß morgen früh sofort Trauerkleider bestellen", fiel mir ein. Dann ging ich langsam zum Klavier. Sah die Noten an, die Oscar, Kronprinz von Schweden und Norwegen, geschrieben hatte. Strich noch einmal über die Tasten. Dann schloß ich den Klavierdeckel. „Ich werde nie wieder Klavier spielen, Marceline." „Aber warum denn nicht, Tante?" „Weil ich zu schlecht spiele. Zu schlecht für eine Königin!"

„Jetzt werden wir nicht zu Tante Julie fahren können! Du mußt natürlich nach Stockholm. Tante Julie wird sich maßlos kränken. Sie hat so bestimmt mit deinem Besuch gerechnet." „Sie kann auch bestimmt mit meinem Besuch rechnen", sagte ich und ging in mein Schlafzimmer. Ich warf mich einfach auf mein Bett und starrte ins Dunkel. Julie Bonaparte — aus Frankreich ausgewiesen wie alle, die den Namen Bonaparte tragen. Die erste Woche nach Napoleons Abreise durfte sie noch in meinem Haus verbringen. Aber dann mußte ich ihre Koffer packen und sie mit den Kindern über die belgische Grenze bringen. Seit damals habe ich jeden zweiten Monat ein Gesuch an den achtzehnten Louis geschrieben und gebeten, Julie die Rückkehr zu gestatten. Und jeden zweiten Monat erhalte ich einen höflichen, wirklich überaus höflichen Abschlag. Dann fahre ich nach Brüssel, um Julie zu trösten und zu pflegen. Jedesmal, wenn ich komme, klagt sie über ein neues Leiden und schluckt so viele Pulver, daß mir beim Zusehen schon schlecht wird. Schwager Joseph hat ihr nicht lange zugesehen. Er nahm den Titel eines Grafen Survillier an und reiste nach Amerika. Dort kaufte er sich eine Farm bei New York, seine Briefe klingen zufrieden, sein jetziges Leben erinnert ihn an seine Jugend und den Bauernhof seiner Mutter. Mager und verbittert schleppt sich Julie vom Sofa zum Bett und vom Bett zum Sofa. Wie kann er sich nur einbilden, daß sie jemals so gesund sein würde, um ihm nachzukommen? Ich streichle ihre Hände, ich lege ihr Kompressen auf die Stirn. Julie, wir waren jahrelang täglich zusammen — wann hast du eigentlich aufgehört, Joseph zu lieben? Jene erste Woche nach den hundert Tagen ... Hortense holte ihre Söhne ab. Graf Flahault begleitete sie. Sie waren auf dem Weg in die Schweiz. Hortense benahm sich ruhig und vernünftig, sie sah beinahe zufrieden aus. Jenseits des Kaps der Guten Hoffnung gibt es keine Frauen, eine lebenslange Eifersucht ist erloschen. Nur ganz zuletzt — ich schob gerade ihren Jüngsten in den Wagen — begannen ihre Augen wieder zu flackern. „Aber einer wird wieder= kommen und der Dritte sein", flüsterte sie. „Wer denn und welcher dritte?" fragte ich verwirrt. — „Einer meiner Söhne, Madame", lächelte sie verschmitzt. „Napoleon — der Dritte!" Hortense ist glücklich in die Schweiz entkommen. Aber nicht allen ist die Flucht geglückt. Nicht dem Marschall Ney ... Denn diesmal betrachtete der achtzehnte Louis seine Rückkehr nicht als Gnade des Schicksals, son= dern als sein gutes Recht. Während er die Freitreppe zu den Tuilerien emporkeuchte, erinnerte er sich erbittert an die Hintertür. Der Schloß= platz war leer. Und überall hatten sie die Farben der Republik aus den Fenstern gehängt. Da setzte er sich hinter seinen Schreibtisch und verlangte die Listen. Aber die Listen mit den Namen der Repu= blikaner und Bonapartisten waren in den letzten hundert Tagen verschwunden. Da ließ sich Fouché melden. Er brachte nicht nur die Listen mit, er hatte sogar neue Namen daraufgesetzt, um sie zu ver= vollständigen. Und dadurch überreichte ihm Fouché — Frankreich. Eine republikanische Regierung hätte Fouché auf die Dauer kein Ministerportefeuille gelassen. Deshalb schloß er mit den Bourbonen einen Handel ab. Er begrüßte sie als Mitglied der provisorischen Regierung in Paris und wurde dafür zum Polizeiminister ernannt. Dem achtzehnten Louis ging es zuerst einmal nur um die Listen. Unterdessen sammelte Marschall Ney die Reste der Armee und führte sie von Waterloo nach Frankreich zurück. Auch sein Name stand auf den Listen — hatte er nicht versprochen, Napoleon einzu= fangen und in einen Käfig zu sperren? Ney versuchte, in die Schweiz zu entkommen und wurde auf der Flucht verhaftet. König Louis ließ ihn zuerst vor ein Kriegsgericht stellen, aber das Kriegsgericht sprach ihn frei. Da ließ Louis die Kammer der „Pairs von Frankreich" zu= sammentreten, die Versammlung des alten Adels und der zurück= gekehrten Emigranten. Marschall Ney, Sohn eines Böttchers, wurde wegen Hochverrats zum Tode verurteilt. Damals schrieb ich das erste Gnadengesuch an König Louis. Schrieb es ungeschickt und mit zit= ternden Fingern, während die Marschallin Ney neben mir auf den Knien lag und betete. Aber während ich noch schrieb, wurde das ganze Viertel um den Jardin du Luxembourg von den Gendarmen Fouchés abgesperrt. Dann knallte im Park eine Salve. Wir wußten es nicht. Bis von Rosen eintrat und sah, was ich schrieb, und mir sagte, daß es nicht mehr notwendig sei. Die Marschallin schrie. Sie schrie so lange, bis sie nicht mehr und nie wieder schreien konnte.

Ich komme oft mit ihr zusammen, sie ist einsilbig geworden und mißtrauisch. Ihre Schreie hallen noch heute durch mein Haus.. Wie viele Gesichter sich aus dem Dunkel über mich beugten. Erschossen, eingesperrt, verbannt — Louis strich einen Namen nach dem anderen von der Liste. Zuletzt war nur noch ein einziger übrig. Da strich er auch diesen ab und schickte seinen Polizeiminister Fouché, Herzog von Otranto, in die Verbannung.

Julie in Brüssel, Joseph in Amerika. Die übrigen Bonapartes in Italien. Aber ich bin noch hier, und König Louis will mich besuchen. Plötzlich bekam ich schreckliche Angst, weil ich nicht wußte, was aus Jean=Baptistes Brief geworden war. Vielleicht habe ich ihn im Salon liegenlassen — und ich soll mich doch „dementsprechend" benehmen. — Dementsprechend! Ich spürte den Brief unter meiner Wange. Dann kam Marie herein und zündete Licht an. Sie wird mich auszanken, weil ich mit den Schuhen an den Füßen auf der seidenen Bettdecke liege, dachte ich. Aber Marie zankte mich nicht aus. Sie leuchtete mir nur ins Gesicht und betrachtete mich andächtig. Genau so, wie mich Marceline angesehen hat. „Sei nicht böse, ich ziehe mir schon die Schuhe aus!" Verlegen setzte ich mich auf. „Deine Nichte hat mir alles gesagt. Du hättest es mir selbst erzählen können", brummte Marie beleidigt. „Ich weiß ja, woran du denkst. Daß es meinem seligen Papa gar nicht recht wäre. Das weiß ich selbst. Du brauchst es mir nicht erst zu sagen." „Heb die Arme, ich will dir das Kleid abstreifen, Eugénie!" Ich hob die Arme. Sie zog mir das Kleid aus. „So — und jetzt halte dich immer schön gerade und heb den Kopf, Eugénie! Es kommt nicht darauf an, was man ist. Sondern -- wie man ist. Wenn du schon Königin bist, dann sei wenigstens eine gute! Wann reisen wir nach Stockholm?" Ich nahm den Brief und sah mir noch ein letztes Mal die flüchtigen Zeilen an. In solcher Eile hingekritzelt, erfüllt von Angst, ich könnte seiner unwürdig sein. Dann nahm ich eine Kerze und hielt den Bogen in die Flammen.

„Nun? Wann reisen wir, Eugénie?" „Schon in drei Tagen. Dann habe ich keine Zeit mehr, König Louis zu empfangen. Übrigens — wir reisen nach Brüssel, Marie. Julie braucht mich, und in Stockholm bin ich ganz überflüssig." „Man kann sich doch nicht ohne uns krönen lassen!" protestierte Marie. „Anscheinend doch. Sonst hätte man uns zur Krönung eingeladen." Das letzte Eckchen des Briefes zerfiel in Asche. Ich suchte mein Buch und begann zum erstenmal nach langer Zeit wieder alles aufzuschreiben. Jetzt ist es mir also wirklich passiert — ich bin Königin von Schweden!

Paris, im Juni 1821.

Der Brief lag zwischen vielen anderen Briefen auf meinem Früh=
stückstisch. Das dunkelgrüne Siegel zeigte deutlich das Wappen, das
in der ganzen Welt verboten ist. Zuerst glaubte ich zu träumen. Ich
betrachtete das Siegel von allen Seiten. Es war wirklich ein Brief mit
dem Wappen des Kaisers. Und an Ihre Majestät, die Königin Desi=
deria von Schweden und Norwegen adressiert. Schließlich öffnete ich
den sonderbaren Brief. „Madame, ich habe die Nachricht erhalten,
daß mein Sohn, der Kaiser der Franzosen, am 5. Mai dieses Jahres
auf der Insel St. Helena gestorben ist —" Ich sah auf. Die Kommode,
der Nachttisch, die Spiegel im vergoldeten Rahmen. Nichts hatte sich
verändert. Oscars Kinderbild und Jean=Baptistes kleines Porträt.
Alles sah aus wie immer. Ich konnte es nicht begreifen. Nach einer
Weile las ich den Brief zu Ende. „— auf der Insel St. Helena gestorben
ist. Seine irdischen Reste wurden auf Befehl des Gouverneurs der
Insel mit den einem General gebührenden militärischen Ehren be=
stattet. Die englische Regierung hat untersagt, daß ein Grabstein mit
dem Namen ‚Napoleon' errichtet wird. Nur die Inschrift ‚General
N. Bonaparte' ist bewilligt worden. Deshalb habe ich angeordnet,
daß das Grab ohne jede Inschrift zu verbleiben hat. Ich diktiere diese
Zeilen meinem Sohn Lucien, der sich häufig bei mir in Rom aufhält.
Mein Augenlicht hat in den letzten Jahren immer mehr nachgelassen.
Ich bin leider erblindet. Lucien hat begonnen, mir die Lebenserinne=
rungen meines Sohnes vorzulesen, die er auf St. Helena dem Grafen
de Montholon diktiert hat. Diese enthalten den Satz: ‚Désirée Clary
war die erste Liebe Napoleons.' Sie ersehen daraus, Madame, daß
mein Sohn niemals aufgehört hat, seiner ersten Liebe zu gedenken.
Da man mir sagt, daß das Manuskript bald in Druck gehen wird,
bitte ich Sie, uns mitzuteilen, ob dieser Satz weggelassen werden
soll. Wir verstehen, daß Sie in Ihrer hohen Stellung Rücksicht zu
nehmen haben, und fügen uns gern Ihrem Wunsch. Indem ich Ihnen
die Empfehlungen meines Sohnes Lucien sende, verbleibe ich stets
Ihre treue —" Die blinde alte Frau hatte den Brief selbst unterschrie=
ben. Es war kaum leserlich und italienisch: „Letitia, madre di Napo=
leone." Im Laufe des Tages fragte ich meinen Neffen Marius, wie
eigentlich der Brief mit dem grünen Wappen in mein Haus gekom=
men sei. Da ich Marius das Amt meines Hofmarschalls überlassen

habe, weiß er über diese Dinge Bescheid. „Ein Attaché der schwe=dischen Botschaft hat ihn hergebracht. Der Brief wurde dem schwe=dischen Geschäftsträger in Rom übergeben. „Hast du dir das Wap=pen angesehen?" „Nein. War es ein wichtiger Brief?" „Es war der letzte Brief mit dem Wappen des Kaisers. Ich möchte dich bitten, dem englischen Botschafter eine Geldsumme zu überweisen und ihn zu ersuchen, daß in meinem Namen ein Blumenkranz auf das Grab auf St. Helena gelegt wird. Auf das namenlose Grab, mußt du hinzu=fügen." „Tante, man wird deinen Wunsch nicht erfüllen können. Es gibt keine Blumen auf St. Helena, das furchtbare Klima der Insel läßt alle Pflanzen verdorren." „Glaubst du, daß Marie=Luise jetzt den Grafen Neipperg heiraten wird, Tante? Man sagt, sie hat bereits drei Kinder von ihm", kam es von Marceline. „Sie hat ihn längst gehei=ratet, mein Kind. Talleyrand hat es mir einmal erzählt. Der Papst dürfte ihre erste Ehe für ungültig erklärt haben." „Und der Sohn dieser Ehe? Der König von Rom ist während der zweiten Abdankung des Kaisers ein paar Tage lang Napoleon II. in allen französischen Akten genannt worden", erklärte Marius heftig. „Dieser Sohn heißt jetzt Franz Joseph Karl, Herzog von Reichstadt, Sohn der Marie=Luise, Herzogin von Parma. Talleyrand hat mir sogar eine Abschrift seines Herzogs=Patentes gezeigt."

„Und sein Vater wird nicht einmal erwähnt?"

„Nein. Nach den Dokumenten zu schließen, ist der Vater — un=bekannt."

„Wenn Napoleon gewußt hätte, was ihm bevorstand —" begann Marceline. „Er hat es gewußt", sagte ich nur. Dann setzte ich mich an den Schreibtisch. Eine Insel ohne Blumen. Eine Insel, auf der alles verdorrt. Unser Garten in Marseille, die Wiese — ja, die Wiese. Ich begann an seine Mutter zu schreiben. „Tante Julie hat einmal ange=deutet, daß du seinerzeit —" Marceline stotterte. „Vielmehr, daß er damals —" „Das wirst du in seinen Memoiren lesen können." Ich versiegelte den Brief. „Es wird nichts weggelassen werden!"

In einem Hotelzimmer in Aachen,
Juni 1822.

Daß ich noch einmal im Leben alles Süße, alle Angst, alle Ungeduld eines ersten Rendez=vous durchkosten darf, dachte ich heute früh vor dem Spiegel. Meine Finger zitterten, während ich etwas Lippenrot auflegte. Nur nicht zuviel, ermahnte ich mich, ich bin doch schon zweiundvierzig Jahre alt, er soll nicht glauben, daß ich mich jünger machen will. Aber ich möchte ihm doch so gern gefallen... „Und wann werde ich ihn sehen?" fragte ich zum soundsovieltenmal. „Um halb eins, Tante. In deinem Salon", antwortete Marceline geduldig. „Aber er kommt doch schon in den frühen Vormittagsstunden an, nicht wahr?" „Da man die Stunde seiner Ankunft nicht genau be= stimmen konnte, wurde der Besuch für halb eins festgesetzt, Tante." „Und dann wird er mit mir speisen?" „Natürlich. In Begleitung sei= nes Kammerherrn Karl Gustav Löwenhjelm." „Dem Onkel meines Löwenhjelm." Mein Löwenhjelm heißt auch Gustaf, man hat ihn mir erst kürzlich aus Stockholm geschickt. Als Ersatz für den heim= gekehrten Grafen von Rosen. Aber er ist so pompös und unnahbar, daß ich mich kaum getraue, mit ihm zu sprechen. „Außerdem werden nur Marius und ich dabeisein. Damit du ungestört mit ihm plaudern kannst, Tante."

Mein Löwenhjelm, sein Löwenhjelm und Marceline und Marius. Nein. Und wieder nein! Ich faßte einen Entschluß. „Marceline, sei so lieb und schick mir den Grafen Löwenhjelm!" Er wird ankommen, überlegte ich, dann wird er sich die Hände waschen und nach der langen Fahrt das Bedürfnis haben, sich Bewegung zu machen. Außer= dem war er noch nie in Aachen, das Hotel liegt in der Nähe des Domes, er wird sich wie jeder andere Tourist den Dom anschauen wollen... „Sie müssen nur dafür sorgen, daß Ihr Onkel informiert ist. Ihr Onkel hat sich zurückzuziehen, sobald er mich sieht. Ver= sprechen Sie mir das?" Mein Löwenhjelm war entsetzt. „Der Vorteil zeremonieller Vorbereitungen besteht doch darin, Überraschungen zu vermeiden", erklärte er mir. Ich gab nicht nach, bis er „Zu Befehl, Majestät" seufzte. Dann setzte ich den Hut mit dem Reiseschleier auf. Der Schleier verdeckte meine Wangen. Ich knüpfte ihn dicht unterm Kinn zusammen. Außerdem ist es im Dom sehr däm=

merig, fiel mir ein. Dann verließ ich allein das Hotel. Das ist die letzte, die entscheidende Überraschung meines Lebens, dachte ich auf dem Weg zum Dom. Das erste Rendezvous mit einem neuen Mann kann alles bedeuten. Oder auch — nichts. In einer halben Stunde wird es sich entscheiden. Ich setzte mich auf eine Chorbank und faltete unwillkürlich die Hände. Elf Jahre sind eine lange Zeit, überlegte ich. Vielleicht habe ich mich, ohne es zu bemerken, in eine ältere Dame verwandelt. Auf jeden Fall ist er inzwischen erwachsen geworden. Ein junger Mann, den man auf eine Auslandsreise geschickt hat, damit er sich an Europas Fürstenhöfen eine Braut aussucht. Man hat ihm den verläßlichen Karl Gustaf Löwenhjelm mitgegeben, damit er keine Seitensprünge macht. Denselben verläßlichen Löwenhjelm, der seinerzeit seinen Vater bei der Ankunft in Schweden erwartet hat, um ihn über das schwedische Hofzeremoniell zu unterrichten. Aber ich werde das Hofzeremoniell brechen . . . An diesem Vormittag besuchten unzählige Touristen den Dom. Sie drängten sich um die Steinplatte über der Gruft Karls des Großen, die wahrscheinlich gar nicht seine Gruft ist. Ich folgte jedem einzelnen mit den Augen. Der —? klopfte mein Herz. Oder am Ende der kleine Plattfüßige dort drüben —? Ich weiß nicht, wie jenen Müttern zumute ist, die ihren Sohn aufwachsen sehen. Die ihm jeden Abend gute Nacht sagen und seine ersten Bartstoppeln küssen und wissen, wann er sich zum erstenmal verliebt. Dann beginnt er sich nämlich plötzlich die Nägel zu putzen . . . Das alles kenne ich nicht. Ich warte auf einen Mann, der jenem gleicht, von dem ich mein Leben lang geträumt habe und dem ich nie begegnet bin. Tiefste Vertraulichkeit, unwiderstehlicher Zauber, alles — alles erwarte ich von meinem unbekannten Sohn. Ich erkannte ihn sofort. Und nicht, weil ihn jener Löwenhjelm, der sich seit meinen längst verflossenen Stockholmer Tagen nicht verändert hat, begleitete. Sondern an seiner Haltung, an seinem Gang, an der kleinen Wendung des Kopfes, mit der er Löwenhjelm etwas zuflüsterte. Er trug einen dunklen Zivilanzug und war beinahe so groß wie sein Vater. Nur schmaler — ja, viel schmaler. Ich stand auf und ging auf ihn zu. Wie im Traum, ohne zu überlegen, wie ich ihn anreden sollte. Er stand vor der Steinplatte über der angeblichen Gruft Karls des Großen und neigte sich etwas vor, um die Inschrift zu lesen. Ich berührte den Arm seines Begleiters. Löwenhjelm sah auf und trat wortlos zurück. „Ist das die Gruft Karls des Großen?" hörte ich mich auf französisch fragen. Es war die dümmste Frage der Welt, es stand auf der Steinplatte geschrieben. „Wie Sie sehen, Madame", antwortete er, ohne aufzublicken. „Ich weiß, daß mein Benehmen unschicklich ist, aber — aber ich wünsche mir sehr, die Bekanntschaft Eurer Hoheit zu machen", flüsterte ich. Er sah auf. „Sie wissen also, wer ich bin, Madame?" Die dunklen, unerschrockenen Augen aus seiner Kinderzeit. Und dieselben dichten Locken. Mein Gott, meine Locken . . . Aber ein fremdes Schnurrbärtchen, das er lächerlich auf= gezwirbelt hatte. „Hoheit sind der Kronprinz von Schweden. Und ich — ich bin sozusagen eine Landsmännin. Mein Mann lebt nämlich in Stockholm . . ." Ich stockte. Er sah mich unverwandt an. „Ich wollte Eure Hoheit um etwas bitten, aber — es geht nicht so schnell."

„Nein?" Er sah sich um. „Ich weiß nicht, warum mich mein Be= gleiter plötzlich im Stich gelassen hat", murmelte er. „Aber ich habe noch eine Stunde Zeit. Wenn Sie mir gestatten, Madame, würde ich Sie gern begleiten." Er lächelte in meine Augen. „Ist es gestattet, Madame?" Ich nickte. In meinem Hals saß ein Klumpen. Während wir dem Ausgang zuschritten, sah ich Oscars Löwenhjelm hinter einer Säule herumspuken. Gottlob — Oscar bemerkte ihn nicht. Ohne miteinander zu sprechen, wanderten wir über den Fischmarkt vor dem Münster, überquerten dann eine breite Straße und bogen schließlich in eine schmale Gasse ein. Ich zog den Schleier noch mehr über die Wangen, weil ich fühlte, daß Oscar mich von der Seite an= sah. Dann blieb er vor einem kleinen Café mit ein paar armseligen Tischchen und zwei verstaubten Palmen in Töpfen stehen. „Darf ich meine reizende Landsmännin auf ein Glas Wein einladen?" Ich sah entsetzt die abscheulichen Topfpflanzen an. Das schickt sich nicht, dachte ich und wurde rot. Sieht er denn nicht, daß ich eine ältere Dame bin? Oder pflegt Oscar jede zufällige Damenbekanntschaft einzuladen? Es ist nur, weil er endlich seinem gräßlichen Löwenhjelm entschlüpft ist, beruhigte ich mich und nickte. „Es ist hier nicht sehr elegant, aber wir können wenigstens ungestört plaudern, Madame", meinte er liebenswürdig. Dann fragte er zu meinem Entsetzen: „Kellner, haben Sie französischen Champagner?" „Doch nicht jetzt am Vormittag", wehrte ich erschrocken ab.

„Warum nicht? Jederzeit, wenn es etwas zu feiern gibt", lächelte er. „Aber es gibt doch nichts zu feiern", protestierte ich. „Doch. Ihre Bekanntschaft, Madame. Können Sie nicht den häßlichen Schleier etwas zurückschieben, damit ich Ihr Gesicht sehen kann? Ich sehe nur die Nasenspitze."

„Meine Nase ist ein großes Malheur", sagte ich. „Als ich jung war, habe ich mich über sie sehr gekränkt. Wie merkwürdig, daß niemand

die Nase hat, die er sich wünscht." „Mein Vater hat eine phan=
tastische Nase. Vorspringend wie ein Adlerschnabel. Sein Gesicht
besteht überhaupt nur aus Nase und Augen." Der Kellner brachte
den Champagner und schenkte ein. „Skal — unbekannte Landsmän=
nin! Französisch und schwedisch zugleich, nicht wahr?" „Genau wie
Eure Hoheit", sagte ich. Der Champagner war viel zu süß. „Nein,
ich bin nur noch Schwede, Madame", sagte er schnell. „Übrigens
auch Norweger. Der Champagner schmeckt abscheulich, finden Sie
nicht auch?" „Zu süß, Hoheit." „Wir haben anscheinend denselben
Geschmack, Madame. Das freut mich. Die meisten Frauen bevor=
zugen zuckersüße Weine. Unsere Koskull zum Beispiel —" Ich zog
scharf den Atem ein. „Was bedeutet das — unsere Koskull?" „Das
Hoffräulein Mariana von Koskull. Zuerst der Sonnenstrahl des ver=
storbenen Königs. Dann Papas Liebling. Und, wenn ich mich seinem
Wunsch gefügt hätte, meine — Mätresse. Was überrascht Sie daran,
Madame?" „Daß Sie es einer Fremden erzählen", sagte ich zornig.
„Einer Landsmännin! Die verstorbene Königin Hedvig Elisabeth hat
nicht viel für die primitiven Scherze ihres Gemahls übrig gehabt. Die
Koskull pflegte ihm vorzulesen, und er war so glücklich, wenn er
dabei ihren Arm streicheln durfte. Papa hat das schwedische Hof=
zeremoniell übernommen, wie es war. Wollte nicht daran rühren,
wollte nichts verändern. Vielleicht, um niemanden zu kränken. Er
hat auch die Koskull übernommen." Ich starrte ihn fassungslos an.
„Meinen Sie das im Ernst?" „Madame, mein Vater ist der einsamste
Mensch, den ich kenne. Meine Mutter hat ihn seit Jahren nicht auf=
gesucht. Papa arbeitet sechzehn Stunden am Tag und verbringt die
späten Abendstunden ausschließlich in Gesellschaft von ein bis zwei
Freunden aus seinen Kronprinzentagen. Zum Beispiel dem Grafen
Brahe, wenn Ihnen dieser Name etwas sagt. Auch die Koskull pflegt
zu erscheinen. Mit einer Guitarre. Dann singt sie Papa schwedische
Trinklieder vor, die Lieder sind sogar ganz lustig, aber er versteht
leider den Text nicht." „Und Hofbälle, Empfänge? Man kann doch
nicht ohne Feste Hof halten?" „Papa kann. Vergessen Sie nicht,
Madame, wir haben keine Königin bei Hof!" Ich trank langsam mein
Champagnerglas aus. Er füllte sehr schnell nach. „Alles wird sich
ändern, wenn Hoheit heiraten", murmelte ich. „Glauben Sie, daß
sich eine junge Prinzessin in einem eiskalten riesigen Schloß wohl=
fühlen wird, in dem sich der König weigert, irgend jemanden außer
seinen Staatsräten und alten Freunden zu empfangen, Madame?
Mein Vater ist sehr seltsam geworden. Ein König, der die Landes=

sprache nicht versteht, ist von der krankhaften Angst besessen, er könnte gestürzt werden. Wissen Sie, wozu es gekommen ist? Mein Vater läßt Zeitungen, die irgendeinen Artikel veröffentlichen, der ihm persönlich unangenehm ist, glatt verbieten. Dabei sieht die schwedische Verfassung völlige Pressefreiheit vor. Madame, der König bricht die Konstitution — begreifen Sie, was das bedeutet?" Oscars Gesicht war blaß vor Leidenschaft. Ich fragte tonlos: „Hoheit sind doch nicht gegen Ihren Vater eingestellt?"

„Nein, sonst würde mich das alles nicht so aufregen . . . Madame, die Außenpolitik meines Vaters hat Schweden eine Stellung in Europa eingeräumt, die kein Mensch für möglich gehalten hätte. Seine Handelspolitik hat diesen bankrotten Staat in ein blühendes Land verwandelt. Schweden hat diesem Mann seine Freiheit zu verdanken. Aber gleichzeitig kämpft heute derselbe Mann gegen jede liberale Strömung im Reichstag an. Und warum? Weil sich Seine Majestät einbildet, daß Liberalismus zu einer Revolution führen und jede Revolution ihn die Krone kosten muß. Von Revolution ist in Skan= dinavien gar keine Rede. Nur von gesunder Evolution. Aber das kann ein ehemaliger Jakobiner nicht begreifen. Langweile ich Sie, Madame?" Ich schüttelte den Kopf. „Es ist so weit gekommen, daß manche Leute — nur vereinzelte, Madame, keine Partei — davon sprechen, dem König die Abdankung vorzuschlagen. Eine Abdan= kung — zu meinen Gunsten." „Das — das dürfen Sie nicht einmal denken, geschweige denn aussprechen, Hoheit!" flüsterte ich mit bebenden Lippen.

Seine schmalen Schultern sackten vornüber. „Ich bin müde, Ma= dame. Komponist wollte ich werden. Was ist daraus geworden? Ein paar Lieder, ein paar Militärmärsche. Eine Oper habe ich begonnen und finde nicht die Zeit, sie zu beenden. Weil ich nicht nur meine Pflichten als Kronprinz und Artilleriegeneral erfüllen muß, sondern auch unausgesetzt vermitteln. Ich, Madame, ich — muß meinem Vater beibringen, daß die Französische Revolution auch in Schwe= den zu Veränderungen geführt hat. Papa sollte Bürger empfangen, anstatt alle Hofstellen dem alten Adel zu lassen. Papa müßte auf= hören, bei jeder Reichstagseröffnung eine Rede über seine Ver= dienste als Feldherr zu halten und über die großen Summen seines Privatvermögens, die er Schweden geopfert hat. Papa müßte —" Da konnte ich es nicht länger aushalten, ich mußte ihn unterbrechen: „Und diese Koskull?"

„Ich glaube nicht, daß sie jemals mehr als Lieder für ihn gesungen hat. Obwohl — schließlich war Papa ein Mann in den besten Jahren, als seine Einsamkeit begann, nicht wahr? Übrigens hatte er die vorsintflutliche Vorstellung, daß Kronprinzen von erfahrenen und durch ein bis zwei Generationen bewährten Maîtressen in die Kunst der Liebe eingeführt werden. Madame, neulich hat er mir die Koskull um Mitternacht in mein Zimmer geschickt — mit der Guitarre bewaffnet!" „Ihr Papa hat es gut gemeint, Hoheit!" Er wehrte ab. „Mein Vater sperrt sich in seinem Arbeitszimmer ein und hat keinen Kontakt mehr mit der Wirklichkeit. Ihm fehlt eben —" er unterbrach sich und schenkte wieder die Gläser voll. Er hatte steile Falten auf der Stirn, die an Jean=Baptiste erinnerten. Der Champagner schmeckte schal. „Als ich ein Kind war, Madame, wollte ich durchaus die Krönung Napoleons sehen. Ich durfte nicht, ich weiß nicht mehr, warum. Aber ich erinnere mich, daß meine Mutter bei mir im Kinderzimmer saß und sagte: Wir werden eben zu einer anderen Krönung gehen, Oscar. Wir beide. Mama verspricht es dir. Und es wird eine viel schönere Krönung sein als die morgige, glaub mir, viel schöner ... Ja, Madame, ich war bei einer Krönung. Aber meine Mutter ist nicht gekommen. Aber Sie lassen ja Tränen in Ihr Champagnerglas rollen?"

„Ihre Mutter heißt Desideria — die Erwünschte! Vielleicht war sie damals nicht erwünscht."

„Nicht erwünscht? Mein Vater läßt sie in zwei wunderschönen Ländern zur Königin ausrufen und sie — sie kommt nicht einmal hin! Glauben Sie, daß sich ein Mann wie mein Vater dazu ent= schließt, sie zu bitten?"

„Vielleicht eignet sich Ihre Mutter nicht zu einer Königin, Ho= heit." „Zu den Fenstern meiner Mutter hat das Volk von Paris ‚Notre Dame de la Paix' hinaufgebrüllt, weil sie einen Bürgerkrieg verhindert hat. Meine Mutter hat Napoleon den Säbel entrissen —"

„Nein, den hat er ihr gegeben!"

„Madame, meine Mutter ist eine wunderbare Frau. Aber sie ist mindestens ebenso eigensinnig wie mein Vater. Ich erkläre Ihnen, daß die Anwesenheit der Königin in Schweden nicht nur erwünscht, sondern dringend notwendig ist."

„Wenn es sich so verhält, dann wird die Königin natürlich kom= men", sagte ich leise. „Mama! Gott sei Dank, Mama! Und jetzt nimm endlich den Schleier ab, damit ich dich anschauen kann, richtig anschauen — ja, du hast dich verändert! Du bist schöner geworden, deine Augen sind jetzt größer, dabei ist dein Gesicht

voller und deine Stirn — warum weinst du denn eigentlich, Mama?"
„Wann hast du mich eigentlich erkannt, Oscar?"

„Erkannt? Ich habe mich doch vor der Gruft Karls des Großen
nur aufgestellt, um auf dich zu warten. Ich war übrigens sehr neu=
gierig darauf, wie du fremde Herren ansprichst."

„Und ich habe damit gerechnet, daß dein Löwenhjelm den Mund
hält!" „Mein Löwenhjelm kann gar nichts dafür. Von Anfang an
war es meine Absicht, dich ohne Zeugen wiederzusehen. Der Graf
hat gesehen, wie ich mir den Kopf darüber zerbrochen habe. Da
hat er mir gestanden, daß du mir zuvorgekommen bist."

„Oscar — ist das alles wahr, was du mir über Papa erzählst?"
„Natürlich. Ich habe nur alles recht schwarz ausgemalt, damit du
dich schnell zur Heimkehr entschließt. Wann kommst du?" Er nahm
meine Hand und legte sie an seine Wange. Zur Heimkehr ... Heim=
kehr in ein fremdes Land, in dem mir einst so kalt war. Er rieb
seine Wange an meiner Hand. „Oscar, du hast Stoppeln wie ein
richtiger Mann. Und du weißt nicht, wie sie mich damals in Stock=
holm gekränkt haben." „Mama, kleine Mama ... Wer hat dich
gekränkt? Die unheimliche Königinwitwe der ermordeten Vasa? Die
ist seit vielen Jahren tot. Die Witwe des alten Herrn? Hedwig Eli=
sabeth ist ein paar Monate nach ihrem Mann gestorben. Oder die
alte Prinzessin Sofia Albertina? Laß dich nicht auslachen, Mama,
wer kann dich denn kränken? Vergiß nicht, du bist die Königin!"
Nein, nein, das vergesse ich nicht. Jede Minute denke ich daran, es
verfolgt mich, ich habe ja solche Angst davor ... „Mama, vorhin im
Dom hast du etwas von einer Bitte an Seine Hoheit gemurmelt.
Hast du das nur gesagt, um mit mir ins Gespräch zu kommen?"

„Nein, ich habe wirklich eine Bitte an dich. Sie betrifft meine
Schwiegertochter."

„Die gibt es doch noch gar nicht! Papa hat eine ganze Liste von
Prinzessinnen zusammengestellt, die ich mir anschauen soll. Ora=
nienburgerinnen und vor allem preußische Prinzessinnen. Eine
häßlicher als die andere. Papa hat ihre Porträts beschafft."

„Ich möchte so gern, daß du aus Liebe heiratest, Oscar."

„Glaub mir, ich auch! Wenn du nach Hause kommst, werde ich
dir heimlich meine kleine Tochter zeigen. Sie heißt Oscara, Mama."
Ich bin Großmama ... Großer Gott, Großmamas sind doch alte
Damen! Nichts Böses ahnend, laufe ich zu einem letzten Rendez=
vous und —

„Mama, Oscara hat deine Lachgrübchen geerbt!"

Oscara. Meine Enkelin Oscara ... „Sag einmal, haben die Lach=
grübchen keine Mutter?"

„Eine entzückende sogar — Jaquette Gyldenstolpe."

„Weiß Papa davon?"

„Was fällt dir ein, Mama! Versprich mir, daß du nie etwas er=
wähnst, ja?"

„Aber solltest du nicht dieses Fräulein —"

„Heiraten? Mama, du vergißt, wer ich bin!"

Das gab mir einen Stich. Ich weiß nicht, warum. Oscar sprach
sehr schnell weiter. „Papa hat zuerst an eine Verbindung mit dem
Haus Hannover gedacht. Aber den Engländern ist die Dynastie
Bernadotte noch nicht fein genug. Ich werde eine preußische Prin=
zessin nehmen müssen."

„Hör zu, Oscar! Es wurde verabredet, daß du von hier aus mit
mir nach Brüssel zur Hochzeit fährst."

„Ich habe es schon wieder vergessen — wer heiratet eigentlich
wen?" „Tante Julies Tochter Zenaïde heiratet einen Sohn Lucien
Bonapartes. Joseph Bonaparte kommt zu diesem Zweck aus Ame=
rika zurück, vielleicht bleibt er sogar bei Julie in Europa."

„Hoffentlich, dann wären wir endlich die Sorge um sie und ihre
schwache Gesundheit los!"

„Tante Julie ist sehr zart."

„Verzeih, Mama, aber die ganzen Bonapartes sind mir unsym=
pathisch." Wie sein Vater. Dieselben Worte ... „Tante Julie ist
eine Clary, merk dir das!"

„Gut. Wir fahren zur Hochzeit, Mama. Und was weiter?"

„Von Brüssel aus fahre ich in die Schweiz und werde Hortense,
die Herzogin von St. Leu auf Schloß Arenenburg, besuchen. Eine
geborene Beauharnais, die Tochter der schönen Kaiserin Josephine.
Ich möchte, daß du mich begleitest."

„Mama, dazu habe ich wirklich keine Lust, diese Bonapartes —"
„Ich möchte, daß du ihre Nichte kennenlernst, die kleine Stern=
schnuppe."

„Die kleine — was?"

„Ihr Vater ist der ehemalige Vizekönig Eugène von Italien. Jetzt
darf er sich Herzog von Leuchtenberg nennen, er ist nämlich mit
einer Tochter des bayrischen Königs verheiratet. Und das Kind ist
die schönste kleine Josephine, die du dir vorstellen kannst."

„Wenn sie noch so schön ist, heiraten kann ich sie doch nicht!"
„Warum nicht?"

„Du vergißt schon wieder, wer ich bin. Diese obskure kleine Leuchtenberg ist doch keine Partie für den Kronprinzen von Schwe= den — für einen Bernadotte, Mama!"

„Nein? Dann werde ich dir etwas sagen, Oscar! Aber zuerst schenk mir noch einmal ein, der Champagner beginnt mir zu schmecken ... So — und jetzt hör zu! Ihr Großvater väterlicherseits war der Vicomte de Beauharnais, General der französischen Ar= mee. Und die Großmutter war die Vicomtesse de Beauharnais, ge= borene Tascher de Pagerie, die schönste Frau ihrer Zeit, die char= manteste und teuerste Kokotte von Paris, in zweiter Ehe Kaiserin der Franzosen. Dein Großvater väterlicherseits war ein ehrenwerter Advokatenschreiber in Peau, und von der Mutter deines Papas weiß ich überhaupt nichts."

„Aber Mama —"

„Laß mich ausreden! Ihr Großvater mütterlicherseits ist der König von Bayern. Das bayrische Königshaus gehört zu den ältesten Für= stengeschlechtern Europas. Dein Großvater mütterlicherseits da= gegen war der Seidenhändler François Clary aus Marseille." Er griff sich an die Stirn. „Die Enkelin einer Kokotte?"

„Ja — und einer bezaubernden noch dazu. Ich habe zwar die kleine Josephine nur einmal als Kind gesehen, aber — du, dasselbe Lächeln, derselbe Charme wie die große!" Oscar seufzte. „Mama, schon aus dynastischen Gründen —"

„Gerade aus dynastischen Gründen! Ich will die Stammutter einer bildhübschen Dynastie werden."

„Papa wird es nie erlauben."

„Ihm hätte man zumuten sollen, eine häßliche Frau zu heiraten! Mit Papa werde ich schon sprechen, du mußt dir nur die Stern= schnuppe anschauen."

„Kellner, zahlen!" Arm in Arm suchten wir unser Hotel. Ich hatte Herzklopfen vor lauter Glück und schlechtem Champagner. „Wie alt ist sie, Mama?"

„Erst fünfzehn. Aber ich habe in dem Alter schon geküßt." „Du warst ein frühreifes Kind, Mama. Warum nennst du sie eigentlich Sternschnuppe?" Ich wollte es ihm erklären. Aber das Hotel kam in Sicht, er wurde plötzlich sehr ernst, seine Hand umfaßte hart mein Handgelenk. „Mama, versprichst du mir, daß du meine Braut auf ihrer Reise nach Stockholm begleitest?"

„Ja, ich verspreche es dir."

„Und, daß du bleibst?" Ich zögerte. „Das kommt darauf an."

„Worauf, Mama?"

„Auf mich selbst, Oscar. Ich kann nur bleiben, wenn es mir ge=
lingt, eine gute Königin zu werden. Ich nehme es sehr ernst!"

„Dir fehlt nur Übung, Mama. Da stehen sie schon — dein Löwen=
hjelm, mein Löwenhjelm — und trippeln vor lauter Aufregung!"
„Ich werde einige Reformen am schwedischen Hof durchführen",
wisperte ich ihm ins Ohr. Er lächelte in meine Augen: „Lassen
wir die Abendsonne untergehen, bevor die Sternschnuppe vom
Himmel fällt?" Ich nickte. „Versetzen wir das Hoffräulein von
Koskull in den wohlverdienten Ruhestand", schlug ich vor. „Mama,
wir sind beide beschwipst", konstatierte Oscar erschrocken. Dann
begannen wir zu lachen und konnten gar nicht mehr aufhören.
Schickt sich das eigentlich für eine uneheliche Großmutter?

Im Königlichen Schloß in Stockholm. Frühling 1823.

"Mein Gott, wie schön ist unser Land!" flüsterte meine Schwieger=
tochter, die Kronprinzessin Josefina von Schweden, ergriffen. Wir
standen nebeneinander an der Reling eines imposanten Kriegs=
schiffes, das uns im Hafen von Lübeck erwartet hat und nach
Stockholm bringen sollte. "Ist es schon so weit? Soll Pierre sein
Holzbein anschnallen?" fragte Marie jeden Augenblick. Die Hoch=
zeit der Sternschnuppe mit Oscar ist in München gefeiert worden.
Aber Oscar ist gar nicht dabeigewesen. Die katholische Stern=
schnuppe wollte nämlich in einer katholischen Kirche heiraten, und
Oscar ist evangelisch. Deshalb ließ er sich bei der Trauung in
München vertreten. Die großen Hochzeitsfeierlichkeiten werden erst
nach unserer Ankunft in Stockholm beginnen. Ich weiß nicht, wer
den glücklichen Einfall hatte, uns die endlose Reise durch Dänemark
und Südschweden zu ersparen und diesen Kreuzer auszuschicken,
der uns an allen kleinen Inseln vor Stockholm vorbeiführte. Und
warum mich Jean=Baptiste auf einem Kriegsschiff mit vierundacht=
zig Kanonen reisen läßt, weiß ich auch nicht. Der Himmel war
blaßblau, und die Inseln ragten felsig steil aus den Wellen. Die
schwarzen Föhren hatten grüne Spitzen. Und auf allen Klippen
und Wiesen standen Birken — viele tausend Birken in hellgelben
Frühlingsschleiern. "Unser schönes Land", wiederholte die Enkelin
Josephines neben mir und trank mit strahlenden Augen das Bild
der Birkenwälder. "Soll Pierre sein Holzbein schon anschnallen?"
fragte Marie wieder. Pierre saß neben seiner Mutter auf Deck und
wollte bei der Ankunft dicht hinter mir stehen — auf Krücken und
ein Holzbein gestützt. "Wir nähern uns Vaxholm, Majestät", er=
klärte mir Kammerherr Graf Gustaf Löwenhjelm und reichte mir
einen Feldstecher. "Vaxholm ist eine unserer stärksten Festungen."
Die Birken, dachte ich, ich habe noch nie im Leben so viele Birken
auf einmal gesehen . . . Unser Land, nennt es die Sternschnuppe —
unser Land? Marceline und Marius begleiteten mich. Etienne schrieb
mir so dankbar, weil ich seine Tochter zu meiner Obersthofmeiste=
rin ernannt habe. Und Marius wird weiter meine Finanzen ver=
walten und den schwedischen Hofbeamten spielen, anstatt endlich

die Firma Clary zu übernehmen. Mein Stückchen Frankreich, das mit mir reist — Marceline, Marius, Marie und Pierre. Und Yvette natürlich, die einzige, die außer Julie meine widerspenstigen Haare frisieren kann. Julie ... Wie stark sind doch schwache Menschen! Wie fest haben ihre durchsichtigen blutlosen Finger meinen Arm umklammert — so viele Jahre lang. „Verlaß mich nicht, Désirée, schreib noch ein Gesuch an den französischen König, ich möchte wieder in Paris wohnen, bleib in meiner Nähe, hilf mir, hilf mir..." Meine Gesuche waren erfolglos, aber ich bin immer in ihrer Nähe geblieben. Bis sie mir bei der Hochzeit ihrer Tochter erklärte: „Ze= naïde wird mit ihrem Mann in Florenz wohnen. Italien erinnert mich an Marseille, ich werde mit dem jungen Paar nach Florenz übersiedeln." Und Joseph, der so viel über seine Rinderzucht und die Eisenbahnaktien des Staates New Jersey erzählt hatte, sagte plötzlich: „Als ich geboren wurde, war Korsika noch italienisch. Wenn ich alt werde, komme ich zu dir nach Italien." Julie schob ihren Arm unter den seinen. „So ordnet sich alles aufs beste", be= merkte sie — sehr gleichgültig und sehr zufrieden. Mich hatte sie ganz vergessen ... „Ich bin ja so glücklich, Mama", flüsterte die Sternschnuppe neben mir. „Vom ersten Augenblick an — damals bei Tante Hortense — haben Oscar und ich gespürt, daß wir für= einander bestimmt sind. Aber ich war überzeugt, daß Sie und Seine Majestät es nie erlauben würden!" „Warum denn, mein Kind?"

„Weil — Mama, ich bin doch nur die Tochter des Herzogs von Leuchtenberg. Oscar hätte eine ganz andere Partie machen kön= nen. Nicht wahr, Sie haben mit einer Prinzessin aus königlichem Haus gerechnet, Mama?" Birken im gelbgrünen Frühlingsschleier, himmelblaue Wellen, das Kind hat mich etwas gefragt und hält den kleinen Lockenkopf etwas schief wie die verstorbene Josephine. „Gerechnet, Josefina? Man rechnet nicht, man hofft, wenn es sich um das Glück seines Sohnes handelt." Ein Kanonenschuß krachte. Ich fuhr vor Schreck zusammen. Die Festung Vaxholm begrüßte uns. Da wußte ich, daß ich nicht mehr viel Zeit hatte. Nicht rech= nen, nur hoffen, von ganzem Herzen hoffen ... „Denk daran, Jo= fina, wenn sich deine Kinder verlieben werden. Warum errötest du? Weil ich von deinen Kindern spreche? Liebling, als kleines Mädchen hast du mir nicht glauben wollen, daß Enten Eier legen. Jetzt wirst du mir doch nicht einreden, daß du begonnen hast, an den Storch zu glauben! Ich weiß nicht, ob wir in den kommenden Jahren oft Gelegenheit haben, unter vier Augen zu sprechen. Deshalb beeile

ich mich, dich zu bitten, deinen Kindern jede Liebesheirat zu er=
lauben. Versprich mir das, ja?"

„Aber die Thronfolge, Mama?"

„Du wirst mehrere Kinder haben. Einem deiner Söhne wird schon
eine Prinzessin gefallen, überlaß das dem Schicksal. Aber lehre alle
Bernadottes, daß man nur aus Liebe heiratet!" Der Wimpern=
schleier flattert vor Entsetzen. „Und, wenn es sich um eine Bür=
gerliche handelt? Bedenken Sie doch, Mama!" „Was gibt es da zu
bedenken, Josefina? Wir sind bürgerlicher Herkunft — wir Berna=
dottes." Die Salutschüsse donnerten. Ein kleines Boot steuerte auf
uns zu. Da hob ich den Feldstecher vor die Augen. „Josefina, du
mußt dir schnell die Nase pudern, Oscar kommt an Bord!" Die
Kanonenschüsse hörten nicht mehr auf. Die Küste war schwarz vor
Menschen, der Wind trug ihren Jubel durch die blaue Luft, und
immer mehr kleine Boote mit Guirlanden tanzten um unser Schiff.
Oscar und Josefina standen dicht nebeneinander und winkten. Jo=
sefina trug ein jubelblaues Kleid und eine Hermelinstola, die schon
ein klein wenig gelb war. Die Stola hat einst Josephine gehört,
und Napoleon hat sie bezahlt. Hortense schenkte sie dem Kind vor
vielen Jahren zur Erinnerung an ihre schöne Großmama. „Der
Hafen von Djurgarden, Majestät, wir werden gleich anlegen", mel=
dete Löwenhjelm. Ich wandte mich um. „Marie, jetzt soll Pierre das
Holzbein anschnallen!" Meine Hände verkrampften sich inein=
ander. Ich spürte sie feucht werden. „Tante — sie haben einen
Triumphbogen aus Birkenzweigen errichtet", rief Marceline. Die
Kanonen brüllten vor Freude. Yvette tauchte auf und hielt mir
einen Spiegel vor das Gesicht. Puder, Rouge, etwas Gold auf die
Augenlider. Marie legte die schwere Nerzstola über meine Schul=
tern. Silbergrauer Samt und Nerz dürften das Richtige für eine
Schwiegermutter sein. Maries harte Hand berührte schnell meine
verkrampften Finger. Ihr Gesicht ist alt und runzlig geworden.
„Wir sind am Ziel, Eugénie." „Nein, Marie, erst am Anfang." Die
Kanonen verstummten. Und Musik schmetterte auf, Fanfaren ju=
belten. „Das habe ich für dich komponiert", sagte Oscar. Er sagte
es zur Sternschnuppe. Löwenhjelm reichte mir wieder den Feld=
stecher. Ein violetter Samtmantel. Weiße Federn auf dem Hut. Plötz=
lich wichen alle zurück. Sogar Oscar und die Sternschnuppe. Ganz
allein stand ich vor der Schiffsbrücke. Die schwedische Hymne
brauste auf. Die Tausende auf dem Kai verwandelten sich in Sta=
tuen. Nur die zarten Birkenzweige des Triumphbogens zitterten

leise. Dann stürzten die beiden Herren, die dicht neben dem violetten Samtmantel gewartet hatten, gleichzeitig auf die Schiffsbrücke zu, um mich an Land zu geleiten. Graf Brahe lächelte, und von Rosen war ganz blaß vor Aufregung. Aber eine Hand im weißen Handschuh stieß beide zurück, der violette Samtmantel schob sich vor, die schmale Schiffsbrücke schwankte, und mein Arm spürte einen harten, sehr vertrauten Griff. Die Menge schrie, die Kanonen donnerten, das Orchester schmetterte. Oscar führte seine Kronprinzessin an Land. Unter dem Triumphbogen wurde ein kleines Mädchen im weißen Kleid vor mich hingeschoben. Das Kind verschwand beinahe hinter einem Riesenstrauß aus blauen Lilien und gelben Tulpen und mußte ein Gedicht aufsagen. Dann stieß es mir erleichtert den blaugelben Strauß zu. Sie hatten nicht erwartet, daß ich danken würde. Aber als ich den Mund öffnete, wurde es totenstill. Ich war steif vor Angst, aber meine Stimme war laut und ruhig. Ich begann mit den Worten: „Jag har varit länge borte —" Ich spürte, wie sie den Atem hielten. Schwedisch — die Königin spricht Schwedisch. Ich hatte mir die kleine Ansprache selbst zusammengestellt und von Graf Löwenhjelm übersetzen lassen. Dann hatte ich sie auswendig gelernt. Wort für Wort — es war schrecklich schwer. Ich bekam feuchte Augen und schloß mit: „Länge leve Sverige!" Wir fuhren in einem offenen Galawagen durch die Straßen. Die Sternschnuppe neben mir nickte hoheitsvoll nach beiden Seiten. Jean=Baptiste und Oscar saßen uns gegenüber. Ich hielt mich sehr aufrecht und lächelte den Menschenmassen zu, bis mir die Mundmuskeln wehtaten. Aber auch dann lächelte ich noch. „Ich kann gar nicht fassen, daß du wirklich eine schwedische Ansprache gehalten hast, Mama", sagte Oscar. „Ich bin unbeschreiblich stolz auf dich!" Ich spürte, daß Jean=Baptiste mich ansah. Und ich traute mich nicht, seinen Blick zu erwidern. Weil wir im offenen Galawagen saßen und ich eine fürchterliche Entdeckung gemacht hatte. Ich bin noch immer in ihn verliebt. Oder schon wieder — ich kenne mich ja nicht mehr in mir aus.

PS. Dabei ist er Großvater. (Aber das ahnt er nicht.)

Schloß Drottningholm in Schweden.
16. August 1823.

Heute um Mitternacht war ich zum erstenmal ein Gespenst. In meinem hellen Schlafrock spukte ich als „die weiße Dame" durchs Schloß. Schuld daran sind die hellen Sommernächte, in denen es keinen Augenblick richtig dunkel wird. Während meines ersten Besuches in Drottningholm habe ich sie durchweint. Und jetzt — zwölf Jahre später — muß ich sie durchtanzen. Oscar und die Sternschnuppe wirbeln nämlich von einem Fest zum anderen. Und ich zwinge Jean=Baptiste dazu, mitzumachen. Am Anfang versuchte er, sich mit hundert Ausreden zu drücken — Arbeit und wieder Arbeit natürlich. Sogar sein Alter hielt er mir vor. Jean=Baptiste ist sechzig Jahre und kerngesund. Ich lachte ihn aus und verwandelte den einsamen Junggesellenhaushalt im Stockholmer Schloß und in Drottningholm in einen anständigen Hofstaat. Ein Regiment von Hofdamen und Kammerherren wurde ernannt. Die Lakaien wurden in nagelneue Livreen gesteckt. Tapezierer und Tischler, Schneider und Modistinnen und Friseure hatten alle Hände voll zu tun. Alle verdienten daran, und alle freuten sich. Und nicht zuletzt meine lieben Seidenhändler ... Oscar schlug vor, großartige Manöver in Südschweden abzuhalten und mit dem ganzen Hofstaat nach Skane zu reisen. Wozu? fragte Jean=Baptiste und wehrte sich dagegen. Natürlich erfolglos. Oscar und ich setzten unseren Willen durch. Südschweden bekam die königliche Familie zu sehen, abends tanz= ten wir in den Schlössern des Landadels, vormittags stand ich stun= denlang bei Paraden, und nachmittags empfing ich eine Bürgerdepu= tation nach der anderen. Marie — so gut und selbst so müde — massierte meine armen Beine. Und die neuen Hofdamen hörten mir schwedische Vokabeln ab. Es war entsetzlich, aber ich habe es im wahrsten Sinne des Wortes — durchgestanden. Jetzt sind wir in Drottningholm und sollen uns ausruhen. Gestern habe ich mich zeitig niedergelegt, aber ich konnte nicht einschlafen. Die Uhr schlug Mitternacht. Der 16. August, fiel mir ein. Der 16. August ist angebrochen ... Ich schlüpfte in einen Schlafrock und begann herumzugeistern. Ich wollte zu Jean=Baptiste. Überall war es toten= still, nur die Parkettfußböden knarrten. Wie ich diese Schlösser hasse ... In Jean=Baptistes Arbeitskabinett stieß ich beinahe mit

der weißen Marmorbüste Moreaus zusammen, die Jean=Baptiste
mit sich führt. Schließlich tastete ich mich zu seinem Ankleide=
zimmer durch, trat ein und — wurde beinahe erschossen.

Blitzschnell wurde nämlich eine Pistole auf mich gerichtet. Und
auf französisch zischte er: „Wer da?"

„Ein Gespenst, Fernand", lachte ich. „Nur ein Gespenst!"

„Majestät haben mich sehr erschreckt", warf mir Ferand beleidigt
vor. Dann verließ er sein Feldbett und verneigte sich. Er trug ein
langes Nachthemd und hielt noch immer die Pistole in der Hand.
Das Feldbett verstellte den Weg zu Jean=Baptistes Schlafzimmer.
„Schlafen Sie immer vor der Tür Seiner Majestät?" erkundigte ich
mich. „Immer", versicherte Fernand. „Der Marschall fürchtet sich
nämlich." Da wurde die Tür aufgerissen. Jean=Baptiste war noch
angekleidet. Den grünen Augenschirm, den er im geheimen trägt,
wenn er über seinen Akten sitzt, hatte er achtlos emporgeschoben.
„Was bedeutet die Störung?" donnerte er gereizt. Ich machte einen
Hofknicks. „Majestät, ein Gespenst sucht um Audienz an."

„Schieb das Bett weg, damit Ihre Majestät eintreten kann", befahl
Jean=Baptiste und nahm hastig den Augenschirm ab. Fernand schob
das Feldbett zur Seite und hielt dabei verschämt sein Nachthemd
zusammen. Dann stand ich zum erstenmal seit unserer Ankunft in
Drottningholm in Jean=Baptistes Schlafzimmer. Auf dem Schreib=
tisch türmten sich Akten, und auf dem Fußboden lagen Lederfolian=

ten aufgestapelt. Er lernt also noch immer, dachte ich. Wie einst in Hannover. Wie einst in Marienburg ... Jean-Baptiste streckte sich müde, und seine Stimme klang zärtlich. „Was will denn das Gespenst?" „Das Gespenst meldet sich nur", sagte ich und ließ mich in einem Lehnstuhl häuslich nieder. „Es ist das Gespenst eines jungen Mädchens, das einst einen jungen General geheiratet und sich in ein Hochzeitsbett voll Rosen und Dornen gelegt hat." Jean-Baptiste setzte sich auf die Lehne meines Fauteuils und legte den Arm um mich. „Und warum meldet sich das Gespenst gerade heute nacht?"

„Weil es genau fünfundzwanzig Jahre her ist", sagte ich leise. „Mein Gott, dann haben wir silberne Hochzeit!" entfuhr es ihm. Ich drückte mich an ihn. „Ja — und im ganzen Königreich Schweden wird niemand außer uns beiden daran denken. Keine Kanonenschüsse, keine Schulkinder, die Gedichte aufsagen, nicht einmal eine Regimentskapelle, die einen von Oscar zu diesem Anlaß komponierten Marsch vorspielt. Wie schön, Jean-Baptiste." „Wir sind beide einen weiten Weg gegangen", murmelte er müde und bettete seinen Kopf an meine Schulter. „Und zuletzt bist du doch noch zu mir gekommen." Er schloß die Augen. „Du bist am Ziel, Jean-Baptiste", flüsterte ich. „Und trotzdem fürchtest du — Gespenster?" Er antwortete nicht. Sein Kopf lag schwer auf meiner Schulter. Er schien müde zu sein, sehr müde. „Du läßt Fernand mit einer Pistole vor deinem Zimmer schlafen. Wie heißen die Gespenster, vor denen du Angst hast?"

„Vasa", kam es und klang wie Stöhnen. „Auf dem Wiener Kongreß hat der letzte Vasakönig — der Verbannte, weißt du — für sich und seinen Sohn Thronansprüche geltend gemacht." „Das ist acht Jahre her. Übrigens haben ihn die Schweden doch abgesetzt, weil er kuckuck war. Ist er wirklich verrückt?"

„Das weiß ich nicht. Seine Politik war es. Schweden hat vor dem Ruin gestanden ... Die Verbündeten haben natürlich seine Ansprüche abgewiesen. Schließlich sind sie mir zum Dank verpflichtet, ich habe doch damals diesen grauenhaften Feldzug —" „Laß das, Jean-Baptiste, quäle dich nicht mit diesen Erinnerungen", sagte ich schnell. Ein Zittern lief durch seinen Körper, ich spürte es mit meinem ganzen Ich. „Jean-Baptiste, die Schweden wissen genau, was du für sie getan hast. Gibt es nicht irgendwelche Zahlen, die dir beweisen, daß Schweden durch dich wieder zu einem gesunden, reichen Land geworden ist?"

„Ja, ja — ich habe Zahlen", murmelte er. „Aber die Opposition im Reichstag —"

„Spricht sie von den Vasa?"

„Nein, nie. Aber es genügt, daß diese Opposition, die sich liberal nennt, besteht. Daß ihre Zeitungen immer wieder versteckt darauf anspielen, daß ich hier nicht geboren bin." Ich richtete mich auf. „Jean=Baptiste, wenn dir jemand vorwirft, daß du nicht hier geboren bist und nicht die Sprache verstehst, so ist das doch noch lange keine Majestätsbeleidigung. Es ist einfach die Wahrheit."

„Von Opposition zur Revolution ist nur ein Schritt", beharrte er eigensinnig. „Unsinn! Die Schweden wissen genau, was sie wollen — du bist zum König ausgerufen und gekrönt worden." „Und ich kann ermordet oder abgesetzt werden, um dem letzten Vasa Platz zu machen. Er dient als Offizier in der österreichischen Armee." Da beschloß ich, das Gespenst der Vasa endgültig zu vertreiben. Ich muß ihm weh tun und ihn erschrecken, dachte ich traurig. Aber er wird von nun an ruhig schlafen können. „Jean=Baptiste, in Schweden regiert die Dynastie Bernadotte, und du bist der einzige, der nicht felsenfest davon überzeugt zu sein scheint." Er zuckte nur die Achseln. „Aber leider gibt es Leute, die behaupten, daß du in deiner Angst vor der Opposition die Konstitution nicht einhältst." Ich wandte das Gesicht ab. „Den Schweden liegt sehr viel an ihrer Pressefreiheit, Liebster. Und jedesmal, wenn du eine Zeitung verbietest, gibt es diesen oder jenen, der sich vorstellen könnte, dich zur Abdankung zu zwingen." Wie unter einem Schlag zuckte er zusammen. „Ja? Da siehst du, daß ich mich nicht vor Schatten fürchte! Meine Gespenster sind sehr wirklich. Der Prinz von Vasa —"

„Jean=Baptiste, niemand spricht vom Prinzen von Vasa!"

„Sondern? Wen wünschen sich die Herren Liberalen als meinen Nachfolger?"

„Oscar natürlich. Den Kronprinzen . . ."

Ein tiefes Aufatmen. „Ist das wahr?" flüsterte er. „Schau mir in die Augen! — Ist das wirklich wahr?"

„Mit der Dynastie Bernadotte ist niemand unzufrieden. Sie besteht, Jean=Baptiste — sie besteht! Du mußt Fernand sagen, daß er von nun an in seinem Zimmer zu schlafen hat. Und nicht mit einem Schießgewehr unter dem Polster vor deiner Tür. Wie komme ich dazu, mir Fernand im Nachthemd ansehen zu müssen, wenn ich dich zu später Stunde besuchen will?" Goldepauletten zerkratzten meine

Wange, die Kerzen waren niedergebrannt. „Kleines Mädchen, du darfst mich gar nicht zu später Stunde besuchen, Königinnen schleichen nicht im Schlafrock in ihren Schlössern herum. Du solltest, erfüllt von echter weiblicher Scheu, in deinen Gemächern warten, bis ich zu dir komme!" Später — viel später— verließ Jean=Baptiste die Lehne unseres Fauteuils und zog die Vorhänge von den Fenstern. Kein Zwielicht mehr. Der Park von Drottningholm badete in gol= dener Helle. Ich trat neben Jean=Baptiste. „Was Oscar betrifft —", begann er und brach ab. Ganz leise liebkoste sein Mund mein Haar.

„Ich habe Oscar gegeben, was mir fehlt — die Erziehung. Die Er= ziehung zum Herrscher. Manchmal bedauere ich, daß ich ihn nicht als König sehen werde."

„Es liegt in der Natur der Sache, du wirst es nicht erleben", sagte ich eindringlich. Er lachte. „Nein, ich habe keine Angst vor unserem Lausbuben!" Ich nahm seinen Arm. „Komm mit mir — wir werden zusammen frühstücken, wie damals vor fünfundzwanzig Jahren." Als wir aus seinem Schlafzimmer traten, war Fernand verschwunden. „Fernand weiß, daß ich alle Gespenster vertreibe", sagte ich stolz. Im Arbeitskabinett machten wir schweigend halt. „Kamerad Mo= reau", murmelte Jean=Baptiste nachdenklich. Ich fuhr mit dem Zeige= finger zärtlich über die Marmorwangen. Wie schlecht in Königs= schlössern Staub gewischt wird, konstatierte ich. Dann wanderten wir eng umschlungen weiter. „Ich bin froh, daß ich dir nachgegeben und Oscar erlaubt habe, Josefina zu heiraten", meinte Jean=Baptiste unvermittelt. „Wenn es nach deinem Wunsch gegangen wäre, hätte er eine häßliche Königstochter zur Frau bekommen und sich mit der alten Koskull als romantische Jugendliebe begnügt — du Raben= vater!" „Immerhin — die Enkelin unserer Josephine auf dem schwe= dischen Thron . . ." Jean=Baptiste sah mich vorwurfsvoll an. „War sie vielleicht nicht bezaubernd — unsere Josephine?"

„Viel zu bezaubernd. Ich hoffe nur, daß man hier in Skandinavien keine Einzelheiten weiß." Dann waren wir in meinem Boudoir an= gelangt und betrachteten staunend die große Überraschung . . . Auf dem Frühstückstisch für zwei duftete ein großer Rosenstrauß. Rote, weiße, gelbe und rosa Rosen. An der Vase lehnte ein Stück Papier. „Ihren Majestäten, unserem Herrn Marschall J. B. Bernadotte und Gemahlin die besten Glückwünsche — Marie und Fernand." Jean= Baptiste begann zu lachen, und ich mußte weinen. Wir sind sehr verschieden veranlagt und trotzdem —

Ja — und trotzdem!

Die alte Prinzessin Sofia Albertina kann einem wirklich leid tun. Schließlich ist sie aus so feiner Familie — die letzte Vasa in Schwe= den. Und jetzt liegt sie im Sterben, und eine Seidenhändlerstochter hält ihre Hand. Soeben habe ich in diesem Buch zurückgeblättert. Ich sehe, daß ich sie seinerzeit die alte Ziege nannte. Sie gehörte zu jenen, die mich einst ausgelacht haben. Wie kindisch, daß mich ihr Gemecker damals so gekränkt hat ... Seit dem Tode ihres Bruders wohnt die alte Prinzessin im sogenannten Erbprinzenpalais auf dem Gustaf=Adolfs=Markt. Jean=Baptiste hat stets dafür gesorgt, daß sie von Zeit zu Zeit zur Hoftafel gebeten wird. Aber in Wirklichkeit kümmert sich nur Oscar um sie, er nennt sie Tante und behauptet, sie hätte ihm in seiner Knabenzeit süße Hustenbonbons zugesteckt. Gestern erwähnte er, daß sie sehr leidend und schwach sei. Und heute vormittag schickte sie plötzlich eine ihrer greisenhaften Hof= damen zu mir: es sei der letzte Wunsch Ihrer Hoheit, der Prinzessin Sofia Albertina, mit mir — mit mir! — unter vier Augen zu sprechen. Die Arme, dachte ich auf dem Wege zu ihr, jetzt ist die letzte Vasa auch noch kuckuck geworden ... Die alte Prinzessin hatte mir zu Ehren große Toilette gemacht. Sie lag auf einem Sofa, und als ich eintrat, versuchte sie aufzustehen. „Um Himmels willen, Hoheit, bemühen Sie sich nicht!" rief ich und erschrak sehr über ihr Aus= sehen. Sie sah mehr denn je wie eine Ziege aus, ihre Haut lag ganz gespannt über den eingefallenen Wangen und war durchsichtig und zerknittert wie Seidenpapier. Der matte Blick kam aus tiefen Höhlen. Aber das schüttere weiße Haar war mit rosa Jungmädchenschleifen geschmückt. Ihr Salon war mit Stickereien überfüllt — rosa Rosen auf violettem Grund, auf Kissen, Stühlen und auf dem Glockenzug. Mein Gott, die Arme hat ihr ganzes Leben lang nur Rosen gestickt und immer dasselbe Muster! Das alte Gesicht verzog sich zu einem angestrengten Lächeln. Ich setzte mich zu ihr, und sie schickte ihre Damen hinaus. „Ich bin Eurer Majestät für den Besuch sehr dankbar. Man sagt mir, daß Majestät sehr beschäftigt sind."

„Ja, wir haben schrecklich viel zu tun. Jean=Baptiste mit den Staats= geschäften und Oscar mit seinen neuen Pflichten. Oscar ist jetzt

Admiral der schwedischen Flotte, Hoheit." Sie nickte. „Darüber bin ich genau informiert. Oscar besucht mich oft." „Hat er Ihnen auch von seinen Reformplänen erzählt? Oscar arbeitet nämlich an einem Buch über die Gefängnisse, er will das Gefängniswesen verbessern und eine neue Form von Strafanstalten einführen", sagte ich eifrig. Sie blickte mich erstaunt an. Nein, davon hatte Oscar nicht ge=sprochen. „Eine sonderbare Beschäftigung für einen Admiral", be=merkte sie spitz. „Und für einen Komponisten", fügte ich hinzu. Sie nickte gelangweilt. Irgendwo tickte eine Uhr ... „Majestät be=suchen viele Spitäler", begann sie plötzlich. „Natürlich, das gehört zum Beruf. Außerdem möchte ich manches verbessern. In Frankreich haben wir ausschließlich Nonnen als Pflegerinnen. Wissen König=liche Hoheit, wer in schwedischen Spitälern die Kranken pflegt?" — „Fromme gütige Seelen, nicht wahr?" kam es zögernd. „Nein — ehe=malige Prostituierte, Hoheit!" Sie fuhr zusammen. Noch nie im Leben hatte sie dieses Wort ausgesprochen gehört. Sie war sprach=los. — „Ich habe mir die Pflegerinnen angesehen — alte Bettlerinnen, die sich einen Teller Suppe verdienen wollen. Ohne Ausbildung, ohne Interesse für ihre Aufgabe. Ohne den geringsten Begriff von Reinlichkeit. Das will ich ändern, Hoheit." Die alte Uhr tickte ... „Man sagt mir, daß Sie etwas Schwedisch sprechen, Madame", kam es dann. „Ich bemühe mich, Hoheit. Jean=Baptiste hat keine Zeit, Unterricht zu nehmen. Die einfachen Leute nehmen es ihm nicht übel. Die finden es ganz natürlich, daß einer nur seine Muttersprache kennt. Aber —"

„Unser Adel spricht ausgezeichnet Französisch!"

„Aber die Bürger nehmen selbst Sprachunterricht, und ich habe das Gefühl, daß sie dasselbe von uns erwarten. Deshalb empfange ich jetzt alle Abordnungen der Bürgerschaft auf schwedisch — so gut ich eben kann, Hoheit." Sie schien zu schlafen und war so weiß wie ihr gepudertes Haar. Die Uhr tickte, ich hatte Angst, sie könnte plötzlich stehenbleiben. Die sterbende Prinzessin begann mir un=endlich leid zu tun. Kein Familienmitglied an ihrer Seite, den Lieb=lingsbruder haben sie ihr auf einem Maskenball ermordet, den Neffen für wahnsinnig erklärt und verbannt. Und jetzt muß die Arme auch noch so jemanden wie mich auf dem Thron ihrer Vorväter sehen. „Sie sind eine gute Königin, Madame", sagte sie unvermittelt. Ich zuckte die Achseln. „Wir tun unser Bestes — Jean=Baptiste, Oscar und ich." Der Schatten ihres früheren boshaften Lächelns huschte über ihr zerknittertes Gesicht. „Sie sind eine sehr kluge Frau." Ich sah sie erstaunt an. „Damals — als Ihnen die selige Hedwig Elisabeth vorgeworfen hat, daß Sie nur eine Seidenhändlerstochter seien — da sind Sie aus dem Zimmer gelaufen und haben kurz darauf Schweden verlassen, um erst als Königin zurückzukehren. Das hat man Hedwig Elisabeth hier nie verziehen. Ein Hofstaat ohne junge Kronprin= zessin . . ." Sie kicherte schadenfroh. „Sie haben die Selige bis an ihr Lebensende die Rolle der bösen Schwiegermutter spielen lassen — hi hi hi!" Diese Erinnerungen schienen sie zu beleben. „Oscar hat die Kinder zu mir gebracht — den kleinen Carl und das Neu= geborene." — „Das Neugeborene heißt auch Oscar", sagte ich stolz. „Carl sieht Ihnen sehr ähnlich, Madame", versicherte sie mir. Und ich dachte daran, wie wunderschön es ist, Großmutter zu sein. Die Kinder zu genießen, ohne von ihnen um sechs Uhr früh aufgeweckt zu werden. Josefina schläft wahrscheinlich, solange sie Lust hat, fiel mir ein, meine Enkel haben ja einen ganzen Hofstaat von Gouver= nanten und Pflegerinnen. Ich hatte Oscars Wiege während des ganzen ersten Jahres neben meinem Bett stehen . . . „Ich hätte gern Kinder gehabt, aber man hat niemals einen geeigneten Gemahl für mich gefunden", klagte die sterbende Prinzessin. „Oscar behauptet, Sie hätten nichts dagegen, wenn seine Kinder Bürgerliche heiraten. Wie stellen Sie sich das vor, Madame?"

„Darüber habe ich nicht weiter nachgedacht. Aber Prinzen können doch auf ihre Titel verzichten, nicht wahr?"

„Natürlich. Man muß nur neue Namen für sie finden —" sie über= legte. „Graf Upsala oder Baron Drottningholm oder —" „Wozu denn? Wir haben doch einen guten bürgerlichen Namen — Berna= dotte!" Bei den Worten „gut bürgerlich" verzog sich ihr Gesicht schmerzvoll. „Aber die künftigen Bernadottes werden hoffentlich eine Familie von Komponisten, Malern und Dichtern sein", tröstete ich sie schnell. „Oscar ist doch so musikalisch. Und Josefinas Tante Hortense malt und dichtet. Auch in meiner Familie —" Ich brach ab, sie döste und hörte mir gar nicht zu. Ganz überraschend sprach sie wieder. „Ich wollte mit Ihnen über die Krone sprechen, Madame."

Sie phantasiert, dachte ich, ihr Geist wandert und nähert sich der Grenze, sie träumt. „Welche Krone?" fragte ich aus Höflichkeit.

„Die Krone der Königinnen von Schweden."

Mir wurde plötzlich sehr heiß. Mitten im Stockholmer Winter, in dem ich mich halbtot friere, wurde mir heiß. Ihre Augen waren weit offen, sie sprach ruhig und klar. „Sie sind nicht mit Seiner Majestät gekrönt worden, Madame. Vielleicht wissen Sie gar nicht, daß wir auch eine Krone für unsere Königinnen haben. Eine sehr alte Krone sogar — nicht groß, aber schwer. Ich habe sie mehrere Male in der Hand gehalten. Sie sind doch die Mutter der Dynastie Bernadotte, Madame. Warum wollen Sie sich nicht krönen lassen?"

„Bisher hat niemand daran gedacht", sagte ich leise. „Aber ich denke daran. Ich bin die letzte Vasa in Schweden und bitte die erste Bernadotte, sich der alten Krone anzunehmen. Madame, versprechen Sie mir, sich krönen zu lassen?"

„Mir liegen diese Zeremonien nicht", murmelte ich. „Ich bin zu klein dazu, ich sehe gar nicht königlich aus." Ihre blutlosen Finger öffneten sich und warteten auf meine Hand. „Ich habe nicht mehr viel Zeit, um zu bitten —" Da legte ich meine Hand in ihre. Ich habe einmal in einem Krönungszug ein Taschentuch auf einem Kissen tragen müssen, fiel mir ein. Die Glocken von Notre=Dame läuteten ... Spürte sie meine Gedanken? „Ich habe mir aus den Memoiren dieses Napoleon Bonaparte vorlesen lassen. Wie sonderbar —" sie musterte mich kritisch. „Wie sonderbar, daß sich die beiden bedeutendsten Männer unserer Zeit gerade in Sie verliebt haben, Madame. Sie sind doch wirklich keine Schönheit!" Dann seufzte sie — leise, so leise. „Schade, daß ich eine Vasa bin. Ich wäre viel lieber eine Bernadotte gewesen und hätte bürgerlich geheiratet und mich weniger gelang= weilt." Beim Abschied verneigte ich mich tief und küßte die ver= welkte Hand. Die sterbende Prinzessin lächelte, zuerst erstaunt und dann ein wenig boshaft. Denn ich bin wirklich keine Schönheit ...

Seine Königliche Hoheit bedauert, aber es ist Seiner Königlichen Hoheit unmöglich, im Laufe dieser Woche eine freie Nachmittags= stunde zu finden. Jede Minute des Kronprinzen ist eingeteilt", meldete mir Oscars Kammerherr.

„Teilen Sie Seiner Königlichen Hoheit mit, daß es sich darum handelt, einen Wunsch seiner Mutter zu erfüllen." Oscars Kammer= herr zögerte, wollte widersprechen. Ich sah ihn starr an. Da ver= schwand er. „Tante, du weißt doch, daß Oscar so unendlich viel Verpflichtungen hat. Sein Dienst als Großadmiral, die Empfänge und Audienzen, die er abhalten muß. Und seitdem Majestät zwei Minister hat, die schlecht Französisch sprechen, muß er auch noch bei allen Staatsratsitzungen dabei sein", mischte sich Marceline in Dinge, die sie nichts angingen. Oscars Kammerherr kehrte zurück. „Seine Königliche Hoheit bedauert, aber es ist ausgeschlossen in dieser Woche."

„Dann melden Sie Seiner Königlichen Hoheit, daß ich ihn heute nachmittag um vier Uhr erwarte. Der Kronprinz wird mich auf einem Ausgang begleiten."

„Majestät, Seine Königliche Hoheit bedauert —"

„Ich weiß, lieber Graf, mein Sohn bedauert, mir meinen Wunsch nicht erfüllen zu können. Deshalb melden Sie dem Kronprinzen, daß es sich nicht mehr um den Wunsch seiner Mutter, sondern um einen Befehl der Königin handelt." Schlag vier ließ Oscar sich melden. Er erschien in Begleitung von zwei Adjutanten und seines Kammerherrn. Über dem Ärmel seiner blauen Admiralsuniform trug er den Trauerflor. Ich selbst war in Schwarz. Der ganze Hof trug Trauer um Prinzessin Sofia Albertina, die am 17. März ge= storben und in der Riddarholm=Kirche in der Gruft der Vasa bei= gesetzt worden ist. Ihr Staatsbegräbnis überraschte die Bevölkerung. Man hatte geglaubt, sie sei schon längst gestorben, und hatte sie ganz vergessen.

„Zu Befehl, Majestät", grüßte Oscar formell und schlug die Hacken zusammen. Dabei versuchte er, über mich hinwegzusehen, um mir zu beweisen, wie wütend er war. „Ich bitte dich, deine Herren zu entlassen, ich möchte diesen Weg allein mit dir gehen." Ich rückte

meinen Hut mit dem Trauerschleier zurecht. „Komm, Oscar!" Wortlos verließen wir die Gemächer, wortlos gingen wir die Treppe
hinunter. Er hielt sich einen Schritt hinter mir. Als wir das Seitentor erreichten, durch das wir meistens das Schloß verlassen, um kein
Aufsehen zu erregen, fragte er: „Wo ist denn dein Wagen?"

„Wir gehen zu Fuß", sagte ich. „Es ist doch so schönes Wetter."
Der Himmel war blaßblau, der Mälar brauste grün, in den Bergen
schmilzt jetzt erst der Schnee. „Wir gehen in die Västerlanggatan",
teilte ich ihm mit. Oscar übernahm die Führung, und ich trabte
neben ihm durch die schmalen Gassen hinter dem Schloß. Obwohl
er innerlich vor Wut kochte, salutierte und lächelte er ununterbrochen. Denn alle Vorübergehenden erkannten ihn und verneigten
sich. Ich hatte den Trauerschleier vor mein Gesicht geschlagen, aber
es war ganz unnötig, ich war sehr einfach angezogen und sah so
uninteressant aus, daß niemand auf die Idee kam, ich könnte zu
Seiner Hoheit gehören. Oscar machte halt. „Hier haben Eure Majestät die Västerlanggatan. Darf ich fragen, wohin wir uns jetzt
begeben?"

„In ein Seidenwarengeschäft. Es gehört einem gewissen Persson.
Ich war noch nie dort, aber es wird nicht schwer zu finden sein."
Da riß Oscar die Geduld. „Mama! Ich habe zwei Besprechungen
abgesagt und eine Audienz verschoben, um deinem Befehl nachzukommen. Und wohin schleppst du mich? In ein Seidenwarengeschäft! Warum läßt du die Hoflieferanten nicht zu dir kommen?"
„Persson ist nicht Hoflieferant. Und dann — weißt du, ich möchte
so gern sein Geschäft sehen." — „Darf ich fragen, wozu du mich
dazu brauchst?"

„Du kannst mir helfen, den Stoff auszusuchen. Für mein Krö-
nungskleid. Oscar . . . Außerdem möchte ich dich gern diesem Mon-
sieur Persson vorstellen." Oscar war sprachlos. „Einem Seidenhändler,
Mama —?" Ich senkte den Kopf. Vielleicht war es eine schlechte
Idee, Oscar mitzunehmen. Ich vergesse manchmal, daß mein Sohn
Kronprinz ist. Wie ihn alle Leute anstarren! „Persson war bei deinem
Großpapa Clary in Marseille in der Lehre. Er hat sogar in unserer
Villa gewohnt." Ich schluckte verzweifelt. „Oscar — es gibt einen
Menschen in Stockholm, der meinen Papa und mein Zuhause ge-
kannt hat!" Da beugte sich Oscar blitzschnell zu mir nieder und
schob zärtlich seinen Arm unter meinen. Dann sahen wir uns suchend
um. Schließlich hielt Oscar einen älteren Herrn an und fragte nach
Perssons Laden. Leider verbeugte sich dieser ältere Herr vor lauter

Ehrfurcht bis zur Erde, und Oscar mußte selbst ganz zusammen=
knicken, um zu hören, was er murmelte. Dann richteten sich beide
wieder auf. „Dort drüben", erklärte mir Oscar triumphierend. Es
war ein verhältnismäßig kleiner Laden. Aber schon in der Auslage
sah ich erstklassige Seiden= und Samtrollen. Oscar stieß die Tür auf.
Vor dem Ladentisch drängten sich eine Menge Kunden herum, keine
aufgeputzten Hoffräuleins, sondern bürgerliche Damen in soliden
dunklen Straßenkleidern und engen Samtjäckchen. Die ungeschmink=
ten Gesichter waren von schweren Seitenlocken umrahmt, diese
Frisur ist erst seit kurzem modern, und ich erkannte daran, daß
Perssons Kunden wissen, was man trägt. Die Damen befingerten so
eifrig die verschiedenen Stoffe, daß sie gar nicht auf Oscars Uniform
achteten und wir herumgestoßen wurden, bis die Reihe an uns kam.
Hinter dem Ladentisch standen drei junge Männer. Einer von ihnen
hatte ein Pferdegesicht und blonde Haare und erinnerte an den
jungen Persson von einst. Der fragte mich schließlich. „Womit kann
ich dienen?"

„Ich möchte gern Ihre Seidenstoffe sehen", sagte ich in meinem
gebrochenen Schwedisch. Zuerst verstand er mich nicht. Da wieder=
holte ich es auf französisch. „Ich werde lieber meinen Vater rufen,
mein Vater spricht sehr gut Französisch", sagte das junge Pferde=
gesicht diensteifrig und verschwand. Plötzlich spürte ich, daß wir
schrecklich viel Platz hatten, wir standen auf einmal ganz allein vor
dem Ladentisch, das Gedränge hatte aufgehört — erstaunt sah ich
mich um. Zu meinem Entsetzen bemerkte ich, daß sich alle anderen
Kunden an die Wand preßten und mich anstarrten. Ein Flüstern
lief durch den Raum: „Drottningen!" Ich hatte den Schleier zurück=
geschlagen, um die Stoffe besser zu sehen. In diesem Augenblick
öffnete sich eine Seitentür, und Persson wurde sichtbar. Persson aus
Marseille. Unser Persson ... Er hatte sich nicht sehr verändert, das
helle Haar war farblos grau geworden. Die blauen Augen blickten
nicht mehr schüchtern, sondern ruhig und selbstbewußt drein. Und
er lächelte zuvorkommend, wie man eben Kunden gegenüber lächelt,
und zeigte dabei die langen gelben Zähne. „Madame wünschen Seide
zu sehen?" sagte er auf französisch. „Ihr Französisch ist womöglich
noch schlechter geworden, Monsieur Persson", konstatierte ich. „Und
dabei habe ich mir seinerzeit solche Mühe gegeben!" Ein Ruck ging
durch die lange hagere Gestalt. Er öffnete den Mund, um etwas zu
sagen, aber seine Unterlippe begann zu zittern, und er brachte kein
Wort hervor. Es war totenstill im Laden. „Haben Sie mich vergessen,

Monsieur Persson?" Er schüttelte den Kopf. Langsam wie im Traum. Ich versuchte ihm zu helfen und lehnte mich über den Ladentisch. „Monsieur Persson, ich möchte Ihre Seidenstoffe sehen", sagte ich eindringlich. Verwirrt strich er sich über die Stirn und flüsterte in seinem jammervollen Französisch: „Jetzt sind Sie wirklich zu mir gekommen, Mademoiselle Clary!" Das war zuviel für Oscar. Der vollgedrängte Laden, die angespannt lauschenden Damen und der auf französisch stotternde alte Persson ...

„Vielleicht haben Sie die Güte, Ihre Majestät und mich in Ihr Büro zu führen und uns dort Ihre Ware zu zeigen", sagte er auf schwe= disch. Der junge Persson schlug die Klappe auf, die den Ladentisch mit der Wand verband, und wir wurden durch die Seitentür in einen kleinen Büroraum geführt. Das Stehpult mit den Büchern der Firma und die hundert kleinen Stoffmuster, die überall herumlagen, er= innerten mich sehr an Papas Allerheiligstes. Über dem Stehpult hing ein eingerahmtes Flugblatt. Es war sehr vergilbt, aber ich erkannte es sofort. „Ja, da bin ich also, Persson", murmelte ich und setzte mich auf den Stuhl neben dem Stehpult. Hier fühlte ich mich ganz zu Hause. „Ich möchte Ihnen meinen Sohn vorstellen. Oscar, Mon= sieur Persson ist bei deinem Großpapa in Marseille in die Lehre gegangen."

„Dann wundert es mich, daß Sie nicht schon längst Hoflieferant wurden, Herr Persson", bemerkte Oscar freundlich. „Ich habe mich nie darum beworben", sagte Persson langsam. „Übrigens habe ich in gewissen Kreisen seit meiner Rückkehr aus Frankreich einen schlechten Ruf." Er wies auf das eingerahmte Flugblatt. „Deshalb!"

„Was haben Sie denn da eingerahmt?" wollte Oscar wissen. Persson nahm den Rahmen von der Wand und reichte ihn Oscar. „Oscar, das ist das erste Blatt, auf dem die Menschenrechte abge= druckt sind. Papa — also dein Großvater — hat es nach Hause gebracht. Und Monsieur Persson und ich haben die Menschenrechte zusammen auswendig gelernt. Vor seiner Abreise nach Schweden hat mich Monsieur Persson gebeten, das Flugblatt zur Erinnerung behalten zu dürfen." Oscar antwortete nicht. Er trat ans Fenster, wischte das Glas mit dem Ärmel der Admiralsuniform ab und be= gann langsam zu lesen. Persson und ich sahen einander an. Er hatte aufgehört zu zittern, seine Augen waren feucht. „Und der Mälar ist wirklich so grün, wie Sie mir erzählt haben. Damals konnte ich es mir nicht recht vorstellen. Jetzt fließt er vor meinen Fenstern ..."

„Daß Sie sich noch an all das erinnern, Mademoi — Majestät", sagte

Persson heiser. „Natürlich. Deshalb — deshalb hat es auch so lange gedauert, bis ich zu Ihnen gekommen bin. Ich habe Angst gehabt, Sie könnten mir übelnehmen, daß —"

„Übelnehmen? Was könnte ich Ihnen jemals übelnehmen?" fragte Persson bestürzt. „Daß ich jetzt Königin bin. Wir beide waren doch eigentlich immer Republikaner", lächelte ich. Persson warf einen erschrockenen Blick auf Oscar. Aber Oscar hörte nicht zu, sondern war ganz in die Menschenrechte vertieft. Da verlor Persson den letzten Rest von Scheu und flüsterte mir zu: „Das war in Frankreich, Mademoiselle Clary. Aber in Schweden sind wir beide — Monar‐ chisten." Dann warf er wieder einen Blick auf Oscar und fügte hinzu: „Vorausgesetzt, daß — nicht wahr?" Ich nickte. „Ja, vorausgesetzt ... Aber Sie haben ja selbst einen Sohn, Persson. Es kommt vor allem auf die Erziehung der Kinder an." — „Natürlich. Und Seine König‐ liche Hoheit ist schließlich ein Enkel von François Clary", beruhigte er mich. Wir schwiegen und dachten an die Villa, an den Laden. „Der Säbel dieses Generals Buonaparte", sagte Persson unvermittelt. „Der Säbel ist zuletzt jeden Abend bei uns in Marseille im Vor‐ zimmer gehangen. Ich — ich habe mich sehr darüber geärgert." Perssons farbloses Gesicht war auf einmal ganz rosa. Ich sah ihn von der Seite an. „Persson — waren Sie vielleicht eifersüchtig?" Da wandte er sein Gesicht ab. „Wenn ich mir seinerzeit hätte vor‐ stellen können, daß sich eine Tochter des François Clary in Stock‐ holm einleben würde, so hätte ich —" er brach ab. Ich war sprachlos. Ein Heim und einen Laden hätte er mir angeboten — sogar in der Nähe des Königsschlosses. In der Nähe ... „Ich brauche ein neues Kleid, Persson", sagte ich leise. Er wandte mir gleich sein Gesicht zu, farblos war es wieder und sehr würdevoll. „Eine Abendtoilette oder ein Kleid, das Majestät bei Tag zu tragen wünschen?"

„Eine Abendtoilette, die ich bei Tag tragen muß. Sie haben viel‐ leicht in der Zeitung gelesen, daß ich am 21. August gekrönt werde. Haben Sie irgendein Material, das sich für — ja, also für eine Krönungstoilette eignet?"

„Natürlich", nickte Persson. „Den weißen Brokat von damals." Er öffnete die Tür: „François!" Und zu mir gewandt: „Ich habe mir gestattet, meinen Sohn François zu nennen. Zur Erinnerung an Ihren Herrn Papa. François, bring mir den weißen Brokat aus Mar‐ seille, du weißt schon welchen!" Und dann hielt ich die schwere Rolle Brokat auf meinen Knien. Oscar legte das eingerahmte Flugblatt zur Seite und betrachtete den Stoff. „Wunderbar — Mama, das ist das

Richtige!" Ich streichelte die Seide, fühlte die eingewebten Fäden aus echtem Gold ... „Ist der Stoff nicht sehr schwer, Mama?" „Schrecklich schwer, Oscar. Ich habe das Paket damals selbst zur Postkutsche geschleppt, Monsieur Persson hatte nämlich so viel Gepäck, daß ich ihm helfen mußte."

„Und der Papa Eurer Majestät hat erklärt, daß sich dieser Brokat nur für die Staatsrobe einer Königin eignet", fügte Persson hinzu. „Warum haben Sie ihn niemals bei Hofe angeboten?" wollte ich wissen. „Sie hätten der verstorbenen Königin bestimmt eine große Freude damit bereitet."

„Ich habe den Brokat zur Erinnerung an Ihren Papa und die Firma Clary aufbewahrt, Majestät. Außerdem —" sein Pferdegesicht wirkte auf einmal überlegen. „Außerdem bin ich nicht Hoflieferant. Der Brokat ist nicht verkäuflich." „Auch heute nicht?" fragte Oscar. „Auch heute nicht, Hoheit." Ich saß sehr still, während Persson seinen Sohn rief. „François! Pack den Brokat der Firma Clary ein!" Und sich vor mir verbeugend: „Darf ich um die Gnade bitten, Eurer Majestät den Brokat schenken zu dürfen?" Ich senkte nur den Kopf. Sprechen konnte ich nicht. „Dann werde ich den Stoff sofort ins Schloß schicken, Majestät", sagte Persson, und ich stand auf. Auf der Tapete über dem Stehpult schimmerte ein heller Fleck. Den hatte das Flugblatt hinterlassen. Sehnsüchtig schaute ich ihn an. Da griff Persson nach dem eingerahmten Blatt. „Wenn Majestät einen Augen=blick warten wollen —" er kramte im Papierkorb herum, fand eine alte Zeitung und schlug sie um den Rahmen. „Ich bitte Eure Ma=jestät, auch dies hier anzunehmen. Vor vielen Jahren habe ich ver=sprochen, dieses Blatt stets in Ehren zu halten. Und in jedem Augen=blick meines Lebens ist es mir heilig gewesen." Die langen Zähne kamen in einem ironischen Lächeln zum Vorschein. „Ich habe das Flugblatt eingepackt, damit Majestät unterwegs keine Unannehmlich=keiten haben. Ich persönlich habe nämlich mehrere Male Unannehm=lichkeiten gehabt." Arm in Arm wie ein Liebespaar wanderten Oscar und ich zurück. Dann kam das Schloß in Sicht, und ich hatte es ihm noch immer nicht gesagt — verzweifelt suchte ich nach den richtigen Worten. „Oscar, vielleicht hast du das Gefühl, einen Nachmittag auf meinen Wunsch vergeudet zu haben, aber —" die ersten Wacht=posten traten ins Gewehr. „Komm weiter, Oscar — ich habe mit dir zu sprechen." Ich spürte, wie ungeduldig er war, aber ich machte erst auf der Brücke halt. Der Mälar schäumte und tobte unter uns. Mein Herz zog sich zusammen. Um diese Stunde beginnen die Lichter von

Paris in der stillen Seine zu tanzen . . . „Ich habe nämlich heimlich gehofft, daß mir Persson Papas Flugblatt zurückgeben wird. Und deshalb habe ich dich mitgenommen, Oscar."

„Du willst mir doch nicht sagen, daß du dich jetzt mit mir über die Menschenrechte unterhalten willst!"

„Nur darüber, Oscar." Aber er hatte keine Zeit mehr und war sehr gereizt. „Mama, die Menschenrechte sind für mich keine Offen= barung mehr. Hier hat jeder gebildete Mensch von ihnen gehört!"

„Dann müssen wir dafür sorgen, daß auch die Ungebildeten sie auswendig lernen", meinte ich. „Dir will ich jedoch sagen, daß —"
„Daß ich für sie kämpfen muß, nicht wahr? Soll ich dir das feierlich versprechen?"

„Kämpfen? Die Menschenrechte sind doch längst verkündet wor= den. Du sollst sie nur — verteidigen." Ich starrte ins schäumende Wasser. Eine Kindheitserinnerung stieg auf — ein abgeschlagener Kopf rollt in blutige Sägespäne. „Vor und nach ihrer Verkündigung ist sehr viel Blut geflossen. Napoleon hat sie sogar so tief erniedrigt, daß er sie in Kriegsproklamationen zitiert hat. Auch andere schänden sie — immer wieder, Oscar. Aber mein Sohn soll für sie eintreten und seine Kinder dazu erziehen." Oscar schwieg. Er schwieg sogar sehr lange, griff nur nach dem Paket und entfernte den Umschlag und ließ ihn in den Mälar flattern. Erst als wir wieder bei unserem Seitentor angelangt waren, lachte er plötzlich auf. „Mama, das Liebesgezwitscher deines alten Anbeters war köstlich — wenn Papa das wüßte!"

An meinem Krönungstag.
(21. August 1829).

Désirée, ich flehe dich an, komm nicht zu spät zu deiner eigenen Krönung!" Dieser Satz wird mich bis an mein Lebensende verfolgen. Jean=Baptiste rief ihn mir ununterbrochen zu, während ich verzweifelt alle Schubfächer durchsuchte. Marie half mir dabei. Und Marceline und Yvette. Dazwischen bewunderte ich Jean=Baptiste, der heute seinen eigenen Krönungsornat trug. Die goldenen Ketten, die um seinen Hals lagen, und die komischen Stiefel mit ihrem Hermelinbesatz hatte ich bisher nur auf Bildern gesehen. Den schweren Mantel wollte er erst später umnehmen. Wenn er die Krone aufsetzen würde —

„Désirée, bist du noch immer nicht fertig?"

„Jean=Baptiste, ich kann sie nicht finden, ich kann nicht!"

„Was suchst du denn eigentlich?"

„Meine Sünden, Jean=Baptiste. Ich habe sie alle aufgeschrieben, und jetzt ist der Zettel verschwunden!"

„Herrgott, kannst du dich nicht an sie erinnern?"

„Nein, es sind so viele Sünden, aber lauter kleine, weißt du! Und deshalb habe ich sie mir genau aufgeschrieben. Yvette, schau noch einmal unter meiner Wäsche nach!" Vor dem Beginn der Krönungszeremonien sollte ich nämlich mit der Sternschnuppe zur Beichte gehen. Wir beide sind die einzigen katholischen Mitglieder des protestantischen Königshauses Bernadotte im lutheranischen Schweden. Deshalb hatte die Geistlichkeit — die protestantische des Landes und der katholische Pfarrer, der sich um mein Seelenheil kümmert — beschlossen, daß ich zuerst in aller Stille in der Hauskapelle beichten soll. Diese Kapelle hat Oscar für die fromme kleine Enkelin der weniger frommen großen Josephine im obersten Stockwerk des Schlosses einrichten lassen. Erst nach Absolution meiner Sünden sollte ich schnell meinen Krönungsornat anlegen und in feierlicher Prozession in die Storkyrka fahren. Alles war vorbereitet. Auf meinem Bett lag das weiß=goldene Kleid ausgebreitet, dessen Brokat einst Papa in der Hand gehalten hat. Daneben der Purpurmantel der Königinnen von Schweden, den man für mich etwas kürzer machen mußte. Und die kleine Krone, frisch geputzt. Ich habe mich nicht getraut, sie zu probieren.

„Mama, es ist höchste Zeit!" Josefina war eingetreten. „Aber ich kann den Zettel mit meinen Sünden nicht finden", stöhnte ich. „Kannst du mir vielleicht deinen borgen?" Die Sternschnuppe war entrüstet. „Aber Mama, ich habe doch keinen Zettel! Man merkt sich doch seine Sünden!"

„Die Sünden sind auch nicht unter der Wäsche Eurer Majestät", meldete Yvette. Wir gingen in den kleinen Salon hinüber. Hier wartete Oscar in Gala=Uniform. „Ich habe wirklich nicht geahnt, daß die Krönung deiner Mama solche Begeisterung erwecken wird. In den kleinsten Bergdörfern wird gefeiert. Schau hinunter, Oscar, alles schwarz vor Menschen", sagte Jean=Baptiste zu ihm. Beide hielten sich vorsichtig hinter der Gardine verborgen, um nicht ge= sehen zu werden. „Mama ist ungeheuer populär", antwortete Oscar. „Du weißt gar nicht, was Mama bedeutet . . ." Jean=Baptiste lächelte mir zu. „Wirklich?" Und wurde sofort wieder ärgerlich. „Ihr müßt euch beeilen, du und Josefina. Hast du deine Sünden oder hast du sie nicht, Désirée?" „Ich habe sie nicht", sagte ich und sank erschöpft auf ein Sofa. „Und Josefina will mir ihre nicht borgen! Was hast du für Sünden, Josefina?"

„Die gestehe ich nur dem Beichtvater", sagte die Sternschnuppe und lächelte mit geschlossenen Lippen und seitlich geneigtem Kopf. „Was hast du für Sünden, Jean=Baptiste?" erkundigte ich mich. „Ich bin ein Sohn der protestantischen Kirche", murmelte Jean=Baptiste scheinheilig. „Vielleicht kann dir Josefina auf dem Weg mit ein paar Sünden aushelfen, ihr müßt jetzt gehen!" Yvette reichte mir einen Schleier und die Handschuhe. „Man kann auch nicht die geringste Hilfe von seiner Familie erwarten", konstatierte ich erbittert. „Ich weiß einen Ausweg, Mama! Du lebst seit Jahren in sündiger Ge= meinschaft mit einem Mann", erklärte Oscar. „Dieser Scherz führt zu weit!" fuhr Jean=Baptiste auf. Aber ich beruhigte ihn. „Laß ihn doch aussprechen, Jean=Baptiste! Was meinst du, Liebling?"

„Die katholische Kirche erkennt die bürgerliche Eheschließung nicht an. Hast du Papa in einer Kirche geheiratet oder auf dem Standesamt?"

„Auf dem Standesamt, nur auf dem Standesamt!" versicherte ich. Ein Stein fiel mir vom Herzen. „Da hast du gleich eine Sünde, Mama, sogar eine große und jahrelange. So — und jetzt mußt du dich beeilen!" Wir kamen noch rechtzeitig zur Beichte und kehrten atemlos vor Eile zurück. In meinen Salons war schon der ganze Hof= staat versammelt. Schnell umziehen. Ich lief an allen Hofknicksen vorbei. „Tante, du hast nur noch sehr wenig Zeit", sagte Marceline in meinem Boudoir. Und meine Marie — alt, krumm und entschlossen — riß mir die Kleider vom Leib. Yvette warf mir den Frisiermantel um. „Laßt mich allein, bitte laßt mich einen Augenblick allein", bettelte ich. „Tante, der Erzbischof wartet vor der Kirche", warnte mich Marceline noch. Dann verschwand sie endlich. Wenn man eitel ist und sein Gesicht jeden Tag im Spiegel betrachtet, dann erschrickt man nicht, weil man altert. Es kommt so nach und nach. Ich bin neunundvierzig Jahre alt und habe so viel gelacht und so viel geweint, daß ich viele kleine Fältchen um die Augen habe. Und zwei Linien, die zu den Mundwinkeln führen. Damals, als Jean=Baptiste die Schlacht bei Leipzig schlug . . . Ich rieb etwas Rosencreme auf meine Stirn und Wangen. Strich mit einer kleinen Bürste über die Augenbrauen, die mir Yvette zur schmalen Linie zupft. Dann legte ich goldene Schminke auf die Augenlider. Alles genauso, wie es mir la grande Josephine geraten hat . . . Wie viele Schreiben und Deputationen aus allen Teilen des Landes angekommen sind! Als ob Schweden seit Jahren auf meine Krönung gewartet hätte. Jean=Baptiste kann es nicht verstehen. Glaubt er wirklich, daß es genügt, mit ihm verheiratet zu sein, um eine Königin zu werden? Weiß er nicht, daß diese Krönung mein Ja=Wort bedeutet? Jean=Baptiste, es ist das Versprechen einer Braut. Diesmal werde ich es sogar in einer Kirche geben und vor einem Altar geloben, in guten und bösen Tagen die Treue zu halten und zu dienen . . . Und weil eine Braut jung und schön sein soll, lege ich viel Rouge auf. Die Menschenmassen in den Straßen haben sich schon um fünf Uhr früh aufgestellt, um mich vorbeifahren zu sehen. Ich möchte sie nicht enttäuschen. Die meisten Frauen dürfen mit achtundvierzig Jahren aufhören, jung zu sein. Ihre Kinder sind erwachsen und ihre Männer am Ziel. Sie dürfen wieder sich selbst gehören. Nur ich nicht. Ich fange erst an. Aber ich kann ja nichts dafür, daß ich eine Dynastie gegründet habe . . . Ich nahm zartbraunen Puder und puderte meine Nase so stark wie nur möglich. Wenn die Orgel aufklingt, werde ich weinen, ich weine nämlich immer bei Orgelmusik. Und dann wird meine Nase rot. Wenn ich nur ein einziges Mal — nur heute — wie eine Königin aussehen könnte! Ich habe solche Angst . . . „Wie jung du bist, Désirée — kein einziges graues Haar!" Jean=Baptiste stand hinter mir, Jean=Baptiste küßte mein Haar. Ich mußte lachen. „Viele graue Haare, Jean=Baptiste, aber zum erstenmal gefärbt. Gefällt es dir?" Keine Antwort. Ich sah mich um. Jean=Baptiste trug den schweren Hermelinmantel, und um die Stirn spannte sich der Reifen der Krone der Könige von Schweden. Sehr fremd, sehr groß erschien er mir plötzlich — nicht mehr mein Jean=Baptiste, sondern Carl XIV. Johan. Der König ... Der König starrte das vergilbte Flugblatt an der Wand an. Er hatte es noch nicht gesehen, es ist lange her, daß er in meinem Boudoir war. „Was hängt da, kleines Mädchen?"

„Ein altes Zeitungsblatt, Jean=Baptiste. Das allererste, das die Menschenrechte verkündet hat." Steile Falte zwischen den Brauen. „Mein Vater hat es vor vielen Jahren gekauft. Es war noch feucht ... Ich habe den Text auswendig lernen müssen. Jetzt verleiht mir dieses vergilbte Blatt Kraft. Und ich brauche Kraft, weißt du, ich —" Tränen rannen über mein frisch geschminktes Gesicht. „Ich bin doch nicht zur Königin geboren." Dann mußte ich alle Tränenspuren über= pudern. „Yvette!" Jean=Baptiste fragte: „Darf ich hierbleiben?" und setzte sich neben den Toilettentisch. Yvette kam mit der Brennschere und begann meine Seitenlöckchen zu bearbeiten und in kleine Rollen zu legen.

„Vergessen Sie nicht, der Scheitel Ihrer Majestät muß ganz glatt bleiben, sonst sitzt die Krone nicht", ermahnte Jean=Baptiste. Er zog einen Bogen Papier hervor und studierte ihn.

„Deine Sünden, Jean=Baptiste? Eine lange Liste!"

„Nein, Anmerkungen über die Krönungszeremonie. Soll ich dir noch einmal alles vorlesen?"

Ich nickte. „Hör genau zu! Den Krönungszug eröffnen Pagen und Herolde in den Kostümen, die man ihnen gelegentlich meiner Krö= nung machen ließ. Übrigens sehr hübsche Kostüme, du wirst staunen. Die Herolde haben Fanfaren. Hinter ihnen schreiten die Mitglieder der Regierung. Dann die Abgeordneten. Schließlich eine Abordnung aus Norwegen. Du wirst ja gleichzeitig auch zur Königin von Nor= wegen gekrönt. Ich habe mir sogar gedacht, daß du dich noch einmal krönen lassen sollst. In Christiania nämlich. Diese überwältigende und wirklich rührende Freude, mit der ganz Schweden deine Krönung begrüßt, bringt mich auf den Gedanken —"

„Nein", sagte ich. „Nicht in Christiania. Unter keinen Umständen!"

„Und warum nicht?"

„Desideria — die Erwünschte. Hier, aber nicht in Norwegen. Ver= giß nie, daß du Norwegen in diese Union gezwungen hast!"

„Das war notwendig, Désirée."

„Vielleicht hält die Union noch zu Oscars Zeiten. Aber nicht viel länger. Dann ist es auch gleichgültig ..."

„Weißt du eigentlich, daß du Hochverrat aussprichst? Zehn Minuten vor deiner Krönung?"

„In hundert Jahren werden wir beide auf einer gemütlichen Wolke im Himmel sitzen und uns weiter darüber unterhalten. Dann werden sich die Norweger wieder unabhängig erklären und, um Schweden zu ärgern, einen dänischen Prinzen zum König wählen. Wir beide auf unserer Wolke werden sehr lachen. Denn dieser Däne wird sicherlich einen Spritzer Bernadotte=Blut in seinen Adern haben. Ehen zwischen Nachbarskindern sind so häufig... Yvette, rufe Marie, sie soll mir das Krönungskleid anziehen!"

Marceline und Marie stürzten gleichzeitig herein. Ich streifte den Frisiermantel ab. Marie stand mit dem Krönungskleid vor mir. Die Goldfäden im weißen Gewebe hatten im Laufe der Zeit einen silbernen Schimmer bekommen. Und als ich das Kleid angezogen hatte, atmete ich tief auf. Es war das schönste Kleid, das ich jemals gesehen hatte.

„Was geschieht weiter, Jean=Baptiste? Wer marschiert hinter der norwegischen Delegation?"

„Deine beiden Grafen mit den Reichsinsignien. Auf blauen Samtkissen."

„Kannst du dich noch daran erinnern, wie ich Josephines Taschentuch durch den ganzen Dom von Notre=Dame getragen habe? Und diese Aufregung, weil Napoleon zuerst keine zehn unberührten Jungfrauen finden konnte?"

„Die Reichsinsignien hätten eigentlich von den höchsten Beamten des Staates getragen werden sollen", sagte Jean=Baptiste. „Aber du hast ja auf deine Ritter bestanden."

Ja, ich habe darauf bestanden, daß die Grafen Brahe und von Rosen sie trugen. Die beiden haben das Gewicht ihrer Namen in die Waagschale geworfen, als sich die Schweden an die Seidenhändlerstochter gewöhnen mußten.

„Hinter ihnen schreitet die von dir gewünschte Dame mit der Krone. Die Krone liegt auf einem roten Kissen."

„Bist du vielleicht unzufrieden mit meiner Wahl? Es steht nirgends geschrieben, daß es sich um eine unberührte Jungfrau handeln muß. Nur um eine Dame aus angesehenem Adelsgeschlecht. Ich habe deshalb vorgeschlagen, dieses Ehrenamt dem Hoffräulein Mariana von Koskull zu übertragen." Ich zwinkerte Jean=Baptiste zu. „In Anbetracht ihrer Verdienste um die Königshäuser Vasa und Bernadotte."

Da beugte sich Jean=Baptiste plötzlich interessiert über die Kron=

juwelen. Ich streifte die großen Ringe über. Zuletzt legte ich die großen Brillanten um den Hals, sie kratzten mich etwas und waren kalt und fremd. „Marceline, du kannst im Salon mitteilen, daß ich fertig bin!"

Marie wollte mir den Purpurmantel umlegen, aber Jean=Baptiste nahm ihn ihr ab. Zärtlich, sehr zärtlich legte er ihn mir um die Schultern. Wir standen nebeneinander vor dem großen Spiegel. „Wie in einem Märchen — es war einmal ein großer König und eine kleine Königin", flüsterte ich. Dann wandte ich mich schnell um. „Jean=Baptiste — das Flugblatt!" Ruhig nahm er den Rahmen von der Wand. Und stand vor mir in seinem Königsmantel und trug Schwedens Krone auf der gesalbten Stirn und hielt mir das Blatt entgegen. Tief beugte ich den Kopf und küßte die Glasplatte über dem verblaßten Text der Menschenrechte. Als ich aufsah, war Jean= Baptistes Gesicht weiß vor Erregung.

Die Flügeltüren zum Salon wurden aufgeschlagen. Josefina hatte die Kinder mitgebracht. Der dreijährige Carl stürzte auf mich zu und blieb dann erschrocken stehen. „Das ist nicht Großmama, das ist eine Königin", wisperte er und strich scheu über den Purpurmantel. Josefina in rosaschillerndem Samt hielt mir den Säugling Oscar ent= gegen. Ich nahm das Kind in meine Arme, es war wundersam warm und hatte erstaunte blaue Augen und beinahe keine Haare. Auch für dich, dachte ich, auch für dich lasse ich mich krönen, du zweiter Oscar ...

Das dumpfe Brausen vor den geschlossenen Fenstern erinnerte mich an die Nacht, in der die vielen Fackeln in der Rue d'Anjou ge= lodert hatten. Ich hörte Jean=Baptiste fragen: „Warum öffnet man nicht die Fenster?" und „Was rufen sie denn herauf? Was schreien sie unten?" Aber ich wußte bereits — es war Französisch, meine Schweden wollten, daß ich sie verstand, sie erinnerten sich, was sie einst über jene Nacht gelesen hatten, sie jubelten „Notre Dame de la Paix", und ich reichte Josefina schnell den Säugling, weil ich plötzlich zu zittern begann.

Was weiter geschah, spielte sich wie in einem Traum ab. Wahr= scheinlich verließen die Pagen und Herolde bereits das Schloß. Wahr= scheinlich folgten hinter ihnen die Minister und die norwegischen Gesandten. Als wir die Marmortreppe hinunterkamen, sahen wir gerade noch die Grafen Brahe und von Rosen mit den Reichsinsignien. Von Rosen suchte meine Augen, und ich nickte unmerklich und dachte an die Fahrt von Malmaison nach Paris und an Villatte ...

Da verließen schon die beiden feierlich langsam das Schloß. Für den Bruchteil einer Sekunde sah ich die Koskull in blauer Toilette, die Krone auf dem Samtkissen schimmerte, die Koskull sah sehr glück= lich aus und war so stolz darauf, daß man sie nicht vergessen hatte, und wußte nicht, wie verblüht sie wirkte. Dann stiegen Josefina und Oscar in einen offenen Wagen. Und ganz zuletzt fuhr die vergoldete Kalesche der Majestäten vor.

„Ich komme als letzte zur Kirche, wie eine Braut", sagte ich noch. Da schlugen schon von beiden Seiten Jubelrufe über uns zusammen. Ich sah, daß Jean=Baptiste lächelte und winkte, und wollte selbst lächeln und winken und war wie erstarrt. Denn sie schrien mir zu, mir ganz allein, sie schrien: „Länge leve Drottningen — Drott= ningen —" und ich spürte, daß ich schon jetzt weinen mußte und konnte es nicht ändern.

Vor der Kirche ordnete Jean=Baptiste selbst die Falten meines Purpurmantels und geleitete mich zum Portal. Dort erwartete mich der Erzbischof mit allen Bischöfen von Schweden. „Gesegnet sei jene, die im Namen des Herrn kommt", waren seine Worte. Dann brauste die Orgel auf, und ich konnte erst wieder richtig denken, als mir der Erzbischof die Krone aufsetzte. Wie schwer ist sie, dachte ich, so schwer . . .

Es ist spät nachts, und alle glauben, daß ich längst schlafen ge= gangen bin, um mich für die großen Feste auszuruhen, die morgen und übermorgen zu Ehren der Königin Desideria von Schweden und Norwegen abgehalten werden. Aber ich wollte noch einmal in mein Buch schreiben. Wie seltsam, daß ich gerade an der letzten Seite an= gelangt bin. Einst bestand es aus lauter leeren weißen Blättern und lag auf meinem Geburtstagstisch. Ich wurde damals vierzehn Jahre alt und wollte wissen, was ich denn aufschreiben sollte. Und Papa hat mir geantwortet: „Die Geschichte der französischen Bürgerin Bernadine Eugénie Désirée Clary."

Papa, ich habe die ganze Geschichte aufgeschrieben und nichts mehr hinzuzufügen. Denn die Geschichte dieser Bürgerin ist jetzt zu Ende, und die der Königin beginnt. Ich werde nie begreifen, wie das alles gekommen ist. Aber ich verspreche dir, Papa, alles daranzu= setzen, um dir keine Schande zu machen und nie zu vergessen, daß du dein Leben lang ein sehr angesehener Seidenhändler gewesen bist.